D0346370

HOROSCOPE 2002

LES ÉDITIONS QUEBECOR
7, chemin Bates
Outremont (Québec)
H2V 1A6
Téléphone : (514) 270-1746

Bibliothèque nationale du Québec
Bibliothèque nationale du Canada
ISBN 2-7640-0543-1

Éditeur : Jacques Simard
Coordonnatrices de la production : Dianne Rioux/Claire Morasse
Conception de la couverture : Bernard Langlois
Photo de la couverture : Pierre Dionne
Maquillage : Macha Colas
Révision : Corinne De Vailly
Correction d'épreuves : Jocelyne Cormier/Francine St-Jean
Infographie : Composition Monika, Québec

Nous reconnaissons l'aide financière du gouvernement du Canada par l'entremise du Programme d'Aide au Développement et l'Industrie de l'Édition pour nos activités d'édition.

Gouvernement du Québec – Programme de crédit d'impôt pour l'édition de livres – Gestion SODEC.

Imprimé au Canada

Jacqueline
AUBRY

HOROSCOPE 2002

SOMMAIRE

Introduction 9
Bélier 25
Taureau 63
Gémeaux 105
Cancer 147
Lion 187
Vierge 229
Balance 269
Scorpion 309
Sagittaire 351
Capricorne 391
Verseau 431
Poissons 467
Position de la Lune pour chaque jour de l'année 2002 505

INTRODUCTION

SOUS LES INFLUENCES DE JUPITER EN CANCER ET EN LION*

Nous sommes tous de passage sur cette planète. De nombreuses personnes croient en ce qu'on appelle le karma, c'est-à-dire l'instant présent. En effet, nous vivons et subissons des mouvements de masse qui profitent aux uns, mais font payer les autres ! La politique, les tragédies écologiques et environnementales, les récessions, les reprises économiques, les chutes et les croissances boursières, les meurtres et les crimes en tous genres font la manchette, il est impossible de les ignorer. Tout nous influence plus ou moins, que nous en soyons conscients ou non. Je ne sais plus qui a dit qu'un éternuement ici pouvait provoquer un tremblement de terre à l'autre bout du monde. Cet exemple peut paraître simpliste, mais, à bien y réfléchir, vous verrez que nous dépendons tous les uns des autres.

AVERTISSEMENT : SOUS JUPITER EN CANCER QUAND L'EAU SE POLLUE

Nous sommes tous de passage sur cette planète. Ce séjour, nous le voulons le plus long possible. Il peut l'être si nous cessons de vivre sans tenir compte de nos parents, de ce cousin que nous connaissons à peine, de ce voisin à qui on n'a jamais parlé ou de cet étranger qui vit sur un autre continent. Imaginez un instant le trajet d'un déchet jeté par un inconnu dans l'océan et qui finit par vous atteindre sur votre propre rive... L'eau est un grand transporteur, l'eau circule. La rosée du matin, la bruine, la pluie, l'humidité ne sont pas statiques. L'eau est ce charmant et romanesque ruisseau dont on parle encore en poésie. Il chante en chatouillant les pierres dans sa cascade. Il rejoint le rivières, les fleuves, il fait un détour en passant par les lacs. Innocent à sa source, ce magnifique ruisseau dont les reflets scintillent au soleil devient une vague déferlante attisée par un orage déchaîné et qui coule un immense bateau de matières toxiques !

---

* La forme masculine a été utilisée dans le seul but d'alléger le texte.

Avez-vous bien suivi le chemin de mon gentil ruisseau ? Il est pourtant si simple de faire sa part et de ne plus jamais jeter le moindre détritus dans l'eau...

Il est un fait avéré que la quantité d'eau est stable sur la planète. Par contre, le nombre de consommateurs augmente. En de nombreuses parties du globe, les naissances sont si nombreuses que, si nous continuons d'utiliser l'eau selon le rythme actuel, d'ici une quinzaine d'années, elle ne sera plus potable. Nos usines de filtration n'auront tout simplement plus la puissance nécessaire pour la traiter. Les contaminants et les bactéries n'en seront que plus dévastateurs, parce que plus nombreux et plus tenaces.

L'heure est venue d'y songer sérieusement pour que vos enfants et même vous ne soyez pas confrontés aux interdictions de ne plus consommer d'eau, ne serait-ce que quelques jours... le temps que la situation se rétablisse !

À noter que l'eau sera à la une de l'actualité pendant les sept premiers mois de 2002. Le débat sera vif entre les Canadiens et les Américains sur ce sujet. Jupiter en Cancer est annonciateur de chutes d'eau, d'averses à n'en plus finir et de soudaines sécheresses. Au Québec, nous avons la chance d'être équipé pour « faire face à la musique ». Cependant, de nombreux pays subiront de terribles catastrophes qui mettront leurs habitants à la rue. Des images de régions dévastées par les pluies et les bris de barrages occuperont nos longues soirées d'hiver. Quels pays seront les plus touchés ? La Chine est fortement représentée sur le plan astrologique. C'est aussi le cas de nombreuses régions d'Amérique du Sud. Le Mexique n'est pas au bout de ses peines avec des problèmes d'eau, d'inondations et de pollution.

JUPITER EN LION

Nous sommes tous de passage sur cette planète. L'avion demeure le moyen idéal de se déplacer d'un continent à l'autre. Malheureusement, tous les voyageurs ne sont pas en bonne santé. S'ils transportent des virus, le pire peut se produire. Quand et où ? Bien malin qui le dira. Mais, en tant qu'astrologue, dans l'air du temps 2002, je peux d'ores et déjà lire qu'une nouvelle souche virale touchant les fonctions digestives affectera étrangement l'estomac. Ce problème déclenchera une alterte, sous Jupiter en Lion, soit à compter du 1er août. Sous la plume des sociologues et des futurologues de réputation, une ample diffusion de ce type d'informations nous parviendra. Leur formation leur interdit, en général, de croire aux symboles astrologiques. Pourtant, ils annonceront qu'après de longues analyses, un virus plus coriace que les autres était prévisible.

Pardonnez-moi d'avance pour ce qui suit. Les futurologues, généralement des sociologues, diront que le virus était prévisible vu l'augmentation des populations et l'accroissement des voyages. Néanmoins, aucun d'eux (encore mille excuses pour cette brusque franchise) ne précisera l'organe affecté. La majorité de la populaton se fiera à la science, et il faut bien avouer qu'elle a fait d'énormes progrès. Mais la science n'est pas Dieu, pas plus que ne le sont les médecins et les chercheurs, aussi idéalistes soient-ils. L'antibiotique devant éliminer le mal et annihiler le virus localisé dans la paroi stomacale sera sans effet sur certains patients (Jupiter en Lion). Il pourrait même avoir des effets secondaires néfastes sur les fonctions cardiaques et la pression sanguine qui pourrait connaître d'importantes fluctuations chez certaines personnes.

Des médicaments visant à réduire l'acidité seront déclarés dangereux, alors qu'ils sont parfois dans le commerce depuis plus d'une décennie. Les poursuites contre les fabricants de certains médicaments aux effets secondaires terribles sont à prévoir. Une longue guerre d'usure est à venir et les malades ne seront certainement pas dédommagés très rapidement ! N'oublions pas que ces géants de l'industrie ont de bons avocats pour les représenter.

Jupiter en Lion vous en mettra aussi plein la vue avec la publicité tapageuse. Des suppléments qui aident à prévenir certains maux ou à rester jeune feront la manchette. La question sera de savoir qui dit vrai. Quelle est la qualité du produit ? N'exagère-t-on pas les bienfaits des ces suppléments, en discute-t-on suffisamment ? Jupiter en Lion représente les « coups de théâtre » qui viennent accélérer la vente de certains produits. Au début du XXIe siècle, nombreux sont ceux qui refusent de vieillir et deviennent des cibles faciles pour les charlatans de tout acabit. Faisant face à Jupiter en Lion, on trouve Uranus et Neptune en Verseau : les secrets ne le restent pas longtemps. Ainsi positionnées, ces planètes sont semblables à des gens incapables de mentir.

Les organismes génétiquement modifiés seront de plus en plus nombreux. Objets d'importants débats, ils nous obligeront à repenser à notre santé. Malgré les oppositions et les contestations, la tradition faiblit. Les bouches à nourrir sont trop nombreuses et ne diminueront pas, l'agriculture et la production industrielle de porcs, de moutons, de bœufs ne ralentiront pas. On ne sait déjà plus ce que contiennent nos assiettes et la vérité n'est pas connue du grand public. Nous en apprendrons un peu plus sous Jupiter en Lion.

LES ENFANTS D'ABORD

L'année 2002 concerne particulièrement nos enfants et, par conséquent, chaque père et chaque mère du zodiaque. Que l'enfant ait quarante ans et ses parents soixante-dix, il s'agit tout de même de relations parents-enfants.

Lorsque j'étais petite, ma mère disait : « Petits enfants, petits problèmes ; grands enfants, grands problèmes. »

Dans le quartier de ma jeunesse, nous savions tout ou presque de ce qui se passait chez les voisins, comme si personne ne se cachait ! Nous communiquions entre nous. On se parlait et on se confiait les uns aux autres. On placotait aussi ! Si je devais décerner la médaille du meilleur relationniste, elle reviendrait à mon père, aujourd'hui décédé, mais toujours aussi vivant grâce aux leçons de vie qu'il m'a léguées. Il travaillait dur et ne se plaignait jamais. Il remerciait le ciel de lui avoir donné une bonne santé. Il était souriant, rieur, moqueur, il aimait la bonne chair et avait foi en l'humain. Il avait en lui une certaine magie. Chez nous, c'était comme si le père Noël débarquait tous les jours. Tout ça s'est gravé dans mon esprit et mon âme. J'ai eu de la chance. Mon père et ma mère m'ont aimée. Ma mère m'aime encore et elle me le dit souvent. Lorsque ce livre paraîtra, elle aura 87 ans. Jusqu'à maintenant, maman Bélier se porte bien.

Dans les années 1960, mon adolescence s'est déroulée comme celle des jeunes de mon âge. Mes accoutrements ont choqué mes parents et ma philosophie de la vie allait à l'encontre de la leur. Je croyais en Dieu mais j'ai cessé la pratique religieuse. Dans les années 1970, je me suis mariée et j'ai eu deux enfants. Pendant les années 1960, nous étions un pour tous, tous pour un, mais lentement les années 1970 ont effrité les alliances entre les mousquetaires. Dans les années 1980, la débâcle a commencé. La psychologie et la mentalité du « je-me-moi » et du « chacun pour soi » ont pris le dessus. C'est en 1980 que la véritable panique de la fin du XXe siècle s'est installée.

Maintenant 2000 et 2001 sont du passé et nous commençons tous à reconnaître que d'autres pas de danse s'imposent. Le rythme de la vie a changé. Les communications sont rapides : un coup de doigt sur le clavier d'ordinateur et vous voilà en Chine en train de communiquer avec un copain qui visite des jardins exotiques et vous fait part de ses impressions au jour le jour. La famille s'est disloquée ; de nombreux divorcés ont pris leurs enfants en otage. Des pères sans espoir de gagner leur vie ont démissionné et ont abandonné femme et enfants. Des mères découragées et déprimées ont pris la fuite, d'une manière réelle ou en cessant de donner amour et affection à leurs enfants. Des mères ont été mises au pied du mur ; pour nourrir leurs enfants, elles ont accepté un emploi parfois au-dessus de leurs forces. En rentrant le soir, il ne leur reste plus un brin d'énergie, les enfants leur sont un fardeau. Des femmes ont choisi de faire carrière et de travailler de longues heures, souvent au détriment du seul enfant qu'elles ont. Ce monde moderne a aussi créé de faux besoins. Pour beaucoup de couples, c'est la chasse au trésor, la quête de la fortune ou tout au moins du confort. Pendant ce temps, leurs enfants attendent d'être aimés.

En 2002, Jupiter sera d'abord en Cancer, puis en Lion. Ces deux signes sont les représentations symboliques des enfants et, par conséquent, de l'attitude des parents envers eux. Chaque fois que Jupiter traverse un signe, il en exagère l'influence, notamment sur les individus. Ces planètes touchent toutes les générations de parents. Par contre, Jupiter en Cancer concerne les petits, de la naissance à environ 10 ans. De son côté, Jupiter en Lion correspond à ceux qui ont entre 10 et 25 ans. Les besoins économiques des 22 dernières années ont fait en sorte que l'adolescence de certains individus s'est prolongée. Les jeunes sont restés à la maison avec leurs parents faute d'avoir trouvé un emploi ou parce que celui qu'ils occupent est peu rémunérateur et ne leur permet pas de vivre seuls.

Par le biais de Jupiter en Cancer et en Lion, et étant donné l'âge des enfants placés sous leurs influences, les parents ne sont pas les seuls concernés. Les grands-parents le sont aussi, car en 2002, ils joueront un rôle plus déterminant. Certains grands-parents prendront plaisir à jouer à nouveau au papa et à la maman, ou presque... Pour d'autres, cette période sera pénible, eux qui n'entrevoyaient qu'une retraite dorée avec leur premier, deuxième ou même troisième conjoint.

En 2002, des procès spectaculaires mettant aux prises parents et grands-parents pour la garde de petits-enfants se mettront en branle. De même, des grands-parents devront ouvrir leur bourse pour faire vivre leurs petits-enfants parce que leurs propres parents s'en révéleront incapables. Je l'ai écrit précédemment, Jupiter amplifie toujours les caractères du signe où il évolue.

Durant les six premiers mois de l'année, on assistera impuissants à la formation de gangs de très jeunes enfants ; ceux-ci seront plus violents que jamais, notamment envers d'autres jeunes et leurs propres parents. Cet aspect s'étend sur toute la planète. Les plus nombreux jeunes criminels évolueront dans les pays les plus peuplés du monde, et si certains d'entre eux sont issus de milieux pauvres, d'autres sont nés dans une bonne famille, comme on dit.

Jupiter en Cancer possède une autre particularité : il favorise les naissances. Si beaucoup de bébés se nomment désir, d'autres ne sont pas les bienvenus, et ne sont qu'une bouche de plus à nourrir. Jupiter en Cancer est signe de fertilité ! Mais attention, en certains endroits du globe, cela créera une explosion démographique insupportable ! Dans les années à venir, il leur faudra trouver un moyen de développer une agriculture aérienne, la terre n'y suffira pas ! Où élèvera-t-on les animaux que nous consommerons dans les années à venir ? Au-dessus des nuages ? La science affirme que la quantité d'eau ne diminuera pas sur notre planète, pourtant des bouches assoiffées de plus se manifesteront. Il nous faudra trouver un moyen efficace de rendre l'eau potable.

À compter du 1er août, Jupiter entre en Lion et fera face à Neptune et à Uranus en Verseau. On entendra surtout parler d'adolescents rebelles. Sous Jupiter en Lion, la colère éclate ! Par contre, la surprise viendra aussi d'adolescents au talent extraordinaire : comédiens, musiciens, chanteurs, etc. Sous Jupiter en Lion, des groupes d'individus feront vibrer la planète par leur art. Sous Jupiter en Lion, l'honneur ira aux enfants vedettes, ouvrant la voie à de nouveaux marchés dérivés : vêtements, musique, gadgets, etc.

JUPITER EN CANCER ET LES TERRES

Au cours des sept premiers mois de 2002, Jupiter est en Cancer. Cela concerne nos terres et leur fertilisation. Les chercheurs d'ici feront d'importantes découvertes. Le Québec est placé sous le signe du Cancer. De ce fait, nos richesses naturelles et nos cerveaux feront l'envie d'autres pays. Il sera donc question de nos forêts. Reboisons afin de protéger les forêts pour les générations futures. Notre gouvernement interviendra-t-il pour réglementer les coupes ? Il s'agira d'y mettre des balises, en d'autres mots.

JUPITER EN CANCER ET L'IMMOBILIER

Dans le domaine de la construction résidentielle, nous verrons l'apparition sur le marché de matériaux innovateurs. Les nouvelles résidences seront mieux isolées, plus solides, plus fonctionnelles, plus économiques, chaudes en hiver mais moins consommatrices d'électricité, fraîches en été sans avoir recours à la climatisation, etc. Il s'agit de la maison du futur. Du jamais vu. Au moment où j'écris ces lignes, elle est sans doute en construction à l'état expérimental. Cette maison bien de chez nous fera le tour du monde. Ce qui présage une augmentation de l'embauche des travailleurs de la construction. Jupiter en Cancer concerne aussi la préservation du patrimoine. De nombreux efforts seront consentis pour préserver ce qui est maintenant presque centenaire. Des fonds spéciaux seront mis sur pied pour préserver notre histoire.

Jupiter en Cancer concerne également la multiplication des aires de jeu pour enfants. Des travaux de rénovation seront entrepris un peu partout au Québec, et au Canada, pour veiller à la sécurité de nos chérubins et leur donner un environnement de jeu agréable.

JUPITER EN LION ET LES INCENDIES DE FORÊT

Chaque année, l'Amérique du Nord est dévastée par de multiples incendies de forêt. Au début de 2002, de nouveaux moyens de lutte contre les incendies seront mis au point pour intervenir plus rapidement et diminuer les dommages. Cette découverte sera par la suite utilisée partout dans le monde. Il est possible qu'elle soit une fois de plus le fruit de longues recherches d'un de nos chercheurs. On a souvent tendance à croire que les cerveaux sont ailleurs, alors qu'ils sont nombreux chez nous. Mais ne dit-on pas : « nul n'est prophète dans son pays » ? Ce sera enfin de moins en moins vrai.

JUPITER EN LION ET LE CINÉMA

Jupiter en Lion représente le monde cinématographique. Ce domaine connaîtra un développement exponentiel chez nous. Nos écrivains, nos cinéastes, nos créateurs de toutes sortes font notre richesse et, enfin, ils prendront la place qui leur revient. Le cinéma rajeunira. Il appartient à ces gens au début de la trentaine, artisans et gens d'affaires efficaces de ce milieu en perpétuel mouvement. La télévision offrira des émissions plus diversifiées que jamais et de nombreuses nouvelles vedettes saines et dynamiques envahiront les écrans.

Si les Américains diffusent des émissions *live* pleines de dangers et de défis, chez nous ce concept est repensé pour nous offrir un divertissement qui nous ressemble et qui nous va droit au cœur. Nous sommes de tempérament latin, nous avons besoin de chaleur, d'émotions, d'amour. Un créateur a songé à un thème où les spectateurs de tous âges seront touchés par ce qui défile sur leur écran.

Jupiter en Lion magnifiera la jeunesse, mais avec Uranus et Neptune en Verseau, il faudra bien que la jeunesse accepte de laisser un peu de place aux aînés qui leur ont ouvert la porte. La jeunesse redécouvrira que leurs parents ont connu l'époque des hippies, des communes, ont fait la « révolution tranquille », s'habillaient de noir. Leurs parents n'étaient pas des anges. Ils se sont simplement rangés au milieu des années 1970. Cependant, on leur doit la liberté d'expression et le modernisme actuel. En 2002, on se souviendra soudain de tout cela.

UNE ANNÉE CALME ?

Pas du tout ! L'action se poursuit de plus belle. Les entreprises continuent de faire des compressions durant les sept premiers mois de l'année. L'emprise du patron sur le travailleur s'exerce de plus en plus fort. L'insécurité fait rage un peu partout et diminue la qualité de vie d'une grande partie de la population. La tyrannie a eu des effets pesants dans le passé, il n'en est plus de même en ce XXIe siècle. Pour préserver les services à la population, des médecins, des policiers, des pompiers, des ambulanciers, des éboueurs pour ne mentionner que ceux-là, il faut de plus en plus les traiter correctement tant sur les plans humain que financier. Et le travailleur autonome, demanderez-vous, de quelle protection bénéficie-t-il ? Aucune ou presque. Pourtant ces nombreuses PME sont essentielles au bon roulement de notre économie. Avant la fin de 2002, de nouvelles règles pour protéger le petit propriétaire et son entreprise seront mises de l'avant. Les gouvernements allégeront-ils la paperasse qui accable ces PME ? À partir d'août, sous l'influence de Jupiter en Lion, les réclamations et les contestations se feront plus intenses, plus importantes, plus nombreuses. La paix dans le monde, la justice pour tous sont au cœur de toutes les préoccupations. Cela créera un gros remue-ménage dans les rues du Québec.

JUPITER EN LION ET LES SCANDALES

Jupiter en Lion laisse présager des secrets révélés dans le milieu artistique. Certains secrets seront choquants. Jamais on aurait imaginé que celui-ci ou celle-ci puisse se comporter ainsi dans l'intimité. Jupiter en Lion laisse entrevoir la mort tragique d'une grande star de chez nous. Ce décès fera la manchette pendant plusieurs semaines et sans doute dira-t-on qu'il (ou elle) était trop jeune pour mourir. Jupiter en

Lion concerne par ailleurs l'argent mal gagné par des gens riches et célèbres, d'ici et d'ailleurs. Jupiter en Lion influence aussi la vie des enfants de stars, et on en parlera beaucoup plus. Jupiter en Lion met aussi sur le devant de la scène des enfants d'artistes qui deviendront vedettes à leur tour. Nous découvrirons ce qu'ils ressentent face à une telle hérédité et un si lourd héritage.

À partir d'août, Jupiter en Lion sera aussi marqué par l'instabilité boursière. Les fluctuations rapides des marchés, les pertes énormes subies par les petits investisseurs mais aussi les gains mirobolants des spéculateurs feront énormément jaser dans les chaumières. De puissants hommes d'affaires qui semblaient au-dessus de tout soupçon seront arrêtés. Des politiciens véreux seront pris la main dans le sac, partout dans le monde.

LE MONDE INTERNET

Jupiter en Lion favorisera le commerce par Internet. Magasiner par ordinateur à la maison deviendra un mode de vie. De moins en moins, le besoin de sortir pour faire nos emplettes se fera sentir. Nous dirons adieu aux files d'attente aux caisses. Les services de livraison à domicile sans frais supplémentaires se développeront. De nouvelles mesures de sécurité seront prises pour mieux protéger les cartes de crédit. Le magasinage se fera en toute sécurité. Une meilleure surveillance contre le piratage par Internet deviendra toutefois une nécessité. La police du Net deviendra plus officielle, un peu comme cela existe déjà aux États-Unis et dans d'autres pays industrialisés. Un accroissement de travail pour les entreprises de livraison se traduira par l'embauche de camionneurs, mais le contrecoup de cela sera une plus grande occupation de nos routes et de nos rues déjà trop étroites.

On aura beau parler des transports en commun, Jupiter en Lion commande des voitures de luxe, des véhicules sécuritaires et familiaux. Une augmentation des ventes de gros véhicules sera constatée. Jupiter en Lion n'aime pas ce qui est petit. Ce qui se voit et ce qui brille est à l'honneur. Le modernisme, le confort et la vitesse prennent de plus en plus de place, car la perte de temps n'est plus à l'ordre du jour.

PREMIÈRE CONCLUSION

Parler de tous les thèmes est ardu, de par leur nombre. Tout ou presque est sujet à changement, même le statut de la femme ou la place de la femme dans la société. En 2000 et en 2001, la femme a été accusée d'être trop maternelle ou pas assez. Divers médias ont abusé de leur temps d'antenne pour la « remettre aux fourneaux » ou lui faire croire qu'elle était entièrement responsable du malheur et du bonheur des hommes ! La beauté a été au centre d'une publicité plus insistante.

On ne s'étonne plus de voir que les femmes dans la trentaine et les plus jeunes soient vindicatives envers leur *chum*. Les jeunes filles et les jeunes femmes ne s'inclineront pas devant les hommes. Ils ne les impressionnent plus. Cette génération de femmes a fait ses classes sur les même bancs d'école que les jeunes hommes. La génération des *baby boomers* n'a pas connu cette mixité, du moins au primaire. En effet, à une certaine époque, les jeunes filles étaient dans des écoles pour filles seulement, et passaient beaucoup de temps à parler des garçons de l'école voisine. On semble avoir oublié ce changement de mentalité à la fin des années 1960 et qui a vu les garçons et les filles s'installer dans un contexte sans mystère l'un pour l'autre. On oublie que l'économie actuelle oblige le couple à beaucoup travailler pour vivre décemment. Et que dit-on de ces divorces qui, la plupart du temps, ont appauvri les femmes et leurs enfants ? Est-ce encore la faute des femmes ?

QUESTIONS ET RÉPONSES

Mon amie, la journaliste Évelyne Abitbol, me pose toujours de pertinentes questions. Voici ce que je peux lui répondre.

É.A. *Si nous devions penser à la naissance d'un nouvel humanisme, quelle forme lui donner et comment le modeler ?*

J.A. Je ne crois pas qu'un nouvel humanisme soit sur le point de naître. Il nous faut attendre encore un peu. Attendre que Neptune et Uranus, présentement en Verseau, passent en Poissons. La mode, la bonté les uns envers les autres n'ont jamais remporté un très gros succès, au vu de toutes les guerres du XXe siècle.

En 2004, Uranus entrera en Poissons, la nécessité de s'entraider nous apparaîtra plus clairement. La solidarité s'est révélée lors de la crise du verglas. Mais, après, chacun est rentré chez soi et s'est à nouveau isolé de ses voisins. On n'avait plus besoin les uns des autres. Ce fut une étape humaniste de courte durée. Ce n'est pas en restant derrière nos claviers d'ordinateur que nous partagerons vraiment avec autrui. Depuis le début des années 1980, le fossé s'est creusé entre nous. Les communications sont devenues plus rapides, accessibles. On se déplace avec son portable, son cellulaire, on cause avec un ami, mais on n'a pas le temps de le voir. Il y a trop de courriers électroniques et d'appels auxquels il nous faut répondre ! L'humanisme, pour moi, signifie se reconnaître utile à l'autre, aux autres avec ou sans l'obligation de l'être. Une première dissolution de ce monde où on privilégie la compétition, la force et le pouvoir des gagnants apparaîtra, mais pas avant 2004. Tant qu'Uranus est en Verseau, on oublie que derrière tout gagnant se trouve une équipe qui a fait de lui ce qu'il est. L'individualisme continue de se propager. Avec Uranus en Verseau, les guerres se poursuivront un peu partout dans le monde. Cette conjonction symbolise d'abord la justice, la liberté et l'égalité pour tous et de nombreux combats seront menés en leur nom. De trop nombreuses injustices viennent compromettre la liberté et l'égalité entre les hommes. Ce n'est d'ailleurs qu'en 2011 que naîtra le véritable humanisme. La planète aura suffisamment connu de dégâts pour qu'on comprenne, enfin, que la survie dépend désormais d'un effort commun.

L'année 2002 est extrêmement explosive, et le mois de mars a l'apparence d'une déclaration de guerre ; des attentats terroristes plus vicieux qu'auparavant secoueront le monde. À partir d'août 2002, et au cours des douze mois suivants (jusqu'en août 2003 donc), Jupiter sera en Lion. Lui faisant face, Uranus et Neptune en Verseau symbolisent la contestation, les explosions, les armes polluantes, les dégâts écologiques, les déversements de produits toxiques dus à la négligence des industries ou à leur manque de conscience envers la nature et les hommes. On assistera à des abus de pouvoir des dirigeants, à d'énormes compressions et à des congédiements en masse de la part de multinationales qu'on avait cru inébranlables. Un nouvel humanisme ne peut naître si tôt. Généralement, les parents apprennent à leurs enfants à respecter ce qui vit, mais ce n'est pas le cas actuellement.

É.A. *Les déplacements de population vont-ils se poursuivre ?*

J.A. Oui. Des guerres continueront en 2002, des feux s'allumeront ici et là aux quatre coins du monde. Le Québec et le Canada peuvent encore accueillir les gens qui veulent travailler et se refaire une vie après avoir tout perdu. Je souhaite la bienvenue à ces étrangers qui, dans leur pays, n'ont connu que l'oppression et la dictature. Dans le quartier où j'habite depuis 13 ans, de plus en plus de gens venus d'ailleurs se sont installés et j'adore discuter avec eux. Je les rencontre au parc lorsque j'y emmène ma petite-fille, leurs enfants jouent avec elle. Je parle avec ces mamans et ces papas réfugiés chez nous et qui toujours me disent qu'ici ils sont enfin libres, heureux et remplis d'espoir pour leur avenir et celui de leurs enfants. Malgré les craintes de l'opinion publique, ces étrangers ne sont pas des envahisseurs. Ils ne nous prennent rien, ils travaillent et paient leurs impôts comme nous tous dès qu'ils trouvent un travail ; ils déploient des efforts incroyables pour parler français, pour communiquer avec nous. Il nous suffit de nous ouvrir à eux, ces « étrangers » ne sont pas plus étranges que vous et moi ! Ils viennent ici avec leur culture, leurs traditions de vie et culinaires, ils nous apportent leur couleur et nous permettent d'en savoir plus sur ce qui se passe dans le monde. Les femmes, généralement plus causantes que les hommes, racontent leurs souffrances. Entre femmes, on se comprend. À chacune de ces rencontres, je me félicite de la chance d'être née dans la paix et de n'avoir connu que la révolution tranquille ! Pour répondre à la question, oui, les déplacements de population s'intensifieront. Mais les opprimés ne viennent pas tous ici. D'autres pays d'accueil leur sont ouverts.

É.A. *Réussirons-nous à créer des projets qui sauront unir les gens de différentes cultures ?*

J.A. L'intégration des « étrangers » à la société québécoise se fait essentiellement à l'école et par les activités enfantines. Entre les enfants point de différence. La langue n'est même pas un problème. Ils finissent toujours par se comprendre quand ils jouent ensemble. Les enfants ne se mettent pas de barrière. En 2002, sous l'influence de Jupiter en Cancer, puis en Lion qui symbolise l'enfant, l'école et les loisirs joueront un rôle déterminant dans ce rapprochement des cultures. On injectera de l'argent dans certaines écoles qui accueillent ces enfants venus d'ailleurs.

É.A. *Commencera-t-on à prendre conscience que l'eau a une valeur aussi importante que le pétrole, sinon plus?*

J.A. (Je n'avais pas encore reçu les questions d'Évelyne Abitbol, mais j'ai répondu longuement à cette question en début d'introduction.) L'eau potable est essentielle à notre survie. La publicité télévisée qu'on nous présente à ce sujet n'est pas suffisamment imagée, elle ne fait pas impression. Il m'a suffi d'observer les gens qui arrosaient encore leur trottoir l'été dernier en pleine canicule pour le comprendre! Ils n'avaient pas du tout saisi ce que veut dire: réserve d'eau potable. Je pense malheureusement que dans quelques années, il en sera question; en 2002, on nous fera payer une taxe pour permettre la construction de nouvelles usines d'épuration et de stockage d'eau potable.

É.A. *De grands blocs politiques se sont formés un peu partout dans le monde, les petits continueront-ils à contester les regroupements d'intérêts financiers avec autant de violence qu'en 2001?*

J.A. Ce sera pire! Les contestations se voudront calmes durant les sept premiers mois de 2002; ici, en hiver, on ne manifeste pas ou si peu, il fait trop froid pour passer la nuit dehors. En juillet, si rien n'a bougé, nous assisterons à des scènes spectaculaires de casse. Les jeunes universitaires qui savent que leur avenir dépend en grande partie des décisions financières des grandes entreprises se révolteront contre l'administration dictatoriale, contre les compressions dans les services publics. On revendiquera contre les réductions budgétaires qui ont trait à l'environnement, notamment dans l'utilisation de produits toxiques et contre le travail sans contrat mettant les travailleurs à la merci des grands patrons qui ne pensent qu'au profit! On s'élèvera contre le travail des enfants pour des multinationales qui les exploitent dans des champs et des usines pour une bouchée de pain. Le saccage se fera au nom des opprimés dont on interdit l'accès à notre pays.

É.A. *La simplicité volontaire gagnera-t-elle plus d'adeptes en 2002?*

J.A. Tel que je l'ai déjà mentionné dans cette introduction, la bonté n'est pas à la mode. On ne vient spontanément en aide à son prochain que lors des plus grandes catastrophes. L'individualisme bat son plein et plus particulièrement lorsque Jupiter entre en Lion, en août 2002. Si précédemment, sous Jupiter en Cancer, de bonnes intentions s'étaient manifestées, bien peu de gens les mettront en application et certains feront même volte-face après un bon geste. Le monde des adultes d'ici a été choyé après la Seconde Guerre mondiale. Les gens ont travaillé dur, l'emploi ne manquait pas. Certains ont amassé des magots qu'ils n'ont pas envie de partager, d'autres n'ont rien et se replient sur eux-mêmes, trop déçus de n'avoir pas réalisé leurs rêves ou mieux « le rêve américain ». N'avait-on pas prédit la société des loisirs au début des années 1960! Elle n'a jamais eu lieu et elle n'est pas à la veille d'exister. Tout ceci fait en sorte que nous ne sommes pas encore conscientisés et formés à l'entraide.

É.A. *Les enfants réussiront-ils à faire entendre leurs voix et à faire respecter leurs droits ?*

J.A. Les enfants sont les vedettes de 2002. Les adultes ne veulent rien changer à ce qui est et qui ne va pas, les enfants le savent. Certains d'entre eux, conscients, magnifiquement intelligents, ceux qu'on appelle les « enfants indigo », proposeront des méthodes afin de rééduquer leurs parents ! En 2002, on entendra souvent parler d'enfants qui poursuivent leurs parents en justice ou les accusent de mauvais traitements. Selon la position des planètes, ces enfants auront entre 5 et 15 ans, au maximum. Le message d'une nouvelle vie sera véhiculé par des enfants vedettes. Les enfants voudront des écoles où ils peuvent apprendre. Ces nouveaux et jeunes étudiants n'acceptent pas de gaspiller leur énergie pour des futilités. Le barbouillage en cours de dessin, ce n'est pas pour eux. Qu'on leur enseigne à dessiner, voilà ce qu'ils demandent. Notre monde de communications rapides entre en correspondance directe avec l'esprit vif et curieux des enfants nés durant les 15 dernières années. Depuis 1996, les enfants ont au moins une planète lourde en Verseau dans leur thème astral, puis deux à compter de 1998 ; ces jeunes sont donc encore plus articulés que leurs prédécesseurs et affamés de connaissances. Ils ont faim de nourriture pour l'esprit. Ils sont d'une grande indépendance d'esprit et ont un sens inné du changement, nécessaire à leur survie. Ils sont aussi logiques qu'intuitifs. D'ici à mars 2003, bien d'autres petits génies verront le jour. Les parents de ces enfants devraient leur accorder une attention toute particulière, mais surtout différente de celle qu'ils ont eux-mêmes reçue. On n'arrête pas le progrès. Une étude a démontré que, depuis les 50 dernières années, le quotient intellectuel a doublé chez la majorité des gens. Quand on fera une autre étude de ce genre, dans 50 ans, on dira qu'à partir de 1996, le quotient intellectuel a encore doublé !

É.A. *Les femmes perdront-elles du terrain dans la voie qu'elles avaient tracée depuis la seconde moitié du siècle, notamment en matière d'équité ?*

J.A. (Voici une autre question qui m'a été posée après l'écriture du paragraphe intitulé « Première conclusion » et qui concerne les femmes.) Les femmes perdront-elles du terrain ? La réponse est oui. Elles en ont beaucoup perdu depuis une dizaine d'années. Chez la plupart d'entre elles, jeunes et moins jeunes, on sent un déchirement entre obligations familiales et vie professionnelle. Pour celles qui doivent s'occuper et des enfants et de leur carrière, une grande question se pose : laquelle des deux sphères de vie doit avoir priorité ? Les enfants ou le patron ? Moins d'argent mais une meilleure vie de famille ou une vie consacrée à l'entreprise et à amasser des biens pour obtenir un maximum de confort pour la famille ? Les femmes qui accordent la première place aux enfants reculent souvent dans l'échelle sociale. Elles sont souvent confinées à des tâches subalternes, sans perspective d'avancement. L'employeur sait que si les enfants sont malades, s'ils ont des problèmes quels qu'ils soient, maman quittera le bureau ou l'atelier pour voler au secours de ses petits et grands, en plus qu'elle refusera certainement de faire des heures supplémentaires. Cette femme qui prend soin des siens devra souvent se satisfaire d'un poste à peine valorisant et souvent mal rémunéré. D'un autre côté, quelques femmes décident de faire carrière d'abord et avant tout. Cette motivation peut faire partie de leur éducation ou elles n'ont pas d'enfant; si elles en ont, elles ne les voient qu'au coucher ou presque. En 2002, les mères perdront encore du terrain. Tous ces discours sur l'égalité hommes-femmes, c'est de la poudre aux yeux, chez nous comme ailleurs. Ici, en Amérique du Nord, les inégalités sont bien camouflées. Les grandes entreprises, pour la plupart dirigées par des hommes, offrent parfois des postes clés aux femmes, mais elles se comptent sur les doigts d'une seule main. En plus d'être peu nombreuses, le nombre d'heures qu'elles doivent faire et le peu d'erreurs qui leur sont permises avant un congédiement sont effarants. Si une femme est en retard, c'est parce qu'elle est lambine; si un homme est en retard, c'est parce qu'il est très occupé! Par exemple, prenons le cas de la télévision. Rares sont les femmes responsables de grands reportages. Pourtant, elles sont nombreuses à avoir étudié en journalisme et elles sont tout aussi nombreuses à bien connaître la géopolitique. Prenons l'exemple de l'Algérie: les femmes ont été renvoyées aux cuisines. On les a sorties de l'université. On leur fait porter le voile afin qu'elles soient invisibles ou presque. Il leur est interdit de flirter, et si elles sont prises à regarder un homme, on les soupçonne d'infidélité et on les condamne! Il s'agit là bien sûr d'un extrême, chez nous cela est vécu plus subtilement et apparemment avec plus de décence.

É.A. *Jupiter sera-t-il plus doux cette année qu'il ne le fut l'an dernier?*

J.A. Jupiter est la planète qui représente le justicier et qui exacerbe chaque signe qu'il traverse. Durant les sept premiers mois de 2002, Jupiter est en Cancer, il concerne donc les enfants, la famille et le rôle de la femme. Plus de théoriciens à gogo pour prôner le retour de la femme à la maison se feront entendre! L'éloge de la femme au foyer ne sera sans doute pas aussi direct, mais il sera bien là. Quant aux hommes qui accepteront qu'il en soit ainsi, ils ne le diront pas non plus carrément. Là où ce mouvement de retour au foyer pour la femme sera le plus évident sera bien sûr aux États-Unis, par le biais d'un renouveau religieux qui prône le retour aux sources pour tous... Mais de quelles sources s'agit-il au juste? Doit-on aussi revenir au bœuf et à la charrue? À partir d'août, Jupiter sera en Lion, signe masculin en face de Neptune et Uranus en Verseau, autre signe masculin. Saturne est en Gémeaux, signe masculin, Pluton, autre planète lourde, est en Sagittaire, encore un signe masculin... Les hommes dépasseront les bornes, les femmes se mettront en colère. Ce sera alors le moment d'un véritable regroupement féminin. Les femmes se rallieront et remueront quelques structures gouvernementales, puisque c'est d'abord par là qu'il faut passer pour être entendu!

É.A. *Les relations hommes-femmes s'adouciront-elles?*

J.A. Non. Tandis que les hommes demandent de plus en plus aux femmes sous Jupiter en Cancer, celles-ci se lassent. Elles préparent leur colère qui éclatera sous Jupiter en Lion. Les jeux dominant-dominé ne sont pas terminés. Quelques années encore seront nécessaires avant que les hommes et les femmes recommencent à se faire confiance. La compétition prônée dans le sport et dans l'entreprise s'est infiltrée dans la vie de couple. Quand une femme gagne bien sa vie, bien des hommes se sentent en danger. L'indépendance économique de madame est vécue comme une menace d'abandon. Quand un homme gagne mieux sa vie que sa femme, il se sent plus fort et il joue avec les clés de son pouvoir économique. Cet état de fait est vieux comme la terre ou presque. À partir d'août 2002, de nombreuses séparations sont à prévoir, pour des raisons parfois aussi superficielles que « je n'aime pas ta cuisine », « tu ne fais pas le ménage », « tu dépenses trop », « tu fais trop de sport », « tu vois plus souvent tes amis que tes enfants », « tu n'es pas là quand j'ai besoin de toi », « tu es prompt », « tu es lent », « tu ne peux me rendre heureux », etc. Après avoir vécu ces excès, les choses reprendront leur place... pour un certain temps !

É.A. *L'émergence des mouvements dits anarchistes qui regroupent les écologistes, les pacifistes, les socialistes romantiques, les anarcho-capitalistes, constitueront-ils une force significative en 2002 ?*

J.A. Oui, plus encore que l'an dernier et comme je l'ai déjà mentionné, les manifestations les plus tapageuses auront lieu au printemps, chez nous. Mais sur nos écrans, les bulletins télévisés nous permettront de suivre les manifs des « autres ». Les étudiants de nombreux autres pays savent qu'il faut changer le système qui, en général, favorise les riches et puissants. Les pacifistes auront beaucoup de travail et, malheureusement, certains seront sacrifiés sur l'hôtel de la paix. Les socialistes romantiques ou les anarcho-capitalistes, en fait peu importe le mouvement, devront faire jouer la fanfare plusieurs jours et plusieurs nuits pour que les choses bougent. Les dirigeants des gouvernements seront obligés d'écouter, mais avant qu'on accorde à ces divers manifestants ce qu'ils demandent, beaucoup d'eau aura passé sous les ponts. Ce ne sera probablement qu'à la fin de 2003 qu'on trouvera le temps de se pencher sur ces chauds dossiers !

É.A. *Sans être alarmiste, si l'on se fie aux grands mouvements de contestation, la planète est apparemment en danger non seulement sur le plan économique mais aussi sur celui de la dépendance sociale. Comment se développera cette dépendance et y a-t-il un moyen de l'éviter ?*

J.A. Il est vrai que nous dépendons tous les uns des autres. Je ne connais personne qui puisse vivre vraiment seul. Même les solitaires ont besoin d'aller à l'épicerie... et une épicerie ne fonctionne que par le travail de ses fournisseurs... Si le solitaire y songeait en faisant ses emplettes, il se rendrait compte que ce qu'il mange ne lui parvient que par un énorme travail d'équipe. Il existe toutefois des gens qui attendent que les gouvernements les nourrissent, d'autres prônent un salaire pour les femmes au foyer et pourquoi pas un salaire pour les hommes qui ne veulent pas payer leur pension ! Quand j'écoute les gens parler, je constate que certains croient même que les gouvernements devraient arrêter le crime... c'est d'ailleurs la plus étrange réflexion que j'ai entendue en 2001. Les mouvements de contestation ne provoquent pas de changements instantanés, mais lentement, leurs idées s'infiltrent dans les populations. Par exemple, l'écologie et la protection de l'environnement sont devenues des sujets plus sérieux qu'il y a 10 et 15 ans. Il suffit d'écouter des jeunes parler de la terre, des produits génétiquement modifiés et de leur étonnant désir de véhicules fonctionnant à l'électricité pour moins de pollution pour s'en persuader. Ces enfants avec qui j'ai eu le plaisir de causer longtemps et souvent savent qu'il est important pour eux d'avoir économisé pour s'assurer une meilleure vieillesse. Ils savent déjà que pas suffisamment de travailleurs ne pourront leur assurer leur retraite. Si la majorité des jeunes ne savent pas précisément qu'il en sera ainsi, ils le ressentent. Cette dépendance vis-à-vis des organisations imposées par les gouvernements ne commencera à s'estomper qu'en 2011. Il faudra, par la suite, une bonne quinzaine d'années pour que chacun comprenne que c'est tous ensemble et dans un effort commun que la survie est possible. Au risque de me répéter, ce sont les enfants d'aujourd'hui qui seront les nouveaux dirigeants planétaires; si vous les observez bien, vous verrez qu'ils ont déjà aboli toutes les frontières... La route sera difficile pour ces enfants élevés par des parents qui se limitent à ce qu'ils voient et qui pensent que ce qu'ils ne savent pas ne leur fait pas mal... Ce n'est plus la réalité. On ne voit pas les détritus lancés dans l'atmosphère et ces satellites qui s'autodétruisent quand ils sont démodés. L'impact sur notre vie n'est pas encore évident. En 2020 ou 2025, on ne pourra plus ignorer ces choses. Quel âge auront donc vos enfants? Seront-ils assez grands pour savoir qu'il faut réagir? Dans 25 ans, le premier ministre n'aura plus à intervenir sur la place publique pour régler les problèmes. Dès 2011, les entreprises privées prendront le dessus et elles auront établi leurs propres règles. Quant à la dépendance sociale, que penser de nos gouvernements qui invitent les gens à jouer dans les casinos et qui, d'un autre côté, demadent à la population de ne pas être accro! On offre même des cures de « lotodésintoxication »... n'est-ce pas aberrant? Malheureusement, la dépendance aux décisions gouvernementales est répandue, toutefois ce ne sera pas toujours le cas.

É.A. *L'organisation de la société civile va-t-elle dépasser la force traditionnelle des partis politiques?*

J.A. Je pense avoir répondu à cette question dans la précédente. Comme on le dit si bien chez nous, « ce n'est pas demain la veille ». Environ 25 ans doivent s'écouler avant que nous réorganisions nos modes de vie, avant que nous puissions nous représenter nous-mêmes en tant qu'individu et en tant que société. Au fond, tous ces regroupements contestataires préparent lentement la voie à cet autre mode de vie.

CONCLUSION FINALE

En 2002, les distances sociales augmenteront entre les pays et entre les classes sociales à l'intérieur d'un même pays. Les groupements sociaux ne sont pas encore suffisamment bien constitués pour contester les iniquités. En 2002, seuls la violence et le tapage pourront faire bouger les chefs. On se croira parfois revenus aux années 1960 ; ici c'était la révolution tranquille et chez les Américains, nos plus proches voisins, Washington a dû intervenir. Chez nous, les travailleurs s'étaient organisés, les grèves avaient été nombreuses. En 2002, on essaiera d'empêcher des fermetures d'entreprises, les restrictions budgétaires et les mises à pied, et cela se passera un peu partout sur la planète. L'homme, en général, étant plus intelligent pense et réagit vite ; avant qu'on construise un mur autour de lui, il trouve une solution. Donc si ça ferme ici, on ouvrira à côté.

En 2002, les sept premiers mois de l'année ne seront pas plus drôles que le fut l'année 2001. Avec l'arrivée de Jupiter en Lion à partir d'août, les réactions seront les plus vives et un autre cycle poindra. Les petites entreprises se multiplieront et deviendront, éventuellement, les grandes organisatrices de l'avenir.

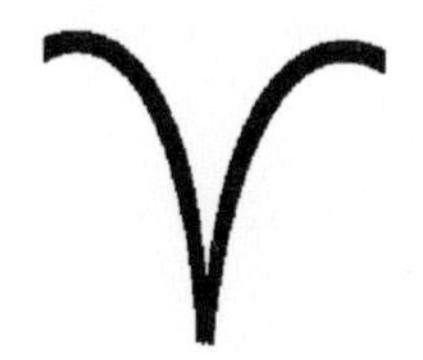

BÉLIER

21 mars au 20 avril

Ma relation avec ma mère se résume en une simple phrase: «Maman, je vous aime.»

À «monsieur» Lukas Richard-Boire, 13 ans, brillant, gentil et tellement beau!

À Johanne Amos, grande astrologue et merveilleuse amie.

À Jacques de Koninck, musicien-compositeur connecté au divin.

À Christopher Lee Donaldson, champion sportif de cinq ans!

À Anika Richard-Lussier, magnifique à six mois, déesse un jour!

À ma nièce Benjamine Hébert, une belle femme de tête sensible!

À Ginette Ménard, inégalable amabilité, sourire d'ange, pieds sur terre et l'efficacité bureaucratique de CKOI.

BÉLIER 2002

Vous êtes placé sous le signe de Mars et cela vous fait souvent voir le pire côté des choses et des événements. Depuis plus de vingt ans, vous commentez, par écrit et par l'entremise de mon éditeur ou d'autres médias pour lesquels je travaille, mes ouvrages de prévisions annuelles. Et désormais, vous me contactez par courriel par le biais de mon site Internet. Certains d'entre vous (Mars réagit rapidement) ne retiennent que ce qui peut leur porter malheur. Je vous invite à porter une attention particulière aux prochaines lignes.

Il est vrai que la première portion de 2002 peut vous faire vivre la tempête plutôt qu'une vie simple et agréable, mais ne perdez pas de vue la nécessité des changements, des retournements du destin. La perte d'un être cher ou la maladie d'un proche sont des événements sur lesquels on est impuissant. Il faut avoir la sagesse de reconnaître qu'ainsi va la vie ! Quoi qu'il en soit, en puisant en soi, on trouve souvent la force et le courage nécessaires pour traverser les épreuves de la vie.

Pour la majorité d'entre vous, 2002 se déroule en deux étapes : la première est placée sous le signe des épreuves ou des obstacles. Mais, dès le début d'août, la cicatrisation morale ou même physique s'accélère. De bonnes nouvelles de toutes sortes se mettent à pleuvoir sur vous !

À LA RECHERCHE DE SOI

Jupiter est en Cancer dans le quatrième signe du vôtre, jusqu'au 1er août. Il vous ramène constamment à votre devoir familial, à vos parents, à vos enfants ainsi qu'à vos souvenirs d'enfance. Les plus désagréables souvenirs, que vous avez cru enfouis au plus profond de vous ou disparus, resurgissent et certains vous laissent un goût amer. Si vous connaissez une telle situation psychologique, réglez vos comptes avec papa ou maman, cela devient urgent ! Il n'y a pas d'âge pour résoudre vos problèmes émotionnels et retrouver la paix qu'on vous aurait volée dans l'enfance. Vous ressentez un désir étrange : jusqu'au mois d'août, l'irrésistible besoin de savoir si vous avez été aimé ou non au berceau vous tenaille.

Plusieurs Bélier entreprendront des thérapies par l'hypnose ou l'autohypnose. Certains franchiront les barrières d'un temps perdu et ils comprendront enfin les raisons de leurs constantes attitudes négatives. Ils trouveront en quelque sorte le passe-partout qui ouvre la porte de leur équilibre mental, émotionnel et psychique.

CRÉDULE ?

Si vous vous savez naïf, demeurez prudent dans votre recherche de soi. Un pseudo-psychologue, un hypnotiseur à gogo ou un faux maître spirituel peuvent vous inventer un passé troublant pour gagner votre clientèle. Le résultat d'une telle manipulation serait désastreux pour l'esprit et le cœur. Impressionnable et hyperémotif comme vous l'êtes, vous pourriez accuser d'innocents parents ou amis, au risque de les perdre, alors que vous avez terriblement besoin d'eux.

SURVOL

Le mal de vivre sévit encore durement en ce début de XXIe siècle. Notre histoire des cinq derniers siècles, les réactions humaines vis-à-vis du progrès joints à la lourde présence dans les mêmes signes ou d'une même valeur astrologique (je vous épargne ici tout le blablabla céleste) ont débouché sur des coups durs. C'est au début du XXe siècle que la psychanalyse s'est développée. On a, dès lors, pu observer de près les changements de comportement des gens. Autrefois, pour les riches, la dépression et la maladie mentale n'étaient que des délires, presque des luxes, tandis que pour les pauvres, il s'agissait de folie. Ces gens devaient être écartés, bien souvent internés.

Les dix dernières années d'un siècle et les dix premières du suivant ont toujours apporté une multitude de transformations, appelées « modernisme ». Ce modernisme est maintenant placé sous le mode des communications rapides tel que nous le connaissons. Notre adaptation à la vitesse des transmissions n'est pas aussi simple qu'il n'y paraît. De nombreux sociologues se sont penchés sur la question. Vous trouverez en librairie des ouvrages retraçant les transitions d'un siècle à l'autre et les nombreux effets psychologiques pervers qu'elles eurent sur les hommes.

Les plus fragiles d'entre vous auraient intérêt à ne pas sombrer dans la peur ou le pessimisme. Tenez-vous à l'écart des sectes qui promettent le paradis en échange de votre argent. Ce XXIe siècle exige la performance, mais aussi l'invincibilité ! L'émotivité est remplacée par la logique ! Jusqu'au 1er août, sous l'influence de Jupiter en Cancer, vous qui êtes né sous le signe de Mars, vous serez agacé. Votre tempérament pressé et en manque constant d'excitations et d'émotions fortes verra la tranquillité du signe d'eau du Cancer vous « taper sur les nerfs ». En tant que premier signe du zodiaque, vous avez tendance à suivre l'air du temps. Mais la mode sous Jupiter en Cancer ne vous sied pas tellement et voici pourquoi...

DÉNÉGATION

Jupiter en Cancer, signe d'eau en position d'exaltation, est, par conséquent, puissant. Il fait un carré à votre signe et tout carré crée un blocage ou porte le natif à être aveugle, plus particulièrement envers des événements négatifs. Par exemple, l'évidence d'une mauvaise décision que vous êtes sur le point de prendre ne vous saute pas aux yeux. Vous niez la réalité et les conséquences de vos actes.

Sous Jupiter en Cancer, vous vous entêtez à voir le meilleur. Prendre un chemin plutôt qu'un autre qu'on vous pointe du doigt vous conduit vers une perte ou une déception. Rien ne vous oblige à tomber dans ce piège de l'illusion. Sachez écouter vos intuitions et vos visions lorsque vient le moment de choisir.

Chacun de vous ne vit pas de grands drames, mais plusieurs scénarios sont possibles. Vous avez l'intention de déménager ? Vous entreprenez des démarches, trouvez une maison ou un appartement qui apparemment vous convient. Toutefois, vous pressentez que quelque chose ne va pas avec ce lieu. Il suffit généralement de quelques minutes de lutte entre la raison et l'intuition pour que la raison l'emporte. Nous sommes en ce XXIe siècle dans un monde raisonnable où la logique règne en maître ! C'est ce qui est à la mode. En tant qu'humain, vous ne cesserez de vous émouvoir, de ressentir et vous continuerez de voir au-delà des choses. Donc, pour parachever ce scénario d'appartement, vous découvrirez, peut-être quelques mois plus tard, que vous avez un voisin malfaisant. Peut-être même que cet endroit ne vous apporte que de la malchance. Ou alors, il y aura tellement de travaux dans la rue que vous finirez par être hypertendu. On ne peut tout expliquer. Certains faits sont classés X-files !

Jupiter en Cancer exerce son influence sur votre famille. Tous les membres qui la composent et les relations que vous avez avec eux s'en ressentent. Si vous êtes généreux à l'excès, trouvez le courage de remettre à sa place un parent qui vous culpabilise ou qui vous rend responsable de ses malheurs. Il n'est jamais facile de dire non à un proche, surtout quand ce dernier connaît bien nos faiblesses.

JUPITER EN LION : POSITIF

À partir d'août, Jupiter est en Lion, dans le cinquième signe du vôtre. Il renforce le feu du Bélier. Le chemin parcouru sous Jupiter en Cancer donne maintenant de bons résultats. Si, par exemple, vous avez été malade physiquement, moralement ou les deux, vous retrouverez votre vitalité et votre optimisme. La lucidité dans vos choix vous les rend plus faciles à réaliser. Si vous êtes naturellement un être généreux, vous n'aurez aucun mal à poursuivre votre œuvre. Il est même possible que vous fassiez parler de vous en public. Vous serez d'ailleurs populaire dans le milieu dans lequel vous vivez. Même la chance au jeu est au rendez-vous.

Quant à l'amour, il se présente bien pour le Bélier aimant. Si vous faites partie des nombreux célibataires à la recherche de l'idéal, Jupiter en Lion n'hésitera pas à vous le présenter.

Si vous êtes amoureux et sans enfant, et en désirez un, un bébé changera votre style de vie, vos valeurs, il sera un changement radical et une merveilleuse source de renouveau. Certains d'entre vous sont prêts à avoir un second enfant. Votre partenaire et vous serez rapidement en accord sur le sujet.

JUPITER EN LION : NÉGATIF

Quelques Bélier vivront Jupiter en Lion comme si le monde leur appartenait. Si, au départ, vous êtes égocentrique, vous ne vous voyez pas agir. À vos yeux, vous êtes le héros, le meilleur et parfois vous adoptez un air de victime pour attirer l'attention ou pour mieux manipuler ceux qui vous entourent.

Jupiter en Lion, bien qu'il fasse un bon aspect à votre Soleil, est aussi en face de Neptune et d'Uranus, les jeux de vilain seront alors percés à jour et il deviendra impossible d'abuser de qui que ce soit. Tout ce que vous obtiendrez de mauvaise manière vous sera repris en 2002. Il vaut donc mieux être parfaitement conscient et en harmonie avec vous-même, sinon la vie se charge de vous donner une inoubliable et désagréable leçon.

JANVIER 2002

AMOUR-AMITIÉ Même si vous êtes follement amoureux de votre partenaire, des problèmes peuvent survenir; votre couple semblera se disloquer. Vous prendrez vos distances ou, au contraire, vous vous transformerez en surveillant! Sur le plan planétaire, le bogue sentimental est symbolisé par le Cancer et le Capricorne qui ne font pas de bons aspects à votre signe. Pour ne pas rompre, soyez sage et surtout tolérant.

En tant que célibataire, sans doute trouverez-vous mille raisons de le rester, même si on frappe à votre porte ou presque... On vous offre tendresse et amour, mais vous demeurez sur le qui-vive! Quant à vos amis, nombre d'entre eux ne sont pas dignes de ce nom, et vous le savez. Ce n'est qu'à partir du 19 que vous trouverez le courage de congédier ceux qui ne vous méritent pas.

FAMILLE En tant que parent, vos enfants ne seront pas des anges, et vous savez pourquoi? Ils ressentent votre stress et vous percent à jour! Vos petits et vos grands vous lancent des signaux d'alerte. Soyez vigilant!

Si vos parents essaient de diriger votre vie, alors que vous êtes un adulte ou en voie de le devenir, écartez-les gentiment! Sous ce ciel, il n'est pas exclu que l'un d'eux puisse être malade et que vous fassiez la navette entre votre lieu de travail, la maison et l'hôpital surtout durant les quinze premiers jours du mois.

SANTÉ Votre signe est régi par Mars, le « tout feu tout flamme » et cette planète évolue en Poissons, un signe d'eau. L'eau éteint le feu ou le feu fait bouillir l'eau, et ce jusqu'au 18. Bien que vous soyez débordé, le ciel suggère que vous vous couchiez plus tôt. Si vous ne dormez pas, vous pourrez au moins vous détendre. Pour mieux vivre, vous cesserez votre monologue intérieur et n'imaginerez plus le pire.

TRAVAIL-ARGENT Si vous offrez vos services ou des produits à partir d'une entreprise située à domicile, vous croirez, pendant la première portion du mois, que tout est foutu. Vous êtes tellement préoccupé par vos histoires de famille que vous vibrez au son de l'interdit: défense aux clients de téléphoner! Si vous avez un emploi régulier, comme nous vivons dans un monde qui se transforme rapidement, on vous avisera que la routine n'est plus. Vous devrez vous adapter à une autre manière de travailler.

CROYANCES Dès qu'un problème surgit, la pensée magique de le voir disparaître surgit. Mais n'est-ce pas une réaction enfantine? À l'inverse, certains se réclament du positivisme, alors qu'intérieurement, c'est la panique toute la journée. N'y a-t-il pas contradiction entre la réalité et la pensée? Ni clairvoyant, ni sorcier, ni astrologue ne régleront vos problèmes. Certains d'entre eux, des vrais, pourraient toutefois vous souffler d'excellentes suggestions.

QUI SERA LÀ? Prendre soin d'une Vierge, s'obstiner avec un Cancer plus que de coutume, avoir un coup de foudre pour un Verseau, tomber passionnément amoureux d'un autre Bélier ou être l'objet de la cour d'un Lion qui s'approchera et s'éloignera à répétition sont de l'ordre du possible.

FÉVRIER 2002

AMOUR-AMITIÉ Jusqu'au 12, l'amitié prédomine. Le grand amour ne survit que par l'intimité, la sensualité et la sexualité active. Les conversations entre partenaires seront rares, par contre la proximité, le toucher, les mots passent bien par les frôlements et les caresses. À partir du 13, tout propos contrariant votre humeur vous changera. En quelques minutes, vous passerez du rire à la colère, du Bélier souriant au boudeur, de celui qui approuve à l'autre qui critique.

Du 13 jusqu'à la fin du mois, ne laissez pas vos amis vous dire que penser et qui croire, surtout dans votre vie amoureuse. Même les mieux intentionnés peuvent se tromper. Un don de clairvoyance ne les habite pas tous ! Et puis, ne jugent-ils pas d'après leur propre vie ?

FAMILLE Le thème familial est omniprésent et le demeure plusieurs mois. Vous aurez tendance à vous culpabiliser si votre nouveau-né pleure beaucoup, ce qui est fréquent en période de croissance. Vous pourriez croire à un manque d'attention de votre part, si les notes de vos écoliers ne sont pas à la hauteur de vos aspirations. Si vous êtes de ceux qui désirent un second enfant, le ciel vous bénit ! Par contre, si vous ne voulez pas d'enfant, la contraception s'impose : vous êtes très fertile en ce mois.

SANTÉ Avec Mars dans votre signe, de soudaines poussées de fièvre d'un jour peuvent vous affecter. Soyez heureux, les virus ne vous aiment pas ! La prudence s'impose pour les sportifs.

Méfiez-vous des chutes ! Une plaque de glace dans la rue ou dans votre escalier et vous pourriez perdre pied ! Les risques de blessures à la jambe sont plus importants.

TRAVAIL-ARGENT Certains Bélier font un coup d'argent ou même font fortune. Il s'agit maintenant de préserver ce petit capital et de le faire fructifier.

Ma mère Bélier a dit en diverses occasions : « L'ambition tue son maître. » La connaissant, je peux vous assurer qu'elle parlait de ces insatisfaits chroniques qui finissent par commettre des imprudences en courant de trop grands risques.

Dès le début du mois, à compter du 3, modérez vos désirs de richesse, à moins de connaître la formule gagnante à coup sûr ! Dépensez avec modération, notamment pour les rénovations de la maison.

CROYANCES Vous croyez que votre seule volonté fera de vous une personne comblée. Avez-vous oublié les éléments extérieurs et indépendants de votre volonté qui peuvent faire obstacle à vos désirs et à vos réalisations ? Une épreuve subie disparaîtra. En attendant, acceptez les situations désagréables et, si cela vous fait du bien, implorez tous les saints du paradis !

QUI SERA LÀ ? Un Poissons, ami de toujours mais que vous ne voyez que rarement, vous rassurera sur vous-même. Un Gémeaux vous raconte une histoire d'argent qui ne tient pas debout. Que veut-il au juste ? Une entente commerciale avec un Scorpion et un Taureau se présente sous les meilleurs auspices, à condition de tout bien mettre par écrit.

MARS 2002

AMOUR-AMITIÉ Mars, la planète qui régit votre signe, est en Taureau. C'est donc le moment de respecter votre budget, tel qu'entendu avec votre amoureux. Si vous tenez à le choquer, dépensez plus que prévu !

Jusqu'au 9, si vous gagnez plus d'argent que votre partenaire, il pourrait, probablement à son insu, vous demander de lui offrir un objet qu'il désire depuis longtemps. Malheureusement, il suffit qu'il le demande pour que vous disiez non !

Bien que de nature généreuse, vous tenez fermement les cordons de la bourse. Vous voulez avoir l'impression de décider ce que l'autre mérite de recevoir et à quel moment, quand vous ne décidez pas de l'objet à sa place !

En tant que célibataire conquérant comme l'exige votre nature, les 19 jours précédant votre anniversaire vous précipitent dans une relation que vous croyez passionnelle alors que peut-être cette personne ne vous a fait que les yeux doux, par gentillesse. Vérité, douceur et tendresse ne viennent à vous qu'à la fin du mois.

FAMILLE Quand on a un ou des enfants, on se demande comment on aurait pu vivre sans eux. Par contre, ces petits et grands enfants adorés ne viennent pas au monde avec un mode d'emploi. Ils demandent sans cesse encore plus. Vous avez beau leur expliquer que vos finances sont limitées, ils ne le comprennent pas ! Mais comment le pourraient-ils ? Ils ne savent pas ce que travailler et assurer sa propre survie veulent dire ? On a beau répéter qu'il faut parler avec ses enfants, certains sujets tels que l'argent ne seront compris que lorsqu'ils feront l'expérience de gagner eux-mêmes leur vie !

Un membre de votre famille pourrait être très malade et, naturellement, tous agiront comme si vous étiez le seul à pouvoir prendre soin de cette personne !

SANTÉ Si vous avez une aventure amoureuse non protégée, le risque de maladies vénériennes est présent. Ne jouez pas avec votre vie !

Sous l'influence de Mars en Taureau en aspect dur à Neptune en Verseau jusqu'au 23, Uranus n'étant pas non plus clément, votre résistance physique s'amenuise.

Si vous voyagez, votre médecin devrait vous prescrire les médicaments qui vous dépanneront en cas de fièvre, de gastro-entérite ou de toute autre affection qui pourrait survenir dans vos déplacements. Pour garder la forme, nourrissez-vous à heures fixes et prenez vos trois repas par jour !

TRAVAIL-ARGENT Si vous avez un travail stable, il faut vous attendre à plus de responsabilités et à terminer plus tard certains jours. Si vous êtes à contrat, étudiez scrupuleusement les offres qu'on vous fait. Méfiez-vous des petits tableaux chiffrés, on pourrait vous rendre entièrement responsable de l'erreur d'autrui si une dépense indue en résulte pour l'entreprise. On irait même jusqu'à soustraire ces pertes de votre salaire. Si vous êtes dans le domaine de la vente et changez de domaine, avant l'accord final, examinez la marchandise dont vous aurez à vanter les mérites. Assurez-vous que les produits soient de bonne qualité.

Jusqu'au 19, vous devrez vous surveiller. Vous manquerez un peu d'attention. Tantôt dans la lune, tantôt trop pressé ; les risques de blessure sont plus présents, si vous utilisez de la machinerie ou des objets tranchants. Vous éviterez ces problèmes en demeurant concentré.

CROYANCES Dieu nourrit les oiseaux du ciel puisqu'ils travaillent du lever au coucher du soleil !

Nombreux sont ceux qui se servent de cette maxime lorsqu'ils n'ont plus rien dans leurs goussets. Ils semblent avoir bien observé le boulot qu'abattent les oiseaux pour survivre beau temps mauvais temps. Les miracles existent, et j'y crois. Cependant, les gagnants à la loterie ne se comptent pas par millions. Si vous priez pour que votre compte en banque se regarnisse par miracle, vous gaspillez cette pieuse énergie.

QUI SERA LÀ ? Un Poissons vous fera la morale au sujet de vos demandes au ciel et qui n'ont rien à voir avec la Vie ! Un Taureau de votre entourage emprunte régulièrement, méfiez-vous, il se montre habile pour vous soutirer une part de vos économies. Un Gémeaux sera de bon conseil pour des placements ou de l'argent que vous voulez déplacer.

AVRIL 2002

AMOUR-AMITIÉ En amitié, vous exigez beaucoup. Vous aurez tendance à vous fâcher envers un ami qui vous refuse un service. Pourtant, plusieurs années auparavant, ou plus récemment, cette personne a déjà prêté une oreille attentive à vos peines, à vos déboires, à vos problèmes financiers. Maintes fois, vous lui avez raconté votre malchance en amour, en affaires, etc. Cette personne vous a peut-être prêté de l'argent encore non remboursé. Attention, cet ami ne passera pas l'éponge sur vos reproches ni sur votre dette. Pas cette fois !

Une telle attitude négative caractérise plus souvent les femmes que les hommes, et elle se révèle néfaste pour elles.

En cas de rupture amoureuse, le ciel s'éclaircit et la possibilité d'une réconciliation est entrevue. Les amoureux passionnés pourraient discuter mariage.

Le célibataire, pour sa part, devrait guetter une rencontre à ne pas louper en début de mois.

FAMILLE La famille est la famille, il faut faire avec. On ne choisit pas ses parents, même si le père ou la mère (ou les deux) ne sont ni affectueux ni généreux.

Si vous êtes majeur, et que leurs comportements vous font souffrir, éloignez-vous. Mais sachez qu'ils sont vos racines, qu'ils font partie de vous. Par contre, n'oubliez pas que vous n'êtes pas eux ! Reconnaître la différence vous permet un certain détachement, sans avoir à rompre définitivement et brutalement les liens.

En tant que parent de votre signe, vous êtes généralement plutôt possessif. Si la bonté a marqué votre jeunesse, vous pouvez devenir un papa ou une maman qui exige un enfant prodige. Si vous avez plusieurs enfants, le danger est de jeter votre dévolu sur l'un d'eux, au détriment des autres.

Certains Bélier pleurent en silence la maladie d'un être cher.

SANTÉ Votre estomac est vulnérable. Votre système s'acidifie et vous ressentez de nombreux malaises, aussi passagers les uns que les autres. Même si ce n'est pas toujours facile, la relaxation est votre meilleur remède. Vingt minutes par jour d'isolement dans le calme et le silence seraient suffisantes pour préserver votre énergie de feu.

TRAVAIL-ARGENT La magie n'est pas la réalité. Gagner votre vie demande un effort quotidien et de la constance, surtout si vous avez votre propre entreprise. À partir du 14, si vous vous lancez en affaires seul, un ami de toujours vous proposera une association. Si vous consentez qu'il collabore, le succès pourrait être au rendez-vous.

Si vous occupez un emploi fixe, vous songerez sérieusement à offrir vos services ailleurs afin d'être mieux rémunéré, et ce, toujours à partir du 14. Ce sera un succès.

Si les cordons de la bourse sont serrés, pas de panique ! Vous vous en êtes toujours bien sorti et il en sera de même encore une fois.

Un frère ou une sœur pourrait être malhonnête avec vous. Ne dit-on pas que chaque famille a son mouton noir ?

CROYANCES Chacun de nous, ou presque, a un objet-fétiche, la plupart du temps lié à un événement heureux, à une bonne nouvelle. Ressortez-le. Cet objet a le pouvoir de vous donner confiance en vous. Et vous en avez bien besoin en ce mois.

QUI SERA LÀ ? Si vous faites des affaires avec un Taureau, partagez le gâteau en parts égales. Ne laissez pas un Cancer insinuer le doute en vous. Un Gémeaux a de bonnes idées, suivez celle qui correspond à votre personnalité et à vos besoins. Une Balance vous séduira, mais gardez vos distances pour l'instant.

MAI 2002

AMOUR-AMITIÉ De l'humour et encore de l'humour, votre couple ne s'en portera que mieux ! Vous taquinerez votre partenaire, mais attention de ne pas dépasser les limites. L'influence de quelques planètes en Gémeaux vous portera à beaucoup discuter. Vous serez tenté de raconter vos secrets intimes. Malheureusement, si ces amis sont aussi des collègues de travail, vos paroles pourront être mal citées et nuire à votre réputation.

Comme chacun de nous, vous avez peut-être un parent qui croit toujours tout connaître de l'amour et de la vie de couple. Un nom vous vient-il déjà en tête ? Pour la paix de l'esprit, dès qu'il y ira d'un de ses conseils non sollicités dont vous n'avez nul besoin, faites-le taire et demandez-lui cordialement de s'abstenir de jouer au psychologue dans l'avenir.

En tant que célibataire, vous n'appréciez guère de rester seul, vous recherchez l'amour. Ce mois-ci, vous aurez le choix entre deux personnes, belles, intelligentes et dynamiques. Vous n'avez rien à promettre ni à l'une ni à l'autre, prenez le temps de mieux les connaître. À partir du 21, vous saurez par leurs actes et leurs réactions laquelle des deux peut suivre un « marsien » !

FAMILLE Jupiter est encore en Cancer et continue d'exercer des pressions d'ordre familial. Si l'un des vôtres est malade, il réclame votre attention et vos soins ; dès le premier soupir, la moindre plainte, vous accourez. Par contre, s'il s'agit de vos enfants, de les accompagner dans leurs activités ou de causer sérieusement avec votre partenaire, la patience d'écouter jusqu'au bout vous fait défaut. Il semble y avoir beaucoup d'allées et venues dans la maison, et plus précisément au souper. N'attendez pas la fin du mois pour faire respecter votre droit à l'intimité familiale.

Lorsque vous piquez une colère, l'explosion d'un météorite très proche de la terre ne ferait pas plus de bruit !

Attendez-vous à de nombreuses lettres de l'étranger, si vous y avez de la famille. Vous téléphonerez plutôt que de répondre par écrit, faute de temps.

SANTÉ Repensez votre régime alimentaire, surtout si vous avez tendance à enfler ou à prendre du poids, en fait si votre corps joue au « yo-yo ». Vous pourriez découvrir que vous avez développé des allergies à quelques aliments : observez bien vos réactions physiologiques même après la consommation d'aliments habituels. Vous pourriez développer une intolérance temporaire à votre nourriture préférée.

TRAVAIL-ARGENT Si vous avez un commerce, le ciel présage une augmentation de vos profits. Votre habileté à développer de nouvelles relations est indéniable.

Et celles-ci auront de bons effets sur vos affaires. Vous êtes en phase d'expansion, à condition d'œuvrer dans les nouveautés ou de remettre à la mode un ancien produit ou service. Vous flairez comme personne les besoins de la population et savez lui offrir ce qu'elle a justement envie de se procurer. Au cours du mois, achetez un billet de loterie par semaine. La chance au jeu va et vient. Si l'occasion de participer au tirage d'une maison ou d'un voyage se présente, remplissez un coupon.

CROYANCES Vous êtes généralement croyant, sans avoir besoin d'acheter mille et une médailles pour le prouver et encore moins de penser que les répliques des saints en bijoux sont efficaces. Méfiez-vous des gens qui veulent vous attirer vers une église ou une secte. On frappera à votre porte le jour où vous serez le moins en forme, comme si on vous avait surveillé. On profitera de votre vulnérabilité pour vous faire croire que vous vivrez au paradis avant d'y être ! Si vous avez des problèmes psychologiques et en êtes conscient, méfiez-vous de ces nouveaux regroupements positivistes où finalement tout ce qu'on cherche c'est à vous soutirer de l'argent.

QUI SERA LÀ ? Tout le zodiaque vous entoure. Vous rirez avec un Bélier, un Gémeaux et un Verseau. Vous aurez une prise de bec avec une Balance. Vous donnerez son congé à une Vierge qui s'impose et ose vous critiquer. Vous ferez d'excellentes affaires avec les Scorpion, les Sagittaire et les Lion. Un Poissons sèmera le doute sur vos croyances. Un Capricorne vous fera un emprunt, pendant qu'un Taureau vous dira que vous risquez de n'être pas remboursé. Si un Cancer malheureux s'empare de votre énergie, un Cancer heureux vous protège et vous porte chance.

JUIN 2002

AMOUR-AMITIÉ Les célibataires ne doivent compter sur de nouvelles rencontres qu'à partir du 15. En effet, la position des planètes indique que vous pourriez rencontrer une personne avec un ou des enfants, votre nouveau flirt pourrait avoir entre cinq et dix ans de plus ou de moins que vous. À 20 ans, certaines personnes possèdent déjà la maturité de quelqu'un qui a 30 ans ; rencontrer quelqu'un qui a des enfants ou vécu un divorce est de l'ordre du possible. Nombreux sont ceux qui jouissent d'une bonne ouverture d'esprit ; en amour, ils savent voir au-delà des apparences. Vous respectez le passé de l'autre ; après tout comment pourrait-il en changer ? Par conséquent, vous vous faites une raison. Ne s'agit-il pas d'une histoire d'amour, d'une réciprocité entre deux personnes ? Homme ou femme, en tant que « marsien », vous n'hésitez pas avant de faire le premier pas. Vous surmontez votre peur de l'avenir même lorsque l'amour vient avec d'autres responsabilités. Vous êtes heureux et amoureux, les petites attentions que vous avez envers votre partenaire vous gagnent sa reconnaissance et il vous en remerciera selon sa personnalité et ses moyens.

FAMILLE Vous n'avez pas encore d'enfant ? Vous en avez eu lors d'un précédent mariage ? Si vos plans ne prévoient pas d'agrandir votre famille, prenez les moyens qui s'imposent, la cigogne passe pour bon nombre d'entre vous. Ainsi, si vous êtes un homme de 40 ou 50 ans, rencontrer une femme dans la trentaine qui a un désir d'enfant peut survenir. Si cela se fait, n'oubliez pas que vous l'avez fait à deux, avec ou sans consentement mutuel ! Songez au résultat qui apparaîtra 9 mois plus tard, cela vous rendra-t-il heureux ou malheureux ? Discutez-en en tête-à-tête, c'est important.

Certaines femmes décident d'enfanter lorsqu'elles se sentent en position plus stable sur le plan professionnel. Si vous êtes de celles-ci, votre vœu de grossesse s'accomplira et vous ferez fi des commentaires de parents qui croient tout savoir. Personne ne peut être à votre place. Vos choix vous appartiennent. Même les mères célibataires par choix n'ont que faire des critiques et avec raison. Votre vie vous appartient de A à Z.

SANTÉ Les 14 premiers jours du mois, votre estomac pourrait être plus nerveux, vous mangerez tellement et n'importe quoi, cela vous causera des ballonnements ou vous prendrez rapidement quelques kilos. Le ciel de ce mois vous prédispose à ne pas prendre vos repas à heures fixes, votre digestion en est chamboulée, et les abus de table pourraient vous occasionner des brûlures d'estomac. Pour éviter tous ces maux, il vous suffit de faire attention à vous.

TRAVAIL-ARGENT Les Bélier qui œuvrent en immobilier seront favorisés, vous vendrez beaucoup ! Vos clients ne seront, en général, pas du genre à discuter longtemps. Vos présentations seront théâtrales et vous donnerez à l'acheteur l'envie d'obtenir ce que vous lui offrez ! Vos profits seront supérieurs et vous investirez dans la rénovation de votre résidence familiale ou dans votre condo. Certains d'entre vous réaliseront leurs vieux désirs et achèteront un nouveau mobilier, d'autres des armoires anciennes pour relever un environnement moderne. Si l'argent se gagne plus facilement, en deuxième partie de mois surtout, il se dépense tout aussi rapidement. Vous avez bon goût et vous ne regardez pas à la dépense. Si vous avez un talent pour la peinture, vos toiles seront en demande à un prix supérieur aux précédentes. Votre talent est reconnu, votre nom prend de la valeur. Il en est de même si vous êtes ébéniste. Ce sont les expressions artistiques les plus favorisées. En recherche, notamment en pédiatrie, ou dans la création de vêtements pour les jeunes, une découverte incroyable peut vous mettre au premier plan. Ainsi, certains pourraient sauver des enfants atteints de maladies chroniques, et d'autres créent une mode confortable, pratique, agréable pour les jeunes et à un prix abordable pour leurs parents.

CROYANCES Avoir un idéal et s'y consacrer, même s'il faut pour cela dormir moins, réduire ses activités sociales est en quelque sorte un acte de foi. On croit en ce que l'on fait de toute son âme et on y met l'énergie nécessaire. Ce n'est pas de la magie, mais plutôt l'application du dicton : « Aide-toi, le ciel t'aidera ! »

Ce mois-ci, le monde incantatoire n'est pas le vôtre, vous avez les pieds sur terre tout en restant connecté à l'Univers.

QUI SERA LÀ ? À partir du 15, un Lion est à votre service, du moins jusqu'à la fin du mois. Un Cancer vous demande un service impossible à rendre, ne le laissez pas insister, vous pourriez flancher. Un Gémeaux vous reproche, avec subtilité, d'être insuffisamment présent pour lui. Un Capricorne a des moments d'agressivité envers vous et vous remet sur le nez vos refus des deux ou trois mois précédents ! Ne le laissez pas troubler votre quiétude.

JUILLET 2002

AMOUR-AMITIÉ C'est le dernier mois où Jupiter sera en Cancer, il ne reviendra dans ce signe que dans douze ans. Il a transformé votre vie familiale. Vous avez été dans l'obligation de soigner un parent qui peut-être ne s'est pas totalement remis. Dans ce cas, le temps faisant son œuvre, vous êtes passé à la phase d'acceptation de vos limites humaines. On ne peut rendre la santé à quelqu'un qui l'a perdue, même quand on l'aime éperdument. On peut toutefois être présent pour répondre à ses besoins. Jupiter, dans les derniers degrés de son passage en Cancer, vous permet de terminer votre grand ménage. Peut-être celui de votre vie amoureuse ? Au cours de ces derniers mois, il a peut-être été question d'une séparation. Elle est toujours cruelle pour les deux partenaires, peu importe celui qui en a pris l'initiative. Cependant, c'est maintenant l'heure de régler celle-ci sur un plan juridique et officiel. Attention, ce genre de démarche est épuisant ! N'acceptez rien dont vous ne soyez convaincu, surtout si le bien-être d'un ou des enfants est en jeu. N'attendez pas d'être à bout de forces pour demander de l'aide, principalement auprès d'amis qui ont déjà franchi ces étapes. Leurs conseils vous seront aussi utiles que rassurants. Si, grâce à votre ascendant sans oublier les planètes qui courent dans votre ciel natal, votre vie amoureuse se porte à merveille, il est alors question d'un rapprochement. Ce dernier sera si étroit que vous aurez la sensation de faire partie de l'âme de l'autre. Il en sera de même pour votre partenaire, même s'il n'en dit rien. En tant que « marsien », vous vous exprimez en premier sur le sujet. La suite se réglera d'elle-même.

FAMILLE En vacances et surtout près d'un cours d'eau, surveillez bien vos enfants. Plus ils sont jeunes, plus ils sont audacieux et imprudents. Lors d'une partie de pêche en famille, n'oubliez pas d'emporter les gilets de sauvetage. Le ciel indique des signes de danger par noyade, il vaut mieux prévenir. Gardez votre bébé à vue, les rapts d'enfants sont possibles sous votre signe. Un enlèvement, ça rend certainement fou de douleur et pour longtemps ! N'oubliez pas que beaucoup de gens ont cru que ça n'arrivait qu'aux autres. Ne faites pas partie des victimes. Soyez prévoyant !

Jusqu'au 13, vos enfants ne seront certainement pas sages comme des images ! Vos petits et même vos grands seront plus exigeants envers vous. Ils réclameront sans cesse votre présence. S'ils sont en âge de demander de l'argent de poche, ils revendiqueront une augmentation de leur allocation, d'autres désireront des jouets hors de prix. Le mieux est de leur expliquer ce que vous pouvez et ne pouvez faire pour eux. Si l'un de vos enfants est en rattrapage scolaire, il n'y a pas cent solutions : asseyez-vous avec lui et aidez-le. Ce sera le seul moyen de lui démontrer que vous avez sa réussite et son apprentissage à cœur.

SANTÉ À force de ne pas dire ce que vous pensez, vous rentrez en vous-même et vous vous grugez de l'intérieur. Ce qui n'est guère favorable pour votre système immunitaire.

En voyage, faites attention à l'eau que vous consommez et aux aliments qui ne sont pas tous de la même qualité que ceux que vous trouvez ici. Ne consommez jamais de la viande dont vous doutez de la fraîcheur. Si votre petit doigt vous dit que ce n'est pas frais, éloignez l'assiette. Vous avez du flair, il ne vous ment pas.

TRAVAIL-ARGENT Même en vacances, plusieurs d'entre vous pourraient accepter un second emploi afin d'arrondir les fins de mois ou pour payer des factures plus rapidement. Si vous êtes au boulot et préférez prendre congé en hiver, vos collègues pourraient susciter en vous un brin de jalousie à raconter leurs péripéties et à décrire leurs agréables séjours.

Pour ceux qui auront l'intention d'orienter leur carrière autrement, des recherches en ce sens peuvent être entreprises vers le 13.

Quant à ceux qui se lancent en affaires, de nombreux rendez-vous, et en particulier l'un d'eux survenant à la fin du mois, seront prometteurs notamment pour le financement de vos projets ou dans un but d'association.

CROYANCES Vous pensez que certaines personnes vous portent malchance. Vous leur avez permis de vous envahir, de gâcher votre temps ou vous êtes incapable de leur dire non lorsqu'ils veulent vous emprunter de l'argent. Les gens qui vous portent chance sont surtout des personnes encourageantes, vous le savez bien !

QUI SERA LÀ? Une Vierge se plaint plus que jamais auparavant. Un autre Bélier vous donne un bon conseil au sujet de la Vierge. Un Verseau vous rend service. Une Balance vous met hors de vous avec ses commérages au sujet de gens que vous connaissez mieux qu'elle. Un Taureau peut intervenir en votre faveur sur le plan professionnel.

AOÛT 2002

AMOUR-AMITIÉ Jupiter entre en Lion, symbole du cœur. Le Lion est un signe de feu qui va réactiver le vôtre. De plus, Mars, planète qui régit votre signe, est aussi en Lion. Tout laisse présager une grande aventure amoureuse si vous êtes célibataire. La rencontre que vous n'attendiez plus, votre délire d'amour sera à un point tel que vous aurez la sensation de lire un roman. Vous croirez que ce bonheur ne vous arrive pas à vous, mais plutôt au voisin. Vous aurez presque envie de vous pincer afin de vous assurer qu'il s'agit bel et bien de la réalité !

Si vous êtes en couple, l'un et l'autre reconnaîtrez votre chance d'être ensemble et heureux. Jupiter en Lion a plusieurs bons effets sur vous. Par exemple, les gens de mauvaise foi qui ne vous fréquentent que par intérêt seront mis à la porte, sans plus attendre. Vous interdirez qu'on profite de vous et de vos bontés. Par contre, vous serez généreux envers ceux qui l'ont toujours été envers vous. Néanmoins, vous ne vous sentirez pas non plus obligé de faire un cadeau çà et là. Les véritables amitiés se dévoilent. Les menteurs disparaissent. Ils n'ont plus leur place à vos côtés. Le feu est purificateur.

FAMILLE L'amour se conçoit souvent avec des enfants qui viendront confirmer cette passion. Ils sont à la fois le complément et le prolongement des partenaires. L'appel de la maternité ou de la paternité est puissant chez vous. Si vous n'avez pas d'enfant, dès les premiers mots à ce sujet, vous serez d'accord pour fonder une famille.

Un deuxième ou même un troisième enfant pourrait venir dans certaines familles. C'est comme s'il n'y avait jamais assez d'enfants autour de vous.

Si vous êtes un futur grand-papa ou grand-maman, vous verrez que les petits-enfants sont ce qu'il y a de plus beau sur terre, croyez-moi !

Si l'un de vos enfants, ce qui est souvent le cas sous votre signe, a un talent artistique particulier, il vous fera honneur en se produisant en public, qu'importe le nombre de gens présents lors du spectacle. Vous découvrez les dons en musique, en théâtre, en danse de votre enfants.

SANTÉ À compter du 8, Vénus est en Balance en face de votre signe. Cela vous invite à consulter votre médecin, notamment si vous avez mal aux reins. Prenez garde aux blessures si vous devez soulever de lourdes charges. Assurez-vous de travailler en toute sécurité, notamment si votre métier exige que vous grimpiez dans des échelles.

Si aucun danger ne menace votre vie, une blessure en cette période où vous êtes si bien dans votre peau serait fort déplaisante !

Si vous avez l'habitude de boire, de fumer ou même de prendre des drogues ou trop de médicaments, vous entreprendrez une désintoxication, car vous êtes dorénavant plus conscient de votre santé.

TRAVAIL-ARGENT Ce mois-ci, beaucoup de gens partent encore en vacances. Mais pour le plus grand nombre d'entre vous, c'est l'inverse, vous retournez au travail. Vous ne refuserez pas les contrats qui vous sont offerts et qui vous font gagner plus d'argent. Ces revenus vous permettent de vous offrir des petits luxes et, parfois, de remplacer un appareil dans la maison. Un téléviseur ultramoderne ou un réfrigérateur nouveau genre pourrait faire leur apparition chez vous. Quelques Bélier cherchent encore la justification à leur existence, le meilleur métier à exercer ou la profession idéale. Après en avoir parlé avec d'autres, ils trouvent rapidement leur voie pour s'accomplir pleinement.

Une rencontre, un mot aimable ou d'encouragement d'une personne qu'ils n'ont vue qu'à deux ou trois reprises leur suffit. Un rêve pourrait leur souffler la réponse.

Votre entourage est rempli de gens qui croient en votre talent. Ils vous présenteront à une personne qui a suffisamment d'influence pour que vous puissiez faire vos premiers pas dans cette entreprise qui a toujours semblé vous tendre les bras.

CROYANCES Quelques planètes vous portent aux excès. Méfiez-vous de ce qu'on nomme secte ou de tout autre regroupement dit psychologique qui vous promet monts et merveilles pour retrouver l'équilibre que vous pensez avoir perdu. Mars et Jupiter sont en Lion, dans le cinquième signe du vôtre, symbole solaire où il vous semble que croire c'est avoir ! Attention, on peut abuser de vous et vous faire croire n'importe quoi !

QUI SERA LÀ ? Un autre Bélier vous donne de bons conseils. Vous avez du plaisir avec un Lion. Un Verseau a besoin de votre aide, mais sait aussi vous remercier le moment venu. Un Gémeaux passe son temps à vous dire quoi faire ou comment penser ; avant la fin du mois, vous l'aurez écarté de votre cercle d'amis.

SEPTEMBRE 2002

AMOUR-AMITIÉ Nos moyens de communication sont de plus en plus rapides. Depuis quelques mois, parfois plus d'une année, certains d'entre vous ne se sont pas entretenus avec leurs amis. Les échanges par courriels, par boîtes vocales interposées ont pris le dessus. On ne se donne plus ces bises traditionnelles comme lorsqu'on se rencontre autour d'une bonne table. Les éclats de rire entre amis se font de plus en plus rares. Au fond, même si les nouvelles technologies élargissent nos horizons, notre petit monde personnel se rétrécit. Ne vous en faites pas, vous n'êtes pas les seuls à vivre cette compression de chaleur humaine ! Ce mois-ci, vous avez l'impression qu'il faut vous éveiller et sortir de ce rêve où des passages ne mènent qu'à d'autres passages. Au début, vous hésiterez à retourner vivre parmi les vôtres, mais vous ferez un effort ! Vous vous êtes habitué à votre petit confort : personne jamais ne vous dérange, mais personne, jamais non plus, ne vous serre dans ses bras. Il vaut mieux prendre le risque d'écouter les lamentations de l'un et de l'autre que de poursuivre dans cette solitude trop lourde à supporter. Les célibataires savent bien que les amours virtuels ne sont pas très engageants. Les jeux de mots ont été plaisants pendant un certain temps. Les échanges de confidences vous ont ému. Vous espériez chaque jour le prochain message. Mais vous vous endormiez en soupirant et en espérant que votre amour virtuel soit réel. La peur d'être déçu a gagné du terrain. En ce mois de septembre 2002, faire le grand saut ne vous effraie plus. Vous ferez fête à la vie et vous convierez vos amis pour un café après le travail, ou durant la fin de semaine, puisque la majorité d'entre nous sommes en congé. L'amour vous fait des signes évidents, il vous suffit de sortir dans la rue pour vous apercevoir que vous plaisez toujours autant ! On vous sourira gentiment. On essaiera de lier conversation avec vous. Ne laissez pas le « marsien » en vous se retirer sous sa bulle. Vous avez besoin d'un compagnon ou d'une compagne apaisante, pour vous équilibrer corps et âme. Cet amour virtuel qui n'était qu'un fantôme de plus en plus transparent prend forme humaine. Ouvrez les bras et recevez-le, comme votre signe de feu sait si bien le faire.

Vivre ne consiste pas uniquement à entretenir des rapports intellectuels avec les autres. Vivre n'est pas non plus basé sur de longues explications où chacun ne fait que se raconter. Vivre, c'est surtout, et avant tout, des sentiments partagés et un échange humain qui ne peuvent exister que par un face-à-face.

FAMILLE Si vous êtes parent, vous l'êtes généralement à 100 %. Bien rares sont les Bélier qui abandonnent leur conjoint et leurs enfants. Vous avez le sens de la continuité et un vif besoin de savoir que votre lignée se poursuivra après vous.

Sous Jupiter en Lion, la conscience est largement ouverte et son leitmotiv pourrait être : « Laissez venir à moi les petits enfants. »

Certains d'entre vous n'attendent pas la venue d'un enfant, à cause d'ennuis de santé, par exemple.

Si vous avez entre 40 et 50 ans, vous êtes sûrement persuadé d'en avoir terminé avec les biberons et les couches, ou peut-être n'avez-vous jamais eu d'enfant. Jupiter en Lion se comporte de façon étrange, et plus encore parce qu'il évolue en face de Neptune en Verseau, ce mois-ci. Cette position planétaire se traduit pour de nombreux Bélier par les mots « bébé-surprise » !

Si vous faites partie de ceux qui désirent agrandir leur famille, votre vœu ne tardera pas à être exaucé. Monsieur croit naturellement que c'est madame qui y consent. Du côté de madame, elle n'a aucun mal à convaincre monsieur du bonheur de la vie ainsi donnée. Si vos enfants ont l'âge de faire des choix, l'un d'eux vous épatera en démontrant un talent particulier. Ce prodige est, en quelque sorte, la manifestation d'un désir secret que vous entreteniez et gardiez bien enfoui au fond de vous.

SANTÉ Surveillez vos reins qui, cette fois, fonctionnent mal ou éliminent mal, surtout dans les moments de stress. Lorsqu'une pensée vous trouble ou vous obsède, vous remarquerez que vous avez mal dans le bas du dos. Il n'en tient qu'à vous d'avoir de meilleurs jeux de l'esprit. Voyez l'avenir sous un meilleur angle, n'accordez pas d'importance à ces jaloux et à ces envieux qui détestent votre nature pourtant énergique !

TRAVAIL-ARGENT Vous travaillez beaucoup. D'abord parce qu'il faut de l'argent pour acheter l'essentiel. Il faut faire des heures supplémentaires pour vous offrir les petits luxes qui agrémenteront votre vie et celle de votre famille.

Si vous grimpez dans des échelles, soyez prudent. Si votre outillage est défectueux, réparez-le avant de l'utiliser. Ne courez aucun risque.

Si vous êtes plutôt intello, en plus de vos obligations professionnelles, vous suivrez des cours de perfectionnement. Financièrement, vous ne manquerez de rien.

Si vous êtes à la recherche d'un emploi, vous en trouverez un rapidement. Au début, il n'est question que de court terme, mais il ne faudra pas beaucoup de temps pour reconnaître que vous avez du souffle et que vous êtes plus dévoué que la majorité des travailleurs.

CROYANCES Jeter votre bagage de mauvais souvenirs, c'est de la magie ! Au cours de ce mois, vous vous départirez d'objets que vous pensez chargés de négativisme. Puisque telle est votre vision, agissez et débarrassez vos placards de ces choses qui rappellent des périodes sombres ou des gens de passage qui vous ont laissé un goût amer en héritage.

QUI SERA LÀ ? Un Sagittaire est là pour vous faire rire ou parfois pour vous séduire. Un ami Lion a des intuitions concernant votre vie privée ou professionnelle, il est aussi un garde-fou qui vous empêche d'agir lorsqu'il est préférable d'attendre. Une Balance ou un Gémeaux réussit à vous vendre un objet quasi inutile. Attention, le sourire et le charme de l'un comme de l'autre vous hypnotisent ; leurs intérêts passent avant les vôtres !

OCTOBRE 2002

AMOUR-AMITIÉ Vénus est en Scorpion, et le 9, cette position sera rétrograde. Cette planète est dans le huitième signe du vôtre et sur son parcours elle provoque parfois des aspects durs à Neptune en Verseau. Même si ces planètes et signes sont éloignés du Bélier, ils exercent néanmoins une grande influence sur lui, d'autant plus que Vénus se trouve dans un signe « marsien ». Après les émois du mois dernier, vous traversez des moments de doute et votre moteur est la peur. Si vous êtes aimé, vous craignez que cela ne s'arrête comme cela est déjà arrivé. Si vous venez de vous engager, vous vous demandez pourquoi. Quels en sont les avantages ? Pourquoi faire un effort et essayer de comprendre les besoins de l'autre, pourquoi l'aimer ? Après tout « vous vous suffisiez » fort bien à vous-même ! Vous réussissez presque à vous convaincre que vous n'étiez pas si mal, avant l'entrée de l'amour dans votre vie. Avez-vous déjà oublié vos prières, vous qui désiriez tant être aimé ? Si vous refusez l'amour, si l'engagement vous effraie, tournez les talons et retournez dans votre solitude, là où personne n'intervient ou pas même un sourire ne vous atteint.

Voici un message particulier pour ceux qui ont des enfants d'une première union et qui se sentent toujours talonnés ou terrorisés par l'ex (le vôtre ou le sien) : l'affrontement entre Vénus et Jupiter dans le ciel signifie que, pour vous sur terre, une mise au point devient nécessaire. Si la situation entre les enfants et l'ex devient trop tendue, vous pourriez avoir recours à une intervention policière ou tout au moins, vous vous sentirez obligé de demander à votre avocat de s'occuper de votre cas afin de préserver tant votre seconde union que le bien-être de vos enfants.

FAMILLE Puisque le contexte 2002 concerne principalement les enfants, la famille est touchée. Si vous avez vécu un divorce et un remariage quelques années après, vous pourriez vivre un déchirement entre ces deux familles ; l'un est de votre côté, l'autre contre vous !

Ceux qui vous aiment, en voulant votre bien, peuvent avoir des opinions radicales et vous donnent des conseils dont vous n'avez pas besoin. Vous êtes assez adulte pour prendre vos propres décisions quant à l'éducation de vos enfants.

Si vous êtes au nombre de mes jeunes lecteurs adultes prêts à prendre leur envol, dites-vous que si vos parents sont ultra-protecteurs, ils préfèrent vous voir à leurs côtés plutôt que dans votre propre appartement. Vous n'arriverez à les convaincre de vous laisser voler de vos propres ailes que par le sourire et la discussion. Démontrez-leur que vous vous débrouillez bien quand ils sont absents, que vous prenez vos responsabilités comme eux-mêmes l'ont fait à votre âge. Si vous quittez la maison parce qu'on s'y dispute beaucoup, ne claquez pas la porte en sortant. Cela fait mauvaise impression. Vous pourriez vouloir revenir un jour. Ne perdez pas de vue que jusqu'au 23, le Soleil est en Balance en face de votre signe, il vous donne une envie de liberté. Toutefois, sachez qu'on ne vit pas seul sur cette planète ; nous dépendons les uns des autres et ce, dans tous les domaines, toutes les professions, toutes les conditions de vie, que l'on soit riche ou pauvre.

SANTÉ Jusqu'au 16, sous l'influence de Mars en Vierge en aspect difficile à Saturne, méfiez-vous des aliments auxquels vous pourriez être allergique. Ces particules de nourriture que votre tube digestif refuse d'accepter et d'assimiler reviennent à la charge.

Entre le 6 et le 11, vous serez extrêmement nerveux, et parfois sans raison. Cela relève de l'inexplicable. Certains jours, les uns mangeront à se faire éclater la panse, tandis que d'autres perdront l'appétit. Que vous soyez gourmand ou ne mangiez pas assez, cherchez la personne de votre entourage qui vous met en colère. Ce faisant, vous trouverez immédiatement la réponse à vos problèmes et vous vous apaiserez.

TRAVAIL-ARGENT On se plaint de devoir travailler et pourtant, on le fait tous ! Bien sûr, il existe quelques « stars » qui se la coulent douce ou prennent une année sabbatique. Il n'est pas interdit de les envier pendant quelques minutes ! Cependant, la majorité d'entre nous sera au boulot en ce mois, notre survie financière en dépend. Attention donc aux gaffes dans votre secteur professionnel. Certains pourraient croire qu'après autant d'années de service, dire tout ce que vous pensez à votre patron est permis. Un grand nombre d'entre vous vivront des moments de révolte contre l'autorité. Les protections et les avantages se font aussi de plus en plus rares ou de moins en moins importants pour vous. En tant que signe placé sous l'influence de Mars, vous aurez tendance à vous plaindre ouvertement dans le but d'inciter vos collègues à en faire autant. Si vous êtes décidé à revendiquer plus de droits, plus de gains et plus de respect auprès de vos employeurs, pensez à bien organiser votre mouvement de contestation. Seul, vous n'arriverez nulle part ; et cela vaut tout autant que vous soyez employé d'une multinationale ou d'une petite entreprise. Si toutefois vous faites partie des rares personnes qui n'occupent pas la place correspondant à leurs capacités, une série d'événements dévoilera le réseau de protection dont vous bénéficiez depuis si longtemps. Vos secrets seront découverts, surtout à partir du milieu du mois. Dans l'ensemble, surveillez mieux vos dépenses. Vous achetez souvent sous le coup de l'impulsion des objets dont vous n'avez nullement besoin.

CROYANCES Si l'un de vos proches est extrêmement malade, et que la médecine traditionnelle ne puisse plus rien pour lui, vous serez tenté de passer d'un guérisseur à un autre pour le sauver. Malheureusement, votre émotivité vous empêchera de faire la part des choses et de démasquer les charlatans. Soyez sur vos gardes ! Sous les influences de Jupiter en Lion et de Vénus en Scorpion, vous perdez le sens de la mesure. Cela peut vous coûter cher et ne rien rapporter, ou ce ne sera qu'un nuage d'espoir qui se dissipera bien vite.

QUI SERA LÀ ? Un Scorpion est là pour vous guider, pour vous prévenir et vous mettre en garde contre des décisions pouvant se retourner contre vous. Une Balance que vous avez connue dans le passé et en qui vous n'aviez pas confiance revient vous bercer d'illusions. Ne la laissez pas vous décevoir une autre fois. Si un Gémeaux a de bonnes idées commerciales, elles ne sont pas toutes applicables. N'investissez rien en vous basant sur des « à peu près » !

NOVEMBRE 2002

AMOUR-AMITIÉ Mars est en Balance et fait face à votre signe. Pour les célibataires, l'heure est propice au déclenchement sentimental ardent. Au fil du mois, vous ressentirez une progression de plus en plus rapide du désir d'aimer et d'être aimé. Des Bélier rencontreront la perle rare et une longue histoire d'amour débute.

D'autres se berceront d'illusions dès la première rencontre et verront en l'autre ce qu'ils souhaitent et croient reconnaître. Malgré quelques signaux d'avertissement, vous vous leurrez. Vous vous engagez dans cette relation en lui trouvant mille excuses et raisons, pour écarter de vos pensées ce qui vous déplaît en l'autre. Ils finiront toujours par conclure que cette personne a tellement de qualités que les mauvais côtés seront supportables. Bien que personne ne soit parfait, certains ont des défauts qui rendent la vie impossible à ceux qui les côtoient. Les passionnés, affamés d'amour et qui tombent promptement amoureux même de ceux dont il ne faut pas, se reconnaissent toujours. Ils savent aussi que leur cœur amoureux perd sa raison et sa capacité de réflexion. Ceux-là doivent impérativement se méfier de leur emballement. Vos amis savent que vous avez besoin d'être éclairé quand l'amour vous fait virevolter, écoutez-les ! Certains vous ont vu l'air triste trop souvent. D'ailleurs l'un d'eux saura vous dire si oui ou non vous avez trouvé la perle rare, ou si vous êtes sur le point de connaître une autre fois « l'amour-passion-engagement-fin-dépression » ! Vous êtes libre de vos choix, mais certains d'entre vous ont besoin qu'on leur ouvre les yeux sur la réalité. À partir du 19, le hasard vous permet de renouer contact avec de vieux amis dont vous étiez sans nouvelles depuis souvent une décennie.

FAMILLE Si vous dirigez une entreprise familiale et employez un de vos enfants, il est possible qu'il veuille voler de ses propres ailes. Vous serez d'abord étonné de sa décision. Vous comprendrez mal son désir de se détacher de cette entreprise où il a la vie plus facile que bien d'autres. S'il est jeune, dans la vingtaine par exemple, il est normal qu'il ait envie de connaître d'autres expériences. Vous serez tenté de le convaincre de l'erreur qu'il fait en vous quittant, mais peut-être devriez-vous le laisser partir ! À son retour, il appréciera davantage tout ce que vous avez fait pour lui.

Vous subissez aussi les reproches d'un parent qui ne se contente pas de vous remercier lorsque vous le recevez. Au dessert, il vous fait part de vos erreurs en tant que parent, quant à vos dépenses, ou pire, il ose critiquer le choix de votre partenaire ! Si cela se reproduit, vous exploserez et lui direz clairement qu'il ne sera le bienvenu que lorsque son attitude envers vous et les vôtres aura changé. Cette fois, vous exigez le respect.

SANTÉ Mars qui file sur le deuxième et troisième décan de la Balance use plus rapidement votre résistance physique. Bien vous nourrir est d'une importance capitale. Mars en Balance tolère mal les excitants, comme le thé et le café. Vos reins filtrent moins bien vos toxines. Et il n'est rien de plus désagréable que ces douleurs au bas du dos. Soyez sélectif dans le choix de vos boissons, n'absorbez que des liquides sans additif chimique et, naturellement, avec le moins de sucre possible. Au début du mois, il se peut que vous fassiez une sinusite. Demandez-vous aussi si vous n'avez pas surchargé votre foie d'un peu trop de gâteries et de douceurs pour le palais.

TRAVAIL-ARGENT Au travail, vous serez celui qu'on appelle pour remplacer l'un et l'autre. Vous aurez l'impression d'occuper deux emplois à la fois. Vos journées seront bien remplies et vous terminerez tard en soirée, presque tout le mois.

Durant les deux premières semaines de novembre, ne faites pas vos confidences à ces collègues plus bavards que les autres ; vos secrets seraient déformés au point que vous aurez peine à les reconnaître lorsqu'ils reviendront à vos oreilles. Si, depuis le début de l'année, vous travaillez sur un projet spécial, si vous montez votre propre affaire, votre montagne d'efforts et de détours aboutira enfin. À partir du 20, vous recevrez de bonnes nouvelles ; votre entreprise fera des profits grâce aux clients qui se font de plus en plus nombreux.

Du 24 jusqu'au dernier jour du mois, la chance est plus présente dans les jeux de hasard. S'il est question d'héritage dans la famille, n'essayez pas de régler la question seul, demandez l'avis d'un avocat ; vous saurez alors si vous avez droit ou non à une part du gâteau. Si vous n'avez droit à rien, vous cesserez d'insister et vous mettrez fin à une guerre que, de toute manière, vous n'auriez jamais gagnée.

CROYANCES À la fin du mois vous serez extraordinairement intuitif. Vous serez sans doute capable de voir votre avenir en rêve, ou lors d'une vision alors que vous êtes éveillé. Ce type d'expérience, qu'on ne peut que rarement partager, est unique à chaque individu. Par exemple, depuis des mois et des mois, vous vous questionnez sur ce qu'il y a de mieux à faire pour telle ou telle situation, mais les choix sont multiples. Brusquement, au moment où vous vous y attendez le moins, lorsque vous serez débranché de vos soucis, la solution vous apparaîtra avec clarté.

QUI SERA LÀ ? Un Sagittaire vous porte chance. Un Scorpion vous fait la morale, mais vous n'êtes pas obligé de l'écouter jusqu'au bout. Un Lion se montre intellectuellement plus fort que vous ou il vous étale sa pseudo connaissance spirituelle : il a besoin de se prouver quelque chose à lui-même ! Un Capricorne se fait séduisant ; si quelques années vous séparent, entre cinq et sept, ça pourrait coller !

DÉCEMBRE 2002

AMOUR-AMITIÉ Certaines amitiés peuvent se transformer en amour. Soudain, vous vous apercevez que l'être qui vous fait face n'est pas uniquement intéressant pour son intellect et sa compréhension, mais qu'il a un corps qui vous attire. Cependant, vous ne savez pas si cette attraction physique est réciproque. Vous n'osez pas vous rapprocher, vous maintenez une certaine distance et c'est mieux qu'il en soit ainsi. Laissez le temps faire son œuvre. Au cours de la deuxième semaine de janvier 2003, vous saurez si oui ou non vous êtes fait l'un pour l'autre, corps et âme.

En ce mois de décembre, Mars et Vénus se frottent l'un à l'autre. Mars est la planète qui régit votre signe, et ainsi positionné, il vous donne l'envie de flirter plus que d'habitude. Vous avez besoin de vous prouver que vous plaisez, et même à un autre partenaire que le vôtre. Il n'est pas anormal de vouloir être séduisant. La majorité des humains s'efforcent de l'être. Le danger est de poursuivre une chimère, de n'avoir qu'une excitation qui après coup vous déçoit de vous-même. Attention, vous pourriez tomber dans des bras qui après avoir obtenu votre extase se fermeront aussitôt sur eux-mêmes. Votre vie de couple n'est ni simple ni facile à vivre. Vous franchissez un cap et traversez une tempête, mais le bateau ne coulera pas forcément. Il faut savoir s'expliquer, se parler sans hurler, sans discréditer l'autre, sans vous faire écraser non plus. Vous aimez les défis, en voici un : maintenir votre union malgré les vents contraires, et ils risquent d'être nombreux jusqu'à la fin du mois.

FAMILLE Dans une famille, on trouve toujours quelqu'un pour dire aux autres quoi faire, surtout en cas de problèmes. Qu'il s'agisse de votre budget, de votre relation de couple, de vos enfants, etc., ne laissez personne jouer au psychologue avec vous. Si vous avez besoin d'aide, consultez un expert et n'écoutez pas ce parent qui, au fond, en connaît si peu sur vous et votre intimité. En tant que parent, vous-même, vos enfants seront plus exigeants, surtout s'ils sont assez grands pour prendre des décisions. Ils désireront probablement une augmentation de leur argent de poche. Attendez-vous donc à négocier avec eux. S'ils veulent plus d'argent, ils devront le gagner, en vous rendant davantage de services et sans récriminer.

SANTÉ À la fin du mois, il faudra faire attention à vous. Certains auront tendance à trop fêter, à trop boire, à trop manger et ils affaibliront leur système immunitaire. Une grippe, une sinusite, etc., pourrait frapper et ils auront du mal à s'en débarrasser. Bien que ce type de malaise soit passager, c'est incommodant, surtout pendant les fêtes de fin d'année !

TRAVAIL-ARGENT Au cours de ce mois, vous travaillerez plus que vous ne vous y attendiez. Si vous aviez prévu quelques jours de congé, en plus des fêtes de fin d'année, ce sera impossible. Par ailleurs, l'argent gagné en plus n'est pas à dédaigner. Il vous permettra de payer vos factures plus rapidement ou de vous offrir un petit luxe que vous aviez remis de mois en mois, depuis le début de l'année.

La présence de Mars et de Vénus en Scorpion porte certaines gens à l'agressivité, et il est impossible de les éviter tous. Dès que vous serez en présence de gens qui cherchent la confrontation, éloignez-vous. Vous n'avez nullement besoin de ces tensions. Remplir toutes vos obligations est déjà bien assez stressant !

CROYANCES Vous êtes impressionnable sous cet aspect du ciel. Certains d'entre vous seront tentés d'aller consulter des cartomanciens, des joueurs de tarot, des astrologues, etc. En fait, vous serez à la recherche de la réponse que vous voulez entendre. Vous faire dire qu'un de vos souhaits se réalisera, mais un vœu sans passer à l'action risque de demeurer à l'état de souhait longtemps.

Si vous êtes atteint d'un mal chronique, il est normal de tout tenter pour s'en débarrasser, mais restez tout de même sur vos gardes, un faux guérisseur pourrait vous soutirer beaucoup d'argent.

QUI SERA LÀ ? Un Scorpion vous dit carrément et honnêtement ce qu'il pense de vos idées, si vous lui demandez son avis. Un Gémeaux peut devenir envahissant, il ne vous consulte que pour vous confier ses problèmes. Vous redonnez du courage à un Capricorne et en remerciement, vous serez sous sa protection.

BÉLIER ASCENDANT BÉLIER

Jusqu'au début du mois d'août, vous êtes sous l'influence de Jupiter en Cancer dans le quatrième signe du vôtre. Vous ferez le grand ménage et cela de bien des manières. Vous expulserez de votre vie des personnes qui n'ont fait que s'accrocher à vous, depuis des décennies parfois, et qui jamais n'ont été là lorsque vous aviez besoin d'elles.

Si vous possédez une maison, vous songerez à la vendre ou la rénoverez de fond en comble, au point d'avoir l'impression de vivre dans une nouvelle propriété.

Si vous êtes amoureux et vous n'avez pas encore d'enfant, vous songerez sérieusement à devenir parent. Vous avez toutes les chances du monde de voir ce désir s'exaucer.

Si vous êtes déjà parent, il n'est pas impossible que votre famille s'agrandisse d'un second ou d'un troisième enfant. Au cours de 2002, votre période de fertilité est au maximum. Les contraceptifs existent, mais certains les oublient !

Si vous êtes célibataire, sans doute rencontrerez-vous une personne qui a déjà un ou deux enfants. Au début de la relation, vous serez inquiet ; vous savez que plus vous serez lié à l'autre, plus vous vous attacherez aussi à ses enfants. Vous savez aussi que vous en serez en partie responsable.

Si vous avez passé l'âge d'être parent, il est possible que vous deveniez grand-parent.

Du début de l'année et jusqu'au début d'août, si vous avez eu une dispute avec un frère ou une sœur, cette chicane vous semblera interminable. Il est à souhaiter qu'elle ne soit pas pour une question d'argent, sinon cela risque de vous mener devant un juge ou vers une séparation définitive d'avec ce membre de votre famille.

La chance arriver à partir du 2 août, même dans les jeux de hasard. Vous serez alors sous l'influence de Jupiter en Lion, cinquième signe du vôtre, il symbolise l'or et l'amour.

Si vous êtes encore célibataire en ce huitième mois de l'année, Jupiter en Lion vous présentera une personne toute spéciale. Ce peut être un artiste ou un original avec qui on ne s'ennuie jamais. Cette personne mène en plus un train de vie fort agréable auquel vous serez convié.

De manière générale, de nombreux problèmes s'évanouiront, votre santé s'améliorera.

Vous sortirez davantage, vous aurez presque l'impression de redécouvrir le monde ! Si ce n'est pas fête tous les jours, vous en profiterez néanmoins pleinement.

BÉLIER ASCENDANT TAUREAU

Votre soleil est dans le douzième signe de votre ascendant. Vous accordez foi à des gens qui abusent de votre générosité, de vos services, de votre argent. Cela vous inquiète finalement plus que vous ne le laissez paraître. Attention ! Au cours des sept premiers mois de l'année, on voudra vous mêler à des affaires familiales qui ne vous concernent pas directement. Tenez-vous loin des disputes entre parents qui ne se sont jamais aimés et qui sont sur le point de se faire la guerre.

Certains d'entre vous entreprendront des études ou termineront un cours qu'ils avaient remis d'une année à l'autre.

Le secteur professionnel est sous de bons aspects durant les sept premiers mois de l'année. Certains obtiendront l'emploi dont ils ont rêvé, d'autres auront une promotion et une augmentation de salaire.

Sous l'influence de Jupiter en Cancer, bien que vous soyez un grand sensible, vous agissez comme si vous ne l'étiez pas. Vous portez des jugements durs envers des gens que parfois vous connaissez peu. Il faudra vous tourner la langue dix fois dans la bouche avant de parler, avant de divulguer un secret qu'on vous aura confié. En somme, évitez de parler des autres en termes peu flatteurs, cela ne vous porterait pas bonheur.

En tant que parent, on ne fait pas ce qu'on veut de ses enfants ! Vient un moment où ils prennent des décisions qui ne sont pas celles que papa et maman auraient voulues. Si vous avez des grands adolescents, l'amour peut leur chavirer le cœur, et vous les verrez prendre un chemin différent de celui que vous leur aviez tracé. Vous n'aurez d'autre choix que d'accepter et, en tant que bon parent, d'être là quand ils auront besoin de votre soutien. Les enfants ne réalisent pas forcément les rêves de leurs parents !

Dans votre vie de couple, des tensions se feront sentir, le mieux est d'en parler calmement. Si vous n'y arrivez pas, avant de décider d'une rupture, pourquoi ne pas consulter un thérapeute en relations matrimoniales, surtout si vous avez des enfants ?

À partir du mois d'août, vous serez sous l'influence de Jupiter en Lion. Cette planète joue cette année un rôle puissant dans vos affaires familiales. Pour les uns, le moment est venu de se séparer d'un enfant devenu adulte et de le laisser mener sa vie à son gré. Si vous êtes parent de jeunes enfants, vous pourriez montrer plus d'impatience, ou traverser des périodes de légère déprime. Mais la fatigue ne vous empêche pas d'aimer vos petits. Si la déprime l'emporte, et qu'elle devient une façon d'être, consultez votre médecin ou cherchez de l'aide pour y voir plus clair.

Sous l'influence de Jupiter en Lion, vous serez porté à de grosses dépenses pour la maison. Vous aurez envie de nouveaux meubles, d'un style différent et ce sera peut-être au-dessus de vos moyens. Méfiez-vous de votre impulsivité dans les magasins. Vous avez tendance à étirer votre marge de crédit.

Le besoin d'aimer et d'être aimé est extrême sous Jupiter en Lion. Les célibataires seront attirés par une personne beaucoup plus jeune ou beaucoup plus âgée qu'eux. Les uns recherchent un amour-protection, les autres un amour à protéger. Le grand amour peut survenir, à condition de se donner le temps de connaître cet autre que vous venez de rencontrer, parce qu'il ne sera pas le premier venu.

BÉLIER ASCENDANT GÉMEAUX

Au cours des sept prochains mois, les quelques réparations sur votre maison remises constamment dans l'espoir que ça ne se détériorerait pas davantage, vous prouvent que vous avez eu tort. Vous êtes sous l'influence de Jupiter en Cancer, symbolisant le sous-sol de votre maison ou le plancher, ou ce qui se cache sous le tapis, dans les murs : électricité, plomberie, moisissures, etc.

Déjà en 2001, vous saviez qu'il fallait procéder aux réparations et le problème n'a pas disparu, comme par magie ! Maintenant il faut payer plus cher pour tout remettre en ordre et éviter une vraie catastrophe ! Vous en aurez les moyens, heureusement. Jupiter en Cancer vous permet de gagner plus d'argent.

Si vous êtes à votre compte, votre entreprise prendra de l'expansion, probablement grâce au soutien d'un parent. Si vous travaillez à contrat, vous en signerez un plus avantageux et à plus long terme que tous les précédents. Si vous êtes employé, qu'importe le genre d'emploi, vous obtiendrez une promotion et naturellement vous serez mieux payé.

Sous l'influence de Jupiter en Cancer, surveillez votre santé ! Vous mangerez plus vite et mal, ou vous ne vous nourrirez pas suffisamment. Si vous tenez à garder le rythme, conformez-vous aux règles alimentaires, tout au moins aux plus élémentaires.

Si vous avez des enfants, votre partenaire et vous ne serez peut-être pas d'accord au sujet de leur éducation. De grâce ne vous disputez pas devant eux, réglez vos histoires d'adultes entre vous. Il ne s'agit pas de votre avenir, mais bel et bien de celui de vos enfants. S'ils ont l'âge de donner leur opinion, il serait sage de discuter avec eux de ce qu'ils désirent ou entrevoient pour leur futur.

Les petits agacements disparaîtront sous Jupiter en Lion, à partir d'août. Votre vie s'améliorera encore, vous cesserez d'accorder de l'importance à ce qui n'en a pas. D'un autre côté, vous saurez à quel moment il faut mettre la main à la pâte et trouver une solution à une situation boiteuse, avant qu'elle soit irrécupérable.

Sous Jupiter en Lion, vous serez vif comme l'éclair. Vous serez également créatif, plus inventif et plus dynamique parce que plus conscient de la nécessité de prendre soin de vous.

Sans doute ferez-vous un voyage de luxe tel qu'une croisière. Vous pourriez gagner des vacances à une loterie quelconque. Nombreux sont ceux qui auront envie de changer de style vestimentaire ; ils entrent en période de rajeunissement ou de marginalité. Ils sortiront davantage, et certains qui n'ont plus dansé depuis des années pourraient même suivre des cours, pour se maintenir en forme et rencontrer de nouvelles gens.

BÉLIER ASCENDANT CANCER

Avec Saturne en Gémeaux dans le douzième signe de votre ascendant, vous êtes en période importante de restructuration. Votre système de valeurs, votre manière de penser et même d'acheter sont révisés.

Les étudiants, qui ont choisi une orientation sans être totalement convaincus de leur choix, y repensent et découvrent comment mieux déployer leurs énergies pour se réaliser pleinement.

Les sept premiers mois de l'année, sous l'influence de Jupiter en Cancer, la vie de famille occupe une place plus importante que jamais. Pour certains, le moment est venu d'avoir un premier ou un second enfant, ou même un troisième.

Quelques-uns d'entre vous deviendront grands-parents.

Si vos enfants sont grands et sont en âge de quitter le nid familial, il est temps pour vous de réaménager votre maison, votre appartement, et surtout votre emploi du temps en tenant compte de ce nouvel aspect de votre vie.

Si vous travaillez dans un but précis depuis plusieurs années, qu'il s'agisse de monter une affaire ou de réussir dans un domaine artistique, vous aurez l'occasion de vous mettre en évidence, de faire valoir votre talent et vos compétences.

Des personnes qui vous feront confiance seront judicieusement placées sur votre route, et vous ne les décevrez pas.

Vous êtes un double signe cardinal, donc généralement ambitieux. Sous l'influence de Jupiter en Cancer, si vous n'êtes pas déjà propriétaire de votre maison, vous ferez sans doute votre première acquisition, ou transformerez votre foyer du tout au tout.

Jupiter ainsi positionné en maison UN vous donnera l'occasion de rencontrer des gens de différentes nationalités. Ils vous apprendront beaucoup, notamment en vous enseignant d'autres manières de cuisiner. Vous pourriez même joindre les rangs d'un groupe antiracisme.

À partir d'août, Jupiter est en Lion dans le deuxième signe de votre ascendant. Il représente l'argent : celui que vous gagnerez plus aisément mais que vous dépenserez sans doute avec autant de facilité. Vous aurez du mal à limiter vos dépenses, que vous achetiez pour vous ou pour faire des cadeaux. Vous pensez que vous vous êtes privé trop longtemps.

Jupiter en Lion fera ce qu'on nomme un aspect de trigone à votre soleil. Dès lors, vous serez en meilleure santé, plus dynamique mais plus gourmand. Vous aurez faim de plaisirs, surtout si depuis les trois dernières années, la vie vous a fait traverser quelques épreuves. Il est également possible que vous ayez de la chance dans divers jeux de hasard.

Jupiter en Lion peut aussi laisser présager une promotion, vous serez en pleine lumière ! L'ascension commence en début de 2002 et elle se poursuivra en 2003.

BÉLIER ASCENDANT LION

Durant les sept premiers mois de l'année, Jupiter est en Cancer. dans le douzième signe de votre ascendant. Il occupe une position très particulière, puisqu'il se trouve en double exaltation.

Vous serez plus émotif et extraordinairement généreux. Il est possible que vous mettiez sur pied un projet pour venir en aide à des personnes qui souffrent ou qui ont faim.

Si vous êtes un artiste, peu importe l'art exercé, vous serez inspiré comme jamais. Sous l'influence de Jupiter en Cancer, vous ferez des rêves prémonitoires, vous aurez des intuitions spontanées, à un tel point que vous aurez la sensation d'avoir pénétré le monde de l'éther et du subtil. Les questions que vous vous posez sur votre propre existence trouveront réponse.

Jupiter en Cancer laisse présager la maladie et parfois une longue hospitalisation pour un proche parent, probablement âgé, que vous affectionnez.

Si mentalement et moralement vous vous sentez différent, physiquement vous demeurez vulnérable. Vous devrez donc faire très attention à votre santé. Certains d'entre vous doivent changer leur alimentation car elle ne correspond pas à leurs besoins. Le fer et le taux de sucre dans le sang sont à surveiller.

Jupiter en Cancer peut aussi créer de l'inquiétude pour les parents, surtout si l'un des enfants entre dans l'adolescence : il ne sait pas très bien où il en est. Dans un tel cas, soyez à l'écoute ; ne faites pas comme si tout allait bien, surtout si un de vos jeunes manifeste un sentiment de déprime sur une base quotidienne. Les signes qu'il vous lance sont nombreux, il est impossible de ne pas les voir.

Jupiter en Cancer met certains d'entre vous en garde contre une secte ou tout autre mouvement religieux auquel ils songent adhérer. Vous pourriez donner tous vos biens en échange d'un paradis perdu qu'on aurait retrouvé à votre place !

Jupiter ainsi positionné vous incite à vous départir d'une part de votre égocentrisme. Mais cet ego a besoin de s'exprimer afin que votre personnalité continue à se manifester et puisse apporter votre part au monde. Lorsque l'ego est trop atténué, la nature devient informe, floue, le rêve domine et la volonté d'agir s'estompe.

Jupiter sera en Lion à partir d'août dans la maison de votre ascendant. Si vous vous étiez laissé entraîner par quelques grenouilles de bénitier, vous vous redresserez et reprendrez votre destin en main.

Jupiter en Lion est en lien direct avec les enfants, les vôtres. Si vous êtes amoureux, votre partenaire et vous ressentirez le besoin de fonder une famille.

Il est aussi possible que vous soyez fier d'un des vôtres qui obtient un succès inespéré dans un domaine artistique ou sportif.

Jupiter en Lion a aussi la manie de vous pousser à vous refléter dans vos propres enfants. Attention !, n'imposez pas vos désirs d'avenir à vos enfants. Laissez-les découvrir leurs propres idéaux.

Si vous avez eu des problèmes de santé sous Jupiter en Cancer et que tous les moyens ont été mis en œuvre pour vous guérir, vous aurez l'impression que la vie circule partout en vous, sous Jupiter en Lion.

Vous pourriez prendre des vacances, surtout si vous n'avez fait aucun voyage depuis de nombreuses années.

Dans le secteur professionnel, vous vous poserez de multiples questions, notamment durant les sept premiers mois de l'année. Garder le même emploi peut se révéler difficile. Avec Jupiter en Lion, à partir d'août, vous obtiendrez un travail stable, bien rémunéré et sans doute plus valorisant que tout ce que vous avez eu jusqu'à présent.

BÉLIER ASCENDANT VIERGE

Votre soleil se trouve dans le huitième signe de votre ascendant. Il vous arrive d'être dur avec vous-même, tranchant avec les autres. Vous êtes l'accusé, le jury, le juge et votre propre prison. Votre ascendant est heureusement un modérateur de votre signe « marsien ».

Lorsque vous vous enflammez, Mercure vous suggère de réfréner votre emportement, votre emballement et d'être raisonnable ! Ce qui ne veut pas dire que vous écoutiez cette petite voix chaque fois qu'elle vous parle !

Sous l'influence de Jupiter en Cancer plus particulièrement, vous serez excessivement sensible. Si les uns réagissent vivement pour se protéger de leurs émotions, d'autres, au contraire, s'assagissent. Ils sont plus conscients de leurs besoins, mais également de ceux d'autrui.

Vous pouvez vous attendre à quelques démêlés familiaux, à des mises au point avec des parents dont vous ne supportez plus les critiques. Pour votre part, vous tairez les vôtres. Vous vous êtes rendu compte que le négativisme ne provoque que des situations néfastes.

Vous aurez un nouveau groupe d'amis, l'ancien a commencé à se dissoudre en 2001. Vous fréquenterez des gens ayant les mêmes intérêts que les vôtres. Certains d'entre vous termineront un cours, des études qu'ils avaient délaissées parfois quelques années plus tôt. Ils iront ainsi jusqu'au bout d'un rêve, mais aussitôt celui-ci réalisé, un autre se manifestera.

L'apprentissage d'une deuxième ou d'une troisième langue est ici très présent.

À partir d'août, Jupiter entre en Lion dans le douzième signe de votre ascendant. Il peut avoir deux effets opposés, cela dépend de la façon dont les autres planètes influencent votre thème natal.

Jupiter en Lion donne un sens à la vie, donnerez-vous de votre temps ou de votre argent à des moins choyés que vous ? Essaierez-vous de mieux comprendre vos enfants ? Acceptez-vous des parents qui ne vous ont donné que trop peu d'affection ?

Si vous avez des problèmes psychologiques, irez-vous enfin suivre cette thérapie qui vous appelle depuis déjà un bon moment? Sous Jupiter en Lion, partirez-vous à la chasse au trésor en vous précipitant dans les casinos, en vous achetant des montagnes de billets de loterie ?

Si vous n'avez en tête que l'or et l'argent, vous prendrez des risques financiers, même avec vos placements, mais il n'est pas sûr que vous y gagniez beaucoup. Le danger de perdre par aveuglement mais aussi sous l'influence de gens qui, comme vous, veulent s'enrichir rapidement est bien présent. Et si ces gens deviennent riches, ce sera peut-être bien avec votre magot !

Jupiter en Lion, c'est la voie du cœur et elle vous permet de briller parmi les vôtres. Votre plus grande richesse c'est votre bonheur, votre santé et celle de ceux que vous aimez.

BÉLIER ASCENDANT BALANCE

Durant les premiers sept mois de l'année, Jupiter en Cancer est dans le dixième signe de votre ascendant. Il représente pour vous famille et carrière : comment concilier les deux ? Vous faut-il sacrifier l'un pour obtenir l'autre ? Sans doute pas. Mais il vous faut être extrêmement présent dans ce que vous faites et auprès de ceux qui vous entourent.

Vous devrez en quelque sorte réapprendre à vivre comme un enfant, en pensant à l'instant présent, à cette minute qui passe et qui ne reviendra plus.

Jusqu'à maintenant, sur le plan professionnel, vous avez peut-être usé de stratégie pour gagner vos lauriers. Si vous avez écrasé certaines personnes pour remporter vos victoires, sous Jupiter en Cancer, vous atteignez un point où ce jeu de « qui perd gagne » ne fonctionne plus.

Si vous vous risquez à tricher sous Jupiter en Cancer, un pépin surviendra, le plus souvent à la maison.

L'un de vos enfants organisera sa vie de manière à attirer votre attention. Vous n'aimerez pas sa manière d'être. Vous êtes un double signe cardinal et il vous arrive de croire que vous pouvez contrôler totalement votre vie, rien n'est plus faux. Une parcelle de vie ne dépend que de vous. Vos proches agissent et vous font réagir, et vous n'êtes nullement maître ni de leurs décisions ni de leurs actes, même si ceux-ci vous atteignent.

Sous Jupiter en Cancer, vous devrez faire preuve d'humilité. Si, par exemple, vous êtes surprotecteur avec vos enfants, s'ils n'ont pas le droit de lever le petit doigt sans vous en demander la permission, il est possible que ce contrôle vous joue des tours. Vos enfants ne vous obéiront plus, vos sautes d'humeur affecteront votre travail et l'anxiété vous gagnera.

Si vous avez fait preuve de sagesse sous Jupiter en Cancer, sous l'influence de Jupiter en Lion, vous serez choyé par vos proches, vos amis.

Votre sagesse se transformera et prendra des formes différentes, que vous appellerez des chances, et elles se manifesteront dans divers secteurs de votre vie.

Si vous avez une âme d'artiste, c'est sous Jupiter en Lion que les grands projets se dessineront pour vous. Vous aurez l'occasion de faire la démonstration de votre talent.

BÉLIER ASCENDANT SCORPION

Vous attendez les beaux jours ! Avec cet ascendant, la vie est rarement facile pour vous. De ce fait, les épreuves sont plus lourdes à porter et elles semblent s'étirer sur des années ! Garder le moral et le sourire en toutes circonstances est difficile. Mais vous êtes un double signe de Mars, donc un Bélier doublement batailleur et doublement résistant. Vous avez le sens de la vie. Vous êtes conscient que tout ce qui se termine, en amour ou en affaires, est le prélude à un recommencement. L'été 2001 vous a donné des signes de nouveaux débuts. Ils se sont accentués durant les mois suivants.

En 2002, vous êtes au cœur d'un renouveau, un de plus, vous en avez vécu de nombreux déjà !

Jupiter est en Cancer dans le neuvième signe de votre ascendant et le quatrième du Bélier. Jupiter est exalté en Cancer et en domicile dans le neuvième signe, c'est donc dire que la chance est au rendez-vous si vous l'avez méritée. Jupiter est un grand justicier, il pénalise les tricheurs. Par exemple, si on a une dette envers vous, d'argent ou d'honneur, n'ayez crainte, ce qui vous appartient vous sera rendu.

Si vous êtes à la recherche d'un emploi, vous trouverez celui qui correspond à vos compétences et le salaire sera en conséquence.

Si votre famille vit à l'étranger, et que vous ne l'avez vue depuis bien des années, elle vous rendra visite ou vous irez les rejoindre afin de reprendre le fil de votre histoire.

Vous entrez dans une année où, plus que jamais, il vous est facile de faire la paix avec chacun.

Jupiter en Cancer laisse aussi présager un héritage d'un lointain parent dont vous ne connaissiez peut-être pas l'existence. Ou encore, une somme d'argent gagnée dans un jeu pourrait tomber entre vos mains ! Si vous n'êtes pas propriétaire de votre maison, il en sera sérieusement question.

Si vous êtes célibataire, divorcé, même si vous vous êtes juré que plus jamais vous ne vous marieriez, il est possible que vous rompiez cette promesse. L'amour vous prendra par surprise ; il sera si bon à vivre que vous ne le laisserez pas filer.

Si vous n'avez pas encore d'enfant, il est fort possible que votre amoureux et vous décidiez de fonder une famille.

À partir d'août, Jupiter est en Lion dans le dixième signe de votre ascendant. Il vient solidifier votre carrière ; il vous permet de franchir une autre étape dans votre ascension.

Jupiter en Lion ne vous reprendra pas ce qui a été acquis honnêtement, au contraire il fera prospérer ces gains. Toutefois, prenez le temps de vous accorder du repos un peu plus souvent, n'attendez pas que le cœur vous cause une grande frayeur pour faire relâche.

BÉLIER ASCENDANT SAGITTAIRE

Votre double signe de feu est un élément de chance ! Vous allez où bon vous semble, comme si vous étiez guidé. Vous vous trouvez presque toujours à la bonne place, au bon moment, avec les bonnes gens.

Vous êtes parfois naïf mais cela fait partie de votre charme. De toute façon, si quelqu'un essaie de vous nuire, cela se retournera contre lui ! Votre ascendant vous protège de ces personnes qui se trouvent si facilement des ennemis. Bien sûr, comme pour tout individu, des événements incontournables peuvent survenir dans votre vie.

Malheureusement sous Jupiter en Cancer, durant les sept premiers mois de l'année, il est possible que vous soyez souvent ou même constamment auprès d'un parent malade. Il a besoin de vous, de votre énergie, de votre foi. Vous lui donnerez le courage d'affronter sa maladie et même de la vivre jusqu'au bout!

Si l'un de vos parents est âgé et malade depuis plusieurs mois, vous savez que l'inévitable se produira; mais avant que cela soit, vous ferez tout ce qui est en votre pouvoir pour alléger sa souffrance. C'est un moment difficile qui vous permettra de mieux vous réaliser lorsque Jupiter sera en Lion, à partir d'août. Vous aurez vu la douleur et la lumière en un instant; ce sera une illumination ou une inspiration.

Jupiter en Cancer verra pour certains la fin d'une vie de famille, les enfants sont grands, ils volent de leurs propres ailes et ce sera à vous de choisir une autre destination.

Si vous êtes jeune, et que ce soit à votre tour de bâtir une famille, vous verrez que désormais vous ne pourrez plus vivre de la même façon, vous avez créé la vie. Vous serez alors envahi par un sentiment de puissance et d'humilité. Après tout, la vie c'est magique.

Puis Jupiter va passer en Lion en août dans le neuvième signe de votre ascendant, il renforce ici votre intérêt pour les enfants. Certains d'entre vous participeront à une œuvre caritative afin de ramasser des fonds pour les enfants sous-alimentés. Quelques-uns décideront même de partir en mission à l'autre bout du monde.

En 2002, vous serez populaire dans le milieu où vous vivez. On parle de vous. Vous ne ferez pas les choses comme tout le monde. Vous ferez mieux.

Sur le plan professionnel, vous serez plus productif et plus innovateur qu'auparavant. Vous aurez de l'avancement et en ferez profiter ceux qui vous entourent en leur procurant de meilleures conditions de travail.

Vous vous lèverez en chef de file en 2002 et personne ne contestera cette position, bien au contraire. On applaudira votre audace et vos bontés. Le pire qui puisse arriver sous votre signe et votre ascendant est qu'un coup de vent de Saturne en Gémeaux éteigne votre signe de feu, si sa flamme est celle d'une allumette. Dans ce cas, vous serez satisfait, sans même tenter quoi que ce soit de nouveau. Le ciel de 2002 est une invitation aux recommencements. Choisissez-les!

BÉLIER ASCENDANT CAPRICORNE

Jupiter est en Cancer face à votre ascendant, jusqu'en août. Quand cette planète occupe cette position, le natif peut connaître un événement heureux, un mariage par exemple, ou au contraire, il peut être question de divorce ou de séparation, si l'union n'est pas légalisée. Mariage ou rupture, tout se serait lentement dessiné en juillet 2001. En 2002, il devient impossible de se défiler, lorsque les choses sont ainsi engagées.

Parmi vous, des Bélier-Capricorne qui vivent seuls depuis longtemps, sans amour, rencontreront leur idéal, même s'ils avaient cessé d'y croire. Quand l'amour se pointe, il apporte des désirs qui peuvent pousser à quelques petites folies : changer son mobilier, décorer différemment, s'habiller autrement, changer de coiffure. Homme ou femme, vous serez tous touchés.

Un voyage peut vous permettre de reprendre votre souffle, vous choisirez une destination où tout n'est que luxe, vous songez que vous le méritez bien pour une fois.

Sous Jupiter en Cancer durant les sept premiers mois de l'année, si vos enfants ont presque atteint l'adolescence, vous les verrez se transformer. Ils en deviendront indépendants et afficheront des idées contraires aux vôtres. Si vous êtes un parent traditionnel et autoritaire, vous supporterez bien mal les libertés que vos jeunes adultes prendront. Si leurs comportements vous procurent anxiété et panique, consultez un psychologue ; il vous donnera de judicieux conseils pour améliorer vos réactions. Si vous laissez un conflit prendre forme entre vos enfants et vous, à partir d'août, sous l'influence de Jupiter en Lion, vous courrez le risque de supporter une plus grande révolte de leur part. Vous pourriez même être obligé de réparer certaines de leurs bêtises. L'astrologie a toujours été un moyen de faire de la prévention.

Sous Jupiter en Cancer, il est possible que de nombreux Bélier-Capricorne soient fiers d'un de leurs enfants et de son extraordinaire réussite. Si c'est votre cas, sous Jupiter en Lion, le succès de cet enfant sera important.

Sous l'influence de Jupiter en Lion dans le huitième signe de votre ascendant, un parent bien-aimé peut tomber malade ou, pire, décédé. Votre douleur sera allégée par un héritage.

Jupiter en Lion à partir d'août laisse présager de grosses sommes d'argent qui entrent dans votre compte en banque. Gagner à la loterie demeure une possibilité.

Dans le secteur professionnel, vous aurez de l'avancement sous Jupiter en Cancer. On vous demandera de donner une preuve de plus de vos compétences, ce que vous ferez sans mal.

Puis sous Jupiter en Lion, vous aurez davantage à prouver. L'énergie dont vous avez besoin pour atteindre votre objectif et même le dépasser ne manquera pas.

Si vous avez un talent artistique, Jupiter en Cancer et en Lion apportent avec eux leur lot de contrats, tous plus intéressants les uns que les autres.

Vous devriez surveiller votre alimentation, vous aurez tendance à oublier de manger et, lorsque vous vous mettrez à table, vous vous gaverez au point de vous rendre malade. Attention aux indigestions ou aux ulcères d'estomac. Vous n'avez vraiment pas besoin de ça. Pour éviter ces problèmes, il vous suffit d'adopter une bonne discipline alimentaire.

BÉLIER ASCENDANT VERSEAU

Vous êtes un signe de feu et d'air et, généralement, doué pour le commerce. Vous avez un excellent sens des communications. Votre soleil dans le troisième signe de votre ascendant vous permet de faire de bons calculs et vous savez veiller sur vos intérêts. Vous n'hésitez pas non plus à vendre un produit ou un service peu commun. Vous êtes avant tout un signe de Mars et Mars aime le défi. De son côté, Uranus qui régit votre ascendant déteste la banalité. Il est donc fréquent de vous voir œuvrer en tant que travailleur autonome ou dans un métier n'offrant ni protection ni garantie d'emploi. En 2002, sous l'influence de Jupiter en Cancer dans le sixième signe de votre ascendant et ce, jusqu'à la fin de juillet, vous serez en demande et vous gagnerez plus d'argent que d'habitude. Il est même possible que vous soyez dans l'obligation d'embaucher un employé supplémentaire pour mieux servir vos clients tous plus pressés les uns que les autres.

Durant le passage de Jupiter en Cancer, le moment est excellent pour vendre ou acheter une propriété. Dans le premier cas, vous réaliserez un profit et dans le second, vous paierez un prix extraordinairement bas pour votre acquisition. Si vous êtes collectionneur d'objets d'art, vous mettrez la main sur « la chose » qui, sous peu, vous rapportera dix fois votre investissement.

En tant que parent, Jupiter en Cancer vous rend inquiet. Vous voudriez que vos enfants, petits et grands, vivent le bonheur parfait. Mais n'est-ce pas vouloir l'impossible ? Si vous avez l'âge de devenir grand-parent, sans doute serez-vous heureux de la venue d'un petit-fils ou d'une petite-fille. Si pour les uns il s'agit d'un premier bébé dans la famille, pour d'autres ce sont leur « énième » joie et fierté.

À partir d'août, Jupiter est en Lion face à votre ascendant. Cette fois, c'est de votre vie amoureuse qu'il est question. Vous avez été souvent absent et avant que le fossé devienne trop large entre votre partenaire et vous, ouvrez l'œil, laissez votre cœur parler !

Si vous faites partie du bataillon des célibataires assoiffés d'amour et affamés d'être aimés, sous Jupiter en Lion, vous cesserez de soupirer et de vous dire que l'amour n'existe plus. Votre idéal vous cherche et il vous trouvera dans un lieu public où vous êtes tout bonnement allé vous amuser ou vous relaxer. Cet endroit arbore un cachet particulier, il sera chic et rempli de gens de bon goût, des personnes qui ont de la classe. L'autre possibilité de rencontre peut survenir pendant l'entracte d'une pièce de théâtre, dans un bal (ce qui est plus rare) ou dans un restaurant qui a la cote. Comme la majorité, vous ne croyez plus aux coups de foudre, les déceptions vécues dans le passé vous ont appris à vous méfier, quand vous ne prenez pas carrément la fuite. Sous Jupiter en Lion à partir d'août, vos convictions n'auront plus aucun sens.

Sous Jupiter en Lion, vous poursuivrez votre travail avec succès. Si vous aviez l'idée de vous associer et que vous hésitiez, la réponse est « continuez de produire seul ». Vous ne supporteriez pas d'avoir à négocier d'égal à égal avec un autre. Votre côté dominant n'a rien de négatif dans le monde des affaires, et il vous va bien. Le partage du pouvoir dans le secteur professionnel n'est pas dans votre nature. Vous aimez le monde mais vous adorez votre liberté d'action, inutile de la perdre. Quant à votre santé, en 2002, si votre poids a tendance à varier, il devient urgent de modifier votre alimentation afin de stabiliser votre organisme et surtout de préserver votre belle énergie d'air et de feu.

BÉLIER ASCENDANT POISSONS

Les changements entrepris dans votre maison en 2001 se poursuivent en 2002. Chaque fois qu'une pièce est terminée, vous décidez d'en entreprendre une autre. Vous pourriez aussi déménager à plusieurs reprises, ce qui est beaucoup plus stressant que les réaménagements et la décoration.

Jusqu'en juillet, vous êtes sous l'influence de Jupiter en Cancer, quatrième du Bélier et cinquième signe de votre ascendant.

Si votre emploi vous oblige à voyager, vous serez constamment sur les routes. Les affaires vous conduiront dans des villes ou des pays différents.

Il est possible que tous ces déplacements finissent par contrarier votre amoureux qui comprendra mal que vous soyez le seul délégué de la compagnie qui emploie vos services. En réalité, vous aurez le choix. Mais vous aurez aussi tellement besoin de vous retrouver avec vous-même que vous ne discuterez jamais les demandes de votre supérieur. Vous profiterez de ces départs pour faire le point sur vous-même et sur l'ensemble de votre vie. Saturne est en Gémeaux dans le quatrième signe de votre ascendant et le troisième du vôtre. Nombreux seront tentés de monter une affaire avec un membre de la famille, cependant vous manquez de constance. Vous risquez de faire perdre de l'argent à des parents qui auront investi dans votre entreprise, en espérant naturellement revoir ces sommes dont ils ont autant besoin que vous, si ce n'est plus.

Durant les sept premiers mois de l'année, vous vous éparpillerez sur la question des finances. Vous vous surestimerez, au point de croire que vous n'avez besoin ni de conseils ni d'un comptable.

Si toutefois vous travaillez de vos mains, la situation est différente. Vous êtes minutieux et vous achevez ce que vous commencez.

L'ensemble des aspects 2002 concerne aussi vos enfants qui vous demanderont de l'aide. Sous l'influence de Jupiter en Cancer, la tendance veut que vous leur disiez de se débrouiller, s'ils sont des adultes. Si les enfants sont en bas âge, des préadolescents par exemple, vous voudrez ignorer les troubles liés à cette période de leur vie. Ouvrez bien les yeux et écoutez-les vous raconter ce qu'ils appelleront leur désespoir ou leur déprime. N'attendez pas qu'un drame survienne pour agir. Ils chercheront à attirer votre attention. Si vous ne la leur accordez pas, ils vous y obligeront, peut-être en tombant sérieusement malades.

Avez-vous l'âge d'être grand-parent ? Si c'est votre cas, un enfant naîtra, mais les parents de l'enfant, votre fille ou votre fils, votre gendre ou votre belle-fille, auront fréquemment besoin de vos services et peut-être de votre soutien financier.

L'ensemble de 2002 est pour vous un filet tissé serré d'affaires de famille de toutes sortes. Maintenant chacun sait si vous êtes égoïste ou généreux. Depuis déjà trop longtemps, vous n'avez pensé qu'à vous. Attention, l'isolement forcé vous guette. Amis et parents n'acceptent plus vos invitations, et vous ne ferez partie d'aucune fête.

Au contraire, si vous faites preuve de bonté, ce qu'en principe fait l'ascendant Poissons, vous pourrez compter sur les autres en cas de problèmes.

À partir d'août, vous vous rendrez compte que faire le bien rapporte ! Vous traversez une période de chance dans divers secteurs de votre vie.

Votre signe, le Bélier, représente le guerrier, le Poissons est un être pacifique. Êtes-vous un pacifique, un guerrier ou un guerrier pacifique ?

TAUREAU

21 avril au 20 mai

À mon frère Normand Aubry qui est, je crois, meilleur qu'un ange...

Au docteur Gilles Raymond: si ce livre paraît, c'est parce qu'il a pris soin de moi en 2001! Merci, docteur.

TAUREAU 2002

Comme vous êtes émotif! Mais quelle magnificence d'exprimer ainsi ce que vous ressentez. Lorsque vous n'en dites rien, vous êtes si transparent à mon œil d'astrologue qu'on peut presque toucher ce qui se passe en vous!

Comme le signe qui vous fait face, vous avez la manie d'aimer ou de ne pas aimer. Mais votre signe de terre vous permet de construire une épaisse muraille autour de vous lorsqu'on vous déplaît vraiment. Vous êtes néanmoins dans le domaine du cœur, de l'amour, dans le fait d'aimer et d'être aimé de retour. Vous êtes le deuxième signe du zodiaque qui représente non seulement l'amour, mais également l'argent. Voilà pourquoi lorsque vous êtes amoureux, vous désirez recevoir autant que donner. Mais c'est aussi là l'erreur! On ne peut mesurer en amour. Chacun donne de lui-même à sa mesure, et elle n'est pas universelle comme les centimètres...

Si vous avez vécu des déceptions, une rupture en 2001, c'était la faute d'Uranus et de Neptune en Verseau. Et je suis aux regrets de vous avertir qu'en 2002, Uranus et Neptune sont encore en aspects durs à votre signe mais...

AMOUREUSEMENT

Jupiter est en Cancer jusqu'au mois d'août dans le troisième signe du vôtre. Il vous dit de ne pas vous décourager et de continuer à espérer. Il y a de l'amour dans l'air. Cette année vous ne serez pas aussi coincé par les apparences. Tout ce qui brille n'est pas or. Un bel homme ou une belle femme n'est pas obligatoirement un être sensible et aimant. (Bien qu'il ne soit pas interdit d'être beau, sensible et gentil.)

En 2001 si votre relation sentimentale a échoué, vous compensiez par le travail. Vous étiez sans amour, mais aviez les poches pleines. Vous n'êtes pas resté inactif depuis, vous n'avez pas sombré dans la déprime à tout prix. Vous avez retroussé vos manches. On pouvait vous retirer l'amour et vous ne pouviez donner du cœur. Généralement, vous maternez votre partenaire. Vous traitez l'amant ou le partenaire avec douceur. Celui-ci reste toujours surpris d'une saute d'humeur. Cela vous arrive rarement, mais quand elle survient, elle est marquante. Dans ces moments-là, vous avez des exigences, des besoins jamais exprimés auparavant. L'amoureux qui observe votre colère songe qu'il ne peut vous donner ce que vous réclamez. En 2002, vous savez qu'on ne vous devine pas. Donc, vous serez très clair dans votre nouvelle relation, et ce, dès le début. En tant que Taureau, signe de terre, vous savez ce que vous voulez et ne voulez pas vivre. Surtout : pas de querelle. La paix est essentielle à votre équilibre émotionnel.

Quand vous investissez de vous-même dans une relation, ce que vous avez fait assez rapidement en 2001, vous vous attendez à ce que l'autre en fasse autant. La sagesse est rentrée et, en 2002, vous ne maternerez que si on aime l'être. Cette personne saura vous remercier par ses petites attentions.

Si vous vivez une relation de couple harmonieuse, après avoir sereinement traversé des tempêtes avec votre amoureux, c'est le calme, le repos à deux jusqu'en août. Si vous avez l'âge de fonder une famille, d'avoir un enfant, votre partenaire et vous ne perdrez pas de temps ! La maternité ou la paternité vous appelle. Vous aurez ce bébé dont vous rêvez. Si vous êtes de la génération grands-parents, un petit-fils ou une petite-fille à choyer, le premier ou un de plus vous rendront fou de joie ! Sous Jupiter en Cancer en 2002, la famille est sacrée !

PROFESSIONNELLEMENT

Jupiter en Cancer jusqu'en août est dans le troisième signe du vôtre ou dans la maison astrologique régie par Mercure. Cela signale que le travail vous tiendra très occupé ! Vous serez inspiré. Vous aurez constamment des idées nouvelles, novatrices, originales. Si vous êtes dans le commerce et à votre compte, en 2001, vous vous êtes préparé à la croissance. En 2002, vous êtes en plein dedans. Vous devrez veiller à tout, car vous pouvez faire confiance à peu de gens. Lorsque vous dirigez une entreprise, vous êtes le grand manitou ! Vous êtes le seul à décider des changements et des achats, surtout quand il s'agit de gros investissements. Vous ne manquez pas de jeter régulièrement un coup d'œil sur votre budget. Vous entretenez le moral de vos troupes et, en 2002, ce sera nécessaire, surtout si vous en arrivez à la conclusion que pour faire des profits, il faut produire plus avec un minimum d'employés.

Si vous possédez un commerce depuis de nombreuses années, il est possible que vous le vendiez à un membre de votre famille. Vous pourriez aussi charger un parent de sa direction ou encore vous associer avec un frère, une sœur ou l'un de vos enfants.

VOTRE MAISON

Vous attendrez le mois d'août 2002 pour effectuer d'importantes rénovations dans votre propriété, pour la vendre ou en acheter une. Vous devrez cependant magasiner les maisons durant les mois précédents. Si vous entreprenez des transformations importantes, vos plans seront bien précis. À partir d'août, la décoration occupera plus vos pensées. Vous aurez envie de vivre dans d'autres couleurs, d'autres meubles, d'adopter un style complètement différent. Pour ce faire, vous dépenserez énormément, parce que vous pouvez vous offrir ce luxe.

VOS ENFANTS

Vous n'aurez aucun problème avec vos enfants jusqu'en août, mais à partir de ce mois, vos pré-adolescents ou vos adolescents requièrent votre attention. Surveillez leurs besoins et tout autant ce qu'ils font de leur temps libre. Vous serez du mois d'août 2002 à août 2003 sous l'influence de Jupiter en Lion, quatrième signe du vôtre. Cette planète fait un aspect de carré présageant quelques difficultés à surmonter dans l'« éducation » de vos enfants. En réalité, on peut dire que l'éducation d'un enfant est une réussite si celui-ci est heureux, bien équilibré et capable d'entretenir de saines relations avec son entourage.

Il est aussi possible que sous Jupiter en Lion, certains d'entre vous se questionnent sur leur rôle parental et se sentent déchirés. Quelques parents Taureau se demanderont s'ils ne devraient pas davantage s'occuper d'eux. Ce qui naturellement signifie accorder moins de temps aux enfants, réduire leurs dépenses pour garder plus d'argent pour eux. Les amoureux, après avoir vécu une cuisante séparation, se sépareront plus souvent de leurs enfants pour partir un peu plus avec leur nouvelle flamme. Jupiter en Lion a tendance à faire surgir un brin, ou beaucoup, d'égoïsme ! Cela peut se produire autant chez ceux qui ont manqué d'amour et d'argent que chez les gens « riches et heureux ». Si l'idée de prendre du temps pour vous se manifeste, essayez de trouver un parent remplaçant pour vos enfants durant cette période qu'il faut nommer : crise existentielle.

À partir d'août 2002, Jupiter en Lion n'est pas votre guide idéal sur le zodiaque. Il vous fera croire qu'avoir un enfant vous rapprochera de votre partenaire. Rien n'est plus faux ! Si vous désiriez être papa ou maman dans le but de retenir l'autre, vous faites fausse route. Avant d'avoir un enfant pour la vie, suivez une thérapie familiale. Demandez des explications sur ce sujet. C'est un grand service à vous rendre.

LE COUPLE SOUS JUPITER EN LION

Je n'ai jamais fait d'astrologie mensongère. Il me faut écrire ce qui risque d'être désagréable, tout autant que les beaux événements indiqués par la position des planètes.

Voilà que Jupiter en Lion a aussi des effets négatifs. Il peut séparer un couple qui pourtant n'avait aucun problème. Vous ne pouvez décider à la place de votre partenaire... S'il vous quitte, quelle qu'en soit la raison, vous n'êtes pas en cause. Il a choisi de vivre autre chose, et il vous exclut. Cela n'a rien de drôle ! Il n'y a rien de plus dramatique qu'un Taureau qui vit un rejet. C'est aussi terrible pour celui qui ne sait s'il est amoureux ou non ! Un vénusien n'est pas bâti pour des demi-relations ni des à-peu-près. Il veut des certitudes. Il y a des années comme ça, où ce en quoi on a cru, en quoi on s'est accroché en tant que signe fixe, s'effondre. Le Taureau lui-même peut soudain mettre fin de lui-même à un style de vie avec une personne dont il a été follement amoureux depuis longtemps.

Si de sourdes tensions existent entre votre partenaire et vous, pourquoi ne pas en parler en début d'année. Vous vous donnerez la chance d'éviter une rupture que vous supporteriez difficilement. Que vous soyez celui qui quitte ou celui qui est quitté, il faut parler. La rupture peut être évitée à condition de mettre cartes sur table et de se comprendre. Si vous et votre amoureux êtes incapables de rester calmes dans ce genre de conversations, pourquoi ne pas demander l'aide d'un psychologue ? Ne perdez pas de vue que Jupiter en Lion fait resurgir vos malheurs d'enfance. Il vous porte à reproduire ce que vous avez connu, vécu et intégré, tout petit. Nous ne nous séparons jamais de notre passé. Les souvenirs s'accrochent. S'ils ont dormi durant longtemps, un jour ou l'autre, la douleur revient, malheureusement en reproduisant ce que vous avez subi, un abandon, une trahison ou un manque d'amour. Ne paniquez pas en lisant ces lignes. Je vous le redis, cette séparation peut être évitée, surtout si on n'est pas totalement persuadé que c'est ce qu'il y a de mieux pour soi.

LA CARRIÈRE SOUS JUPITER EN LION

Vous poursuivrez ce que vous aurez entrepris sous Jupiter en Cancer. Les sept premiers mois de l'année seront en principe glorieux. Vous aurez produit à une vitesse difficile à égaler. Vous aurez bâti et semé et sous Jupiter en Lion, vous pourrez récolter et faire fortune. Dans un milieu de travail où finalement nous sommes plutôt des êtres « impersonnels », plus que jamais vous vous entourerez de mystères. Vous serez celui que l'on connaît le moins. Vos secrets bien gardés vous donneront du pouvoir. Si vous avez un talent artistique, c'est le moment d'émerger, de faire surface, de surprendre et d'avoir un succès fou. Si vous aviez mis votre carrière sur la glace pour vous reposer, pour vous réorienter, ou pour lui donner un autre sens, vous trouverez exactement la place qui vous revient. Elle sera différente de celle que vous occupiez autrefois et sans doute aura-t-elle plus de poids. L'expérience vous sert bien sous Jupiter en Lion.

Jupiter en Lion concerne aussi vos enfants. En tant que parent, vous serez fier de la réussite de l'un des vôtres, quel que soit son choix. Si vos enfants sont très jeunes et en âge de tout apprendre, vous les inscrirez à plusieurs activités. Votre désir sera de les distraire, de les amuser, de les voir s'étonner de leurs découvertes. De nombreux parents Taureau se rendront compte que leur enfant a un talent particulier, un de ses loisirs le passionne. Directement ou indirectement, l'enfant vous dira qu'il a déjà trouvé sa voie.

VOTRE FAMILLE

Sous Jupiter en Lion, si vos parents sont âgés et ont déjà donné de nombreux signes de faiblesse, malheureusement vous pourriez avoir à leur rendre visite à l'hôpital. Des disputes au sein de votre famille pourraient s'éterniser. Des liens jusque-là fragiles pourraient se rompre, et ce, pendant plusieurs mois. Les querelles sont plus susceptibles de se produire entre les signes fixes : un autre Taureau, un Verseau, un Lion ou un Scorpion. Que le plus sage répande la paix plutôt que la guerre !

Jupiter en Lion a un autre symbole ainsi positionné en 2002. Par exemple, vous pourriez découvrir l'existence d'un parent (ou un enfant) que vous n'avez jamais vu ou peu connu dans l'enfance. Si vous vous mettez à sa recherche, vous pourriez le retrouver.

VOTRE SANTÉ

Sous Jupiter en Cancer, durant les sept premiers mois de 2002, vous serez très occupé. Vous ne vous ménagerez pas. Vous sauterez des repas pour ensuite avoir tellement faim que vous vous empiffrerez. Vous paierez pour cet abus sous Jupiter en Lion. Votre estomac ne pourra plus supporter un régime aussi irrégulier. Les Taureau débordés par le travail n'ont qu'une décision à prendre pour vous éviter l'ulcère : se discipliner et se nourrir trois fois par jour de façon saine ! Si vous désobéissez à cette règle alimentaire, cela affectera votre estomac mais pourrait avoir de plus graves conséquences. Jupiter en Lion vous prédispose à des palpitations cardiaques anormales. 2002 vous suggère fortement d'user de prévention en commençant dès le jour de l'An. Je tiens à préciser que tous les Taureau n'auront pas un problème de santé, seuls certains en seront affectés. En tant que signe de terre, symbole de l'agriculture et de la nourriture, la majorité d'entre vous sait qu'un corps en bonne santé et en forme conduit là où il veut aller. Mon précédent avertissement vaut principalement pour celui que je surnomme le « Taureau des villes ». Ce dernier se stresse à propos de tout et de rien. L'authentique Taureau a appris de ses énervements passés qui l'ont totalement épuisé. Il sait qu'il ne doit plus jamais se mettre dans cet état !

CONCLUSION

Au fil des mois et des pages décrivant votre signe et votre ascendant, vous trouverez de plus amples précisions vous concernant. L'année 2002 est complexe en ce qui vous concerne. D'un côté, il y a votre moral, vos états d'âme et de l'autre votre logique, votre sens de l'organisation. Vous aurez tendance à séparer les émotions de la raison comme si vous étiez deux à habiter votre corps. Vous voudrez vivre votre vie sur deux plans distincts. Vous ne vous séparerez pas de votre logique, pas plus que vous ne vous départirez de vos émotions. En tant qu'humain, vous êtes un tout. Vous êtes indivisible. Vous êtes à la fois émotion, raison, intuition, imagination, prémonition, organisation, amour, haine, amitié, rancœur, spiritualité, etc. Votre corps physique fonctionne comme une machine bien huilée. Vos organes, votre sang, vos glandes, bref tout ce qui le compose est sain. Advenant un problème sanguin, une anémie par exemple, votre foie et vos reins pourraient en souffrir. Prenez conscience que vous êtes UN et TOUT, que vous êtes grand et petit dans cet Univers.

Lorsque Neptune remuera quelques-unes de vos anciennes peurs, chassez-les, ne les laissez pas vous envahir. Lorsque Uranus voudra vous déséquilibrer et vous faire croire que seule la raison a raison, dites-vous qu'il se trompe. Quand Saturne en Gémeaux réveillera votre crainte de manquer d'argent, rappelez-vous que vous avez survécu à pire. Quand Pluton en Sagittaire vous fera songer à la mort, sachez qu'avant votre voyage dans l'au-delà, vous avez une expérience terrestre à vivre au quotidien. Et de toute façon, personne n'y échappe, même si on en parle peu et même pas du tout. Autour de vous gravitent des tas de gens qui vous aiment ou qui vous aimeront et qu'il vous reste à découvrir.

JANVIER 2002

AMOUR-AMITIÉ Au début du mois, trois planètes se promènent en Verseau, à partir du 14, elles seront quatre. D'un point de vue astrologique, dès que plus de trois planètes évoluent dans un signe, cela s'appelle un excès troublant. Elles font des carrés ou des aspects négatifs sur votre signe. Les possibilités qu'une personne en qui vous avez confiance vous déçoive sont présentes. Cette dernière vous mentira pour une bagatelle. Vous saurez alors qu'elle pourrait faire pire. Vous l'enlèverez de votre carnet d'adresses, vous cesserez de l'inviter et plus jamais vous ne croirez en ce qu'elle dit. Chacune de ses affirmations ou des ses informations vous mettra dans le doute.

En tant que célibataire, vous rencontrerez un autre célibataire qui, dès le début, sera sur les dents tant il aura peur de tomber amoureux de vous. Vous ressentirez son affolement. Vous lui ferez subtilement la cour de manière à mieux vous connaître. Lentement mais sûrement, l'attachement se créera telle une fleur qui s'ouvre lentement au printemps. Si vous avez une relation amoureuse qui dure depuis longtemps, un amour partagé, échangé, votre partenaire vous fera sentir et savoir de temps à autre que vous ne lui accordez plus suffisamment de temps. Vous êtes pris par vos affaires au point où l'autre pourrait se poser des questions : M'aime-t-il encore ? Lui ai-je déplu ? Ne suis-je plus sexy ? Ne regarde-t-il pas ailleurs ? Un peu plus d'attention sera nécessaire pour entretenir votre bonheur. Dire ou écrire que vous aimez votre partenaire ne suffit pas, il faut avoir des gestes tendres envers lui.

FAMILLE Vous êtes un parent aimant et généralement très fier de sa progéniture. Vous êtes tolérant, mais n'excluez pas la discipline si elle est nécessaire et vous savez d'ailleurs vous imposer. La vie est remplie de règles multiples, et dès leur plus jeune âge, vous faites comprendre à vos enfants ce que sont le respect d'autrui, l'ordre, la propreté, l'honnêteté, etc. La prime enfance est représentée, sur le plan astrologique, par le Cancer. Jusqu'à la fin juillet, Jupiter est dans ce signe. Les parents de jeunes enfants sont donc les plus concernés. En ce mois, il est possible que vous donniez deux signaux opposés à vos jeunes enfants. Vous dites : « Il faut faire ceci et non cela » et, sans vous en rendre compte vous faites ce « cela » qui était interdit. L'enfant comprend que ce qui lui est défendu vous est permis. Même les plus jeunes enfants d'un an ou deux enregistrent votre double message. Bien vite, viendra ce jour où il expérimentera ce que l'on ne doit pas faire, mais que vous faites quand même ! Peut-être faites-vous partie de ces parents qui ont longtemps prêché dans le désert, sans appliquer la moindre ligne de leurs sermons. Si vous vous identifiez à ces derniers, à partir du 19, sous l'influence de Mars en Bélier et de trois planètes en Verseau, votre autorité sera sérieusement contestée. Vous vous mettez en colère. Les enfants ont grandi en ne sachant pas ce qu'ils doivent croire et ils vous invitent à réfléchir. Ils ne seront pas sages comme des images. Si votre enfant se brouille avec votre partenaire, ne le mêlez pas à vos disputes. Sachez surtout que l'enfant n'est pas responsable de la mésentente entre ses parents. Père, mère, frère ou sœur, tous peuvent souffrir d'un mal qui vous inquiétera beaucoup.

SANTÉ Respirez plus profondément ce mois-ci. Car plus les jours s'écoulent et plus vous êtes tendu. À partir du 19, Mars est en Bélier, et cette planète indique une contrariété en vous qui peut se changer en grande colère. Ceux qui la refoulent le font aux dépens de leur entourage. Ceux qui l'expriment ouvertement font trembler les témoins. Il est possible que vous soyez épuisé et ne puissiez prendre congé. Il n'y a pas 36 recettes pour récupérer son énergie : déterminez ce qui a de l'importance pour vous et laissez tomber le reste. Vous êtes « très porté sur les détails » !

TRAVAIL-ARGENT Les soucis d'argent, la peur d'en manquer, les factures à payer sont vos pires ennemis, en général. Et plus vous y songez, plus vous tardez à passer à l'action. Plus vous y pensez, moins vous agissez, et plus vous paniquez. Certains d'entre vous se plaignent de n'avoir pas la vie facile. Ils ne regardent que leur jardin où poussent quelques mauvaises herbes. Ils oublient que cette planète est remplie de gens qui meurent de faim. Au travail, il est possible qu'un collègue soit agressif envers vous. Il vous jalouse. Votre originalité d'esprit le dérange, le désorganise. Beaucoup d'envieux le sont depuis longtemps ou depuis toujours ! C'est devenu chez eux une manie et même une maladie. On pourrait aussi regarder les choses sous un autre angle. Certains d'entre vous font aussi partie des envieux. Si vous l'êtes, peut-être passez-vous plus de temps à vous dire que le monde est injuste qu'à vivre pleinement votre vie ? Pendant que vous songez à ceux qui possèdent plus que vous, par leur travail, par un héritage, ou par chance, vous oubliez l'essentiel, la paix intérieure. N'oubliez pas de vous adresser ces félicitations que vous méritez. Ne gagnez-vous pas honorablement votre pain quotidien ? Ne payez-vous pas votre loyer, vos impôts, n'êtes-vous pas une personne responsable de votre famille ? N'êtes-vous pas un bon citoyen, etc. ? Vous êtes envieux mais vous avez beaucoup de qualités. Ce sont elles que vous devez cultiver. La compétition fait partie de notre monde, de notre société ; vous ne l'éliminerez pas de sitôt. Alors, autant l'accepter et laisser ceux qui jouent du coude jouer ensemble. Vous menez une carrière, vous êtes fort, résistant, tenace, mais vous n'empêcherez pas certaines gens de vous faire obstacle, souvent par pure malice. Concentrez-vous sur votre but en toute tranquillité. Le succès et l'argent sont à vous, grâce à votre mérite.

CROYANCES La magie, la communication à distance ou la télépathie, la télékinésie, les prémonitions existent. Les esprits cartésiens n'y voient que des phénomènes inexplicables. Nous n'avons pas encore réussi à mettre les vibrations en boîte, pourtant elles font partie de notre quotidien. Chaque jour, on transmet à notre entourage nos états émotionnels, et nous entrons dans les leurs. Tout le mois, vous ferez des rêves qui vous indiqueront presque exactement le résultat de vos décisions. Ce qu'on nomme votre inconscient n'est pas silencieux. Bien au contraire ! Il vous adresse des mises en garde, ou vous fait des suggestions sur ce que vous devez ou ne devez pas faire. En ce premier mois de 2002, vous comprendrez les messages. Gardez l'esprit ouvert.

QUI SERA LÀ ? Un Capricorne avec qui vous pouvez vous obstiner, surtout si vous vivez en couple depuis plus d'une décennie ou même depuis peu de temps. Un Scorpion vous donne un sage conseil ou vous aide à retrouver votre calme si vous l'aviez perdu. Vous vous faites un nouvel ami Bélier, avec qui vous pourriez tomber amoureux. Un Verseau à qui vous dites trop souvent quoi faire se fâche. Un Cancer a besoin de votre tendresse.

FÉVRIER 2002

AMOUR-AMITIÉ Jusqu'au 12, sous l'influence de Vénus en Verseau, vous n'écoutez pas vos amis. Pourtant, ceux-ci vous connaissent bien et vous donnent les judicieux conseils que vous leur avez demandés. Il est dans votre intérêt d'en retenir quelques-uns.

Mars est en Bélier dans le douzième signe du vôtre, il vous fait réagir à la moindre provocation. À moins que vous n'imaginiez qu'on vous provoque ! Vous êtes d'une grande émotivité, surtout si vous traversez une crise de couple. Les disputes sont servies à table pour chaque repas pris en compagnie de votre partenaire. Cette situation n'est pas apparue soudainement. Les hostilités ont assurément commencé bien avant le début de 2002. Si vous et l'autre êtes incapables d'avoir une discussion sans élever le ton, si vous en êtes aux insultes, pourquoi ne pas requérir les avis d'un psychologue ? Même si vous êtes amoureux fou de votre partenaire, le ciel n'est pas de tout repos pour vous. Vous serez porté à donner des ordres sans vous en rendre compte. Ce comportement peut choquer la personne la plus tolérante qui soit, surtout si ce scénario se répète souvent.

Si vous faites partie des sages Taureau, sous l'influence de Jupiter en Cancer, vous laisserez passer les orages, et à partir du 13, tout sera d'un calme vénusien à la maison.

En tant que célibataire, une rencontre faite au début du mois vous poussera à vous sauver. Mais si vous prenez la fuite alors que cette personne vous plaît beaucoup, conservez ses coordonnées à portée de main. Dites-lui que vous l'appellerez après le 12. À partir de cette date, vous serez moins craintif et surtout plus confiant en l'avenir. Tout est extrêmement complexe sous votre signe en 2002. En certaines heures, certains jours, certaines semaines, tout est blanc, tout est noir, tout rouge, tout bleu, etc. Vous êtes tellement entier dans tout ce que vous êtes et faites que vous oubliez que ce monde n'est que nuances et subtilités.

FAMILLE Vos enfants sont traités comme des rois. Mais voilà, ces petits rois se comportent parfois en tyrans. Le pouvoir leur a monté à la tête ! Si vous êtes seul à veiller sur l'éducation, une petite révolte est en vue. On contestera votre autorité.

Qu'ils aient deux ou vingt ans, s'ils sont dépendants de vous sur le plan émotionnel ou économique, vos petits anges ne seront pas sages. Ils seront plus exigeants. Vos grands désireront des objets tels qu'une nouvelle chaîne stéréo, la même que son ami. Vos chérubins peuvent aussi être plus tapageurs afin d'attirer votre attention. Réclament-ils de l'affection ou s'amusent-ils à tester le contrôle qu'on peut exercer sur autrui ? Il est aussi possible que vos adolescents se soient fait des amis dont la moralité laisse à désirer. Leurs influences négatives affectent le comportement des vôtres. Personne n'a encore écrit le manuel du : « bon parent et enfant parfait ». Il est entendu que vous ne devez pas laisser vos grands prendre de la drogue ou de l'alcool, ni faire de mauvais coups. Votre devoir parental ne s'arrête pas lorsque surviennent les problèmes. C'est au contraire dans les moments difficiles que vous devez manifester votre « talent » de parent. Tenir un rôle parental, c'est du grand art, et la pièce dure longtemps !

Si vos enfants sont mariés ou vivent en couple et ont leurs propres enfants, l'un de ces grands pourrait demander votre aide financière. Les Taureau sont souvent déchirés entre deux positions : il y a celui qui dit oui tout de suite, parce qu'il a le cœur sur la main, et l'autre tellement économe qu'il ne sortira pas un sou de ses poches même si elles sont bien pleines. Le terrible économe est généralement un parent égoïste. Ses besoins passent avant ceux de ses enfants, et cela depuis toujours. Le généreux l'est parfois au point de se départir de l'essentiel pour que l'enfant dans le besoin ne vive pas la misère qu'il a probablement lui-même connue. Vous seul pouvez déterminer à quelle catégorie vous appartenez. Mars en Bélier provoquera un conflit entre certains membres de votre famille. Vous aurez le choix de vous en mêler ou de rester en dehors.

SANTÉ Les émotions négatives vous font perdre votre vitalité. Ne vous laissez pas envahir ni par vos regrets, ni par la colère, ni par les malaises des autres. Personne ne choisit l'insatisfaction et la frustration comme compagnes de route. Elles sont le résultat d'erreurs, les vôtres, celles des autres qu'on ne peut ignorer et qu'il faut compenser pour retrouver l'équilibre et une bonne qualité de vie. En tant que signe fixe, il est possible que vous vous rendiez malade pour ce que vous ne pouvez changer ! Pensez-y, si vous décidiez d'exercer un contrôle absolu sur les événements. La nature humaine a des limites qu'il faut respecter.

TRAVAIL-ARGENT Vous travaillez fort et vous méritez ce que vous possédez. Il est tout à fait normal de gagner sa vie. Il arrive pourtant à certains d'entre vous d'être tellement vénusiens qu'ils valorisent le non-faire et organisent leur vie de manière à tout recevoir des autres. Mais il s'agit là de quelques exceptions. Si vous occupez un emploi régulier, le climat général au travail pourrait être tendu ! Il vous faut subir la mauvaise humeur de l'un, l'autorité de l'autre, la désorganisation de celui-là et regarder les favorisés du milieu sans les envier ! Vous aurez souvent envie de donner votre démission. Ne passez pas à l'acte. Uranus et Neptune en Verseau dans le dixième signe du vôtre sont comme des clôtures électriques qui rendent l'accès difficile à un autre emploi. Soyez sûr d'avoir un autre poste en vue avant de quitter celui que vous occupez. Si vous êtes à votre compte, ou êtes votre propre patron, vous augmenterez le nombre de services que vous offrez. Vous entreprendrez des démarches en ce sens et les fruits seront mûrs au milieu du mois. Vous adopterez une nouvelle stratégie commerciale, plus efficace que vous ne l'avez imaginé. En tant que propriétaire d'entreprise, vous êtes toujours à la recherche de la bonne affaire. Vous la trouverez. À partir du 18, d'importantes rentrées d'argent et de bons placements sont possibles.

CROYANCES Vous aurez de l'intuition, mais surtout pour vos affaires, moins en ce qui concerne votre vie de couple ou une nouvelle relation amoureuse. Vous pressentez où se trouvait le trésor et, tel un automate, vous vous dirigez droit dessus. Vous ferez encore des rêves prémonitoires. Cette fois, ils vous diront où regarder pour vous enrichir.

QUI SERA LÀ ? Un Cancer modère vos emportements. Vous croisez un autre Cancer avec lequel vous pourriez tomber amoureux. Évitez les affrontements avec un Bélier ou un Capricorne. Ne donnez pas d'ordre à un Verseau, sa réaction vous déplairait beaucoup. Un Lion vous donne une belle leçon de vie. Un Sagittaire vous apporte beaucoup sur le plan de votre carrière ou joue un rôle clé dans l'obtention d'un emploi.

MARS 2002

AMOUR-AMITIÉ Mars est dans votre signe tout le mois. Vous rencontrerez de nouvelles gens. Quelques personnes désireront votre amitié, mais il est possible que certaines de ces nouvelles connaissances soient plus intéressées par ce que vous possédez que par votre personnalité. Si vous êtes un Taureau sage, vous détecterez rapidement les parasites. Vous saurez qui est authentique et sans autre intention que de nouer un lien harmonieux et agréable avec vous. Si vous êtes du type guerrier, Mars dans votre signe en accentue la tendance ; vous pourriez vous disputer avec quelqu'un que vous connaissez depuis de nombreuses années. Dans votre vie de couple, si vous vous comportez en chef avec votre partenaire, que vous soyez un homme ou une femme, Mars fait de vous un petit général. Attention, votre soldat ne sera pas très obéissant. À partir du 9, vous serez sous l'influence de Vénus en Bélier dans le douzième signe du vôtre. Certains se sous-estimeront, se trouveront plus de défauts que de qualités. Un célibataire dans cet état s'amourache rapidement et ne voit pas clairement les véritables valeurs de son flirt. Il peut aussi se laisser manipuler par quelqu'un qui ne se donne de la puissance qu'en écrasant les plus fragiles. À tout hasard, si vous êtes ce Taureau en mal d'amour, donnez-vous le temps de choisir une personne qui mérite votre affection. Demandez-vous si cette personne est digne de confiance.

FAMILLE Mars dans votre signe exerce une grande influence sur votre comportement envers vos enfants. S'ils ont l'âge de prendre des décisions, des préadolescents ou des adolescents, vous aurez tendance à agir avec eux comme s'ils avaient encore deux ans. Vous voudrez gérer leur temps. Entre vous, la tension s'élèvera jusqu'à la colère. Si vos enfants sont très jeunes, dites-vous qu'ils ont soif d'apprendre. Ainsi, malgré votre nervosité et vos problèmes d'adultes, devrez-vous répondre à leurs questions en faisant preuve de patience. Vos enfants réagissent comme vous, surtout quand ils sont petits. Si vous êtes constamment fâché, vos bouts de chou trépigneront constamment, pour vous arracher de l'amour, de l'affection, de la tendresse. Votre rôle est d'aller vers eux. Ce n'est pas à eux de vous comprendre, mais à vous de ressentir leurs besoins. Ils mangeront à leur faim, seront propres, agréables, mais il est tout aussi nécessaire de les nourrir de vos attentions maternelles ou paternelles. Durant la première quinzaine du mois, un parent bien-aimé pourrait tomber malade. Vous lui rendrez plusieurs visites. Vous serez extraordinairement patient avec un malade. Vos encouragements et vos soins l'aideront à remonter la pente. Mars dans votre signe modifie vos réactions. Vous êtes généreux avec les éprouvés. Le guerrier que vous pouvez être dans d'autres situations se transforme en guérisseur.

SANTÉ Si vous pratiquez un sport, surtout de compétition, qu'il s'agisse d'être le meilleur au gymnase ou de votre ligue de hockey de garage, redoublez de prudence entre le 8 et le 25, surtout. Protégez vos jambes, vos genoux ! Une chute peut avoir de fâcheuses conséquences. Si vous avez un mal de gorge qui ne guérit pas, voyez votre médecin surtout si vous avez essayé sans succès tous sirops et pastilles en vente libre en pharmacie.

TRAVAIL-ARGENT Si vous occupez un emploi régulier, vous ferez sans doute beaucoup d'heures supplémentaires. Vous remplacerez des collègues malades. Bien que vous ne soyez pas au mieux de votre forme, vous ne refuserez pas. L'argent gagné en plus vous permettra de payer plus rapidement vos factures de cartes de crédit. Si vous êtes à votre compte, vous êtes sur la défensive. Vous ne laissez personne vous dire quoi faire, surtout si cette personne n'a aucune expérience valable dans le domaine où vous exercez. Un ami, ou plus sûrement un parent, vous fera des suggestions dont vous n'avez absolument pas besoin pour bien mener vos affaires. En tant que propriétaire d'entreprise, vous travaillerez énormément. Les changements commencés au cours de 2001 doivent être entièrement terminés ce mois-ci. Si vous œuvrez dans le domaine des communications, principalement du côté technique, vous serez débordé par des pannes de toutes sortes. Et plus encore, si vous devez entrer dans des résidences privées pour effectuer des réparations. Si vous exercez une profession de relationniste, à partir du 11, vous multiplierez les rencontres intéressantes et éventuellement, elles seront très utiles pour accroître votre entreprise. Certains d'entre eux seront la source de votre fortune prochaine. Prenez soin de tout le monde !

CROYANCES À partir du 11, votre intuition au sujet d'événements favorables dans votre vie sera plus élevée. Vous les pressentirez dans votre corps ou dans vos rêves. Rien n'étant parfait, vous subirez aussi quelques contrariétés. Comme vous les aurez d'abord vécues en rêve, il vous sera alors plus facile de faire face à la réalité.

QUI SERA LÀ ? Un Poissons vous avertit d'une gaffe que vous êtes sur le point de commettre dans votre relation sentimentale. Vous avez intérêt à écouter ses conseils et à les suivre ! Il a vu juste. Un flirt avec un autre Taureau ou un Cancer est probable. Toutefois, si vous tombez amoureux d'un Lion, des tensions dès le départ sont possibles. Un Capricorne est capricieux : vous n'êtes pas obligé d'acquiescer à chacune de ses demandes. Il comprendra si vous lui expliquez que vous n'êtes pas son serviteur. Exprimez-vous avec le sourire aux lèvres.

AVRIL 2002

AMOUR-AMITIÉ Tout va mieux ce mois-ci. Vous êtes sous l'influence de Vénus, dans votre signe jusqu'au 25. Ce sera le moment de faire la paix avec un ami avec qui vous avez eu des mots qui font mal. S'il y a eu dispute avec votre amoureux, vous aurez le courage de lui parler. Ce face-à-face rétablira le lien. Il est tellement plus facile de vivre en harmonie. La querelle est un énorme gaspillage d'énergie ! Mais peut-être faites-vous partie de ceux qui sont tombés amoureux récemment ? Dans ce cas, il sera question de vie commune avec votre nouvelle flamme. Si vous ne connaissez l'amoureux que depuis deux ou trois mois, le ciel vous suggère d'attendre avant d'emménager avec lui. Si vous fréquentez quelqu'un depuis plus d'une année et avez pris la décision de faire vie commune, si aucun doute ne subsiste en vous, dans ce cas, lancez-vous dans cette grande aventure qu'est la vie à deux.

FAMILLE À partir du 14, Mercure entre en Taureau. Il délie non seulement votre langue mais aussi celle d'un parent qui vous surprendra en dévoilant des secrets de famille. Cette surprise vous est réservée pour la fin du mois, alors que le Soleil est aussi dans votre signe. À partir du 14, Mars est en Gémeaux. Il fait de vous le professeur de vos enfants. Vous leur transmettrez plus facilement vos connaissances. Vous saurez exactement comment leur parler pour retenir leur attention. Vos préadolescents et vos adolescents agiront dans le sens de leur intérêt grâce à vos conseils. D'ailleurs, vous interviendrez favorablement sur eux et ils réussiront dans leurs études non pas pour vous faire plaisir uniquement, mais parce qu'il leur est nécessaire d'apprendre et de retenir ce qu'on leur enseigne. Vous stimulerez leur curiosité et vous serez vous-même surpris de la somme de connaissances qu'ils peuvent emmagasiner en peu de temps. Si vous êtes seul à veiller sur l'éducation de vos enfants, que vous soyez un homme ou une femme, la tâche n'est pas facile. Vous devez jouer les deux rôles sans perdre de vue qui vous êtes vous-même. Si des conflits perdurent entre votre ex-partenaire, et si vos enfants sont au milieu de cette guerre entre deux adultes, soyez sage. Faites en sorte qu'ils n'aient pas à subir tout cela. À la fin du mois, l'autorité paternelle prend une place plus grande dans le ciel astral. Si vous êtes un homme Taureau, attention de ne pas utiliser un double langage en conseillant vos enfants. Vous dites à vos enfants de ne pas jeter leurs papiers par terre, alors que vous le faites devant eux ! Les femmes Taureau, surtout si elles n'ont pas de conjoint pour les soutenir, donneront de trop longues explications à leurs enfants alors que leurs questions ne demandent que peu de mots. Cette situation peut survenir à la fin du mois et plus précisément durant les cinq derniers jours. Voilà qui a de quoi égarer un jeune enfant qui en conclura que maman n'est pas claire quand on la questionne et qu'il vaut mieux ne rien lui demander ! Afin d'entretenir le dialogue avec vos enfants maintenant et pour les années à venir, mesdames et messieurs, soyez concis et précis. Si vous ne connaissez pas la réponse à leurs questions, dites simplement que vous allez vous renseigner avant de répondre ! Il n'existe aucun manuel du « parfait parent », et le parent qui sait tout n'existe pas non plus !

SANTÉ Une surexcitation de votre système nerveux et une énorme fatigue peuvent se manifester. Si un ami ou un parent veut vous donner un coup de main, acceptez cette aide qu'on vous offre si généreusement, comme vous accueillez un cadeau d'anniversaire. Autour de vous, des gens que vous connaissez mal sont attentifs à vos besoins. Vous les découvrirez quand ils auront la délicatesse de vous offrir de l'aide. C'est sans doute à ce moment-là que vous pourrez vous dire qu'il y a encore de bonnes gens sur cette planète !

TRAVAIL-ARGENT Vous n'avez pas à vous inquiéter pour votre emploi. Dans l'ensemble, le ciel est favorable au développement de vos affaires. Si vous êtes à votre compte, vous ne vous reposerez pas. Vous serez très occupé à gagner de l'argent. Une entente pourrait être conclue avec une entreprise qui a été longtemps votre compétiteur. Si vous êtes à l'emploi d'une multinationale, la mode des fusions n'est pas encore totalement terminée. Sans doute devrez-vous accepter un autre poste. Sur le plan financier, vous n'y perdrez rien, mais vous devrez vous adapter à de nombreux changements. Le climat ne sera peut-être pas à la fête. Bien des collègues craignent le congédiement. C'est pourquoi certains jours, l'agressivité de l'un et de l'autre sera malheureusement pénible à supporter. Vous survivrez à ces divers chambardements. Soyez patient et exercez votre tolérance. Si votre travail vous met en relation directe avec le public, un vol peut être commis sous vos yeux. Ce pourrait être le cas si vous êtes vendeur dans un magasin ou dans un dépanneur ou si vous êtes en restauration. Cela pourrait se passer entre le 14 et la fin du mois. Le ciel d'avril n'indique aucune attaque directe contre vous, cependant vous serez témoin de l'événement. Le lendemain, malgré votre peur, vous rentrerez courageusement au boulot. Ayez vos biens personnels à l'œil dans les endroits publics. Et n'oubliez pas votre portefeuille sur les comptoirs des magasins. À partir du 14, vous serez plus distrait, vous aurez mille idées en tête et du même coup, vous ne serez pas attentif ni à vous ni à vos possessions.

CROYANCES En tant qu'adulte, vous avez évidemment cessé de croire au père Noël. Mais vous êtes doué pour le monde des projections positives. Pendant longtemps, on a dit que la pensée peut tout. En ce qui vous concerne, c'est vrai maintenant. Lorsque vous imaginez le meilleur, il se produit. Vous ferez plusieurs expériences du type paranormal. Vous expérimenterez des phénomènes qu'on ne peut croire que si on les a vus de ses propres yeux. Vous ne pourrez en parler qu'à très peu de gens, par exemple à ceux qui savent que vous n'avez rien imaginé, mais que vous avez bel et bien vécu des événements ayant un lien avec un autre espace temps. Votre vie n'est peut-être pas telle que vous l'auriez choisie, mais vient un temps où la sagesse vous dit de passer à la phase acceptation. C'est à ce moment-là que vous vous découvrirez d'autres facultés, un don ou un talent particulier. C'est souvent lorsque tout s'est effondré autour de nous qu'il est alors possible de renaître. Nombreux sont ceux qui recommenceront sur de nouvelles bases, avec des valeurs différentes de celles qu'ils avaient avant leur « crash » personnel.

QUI SERA LÀ ? Un Scorpion vous soutient dans vos démarches. Il peut vous ouvrir une porte que vous pensiez blindée à tout jamais, et vous donner accès à une carrière qui ne fut longtemps qu'un rêve. Un Gémeaux vous critique après vous avoir encensé. Ne le laissez pas aller trop loin dans ses discours qui décourageraient les esprits les plus résistants. Vous pourriez tomber amoureux d'un Cancer. Un ami Capricorne de longue date refait surface et devient plus présent dans votre entourage. Peut-être vous courtise-t-il ? Un Sagittaire vous porte chance. Vous soignez un Lion, membre de votre famille. De grâce n'essayez surtout pas d'obliger un Verseau !

MAI 2002

AMOUR-AMITIÉ Vénus, la planète qui vous régit, est en Gémeaux. Tout le mois, Mercure, Saturne et Mars sont aussi dans ce signe. Si vous avez tendance à courir deux lièvres à la fois, deux amours, et avez toujours réussi à cacher vos infidélités, ce mois-ci votre secret risque d'être dévoilé. Cela ne sera pas sans créer un grand remous. Par hasard, on se parlera les uns aux autres. Ce même hasard fera en sorte que les gens dont vous êtes prétendument amoureux se connaissent ! Il n'en tient qu'à vous de clarifier votre vie amoureuse, et ce, dès le début du mois. N'attendez pas d'être rejeté par ceux qui ont cru en vous. Comme dans tous les signes, les Taureau infidèles, ça existe ! Pour eux, le mois de mai est celui de la vérité !

Si vous êtes fidèle, comme l'est la majorité, toutes ces planètes en Gémeaux font bavarder et peuvent aussi vous rendre jaloux. Si votre ascendant l'indique, vous provoquerez la jalousie de votre partenaire. On ne peut passer à côté des planètes en Gémeaux: elles ont un autre symbole bien particulier en ce moment. Certains couples sont usés par le temps. Vous pouvez êtes las de votre union et malheureux depuis de nombreuses années, sans jamais en avoir parlé, sans jamais avoir suggéré le moindre changement. Dans ce cas, il n'est pas impossible que vous preniez la décision de quitter votre partenaire. Si votre ascendant l'indique, vous pourriez aussi être celui qu'on quitte, surtout si vous n'avez pas vu les multiples signaux de détresse que vous a lancés votre partenaire. Par contre, nulle part il n'est écrit que la rupture sera à vie. On voit plutôt certains cas d'éloignements nécessaires et, éventuellement, ceux-ci vous rapprocheront à nouveau, mais de façon différente, de cette personne que vous avez aimée follement. Si votre vie amoureuse est heureuse, ce qui est de moins en moins courant en ce début de XXIe siècle (l'économie et la raison sans le coeur sont nos priorités), vous déciderez de faire un voyage en amoureux, avec ou sans vos enfants. Vous recréerez votre intimité, cette proximité de vos débuts de couple.

FAMILLE Avez-vous une famille élargie? Votre partenaire et vous avez eu des enfants chacun de votre côté? Si c'est votre cas, les planètes qui sillonnent le ciel astral et leurs symboles vous touchent plus que tout autre. Au fond, rien n'est jamais terminé avec l'ex, surtout lorsqu'on a eu des enfants ensemble. Il est tout à fait normal que vous aspiriez à la paix avec votre famille reconstituée, ou plus correctement dit, votre famille élargie! Votre ex peut chercher la guerre pour obtenir la garde des enfants, par rancune ou par jalousie de votre nouveau bonheur. Cette situation est fréquente dans notre société et rend tous ceux qui sont touchés, directement ou indirectement, malheureux. Si vous devez ménager l'ex afin d'éviter des conflits qui mettent les enfants et vous-même dans l'embarras, ce mois-ci, préparez-vous à d'autres négociations. Vous savez qu'il sera impossible de discuter avec cet ex, alors contactez votre avocat. Sa fonction est de le tenir à distance ou d'entamer des pourparlers dans le but de mettre un terme à cette agression, qui n'est pas forcément physique. Ces planètes en Gémeaux ont tout de même des effets positifs. Il est possible qu'en causant avec un frère ou une sœur vous fassiez germer une idée commerciale, avec la ferme conviction qu'ensemble vous aurez du succès. Dès l'instant où ces plans verront le jour, l'un et l'autre ferez des recherches pour monter cette affaire qui vous emballe. Vous avez raison! Agissez!

SANTÉ L'excès des planètes en Gémeaux coupe l'appétit à certains. D'autres, au contraire, mangent beaucoup plus qu'à l'accoutumée. Pour la majorité, ces planètes en Gémeaux sont des coupe-faim, mais par contrecoups elles augmentent le taux d'acidité de votre organisme et laissent ainsi présager un ulcère. Il suffit d'y penser. À l'heure des repas, pensez à vous nourrir sainement, et vous contrecarrerez la prévision. Vos bras, vos mains, vos épaules et vos genoux sont vulnérables. Si vous travaillez avec des outils coupants, soyez attentif. Portez des gants pour les gros travaux. Même une blessure légère au doigt est désagréable et vous pouvez l'éviter. À vous d'y voir!

TRAVAIL-ARGENT Vous avez une imagination extraordinaire, surtout si vous œuvrez dans le monde des communications parlées, écrites, musicales, en décoration, en esthétique, en informatique et Internet, entre autres. Vous serez original ou vous inventerez un produit qui aura tôt fait d'être populaire. En tant que vendeur d'appareils domestiques qui facilitent la vie de chacun dans la maisonnée, vous irez d'un client à un autre, et souvent jusqu'à tard en soirée. Le prix de votre labeur : une augmentation considérable de vos profits. Si votre travail vous oblige déjà à vous déplacer, mais que vous n'avez fait que des allers et retours jusqu'à maintenant, vous représenterez votre entreprise parfois au-delà des frontières. Pour les uns, il s'agira de séjours dans d'autres villes, pour d'autres à l'étranger, passeport et visa en main. Aux bons aspects on trouve toujours des revers. La lumière et la clarté n'existeraient pas sans la noirceur ! À votre pôle opposé, si vous ne savez pas résister, se profilent d'énormes dépenses ! Vous aurez une envie quasi irrésistible de vous meubler à neuf, de vous acheter une voiture de luxe, de changer votre garde-robe traditionnelle pour des vêtements extravagants que d'ailleurs vous ne porterez pas longtemps. Vous pourriez avoir le désir soudain de déménager et d'acheter au-dessus de vos moyens ! Pensez aux paiements qui vous attendent, cela devrait suffire à vous retenir.

CROYANCES Raison et intuition font bon ménage. Votre sens de l'analyse et vos perceptions extra-sensorielles n'entrent pas du tout en conflit. Vous unifiez vos diverses tendances, vos connaissances, votre savoir, etc. Vous devenez de plus en plus libre. Vos limites et vos toquades disparaissent. Vous êtes en contact avec le monde invisible, ou devrait-on plutôt dire que le monde invisible entre en contact avec vous. Votre Moi et votre Soi font la paix. À travers vos épreuves, vous avez toujours cru et vu la lumière. En ce mois, quels que soient les événements, vous pouvez presque toucher l'harmonie qui vous habite.

QUI SERA LÀ ? Un Gémeaux positif et un autre négatif, vous n'aurez aucun mal à faire la différence entre eux. Vous donnerez son congé au trouble-fête. Un Sagittaire peut devenir un excellent associé et remplir ce rôle que vous jouez mal dans le monde des affaires. Un Cancer est amoureux, un Scorpion se montre intrigant mais attachant dès la première rencontre. Si un Bélier ne raconte que ses insatisfactions, ne vous attardez pas. Il n'est pas votre idéal d'homme ou de femme. Une Vierge est secourable mais également d'agréable compagnie.

JUIN 2002

AMOUR-AMITIÉ Depuis le 21 mai, avec l'entrée de Vénus en Cancer, qui demeurera dans ce signe jusqu'au 14, vous exprimez clairement vos émotions. Vos échanges avec votre partenaire sont plus simples et sûrement plus calmes. Mercure, encore en Gémeaux, est modéré par la présence de Vénus, source du langage du cœur, et par Jupiter en Cancer, qui impose le respect d'autrui. Le Nœud nord est en Gémeaux dans le deuxième signe du vôtre. Il est ce vers quoi vous devez tendre, c'est-à-dire la connaissance de soi sans laquelle on ne voit pas qui est l'autre. Il ne s'agit pas de vous mettre à la place des autres, c'est infaisable, mais de vous montrer compatissant et de pardonner. Si vous le pouvez, oubliez, autant que faire se peut, vos déceptions amoureuses passées. Vous ne pouvez échapper à vos souvenirs, mais vous pouvez apprendre à vivre avec eux. Le Nœud en Gémeaux vous suggère de lire des ouvrages sur l'amitié, l'amour à deux, l'amour après un divorce et aussi sur vos enfants. Vous les aimez mais ils ont peut-être tellement changé que vous êtes mal à l'aise avec eux lors de vos discussions. La Lune noire est en Bélier, depuis la fin du mois de mars. Elle génère des troubles émotionnels. Elle vous tend un piège inhabituel, mais sa fonction est d'insister afin que vous portiez attention aux sentiments d'autrui. Plus particulièrement si, jusqu'à présent et en grande partie, vous ne vous préoccupez que de vos propres besoins. Si vous vous êtes contenté de vous taire pour éviter une dispute, le problème est peut-être resté entier. À partir du 15, sous l'influence de Vénus en Lion, il en faudra bien peu pour que vos refoulements s'expriment simultanément, et entre vos dents serrées.

FAMILLE Le thème de la famille fait référence à vos proches parents, frères, sœurs, oncles, tantes, neveux, nièces, etc. La famille est dominante et à partir du 15, sous l'influence de Vénus en Lion, l'un de ses membres aura besoin d'un service d'ordre financier. Vous n'avez pas réfléchi à votre place dans votre communauté qui ne peut fonctionner que par l'entraide. Ainsi, si vous refusez d'appuyer ce parent dont le budget est à plat ou qui, pire, ne peut plus se nourrir, vous serez pour ainsi dire jeté à la porte de la cellule familiale. N'oubliez pas que dans le passé on est venu vers vous alors que vous étiez dans la même situation.

En tant que parent de grands enfants, d'adultes qui font des choix, vous n'avez pas à intervenir. L'expérience ne s'acquiert que dans l'engagement, ainsi feront-ils. Le ciel vous indique d'être présent et non pas insistant. Ouvrez votre esprit et essayez de penser comme vos enfants. Par contre, ils n'ont pas votre vécu, pas plus que de perspective d'avenir, comme vous l'aviez à leur âge. De tristes nouvelles peuvent vous parvenir. L'un de vos parents (ou les deux) tombe soudainement malade, justement celui que l'on croyait le plus en forme.

Si vous êtes nouvellement papa ou maman, il est normal que vous ayez tout à apprendre concernant les bébés, et sur le vôtre plus particulièrement. Vous serez protecteur au point où vous pourriez vous épuiser physiquement et moralement. Ne vous isolez pas avec l'enfant. Invitez vos amis ou des parents que vous aimez à vous rendre visite. Ils vous rassureront sur votre rôle, et vous offriront une vie sociale sans laquelle vous perdriez votre équilibre !

SANTÉ Surveillez votre foie, et au moindre signal de malaise, délaissez les aliments gras. Pourquoi ne pas employer, pour vos salades, des huiles qui diminuent le mauvais cholestérol et entretiennent le cœur. Vous n'avez qu'à vous informer auprès d'un naturopathe. Certains magasins d'alimentation naturelle dispensent aussi ce type d'information. Une irritation cutanée peut survenir sans crier gare. Une allergie que vous pensiez disparue à tout jamais refait surface. Si vous y êtes attentif et prenez les moyens pour faire disparaître ce « petit » poison de votre système, un jour ou deux suffiront pour vous remettre sur pied.

TRAVAIL-ARGENT Vous êtes le deuxième signe du zodiaque, pour vous l'argent est souvent plus qu'une monnaie d'échange. Vous faites peut-être partie de ceux qui survivent tant bien que mal d'une semaine à une autre. Si votre compte en banque n'est pas ronflant, si vous n'avez aucune sécurité financière, vous avez tendance à vous sous-estimer et à manquer de confiance. L'argent ne représente pas votre réelle valeur. Il est nécessaire pour se loger, se nourrir, payer ses factures, acheter quelques fantaisies, mais l'argent n'est pas le bonheur. Il ne le fait pas non plus. Si vous pensez qu'il en faut beaucoup, et toujours plus, pour être heureux, révisez votre manière de penser. Par ailleurs, vous n'avez pas à vous inquiéter en ce mois de juin, votre détermination à vous procurer tout ce dont vous avez besoin est toujours aussi vive. Bon nombre d'entre vous pourraient occuper deux emplois, dont l'un à temps partiel afin d'arrondir les fins de mois ou pour payer une carte de crédit dont les intérêts sont élevés. À partir du 15, il faudra toutefois une bonne dose de prudence lors de la signature d'un contrat de travail. Assurez-vous de la validité de toutes les clauses. Si vous faites des achats, prenez votre temps durant les deux dernières semaines du mois. La tendance à payer cher est nettement inscrite. Vous pourriez même acheter un produit de « seconde main » sans garantie. Malheureusement, vous vous retrouvez avec un outil ou un autre objet défectueux pour lequel vous aurez tout de même déboursé le gros prix ! Ne dépensez pas vos économies, puisque vous aviez, au départ, décidé d'en faire.

CROYANCES Entre le 18 et le 28, vous pourriez avoir envie de consulter un clairvoyant. Vous avez besoin de savoir ce qui vous attend, ce que l'avenir vous réserve. Vous faites ce geste surtout par besoin d'être rassuré. Entre ces dates précédemment mentionnées, soyez vigilant. Vénus, la planète qui vous régit, fait un mauvais aspect à Neptune. C'est la même Vénus qui permet à un clairvoyant de voir clair, mais ces jours-là, comme vous ne serez pas transparent, on ne pourra lire en vous ni en votre avenir.

QUI SERA LÀ ? Un Cancer et un Poissons vous sont très utiles dans le déroulement de vos affaires. S'ils ne peuvent vous aider financièrement, ils vous donnent des conseils utiles concernant l'expansion de votre entreprise. Un Lion peut vous envier. Ne le laissez pas vous critiquer. Arrêtez-le ! Il comprendra immédiatement. Un Sagittaire vous porte chance, même dans les jeux de hasard.

JUILLET 2002

AMOUR-AMITIÉ S'il y a eu des tensions entre votre partenaire et vous, elles se calment lentement, mais assurément. Certains d'entre vous, séparés de leur conjoint depuis l'an dernier, font un timide retour. Ils se courtisent à nouveau. D'autres ont réglé tous leurs problèmes l'hiver dernier. Ce mois-ci, ils décident de faire une fois de plus vie commune. Cela est surtout le cas du Taureau qui a des enfants.

Un ami vous doit de l'argent et vous avez du mal à vous faire rembourser. Il ne sert à rien de crier ni d'insister, s'il n'a pas l'argent, que pouvez-vous y faire ? Faire une saisie ? Ne l'avez-vous pas dépanné par compassion, par gentillesse, par bonté ? Pourquoi ce revirement chez vous ? Ne perdez pas votre ami pour une poignée de dollars ! Soyez patient encore quelques semaines, probablement jusqu'à la fin d'août.

En tant que célibataire, à partir du 14, vous ferez un effet choc à un flirt mais, rien n'étant parfait, cela ne pourrait être qu'une attirance sexuelle. Dès l'instant où vous vous apercevrez que vous avez peu en commun avec cette nouvelle rencontre, prenez du recul. Analysez la situation et cette fois soyez rationnel. N'y jouez pas votre âme.

FAMILLE À partir du 11, sous l'influence de Vénus en Vierge, des mots désagréables peuvent avoir surgi entre vous et des membres de votre famille. Vous vous expliquerez calmement et cesserez cette petite guerre. De toute manière, la dispute ne rapporte rien à personne, sinon ce ne sont que de profonds malaises émotionnels. Vous serez raisonnable, non plus uniquement porté par des émotions négatives. Par conséquent, cette nouvelle attitude vous vaudra la paix et l'harmonie.

Vos enfants petits et grands se feront de nouveaux amis, également à partir du 11. Vous serez heureux de leurs rencontres. Ces amis essaimeront vos propres valeurs, celles reçues de leurs parents que vous aurez plaisir à rencontrer pour un brin de causette agréable lorsque vous accompagnez vos propres enfants vers leurs activités sportives ou leurs loisirs. L'un de vos grands, un adolescent, vous surprendra lorsque vous découvrirez qu'il a un talent particulier.

Ne perdez pas de vue que Jupiter est en Cancer, cela a un lien direct avec votre propre mère. Certains s'en rapprochent après des années d'éloignement, tandis que d'autres prennent une très grande distance. Tout dépend de votre âge et de votre thème astral personnel. Vous êtes nombreux à être en vacances, méfiez-vous. Ne laissez pas vos petits sans surveillance près des cours d'eau ni dans des portiques de jeux où ils peuvent grimper et tomber. Soyez vigilant ! Évitez-leur un accident ou une grosse frayeur !

SANTÉ Vous pouvez vous reposer durant ce mois d'été. Vous travaillerez moins et si vous faites toujours autant d'heures, vous serez plus détendu au boulot. Votre système nerveux ne s'en portera que mieux. Quelques maux disparaîtront comme par magie, notamment les maux de tête et les brûlures d'estomac.

TRAVAIL-ARGENT Avec la présence du Nœud nord et de Saturne en Gémeaux dans le deuxième signe du vôtre, vous êtes en pleine réorganisation financière. Si vous gagnez peu, vous prenez un second emploi, à temps partiel. Si vous avez choisi le monde de la vente, même si vous vous attendez à bien peu de profits, vous serez agréablement surpris. Le bouche à oreille fait des merveilles. Si vous êtes travailleur autonome ou à contrat, vous en signerez plusieurs. Ils seront souvent à court terme, mais étant donné leur nombre, vous serez fort heureux lorsque vous irez déposer vos chèques à la banque. Si votre emploi est régulier, bien que de nombreuses entreprises profitent de la période des vacances pour effectuer des changements, vous n'avez rien à craindre. On apprécie vos services. Vous n'êtes nullement sur la liste des employés à congédier. Dans votre milieu professionnel, vous revoyez sans cesse les mêmes gens, alors de grâce, ne dites rien sur les uns et les autres. Il se peut que leurs attitudes ne sont ni conformes ni correctes envers l'entreprise et envers les gens, mais ce n'est pas votre affaire. Le silence est d'or. Laissez le temps suivre son cours. Ne soyez pas le justicier. Ce n'est pas votre rôle ; si vous l'endossiez, cela se retournerait contre vous. Les bavardages sont à éviter.

CROYANCES Vous avez une imagination fertile. Chacun notre tour, nous traversons des périodes où nous pensons obtenir ce que nous demandons au ciel. Ce ciel ne répond pas à vos demandes, surtout durant la deuxième partie du mois. Vos prières ne sont-elles pas adressées au dieu de la loterie ? Si c'est le cas, ne soyez pas surpris de ne pas être exaucé ! Méditez afin de recréer l'équilibre en vous, vous en sortirez gagnant !

QUI SERA LÀ ? Une Vierge est agréable et serviable, mais vous demande de lui rendre la pareille. Un Cancer est probablement plus qu'un flirt. Un Capricorne vous plaît, mais l'un et l'autre avez du mal à vous interconnecter avec vos tripes. Peut-être qu'un jeu de pouvoir existe entre vous ? Un Verseau fait tout ce qu'il peut pour vous plaire, mais il a du mal à vous entendre dire que vous êtes satisfait. Vous faites de bonnes affaires avec un Scorpion.

AOÛT 2002

AMOUR-AMITIÉ En tant que célibataire, à partir du 8, sous l'influence de Vénus en Balance, vous êtes plus susceptible de faire une rencontre intéressante dans votre milieu de travail ou par l'entremise d'un collègue. Il y a toutes les chances du monde pour que votre première conversation concerne un sujet littéraire. Vous avez vécu une expérience professionnelle quasi identique.

Si des tensions persistent dans votre couple depuis quelques mois, entre le 18 et le 29, vous prendrez une décision. Tout penche vers la rupture ou du moins vers un éloignement nécessaire à la réflexion. Certains couples passent à travers une petite crise. Il s'agit de périodes de réajustements. Chacun constate qu'il a changé, vous devez accepter que votre vie soit différente. Si votre partenaire a eu des malaises, vous prenez soin de sa santé, mais vous continuez quand même à vous inquiéter. Votre anxiété n'aide pas votre malade à se rétablir. Essayez de le voir en forme, plutôt que de le plaindre et de le surveiller constamment.

FAMILLE Mars est en Lion dans le quatrième signe du vôtre tout comme Jupiter. Ces planètes font face à Neptune et à Uranus en Verseau, dixième signe du vôtre. Tout ceci se rapporte à votre famille dans son ensemble, tant dans vos relations avec vos enfants qu'avec vos parents. De longues discussions avec des gens en qui vous avez confiance tourneront autour de vos devoirs parentaux. Le temps que vous allouez à votre carrière qui vous prend souvent plus d'énergie sera aussi à l'ordre du jour. D'un côté, vous avez l'obligation de bien gagner votre vie, pour nourrir la famille, l'habiller, la loger, etc. De l'autre, vous avez l'impression que vous négligez vos proches. Des tas de gens vivent ce dilemme social. La grande question est fait-on un retour à la famille ou continue-t-on à vivre pour son patron ?

Les entreprises, pas plus que les gouvernements, n'offrent de bien grandes protections aux familles. Aussi, faut-il à la génération ayant de jeunes enfants travailler très fort pour s'offrir un minimum de confort. On a beau parler des enfants élevés en garderie, et de critiquer cette situation, mais si vous êtes un jeune parent, vous n'avez pas tellement le choix. Généralement, deux salaires sont nécessaires pour faire vivre la petite famille. Vous n'avez donc pas à avoir de remords d'être obligé de donner beaucoup de temps à votre patron. Sans doute en est-il de même pour lui ? Cela ne vous empêche pas cependant de vous questionner quand même sur ce sujet.

Si vous êtes de la génération des *baby boomers*, un sérieux coup de main à l'un de vos enfants qui traverse une période difficile émotionnellement ou matériellement peut être nécessaire. Vous serez là pour l'aider à surmonter les obstacles. Si vous êtes grand-parent, vous serez plus près de vos petits-enfants. Ne sont-ils pas votre prolongement ?

SANTÉ Le ciel concerne davantage la santé d'un membre de votre famille que la vôtre. Un proche peut être très malade. Cela vous rappelle votre propre fragilité et à quel point il est important de suivre un régime alimentaire sain. Vous mettrez fin à certaines activités auxquelles vous ne prenez plus plaisir. Au fil des mois voire des années elles sont devenues des obligations et des sources de stress. Vous n'en avez pas besoin !

TRAVAIL-ARGENT Vous modérerez vos ardeurs ! Vous prendrez peut-être une semaine ou deux de congé de plus que prévu, même à vos frais. Vous avez besoin de prendre du recul, de récupérer pour mieux continuer au retour. Vous serez étonné de l'accueil que cette demande recevra. Votre patron vous dira oui, sans discuter. Il n'a pas envie de perdre vos services.Il choisit de vous décharger de quelques responsabilités, pour être sûr de vous retrouver en forme par la suite. Si vous êtes à votre compte et travaillez sur un gros projet depuis quelques mois, pendant que bien d'autres se reposent, vous produisez comme jamais. Vous faites des pas géants vers la prochaine étape d'expansion de votre entreprise.

Si vous êtes sans emploi, et que vous cherchez activement, vous n'aurez aucun mal à trouver. Même si, au départ, on ne vous embauche que pour un poste temporaire, acceptez ! Saisissez cette chance ! La roue de la vie tourne favorablement et finalement, il se peut qu'on ne puisse plus se passer de vos services. Si vous travaillez à commissions, surtout à pourboires dans la restauration, vous gagnerez plus d'argent qu'à l'accoutumée. Vos clients sont généreux comme ils ne l'ont jamais été auparavant.

CROYANCES Si vous avez un esprit mercantile, que vous essayez de troquer vos prières contre un gain à la loterie, vous perdez votre temps. Dieu ne s'occupe pas de casino ni des billets de loto. Dieu a mis à votre disposition la nature qui est source d'énergie. C'est de celle-ci que vous devez être conscient. C'est en elle qu'il faut puiser votre force vitale, mentale et votre équilibre émotionnel.

QUI SERA LÀ ? Un Lion vous donne une leçon de vie, ça n'est qu'un simple conseil mais il est plein de gros bon sens. Il ne vous fait pas un long discours, mais soyez attentif à ce qu'il vous suggère, cela vous rendra un grand service dans la gestion de vos affaires. Vous demandez beaucoup à un Verseau qui a toujours du mal à vous dire non. Mais cette fois, il est capable de vous répondre que vous exagérez. Un flirt avec une Vierge ou une Balance est envisageable. Ne laissez pas un Gémeaux vous faire douter de vous ! En ce moment il pratique très bien ce sport avec vous !

SEPTEMBRE 2002

AMOUR-AMITIÉ À partir du 8, Vénus entre en Scorpion et se retrouve en face de votre signe. Vous aurez alors tendance à douter des gens que vous rencontrerez, et parfois même de vos vieux amis. Il arrive aussi qu'il faille se détacher d'amis ou de gens qu'on connaît et fréquente depuis longtemps. Chacun choisit un chemin où parfois, on ne peut se rejoindre. Vous entendrez parler d'eux de temps à autre, mais pas aussi souvent qu'autrefois. Le temps en lui-même n'a rien changé, ce sont les valeurs et les priorités de chacun qui ne sont plus les mêmes. Des séparations se produiront ainsi. L'un part pour une autre ville ou à l'étranger. L'autre est si occupé par son travail et sa famille que vous n'arriverez plus à lui parler au téléphone. Vous aurez si peu de nouvelles que vous saurez que vous ne faites plus partie de son monde... pour l'instant. Puis, il y a ceux qui s'éloignent afin de ne pas vous faire vivre leurs problèmes. Ils choisissent de les traverser sans vous. Ils jugent que vous avez assez de vos obligations sans devoir supporter les leurs. Sur le plan de l'amour, sous l'influence de Vénus en Scorpion, vous cherchez des arguments, ou avez dans l'idée de « contrôler » votre partenaire, de lui faire dire ce que vous voulez entendre. Eh bien, vous serez déçu. Il vous résistera. Il se peut même qu'il s'éloigne. Si votre conjoint doit souvent se déplacer pour son travail, le temps vous paraîtra parfois long sans lui. Ses obligations le font voyager par la route ou par les airs. Votre partenaire sera parti si longtemps que vous aurez parfois la sensation d'être seul au monde. Sous l'influence de Vénus en Scorpion, une séparation partielle vous fera entrer, ce mois-ci, dans une longue période de négociations et de pourparlers. Cela pourrait s'étirer jusqu'à la fin de l'année ! Vénus en Scorpion vous invite à être patient. Ne prenez aucune mesure radicale. Ne fermez pas la porte, surtout si quelque chose vous dit que vous êtes encore amoureux de l'être dont vous vous êtes séparé.

FAMILLE S'il est question d'un partage d'héritage dans votre famille, qu'il s'agisse d'une grosse ou d'une petite somme ou de biens matériels, ce ciel laisse présager des malentendus entre vous. Vous vous détacherez complètement de cet héritage pour préserver votre paix d'esprit, mais peut-être au contraire, serez-vous de ceux qui s'acharnent à vouloir les plus grosses parts du gâteau. Si vous entrez en conflit, ce sera long. Rien n'est gagné d'avance. En cas de dispute, vous perdrez beaucoup d'énergie. Jupiter est « installé » dans le Lion pour les onze prochains mois, dans le quatrième signe du vôtre. Il fait un carré ou un aspect difficile, un obstacle, ce qui provoque une initiation dans votre nouvelle vie familiale et vous n'y étiez pas préparé. Si vous êtes amoureux de quelqu'un qui a déjà des enfants et que vous en ayez vous aussi, vous pourriez vivre d'importants réajustements, car chacun doit trouver sa place. Il vous faut alors, en tant que parent, les rassurer chacun leur tour. Vous-même en tant que père ou mère, vous devez vous situer bien clairement dans votre rôle de beau-père ou de belle-mère. Sans doute devrez-vous faire un très gros effort durant certaines périodes pour maintenir la paix avec l'ex. Toute une histoire au sujet de la garde des enfants peut vous troubler, sous ce ciel de septembre. Vous êtes invité au calme. La panique ne vous conduirait qu'à de plus nombreux malentendus.

SANTÉ Sous l'influence de Mars en Vierge, vous avez une grande résistance physique. Si des événements perturbateurs surviennent, vous ne perdrez pas l'appétit. Vous continuerez de manger sainement afin de préserver votre énergie vitale. À la fin du mois, si votre intestin est capricieux ou nerveux, vous devrez simplement faire un peu plus attention à votre alimentation. Vous éviterez ainsi un dérèglement désagréable.

TRAVAIL-ARGENT Quoi qu'il se passe dans votre vie privée, sentimentale ou familiale, vous travaillerez beaucoup. Autant d'occupations vous permettront de garder la tête hors de l'eau. Le boulot préservera la santé mentale et émotionnelle de certains d'entre vous. Y plonger chaque jour permet de prendre du recul par rapport à des problèmes personnels. Vous pourrez ainsi trouver plus aisément des solutions. Pour quelques-uns d'entre vous, il sera question d'acheter une maison. Ils en sont à l'étape de la réflexion et à l'étude des finances disponibles pour faire les versements. L'achat d'une propriété est une démarche importante. Il est rare qu'on veuille déménager pour quelques mois seulement. En vous, se dessine le profond besoin de vous créer de nouvelles racines et d'avoir ce chez-soi que vous décorerez à votre goût, sans en demander la permission au propriétaire ! Si vous n'avez pas encore acheté, magasinez ! Au fil de vos recherches, vous trouverez la maison de vos rêves, au prix que vous pouvez payer. Si vous êtes à la recherche d'un emploi, il sera difficile de trouver exactement ce que vous désirez. Cependant, les offres ne manqueront pas. Vous voudrez peut-être qu'on vous donne les avantages et les bénéfices des plus anciens employés, n'est-ce pas trop exiger? Soyez lucide dans ce type de situation. Vous voyez grand, c'est très excellent. Mais, comme bien des gens, il vous faut commencer au bas de l'échelle.

CROYANCES La foi est mystérieuse. Comment font ces gens qui obtiennent ce qu'ils réclament au ciel? Vous êtes-vous déjà posé la question? Il arrive que des problèmes qui nous paraissent insurmontables nous amènent à nous demander si Dieu existe. Vous passez par la colère, mais lorsque celle-ci est épuisée, vous atteignez l'étape de la résignation. C'est le plus souvent à cette étape que vous faites un effort supplémentaire pour trouver ce que vous cherchez. Ne faut-il pas conclure que le ciel nous aide, si on s'aide soi-même?

QUI SERA LÀ? Un Scorpion a des intuitions et des perceptions à votre sujet, elles seront justes. Un Poissons vous donne un coup de main, si vous avez besoin d'aide. Un Cancer vous donne le moyen de vous en sortir, si vous êtes en mauvaise situation financière. Une Vierge est stimulante. Si un Lion vous envie ou vous critique, donnez-lui son congé. En amour, un Verseau qui vous aime a l'impression qu'il vous doit tout, ou du moins beaucoup. Il est possible que vous exagériez en lui demandant plus qu'il ne peut réellement donner. Un Capricorne vaque à ses affaires et fait comme si vous n'étiez pas dans sa vie. Il est peut-être si préoccupé qu'il ne sait plus lui-même où il en est. S'il vous aime, il reviendra vers vous avant que le mois se termine.

OCTOBRE 2002

AMOUR-AMITIÉ Vénus est encore en Scorpion, et elle sera rétrograde à partir du 10. Elle vous dit ainsi de ne pas forcer vos amis à vous tendre la main alors qu'ils sont eux-mêmes débordés dans leur vie personnelle et professionnelle.

En tant que célibataire, à partir de la dernière date mentionnée, faites attention aux beaux parleurs et aux fées qui vous ensorcellent. Il est possible que votre flirt ne soit pas une personne tout à fait libre. Vous le pressentirez, et des indices significatifs vous le prouveront. Vous apprendrez rapidement la vérité, si vous posez les bonnes questions.

À partir du 16, vous serez sous l'influence de Mars en Balance qui vous portera à faire des concessions dans votre vie sentimentale troublée. Vous ne saurez si vous devez rester ou partir. Par conséquent, vous resterez là où vous êtes, en minimisant les crises de votre partenaire. Vous lui trouverez mille excuses pour mal agir envers vous. Parmi vous, il existe aussi des gens heureux en amour. Pour eux, il sera question d'un voyage afin de se retrouver en tête-à-tête, entre amoureux seulement. À cause du travail, certains d'entre vous doivent partir à l'étranger. Ils en profiteront pour s'éloigner un peu de leur partenaire, pendant quelques jours.

FAMILLE Si vous avez monté une affaire de famille, le budget est le principal sujet de discussion, même à l'occasion d'une fête. Votre entreprise est peut-être sur le point de prendre de l'expansion. Mais avant de passer à l'action, si vous dirigez l'entreprise, mettez les points sur les « i » à tous ces parents qui font partie de la compagnie en question. Cela demande du doigté, de la délicatesse et de la fermeté. Mais vous possédez tous les atouts nécessaires pour mener à bien votre réforme. Durant tout le mois, Jupiter en Lion fait un carré à Vénus en Scorpion. Ces deux planètes sont elles-mêmes en aspects difficiles à votre signe et concernent souvent un parent bien-aimé à la santé chancelante. Certains seront occupés entre leur travail et des visites à l'hôpital. D'autres seront occupés presque à temps plein avec les soins à apporter à un membre de leur famille. De nombreuses femmes se questionnent sur ce qu'elles devraient faire : consacrer plus de temps à leurs enfants ou maintenir le cap d'une carrière qui exige de longues heures chaque jour. Ce qui, finalement, les empêche de vivre la vie familiale dont elles rêvent depuis toujours. Pour ces dernières, le moment n'est pas venu de prendre une décision définitive. Il vaut mieux y réfléchir encore un peu.

SANTÉ L'alimentation est votre première source d'énergie. Pourtant ce mois-ci, vous aurez tendance à ne pas vous asseoir à table. Vous grignoterez debout, pressé de retourner au travail, pour finalement être obligé de vous arrêter à cause de brûlures d'estomac qui vous rendent la vie difficile. Il suffit d'y penser pour ne pas tomber dans ce piège.

TRAVAIL-ARGENT Si vous êtes votre propre patron, surtout ne comptez pas vos heures. Elles dépasseront de beaucoup celles de ceux qui exercent un emploi en entreprise. Même si vous ne nagez pas encore dans l'or et l'argent, vous faites des profits. Vous continuez de prendre de l'expansion. De plus, vous avez le plaisir d'être le propriétaire, le patron. Vous appréciez cet état, car vous vous sentez plus libre, malgré le lot d'obligations qui vous occupent. Si vous avez déjà un associé, une troisième personne vous fera une offre que vous n'accepterez pas spontanément. Pour ce dernier commence alors une longue période de négociations. Méfiez-vous des emprunteurs, surtout si vous les connaissez déjà et qu'ils n'ont pas encore remboursé ce qu'ils vous doivent. Ne vous laissez pas endormir par leurs paroles et leurs promesses. Il serait également plus sage de remettre quelques gros achats. Si vous prévoyez un nouveau mobilier, cela peut encore attendre. Vous paieriez trop cher. Si vous succombez, il n'est pas impossible que le délai de livraison soit plus long que prévu. Pire, on pourrait vous livrer ce que vous n'avez pas commandé. Ce serait alors une série d'appels et de plaintes, ainsi qu'une immense perte de temps et d'énergie.

CROYANCES Qui un jour n'a pas fait le souhait de voir disparaître d'un coup tous ces troubles, petits et grands ? Je ne connais personne qui, même devenu adulte, n'ait pas eu cette pensée magique, par un petit matin gris ! Sauf que rien n'a changé. Il a fallu agir pour faire tourner le vent ! Méditez afin de vous recentrer, d'être en contact avec votre moi. Éloignez-vous intérieurement de tout ce qui vous étourdit. C'est alors que le miracle se produira. C'est dans cet espace, au centre de soi, que sont toutes les solutions pour une vie meilleure pour soi et son entourage.

QUI SERA LÀ ? Un Verseau est présent pour combler vos besoins. Il exauce un de vos désirs, alors que vous ne vous y attendiez pas. Un Cancer ou un Poissons peut tomber follement amoureux de vous. Une Vierge vous porte chance dans une démarche professionnelle. Un Gémeaux vous rend hésitant en ce qui concerne un investissement ou un achat. Il vous rend service en retardant ainsi la transaction que vous étiez sur le point de conclure.

NOVEMBRE 2002

AMOUR-AMITIÉ Vénus est encore en face de votre signe et est rétrograde jusqu'au 20. Jusque-là, soyez patient dans vos relations amicales et sentimentales. Surtout si elles ne correspondent pas à vos rêves ! Vos nouvelles rencontres, même fort sympathiques, ne seront peut-être là que pour bénéficier de vos relations ou parce que vous avez beaucoup à offrir ! Certains calculs percent à travers leur gentillesse, mais vous serez vigilant. Vous verrez parfaitement, au moment opportun, qui est digne d'entrer dans votre cercle d'amis et qui n'y sera jamais convié. Sur le plan de votre vie amoureuse, Vénus face à votre signe est encore en aspect difficile à Neptune. Cela porte certains d'entre vous à rêver de l'impossible. Pour d'autres, à cause de soupçons injustifiés, la jalousie les dévore. Ils craignent à tort que leur partenaire ne les trompe ou ne les quitte. Attention, la positions de quelques planètes dans le ciel vous fait voir les choses sous le pire angle. Le moindre accroc devient un drame. Tous les couples, un jour ou l'autre, traversent des périodes où l'un ne reconnaît plus l'autre. Il a changé, alors que vous-même n'êtes plus non plus tout à fait le même. Évitez les conclusions hâtives même en cas de troubles relationnels. Ce n'est pas la fin de l'union, mais plutôt le moment de repartir sur d'autres bases, avec de nouvelles valeurs pour chacun.

FAMILLE Ne laissez pas les grands-parents de vos enfants vous dire comment éduquer vos petits et vos grands. L'expérience parentale est personnelle. Il n'est jamais mauvais d'écouter les conseils des aînés, par contre ils ne sont pas tous applicables dans le contexte social du XXIe siècle. Certains d'entre vous auront davantage besoin de faire garder leurs enfants, par une gardienne ou plus souvent par un membre de la famille. Votre partenaire et vous faites des heures supplémentaires. Tous deux avez absolument besoin de cet argent pour payer vos factures et vos dettes. Si vous embauchez quelqu'un que vous ne connaissez pas du tout pour garder les enfants, prenez vos références d'abord. Les aspects célestes indiquent que vos petits pourraient être mal surveillés et, par conséquent, avoir de menus accidents. Si vous les confiez à leurs grands-parents pendant que vous irez travailler, donnez précisément vos instructions, même si elles ne seront pas suivies à la lettre. Ne demandez pas à vos propres parents de vous remplacer en tous points. Ils feront de leur mieux ; soyez heureux de les avoir. Vous corrigerez rapidement les mauvaises habitudes dès que vous reprendrez un horaire de vie normal.

SANTÉ Mangez sainement. Le débordement que vous vivrez ce mois-ci nécessite du «carburant». Le vôtre est une nourriture énergisante. Si vous ressentez de grandes faiblesses et n'arrivez plus à en sortir, faites-vous prendre une prise de sang pour vous assurer de ne pas faire d'anémie.

TRAVAIL-ARGENT Vous travaillerez sans arrêt. Les uns le font parce qu'ils craignent de manquer d'argent. Leur coffre est plein, mais c'est plus fort qu'eux, il leur faut amasser toujours plus. Ils ne se paient jamais la moindre fantaisie, tant la peur les tient aux tripes. Des vénusiens vont vers l'autre extrême; ils dépensent plus qu'ils ne gagnent. La situation devient stressante, surtout à la fin du mois quand vient par exemple le moment de payer la facture du téléphone. L'excès est à bannir, dans un cas comme dans l'autre. Le juste milieu n'est pas facile à trouver, mais il faudra essayer. Si vous prenez une médication régulièrement, et que son prix ait augmenté, vous devrez revoir votre budget. Réduisez les petits luxes que vous avez l'habitude de vous offrir, une ou deux fois par mois. Ces médicaments sont en grande partie nécessaires à votre survie physique, il vous les faut. Si vous travaillez avec des membres de votre famille, chacun d'eux apportera une plus grande contribution à l'expansion de l'entreprise, par exemple en décrochant de nouvelles parts de marché. Vous pourrez donc, tous ensemble, organiser une magnifique fête de Noël, qui arrive d'ailleurs très vite.

CROYANCES Peut-être vous êtes-vous remis à croire au père Noël depuis que vos affaires progressent? En fait, cette réussite est le fruit de vos constants efforts. N'allez surtout pas croire qu'elle se poursuivra sans votre intervention. Continuez d'être vigilant. Ce ne sont pas les petits lutins qui travailleront à votre place. À la fin du mois, certains d'entre vous auront une expérience mystique. Ils vivront ce quelque chose de fantastique, au-delà du réel, difficile à raconter à ceux qui n'ont jamais vécu une telle chose. Mais vous aurez le bonheur de voir sur votre route des personnes ayant fait la même expérience. Ainsi, vos derniers doutes face au monde de l'Invisible s'estomperont.

QUI SERA LÀ? Un Verseau vous donne des conseils et vous encourage à poursuivre ce que vous avez commencé. Il peut même, par un heureux concours de circonstances, vous ouvrir une porte que vous pensiez blindée. Un Scorpion est présent, mais n'intervient pas dans vos affaires. Il est le témoin silencieux et rassurant. Évitez la querelle avec un Lion, surtout dans votre milieu de travail. Un Cancer tombe amoureux de vous. Vous serez épris d'un Poissons ou d'un autre Taureau.

DÉCEMBRE 2002

AMOUR-AMITIÉ Regardez autour de vous! On se bat dans le monde. Des guerres se déclarent, d'autres n'ont jamais cessé, des feux s'allument et s'éteignent...

Allez-vous faire de même dans votre milieu familial ? Quelques planètes vous portent à vous rebeller, à vous insurger contre l'autorité ou la pseudo-autorité de l'un ou de l'autre. Vous vous éloignez d'un autre qui a refusé de vous rendre un service, en somme, il en faut peu pour que vous en fassiez une tragédie. Il va de soi que cela ne se produit que si déjà des tensions préexistaient en vous. Quand elles nous habitent, quand elles nous tiennent, malheureusement une banalité peut les déclencher. Si vous êtes un Taureau pacifique, vous serez le témoin de disputes entre parents. Vous resterez à l'écart. Attendez sagement que l'orage passe. Durant cette période de réjouissances, certains ont choisi de passer leurs vacances à l'étranger, au soleil. Ceux qui restent souhaitaient, depuis souvent plus d'une année, passer un Noël tranquille, en famille, entre amis, entre gens aimants. Mais voilà qu'à la dernière minute, ce que vous aviez prévu doit être repensé. Les raisons étant aussi nombreuses que le nombre de Taureau de cette planète. Mais ne soyez pas triste ! Si vous réunissez moins de gens autour de vous, ceux qui seront là seront rassurants, moralement rafraîchissants. C'est souvent autour les fêtes de Noël qu'ont lieu les plus grosses scènes de ménage, lorsque le couple est séparé et que deux parents se disputent la garde d'un ou des enfants. Si vous tenez à la paix, mais viviez ce genre de situation, de grâce ne vous mettez pas en colère ! Parlez raisonnablement et vous serez mieux compris de votre ex. Il y a tant de planètes en signes fixes dans ce ciel de décembre 2002, en carrés et en oppositions à votre signe, que l'on ne peut y voir que des indices de contrariétés çà et là. Pour sauvegarder votre calme en tout temps et en tout lieu, détachez-vous de tous ces petits faits sans importance. Dans ce bouillon d'émotions, il faudra ajouter de nombreuses pincées de rationalisme !

FAMILLE Tous les événements se fondent les uns aux autres. Vous avez des problèmes avec un ex et, naturellement, votre famille ou votre belle-famille s'en mêle ! Quel doigté vous faut-il alors pour vous tirer d'affaire sans vous écorcher l'âme et le cœur ! Si vous connaissez cette situation, vous pouvez vous en sortir. Un parent bien-aimé peut tomber malade. Vous irez le voir souvent soit à l'hôpital soit chez lui. Des gens que vous aviez cru immortels se font rattraper par la maladie qui les cloue au lit. Cela nous rappelle notre propre fragilité et l'importance de chaque vie que l'on côtoie. Si ce parent bien-aimé était généralement au centre des festivités de Noël, cette année cela se passera différemment. S'il est une chose qui ne soit ni linéaire ni statique, c'est la vie elle-même. Elle se transforme continuellement. Dès l'instant où on croit que tout s'est tassé, on reprend son souffle et hop ! c'est reparti pour une réorganisation de soi et de sa vie familiale.

SANTÉ Ce n'est pas tant votre santé qui est en jeu que celle d'un parent aimé, et sans doute déjà âgé. Par ailleurs, en ce mois de décembre, vous n'aurez jamais autant entendu parler de grosse grippe et de maux de toutes sortes chez vos amis. Vous avez une grande résistance physique en tant que signe de terre. Il faut maintenant garder le moral.

TRAVAIL-ARGENT Vous achèterez une multitude de petits cadeaux aux uns et aux autres. Par contre, vous ne pourrez tous les offrir le jour de Noël. En fait, la fin de l'année s'étirera jusqu'au milieu de janvier 2003. Tour à tour, vous verrez des gens pour qui vous aviez une petite surprise. Alors que vous vous étiez juré de faire des économies, vous aurez dès la fin de décembre dépensé autant que les années précédentes. Vous aurez acheté beaucoup plus, mais à coût moindre. Le moins drôle pour vous pourrait survenir au milieu du mois. Vous pourriez avoir à faire réparer un appareil de chauffage ou remettre de l'ordre dans la plomberie. Quelle dépense et quel poids pour votre carte de crédit ! Mais c'est le lot du propriétaire ! Ne dit-on pas qu'il y a toujours quelque chose à réparer dans sa maison... Au moins, c'est la vôtre ! Au travail, tout va bien jusqu'à Noël. Les pauses seront rares, mais l'argent gagné est très utile. Si, au début du mois, vous cherchez un second emploi afin de gonfler votre portefeuille, vous trouverez facilement. Ceux qui travaillent pour une multinationale auront malheureusement une mauvaise nouvelle : coupure d'heures travaillées mais pas d'emploi. Heureusement, cette situation ne durera pas longtemps. Dès la mi-janvier 2003, vous reprendrez le boulot à temps plein.

CROYANCES Lorsque des problèmes s'abattent sur vous, vous vous demandez où est Dieu. Je vous l'ai déjà dit, Dieu ne s'occupe pas de votre budget. Il vous a donné l'intelligence, la volonté et la responsabilité de régler vous-même tout problème concernant votre famille. Vous êtes devant une alternative : faire la guerre ou la paix, comme vous pouvez allumer ou éteindre la lumière, vivre dans la clarté ou l'obscurité.

QUI SERA LÀ ? Ne laissez pas un autre Taureau vous critiquer. Vos décisions vous appartiennent. S'il y a eu rupture avec un Capricorne, un rapprochement se produit. Vous serez prudent, craintif, mais de grâce, délaissez votre agressivité si vous tenez à la paix. Vous n'êtes pas obligé d'écouter un Gémeaux insatisfait. Un Cancer, un Scorpion et un Poissons, trois signes d'eau, vous comprennent, surtout si vous traversez des moments difficiles. Chacun à sa façon sera là pour vous aider à en sortir. Un Verseau nécessite vos soins. Un Bélier donne des ordres que vous n'écoutez pas !

TAUREAU ASCENDANT BÉLIER

Si vous avez le sens de l'entreprise, ce qui est fréquent sous votre signe et votre ascendant, même si vous avez un emploi régulier, vous monterez une société. Vous préparerez un tournant de carrière. Vous serez entouré de gens que vous connaissez bien et qui jamais ne vous ont déçu. Vous aurez travaillé avec la plupart pendant plusieurs années. Vous savez ce qu'il faut et ne faut pas leur dire pour qu'ils soient productifs ! Si vous œuvrez dans le domaine des communications, vous serez très populaire dans votre milieu au-delà même de 2002. Les progrès seront constants. Votre champ d'activité s'élargira dans diverses sphères toutes connexes au travail qui vous occupe déjà. Actuellement, rien ne laisse présager des voyages à l'étranger pour vos activités professionnelles, mais un concours de circonstances vous y conduira tout droit. N'allez surtout pas croire que votre vie ne sera qu'une fête ! Il n'en est rien. Le travail et le commerce sont des secteurs dominants de votre vie. Vous réalisez un rêve de puissance que vous caressez depuis très longtemps. Vous aviez voulu l'oublier car la porte pour y accéder ne s'ouvrait pas. Mais voilà que tout est devant vous !

Si vous êtes un jeune entrepreneur dans la fin de la vingtaine ou début de la trentaine, vous serez audacieux comme jamais. Votre idée innovatrice hors norme rejetée l'an dernier est maintenant prête à être développée. Vous devrez toutefois surveiller vos dépenses. Vous gagnerez plus d'argent en faisant probablement fortune dans une entreprise commerciale de votre cru. Vous serez alors tenté d'acheter une propriété plus luxueuse dans une région où les taxes sont élevées et où on vous fait payer le gros prix pour procéder à des rénovations. N'allez pas trop vite pour ce changement d'environnement, à moins que vous ne deveniez extraordinairement et extrêmement fortuné. Planifiez, prévoyez pour votre avenir. Vous êtes un Taureau, dont le symbole est l'argent, mais vous savez fort bien que si certaines années sont lucratives, d'autres le sont moins.

Si vous occupez le même poste depuis longtemps dans une entreprise quelconque, vous aurez une importante promotion, quel que soit votre profession ou votre métier !

En amour, vous aimez la stabilité familiale. Elle est aussi importante pour vous que de gagner de l'argent. Cependant, vous lui accorderez moins de temps. Ne vous étonnez donc pas si l'un de vos enfants, assez grand pour vous répondre, se plaint de vos absences. Était-il un enfant sage jusqu'à maintenant ? Eh bien, le voilà qui entre dans une période où il veut se démarquer de son père ou de sa mère. Pour y réussir, votre pré-adolescent ou votre adolescent se sent l'obligation de passer outre à vos règles... trop rigides. Pour votre paix d'esprit, relâchez-vous et donnez-lui l'attention dont il a besoin.

Si vous avez tendance à faire de l'embonpoint et décidez de suivre un régime, demandez à un médecin de vous guider. Votre signe et votre ascendant vous rendent dur envers vous-même. Vous avez une discipline quasi militaire. Vous avez intérêt à l'adoucir. Soyez bon pour vous !

TAUREAU ASCENDANT TAUREAU

Au cours de la prochaine année, vous étudierez.Vous serez emballé par un sujet auquel peu de gens s'intéressent et qui est souvent considéré comme étant une fantaisie plus qu'une profession. En peu de mois, vous ferez d'énormes progrès dans ce domaine. Le ciel symbolise fortement les arts, l'ésotérisme, la philosophie, la littérature et notamment l'écriture de scénarios. Que votre travail soit régulier ou sur appel, que vous soyez un employé ou un travailleur autonome, vous ferez d'énormes progrès. Vous élargirez vos connaissances sur votre métier ou votre profession. Vous attirez des gens très particuliers, des originaux, des personnes à l'esprit libre qui admirent votre travail de recherches. Certaines personnes mettent des années pour se former à un nouveau métier, pour vous, sept mois suffiront ! Vous atteindrez rapidement un nouveau sommet dans ce nouveau ou second exercice professionnel. Vous ferez des envieux, surtout à partir du mois d'août lorsque vous prendrez votre tournant de carrière.

En tant que parent, vous serez très présent pour vos enfants. Vous serez un excellent éducateur, ni trop permissif ni trop sévère. Vous atteindrez le juste milieu.

Côté cœur, si vous vivez une belle union, il est possible que votre partenaire ne soit pas bien avec lui-même, vers la fin du printemps, à l'approche de l'été. Vous serez là et l'encouragerez. Votre présence est rassurante. Votre calme le réconforte mieux que n'importe quel calmant. Certains Taureau-Taureau ont le Soleil dans leur douzième maison astrologique. Ceux-ci ont plus de difficultés à voir le bon côté des choses. Mais malgré leur anxiété et leurs peurs, ce ciel de 2002 sera l'occasion d'un changement complet de leurs valeurs et de leurs croyances. Ils croiseront des personnes qui mettront dans leurs mains les outils nécessaires pour annihiler leurs doutes, même ceux qui semblaient s'être cristallisés.

Si vous faites partie des célibataires qui sont légion en ce début de XXIe siècle, vous rencontrerez quelqu'un fait sur mesure ou presque pour vous. Vous pourrez enfin vivre l'amour comme vous le rêviez depuis longtemps. Vous cessez d'avoir des attentes enfantines. Vous êtes prêt au partage entre adultes. C'est surtout à partir du mois de mars que vous êtes sur la voie de la rencontre décisive.

TAUREAU ASCENDANT GÉMEAUX

Pendant que certains d'entre vous attendent qu'un miracle se produise, d'autres sont carrément matérialistes au point de « lever le nez » sur ceux qui manquent de tout. Votre signe et votre ascendant appartiennent au premier ou second groupe. Il vous est difficile de nuancer. Vous jugez les gens ou vous excusez les pires comportements. Votre vivre et laisser vivre est tellement large que vous laisseriez des criminels en liberté et en condamneriez d'autres avant la fin de leur procès ! Qu'arrive-t-il à ceux qui aiment les biens matériels, d'abord et avant tout ? Leur discours est souvent truffé de belles phrases pour rassurer les autres de leur honnêteté. Mais celle-ci disparaît dès qu'il est question pour eux de se tailler une place au soleil, pire encore lorsque certaines sommes d'argent sont en jeu.

Ce Taureau matérialiste fera l'achat d'une première ou d'une seconde propriété. Il sera habile dans ses négociations. S'il achète d'une personne qui doit vendre pour cause de problèmes matériels ou de divorce, il fera baisser le prix de la maison au point où le vendeur en sera perdant. La réponse du Taureau matérialiste sera « c'est le plus fort qui gagne dans ce monde ! » Il s'agit ici d'un exemple extrême bien sûr. Mais le manque de considération du Taureau matérialiste ne lui portera pas forcément bonheur. C'est à travers ses enfants qu'il paie pour son adoration de l'or et de l'argent. L'un d'eux peut être malade au point où il sera obligé de réfléchir sur les véritables valeurs humaines. Le Taureau matérialiste, s'il est contrôlant dans sa vie de couple, pourrait aussi voir son partenaire se révolter contre son autorité. Au fil des mois, celui-ci s'éloignera de lui. Il a la chance de réagir et cela dès le début de l'année. Il doit faire tout ce qui est en son possible pour que sa relation soit d'égal à égal.

Quant au Taureau-Gémeaux mystique et quasi déconnecté de la planète, il s'éveillera à ses besoins. Sa survie autant économique que mentale en dépend. Si ce Taureau-Gémeaux fait partie d'une secte ou d'un groupe religieux qui lui prend tout son temps au point de cesser d'être ce qu'il est au plus profond de lui-même, une rencontre l'aidera à voir clair en lui. Il est aussi possible qu'un membre de sa famille ait des problèmes. Ceux-ci ne se règlent pas, même s'il passe son temps en prières. Son intervention réelle et physique fera le miracle. Il peut puiser sa force dans sa foi, cependant il faut ajouter le geste et tendre la main à l'autre dans le besoin. Les grands saints ne sont-ils pas dévoués à autrui ? Ils n'étaient pas enfermés dans leurs églises les mains croisées en attendant que Dieu intervienne. Dieu intervient à travers les êtres humains.

En amour, la vie sentimentale du Taureau mystique peut être perturbée par un événement qui amènera une autre réalité de sa vie de couple, notamment si les deux partenaires sont unis par leur religion commune. À partir d'août, la relation prendra alors une tournure différente. En tant que Taureau-Gémeaux, il est important pour vous de vous recentrer en 2002, et de trouver votre vraie voie et le vrai sens de votre vie.

TAUREAU ASCENDANT CANCER

La vie est effectivement truffée de surprises. L'année 2001 ne fut pas la plus facile. La famille était au centre de vos préoccupations. Vous avez pris soin des vôtres, vous leur avez accordé beaucoup de temps. Sur le plan de votre carrière, en début 2001, après de nombreuses années dans la même entreprise, vous êtes parti, ou on a supprimé votre poste. Si ce fut votre cas, vous avez probablement décidé de réfléchir à votre avenir professionnel. Vous avez pris du recul pour voir en vous. Vous avez pris du repos, vous vous êtes détaché de ce travail où tout était réglé par votre patron. Vous avez en quelque sorte divorcé de la direction qu'on vous imposait. Vous suiviez le courant, puis tout s'est effiloché. Vous êtes entré en zone de transformations. En 2002, vous êtes maintenant sérieusement à la recherche d'un autre emploi. Vous trouverez exactement ce qu'il vous faut pour la prochaine étape. La bonne nouvelle surviendra dès la mi-janvier.

Jupiter en Cancer dans la maison astrologique de votre ascendant continue de mettre la famille au premier plan. Si vous avez des enfants, vous vous en occuperez plus qu'à l'accoutumée. Si un parent a vécu une épreuve, vous serez plus souvent à ses côtés, ne serait-ce que pour lui tenir la main. Si vous êtes jeune, sans enfant, et êtes amoureux, sans doute déciderez-vous de fonder une famille. Certains d'entre vous auront même un second bébé.

En août, il sera fortement question des biens familiaux. Certains peuvent hériter d'un parent. Attention, quelques complications peuvent survenir pour l'obtention de cette somme.

Si vous avez une propriété, il est possible que vous décidiez de vendre. Vous avez besoin de changer de coin, de vivre dans un quartier différent, de changer d'air. L'acheteur se présentera si rapidement que votre déménagement se fera à toute vitesse.

Si vous n'avez pas d'amoureux, le mois d'août vous fera rencontrer quelqu'un de très spécial. Il est possible que cette personne soit fortunée ou que vous rencontriez un agréable ambitieux qui rapidement vous inclura dans ses plans d'expansion commerciale.

Si vous avez un talent d'aubergiste, de restaurateur, il est possible que vous fassiez l'achat d'un petit hôtel ou d'un resto. En août, vous entrez dans une zone où bon nombre d'entre vous sentiront le besoin de mener leur propre affaire. Sous votre signe, tout ce qui concerne l'alimentation est favorable.

TAUREAU ASCENDANT LION

Vous ne vous rendez pas toujours la vie facile. Lorsque les choses sont simples, vous vous demandez si c'est bien normal. Vous avez besoin de vivre passionnément. Lorsque la routine s'installe, vous faites un éclat quelconque, histoire de ne pas vous enliser dans vos habitudes.

Jusqu'en août, Jupiter est en Cancer dans le douzième signe de votre ascendant mais dans le troisième du vôtre. Vous êtes dans une zone de réflexion sur vous-même, sur ce que vous faites de votre vie personnelle, sentimentale et professionnelle.

Vous dressez une montagne de plans. Vous avez une multitude de désirs, cependant vous n'êtes pas prêt à passer à l'action. La phase d'éparpillement n'est pas encore terminée.

En tant que parent, vous vous questionnerez à plusieurs reprises sur vos propres méthodes d'éducation. Vous vous interrogerez souvent en vous demandant si vous êtes un bon père ou une bonne mère. Surtout ne posez cette question à personne d'autre ; vous seul pouvez y répondre. Vous seul êtes en mesure d'évaluer la qualité de temps et d'amour que vous donnez à vos enfants.

Certains d'entre vous ont vécu une cuisante rupture en l'an 2000, ou au début de 2001, lentement la douleur de la séparation s'estompe. La raison et la paix prennent le dessus sur les émotions qui vous ont torturé pendant de nombreux mois.

Depuis la mi-juillet, vous avez plus de stabilité, votre vie est moins agitée. Il vous arrive encore, certains jours, de voir tout en noir, mais, en général, vous avez de l'énergie et vous faites face à vos responsabilités. Vous avez un travail régulier et vous faites quelques économies. On vous a remboursé ce que l'on vous doit. Vous avez fait la paix avec des membres de votre famille ou vous vous êtes éloigné, sachant qu'il n'y a aucune possibilité d'entente.

Déjà en ce début de 2002, vous cherchez l'action. Vous choisirez un loisir pour vous distraire ou vous suivrez davantage vos enfants dans leurs activités, de manière à rencontrer d'autres parents. Le but de l'exercice étant d'échanger et ce, que vous ayez ou non un partenaire. Votre vie sociale est importante, vous vous en rendez compte.

C'est à partir du mois d'août alors que Jupiter est en Lion sur votre ascendant que cette fois, vous vous direz point de salut sans une vie hors du foyer ! Attention, vous allez parfois un peu trop loin. Votre passion atteint facilement la démesure. C'est d'ailleurs pourquoi il y a autant d'artistes nés sous votre signe et votre ascendant.

Certains Taureau-Lion reprendront une carrière qu'ils avaient abandonnée, d'autres se consacreront à leurs enfants, un peu trop même au point de devenir des parents qui contrôlent les allées et venues de leurs grands. Ceux-ci leur diront rapidement qu'ils se sentent étouffés. Il n'est pas rare sous votre signe et votre ascendant que des parents emploient leurs enfants adultes dans leur entreprise. Si c'est votre situation, vous saurez jusqu'où il faut leur dire quoi faire ! Ils auront droit à l'erreur, comme vous lorsque vous étiez jeune, à condition qu'ils se rattrapent. C'est surtout à compter d'août 2002 que peut se décider ce type d'association familiale entre parents et enfants.

TAUREAU ASCENDANT VIERGE

Vous êtes un double signe de terre, une alliance entre Vénus et Mercure, le type de commerce qui se fait en douce, lentement mais sûrement, à l'exception de quelques périodes où le Taureau domine et rue, quand les choses ne tournent pas comme il le veut.

Jupiter est en Cancer dans le onzième signe de votre ascendant et le troisième du Taureau. Sa position est extraordinairement favorable pour celui qui opère dans le domaine des communications Internet, écrites, verbales, médiatiques, et de la publicité, etc. Les développements seront nombreux. Pas de repos. Vous en serez fort heureux, puisque vous irez d'un succès à l'autre! De la mi-janvier à la fin de février, même si vos affaires ralentissent, ne soyez pas inquiet. Le temps joue en votre faveur. Par ailleurs profitez de cette période où vous aurez moins d'obligations pour mettre quelques dossiers à jour ou le point final à une œuvre inachevée.

Si vous êtes à votre compte et que vous ayez déjà des associés, une autre personne voudra s'ajouter au groupe. En mars, commencera pour vous une série de négociations qui pourrait ne se terminer qu'en mai ou très près de votre date d'anniversaire.

Si vous êtes à l'emploi d'une grande entreprise, vous ne manquerez pas de travail. Vous ferez beaucoup d'heures supplémentaires et ainsi ferez des économies qui, éventuellement, vous permettront de faire le voyage à l'autre bout du monde dont vous rêvez depuis l'enfance.

À partir d'août, un vent différent souffle sur vos affaires et vous invite à une extrême prudence pour préserver vos acquis. Les loups vous guettent. En fait, vous entrerez dans une autre période de douze mois de préparation en vue d'une autre expansion. Vous la prévoyez beaucoup plus importante que celle de 2002.

En août, sous l'influence de Jupiter en Lion, si vous avez une belle vie de couple, votre partenaire vous dira que certains de vos actes lui déplaisent. Vous en serez surpris. Vous avez le choix: vous pouvez vous fâcher ou réfléchir! Peut-être n'avez-vous pas toujours été parfait?

Si, au début de 2002, vous avez fait une belle rencontre, voilà qu'en août, l'autre recule alors que vous pensiez que cette fois c'était pour la vie. Savez-vous que vous parlez très peu de vos émotions, croyez-vous qu'on puisse vous deviner? Savez-vous que vous êtes farouchement amoureux de votre liberté? La vie à deux ne peut se vivre que si vous pouvez disposer de votre temps. Si vous voulez poursuivre votre relation, il faudra réfléchir. Lorsque l'angoisse vous étripe certains jours, croyez-vous que vous êtes facile à supporter? Vous êtes un être bon, généreux, serviable mais peu bavard sur vous-même. Ne vous faut-il pas beaucoup de temps pour inclure l'amoureux dans vos projets? Ne prenez pas la fuite... pensez-y!

TAUREAU ASCENDANT BALANCE

Double signe de Vénus, vous avez autant besoin d'amour que d'argent. Le luxe vous va comme un gant. L'amour est indispensable à votre équilibre, et certains d'entre vous ravivent leur vie de couple en ayant une aventure ! Vous êtes secret, il est rare qu'on apprenne votre tromperie. Si vous êtes en affaires, propriétaire d'une entreprise, vous êtes le chef suprême, l'autorité absolue. Vous avez un talent fou pour dénicher d'excellents collaborateurs. Vous avez du respect pour les gens compétents. Vous êtes juste avec eux et vous les rémunérez bien. Vous savez que pour rendre l'entreprise plus humaine, attentions et petits cadeaux sont nécessaires.

En 2001, vous avez beaucoup travaillé sur votre stratégie commerciale. Vous avez peut-être développé la vente de vos produits et services par Internet. Tout est en place pour passer à la phase des profits.

En fait de janvier à août 2002, vous devrez recentrer vos énergies sur la famille. Vous serez parfois déchiré sur le plan des émotions. Un parent, un enfant vous réclame. Il a besoin de vous, de vos soins, de votre attention. Vous n'hésiterez pas à apporter votre aide. Si vous êtes dans le commerce avec des parents, un petit ménage administratif s'impose. Peut-être s'est-on accordé des droits que jamais vous n'aviez donnés ! Vous rectifierez la situation, sans faire de drame. Vous pourriez venir en aide à une personne influente dans le monde des affaires et qui se retrouve dans le chaos financier. Vous êtes un bon guide. Vous possédez une grande capacité d'analyse et vos intuitions ne vous trompent pas.

En tant qu'employé et travailleur, entre janvier et août, vous défendrez quelques-uns de vos droits. Certains contesteront leur congédiement et gagneront. Les discussions et les négociations ne seront officielles qu'en août, mais vous êtes patient, tenace et rusé quand la situation l'exige.

L'année 2002 ne parle que très peu d'amour pour vous. Il est surtout question d'organisation familiale, quand vous avez des enfants, et de votre entreprise.

Que les célibataires n'aillent surtout pas croire qu'ils resteront seuls ! Les flirts seront nombreux, mais vous serez si pris par votre survie économique et l'élargissement de votre territoire en affaires que, de votre plein gré, vous refuserez tout lien à long terme.

TAUREAU ASCENDANT SCORPION

Depuis quelques années déjà, vous subissez Neptune et Uranus en Verseau. La stabilité tant souhaitée et la paix ne sont pas au rendez-vous. Vous pouvez espérer plus de tranquillité entre janvier et août 2002. C'est un peu comme si les méchants autour de vous disparaissaient, donnaient leur démission. Certains sont si fatigués d'être constamment en lutte contre vous et votre entourage qu'ils baissent les bras !

Dans votre milieu de travail, vous pouvez vous attendre à quelques changements, à plus d'humanisme, de délicatesse de la part de vos collègues et de vos patrons. Profitez de la vague qui passe et faites taire votre monologue intérieur quand il défile ses insatisfactions professionnelles. Vous aurez de nouvelles activités ou reprendrez celles que vous avez abandonnées par fatigue.

Nombre d'entre vous ont un certain talent artistique. Quel que soit le domaine, si vous l'aviez mis de côté vous y revenez. Vous serez d'ailleurs plus créatif que jamais. Certains Taureau-Scorpion monteront une petite affaire. Tout commence chez soi avec un premier client, un second arrive et ainsi de suite. Mais tout ira si vite que s'ils ont un emploi à temps plein, ils pourraient devoir choisir entre ce « revenu garanti » (ce qui n'existe à peu près plus) et leur propre entreprise. Au départ, il est normal de craindre. Après tout être travailleur autonome signifie faire plus d'heures que dans un emploi dit à temps plein. De plus, vous savez que vous ne pourrez le quitter sinon qui paiera vos factures. Une chose vous fait largement sourire, travailler à votre rythme, sans personne qui vous pousse dans le dos, à vos heures et dans un environnement paisible ! La majorité choisira cette qualité de vie.

À partir d'août, vous serez sous l'influence de Jupiter en Lion et voilà donc le retour des carrés ou d'aspects durs à votre signe et votre ascendant. Ils ne veulent cependant pas dire qu'il vous faille abandonner ce que vous avez commencé, bien au contraire. Vous êtes sur une voie ascendante, elle est plus exigeante, mais très satisfaisante.

Pour certains Taureau-Scorpion, ce mois d'août signifie la possibilité de travailler avec un partenaire (conjoint ou conjointe) initiateur d'un projet. La décision est énorme, surtout si vous avez une certaine sécurité d'emploi. Avez-vous le désir de travailler avec la personne que vous aimez ? C'est la première question à vous poser. La seconde étant : Croyez-vous en lui, en elle ? Si vous avez répondu oui, sans doute êtes-vous prêt pour une autre grande aventure ! Il sera aussi fortement question de votre famille durant l'été. Vous apprendrez qu'un couple se sépare, alors que chacun des partenaires pensait vivre ensemble jusqu'à ce que la mort les sépare.

Si vous avez des enfants, petits et grands, surveillez les jeux des uns et les fréquentations des autres. Pour les premiers, le ciel laisse entrevoir un léger accident, mais évitable. Dans le cas des seconds, pré-adolescents ou adolescents, aidez-les à ne pas faire de regrettables gaffes.

TAUREAU ASCENDANT SAGITTAIRE

Vous êtes un grand travailleur. Lorsque vous vous donnez à ce que vous faites, c'est à 100 %. Vous avez des moments d'exaltation où vous êtes génial. Par contre, lorsque vous êtes en baisse d'énergie, on ne trouve pas plus faible que vous, heureusement ce n'est jamais pour longtemps.

Tout ce qui vient d'ailleurs exerce sur vous une forte attraction. Si vous travaillez dans une affaire où il est question d'échanges avec l'étranger, cela pourrait piétiner jusqu'en août.

Si vous croyez en votre idée, jamais au grand jamais vous ne l'abandonnerez. Vous passerez par-dessus les obstacles. D'ailleurs, ne l'avez-vous pas fait dans le passé?

Si vous commencez une carrière, l'inquiétude est normale. Vous cherchez à savoir si oui ou non, on est satisfait de vous. Vous consacrez plus d'heures à votre travail que la majorité de vos collègues. Vous produisez plus rapidement que les anciens, alors pourquoi cette anxiété ou cette impatience? Restez calme, ménagez votre système nerveux.

De nombreux Taureau-Sagittaire prennent un tournant de carrière. Ils ont initié la démarche en 2001 et ils s'affirment très bien dans cette autre vie professionnelle. Vous êtes généralement chanceux dès l'instant où vous savez où vous allez. Les portes s'ouvrent et il s'agit parfois de hasards, de circonstances étranges, magiques ou bizarres.

En 2001, il fut beaucoup question de votre vie sentimentale. Il fallait y apporter des changements. Vous êtes peut-être tombé amoureux, avez eu un enfant ou encore avez rompu. En 2002, jusqu'en août, vous poursuivez ces ajustements qui sont tout autant rationnels qu'émotionnels. Vous analysez et repassez le fil de votre histoire, vous l'usez afin de ne plus avoir à y revenir, surtout si ce fut douloureux.

Vous emmagasinez les moments heureux de manière à ne jamais oublier ces bénédictions. Vous êtes souvent le chef qui se tient derrière ou juste à côté, celui qui ne fait pas trop de vagues afin de conserver l'amitié de chacun. Vous êtes un excellent organisateur et intervenant pour aider les autres. Mais, en 2002, c'est de votre vie que vous prenez surtout soin. En août, lorsque Jupiter sera en Lion, vous aurez envie de voyager. Si vous ne partez pas, vous ferez des travaux sur votre maison ou vous décorerez votre appartement de fond en comble pour vous donner l'impression de vivre ailleurs. Vous bénéficiez d'ailleurs d'une énergie encore plus positive à partir du mois d'août.

Si vous avez eu des problèmes de santé, vous récupérez de façon quasi miraculeuse. Si vous êtes amoureux et sans enfant, il sera question de fonder un foyer. Certains d'entre vous feront des démarches en vue d'adopter un enfant venu d'ailleurs.

TAUREAU ASCENDANT CAPRICORNE

Vous êtes un double signe de terre, travailleur, tenace et parfois buté. Et quel grand sens du devoir! Vous adorez les enfants, vous avez un saint respect pour eux. Par contre, vous aimez qu'ils suivent la discipline que vous leur imposez. Si vos enfants sont des pré-adolescents ou des adolescents, peut-être commencent-ils à vous dire qu'ils ne veulent plus être aussi surveillés. Ils aimeraient que vous les laissiez prendre leurs décisions, au moins dans leurs tenues vestimentaires ! Vous aurez tendance à vous opposer à leur émancipation. Soyez bon joueur et écoutez leurs demandes plus attentivement. Ils ont changé et vous aussi. Ce qu'ils ne manqueront pas de vous dire !

Si votre union n'est pas heureuse, vous avez été jusqu'à présent incapable de prendre la décision de rompre, et peut-être même incapable de parler de ce qui vous déplaît. Votre partenaire vous ouvrira une porte. En effet, c'est probablement l'autre qui proposera une solution ou une séparation. La moitié d'entre vous sauterez sur l'occasion de quitter cette vie à deux qui est devenue insupportable. Les autres sentiront qu'ils peuvent enfin exprimer leurs frustrations et leurs insatisfactions. À se parler, on finit par se comprendre ! Ces derniers pourront éviter un divorce et repartir sur de nouvelles bases. Il y a de fortes chances pour qu'ils demandent l'aide d'un psychologue ou d'un conciliateur pour aider leur couple à traverser cette crise, surtout s'ils ont des enfants.

Les célibataires qui le sont depuis longtemps ne doivent surtout pas désespérer, bien au contraire. La magnifique rencontre aura lieu ! Le travail ne va pas manquer non plus ! C'est le temps libre qui se fera rare.

En tant que double signe de terre, vous aimez la sécurité que l'argent procure. Votre ascendant Capricorne aime bien mettre de côté afin que le Taureau puisse avoir des vieux jours confortables. Le travail n'est pas une punition pour vous, mais une bénédiction.

Si vous êtes à contrat, vous en signerez plusieurs au cours de la prochaine année. Si vous êtes à votre compte, et servez une clientèle en produits ou services, assurez-vous de la solvabilité de vos nouveaux clients. Ce ciel de 2002 indique de petites pertes d'argent qui surviennent par imprudence ou par excès de confiance. Vous éviterez tous ces soucis, si vous prenez le temps de vérifier ce que les clients valent avant de livrer votre marchandise. Si vous êtes souvent sur la route, à partir du mois d'août surtout, vous devrez redoubler d'attention. Si ce n'est pas vous le distrait, c'est l'autre chauffeur qui perd le nord. Conduisez comme si vous aviez deux têtes plutôt qu'une !

En 2002, il faudra faire plus attention à votre santé, à votre foie en particulier. Vous mangerez souvent très mal parce que trop pressé pour prendre le temps d'un repas complet et sain. Vous vous pénaliserez ! Il faudra également cesser de prêter de l'argent à cet emprunteur que vous connaissez bien mais qui ne vous rend jamais ce qu'il vous doit.

TAUREAU ASCENDANT VERSEAU

Vous êtes né pour être propriétaire ! Que de rêves de puissance vous faites, mais il sera difficile d'atteindre un sommet tant que vous vous éparpillerez ! Vous êtes un signe étrange. Un mélange entre Vénus et Uranus. Vénus aime la stabilité et cherche à savoir ce que demain lui réserve, alors que dans votre ascendant Verseau, Uranus s'ennuie terriblement dans la routine. Longtemps, vous avez vécu une vie familiale tout ce qu'il y a de plus organisée. Soudain, poussé par on ne sait quoi, vous êtes capable de tout laisser tomber pour voler vers votre idéal secret. Tant que Jupiter est en Cancer, durant les sept prochains mois, vous cheminerez sur la voie où vous vous trouvez. Tout en vaquant à vos affaires quotidiennes, à votre travail, à votre famille, vous penserez à ce qui vous échappe et avez envie de rattraper.

Durant les sept premiers mois de l'année, vous créez de l'intérieur, mais sans encore manifester cette partie de vous qu'on ne connaît peut-être pas très bien.

Par ailleurs, vous parlez peu de vous. Vous vous informez des uns et des autres, tel un journaliste. Vous prenez des renseignements. Vous comparez votre vie à celle des autres, mais sans envie, simplement pour le plaisir. Puis vient le mois d'août 2002, vous avez suffisamment réfléchi, vous passez à l'action. Ceux qui vous connaissent se demanderont si vous êtes bien la même personne. Si vous étouffez dans votre vie personnelle ou professionnelle, vous ferez tout éclater. Ce qu'on ne sait pas, c'est que vous avez planifié ces changements auxquels vous procédez. Vous n'alliez tout de même pas vous enliser jusqu'à la fin de vos jours ! Et puis quelqu'un ne vous a-t-il pas dit : « Qui ne risque rien n'a rien. » Vous allez entrer dans la grande aventure. Les uns monteront une affaire ou achèteront un commerce. La bataille n'est pas gagnée et ils le savent. Rien ne vaut la liberté d'avoir choisi son chemin.

Côté cœur, si vous n'étiez pas heureux en couple et que vous vous soyez tu jusqu'à présent, vous demanderez à votre partenaire de quitter la maison. Ou alors c'est vous qui partirez ! Tout dépend des ententes et des papiers signés à ce sujet. Rares sont ceux qui resteront sans amour en 2002, les prétendants sont nombreux. Mais un seul sera élu. Il est possible que vous attendiez aussi 2003 pour fixer votre choix..

Si, à partir d'août, vous montez une affaire avec un associé, il serait sage de vous informer sur ses antécédents avant de signer quoi que ce soit. N'est-il pas préférable d'être seul plutôt qu'en mauvaise compagnie ? Pour vous éviter des retards ou un recul dans vos projets, ne vous liez qu'avec des gens qui ont connu la réussite dans le passé et surtout qui ont toujours été honnêtes.

TAUREAU ASCENDANT POISSONS

La prochaine année vous réserve plusieurs bonheurs. La chance elle-même pourrait vous donner rendez-vous ! Vous verrez son signe. Durant les sept premiers mois de 2002, Jupiter est en Cancer. Il est bien positionné par rapport à votre signe et votre ascendant. Vous serez créatif, inventif, audacieux, original et parfois marginal. Si vous écrivez, vos histoires ont toutes les chances de plaire à un éditeur. Si vous faites de la musique, vous ferez un succès. En tant qu'artiste-peintre, vous prendrez votre place tout comme si vous êtes comédien, dessinateur, etc. Quel que soit l'art qui vous passionne et auquel vous consacrez votre temps et votre âme, il sera reconnu.

Si vous travaillez dans le domaine des communications par Internet, vous aurez une idée géniale. Vous mettrez peu de temps à la développer, et pour le financement, vous aurez la chance de rencontrer la personne qui, justement, cherchait quelqu'un comme vous !

À partir d'août, le travail se poursuit. Cette fois il s'agira de vous établir solidement, de prendre de l'expansion. Si vous avez hésité à monter votre propre affaire, il est encore temps de le faire. Si vous êtes employé, vous pouvez vous attendre à un accroissement de vos responsabilités et à une augmentation de salaire.

Si vous êtes un débutant fraîchement sorti d'une école de métiers ou de l'université, vous trouverez un travail selon vos compétences et bien rémunéré.

L'amour est extraordinairement présent dans votre thème 2002. Si vous êtes amoureux, encore sans enfant, sans doute deviendrez-vous papa ou maman. Si vous faites partie de la génération des *baby boomers*, l'état de grand-parent vous ira comme un gant et droit au cœur.

Il est possible que vous vous offriez un voyage à l'autre bout du monde, celui que vous désirez faire parfois depuis des décennies. Cette année vous réaliserez plusieurs objectifs. Vous ne rêverez pas de châteaux en Espagne, vous irez les voir !

Vous aurez l'impression de mieux respirer. Vous serez bien avec vous-même et avec les autres. Vous donnerez leur congé à des gens que vous avez assez « endurés » ! Vous n'accepterez autour de vous que des éléments positifs.

Dans l'ensemble, le ciel de 2002 est bleu ! Les nuages qui passeront au-dessus de vous seront rapidement poussés par un bon vent ! Vous vous détacherez de ceux qui vous ont blessé. Vous faites le vide de vos malheurs. Vous vous donnez la permission d'accueillir le meilleur.

Si vous avez eu des problèmes de santé l'an dernier, ils ont disparu. S'il en reste des traces, au fil des mois vous récupérerez vos énergies. Le bonheur est à votre portée en 2002, saisissez-le et ne le laissez plus jamais filer.

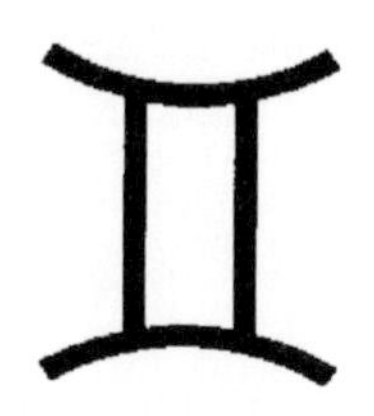

GÉMEAUX

21 mai au 20 juin

À mon très bon ami Michel St-Pierre. Parfois, il me semble que notre amitié nous a suivis au fil des siècles que nous avons traversés ensemble.

À mes nombreux amis Gémeaux, tous aussi importants les uns que les autres, veuillez accepter mes excuses pour les noms oubliés.

À Josée Richard, bonne, pacifique...

À ma copine Sylvie Bergeron, fascinante, brillante, audacieuse, aimable...

À Marc Arsenault, mon ami en voyage autour du monde; malgré la distance et le temps qui nous séparent, parfois pendant des mois, jamais le fil qui relie nos âmes ne se rompt.

À Éric Nolin, François Morency, Josée Chartrand, Pascale Bouchard, Robert G. Hynes, Paul-Henri Goulet, Isabelle Coutu, Jean-Paul Michon, Denis Fortin, Claire Morasse, Raymonde Batah, Thérèse St-Onge, Serge Lefebvre, Jean-Guy Chauvet.

Et à André Aubry, mon frère aîné, qu'il est impossible de ne pas aimer, et à mon si gentil neveu Frédéric Hébert.

GÉMEAUX 2002

Vous nous donnez toujours l'impression que tout est simple. Vous vous fixez un objectif, laissez mûrir l'idée, et, dès que cela est fait, rapidement quand on est tel que vous régi par Mercure, vous passez à l'action. Même par la science, il est impossible de comprendre tous vos schémas mentaux, ils sont d'une telle complexité que n'importe quel neurologue qui essaierait de tous les trouver, de les définir en serait étourdi, abasourdi, interloqué... les qualificatifs me manquent. Vous êtes de l'air en mouvement et, à cause de la présence d'Uranus et Neptune en Verseau, vous avez l'air d'une tornade chargée d'électricité ; ce qui laisse présager des orages électriques lorsque les choses ne tournent pas comme vous le voulez ! Sous un autre angle, votre personnalité d'air, sous l'influence du Verseau, multiplie vos capacités intellectuelles. Votre volonté, votre détermination, votre ténacité sont activées par Pluton en Sagittaire, en face de votre signe.

JUPITER EN CANCER ET EN LION

Jupiter a quitté votre signe en juillet 2001 pour entrer en Cancer, le signe qui suit le vôtre. Ce dernier exerce une influence sur votre vie financière, de famille, sur votre maison, sur votre âme et Être ; tous se découvrent une ou des nouvelles missions. Jupiter est en Cancer du début 2002 jusqu'au dernier jour de juillet. Jupiter sera en Lion à partir du début d'août et vous récolterez bonheurs et succès. En 2002, c'est le moment de refaire fortune ou tout au moins de renflouer votre compte en banque, surtout si vos finances ont été liquidées par votre générosité, parfois naïve en 2001.

De nombreux dénouements de situations vous attendent au cours des prochains mois. Vous le verrez en détail dans les lignes correspondant à votre signe et à votre ascendant. Passons donc directement à la liste événementielle susceptible de se produire pour les uns et les autres. Ici, il est impossible de préciser le moment du déroulement de ces faits, une approximation de temps est toutefois possible grâce à l'ascendant.

POUR LE GÉMEAUX POSITIF QUI FUT EN TOUT TEMPS HONNÊTE

La bonne vie ! Nombre d'entre vous changeront d'emploi. Vous obtiendrez un poste auquel vous n'auriez jamais postulé, tant vous vous êtes cru en deçà des compétences exigées par l'entreprise. On vous fait une offre impossible à refuser tant elle sera bien rémunérée. Si vous travaillez à contrat, vous signerez le plus avantageux que vous n'ayez jamais eu ; les avantages sociaux et la protection sociale accordés seront surprenants de générosité, mais vous feront bondir de joie !

Si vous avez beaucoup travaillé, si vous avez amassé de l'argent, vous êtes maintenant en position d'acheter la maison de vos rêves à prix réduit. Si vous possédez une propriété à vendre, vous n'aurez aucun mal à trouver un acheteur. Celui-ci vous confiera même qu'il est heureux d'entrer dans vos vibrations et que vos murs le dynamisent.

Vous serez extraordinairement vibrant au cours de 2002. Le lieu que vous habitez, les objets que vous touchez, la nourriture que vous mangez, tout concourt à vous donner une dimension quasi paranormale. À de nombreuses reprises, vos intuitions et vos visions seront d'une telle précision que vous en serez vous-même secoué.

Si vous êtes célibataire et n'avez vécu que des flirts sans lendemain, des rencontres qui n'ont rimé à rien ou à si peu, votre foi en l'amour revient. Il en va de même si vous vous êtes séparé ou avez divorcé en préservant la paix entre vous et votre ancien partenaire. Si vous êtes jeune, en âge d'avoir un enfant, votre union sera bénie par une naissance. Les uns deviendront papas, d'autres mamans alors que très souvent ils avaient cessé d'espérer ce miracle de la vie. Si vous n'avez plus l'âge de donner la vie, mais si vous êtes parent d'enfants adultes, vous deviendrez sans doute grand-parent et, naturellement, vous tomberez amoureux de votre petit-fils ou petite-fille.

Si la vie et les événements vous ont éloigné de votre famille et si celle-ci vous manque, les circonstances seront telles qu'à nouveau vous pourrez revenir vers elle. Vous y serez bien reçu et choyé. Si un problème familial se présente, Mercure qui vous régit s'agitera dans tous les sens à la recherche d'une solution qu'il trouvera. Quoi qu'il se passe vous minimiserez les dégâts et, d'une main de maître, vous réparerez (symboliquement) les pots que d'autres ont cassés. Il est possible que vous agissiez comme médiateur familial, en cas de querelle. Grâce à votre sage intervention, la paix reviendra rapidement.

Si vous avez un esprit créateur, si vous êtes inventif, que vous soyez en affaires ou artiste, vous offrirez le produit, le service ou le chef-d'œuvre que tout le monde attend. La population est prête à payer le gros prix pour posséder ce que vous offrez !

Vous avez eu des problèmes de santé et vous avez pris les moyens pour recouvrer la forme, alors ne vous inquiétez plus, dès le début de 2002, vous retrouverez votre vitalité. Certains pourraient même guérir d'une maladie qui les condamnait à souffrir le reste de leurs jours ! La médecine aura peut-être trouvé le produit miracle qui, non seulement vous soulage, mais qui fait bel et bien disparaître le mal.

Pour terminer le tour d'horizon, disons que Gémeaux sait toujours ce que fait sa main droite, mais aussi sa gauche. Il est celui qui ne triche ni ne ment jamais. Il est le messager des dieux qui fait rapport aux hommes avec exactitude, sourire aux lèvres.

Un gain à la loterie ou un héritage n'est pas exclu.

ÉVÉNEMENTS NON SOUHAITÉS ET TRISTES AINSI QUE PÉNALITÉS POUR LE GÉMEAUX QUI A CHOISI D'EXPLOITER AUTRUI

Si vous avez choisi de vivre en malfaiteur ou en profiteur, en bandit de petit ou de grand chemin, Jupiter en Cancer et en Lion en 2002 vous obligera à payer votre dette. Si vous avez la malheureuse habitude de raconter des mensonges, aussi minimes soient-ils, vous serez découvert. Ceux qui vous écouteront ne vous croiront pas ; cette année vous êtes transparent. Si vous avez la fâcheuse habitude de tromper votre amoureux, il le saura.

Si vous êtes égocentrique, si vous pensez que le monde ne doit tourner que selon vos désirs et vos pensées, on vous délaissera. Les derniers amis qui vous restent s'enfuiront. Vous serez obligé de réfléchir à votre égoïsme. On vous a aidé et vous avez refusé de renvoyer l'ascenseur, méfiez-vous ! En cas de besoin, vous n'obtiendrez aucun appui. Et n'accusez personne ! Examinez les actes qui vous ont conduit dans cette situation. Ne dit-on pas qu'on a ce qu'on mérite ? Et si vous ne méritiez rien ?

Si votre situation familiale est difficile, si c'est la guerre entre votre ex, vos enfants et vous-même, attention !, des recours juridiques contre vous sont possibles. Si vous vous entêtez à vivre dans cet enfer, si vous menez la vie dure à votre partenaire sous une multitude de prétextes, vous pourriez avoir à débourser une grosse somme pour dédommager ceux que vous avez moralement blessés.

Il vous faut un autre exemple ! Eh bien, si vous êtes un parent autoritaire, qui n'est pas à l'écoute de ses enfants ou si rarement présent, l'un de vos jeunes peut connaître un problème majeur et vous devrez faire face, bien malgré vous, à cette réalité avant qu'elle se transforme en catastrophe pour l'enfant, pour vous et pour toute la famille.

Quand un enfant devient violent alors que rien ne le laissait présager, il faut sans aucun doute se poser des questions. Quand un enfant déprime alors qu'il était joyeux quelques mois plus tôt, il faut y voir sans plus attendre. Votre signe d'air qu'on qualifie de positif a le talent particulier de rester aveugle à ce qui lui déplaît. Il préfère embellir sa vie en s'inventant des raisons, souvent superficielles, pour éviter ce qui ne lui convient pas. Votre signe d'air peut accuser la société, l'environnement, les amis de l'enfant, ou se persuader que « le mauvais cap va passer » plutôt que de réagir et de prendre les mesures qui s'imposent pour aider l'enfant, silencieusement ou bruyamment, en détresse !

Certains événements hors de votre contrôle peuvent vous affecter, comme c'est le cas pour nous tous. Des parents âgés et en mauvaise santé peuvent tomber plus gravement malades. Puisqu'il est aussi question d'héritage pour vous en 2002, la mort, la grande Faucheuse peut passer. Père, mère, frère ou sœur, un proche peut être rappelé à Dieu. Sur terre ne restent que les biens matériels et le partage de ceux-ci risque de briser des liens qui pourtant étaient solides auparavant. L'argent fait faire bien des folies. Ce décès peut survenir sous Jupiter en Cancer ; par la suite sous Jupiter en Lion, troisième signe du vôtre relatif à vos frères et sœurs surtout, la distribution des biens ne va pas sans quelques orages provoqués par Uranus et Neptune en Verseau. Même les familles peu nombreuses, de deux ou trois enfants seulement, la querelle autour d'un héritage peut devenir une horrible torture pour les uns et les autres. Si un proche décède et qu'il vous laisse un héritage, accordez-lui une prière. Si des membres de la famille réclament une plus grosse part du gâteau et se disputent un testament mal rédigé, restez sage malgré tout. Si vous entrez dans la lutte, vous deviendrez impitoyable. Vous vous retrouverez sans doute avec plus d'argent que les autres héritiers, mais cela pourrait aussi vous éloigner des seules personnes sur lesquelles vous pouviez compter dans la vie.

Si vous possédez une propriété au bord de l'eau, assurez-vous que le sous-sol n'ait jamais été inondé et s'il y avait la moindre fuite, faites-la réparer. Ce conseil vaut pour les sept premiers mois de l'année. À partir d'août, c'est du feu que vous devrez surtout vous protéger. Une défaillance dans les circuits électriques n'est pas à prendre à la légère. Ne faites pas comme si cela n'était rien. Demandez qu'un expert y voie.

À partir d'août toujours, vous devrez être plus prudent sur les routes. Vous serez si sûr de vous que, de temps à autre, vous oublierez que d'autres voitures roulent tout autour de vous.

POUR TERMINER CETTE INTRODUCTION SUR UNE BONNE NOTE

Ne perdez pas de vue que Jupiter, qui sera en Lion à partir du mois d'août 2002, sera favorable à la majorité d'entre vous, notamment sur les plans du développement personnel et professionnel. Vous êtes passé maître dans l'art de communiquer vos idées. Si vous avez parfois eu l'impression de perdre un peu de votre talent sous Jupiter en Cancer, ne vous en faites pas, il s'était simplement reposé pour mieux s'exprimer sous Jupiter en Lion.

Ainsi, si vous avez un talent d'écrivain, de chanteur, de comédien, et avez fait vos preuves, vous serez encore plus populaire qu'auparavant. Si, par exemple, vous exercez une profession liée à l'informatique, en recherche ou en création, vous ferez une découverte, et comme tant d'autres par hasard. Vous aurez l'impression d'avoir été guidé vers cette idée ou pour donner forme à cet objet ou à ce service que des gens utiliseront par nécessité ou par plaisir.

Sous Jupiter en Lion, vous ferez un beau voyage et si vous faites partie de ceux qui doivent constamment se déplacer sur la route ou dans les airs, vous ferez et referez vos valises constamment. Sous Jupiter en Cancer, vous ne faisiez qu'une halte ; il est à souhaiter que vous en ayez profité.

Que dire de l'amour ? Certains Gémeaux sont capables d'aimer longtemps la même personne et, en général, ils ont le sens de la famille. Mais d'autres espèrent continuellement s'engager, mais dès que l'occasion se présente, ils trouvent une bonne raison de prendre la fuite. Sous Jupiter en Lion, même les célibataires endurcis trouveront ce qu'ils ont depuis toujours imaginé comme étant l'être idéal ! Et ils ne voudront plus reculer. La rencontre se fera généralement dans un endroit où ce célibataire passe des heures agréables en compagnie de ses amis. Elle pourrait aussi survenir en pratiquant un sport ou lors d'une fête à laquelle il n'avait pas envie de se rendre. Mais, certains la feront au cours d'un voyage d'un mois ou d'un déplacement d'un jour.

JANVIER 2002

AMOUR-AMITIÉ Jusqu'au 19, nombreux sont ceux qui auront l'impression d'être seuls au monde, de n'avoir personne sur qui compter. Pourtant, vous avez une famille qui vous aime, un partenaire qui tient à vous et des amis qui vous appellent souvent pour prendre de vos nouvelles, alors que se passe-t-il ? Entre le 1er et le 19, vous êtes sous l'influence de Vénus en Capricorne, dans le huitième signe du vôtre. Le moindre sous-entendu vous fait soupçonner le pire. Vous imaginez qu'on vous cache quelque chose, ou qu'on vous annoncera une mauvaise nouvelle. Vous avez souvent peur d'être quitté par votre partenaire, alors que rien à l'horizon ne laisse entrevoir une rupture. Le plus grave danger qui vous guette est que vous éclatiez et provoquiez une dispute en prenant vos idées noires pour des réalités. Attention, vous compliquez ce qui est simple, sans trop vous en rendre compte. Vous prêtez des intentions négatives à des gens qui vous aiment. Votre imagination les rend calculateurs alors qu'ils sont généreux et sans arrière-pensée. Heureusement, après le 19, Mars en Bélier soufflera son feu de manière à réchauffer votre air qui s'était glacé sous Mars en Poissons et Vénus en Capricorne.

FAMILLE En tant que parent, vous comme moi avons souvent été aveuglés par nos enfants. Nous leur avons trouvé des talents qu'ils possédaient à peine ou leur avons inventé un avenir qui ne les intéressait pas du tout. Si nous leur avons attribué des qualités qu'ils n'avaient pas, qu'avons-nous fait de leurs défauts ? Ce mois de janvier vous demande de bien regarder vos enfants tels qu'ils sont, et non pas de les imaginer comme des êtres conformes à vos attentes ou en voie de réussir là où vous avez échoué. Il est facile pour un parent de transférer sur son enfant ses rêves non concrétisés. Nous devons nous en abstenir et écouter ce que les petits et les grands ont à dire sur leurs besoins réels, tout autant que sur ces besoins que nous comblons sans jamais qu'ils aient été les leurs. N'essayez pas de penser à la place de vos petits ou de vos grands. Ne leur inventez pas un monde dans lequel ils n'ont pas choisi de vivre. Si vous pressentez que l'un de vos pré-adolescents ou un jeune enfant se rebelle sans que vous sachiez quoi faire, mettez votre fierté de côté et consultez un psy. Ce professionnel de la santé vous aidera à comprendre cet enfant qui, même s'il est de vous, n'est pas vous.

SANTÉ Vous serez sujet à la grippe. Ce mal finit toujours par disparaître de lui-même et comme le disaient nos grands-mères : « Buvez beaucoup d'eau et gardez le lit ! » Boire beaucoup d'eau, c'est réalisable, mais rester au lit beaucoup moins. Les obligations d'aujourd'hui et l'instabilité de l'emploi nous somment de rentrer au travail, boîte de papiers-mouchoirs sous le bras. La bureaucratie actuelle exige aussi la signature d'un médecin pour avoir le droit de vous absenter. Bref, vous résistez mal aux microbes de toutes sortes, surtout durant la première moitié du mois. Mais ces dérangements ne sont-ils pas le résultat des contrariétés qui troublent votre esprit ?

TRAVAIL-ARGENT Eh oui, il faut rentrer au boulot après les Fêtes ! Les vacances sont terminées, les prochaines seront pour Pâques ! Comme bien d'autres, vous avez dépensé et vous anticipez vos prochaines réductions budgétaires avant même de recevoir vos factures de cartes de crédit.

Si vous occupez un emploi routinier, que vous revoyez les mêmes têtes chaque jour et, qu'en fait, vous savez à peu près tout sur la plupart de vos collègues, vous trouverez que tout cela manque d'intérêt et d'action. Vous songerez parfois à ramasser vos affaires pour partir à l'aventure. Vous contiendrez cette pulsion, ce goût de fausse liberté. Vous devez gagner votre vie et personne n'a jamais dit que c'était facile ! Puis vient le 19, et l'arrivée de Mars en Bélier dans le onzième signe du vôtre, cela vous redonne l'envie de communiquer. Mars en Bélier fait alors un bon aspect à Vénus et à Mercure en Verseau, ce dernier signe étant très compatible au vôtre. Enfin, vous retrouverez votre dynamisme, vos désirs de succès. Vous aurez alors l'impression de sortir d'un long sommeil. Par ailleurs, les projets sur lesquels vous aurez travaillé au début du mois commenceront à prendre forme et parfois grâce à des appuis que vous aviez cessé d'espérer. En dehors du travail, vous reprendrez vos activités et loisirs. Tout à coup, vous trouverez du temps pour tout et tout le monde !

CROYANCES N'allez surtout pas croire que quelqu'un possède les réponses à vos questions existentielles. Certaines gens peuvent vous indiquer une direction, mais sans plus ! Vous êtes le maître de votre destin. Lorsque vous vous sentirez troublé en début de mois, certains d'entre vous, bien que régis par Mercure la logique, se mettront à la recherche du voyant qui pourrait leur dire que leur vie sera parfaite. Bien menteur celui qui affirmerait une telle chose, et aussi très vilain celui qui ne vous annoncerait que des catastrophes. La vie n'est pas toute noire ni toute rose, elle se présente toujours sous plusieurs couleurs.

QUI SERA LÀ ? Lorsque vous serez seul, vous aurez une sensation d'abandon. En réalité, il n'en est rien. Vous choisirez de vous isoler de votre meilleur ami. Quand ce dernier apprendra que vous ne lui avez pas demandé son aide, il considérera que vous avez manqué de confiance en lui. Un Scorpion vous aide à voir plus clair, il n'est cependant pas délicat avec vous. Il vous secoue de votre torpeur. Un Capricorne ou un Bélier ascendant Cancer vous fait prendre conscience de vos plaintes inutiles. Si vous refusez à y voir clair, si vous vous entêtez à rester sourd aux conseils que vous demandez, on vous demandera de partir. Certains d'entre vous « se font croire » qu'ils sont les êtres les moins choyés de la création !

FÉVRIER 2002

AMOUR-AMITIÉ Il est tout à fait normal que nous soyons très attachés à des amis que nous fréquentons sur une base quotidienne, ils deviennent presque des proches parents, car nous les connaissons si bien. Par contre, ces amitiés tissées au fil des ans peuvent se rompre ou une séparation non voulue peut survenir. Le travail de l'un l'oblige à vivre dans une autre ville, ou tel autre est si souvent en voyage d'affaires que la distance finit par créer un large fossé entre vous. Lorsque l'on retrouve cet ami, en de trop rares occasions, on ne sait plus quoi lui dire, alors qu'il n'y avait entre nous aucun secret, aucun mystère auparavant. Tout était limpide.

En début de mois, si vous vivez une nouvelle relation amoureuse, vous êtes sous l'effet de la nouveauté. Vous êtes emballé, puis à partir du 13, sous l'influence de Vénus en Poissons, vous commencez à lui trouver des défauts. La lune de miel n'est plus aussi ensoleillée qu'à ses débuts. Même si vous l'aimez profondément, à compter du 13, vous serez porté à critiquer votre partenaire. Vous reporterez vos diverses frustrations sur lui, à votre insu.

FAMILLE Qui n'a pas son petit chouchou dans une famille ? Après tout, les affinités astrales existent bel et bien ! Par contre, cette préférence peut vous valoir les critiques d'un parent. Vous aurez tôt fait de l'obliger à se taire en lui démontrant qu'il agit de même. Au début du mois, en rangeant vos placards, vous découvrirez des objets qui appartiennent à un membre de la famille. Vous faites de l'espace, mais le neuf viendra rapidement occuper l'espace libéré. Méfiez-vous de votre impulsivité dans vos achats pour la maison, vous avez tendance à tout vous procurer en double, parce que c'est en solde ! Si vous succombez, quand le moment viendra de payer votre facture de carte de crédit, vous devrez demander à votre famille de modérer les dépenses du mois en cours ! Vous avez tendance aux excès. Vous n'êtes qu'à demi raisonnable. Vous voulez faire plaisir aux vôtres, et à vous-même. Vers la fin du mois, un couple que vous connaissez bien nagera en plein drame, éloignez-vous. Laissez les grandes personnes se débrouiller entre elles ! Si jamais l'un de vos enfants adultes est en cause et traverse un orage amoureux, vous n'y pouvez pas grand-chose, si ce n'est d'attendre calmement que ça passe.

SANTÉ Le ciel vous invite à prendre soin de vous. Vos bronches sont vulnérables ; une sinusite vous guette. La pollution de l'air ambiant agit sur vous et affaiblit votre organisme. Il est même possible que vous soyez cloué au lit pendant quelques jours. Heureusement, en peu de temps, vous retrouverez votre énergie. En fait, une bonne décontraction vous enseigne à moins vous en faire et à vous ménager.

TRAVAIL-ARGENT Vous êtes généralement travailleur, car la majorité d'entre vous craignez de manquer d'argent. Vous voulez aussi assurer votre sécurité et vous faites des économies. Mais, par moments, vous vous mettez à dépenser sans compter. Il faudrait donc vous surveiller, et plus particulièrement à partir du milieu du mois. Il est possible que des Gémeaux libres comme l'air décident soudain de se payer un voyage luxueux et, parfois, bien au-dessus de leurs moyens. Si vous occupez un emploi régulier et que chaque jour vous côtoyez les mêmes gens, une dispute peut éclater, vous vous obstinerez avec un collègue pour un détail sans importance et qui n'occasionne qu'un très léger retard. Il vous arrive de devenir exigeant et de perdre de vue que votre entourage ne voit pas leur travail avec vos yeux. C'est surtout à la fin du mois que l'impatience vous gagne facilement. Si vous avez une nature prêteuse, à partir du 19, demandez des garanties. Il serait aussi plus prudent de fixer une date limite à votre emprunteur pour le remboursement. Si vous faites des placements, également à partir du 19, ne prenez aucun risque avec les marchés volatils.

CROYANCES Il vous arrive de croire que tout le monde est bon et de baisser complètement votre garde. Du 13 et jusqu'à la fin du mois, en public, cessez de croire que personne ne vole ! Il ne suffit que de quelques minutes pour vous faire basculer dans le doute et la méfiance la plus absurde. Un effet personnel laissé sans surveillance pourrait disparaître ! Si vous faites partie de ceux qui « parlent » aux esprits avec sérieux, ne vous confiez pas à tout vent, certaines gens ne sont pas intéressées par ce sujet.

QUI SERA LÀ ? Un ami Poissons est là pour vous conseiller dans votre relation amoureuse si celle-ci est complexe. Il ne comprend peut-être pas la sienne, mais il peut tout de même analyser la vôtre. Un Verseau vous rend plusieurs petits services. Un Cancer vous dit carrément ce qu'il pense de vous si vous lui demandez, et un Bélier n'hésite pas à vous rabrouer si vous n'êtes pas constant dans votre relation avec lui.

MARS 2002

AMOUR-AMITIÉ Mars entre en Taureau dans le douzième signe du vôtre. Il risque de provoquer des réactions contraires à vos désirs ! Si, par exemple, vous voulez dire à quelqu'un combien vous tenez à lui, vous pourriez choisir de le défier en lui demandant s'il vous aime. Pour certains d'entre vous, commencer une relation sur de telles bases n'est guère sain. Il y a de quoi effrayer une personne qui vous connaît bien peu. Si toutefois vous êtes amoureux de votre partenaire depuis longtemps, cette façon de faire risque de vous faire perdre votre romantisme au cours de ce mois. Vous ne porterez attention qu'à vos finances, à vos placements, à l'ordre dans la maison, à l'éducation des enfants, en somme vos champs d'intérêt seront diversifiés, toutefois votre investissement dans votre couple s'en ressentira ! Votre partenaire peut même avoir l'impression que vous l'ignorez ! Ce qui, certains jours, peut porter à confusion et occasionner des échanges peu aimables. À partir du 9, Vénus, planète de l'amour, est en exil en Bélier. Vous avez bien du mal à parler franchement de vos sentiments. Cette planète vous tend un piège. Si vous êtes conscient de l'importance de votre vie à deux, vous l'éviterez. Il vous suffit d'être présent et à l'écoute des désirs, des besoins et des sentiments de l'autre. Par contre, cela ne vous empêchera jamais de vous occuper des vôtres.

FAMILLE Saturne est dans votre signe et vous rend plus conscient de votre rôle parental. Vous avez l'impression que toutes les responsabilités familiales reposent sur vos épaules. Pourtant, vous les partagez avec un bon partenaire qui, de son côté, veille autant que vous sur les enfants. Si vous êtes le seul parent à veiller sur le bien-être des enfants, à les soigner quand ils sont malades, à travailler pour les faire vivre, ce mois vous paraîtra plus long et plus lourd à supporter. Même si vous connaissez cette situation depuis longtemps, en sachant que rien ne changera dans les mois et les années à venir, le temps vous paraîtra long. Ne perdons pas de vue que Jupiter en Cancer fait de l'enfant ou des enfants votre centre d'intérêt. Cette planète, dans le deuxième signe du vôtre, vous fait dire que petits et grands vous coûtent cher. Pourtant, bon nombre d'entre vous leur donneront plus qu'ils n'ont besoin. N'est-ce pas une façon de vous déculpabiliser ? Saturne dans votre signe vous invite aussi à prendre soin de parents vieillissants et malades, à les voir plus souvent et à leur parler de votre attachement pour eux, avant qu'il soit trop tard.

SANTÉ Vous serez plus souvent fatigué ; votre stress et le refoulement de vos émotions y sont pour beaucoup. Certains aspects indiquent une fragilité respiratoire. Certains d'entre vous pourraient aussi souffrir de maux de tête. Le corps peut trouver cette façon de vous inviter au repos. Déconnectez-vous de vos soucis quels qu'ils soient.

TRAVAIL-ARGENT Le Nœud nord évolue dans votre signe. Cela vous invite à concrétiser l'un de vos rêves. Certains d'entre vous doivent terminer un cours de perfectionnement pour se réaliser sur le plan professionnel. Si vous êtes dans cette situation, prenez votre courage à deux mains et inscrivez-vous dès maintenant. Si, par contre, votre travail vous oblige à vous éloigner souvent de la maison soit par la route ou par les airs, vous songerez sérieusement à demander un changement de poste. Il est peu possible que cette demande soit satisfaite. Vous faites du bon boulot et ça se sait. Votre patron ne tient pas à perdre son meilleur employé. À partir du 12, si vous œuvrez dans les ventes, assurez-vous de la solvabilité de vos clients. On pourrait jouer avec vos sentiments et obtenir des produits ou des services sans vouloir y mettre le prix. Faites signer les papiers nécessaires lors d'une transaction. Assurez vos arrières. Vous êtes nombreux à pouvoir exercer deux professions. Celle que vous pratiquez le moins pourrait vous demander plus d'engagement ; avant d'accepter réfléchissez-y bien. Il est possible qu'on ne vous offre qu'un contrat à court terme.

CROYANCES La plupart des planètes dans le ciel de Mars sont en relation avec le monde de la matière. Prier de manière stérile, par exemple, pour gagner à la loterie ne vous rapportera rien. Dieu n'a que faire des jeux de hasard. Il ne s'intéresse qu'au chemin de vie des êtres qui gagnent les cieux, souvent en faisant quelques détours.

QUI SERA LÀ ? Vous aurez tendance à vous éloigner de ceux qui vous aiment pour vous-même. Ne faites pas la moue à un Verseau qui vous a aidé. Il est encore présent pour vous et il aimerait que vous en fassiez autant pour lui. Ne serait-ce que lui donner signe de vie quand il vous appelle. Si vous avez une relation avec une Vierge, vous la trouvez compliquée ; elle en pense autant de vous. Marquez une pause et songez à un autre Gémeaux qui, sans être constamment dans votre vie, est là dès que vous avez besoin de causer. N'y a-t-il pas un Bélier ou une Balance qui flirte avec vous, alors que vous êtes attiré par un Poissons qui n'a d'yeux que pour une tierce personne ?

AVRIL 2002

AMOUR-AMITIÉ Jusqu'au 13, Mars est en Taureau tout comme Vénus jusqu'au 26 et Mercure qui s'y trouve du 13 jusqu'à la fin du mois. Ces trois planètes sont dans le douzième signe du vôtre et influencent directement votre comportement envers votre partenaire et vos relations amicales. Durant la première partie du mois, vous aurez tendance à croire qu'on ne vous fréquente que par intérêt. Mais n'est-ce pas plutôt vous qui calculez un peu trop ? Vous donnez beaucoup, cependant vous avez des attentes allant parfois bien au-dessus de ce que vous avez donné, que ce soit un cadeau ou un service.

Si vous êtes économe comme votre signe l'est souvent, vous serez tenté de refuser de dépenser pour la maison même si c'est nécessaire. Vous opposer à votre partenaire est peut-être votre manière de lui faire savoir que vous avez le plein contrôle de vos finances, et de l'ordre familial. Vous avez quelques qualités que l'on ne retrouve plus guère en ce XXe siècle. Lorsqu'on ose vous dire ce qu'on pense de votre attitude, vous écoutez et vous analysez. Vous avez aussi l'humilité d'avouer que vous vous êtes trompé, quand c'est le cas. Vous êtes compréhensif lorsqu'un ami ou un parent vit une déprime et vous offrez de l'aide. Vous avez un talent particulier pour prendre soin des personnes âgées. Votre présence à leurs côtés est rassurante, comme si vous leur donniez un nouveau souffle de vie, de l'espoir et la force de surmonter l'épreuve. Si vous êtes célibataire, vous ferez plusieurs rencontres, mais puisque vous êtes sur vos gardes, vous laisserez sans doute passer le train... Notre nature réceptive et votre foi en l'amour reviendront au cours des cinq derniers jours du mois.

FAMILLE Vous êtes encore sous l'influence de Jupiter en Cancer, deuxième signe du vôtre. Jupiter irradie dix fois plus que le Soleil, son rôle est donc tout aussi important. Il évolue dans votre secteur « maison », bref dans tout ce qui tourne autour de l'appartement, achat ou vente d'une propriété, décoration ou rénovation ou réparations nécessaires. Jupiter en Cancer concerne aussi vos enfants si vous êtes parent. Ceux-ci vous coûtent plus cher ! Ils ont des désirs de luxe ou des besoins dispendieux. Certains d'entre vous ont les moyens de leur offrir ce qu'ils réclament, d'autres non. Pour ces derniers, le climat à la maison est plus tendu. N'allez pas culpabiliser de ces impossibilités. Cela s'explique même aux petits dont il ne faut jamais sous-estimer l'intelligence. Si vous appartenez à une génération ayant des parents âgés, Jupiter en Cancer vous fait prendre conscience de votre propre vieillissement, mais surtout de celui de vos parents. Ils ont davantage besoin de votre appui. Ne serait-ce que de savoir que vous êtes là, que vous êtes heureux, que vous allez bien, est important pour eux ! Si vous êtes dans cette situation, n'hésitez pas à appeler plus souvent papa et maman, car vous le savez, ils ne sont pas immortels.

SANTÉ Le 14, Mars entre dans votre signe et vous rend plus énergique, probablement nerveux mais, tout de même, considérablement plus résistant. Le mieux sera d'éviter thé et café, deux boissons populaires, mais qui, en grande quantité, épuisent vos fonctions rénales et fatiguent votre foie. Mars dans votre signe provoque les aventures d'un soir, d'une semaine... Jamais vous ne devrez avoir de relation sans protection. Les MTS font encore bien des ravages dans notre monde.

TRAVAIL-ARGENT Vous ne manquerez de rien, même si vous vous plaignez de n'avoir pas assez d'argent. Il en est parmi vous qui font des cachotteries à leur amoureux ; ils font des placements depuis plusieurs années et les sommes accumulées sont maintenant rondelettes. Par un concours de circonstances, votre partenaire l'apprendra. Sa première réaction sera de se sentir insulté. Votre petite fortune lui paraît être du type « porte de sortie » en cas de divorce ! Si cette intention ne vous a jamais traversé l'esprit, choisissez bien vos mots lors de l'explication. Notez aussi que cette attitude dénote une profonde insécurité de votre part, et non seulement matérielle mais aussi émotionnelle. Comme bien des gens de notre époque, vous faites un transfert d'émotions. L'argent plutôt que les gens deviennent votre sauve-qui-peut. Sur le plan professionnel, si vous occupez le même emploi depuis longtemps, tout va très bien. Néanmoins, vous serez témoin du congédiement de quelques collègues, ce sera triste, mais vous n'y pourrez rien ! Dites-vous que vous avez la chance de rester et continuez ainsi à mettre du beurre dans vos épinards, pour vous et les vôtres. Si toutefois l'entreprise qui vous emploie est toute jeune, il est possible que votre emploi du temps soit réduit ! Encore une fois, il ne s'agit pas de dramatiser, tout rentrera dans l'ordre sous peu.

CROYANCES Vous ferez de nombreux rêves prémonitoires. Vous serez averti de ce qui vous attend ou d'un événement qu'un ami ou parent ne pourra éviter. Un cauchemar au sujet d'un danger sur la route, au travail ou à la maison pourra vous fournir des indices pour assurer votre sécurité. Lorsque ce rêve vous reviendra en mémoire, ne faites pas comme si vous n'aviez pas été averti ; reculez, quittez le lieu en question ou les gens que vous avez aperçus sur votre écran mental. Certaines personnes font courir le bruit qu'on ne rêve que du contraire de ce qui peut se passer... c'est faux. L'intuition est aussi réelle que ne le sont vos membres ou votre voiture.

QUI SERA LÀ ? Vos vrais amis sont présents pour vous. Les autres se défilent si vous traversez des jours gris. Vous saurez sur qui compter dans l'avenir. Un Scorpion vous explique l'importance d'être à l'écoute de vos intuitions. Un Sagittaire essaie sans succès de vous emprunter de l'argent. Un Verseau veut vous soigner. Un Poissons peut vous aimer si vous n'essayez pas de le posséder. Un Cancer ne comprend pas pourquoi vous accordez de l'importance à des détails presque insignifiants.

MAI 2002

AMOUR-AMITIÉ À regarder les aspects qui vous affectent et à m'imaginer un instant être Gémeaux, que j'en perds le souffle ! L'action ne manquera pas au fil du mois. Si vous êtes célibataire, vous rencontrerez des perles rares. Que ferez-vous de tout cet amour qui s'offre, qui s'ouvre à vous ? Il est possible que vous ayez de nombreuses sorties inscrites dans votre agenda ! Si vous avez une vie de couple, et la plus enviable qui soit, vous serez embêté par un flirt insistant. Il est flatteur d'être désiré, mais lorsque cette personne s'impose et sème le doute dans l'esprit du partenaire que l'on aime profondément, cela devient envahissant et pénible. Lors de vos courses, de vos promenades ou de vos déplacements, vous croiserez des personnes agréables. Elles deviendront d'abord des connaissances qui se transformeront en amitiés.

FAMILLE Vous avez une vie de couple, des enfants, un bon travail ? Cependant, ce mois-ci, vous êtes appelé à faire de fréquents déplacements. Votre absence sera vivement ressentie par vos enfants ; ils se montreront de véritables petits diables pour votre partenaire qui en aura entièrement la charge durant votre absence. Vous aurez beau tenter de les calmer par téléphone, rien n'y fera. On a besoin d'être près de vous. Si vous élevez seul vos enfants, et qu'un ex-partenaire refait surface de temps à autre quand sa culpabilité parentale refait surface, vous entreprendrez sans doute des démarches juridiques pour officialiser ses droits de visite ou pour obtenir une pension alimentaire. Somme qu'il vous doit depuis déjà fort longtemps. Un membre de votre famille, frère ou sœur surtout, se mêlera de vos affaires. Il vous dira que faire sur le plan de l'éducation de vos enfants, sur le genre de vacances qu'ils devraient passer, les vêtements qu'ils devraient porter, l'alimentation qui leur conviendra, etc. Vous n'avez pas à l'écouter. Toutes ces questions sont personnelles. Vous connaissez vos enfants mieux que quiconque.

SANTÉ Un mal d'oreille peut vous prendre par surprise. Votre dos est plus fragile, évitez les mouvements brusques. Lors de vos exercices, réchauffez bien vos muscles au préalable. Si des malaises dont l'origine est impossible à identifier persistent, voyez un médecin. La science est à votre entière disposition. Votre appétit variera rapidement. Un jour vous mangerez beaucoup plus que nécessaire, et le lendemain vous oublierez de vous nourrir. Ce genre d'excès risque de provoquer de l'hyperacidité.

TRAVAIL-ARGENT Vous subvenez à vos besoins essentiels, mais vous dépensez plus que d'habitude. Certains prendront déjà des vacances, décidées presque sur un coup de tête. Même si les frais du voyage sont élevés, qu'importe !, vous avez besoin de partir pour décompresser. Comme bien d'autres, vous êtes excessif, et vous ne passez pas votre tour ce mois-ci ! Si vous avez une famille, un partenaire et si vous partez sans eux, ne soyez pas étonné par la colère que vous fera votre amoureux et les reproches des enfants ! Qui ne se poserait pas des questions sur une telle attitude ? Vos proches auront parfaitement le droit de se sentir abandonnés. Si vous faites partie de ces parents qui croient qu'ils ont plus de droits, de besoins et de repos que leur partenaire et leurs enfants, vous prenez le risque de déstabiliser la cellule familiale ou de la rendre boiteuse. Vous paierez le prix d'une telle situation, en perdant la paix et l'harmonie que vous aviez réussi à créer pour vous tous. Vous pourriez même avoir une pension alimentaire à verser. Sur le plan professionnel, vous aurez tendance à jouer du coude pour passer devant un collègue qui a pourtant plus d'ancienneté que vous. Si vous êtes positif et parfaitement honnête, par un étrange concours de circonstances, une personne influente vous aidera à grimper dans la hiérarchie de votre entreprise. Si vous faites partie de ceux qui font un retour sur le marché du travail, une proposition sera en deçà de vos compétences mais, avant la fin de l'année, vous occuperez le poste auquel vous aviez postulé.

CROYANCES Lorsque vous avez tort, vous cherchez des raisons et quelques formules toutes faites pour valider ce que vous avancez. Vous êtes mal à l'aise dans une relation où trop d'émotions vous assaillent. Votre signe est régi par Mercure, donc, pour vous en tirer avec les honneurs et parce que vous détestez passer pour une personne sans logique, vous traitez vos relations comme vous le feriez de vos placements. Vous évaluez ce que vous avez fait pour l'autre, et vous montez un dossier sur ce que l'autre n'a pas fait pour vous ! Les natifs du deuxième décan ne sont pas aussi imbus de confiance en eux ! Régis par Mercure, eux aussi, mais sur le décan de Vénus, jamais leur sensibilité ne les quitte.

QUI SERA LÀ ? Si vous ne pensez qu'à vous, si vous ne tenez pas compte des besoins des autres, personne ne sera là lorsque vous aurez besoin d'aide ou simplement d'un ami à qui parler. Un Capricorne vous dit carrément ce qu'il pense de vous. Il a la sagesse de vous ramener les pieds sur terre sans vous empêcher d'avoir la tête dans les nuages. Ne mettez ni un Sagittaire ni un Poissons en furie, sans quoi ce sera une déclaration d'une guerre à long terme !

JUIN 2002

AMOUR-AMITIÉ Vos amitiés tiennent le coup longtemps et parfois toute une vie. Au cours du mois, vous pressentez qu'un ami de toujours a besoin d'aide, ne résistez pas à votre intuition. Allez au-devant de lui ! Bien qu'il ne vous raconte pas ses problèmes, vous saurez qu'il en a et qu'il peut même nager en plein drame. Cette personne s'est montrée présente lorsque vous étiez dans une situation semblable. N'y pensez pas trop et – de manière symbolique – tenez-lui la main pour l'aider à traverser la tempête avec un minimum de dommages. Saturne dans votre signe ainsi que Mercure font revenir vers vous des gens connus il y a bien des lunes et perdus de vue à la suite de circonstances toutes plus complexes les unes que les autres. Ne leur en voulez pas de leur disparition, sans doute n'avaient-ils aucun pouvoir sur les événements. Reprenez la conversation là où vous l'aviez interrompue. On a beaucoup à vous apprendre.

En amour, si votre couple est solide, si vous avez des enfants qui grandissent, votre partenaire et vous serez d'accord sur une réorganisation de la maison afin que chacun ait davantage d'espace vital. Mais peut-être faites-vous partie des nombreux célibataires ? Ils sont plus nombreux sous votre signe d'air ; en général, vous craignez l'enfermement et les limites qui pourraient s'inscrire au menu quotidien d'une vie à deux. Vous passerez par-dessus votre peur lorsque vous ferez face à une personne qui croit que les individus d'un couple n'ont pas besoin d'être « collés » constamment l'un sur l'autre. Vous aurez croisé votre double. Au fil des semaines, et avant la fin du mois, vous vous lierez d'amour à cette personne. Si un ex-conjoint revient à la charge sans cesse au point d'être harcelant, vers le 15, votre discours sera si convaincant qu'on s'éloignera pour vous laisser respirer librement. Le pire dans ce type de situation survient lorsque le couple séparé a un enfant. Vous devez, si vous êtes le plus sage des deux, avoir du doigté au sujet de la garde de l'enfant et rester calme pour que la paix règne pour vous et les enfants, qui seront pour toujours les vôtres et ceux de votre ex-partenaire.

FAMILLE Précédemment, il a été question de votre famille proche. Mais vous avez probablement d'autres parents : père, mère, oncles, tantes, neveux, etc. L'un d'eux sollicitera de l'aide financière. Si vos moyens financiers sont limités, ne prêtez pas. Sous peu, vous saurez que cette personne a trouvé un autre « pigeon ». Dans quelques mois, vous apprendrez que l'emprunteur s'est volatilisé et qu'il ne remboursera pas les sommes avancées. Pour certains, il est question du partage d'un héritage et si le butin doit être partagé entre plusieurs membres de la famille, des disputes achèveront de séparer les uns des autres. Il aura suffi que l'un d'entre vous décide de contester la légalité du testament. En fin de compte, chacun en sortira perdant ou n'obtiendra qu'une très mince part du gâteau du défunt que personne n'aura le temps de pleurer !

SANTÉ On dit souvent que la santé est dans l'assiette, mais elle est aussi dans nos pensées. Les optimistes ont plus de chances de garder la forme que ceux qui broient constamment du noir. Si vous souffrez d'un mal chronique, s'il est devenu le centre de vos préoccupations, si vous ne parlez que de vos « bobos », au fil des jours de ce mois, vous verrez tout à coup que vos soi-disant amis vous délaisseront. La solitude est un mal encore plus terrible pour vous. Si vous savez que vous êtes sur la pente du « raconteur de maladies en tout genre », stoppez net votre discours ! Voyez ce que la vie vous donne et non plus ce qu'elle vous enlève. En peu de temps, vous retrouverez vos énergies qui se perdaient en lamentations.

TRAVAIL-ARGENT Si vous occupez un emploi régulier, cela continuera. L'idée de changer de travail vous traverse l'esprit, mais vous auriez tort de passer à l'action. Attendez que Jupiter soit en Lion, en août, pour le faire. Vous magasinerez pour des meubles, vous achèterez des matériaux pour rénover quelques pièces de votre maison, dans ce cas, prenez votre temps dans les magasins. Vous avez tendance à acheter le premier objet aperçu. Le danger est que vous vous retrouviez avec quelques outils ou effets inutiles. Vous choisissez votre mobilier pour plusieurs années, il vaut donc mieux modérer votre cadence et ne pas vous procurer n'importe quoi à n'importe quel prix ! Il serait aussi plus prudent de mesurer l'espace disponible pour ces nouveaux meubles, avant de dépenser. Tel que mentionné précédemment, il peut être question d'un héritage. Mais peut-être faites-vous partie de ceux qui attendent un chèque depuis quelques mois ? Dans un tel cas, vous le recevrez, sans doute au cours des premiers quinze jours du mois.

CROYANCES Par moments, vous croyez que le monde est parfait, mais dès que survient une contrariété voilà que personne n'est fiable ! N'y a-t-il pas de l'exagération à voir ainsi la vie et les gens ? Attention à Saturne et Mercure en Gémeaux ! Ces deux planètes se tiennent à proximité l'une de l'autre en ce moment, d'autant plus que Mercure est rétrograde. Elles vous font osciller vers les extrêmes. Vous êtes super logique un jour ou tout le contraire, comme un enfant le lendemain, alors que vous croyez qu'un problème disparaîtra par magie. S'il faut avoir confiance et entretenir l'espoir pour améliorer sa qualité de vie, il ne faut tout de même pas s'imaginer que les choses se font sans un petit coup de pouce. Souvenez-vous de ceci : « Aide-toi, le ciel t'aidera ! »

QUI SERA LÀ ? Si vous êtes célibataire et tombez amoureux d'un Cancer, vous pourriez l'effrayer par votre insistance et vos projets d'avenir dévoilés un peu trop vite. Un autre Gémeaux, qui vous ressemble beaucoup, vous agace ! Un Lion a un effet calmant et rassurant sur vous. Un Scorpion vous fascine, mais vous vous tenez à distance.

JUILLET 2002

AMOUR-AMITIÉ C'est le dernier mois du séjour de Jupiter en Cancer, il file sur ses derniers degrés qui ne sont pas de tout repos. Tout ce qui était en cours s'accélère. Une amitié naît et déjà on échange des services. Une autre se rompt pour une banalité. On se dit adieu et on claque la porte pour ne plus jamais la rouvrir. Si vous êtes amoureux et que votre couple se porte bien, vous entamerez, en cette période de vacances, une autre étape de rapprochement, et plus encore si vous avez de jeunes enfants. Si vous êtes divorcé ou séparé, et avez fait une superbe rencontre, votre ex l'apprendra. Notre monde est si petit. Si vous avez eu des enfants ensemble, votre ancien partenaire fera le maximum pour vous interdire toute autre fréquentation. Vous réagirez rapidement devant une telle situation. Après tout, c'est de votre vie qu'il s'agit et de votre avenir, et pas avec un ex qui refuse son statut d'ex ! À partir du 14, sous l'influence de Mars en Lion face à Neptune, si la situation s'envenime, vous prendrez des mesures juridiques pour éloigner votre ex-partenaire de vous, en l'ayant bien prévenu auparavant. Par ailleurs, vous ne supporterez pas qu'on utilise vos enfants pour vous empêcher d'être heureux. Si vous êtes un célibataire et sans attache, vous êtes sujet à tomber amoureux de plusieurs personnes! Mais vous ne vous porterez pas très bien entre toutes ces amours. Notre culture occidentale refuse la bigamie. À partir du 10, surveillez-vous! Vous avez tendance à choisir quelqu'un de très compliqué pour partenaire ou qu'inconsciemment vous voudriez sauver! Au début tout nouveau tout beau. Mais il suffit de deux semaines de fréquentations pour vous apercevoir que l'autre a l'habitude de vivre dans les problèmes plutôt que dans l'harmonie. Vous pourriez aussi être celui qui ne peut vivre simplement. En tête-à-tête après une journée harassante au travail, vous poserez les mauvaises questions ou vous imposerez vos volontés, comme un enfant gâté.

FAMILLE Si on ne choisit pas sa famille, on peut tout de même choisir comment vivre avec elle, une fois devenu adulte. Si vous êtes d'une famille dysfonctionnelle, la vie est souvent un défi. Et vous vous interrogez beaucoup sur le sujet. Pourquoi en a-t-il été ainsi? La réponse la plus simple est: Dieu seul le sait. Ce qui compte, c'est l'instant présent, celui qui modèle votre futur. Il est impossible de modifier le passé. Vous aurez beau nier vos peurs d'enfants, votre crainte de l'abandon, elles vous habitent au même titre que toutes vos expériences vécues. Si vous-même avez des enfants, vous réfléchirez longuement afin de ne pas reproduire ce que vous avez vécu étant petit. Peut-être ne vous êtes-vous pas rendu compte que vous viviez avec une personne ressemblant de près au parent dont vous êtes le plus éloigné sur le plan affectif, ou qui vous a le plus souvent blessé moralement? Ce type de prise de conscience n'est pas anodin. Il devient même obsédant, quand vous voyez naître en vos propres enfants ces mêmes inquiétudes. Elles se présentent sans doute sous d'autres formes, mais elles sont aussi réelles que les vôtres. Si vous vous sentez incapable d'aider vos petits ou vos grands à échapper aux troubles intérieurs que vous avez connus, laissez-vous guider par un psychologue.

SANTÉ Si vous faites des exercices peu habituels, surtout sans réchauffement, un mal de dos pourrait vous faire souffrir pendant quelques jours ou des semaines. À partir du 10, si vous faites des allergies alimentaires, ne consommez pas d'aliments qui peuvent vous créer des troubles intestinaux. À partir du 14, pensez à protéger votre tête par un casque, surtout si vous faites de la bicyclette, du patin à roulettes, de la course automobile, de la moto, etc. Elle sera la principale cible en cas d'accident.

TRAVAIL-ARGENT Entre le 1er et le 10, pour impressionner quelqu'un vous pourriez lui faire un cadeau au-dessus de vos moyens. Peut-être s'agit-il d'une future conquête ou voulez-vous flatter un patron pour en obtenir une faveur? Quoi qu'il en soit, qu'importe la personne à qui vous avez l'intention de faire ce plaisir, vous vous trompez. Votre «offrande» n'aura pas l'effet désiré. On vous remerciera poliment, mais vous n'obtiendrez rien en retour. Si vous faites un travail de création, vous aurez des idées inventives et même géniales! Si vous avez l'intention de mettre un produit ou un service sur le marché, vous ne chercherez pas longtemps un investisseur. Les nouvelles vont vite! Le mot sera passé et une personne influente saura que vous rapporterez une fortune. Si vous œuvrez dans le domaine des communications, vous êtes chanceux, un collègue donne sa démission et cela vous permet d'occuper ce poste que vous désiriez ardemment. Si vous êtes dans la vente, quel que soit le produit, vous ferez des affaires en or, même par ces temps de vacances. Si vous êtes à contrat, vous en obtiendrez un plus mirobolant que tous les précédents. Il s'agira de court terme au départ, mais ne vous en faites pas, à peine sera-t-il terminé qu'on le renouvellera. Certains retourneront vers un métier qu'ils ont abandonné et rependront le « collier » comme si de rien n'était.

CROYANCES Vous ne croirez pas le premier venu. Vous en avez assez des histoires abracadabrantes ! Un ami qui tente de vous soutirer des fonds se trompe d'adresse. Vous avez mis votre naïveté de côté. Vous êtes plutôt joyeux intérieurement quand vous songez à ce que vous ferez de mieux surtout en ce qui concerne votre profession. Le changement souhaité se présente enfin. Jusqu'au 7, votre intuition n'est pas banale. Vous rencontrerez des gens auxquels vous aurez furtivement pensé. Vous saurez d'avance ce qui vous attend. Vous le rêverez ou vous verrez des images de votre avenir, par exemple en vous promenant.

QUI SERA LÀ ? Le Nœud nord est dans votre signe. Cela signifie que vous croiserez des gens connus dans l'enfance. Vous serez étonné de leur cheminement de vie. Un Verseau revient dans votre vie et vous apporte ce qui vous manque. Il vous fait comprendre qu'on obtient ce qu'on veut quand le désir est puissant. Son explication est tellement claire qu'il vous sera impossible de ne pas la saisir. Une Balance tente de vous manipuler ; son but est de conquérir votre cœur et votre compte en banque ! Vous ne vous laisserez pas prendre à ce jeu. Vous êtes chanceux au jeu avec un Lion, un Bélier ou un Gémeaux, ou ces trois signes réunis.

AOÛT 2002

AMOUR-AMITIÉ Jupiter, planète dix fois plus grosse que le Soleil, entre dans le troisième signe du vôtre et grand bien vous fasse ! Votre magnétisme sera puissant. Vous serez le pôle d'attraction partout où vous passerez. Vous plairez dès qu'on vous apercevra, au point où vous vous demanderez ce qui se passe ! Jupiter exerce une énorme influence sur chacun de nous et pour les douze prochains mois vous serez le chéri du zodiaque : le charmeur qui ne sait pas à quel point il est séduisant. Vous aurez l'embarras du choix. Jusqu'à la fin du mois, Mars est en Lion, également dans le troisième signe du vôtre. Si votre travail vous oblige à voyager et à rencontrer beaucoup de gens, il est possible que quelqu'un vous fasse tourner la tête. Il y a cependant un hic ! Tout laisse présager que cette personne vit déjà une vie de couple ! Succomberez-vous à ses avances ? Tromperez-vous votre partenaire régulier ? Si vous êtes célibataire, vous aurez moins de difficulté à aller au bout de cette conquête d'un soir... ou deux. Mais certains Gémeaux sont à la recherche d'une relation durable. Ce mois d'août est favorable à l'amour pour toujours. Si vous avez un âge certain et êtes amoureux de la même personne depuis belle lurette, vous l'inviterez à une lune de miel presque en tout point semblable à la première. Ce qu'on s'empressera d'accepter. Certains reverront une personne qu'ils ont beaucoup aimée et qui les a quittés. Celle-ci a des regrets et proposera un autre essai. Si vous acceptez, attention ! Il est possible que ce soit pour vous venger et lui faire regretter d'être passé à côté de quelqu'un de magnifique, comme vous !

FAMILLE Si vous avez entre 20 et 40 ans, votre famille vous tient à cœur et vous êtes capable de nombreux sacrifices pour venir en aide à des parents qui traversent des périodes difficiles. Vous arrivez à vous oublier, jusqu'au moment où vous vous demandez si vous n'avez pas été trop généreux. Vous êtes serviable à l'excès, et plus sûrement à partir du 11. Par contre, jamais vous ne regrettez d'aider l'un des vôtres. Sous ce ciel, il est possible que vous soyez envahi par un ami qui ne rate pas une occasion de vous dire que vous êtes mieux que tous les membres de sa famille. Méfiez-vous de ce type de flatteries. Un ami ne peut jamais être un parent. Le respect peut régner entre vous, mais par contre, ce lien peut se rompre n'importe quand, et vous en êtes pleinement conscient. L'ami a un passé que vous ne connaissez pas, des parents, frères, sœurs, etc., qui ne sont que de purs inconnus. Leurs histoires ne vous concernent pas. En ce mois d'août, l'ami vous mêlera à un problème familial. Vous savez où se trouve la porte de sortie, eh bien prenez-la ! Vous avez suffisamment à faire avec vos obligations, vos enfants et votre partenaire. Inutile d'en rajouter. Vous aurez à faire face à des tactiques de manipulateur. Soyez vigilant !

SANTÉ Si votre médecin a identifié des problèmes de circulation sanguine, d'engourdissements des mains, des palpitations cardiaques inhabituelles, demandez un examen complet. Vous êtes plus émotif que vous en donnez l'impression. On ne peut jamais refouler ses émotions indéfiniment. Elles finissent par se manifester sous forme d'allergies, de maux de tête ou de dos, entre autres. Certains d'entre vous peuvent en être arrivés à ce point. La meilleure chose à faire est d'identifier ce qui vous agace ou qui vous dérange tellement.

TRAVAIL-ARGENT Jupiter, qui entre en Lion, a un effet bénéfique sur vos finances. Si vous êtes à la recherche d'un emploi correspondant mieux à vos compétences, vous n'aurez aucun mal à trouver. Tout ira plus vite que vous ne l'imaginez. Vous plongerez dans ce métier ou cette profession que vous désiriez exercer depuis longtemps. Vous obtiendrez également les avantages et bénéfices que vous réclamerez. Pour les douze prochains mois, appliquez le fameux proverbe : « Demandez et vous recevrez ! » Tout deviendra si simple.

Si vous êtes enseignant, vous préparez votre retour en classe. Cependant, certains aspects indiquent des problèmes dans le domaine de l'éducation et dans le secteur médical et de la pharmacie. Les contrats ne sont pas prêts, ou on ne vous accorde pas ce qu'on vous avait promis. En résumé, on peut s'attendre à des contestations de la part des travailleurs à cause de politiques gouvernementales qui ne respectent pas les engagements déjà pris. Si vous êtes à la tête d'une organisation syndicale, preniez la parole en public, défendiez vos droits et ceux d'un groupe, jamais on n'aura vu meilleur défenseur.

Si vous faites un travail de relationniste, représentez les intérêts d'une entreprise et êtes appelé à voyager, préparez votre valise ! Il est possible que vous soyez sur les routes pour plus d'une semaine, et parfois plus d'un mois. Ce mois d'août ne vous donne qu'une légère prévision de ce qui vous attend d'ici la fin de l'année, mais vous serez satisfait des résultats. Même s'ils se produisent dans le désordre, ils correspondent à vos désirs. Sur le plan financier, vous gagnerez davantage d'argent, surtout si vous êtes dans la vente, peu importe le produit. Votre personnalité sera rayonnante et vous serez le vendeur préféré de vos clients. Naturellement, ils achèteront tout ou presque de ce que vous leur offrirez.

CROYANCES Si vous croyez en des forces supérieures aux vôtres, au monde invisible, vous vous direz que tous les bons esprits se sont donné rendez-vous en même temps pour vous faciliter la vie et résoudre des problèmes que vous aviez cru insolubles.

Jupiter en Lion correspond à ce moment où vous retrouvez votre énergie physique ; le moral est automatiquement meilleur. Vous ne pensez plus de la même manière, vous chassez vos idées noires et vous faites de la place pour recevoir le bien et le bon. Il y a de la magie dans l'air parce que vous l'avez profondément désirée. Vous avez eu la foi qui soulève les montagnes.

QUI SERA LÀ ? Un Lion que vous connaissez depuis longtemps vous propose une affaire ; il en va de votre intérêt de bien l'étudier. Un Gémeaux vous porte chance au jeu et dans votre vie professionnelle. Il est possible qu'une Vierge, surtout si c'est un membre de votre famille, tombe malade ; vous vous porterez à son secours. Un Verseau vous dit ce qu'il pense de vous, mais il pourrait faire une erreur de jugement. Ne vous laissez pas impressionner s'il ne vous dit pas que des gentillesses !

SEPTEMBRE 2002

AMOUR-AMITIÉ Mercure, la planète qui régit votre signe, est en Balance dans le cinquième signe du vôtre. Cette planète fait un bon aspect à Neptune en Verseau. Si vous êtes encore célibataire, ne désespérez pas ! Quelqu'un vous fera rêver. Par contre, il est suggéré de ne pas vous engager dès la première semaine, car cette personne ne pourrait être que de passage dans votre vie. Dès le départ, elle parlera le même langage que vous, vous serez charmé. Toutefois, un secret de son passé ne vous sera pas immédiatement dévoilé. De nature inquisitrice, vous découvrirez par vos questions que cette personne n'était qu'un beau rêve éveillé. Si vous menez une belle vie de couple, vous et votre partenaire ayant réussi à passer par-dessus les travers de chacun, à partir du 9, méfiez-vous d'une personne qui donne l'impression d'en savoir plus que vous sur le bonheur. Ne laissez personne se glisser entre vous et votre partenaire et semer le doute. Si vous êtes porté sur la critique, avez un ordre maniaque surtout quand il s'agit de celui de votre partenaire, évitez de lui dire constamment ce qu'il doit faire. Vous le choqueriez. Si votre vie est paisible, gardez-la ainsi.

FAMILLE Mars est en Vierge, dans le quatrième signe du vôtre, et symbolise la famille ou un parent qui sème la zizanie. Si vous êtes parent, il est possible que vous soyez inutilement autoritaire avec vos enfants qui ont l'âge de prendre leurs décisions. Ils ont aussi l'âge d'être susceptibles et facilement convaincus de votre manque de confiance en eux ! Mais peut-être n'avez-vous pas d'enfant ! Pourtant, vous croyez pouvoir donner des conseils à un proche ami qui lui en a ! Restez en dehors de l'éducation des enfants des autres. Ne vous mêlez pas des histoires personnelles d'autrui. Durant la seconde partie du mois, Mars fait un aspect très dur à Pluton. Pour certains d'entre vous, cela présage la maladie d'un proche et annonce vos nombreuses visites à l'hôpital. Par ailleurs, en cas de conflit familial, surtout si cela dure depuis quelques années, une rupture officielle des liens peut se produire. Il vaut mieux s'éloigner et espérer que le temps arrange les choses !

SANTÉ Si vous faites du sport, protégez bien votre tête. Votre équilibre n'est pas parfait, ce mois-ci, regardez où vous mettez les pieds même en marchant. Ce ciel laisse entrevoir des foulures de cheville, des orteils blessés, des muscles étirés en voulant se protéger d'une chute, etc. Bien sûr, il ne s'agit pas d'accidents graves, mais il est préférable d'éviter ce type de désagréments. Vous avez la tête dans les nuages ; vous ne regardez pas devant vous !

TRAVAIL-ARGENT Nous avons tous besoin de gagner notre vie. Si c'est une manière de mettre du pain sur la table et d'avoir un toit sur sa tête, c'est aussi pour chacun sa façon d'apporter sa part dans le monde. Dans ce monde moderne, un bureaucrate peut oublier de cocher une case dans l'un de ses dossiers et, à l'autre bout de la chaîne, il vient de désorganiser toute une famille, sans en prendre même conscience. Un chèque ou un accord quelconque peuvent ainsi être oubliés. Êtes-vous ce bureaucrate ou subissez-vous ses oublis ? Si votre entreprise est en restructuration, vous serez troublé au cours du mois. On a annoncé des congédiements et personne ne sait qui reste et qui part. S une telle ambiance prévaut au travail, ce ne sera guère joyeux. Il est possible que votre nombre d'heures de travail soit réduit, et dans ce cas vous réagirez rapidement. Vous trouverez un autre emploi à mi-temps. Finalement, vous vous apercevrez, à la fin du mois, que désormais vous gagnerez plus d'argent. Les ouvertures que vous n'auriez jamais vues autrement sont nombreuses. Si on vous doit de l'argent, on tarde encore à vous rembourser. Vous devrez sans doute vous fâcher pour que l'emprunteur se rende compte qu'il a dépassé la date de ses échéances.

CROYANCES À partir du 14, certains auront besoin d'être rassurés et iront consulter des clairvoyants. Étant donné l'aspect dur de Vénus à Neptune ainsi qu'à Jupiter, méfiez-vous des charlatans. Ils seront tous prêts à vous voir. Le pire est qu'après avoir écouté l'un, vous courrez chez l'autre afin qu'il contredise les mauvaises nouvelles du précédent. Et c'est ce qui se passera. En fin de compte, vous ne saurez rien de plus que ce que vous savez déjà, intuitivement. Ces soi-disant clairvoyants procèdent par suggestions. Lors d'une prochaine visite, ils vous diront qu'ils avaient raison parce que vous aurez agi selon leurs vues et non selon vos convictions.

QUI SERA LÀ? Un ami Scorpion est un bon guide, à condition que vous l'écoutiez lorsque vous lui demandez un conseil et qu'il prenne le temps de vous le donner! Un petit différend avec un Lion. Ce léger désaccord ne brise pas l'amitié, mais y met un petit bémol. Si vous avez fait une promesse à un Bélier, tenez-la. Si vous prenez la fuite quand il vous attrapera, vous aurez droit à une inoubliable colère. Si vous avez une relation sentimentale avec une Vierge ou un Sagittaire, de longues et de quasi interminables discussions sur votre relation et la signification du mot « engagement » sont à prévoir.

OCTOBRE 2002

AMOUR-AMITIÉ Les amis vont et viennent, mais jamais on ne les perd. À chaque retour, on fait la fête. Vous pouvez vous attendre à quelques visites de vos amis les plus aventuriers, au milieu du mois. Plusieurs sorties s'organiseront spontanément. Depuis le début d'août, vous êtes entré dans un cycle où vous pourrez élargir votre cercle de relations agréables et aussi parfois très utiles, grâce à des connaissances. Quant à l'amour, si vous êtes encore célibataire, ne désespérez pas ! À partir du 12, sous l'influence de Mercure en Balance, une banale conversation deviendra un léger flirt. À la rencontre suivante, vous vous apercevrez que cet inconnu vous plaît beaucoup. Vous proposerez une activité que l'autre s'empressera d'accepter. En fait, vous lui avez fait passer un premier examen. Cette personne aime-t-elle ce que vous aimez ? La réponse est oui ! Vous ne mettrez pas longtemps avant de vous attacher l'un à l'autre. Côté vie de couple, au début du mois, évitez les critiques envers votre partenaire. Elles n'ont rien de gentil et grugent les plus beaux sentiments. Une discussion signifie un échange, vous avez le droit d'émettre vos opinions, mais vous devez écouter les siennes. Par habitude, on oublie parfois de se comporter en bon prince avec notre compagnon de tous les jours. Remettez-vous ce fait en mémoire, avant qu'il soit trop tard.

FAMILLE Si vous n'avez pas d'enfant mais que votre partenaire en a un ou plusieurs, votre situation est plus complexe qu'il n'y paraît. Puisque vous vivez avec ces enfants, vous aimeriez avoir leur affection. Vous ne pouvez cependant pas la leur arracher. Il n'est pas toujours facile de composer avec le passé de son partenaire, surtout si le nôtre a été très différent. Il vous faudra donc être patient avec ces petits et grands qui ne sont pas de vous. Si vos enfants sont maintenant adolescents, il y a des moments où ils ne semblent pas entendre ce que vous dites. Souvenez-vous de vous à cet âge ! Vous n'aimiez pas vous non plus vous soumettre à l'autorité parentale. Peut-être faites-vous partie de ces adultes d'aujourd'hui qui ont l'impression que leurs parents ne les ont ni compris ni même écoutés. Il est facile de reproduire ce qu'on a vécu. Il suffit de ne pas y penser et hop !, vous construirez pour vos enfants ce piège que vos propres parents vous avaient, selon vous, si bien tissé. Si par malheur, vous avez connu avec vos enfants des problèmes de comportement, de drogue, d'alcool, ou autre, vos efforts et votre amour auront enfin des échos positifs, si vous avez tout fait pour les aider à en sortir.

SANTÉ Votre santé s'améliore, parce que votre moral est bon. En fait, vous sentez-vous beaucoup mieux. Plus le mois passe, mieux vous vous portez. Si vous faites de l'exercice, ne serait-ce que de la marche à pied, vous oxygéner davantage vous donne un nouveau souffle de vie.

TRAVAIL-ARGENT Si vous avez un emploi à mi-temps et en cherchez un second, une relation amicale vous permettra de dénicher un autre travail. Celui-ci correspondra mieux à vos ambitions, et plus que vous ne l'imaginiez au début du mois. Vous devez surveiller vos dépenses. Vous êtes sous l'influence de Jupiter en Lion, ce qui vous porte à acheter ce qu'il y a de plus beau mais également de plus cher. Et c'est au-dessus des moyens de certains d'entre vous ! À partir du 15, la chance dans les jeux de hasard est plus forte, mais il vous est fortement déconseillé d'y laisser votre salaire de la semaine. Ne tombez pas dans l'exagération. Si vous prenez des médicaments, notamment pour vous maintenir en vie, n'oubliez pas de faire de petites économies afin de pouvoir vous les procurer lorsque vous en aurez besoin. Vous avez tendance à mettre de côté les éléments essentiels de votre vie ; si vous ne prévoyez pas, qui le fera ? Vous êtes responsable de vous. Si vous travaillez à contrat, sous l'influence de Vénus en Scorpion dans le sixième signe du vôtre, on pourrait vous demander d'en faire plus pour le même prix ! Il ne vous restera qu'à négocier. Certaines entreprises économisent en surchargeant de travail leurs employés, mais sans jamais offrir de compensations.

CROYANCES Vous êtes un signe double, déchiré entre votre logique et votre créativité, alors que souvent vous possédez les deux à part égale. Vos rêves seront si clairs qu'ils vous indiqueront ce que vous devez faire pour vous réaliser pleinement. Du 26 à la fin du mois, Mercure en trigone à Uranus vous donnera des éclairs de génie et des moments de clairvoyance. Vous verrez des images mentales de votre avenir. De temps à autre, vous saurez exactement ce qui se passe dans la vie de gens que vous connaissez bien et dont vous être proche.

QUI SERA LÀ ? Un Scorpion vous dit ce qu'il pense de vous et de vos hésitations, mais sans vous brusquer. Un Bélier ne ménage pas votre sensibilité. Vous pourriez tomber amoureux d'une Balance, donnez-lui le temps d'y penser sinon ses plateaux seront totalement déséquilibrés et votre Balance prendra la fuite. Un Lion attire votre attention. Il vous invite à la passion, et il ne s'agit pas là d'un feu de paille mais d'un feu qui pourrait réchauffer votre signe d'air longtemps, longtemps, longtemps...

NOVEMBRE 2002

AMOUR-AMITIÉ Mars est en Balance, signe d'air comme le vôtre. Au tout début du mois, il fait un trigone à Neptune en Verseau. Vous rêvez alors de nouvelles conquêtes ! Puis entre le 9 et le 16, Mars fait un sextile à Jupiter en Lion. Ces planètes, en bons aspects avec votre signe, transforment souvent l'amitié en grand amour. Vous vous apercevez que vous êtes profondément amoureux d'une personne que vous voyez tous les jours depuis plusieurs mois ou même des années. Certains peuvent tomber amoureux de quelqu'un ayant des enfants, et c'est ceux-ci qui, en premier lieu, auront attiré votre attention. Du 17 à la fin du mois, Mars fait un trigone à Uranus en Verseau. Bien que ces planètes vous soient favorables, vous avez beau être amoureux, il subsiste en vous un désir de fuite. Par contre, vous pourriez proposer à un nouveau partenaire de vivre à deux, alors que vous venez tout juste de faire sa connaissance. Méfiez-vous des décisions hâtives. Si vous êtes en couple depuis de nombreuses années, avez connu diverses situations, bonnes et moins agréables, si votre partenaire est un être sensible – un signe d'eau –, ne lui dites pas toutes les pensées négatives qui viennent à l'esprit. Gardez pour vous vos remarques désobligeantes. L'air et le feu qui dominent le ciel vous rendent plus prompt et si franc que vous effarouchez le partenaire le plus sûr de lui !

FAMILLE Saturne dans votre signe vous fait voir le vrai visage de vos parents. Les circonstances sont telles que le meilleur ou le pire de chacun est évident. Vous verrez ceux qui savent dire merci, lorsque vous leur rendez service, et les autres qui en demandent toujours plus et qui ne font jamais quoi que ce soit pour souligner leur appréciation de ce que vous faites pour eux. S'il est pénible de constater leur égoïsme, c'est aussi un soulagement de vous dire que, désormais, vous n'avez plus à vous sacrifier, ni à donner de l'argent et de votre temps à ces parents sans considération. Une querelle au sujet d'un prêt, d'un emprunt fait à un membre de votre famille ou pour une question de partage d'héritage, risque de prendre une malheureuse tournure ! Même ceux qui devaient, au départ, rester en dehors de la dispute s'en mêlent ! Si vous avez un partenaire, des enfants, ne laissez pas ce type d'élément négatif gâcher votre vie familiale. Tout se répercute sur vous, comme une grosse fumée noire que le vent pousse et qui finit par étouffer ou incommoder ceux qui se trouvent sur son passage. En cet avant-dernier mois de l'année, on songe aux Fêtes prochaines, surtout si vous avez un ex-partenaire dont vous avez eu des enfants. De nombreuses discussions au sujet de Noël, du jour de l'An et des prochaines vacances scolaires sont à prévoir ! Pour sauvegarder votre paix d'esprit, et pour éviter que vos enfants ne souffrent d'une autre discorde, vous devrez faire plus de concessions que les années précédentes.

SANTÉ La sinusite vous guette. Votre foie s'engorge plus facilement. Il est important de vous nourrir sainement et surtout de vous asseoir à l'heure des repas. Vous êtes toujours pressé et vous ne mastiquez pas suffisamment vos aliments.

TRAVAIL-ARGENT À vos tâches habituelles s'ajoutent de nouvelles responsabilités auxquelles vous ne pourrez vous soustraire. N'essayez pas de chercher des raisons de fuir. Ce sera impossible, sauf si vous avez décidé de quitter votre emploi ! Votre patron ne sera pas tendre, vos collègues seront tendus et le climat au travail ne sera pas à la fête. Si vous tenez à préserver votre rythme rapide de production, vous devrez faire abstraction de la mauvaise humeur qui règne. N'allez pas vous faire un ulcère en vivant constamment en état de stress, et n'absorbez pas celui des autres. Si vous avez un commerce en lien avec la décoration, l'esthétique, les livres rares, les antiquités ou un magasin de cadeaux, vous ferez sans doute beaucoup plus de profits que vous ne l'imaginiez au début du mois. Les gens semblent avoir un énorme besoin de s'offrir du luxe, de la fantaisie. Ils se font des cadeaux à eux-mêmes, et vous en bénéficiez. Si vous œuvrez dans le domaine des communications, écrites, radiophoniques ou visuelles, vous serez très en demande. En tant qu'artiste, un contrat comme vous n'osiez pas même en rêver vous sera offert. Vous aurez enfin la chance de faire une démonstration de votre talent. Le succès est à deux pas et la fortune n'est pas très loin non plus.

CROYANCES Certaines personnes racontent des histoires fantastiques pour se rendre intéressantes. Vous en croiserez plusieurs au cours du mois. Soyez vigilant et sachez faire la différence entre ceux qui sont branchés sur l'Invisible et ceux qui le prétendent. Certains d'entre vous seront tentés de suivre des cours de parapsychologie. Dans ce cas, choisissez judicieusement votre professeur. Après une ou deux expériences étranges, on trouve des gens qui s'improvisent maîtres dans le domaine des phénomènes paranormaux. Vénus est en Scorpion et rétrograde dans le sixième signe du vôtre, n'ayant aucune vraie protection des autres planètes, vous êtes comme une éponge et vous absorbez. Il y manque la part de sélectivité.

QUI SERA LÀ ? Vous êtes heureusement entouré de bons amis. Vous avez intérêt à écouter les conseils d'un Bélier. Un Poissons vous lance une invitation en affaires, s'il a fait la preuve de son talent et qu'il soit bon administrateur, ses leçons vous seront utiles. Une Balance vous séduit. Un Lion retient aussi votre attention. À la fin du mois, ne vous obstinez pas avec un Sagittaire. Vous en ressortiriez écorché.

DÉCEMBRE 2002

AMOUR-AMITIÉ Si vous avez vécu une déception amoureuse, ou si un ami s'est révélé moins amical, malgré toute la confiance que vous aviez mise en lui, vos emballements de novembre font place à une prudence très proche de la méfiance. Des tensions dans votre couple peuvent vous contraindre de faire part de toutes les émotions qui vous traversent le corps et l'esprit. Pourtant, il y a des mots auxquels il est préférable de réfléchir avant de les prononcer. Ce que vous pensez en décembre pourrait ne plus être vrai à la mi-janvier 2003 ! Autour de vous, se trouvent aussi des gens qui n'aiment pas votre bonheur. Par méchanceté et envie, ils sèmeront le doute au sujet de votre vie à deux. Ils iront même jusqu'à vous reprocher d'avoir changé... Ce qui est vrai ! Vous avez changé, tout comme eux ! Vous n'êtes plus aussi attentif à leurs problèmes, et ils en sont choqués ! Dites-vous que ce type de chantage est fréquent. Ne laissez personne vous séparer de celui ou celle que vous aimez. En tant que célibataire à la recherche de l'amour, à partir du 9, avec l'entrée de Mercure en Capricorne, vous ferez la connaissance d'une personne extrêmement sérieuse qui voit davantage l'avenir que l'instant présent. Bien que vous ayez le désir de vous bâtir un avenir en amour, ce ciel présage une rencontre intéressante, mais elle pourrait être carrément dépourvue de fantaisie. L'amour et l'humour font très bon ménage.

FAMILLE C'est le mois des réunions familiales. On s'invite les uns les autres. C'est souvent durant le temps des fêtes qu'on peut se voir, surtout lorsque plusieurs membres de la famille habitent d'autres villes ou d'autres pays. Certains d'entre vous vivent un deuil et les Fêtes seront calmes par rapport aux autres précédentes. Ce ciel laisse entrevoir la maladie d'un parent qui réclame votre présence. Vous laisserez donc tomber les invitations afin de pouvoir lui donner un maximum de temps. Si vos enfants veulent fêter avec ceux de leur âge, c'est-à-dire d'autres adolescents, vous pourriez les retenir malgré eux, et ils ne vous offriront pas des têtes réjouies. Pourquoi ne pas faire un compromis avec vos jeunes et leur permettre d'être à mi-temps avec vous !

Vous êtes sous l'influence de Mars et de Vénus en Scorpion à partir du 22. Ces planètes feront des aspects durs à Jupiter. Cela vous demande d'être d'une extrême prudence, si vous faites du sport tel que le ski, la motoneige, le patin à glace, la marche en montagne, etc., en fait quelle que soit l'activité, ne prenez aucun risque et ne laissez pas non plus vos enfants en bas âge s'éloigner de vous. Quant aux grands, avertissez-les de ne pas faire de pirouettes dangereuses. Cette fois, votre sermon est nécessaire.

SANTÉ Votre médecin vous a sans doute averti de ne pas mêler alcool et médicaments ? Vous avez intérêt à observer ses conseils. Ce genre d'abus risque de vous causer un problème de santé plus grave que celui que vous avez déjà. Mais peut-être aurez-vous simplement une énorme difficulté à résister aux tables bien garnies des Fêtes. Cependant, sous ce ciel, vous aurez du mal à échapper aux maux d'estomac. Pour préserver votre énergie, il faut être raisonnable et dormir suffisamment.

TRAVAIL-ARGENT Vous êtes sous l'influence de Jupiter en Lion, représentation symbolique des enfants. Vous êtes habituellement généreux envers les vôtres, mais sous Jupiter en Lion, vous pourriez dépenser plus que jamais. Les cadeaux demandés sont plus dispendieux et vous vous sentez incapable de leur refuser ces plaisirs. Vous oublierez que dans un mois vous aurez une carte de crédit à payer ! Si vous n'avez pas d'enfant, vous gâterez ceux des autres, neveux et nièces par exemple. Au travail, vous êtes celui sur qui on compte pour remplacer un collègue absent pour cause de maladie ou de vacances. Si vous êtes dans la vente de produits de luxe, vous ferez plus de profits que prévu. Il est aussi possible que juste avant de partir pour les fêtes de Noël et du Nouvel An, on vous annonce une promotion. Au retour, vous occuperez un autre poste, plus valorisant, plus intéressant et mieux rémunéré.

CROYANCES Il est plus agréable de croire en sa bonne étoile qu'au diable ! Vous êtes un signe double régi par Mercure, et il arrive que certains d'entre vous passent plus de temps à chercher au dehors des réponses qui se trouvent en eux-mêmes. Si vous avez l'intention de consulter un clairvoyant, allez-y en début de mois. À partir du 15, vous aurez tendance à vous confier à des personnes qui, malheureuses elles-mêmes, reporteront leurs problèmes sur vous ! Certains d'entre vous redécouvriront le sens de la prière.

QUI SERA LÀ ? Un Lion est présent lorsque vous avez du chagrin, il vous tient gentiment la main et vous aide à retrouver votre courage qui déclinait. Un ami Scorpion a une intuition en ce qui vous concerne sur une décision que vous êtes sur le point de prendre. S'il vous conseille de prendre du recul, écoutez-le. Un Sagittaire vous propose de partir en voyage avec lui et vous accepterez son offre. Un Cancer vous fascine. Peut-être en tomberez-vous amoureux ? Un Capricorne vous rend un grand service sans rien demander en échange.

GÉMEAUX ASCENDANT BÉLIER

En août, Jupiter est en Cancer dans le quatrième signe de votre ascendant et dans le deuxième du vôtre. L'argent est au cœur de vos préoccupations. Il s'agit parfois d'un emprunt difficile à obtenir. Mais vous êtes tenace. Vous finirez par acheter cette propriété tant désirée depuis quelques années. Si vous possédez déjà votre maison, vous pourriez y faire des rénovations intérieures majeures. Avec un goût exquis, vous renouvellerez votre décoration.

Sur le plan du travail, si votre orientation de votre carrière a été modifiée récemment, vous poursuiviez deux buts plutôt qu'un. À la mi-avril, vous devrez choisir parce qu'il deviendra impossible de remplir les deux fonctions à plein temps !

À partir du 8 février, Saturne est en Gémeaux dans le onzième signe de votre ascendant. Il cesse de rétrograder. Ainsi, des projets qui depuis quelques mois ne se mettaient pas en place pour cause de détails insignifiants, seront enfin mis de l'avant. Vous reprendrez aussi contact avec de vieux amis que vous aviez négligé de voir, souvent depuis deux ans. Vous sortez de votre coquille et redevenez l'être sociable que vous avez toujours été, mais qui était en long congé !

Si vous êtes amoureux et n'avez pas encore d'enfant, votre partenaire et vous déciderez sans hésitation de fonder une famille. Si vous avez plutôt l'âge d'être grand-parent, l'un de vos enfants vous annoncera que vous serez grand-mère ou grand-père.

À partir du début d'août, Jupiter entre en Lion dans le cinquième signe de votre ascendant et le troisième du vôtre. Vous serez alors extraordinairement créatif, inventif. Vous aurez aussi le sens des affaires et négocierez vos services à un prix élevé. En août, vous entrez dans une zone où personne ne s'opposera à vos demandes, ou si peu !

Si vous êtes célibataire, votre présence est si rayonnante que vous aurez plusieurs flirts. Si vous vivez avec le même partenaire depuis longtemps, sans doute le rendrez-vous jaloux. Mais peut-être serez-vous expressément charmant juste pour savoir si oui ou non votre amoureux tient à vous ? Vous serez rassuré à la première crise !

Si vous avez un talent d'écrivain, de compositeur, si vous œuvrez dans l'ombre d'un artiste connu, vous passerez au premier plan. Votre personnalité et votre œuvre attireront l'attention d'un journaliste et du public. Votre magnétisme sera puissant.

Sous l'influence de Jupiter en Lion, vous partirez en voyage, probablement avec l'un de vos enfants maintenant assez âgé pour l'apprécier. Comme vous, il aime l'aventure et l'inconnu. Pour certains d'entre vous, il s'agit d'un premier grand départ vers un autre continent.

Jupiter en Lion concerne aussi les études que vous achèverez ou commencerez. Si vous aviez hésité sur votre orientation, tout devient clair. Par ailleurs, sur votre chemin se placent des points de repère ou des signes vous confirmant que vous faites ce qu'il y a de mieux pour vous réaliser. Jupiter en Lion vous permettra de faire la connaissance de gens célèbres ou d'artistes ; par la suite, vous les verrez avec d'autres yeux : vous les aurez connus dans un quotidien aussi banal que peuvent l'être le vôtre et celui de chacun de nous. Dans l'ensemble, 2002 correspond à une progression matérielle et un mieux-être personnel.

GÉMEAUX ASCENDANT TAUREAU

Entre la mi-janvier et la fin février, Mars est en Bélier, dans le douzième signe de votre ascendant. Pendant cette période, vous serez tenté d'utiliser l'idée d'un autre et de la faire vôtre. Attention, la facture pourrait être élevée. Vous entrez dans une zone céleste au cours de laquelle vous serez très émotif, vulnérable et sujet à subir des influences et des suggestions négatives de personnes qui vous jalousent. Il est aussi possible que vous surestimiez vos forces, que vous alliez au-delà de vos capacités physiques. Si la maladie apparaît en début d'année vous la combattrez avec vigueur. Au début du mois de mars, vous retrouverez votre énergie.

Saturne est en Gémeaux dans le deuxième signe de votre ascendant. Il vous murmure que vous avez besoin d'argent. Si vos caisses sont déjà pleines, vous aurez quand même la sensation de n'en avoir pas assez.

Le Nœud nord étant en Gémeaux, si l'idée de monter une affaire vous vient et de vous associer pour ce faire, avant de signer un contrat d'entente, faites-le réviser par un expert et surtout par votre avocat. Assurez-vous d'être bien protégé dans cette nouvelle aventure. Si le ciel ne vous interdit pas de faire fortune, une mise en garde s'impose contre toute décision hâtive, surtout si vous devez y investir une partie ou la totalité de vos avoirs. Ce Nœud nord dans votre signe en Gémeaux vous fait comprendre ce que vous êtes et pour quoi vous êtes fait.

Chez d'autres, ce même Nœud nord peut provoquer un gonflement de l'ego et ajouter quelques prétentions à la personnalité. Le succès et la fortune ont une valeur équivalente. À partir d'août, Jupiter est en Lion dans le quatrième signe de votre ascendant. Si vous avez investi sans précaution, sans prudence, vous risquez d'y perdre quelques plumes. Sous Jupiter en Lion, un membre de votre famille aura besoin de votre soutien moral. Le prétexte de votre travail ou d'un manque de temps pour refuser de rendre service peut se retourner contre vous. Il est possible que ce parent décide de ne plus vous voir, vous l'apprendrez lorsque vous irez aux nouvelles ! Il se sera remis de ses émotions et sorti de ses problèmes sans vous. Il vous dira qu'il peut bien continuer sa vie sans vous !

Jupiter en Lion a l'effet positif d'augmenter la famille. Si vous êtes jeune, amoureux et sans enfant, vous serez heureux de votre maternité ou paternité.

Si vous êtes célibataire, seul depuis bien des lunes, une rencontre vous fera redécouvrir à quel point il est bon d'être deux.

Pluton est encore en Sagittaire dans le huitième signe de votre ascendant. Il vous rend curieux des phénomènes paranormaux, d'astrologie et vous êtes tenté de consulter des clairvoyants. En mai et juin, vous risquez de tomber sur de faux voyants, évitez d'en consulter durant ces deux mois.

Uranus et Neptune sont encore en Verseau dans le dixième signe de votre ascendant et le neuvième du Gémeaux. Si vous êtes à la recherche de la Sagesse ou de vos origines, n'oubliez pas qu'il s'agit d'une démarche qui peut prendre la vie. Lorsque vous découvrez une réponse, vous soulevez un coin du voile de la vie elle-même mais aussitôt une autre question surgit en vous !

Si vous avez entrepris des études de type métaphysique, lorsque Jupiter sera en Lion en face de ces planètes en Verseau, vous vous direz que vous avez tout à apprendre ou à réapprendre ! Il est possible qu'à ce moment-là, vous choisissiez de faire un tournant dans votre carrière ou que vous entrepreniez de nouvelles études.

GÉMEAUX ASCENDANT GÉMEAUX

Jusqu'au mois d'août, Jupiter est en Cancer dans le deuxième signe du vôtre et de votre ascendant. Il s'agit de la maison astrologique qui concerne vos enfants et l'argent de la famille.

Il peut être question, par exemple, du partage d'un héritage à la suite du décès d'un parent, qui laisse une petite ou une grosse fortune. Si le testament n'a pas été fait dans les règles, des disputes entre frères et sœurs peuvent survenir.

Autre exemple, si vous vivez une séparation, la question de la garde d'enfants et de la pension alimentaire à payer ou à recevoir peut poser problème, même si vous avez fait des démarches auprès d'un avocat pour faire respecter vos droits. Il sera difficile de voir clair dans ce type de situation. C'est en août, lorsque Jupiter entre en Lion, que justice sera faite.

Si vous avez un travail de négociateur, sous Jupiter en Cancer, durant les sept premiers mois de l'année, vous serez plutôt sec. Votre ton ne laisse supposer aucun compromis mais il risque de déplaire à des gens d'affaires. Peut-être transposez-vous vos difficultés personnelles dans votre milieu professionnel ? Si c'est le cas, un ami pourrait vous en parler, écoutez-le.

En tant que double signe de Mercure, vous essayez de cacher vos émotions sous le tapis. Mais, sans vous en rendre compte, vous marchez dessus et elles font bien des poussières ! Jupiter, pendant son séjour en Cancer, laisse présager un déménagement non désiré. Comme si vous deviez revenir au point de départ. Naturellement vous aurez la sensation de reculer plutôt que d'avancer. Si vous travaillez pour une entreprise ayant des bureaux à l'étranger, la possibilité que vous soyez obligé de quitter votre lieu de résidence pour vivre ailleurs avec votre famille et pour continuer à gagner votre vie se fait plus forte. Vous devez accepter ce qu'on vous offre.

Il sera aussi question de l'éducation des enfants. Votre partenaire et vous aurez des opinions différentes à ce sujet. Si l'un est pour l'école privée, l'autre s'y oppose à cause des frais élevés.

À partir d'août, Jupiter entre en Lion dans le troisième signe du vôtre ainsi que de votre ascendant. Si votre emploi vous oblige déjà à voyager, vous ferez et referez constamment vos valises au cours des douze prochains mois !

Si vous avez un talent artistique, quel qu'il soit, sous l'influence de Jupiter en Lion vous serez mieux inspiré. Votre énergie physique sera décuplée et vous permettra de mieux exécuter votre œuvre.

Peut-être avez-vous décidé de ne plus avoir d'enfant... Vous savez comment utiliser un contraceptif, mais il suffit de l'oublier une fois pour que neuf mois plus tard vous soyez père ou mère ! Pour certains d'entre vous, il y a risque de bébé surprise, pour d'autres ce sera le bébé tant désiré !

Si vous êtes célibataire avec ou sans enfant, Jupiter en Lion ne veut pas que vous restiez seul. Comme par hasard, vous rencontrerez une personne en tous points semblable à vos vieux rêves.

Si vous avez beaucoup économisé sous Jupiter en Cancer, eh bien sous Jupiter en Lion, vous dépensez ! Si sous Jupiter en Cancer, vous avez perdu des contrats, sous Jupiter en Lion, ils vous reviennent en double.

Pour plusieurs, Jupiter en Lion est un temps de promotion. Le pire aspect de Jupiter en Lion concerne votre séparation d'avec un frère ou une sœur pour une question d'argent. Tout a pu commencer lorsque Jupiter était en Cancer.

En tant que Gémeaux ascendant Gémeaux, il arrive que le Soleil brille dans le douzième signe de votre ascendant, sans que vous y perdiez la moindre parcelle de logique. Vous êtes plus sensible et plus vulnérable que lorsque le Soleil est positionné dans sa maison Un. Si c'est votre cas, vous pouvez tout espérer de 2002 : l'amour, le vrai, le tendre, le passionné... et du succès au-delà de vos espérances.

GÉMEAUX ASCENDANT CANCER

Vous êtes né de Mercure et de la Lune, tout vous intéresse, mais par où vous faut-il commencer ? Ne deviez-vous pas terminer ce qui est resté inachevé depuis si longtemps ? Pendant les sept prochains mois, Jupiter en Cancer traverse votre ascendant. Cela vous aide à vous affirmer dans un domaine précis ou à choisir, si vous ne saviez comment vous réaliser. Vous êtes généralement doué avec les enfants, vous attirez les petits et vous retenez l'attention des grands. À moins que vous n'ayez décidé de vivre seul. Mais en 2002 vous reviendrez sur cette décision. Vous comprenez que vivre est un échange. Cet échange avec les autres donne des satisfactions, des plaisirs et de l'énergie.

Ainsi, en cas de tensions au sein de votre couple, Jupiter en Cancer vous aide à passer à travers la crise. La vie fait en sorte de vous entourer de bonnes personnes, les autres s'éliminent d'elles-mêmes. Certains jours, vous aurez une sensation de vide. Ceux qui vous parasitaient ne sont plus là.

Saturne est en Gémeaux, même s'il n'est plus conjoint de votre Soleil, il continue d'exercer une grande influence sur vous. On dit de Saturne qu'il met un frein aux projets, cependant en ce qui vous concerne cher Gémeaux, vous ne vous laissez pas arrêter. Une fois que vous avez une idée en tête, elle ne vous lâche plus ! Vous la mettez à exécution, beau temps mauvais temps !

De la mi-janvier à la fin février, vous réglerez un problème familial. Selon les aspects, cela a souvent un rapport avec le fils aîné.

À partir du mois de mars, si vous êtes à la recherche d'un emploi, vous trouverez selon vos compétences. Si vous avez demandé un autre poste dans l'entreprise, on vous l'accordera, mais il est possible que vous ne l'occupiez qu'à la fin de mai.

Avec Uranus et Neptune en Verseau dans le huitième signe de votre ascendant, vous perdez plus rapidement votre énergie. Pour la récupérer, il est nécessaire de dormir suffisamment. Certains doivent aussi modifier leur régime alimentaire. Sous Jupiter en Cancer, ils développent des intolérances à divers aliments.

À partir du mois d'août, Jupiter est en Lion dans le deuxième signe de votre ascendant. Vous aurez sans doute très envie de transformer votre maison ou votre appartement. Vous sentirez le besoin de vivre entouré d'autres couleurs. Si vos meubles sont assez vieux, vous rajeunirez votre mobilier, quitte à carrément changer de style.

Même si vos enfants sont grands, vous êtes toujours un parent. En septembre, il est possible que vous aidiez financièrement l'un d'eux. Si vous avez de jeunes enfants, vous serez plus impatient avec eux en 2002. Pour vos pré-adolescents ou vos adolescents, vous établirez de nouvelles règles, comme vous ne l'avez fait jamais auparavant. Le fautif qui refusera de s'y conformer sera puni ! Vous avez décidé que le territoire commun devait être respecté, nettoyé et mis en ordre par tous les membres de la communauté !

Jupiter en Lion présage que si vous êtes amoureux et sans enfant, votre partenaire et vous serez prêts à fonder une famille. Pour certains, Jupiter en Lion correspond à l'achat de leur première propriété. Pour d'autres, il s'agit de vendre la leur ; l'acheteur se présentera rapidement.

Sous Jupiter en Lion, vous serez plus chanceux au jeu. Vous n'avez pas à passer vos journées au casino, il vous suffit d'acheter un billet pour devenir millionnaire ! Si vous êtes dans le commerce au détail, durant le mois de septembre, surveillez davantage les nouveaux clients. Certains pourraient avoir les mains agiles. Toujours en septembre, s'il y a eu quelques vols au cours de l'été dans le quartier que vous habitez, n'oubliez pas de mettre votre système d'alarme en marche à la maison. Il vaut mieux prévenir que devoir faire une réclamation auprès de votre assureur !

GÉMEAUX ASCENDANT LION

Durant les sept premiers mois de 2002, Jupiter est en Cancer dans le douzième signe de votre ascendant. Cela indique que vous entrez en zone de réflexion avant de prendre votre élan pour aller de l'avant. Jupiter en Cancer est comme une source d'où jaillissent les inspirations du poète, du peintre, de l'écrivain, du cinéaste, etc. L'œuvre est en préparation.

La jeune génération qui entre sur le marché du travail a du mal à fournir des références lors des demandes d'emploi, c'est évident !, ces jeunes étaient sur les bancs d'école ! Heureusement, dès la mi-janvier, on vous offrira un poste. Même s'il ne correspond pas à vos compétences, acceptez. En août, lorsque Jupiter entreprendra la traversée de votre ascendant, on vous donnera l'occasion de démontrer votre talent. Vous aurez un emploi dans le domaine de vos études.

Si, au contraire, vous êtes sur le point de prendre votre retraite, sous Jupiter en Cancer les plans d'action pour vous élancer dans une nouvelle carrière ne manqueront pas. Vous n'êtes pas sur le point de vous arrêter, vous êtes né pour l'action !

Si vous œuvrez dans le domaine des communications, vous n'êtes pas sans savoir que les changements technologiques s'enchaînent ; vous faites partie de ce renouveau et tout au long de l'an 2002, mois après mois, vous aurez à vous adapter à de nombreuses technologies modernes !

Il faudra trouver du temps pour décompresser et vous évader de vos obligations. Si vous ne le faites pas, plutôt que profiter de l'influence bénéfique de Jupiter en Lion à partir d'août, le médecin vous prescrira le repos !

Vous avez pris du poids ces dernières années ? Sous Jupiter en Cancer, donc pendant sept mois, surveillez mieux votre alimentation, sinon vous grossirez encore ! Jupiter en Cancer a tendance à provoquer de l'enflure et à garder les graisses qu'il emmagasine. Votre ascendant est un signe fixe et il garde ce qu'il prend !

À partir d'août, Jupiter entre en Lion. Il y restera pendant douze mois. Si, jusqu'à présent, vous n'avez pas été chanceux, la roue de la vie tourne et Jupiter en Lion vous ramène vers le groupe des chanceux.

Quel que soit votre talent, votre but, les occasions de réussir n'auront jamais été aussi nombreuses. Vous bénéficierez de nombreux appuis de gens qui vous connaissent à peine. Vous inspirez confiance. Sous Jupiter en Lion, vous prendrez une part active à la vie de la communauté. Vous défendrez les droits des uns, ou vous représenterez ceux d'une minorité, de toute façon, vous ferez valoir vos idées audacieuses. Sous Jupiter en Lion, il sera impossible de rester dans l'ombre. Vous serez en pleine lumière ou directement sous les feux de de la rampe.

Peut-être n'avez-vous jamais fait de politique? En prenant la défense d'un groupe de gens, sous ce ciel de 2002, il est possible que votre agenda se remplisse de rendez-vous plus officiels les uns que les autres auprès des membres du gouvernement, et que vous endossiez un rôle social très différent de celui occupé à ce jour. Quant à l'amour que vous souhaitez si vous êtes célibataire, vous ferez une rencontre sous Jupiter en Cancer, mais vous ne prendrez la relation au sérieux que sous Jupiter en Lion.

GÉMEAUX ASCENDANT VIERGE

En tant que double signe de Mercure, vous savez maintenant que vos questions sur vous-même, sur la vie, sur la société, etc., font partie de votre nature. Vous êtes aussi sous l'influence de Saturne. Attention de ne pas vous transformer en juge sévère, en père alors que vous êtes le frère. Ne jouez pas au moralisateur avec un ami. Après tout, il n'était pas venu vous voir pour avoir des conseils !

Jupiter est en Cancer durant les sept premiers mois de 2002. Il est dans le onzième signe de votre ascendant et le deuxième du Gémeaux. Quant à Uranus (onzième signe) et Vénus (deuxième signe), les bons aspects sur ces planètes se font sentir si vous êtes à contrat. Les circonstances seront telles que vous obtiendrez du travail plus que vous n'en souhaitiez. Au fil des ans, force a été de constater que certaines personnes gagnaient à la loterie sous ce type d'influences planétaires. Je vous souhaite quelques millions.

Si vous appartenez à la catégorie des imprudents, que vous avez pris des risques financiers, il est conseillé de vous en abstenir même au-delà de 2002. Mais nous en reparlerons en 2003. Dès maintenant, surveillez vos investissements de plus près.

Même si vous êtes follement amoureux de votre partenaire, de la mi-février jusqu'au 8 mars, Vénus en Poissons face à votre ascendant fait un aspect difficile à votre Soleil. Elle sèmera le doute sur vos amours. Des peurs soudaines d'être abandonné sont probables. Mais il est aussi possible que votre union batte de l'aile. Dans une telle situation, vous pourriez vous positionner et opter pour une séparation. Si vous traversez cette zone grise de type « crise de couple », sans rien comprendre et en étant malheureux, durant la deuxième semaine de septembre, vous ressentirez l'urgence d'une solution.

À partir du mois d'août, Jupiter est en Lion dans le douzième signe de votre ascendant. Ainsi positionné, il peut avoir des effets positifs mais aussi négatifs. Sous ses meilleurs angles, Jupiter en Lion augmente vos perceptions extrasensorielles. Votre concentration n'aura jamais été aussi bonne au travail. Jupiter en Lion est un symbole de création artistique qu'il s'agisse de littérature ou de peinture, même monter une affaire commerciale peu commune est possible. Jupiter en Lion peut signifier la redécouverte de l'amour, si vous êtes seul depuis longtemps. Il correspond à une période sentimentale timide, qui s'acheminera lentement mais sûrement vers une union durable.

Dans ses pires aspects, Jupiter en Lion signale la maladie d'un proche que vous affectionnez. Vous le soignerez ou irez le visiter fréquemment à l'hôpital.

Si toutefois vous viviez une rupture, Jupiter en Lion vous conseille de prendre du recul et non pas de vous lancer dans les premiers bras venus. Dans un tel cas, l'union serait prématurée et probablement décevante. Jupiter en Lion, à partir d'août, vous sert aussi un avis sur vos placements et plus particulièrement en Bourse, ne considérez pas cela comme un jeu ! En ce qui vous concerne en 2002, les placements garantis sont plus sûrs, même si selon vous, ils sont plus ou moins rentables.

GÉMEAUX ASCENDANT BALANCE

Vous êtes un double signe d'air. Votre Soleil est dans le neuvième signe de votre ascendant. Vous donnez parfois l'impression de vous plier aux caprices d'autrui. Vous le faites, mais jamais très longtemps. L'air ne supporte pas les contraintes, que ce soit pour quelques années ou pour toute une vie. Votre ascendant aspire à l'amour, aimer et être aimé. Votre dixième signe est le Cancer où se trouve Jupiter pendant les sept premiers mois de 2002. Si vous menez une belle vie de couple, si vous n'avez pas encore d'enfant, il en sera sérieusement question. Votre partenaire tout comme vous serez prêts à fonder un foyer. Pour certains, il peut s'agir d'accueillir un deuxième voire un troisième enfant.

Les célibataires, qui n'ont jamais eu d'enfants, les attirent quand même aisément. Vous êtes souvent la tante ou l'oncle idéal, celle ou celui, toujours présent quand il faut redresser une situation ou faire comprendre certains préceptes à un enfant ou à un adolescent.

Des Gémeaux Balance achèteront leur première propriété ou vendront celles qu'ils possèdent. Le temps est venu de changer d'environnement. Si vous habitez en ville, vous désirerez expérimenter la vie à la campagne et inversement, si vous avez toujours vécu dans la nature, vous ferez l'expérience de la grande ville au quotidien.

Le Cancer est un signe féminin, celui de la mère ou de la grand-mère, dans votre cas. Il entre en interaction avec votre ascendant. Pour cette raison, vous risquez de ne plus comprendre le comportement de votre mère qui n'est plus de première jeunesse, mais qui n'est pas non plus une femme très âgée ; ou s'agira-t-il de votre grand-mère qui ayant atteint un âge honorable est en perte de vitalité.

Sous votre ciel, il n'est pas impossible qu'une question d'héritage soit au centre d'une dispute entre héritiers. Vous serez de ceux qui réclament leur part du gâteau, mais à cause d'un testament complexe et embrouillé, cet argent ne vous sera pas immédiatement versé. Il est probable que vous soyez obligé d'attendre l'entrée de Jupiter en Lion (entre début août 2002 et fin août 2003) avant de disposer du montant. Mais qu'importe ! Même si cet argent à recevoir ne rentre pas vite, vous gagnez très bien votre vie et cela ne s'arrête pas. Comme vos collègues, vous serez entraîné dans un tourbillon de changements administratifs. Vous vous en sortirez indemne. Vous avez énormément de facilité à vous adapter aux incontournables transformations. Vous êtes un double signe d'air : que peut-on y faire, quand il pleut, quand il neige ou qu'il fait tempête ? Rien ! Si ce n'est que de savoir que le beau temps reviendra et, dans ce cas, il suffit d'un peu de patience.

Si vous avez un talent de pédagogue, le milieu dans lequel vous œuvrez vous chargera d'enseigner votre métier à de nouvelles recrues. Dès le mois d'août, vous êtes sur la liste de ceux qui, dans les mois à venir, obtiendront une promotion. Si vous n'êtes pas satisfait de votre emploi, que vous fassiez des demandes çà et là pour en changer, même si vous entreprenez vos démarches en début d'année, les réponses ne vous parviendront qu'au début septembre. Si vous ne travaillez pas du tout, les planètes de 2002 jusqu'à la fin juillet indiquent que vous serez initié à une fonction qui, même si elle ne correspond pas à vos compétences, vous conduira, dès août, à exercer dans le domaine où vous êtes qualifié. En tant que célibataire, si vous avez vécu une rupture cuisante, que ce soit l'an dernier ou des années plus tôt, durant plus de la première moitié de 2002 vous résisterez à l'amour, mais vous flancherez à la mi-juillet et ne laisserez pas le bonheur filer.

GÉMEAUX ASCENDANT SCORPION

Vous n'êtes pas l'être le plus simple que la terre puisse porter ! Vous êtes né de Mercure, de Mars et de Pluton. Vous avez des capacités intellectuelles bien au-dessus de la moyenne, mais vous pouvez vous sous-estimer fréquemment. Lorsque vous vous laissez happer par votre côté obscur, par vos doutes, vous avez alors l'impression que non seulement vous vous arrêtez mais que l'Univers entier conspire contre vous. 2001 fut pour vous une année de nombreuses remises en question. Depuis la mi-juillet 2001, vous avez trouvé quelques réponses à vos questions. Vos peurs se sont estompées pour faire place à votre désir d'aller de l'avant. Vous avez de l'imagination à revendre et, dès le début de 2002, vous la mettez à profit.

Si vous avez un talent d'écrivain, de peintre, de dessinateur, de sculpteur, peu importe, vous serez poussé par une force que je qualifierais de plutonienne. Vous exprimerez votre art dans toute sa splendeur. Vous innoverez. Vous serez physiquement plus énergique aussi. Si vous avez eu des problèmes de santé, vous vivrez l'effet créateur qui guérit tout. Vos maux sont généralement un effet des souffrances de votre âme. Durant les sept premiers mois de 2002, Jupiter en Cancer traverse le neuvième signe du vôtre, il symbolise des voyages, notamment si vous avez l'habitude de vous déplacer pour le travail.

Les sédentaires verront un accroissement de leurs tâches. Un poste valorisant et mieux rémunéré ou une promotion sont possibles. Pour certains, c'est la grande aventure d'une nouvelle carrière aussi excitante qu'exaltante.

Si vous êtes seul depuis longtemps, si ces dernières années vous avez repoussé l'amour par crainte d'être encore blessé, cette fois vous ne le laisserez pas filer. L'amour sera si évident qu'il se glissera entre vous et l'autre, dès la première rencontre. Votre première conversation sera sans doute philosophique ou, à tout le moins, échangerez-vous sur « la santé du monde » ! Au début d'août 2002, Jupiter entre en Lion dans le dixième signe de votre ascendant. Si vous êtes jeune, amoureux et sans enfant, vous fonderez une famille. Mais peut-être êtes-vous tombé amoureux de quelqu'un ayant des enfants ? Si c'est le cas, vous vous rapprocherez d'eux au point où tous les témoins de votre bonheur, observateurs comme curieux, diront « quelle belle famille ! ». Si sous l'influence de Jupiter en Cancer, vous avez pris un tournant dans votre carrière, sous celle de Jupiter en Lion, vous vous positionnez solidement dans votre milieu professionnel. Bien sûr, les jaloux, les envieux sont là. Vous atteindrez le sommet en quelques mois, tandis que des collègues ou des collaborateurs désiraient depuis bien des années le poste qu'on vous a confié. Vous passerez sans mal à travers leurs remarques désagréables, que d'ailleurs vous retournerez en usant d'humour. Un beau matin, vous rentrerez au boulot et personne ne froncera les sourcils. On sera au contraire très heureux que vous soyez le patron.

Sous Jupiter en Lion, un point est à surveiller : votre santé. Vous aurez plus de mal à reconnaître vos limites. Vous serez tellement porté par les événements que vous oublierez de vous reposer. Vous aurez une grande énergie, que vous dépenserez sans compter. Mais il faut prévenir, en vous offrant des nuits de sommeil complètes et des jours de congé, que de toute manière vous mériterez amplement. Sous Jupiter en Lion, les palpitations cardiaques ou les engourdissements ne sont pas à prendre à la légère. Ne faites pas comme si de rien n'était, et pour être parfaitement rassuré, pour vous entendre dire que vous en faites trop, voyez votre médecin.

GÉMEAUX ASCENDANT SAGITTAIRE

Vous êtes né sous un signe opposé ou complémentaire. Vous êtes aimant, aimable, communicateur extraordinaire. Vous possédez l'art d'entretenir de bonnes relations avec les gens influents que vous rencontrez. Peut-être vous êtes-vous éparpillé en 2001 et avez-vous fait mille tâches et travaux sans savoir ce qu'il était important d'achever en premier. Vous ne saviez plus, comme le disait si bien ma mère, où donner de la tête ?

Aussi vous êtes-vous investi dans tout ce qui avait l'air intéressant.

Nombreux sont ceux qui ont envie d'une autre carrière ou d'un autre poste qui sied mieux à leurs compétences et expériences, en restant cependant au service de l'entreprise qui les emploie. Durant les sept premiers mois de 2002, Jupiter est en Cancer dans le huitième signe de votre ascendant, et dans le deuxième du Gémeaux. Cela concerne l'argent, celui que vous encaissez par le travail, que vous investissez, dont vous héritez, que vous dépensez. Cet aspect symbolise aussi l'argent que vous prêtez et que jamais vous ne reverrez ! Vous devrez donc, durant les sept prochains mois, surveiller vos finances de plus près. Ne succombez pas à la promesse d'une personne qui jure de vous faire gagner une fortune si vous lui avancez telle ou telle somme !

Si votre métier vous oblige à jouer du coude pour préserver votre place au soleil, attention, vous êtes plus agressif qu'à l'accoutumée ! Lorsque vous « tasserez » quelqu'un, vous ne serez pas particulièrement tendre. Vous pourriez même laisser un très mauvais souvenir de votre passage. Souvenez-vous que la roue de la vie tourne et qu'on finit souvent par retrouver les mêmes gens.

Si vous obtenez une promotion au début de 2002, soyez clément et tolérant envers ceux qui seront sous vos ordres. Il vaut mieux vous en faire des amis. Pour retrouver votre calme, Jupiter en Cancer vous rendant très nerveux, un massage de temps à autre est recommandé. Faites des exercices de relaxation ou pratiquez un sport qui fera sortir la vapeur !

Les sept premiers mois de 2002 correspondent à divers ajustements professionnels et personnels. C'est la fin d'une étape et le commencement d'une autre. Si les uns choisissent leur vie ou leur orientation, d'autres subissent les décisions d'autrui, ce qui ne fait pas leur bonheur.

Après une période le plus souvent chaotique, en août Jupiter entre en Lion, il est alors favorablement positionné pour votre signe et votre ascendant. Il représente le retour de la chance, de la stabilité, des occasions à côté desquelles vous ne passerez pas. Vous bénéficierez également de la protection de gens influents.

Si vous êtes célibataire, seul, sans amour, et que vous souhaitiez encore vivre une union, votre vœu sera exaucé, mais surtout à partir d'août. Vous ne serez pas prêt à l'engagement sentimental sous Jupiter en Cancer, car vous redoutez le pire. Vos discussions avec vos prétendants risquent de ressembler à des interrogatoires. C'est assez pour faire fuir qui que ce soit ! Vous en aurez terminé avec vos peurs sous Jupiter en Lion, et vous serez enfin capable de parler de vos émotions sans aucune crainte.

Jupiter en Lion correspond chez certains d'entre vous à la venue d'un premier ou d'un second enfant voire d'un troisième. Si vous êtes jeune et amoureux, pendant les premiers mois de 2002, vous vous interrogez sur la maternité ou la paternité. En août, vous saurez que vous êtes prêt. Avec Jupiter en Lion, vous entrez dans une période créative extraordinaire. Votre audace paiera. Si vous faites du commerce avec l'étranger, si votre travail vous fait voyager, vous serez constamment parti et plus riche d'argent et d'expériences à chacun de vos retours.

Certains d'entre vous choisiront de déménager afin de se rapprocher de la nature. Ils ont besoin de calme et de silence. Le bruit de la ville leur est devenu insupportable et trop agressif pour leur système nerveux. Lorsque la paix revient, elle s'installe dans tous les secteurs de votre vie.

GÉMEAUX ASCENDANT CAPRICORNE

Vous prenez la vie au sérieux! Vous avez souvent choisi la sécurité d'un travail à l'aventure de la vie d'artiste. Vous possédez généralement plusieurs talents, et il est rare que vous n'occupiez qu'un emploi. Il vous en faut deux. Un pour payer vos factures et l'autre pour faire des économies. Depuis l'été 2000, vous n'avez eu que peu de temps pour vous occuper de vous. Saturne continue son périple dans le sixième signe de votre ascendant, ainsi que le Nœud nord en Gémeaux. Vous ressentez une situation d'obligation, d'urgence. De plus, vous avez du mal à dire non aux gens qui vous requièrent des services, alors que logiquement vous savez qu'ils ne méritent rien de votre part. Mais, le sentiment de rejet est si oppressant que vous n'osez pas leur refuser quoi que ce soit.

Vous gagnez de l'argent. Vous améliorez votre style de vie et votre compte en banque ; par contre, votre vie de couple est moins reluisante, à moins que des aspects célestes très spéciaux n'interviennent dans votre thème natal personnel. Si jamais c'est le cas, plutôt qu'une chute sentimentale, l'amour devient plus grand, plus beau, sublime même !

En tant que célibataire bien né, vous découvrirez le grand amour dont vous prendrez un soin quasi jaloux ! Vous serez attentif et affectueux comme jamais vous ne l'avez été avec qui que ce soit. Si vous êtes jeune et sans enfant, non seulement connaîtrez-vous une vie de couple telle que souhaitée, mais il est également possible que vous et votre amoureux décidiez d'avoir un enfant qui sera, bien sûr, l'extraordinaire reflet de votre amour ! Jupiter est en Cancer durant les sept premiers mois de l'année, repensez donc à vos projets de monter une affaire ou de vous associer. Si c'est possible, attendez 2003 avant de prendre une décision. Ne vous arrive-t-il pas d'avoir la sensation de devoir travailler seul plutôt qu'en collaboration ? Si une intuition de cette sorte vous tenaille, l'idéal n'est pas d'être à son écoute mais bel et bien de la suivre. On a beau se border de logique et de raisonnements, quelque chose d'indéfinissable en soi sait ce qu'il y a de mieux « ici, maintenant et plus tard. » Sur le plan de votre santé, point n'est besoin de vous faire un dessin pour vous rappeler à quel point vous êtes nerveux ! Votre perfectionnisme finit par vous épuiser ! Si vous cessiez de craindre les jugements d'autrui, vous iriez physiquement mieux !

GÉMEAUX ASCENDANT VERSEAU

Vous êtes un double signe d'air. Neptune et Uranus sont en Verseau et traversent votre ascendant. Non seulement avez-vous le Soleil en Gémeaux, mais Saturne est aussi dans ce signe. L'an dernier, vous avez goûté à ces aspects qui ont sans doute changé votre vie. Sous leur influence, vous avez pris d'importantes décisions. À quelques reprises, vous avez dû composer avec celles des autres. En principe vous n'avez rien perdu, à moins que votre thème natal soit truffé de mauvais aspects. Malgré cela, le ciel a été plutôt clément. Par exemple, vous avez eu l'occasion de réparer des fautes passées ou des pots cassés ! Bienheureux Gémeaux-Verseau, la chance vous attendait à tous les détours !

En 2002, si vous n'avez que le travail en tête, le désir d'avoir de l'avancement, de gagner plus d'argent, de monter une affaire, tout est en place pour réaliser vos rêves. Mettez-vous à l'œuvre !

Si vous faites des démarches en vue d'obtenir du financement, vous n'aurez aucun mal à convaincre un investisseur. Votre plan d'affaires est bien monté et la perspective d'une petite fortune à venir fait sourire.

Votre ascendant Verseau n'aime pas les associés ! Le patron c'est lui et c'est vous ! Il serait plus sage d'avoir des employés, plutôt qu'un associé. En partageant budget, dépenses, administration, profits, etc., vous pourriez aller au-devant de certains problèmes dans l'une des ces sphères. Vous détestez qu'on vous dise quoi faire. Si jamais cet « associé » osait vous donner un ordre, ce serait la guerre ! Vous êtes le général en chef et jamais le second !

Vous dépenserez une telle énergie, vous serez si dynamisé par vos projets qu'à peine vous rendrez-vous compte que vous usez vos ressources physiques. Lorsque des maux d'estomac se feront sentir, si votre digestion est plus lente, si vous faites de l'acidité, ou développez des intolérances alimentaires, c'est déjà trop ! Cela vous avertit de vous relaxer plus souvent, de vous détendre, au moindre moment libre. N'en profitez pas pour achever une tâche quelconque.

Sur le plan de l'amour, vous délaisserez votre partenaire en vous imaginant que votre réussite le sécurise. Peut-être pensez-vous ainsi obtenir son admiration ? Celui qui partage votre vie vous aimait bien avant votre grande aventure financière, pourquoi en serait-il maintenant autrement ?

Votre famille a besoin de vous. Vos enfants trouvent leur équilibre quand ils reçoivent l'amour et l'attention de leurs deux parents. Ne les privez pas de l'essentiel : vous.

Si votre travail vous oblige à voyager constamment, appelez votre amoureux et parlez à vos enfants le plus souvent possible. Votre ascendant ne garantit votre union que si vous êtes attentif aux vôtres. En 2002, si vous tenez à votre couple, prenez l'habitude durant les sept premiers mois de l'année, d'être là, et ce, malgré la somme de travail à abattre. Si vous disparaissez ou presque entre janvier et juillet, vous passerez un mois d'août et peut-être les onze mois suivants à vous demander ce que vous avez fait pour avoir autant déplu... Vous n'aurez pas été désagréable, vous aurez été absent... Le sachant à l'avance, puisque l'astrologie est faite pour être contrariée, soyez près des êtres que vous aimez profondément.

En tant que célibataire endurci ou presque, ce n'est qu'en août de 2002 que vous ouvrirez les vannes amoureuses du cœur. Avant, vous n'oserez pas vous laisser aimer, ni aimer. Vous achevez un cycle de méfiance, surtout si vous avez vécu des relations amoureuses complexes avec des fins douloureuses auparavant.

GÉMEAUX ASCENDANT POISSONS

Vous êtes un être énigmatique! Vous êtes né de Mercure et de Neptune. Vous possédez l'art de la raison, mais une capacité de devin à parts égales! Par les temps qui courent, vous êtes extrêmement émotif. Pluton en Sagittaire dans le dixième signe de votre ascendant et face au Gémeaux, crée en vous une multitude d'hésitations quant à vos choix de vie. Un jour, vous avez l'impression d'être le sauveur du monde, et le lendemain, vous aimeriez vous retirer et ne voir personne.

Pendant les sept premiers mois de l'année, Jupiter est en Cancer dans le cinquième signe de votre ascendant et dans le deuxième du Cancer. Cela laisse présager que certains de vos problèmes d'argent sont derrière vous. Vous pourrez vous offrir du luxe, grâce à une promotion qui vous vaudra une belle augmentation de salaire. Des gains à la loterie ou un héritage sont possibles, alors que jamais vous n'aviez songé à cela. Peut-être ignoriez-vous que vous aviez une tante riche? Tout est possible dans le monde de la matière.

Si vous aviez prévu vous acheter une maison ou vendre celle que vous possédez, le temps s'y prête. Dans le premier cas, vous découvrez la propriété de vos rêves à un prix bien en deçà de votre budget. En cas de vente, vous faites des profits sur votre investissement.

Mais peut-être êtes-vous ce Gémeaux-Poissons incapable de dire non quand on lui demande un service ou de l'argent? Si vous vous reconnaissez dans cette généreuse personne, il faudra que vous cessiez de vous départir de vos biens gagnés à la sueur de votre front, au cours de la prochaine année. Vos économies vous appartiennent.

Si vous invoquez la chance pour justifier vos possessions, que ce soit en ayant un bon emploi ou pour avoir fait de bons placements, cette raison n'est pas valable. Demandez-vous plutôt si le quémandeur n'a pas été imprudent et s'il ne s'est pas fié aux autres plutôt qu'à lui-même. Il arrive que les natifs de votre signe et de votre ascendant soient naïfs. L'entourage en profite alors, et plus précisément l'un ou plusieurs membres de la famille.

Si vous êtes jeune, amoureux, encore sans enfant, votre partenaire et vous déciderez en bien peu de temps et sans longue conversation que vous êtes tous deux prêts pour un premier bébé ! D'autres se décideront pour un second ! Si vous avez maintenant l'âge d'être grand-parent, vous serez heureux d'apprendre qu'un de vos enfants vous gratifiera d'un petit-fils ou d'une petite-fille.

Si vous êtes célibataire, si vous vivez seul depuis quelques années, alors que vous vous étiez promis de le rester, une rencontre extraordinaire vous fera changer d'avis. Commencera alors pour vous une belle et longue aventure amoureuse. Vous oublierez vos tristes expériences du passé ; l'avenir se présente droit devant vous telle une vie nouvelle, une renaissance partagée.

♋

CANCER

21 juin au 20 juillet

À Madame Odette Ruiz, ma grande amie, mère aimante, femme juste, généreuse et une clairvoyante qui jamais ne cessera de m'étonner.

À ma petite-fille, princesse Julianne Aubry de Chaput et à ces jeunes et moins jeunes Cancer qu'affectionne la princesse: Jessica et Jérémy Richard-Boire ainsi qu'à «dada» Richard.

CANCER 2002

Vous êtes régi par la Lune. Vous êtes un signe d'eau et on a tendance à croire que vous n'êtes que des êtres méditatifs, incapables de faire des choix, soumis aux volontés d'autrui, capables d'un grand renoncement à cause de votre sensibilité à fleur de peau, etc. Pourtant, vous êtes aussi un signe cardinal, symbole du chef. Vous avez autant le sens de l'action que de l'organisation. Grâce à votre intuition et à votre grande imagination, vos hésitations ne durent jamais longtemps devant un problème. Vous savez instantanément ce qu'il faut faire pour améliorer la situation ou lui trouver une solution définitive.

On ne peut nier que vous soyez extrêmement sensible. Lorsque vous rencontrez les gens vous savez à qui vous parlez. Vous devinez leurs intentions. Cela ne signifie pas que vous écoutez toujours ce que votre petit doigt vous dit; comme tant d'autres il vous arrive de vous laisser guider par la raison et de commettre une erreur. Chez vous, sensibilité, intuition et logique fonctionnent de pair et avec la puissance.

Rares sont les Cancer qui n'aiment pas bavarder. Vous êtes régi par la Lune et elle veut savoir tout ce qui se passe sur terre. Vous êtes le quatrième signe du zodiaque et on vous attribue le rôle de la maternité. Ce dernier mot a de nombreuses significations.

Ainsi, certains Cancer qui n'ont pas eu d'enfant ont choisi de prendre soin d'une petite communauté, ce qui leur permet de remplir la fonction de leur signe : maternité ou paternité. La Lune aime bien se faire voir. Ne sommes-nous pas tous éblouis les soirs de pleine lune. La Lune qui aime qu'on la regarde va souvent vous faire choisir un métier d'acteur. Le besoin de jouer un rôle public peut fort bien faire de vous aussi un avocat plaideur, un politicien, un écrivain populaire, un animateur de télévision ou de radio, etc. Les Cancer n'exercent pas tous un métier d'artiste, on en retrouve dans toutes les professions. Tous les Cancer ont cependant un point en commun : leurs sautes d'humeur qui les prennent par surprise. À cause de leur grande sensibilité, ils ont tendance à accumuler leurs frustrations. Au moment où une toute petite contrariété survient, ils éclatent. Il ne faut pas leur en vouloir, il fallait que ça saute ! Ils peuvent faire une crise de larmes ou de rage, ou être envahis par une grande colère, mais laissez-les réfléchir et donnez-leur le temps de s'expliquer ; le Cancer finit toujours par trouver d'où viennent toutes ces émotions qu'il ne peut contenir ! S'il vous a blessé, il s'excusera. Il a la capacité de reconnaître ses erreurs.

PLUTON EN SAGITTAIRE

Depuis l'arrivée de Pluton en Sagittaire, auquel Mars s'est ajouté à la mi-février 2001 jusqu'en début septembre 2001, ces planètes qui ont navigué dans le sixième signe ont pu avoir de nombreux effets. Le Cancer ne s'est pas senti bien ou il a soigné un proche. Il a pu perdre un emploi ou en trouver un après avoir longtemps cherché. Comme d'autres signes. il est ballotté par Saturne en Gémeaux dans le douzième signe du sien. Pendant toute l'année 2002, Saturne sera encore en Gémeaux en face de Pluton en Sagittaire dans son axe douze et six. Cela signifie au Cancer de prendre soin de lui, et plus encore s'il soigne une personne malade.

Saturne est en Gémeaux de même que le Nœud nord, cela présage des événements désagréables qu'il n'a pas choisis et dont il n'est nullement responsable. Pourtant, il devra y faire face. À la lecture de ce paragraphe, des Cancer auront presque la larme à l'œil. « La vie n'est pas facile » diront-ils ! L'a-t-elle déjà été ? Peut-être fut-il une époque où vous étiez plus en forme pour faire face à vos difficultés ? C'est cela qui faisait toute la différence. Si cela s'applique à vous, dites-vous que sous les influences actuelles, il faut simplement aller moins vite. Comme on le dit si bien chez nous : « P'tit train va loin ! »

SATURNE ET LE NŒUD NORD EN GÉMEAUX

Saturne et le Nœud nord en Gémeaux signifient autre chose que les malheurs à tout coup ! Vous plongerez dans d'importantes réflexions sur votre avenir. Vous songerez à vos rêves non réalisés. Lentement, vous les mettrez en action. Vous ne ferez pas beaucoup de bruit. Vous procéderez prudemment étape après étape. Il est possible que vous songiez à déménager. Vous pressentez qu'il est temps de changer d'air, surtout si vous habitez au même endroit, dans la même maison, depuis longtemps. Il vous faut maintenant secouer toutes vos énergies. Cela ne peut se faire sans que vous passiez à l'action.

Changer d'habitation, de travail, d'environnement, de voisinage sont des décisions qui demandent un énorme courage. Votre signe, régi par la Lune, prend des habitudes qui le rassurent. Voilà que vous ébranlerez toutes vos certitudes pour vous lancer à l'aventure, dans l'inconnu. Notez que si vous ne bougez pas, des événements hors de votre contrôle vous obligeront à réagir. Il vaut mieux ne pas trop attendre. Décidez de monter cette affaire, ce commerce, cette entreprise, ce projet qui vous prend par les tripes dès l'instant où vous vous mettez à y penser !

JUPITER EN CANCER

Jupiter est dans votre signe jusqu'à la fin du mois de juillet. Jupiter est un justicier, il déteste les menteurs, les voleurs, les faussaires, les visages à deux faces, etc. Lorsque Jupiter attrape un de ces vilains, il ne l'épargne pas. Jupiter est la planète la plus puissante. Elle irradie dix fois plus que le Soleil et elle rétablit l'ordre : elle « rend à César ce qui appartient à César » ! Lorsque Jupiter remet de l'ordre dans votre vie, il ne le fait pas délicatement, il ne passe pas par quatre chemins. Après 25 ans d'observations, je peux vous certifier que le passage de Jupiter dans votre signe remue toute votre vie. Au départ, vous croirez qu'il s'agit d'une « vendetta », d'une vengeance du ciel. Vous aurez l'impression que le monde entier vous en veut. Mais surtout, ne restez pas accroché à cette idée. Les transformations vous semblent désagréables parce qu'elles sont trop rapides. Mais à la fin, vous en sortirez grand gagnant. Vous verrez que tout ce que vous avez « souffert » en fait de questionnements n'était pas vain. Jupiter avait déjà une réponse pour vous.

Jupiter en Cancer représente le parent. Celui-ci aura la chance d'être fier de ses enfants ou petits-enfants. En tant que Cancer aimant, vous avez pris soin des vôtres, de vos petits, de vos grands et souvent même des amis de vos enfants. Tout ceci crée ce qu'on nomme un « karma positif ». La vie a une dette envers vous. Quoi de plus agréable que d'être remboursé à travers et par votre progéniture, et ce, quel que soit son âge.

QUAND UN CANCER ABANDONNE...

[...] ce n'est pas joli à voir. En tant que signe d'eau, il se noie dans ses peurs, ses anxiétés, ses angoisses, ses malaises. Il peut développer une maladie étrange, perdre son emploi ou le quitter. Il en veut au monde entier et accuse les autres de ses malheurs. Heureusement, ces Cancer sont en petit nombre, sinon nous serions tous noyés par l'océan qu'il représente, étouffé par les sables dans lesquels il se meut en tant que Cancer et coincé entre ses pinces ! Bien que cette description soit exagérée pour la plupart des Cancer, il y a des cas...

Si vous vous êtes identifié au précédent Cancer, c'est triste mais Jupiter ne voudra pas vous contrarier durant les sept premiers mois de 2002. Il ira dans le sens de vos états d'âme. Jupiter, en plus d'être un justicier, aime bien donner des leçons de vie à ceux qui ne croient pas en un monde meilleur. Il leur retourne les pensées qu'ils ont d'eux-mêmes. Si vous êtes un parent qui ne donne que trop peu de temps à ses enfants, ces derniers ne vous réservent pas de belles surprises. Ils attireront votre attention en se révoltant, en vous servant froidement votre propre égoïsme. Jupiter va droit à l'acte, mais il est aussi le gardien des biens matériels du zodiaque. Si vous abusez du système social, si vous outrepassez vos droits, si vous contournez des règlements fédéraux, provinciaux, municipaux, etc., vous aurez la facture à payer. Si Jupiter était une personne, on dirait de celle-ci qu'elle a l'œil vif. Jupiter est le grand juge sur la roue du zodiaque. Il n'accorde de faveur qu'à ceux qui font le bien et de leur mieux en tout temps, en tout lieu et avec tout le monde.

JUPITER EN LION

Si vous avez dérogé aux lois pendant que Jupiter était en Cancer, si vous avez mal agi, Jupiter qui sera en Lion du mois d'août 2002 à août 2003 vous obligera à réparer ces gaffes que vous aurez commises volontairement. Lorsqu'un signe tel que le vôtre est sous l'influence principale de Jupiter, il doit être conscient, consciencieux, généreux, honnête, aimant...

Quant à ceux qui auront respecté la vie et les gens au maximum, ils recevront le maximum que Jupiter en Lion puisse leur offrir. Les faveurs seront monétaires, sentimentales, morales, physiques ou psychiques et même tout cela à la fois.

L'ARTISTE

On compte de nombreux artistes sous votre signe. Il y a ceux qui ont fait leurs preuves et les débutants. Que vous soyez du premier ou du second groupe, vous aurez la chance de vous produire avec succès. Cela se passera dès le début de l'année. Sous Jupiter en Lion, à partir du mois d'août, si vous travaillez à contrat, sans doute en signerez-vous un à long terme. Il mettra les uns en piste, tandis que les autres perpétueront leur réputation et augmenteront considérablement leur fortune.

EN TANT QUE LUNAIRE

Il y a les artistes et les autres : gens d'affaires, politiciens, travailleurs de toutes sortes. Si déjà en 2000 et 2001, vous avez beaucoup produit, vos efforts seront hautement récompensés en 2002. Peut-être avez-vous un emploi régulier, dans ce cas, il est possible que vous vous soyez préparé à devenir votre propre patron. Vous aurez un choix à faire : la stabilité ou le risque d'être à son compte, avec tout ce que cela implique. Il y a de fortes chances que l'attrait pour le travail autonome l'emporte. De toute manière, vous aurez bien étudié au préalable votre produit ou votre service. Vous serez prêt pour la grande aventure. Vous vous élancerez et vous l'emporterez en gagnant plus d'argent, mais également parce que vous serez plus libre de votre temps. Et surtout, pas de patron pour vous dire quoi faire !

LES JEUNES SOUS LE SIGNE DU CANCER

Vous avez 14, 15, 16 ans, un peu plus, parfois un peu moins ? Vous êtes de cette génération de faiseurs, d'entrepreneurs audacieux ? Eh bien, vous êtes un très grand signe cardinal, vous faites partie de futurs chefs sur cette planète. Vous avez à cœur de refaire le monde, en commençant par le vôtre. Vous ne pourrez vous défiler devant le travail à accomplir, de la politique, du bénévolat, de la contestation pacifique, si des Cancer en font partie... Il y a peu de chances de ce côté, mais, par contre, vous vous imposerez. Votre magnétisme sera puissant en 2002. Le plus grand nombre d'entre vous apprendra alors qu'il est né pour diriger et enseigner aux autres, même si vous êtes encore jeune...

Il y aura bien des exceptions aussi. Ceux qu'on a mal aimés participeront moins à la vie au début de 2002, mais ils auront la chance de prendre la main qu'on leur tendra. Ils pourront faire la preuve qu'ils peuvent dépasser leurs divers manques et combler ce vide créé par l'absence de leurs parents trop occupés à gagner leur vie ou trop pris dans leurs propres problèmes. Grâce à des amis dont ils accepteront l'aide, ils s'engageront sagement dans ce nouvel ordre social qui ne peut avoir lieu sans la participation d'un Cancer, tel que ceux de votre génération !

ET LES AUTRES

Il est possible de discourir sur chacune des générations de Cancer, mais il me faudrait au moins 100 pages pour les décrire. Dans l'ensemble, ce qui a été dit plus haut au sujet des adultes s'adapte aussi à ceux qui sont sur le point de l'être ! Vous êtes les grands gagnants de 2002. Pour ce faire, la condition première est l'honnêteté. Il va de soi que si vous buvez ou prenez des drogues, que vous êtes arrêté, vous retardez alors les transformations qui se présentent et vous offrent une vie meilleure. Vous êtes un signe lunaire. La Lune rêve, mais la Lune impose aussi ses rythmes à tous les êtres humains, car cette Lune régit les humeurs, ce qui influence les comportements de chacun.

EN CONCLUSION

En 2002, vous avez une mission : faire la paix en vous et la répandre autour de vous. Vous passerez tous un grand test ou même plusieurs. Il sera facile, si vous allez de l'avant avec un cœur léger et la foi en vous. Ce test sera ardu si vous résistez à croire que le meilleur vous attend !

JANVIER 2002

AMOUR-AMITIÉ Jusqu'au 19, Vénus est en Capricorne face à votre signe. Cela vous avertit de ne pas engager une querelle, elle s'éterniserait. Certains de vos amis, plus âgés, vous donneront des conseils sur « comment vivre votre couple ». Peut-être ne faut-il pas tout retenir de leurs discours ? Peut-être ne sont-ils pas aussi sages qu'ils le paraissent ? Votre intimité vous appartient. Personne ne peut vraiment vous expliquer ce qu'est votre vie à deux, puisque votre partenaire et vous êtes uniques. Par conséquent, votre vie est différente de celle que mènent vos amis. De toute façon, leur propre relation ne peut être comparée à une autre non plus. Jusqu'au 18, Mars est en Poissons. Il vous invite à l'aventure. Si vous êtes célibataire, libre comme l'air, il n'y a pas qu'un seul flirt qui vous attend, mais au moins deux. Ayez la prudence de vous protéger des MTS. Les maladies vénériennes ne font pas les manchettes chaque jour, mais elles continuent de faire des ravages. N'en soyez pas la victime. Si tout va bien dans votre vie amoureuse, malgré votre bonheur, vous trouverez à vous plaindre ! Ce sera tantôt au sujet de l'argent, tantôt au sujet de votre fatigue, de votre surcroît d'obligations, etc. Ne gaspillez pas vos précieux moments avec l'autre. Accordez-vous sur le romantisme plutôt que sur le défaitisme.

FAMILLE Jupiter est en Cancer dans votre signe.Il réunit les membres de votre famille après une rupture de relation qui a pu durer plusieurs mois ou même des années. Jusqu'à la moitié du mois, vous aurez toutes les chances de faire la paix avec chacun d'entre eux. À partir du 19, si vous vous entêtez et refusez la sérénité qui vous est offerte, étant sous l'influence de Mars en Bélier, les conflits pourraient bien s'envenimer. En tant que parent d'enfants maintenant adultes, à partir du 19, ne leur dites pas ce qu'ils ont à faire, vous pourriez les insulter. Il ne vous est pas interdit, par contre, de faire des suggestions. Mais si vous insistez pour qu'on pense et agisse comme vous, malheureusement, on vous tournera le dos. Le plus puni, ce sera vous. Si un de vos enfants est un adolescent troublé, toujours sous l'influence de Mars en Bélier, il faudra ouvrir l'œil et ne pas faire comme si tout était parfait. Dans ce dernier cas, il est important de secourir votre jeune, avant que sa détresse devienne aussi la vôtre.

SANTÉ Quelques planètes sont en Verseau dans ce ciel de janvier et vous rendent nerveux, inquiet. À la moindre contrariété, vous dramatisez. Si vous pratiquez un sport, le ski par exemple, soyez extrêmement prudent surtout à compter du 19. Vous serez alors sous l'influence de Mars en Bélier qui vous rendra téméraire, imprudent, casse-cou... Laissez tomber la compétition et n'essayez pas de battre votre propre record. Votre équilibre sera modifié sous Mars en Bélier. Votre dos sera moins résistant aux chocs. En cas de chute, vous pourriez vous blesser à un genou, un bras, une jambe, une cheville ou un pied.

TRAVAIL-ARGENT La majorité d'entre vous n'est pas riche. Chacun gagne sa vie pour payer son loyer, ses factures, pour s'habiller, etc. Quand il en reste, vous pouvez vous offrir une gâterie. Jusqu'au 18, sous l'influence de Mars en Poissons, vous avez le cœur sur la main, attention, on peut plus facilement abuser de votre générosité. Méfiez-vous d'un emprunteur qui ne vous a pas encore rendu ce qu'il vous doit. Il reviendra à la charge et choisira de vous voir un de ces jours où il vous sent vulnérable et incapable de dire non. Si vous travaillez à contrat, sans emploi fixe, sans doute serez-vous inquiet jusqu'au 19. Les bonnes nouvelles se font attendre. Mais avant que le mois se termine, vous aurez du travail. Si vous avez un emploi à plein temps, l'entreprise qui vous emploie est en changements administratifs. Il sera question de travailler deux fois plus mais pour le même salaire. Vous défendrez vos droits. Si des collègues sont dans la même situation, vous vous imposerez en chef et prendrez la défense de votre groupe. Vous avez plus d'autorité que vous ne le croyez. Vous serez surpris des résultats. Vous ébranlerez le système en place et vous ferez appliquer une certaine justice. Vous vous serez protégé, et vous aurez aussi évité les congédiements qu'on avait prévus pour bon nombre d'employés.

CROYANCES La foi est aveugle. Elle se passe de raison sans que pourtant votre raison ne s'absente. Vous vivez sur deux plans distincts. Vous avez les pieds sur terre et la tête au ciel. Grâce à cette capacité, vous accomplissez des miracles ou presque. Il faudra toutefois être prudent quand des membres d'une secte ou d'une religion quelconque vous approcheront. Ils ont besoin d'adeptes et on sait d'instinct que lorsque vous adhérez à un mouvement vous êtes entier. Il y aurait alors danger de « dépersonnalisation ». Restez vous-même. Ne vous faites pas absorber par un groupe qui penserait à votre place.

QUI SERA LÀ ? Un Scorpion vous sert de garde-fou en vous mettant en garde contre un nouvel amoureux qui, à son avis, a l'air louche. Il a raison. Il est votre protecteur. Un Lion a vos intérêts à cœur. Il est bon guide en affaires. Une excellente association d'affaires avec un Verseau est prévue. Ne laissez pas un conflit se glisser entre un Bélier et vous. Si un Capricorne ou un Taureau vous a, jusqu'à présent, aimé en silence, il n'en peut plus et vous déclare son amour.

FÉVRIER 2002

AMOUR-AMITIÉ Mars est encore en Bélier durant tout le mois. Il vous fait réagir. Au fond, vous êtes sensible et si facile à provoquer que des envieux en profiteront pour vous faire sortir de vos gonds. Résistez. Ne tombez pas dans leur piège. Dès que vous sentirez qu'un pseudo-ami ne veut pas votre bien, éloignez-vous, sans faire de bruit. Le temps joue en votre faveur. Grâce à la présence de Jupiter dans votre signe, les vilains disparaissent ou sont dans l'incapacité de vous nuire. Entre le 5 et le 13, même si vous avez une vie de couple harmonieuse, saine, agréable, un malentendu pourrait se faufiler entre vous. Vous direz la même chose mais dans des mots que ni vous ni l'autre ne comprennent ! Vos adolescents pourraient durant ces mêmes jours jeter une ombre entre vous et votre amoureux, surtout si vous ou votre partenaire n'êtes ni père ou ni mère de ces enfants. Ne vous laissez pas chavirer par des « jeunes » qui sont en transition entre le désir de rester enfant et celui d'être adulte. Si vous avez ce qu'on nomme une famille reconstituée, il faut traverser diverses étapes avant de vivre la paix avec ce nouveau conjoint et les enfants de chacun. Il faut vous donner du temps. Durant la première quinzaine du mois, un ami vous parlera de sa propre expérience avec un second partenaire, sa nouvelle famille, etc. Vous avez intérêt à prendre des notes. On ne vous ment pas. On ne vous dore pas la situation. On vous dit aussi qu'avec de la patience, de la tolérance et de l'amour, tout rentre dans l'ordre.

FAMILLE Il a été question précédemment des enfants de partenaires ayant vécu une séparation et qui maintenant sont ensemble. Ne perdons pas de vue que la famille reconstituée rend la vie de chacun plus complexe. Il est fréquent que chacun veuille s'accaparer de la nouvelle cellule familiale. Il faut accepter que tout soit différent. Sous votre signe, ce n'est pas facile à admettre. Vous êtes régi par la Lune et elle veut réunir ceux qu'elle aime, et parfois, sans se rendre compte, la Lune se fait possessive. En ce mois de février, sous le Soleil en Verseau et en Poissons, une invitation au détachement ne doit pas priver les vôtres de votre affection. Aimer et laisser libre. Aimer sans retenir qui que ce soit. Aimer ces enfants qui ne sont pas les vôtres, mais ceux de votre partenaire. De son côté, il n'a pas non plus la vie facile avec un ex. Aimer dans des conditions encore difficiles, c'est un record. Il ne s'agit toutefois pas ici de relever le défi mais de faire preuve de sagesse. Certains Cancer sont sur le point de démissionner. Tout leur semble pénible. L'amour leur paraît impossible pour diverses raisons et certains événements impossibles à contrôler. N'abandonnez pas, surtout si vous avez des enfants. Ils ont besoin de votre amour, de savoir qu'un jour ils seront capables de vaincre les obstacles. Mars en Bélier vous donne du fil à retordre en février, mais il quittera ce signe au mois de mars.

SANTÉ Si vous êtes sujet à la migraine, détendez-vous plus souvent, relâchez vos muscles des pieds à la tête, sinon vous aurez de ces attaques de plus d'une journée parfois. Quelques événements désagréables provoqueront une rigidité de votre nuque. Rendez-vous service et trouvez un de ces bouquins qui expliquent comment favoriser la détente dans les moments de stress. Vous êtes en été sous le soleil. Nous voici en hiver et cette saison vous vole vos énergies. Toutefois, vous les retrouverez en vous nourrissant de fruits et légumes aux couleurs du soleil qui les a vus naître !

TRAVAIL-ARGENT Le défi est lancé. Montez votre propre affaire, un commerce ! Réunissez autour de vous des gens pour créer cette entreprise qui vous permettra d'exploiter vos talents tout en gagnant de l'argent. Tout le monde le sait: « Rome ne s'est pas bâtie en un jour ! » Il en est de même pour ce projet que vous mettez sur pied. Ce mois-ci, vous croiserez des personnes qui ont peu de foi en vous, détournez-vous d'elles. Ne laissez personne vous miner ou semer le doute dans votre esprit. Vous avez tous les atouts en main pour réussir. Jupiter est dans votre signe. Il symbolise le succès. Il faut toutefois le talonner en février, ne pas le perdre de vue. À partir du 13, si vous êtes un débutant dans le domaine où vous travaillez, votre réussite ira au-delà de vos espoirs. Si vous êtes à contrat, vous en signerez un plus intéressant et à plus long terme que le précédent. Si vous travaillez avec le public, dans la vente ou à commissions, vos profits seront supérieurs à ceux que vous aviez notés pour votre «probable» budget. Avis important: ne prêtez pas d'argent! Soignez d'abord vos propres intérêts. Ne vous placez pas en position de sauveur alors que vous n'êtes pas riche. Si vous l'êtes, distribuer de l'argent afin d'aider les démunis vous honore.

CROYANCES Vous ferez des expériences qu'on dit paranormales. Vous n'en parlerez qu'à des gens qui ont vécu les mêmes. Vous aurez de nombreux « déjà vus », ce qui suggère une intuition et des perceptions extra-sensorielles très actives. Vous ferez des rêves prémonitoires. En fait, vous saurez d'avance ce qui vous attend de bon et de moins bon. Les images de vos rêves seront à peine teintées de symbolisme. Vous verrez les événements qui sont sur le point de se produire presque tels quels.

QUI SERA LÀ? Vous communiquerez dans votre subconscient avec un Poissons que vous connaissez bien, mais que vous ne voyez que rarement. À distance, vous saurez tout ou presque l'un de l'autre. Au milieu du mois, vous vous parlerez de ce qui vous arrive à tous deux. Un Lion, généralement un membre de votre famille, est un excellent guide pour votre orientation professionnelle. Il vous ouvre la porte par laquelle vous accéderez au succès. Un Scorpion vous protège par amour ou vous déclare son amour. Vous calmez un Taureau qui traverse des moments difficiles. Il vous remerciera dès qu'il aura retrouvé ses forces.

MARS 2002

AMOUR-AMITIÉ Enfin pour vous, la planète Mars est en Taureau et fait un bon aspect à votre signe ainsi qu'à Jupiter en Cancer. Vous retrouvez votre calme et votre assurance. Vous attirez des gens en accord avec vos idéaux. Ce Mars en Taureau dans le onzième signe du vôtre vous signale de nouvelles amitiés. Vous aurez des échanges divers et très bons avec des personnes aimables et serviables. Si, de prime abord, vous ressentez un certain recul de leur part, ne vous fiez pas à cette réaction première. On vous observe. Mais vous n'êtes pas mal jugé. Au contraire! Votre droiture impressionne au point qu'on reste bouche bée. Un simple bonjour, une banale conversation sur la pluie et le beau temps peut mener à des confidences. La confiance s'établira au-delà des mots sans signification particulière. Vous vous connecterez par le subconscient, par les émotions qui passent subtilement des uns aux autres. On partage sans devoir expliquer quoi que ce soit.

En amour, à partir du 9, sous l'influence de Vénus en Bélier, si vous êtes célibataire vous vous souvenez d'une rupture difficile et complexe, qu'elle se soit produite il y a deux mois, deux ou dix ans n'y change rien. La tendance veut que vous repoussiez ceux qui prétendent ou aspirent à votre amour. Si vous menez une vie de couple stable, correcte bien qu'imparfaite, elle est agréable et satisfaisante. Ce bonheur à deux sera légèrement teinté d'obstinations. Sans vous en rendre compte, vous prendrez vos distances. Quand l'amoureux vous demandera pourquoi cet éloignement, vous prétexterez des histoires de famille, vos affaires, une préoccupation concernant votre avenir. Ne seriez-vous pas en train de remuer vos vieilles insatisfactions ?

FAMILLE À partir du 9, ce ciel concerne principalement le parent Cancer inquiet pour ses filles. Elles peuvent avoir 10, 20 ou 40 ans ! Les plus jeunes veulent suivre la mode, imitent une vedette féminine ou sont en amour avec un chanteur, un acteur ou un sportif populaire. Il n'en faut pas plus pour que vous y alliez d'un discours sur leurs désirs irréalisables ! N'est-ce pas négatif que d'empêcher cette jeunesse de rêver ? Attention, ce mois-ci vos mises en garde n'auront pas un effet tranquillisant ! Quant à vos filles adultes et femmes, il est normal que vous les désiriez heureuses, mais vous ne pouvez faire leur bonheur à leur place. Cessez de vous en faire quand leur flirt ne ressemble pas à l'homme dont vous rêviez pour elles.

Si vous êtes un Cancer adulte qui ressasse constamment l'amour qu'il n'a pas reçu durant son enfance, vous reprocherez à des membres de votre famille de ne pas vous avoir protégé dans votre enfance. N'est-il pas trop tard pour régler vos comptes ? Est-ce raisonnable de vouloir que le passé soit autre que ce qu'il a été ? Certains d'entre vous, ayant un âge certain, n'ont eu ni amour ni protection parentale, pire ils ont subi une autorité abusive. Dans ce cas, il est important de tourner la page. Si vous n'y arrivez pas seul, suivez une thérapie. Elle n'a pas besoin d'être longue ! Comprendre vous aidera à passer à une autre étape. L'esprit libre, le cœur léger, vous aurez la possibilité de vous rendre heureux, et ce, malgré un triste passé.

SANTÉ Si vous êtes constamment nostalgique, si vous avez le mal du passé, cette torture morale use votre système nerveux. Elle vous empêche de décompresser, même durant vos journées de congé ! Faites table rase. Donnez-vous la chance d'être bien dans votre peau. Entre le 17 et le 23, évitez les aliments qui provoquent des réactions allergènes. Votre système immunitaire est moins résistant ces jours-là.

TRAVAIL-ARGENT Si vous vous êtes fait des relations, c'est ce mois-ci qu'elles sont utiles à vos projets en cours. En tant qu'étudiant, si vous cherchez un emploi pour l'été, faites vos démarches dès maintenant. Vous serez surpris de trouver aussi rapidement dans le domaine où vous avez l'intention de travailler après vos études. Si vous possédez une entreprise familiale, tous ensemble vous discuterez d'une nouvelle stratégie commerciale et d'une gestion différente. Le but est d'avoir un meilleur fonds de roulement, ce qui conduira, à plus ou moins long terme, à une expansion. Si vous êtes un grand joueur, entre le 21 et le 25, vous serez tenté de beaucoup dépenser au casino. Malheureusement, les chanceux sont peu nombreux. Si vous aimez les jeux de hasard, offrez-vous ce plaisir, mais n'oubliez pas que vous avez plus de chances de faire fortune en travaillant.

CROYANCES Qui n'a pas un jour rêvé de régler ses problèmes par la magie ? Il est permis de l'imaginer, cependant donner foi à des personnes qui vous promettent le paradis pour 50 dollars, n'est-ce pas un peu naïf ? À partir du 12, vous aurez besoin d'être rassuré. Plutôt que de courir clairvoyants et charlatans de tout acabit, pourquoi ne pas vous poser cette simple question : de quoi ai-je si peur ? Au cas où on renforcerait vos angoisses, ajoutez quelques dollars et voyez un « psy » de votre choix. Vous êtes vulnérable et un « pigeon » pour les mal intentionnés qui abusent de leur boule de cristal dans laquelle ils font semblant de voir. Les vraies réponses sont en vous.

QUI SERA LÀ ? Un Taureau vous approuve et vous aide à solidifier l'entreprise en cours. Un Verseau aux grands idéaux vous stimule dans la poursuite de vos objectifs. Un autre Cancer flirte avec vous. Avec sept ans de différence, il vous est permis de regarder l'avenir ensemble. Un Scorpion vous aide à établir des liens entre votre passé et votre présent, comme s'il vous connaissait depuis toujours. Un Capricorne dont vous êtes amoureux s'éloigne, vous le rattraperez, de justesse !

AVRIL 2002

AMOUR-AMITIÉ Jusqu'au 25, Vénus est en Taureau. Cette planète joue un rôle important sur vos amours. C'est comme si vous pouviez redécouvrir les beaux sentiments, tomber amoureux et, sans la peur de l'engagement qui vous fait souvent reculer. Dès qu'un amoureux présente un air de stabilité : vous savez qu'il travaille, comment il occupe son temps, quelles sont ses activités, eh bien, vous vous y intéressez de plus près. Pour vous, cette personne n'est pas une boîte à surprises ! Enfin, vous rencontrerez une personne qui n'a rien d'effrayant. Bien au contraire, elle sera si rassurante et si tendre que vous croirez rêver. Votre signe lunaire est perméable et ce Vénus en Taureau est magnifique pour vous. Il peut vous apporter le bonheur sur un plateau d'argent, par hasard mais plus sûrement par l'entremise d'un ami. Si vous laissez l'angoisse vous dominer, si vous en êtes imprégné, Vénus, qui fait aussi des aspects difficiles à Neptune puis à Uranus, vous met en garde. Si vous ne voulez plus croire en un avenir meilleur, c'est à cause de votre attitude fermée. Vous pourriez laisser filer le meilleur des hommes ou la femme la plus extraordinaire qui soit.

Si vous faites partie des gens heureux et que votre vie de couple respire encore la sensualité et le romantisme, même après des années de partage, ce ciel d'avril vous promet un projet de voyage. Peu importe la destination ! L'essentiel est que vous vous retrouviez seul à seul, sans les enfants, si vous en avez. Le moment est venu de faire une sorte de pèlerinage, de vous dire merci l'un à l'autre pour ce temps qui glisse si doucement entre vous, avec harmonie.

FAMILLE Vos enfants sont encore jeunes ? Vous avez décidé que la boucle était bouclée, vous n'en voulez pas un troisième ou un quatrième ? Si vous prenez « des chances », il est possible que la maternité ou la paternité vous surprenne une dernière fois ! Vous êtes en période fertile. Cet avis vaut aussi pour les non-intéressés à fonder une famille, mais peut être une bonne nouvelle pour ceux qui veulent un bébé ! Durant la première moitié du mois, vous serez plus souvent avec vos amis qu'avec la parenté. Cette dernière a l'habitude de vous conseiller sans que vous le demandiez. Il y a toujours dans la famille une personne sans enfant qui se mêle de distribuer des conseils sur l'éducation des vôtres. Si elle s'y risque encore, vous stopperez cette moralisatrice sans expérience, mais qui sait lire semble-t-il ! Quelques égoïstes ont choisi de vivre pleinement leur vie au détriment de leurs enfants, mal aimés. Si vous faites partie de ceux-là, qui ne donnent qu'un minimum d'attention à leur progéniture, au milieu du mois, l'un d'eux vous lancera un cri d'alarme. Il est possible qu'il fasse une dépression ou fasse un mauvais coup ou un mauvais choix ! Sur la roue du zodiaque, pour chaque signe on distingue le type supérieur et le type inférieur. Le Cancer qui néglige ses enfants appartient bien sûr à la seconde catégorie. Jupiter dans votre signe vous invite à éveiller votre conscience.

SANTÉ Les femmes qui ne surveillent pas leur alimentation pourraient souffrir de ballonnements. Le sucre est à bannir autant pour monsieur que pour madame. Vous l'absorbez mal, ce mois-ci. Remarquez que chaque fois que vous en consommez, deux ou trois heures après, une énorme fatigue se fait sentir. Il ne vous reste qu'à en tirer vous-même les conclusions et à prendre les moyens pour éviter ce désagrément.

TRAVAIL-ARGENT Ce mois-ci vous gagnerez plus d'argent. Faire des heures supplémentaires augmentera-t-il votre revenu ? Obtiendrez-vous un poste mieux rémunéré ? Ce que vous considérerez comme un surplus sera investi dans la décoration de votre foyer. Vous pourrez enfin effectuer des réparations que vous retardiez pour cause de budget trop serré. Jusqu'à présent, il a été peu question de gains à la loterie pour vous. Par contre, en ce mois d'avril, l'espoir est permis. La majorité d'entre vous ont plus de chance dans les jeux de hasard. Un petit billet de temps à autre ne vous ruinera pas et peut, peut-être, vous rendre riche, ou vous permettre de vivre plus à l'aise. Avec un petit gain, vous vous offrirez du luxe, petit, moyen, gros... L'histoire planétaire ne peut le préciser. Par ailleurs, gain et possibilité vont très bien ensemble. Il n'y a aucune garantie, pas plus qu'il n'existe de chiffres chanceux. Croyez-vous qu'astrologues et clairvoyants ne s'en serviraient pas s'ils connaissaient les combines gagnantes ?

CROYANCES Il n'est pas interdit de rêver ! Des gens peuvent travaillent pour vous et à votre place. Mais prendre ses rêves pour des réalités quand on ne possède pas même une PME, n'est-ce pas se farcir d'illusions ? Sous votre signe, la mémoire de vos anciens karmas est vive. Votre incarnation vous donne l'obligation de terminer ce qui est inachevé. Vous pourriez devoir aussi réparer les bêtises commises dans cet autre temps dont vous n'avez aucun souvenir. En fait, vous pourriez ressentir une sensation viscérale d'obligations envers une personne ou un groupe. Dans ce cas, si des événements se répètent constamment, ils vous servent de points repères sur ce qu'il faut corriger. En ce mois d'avril, vous saurez de façon intuitive ce qui doit être changé pour votre mieux-être en ce XXIe siècle. Vous êtes un signe d'eau, l'eau de mer et l'eau de source se mêlent sans qu'il y ait de changements apparents. Cet exemple est pour vous aviser que vos vies s'emboîtent les unes dans les autres. Vous êtes votre passé, votre présent et votre avenir. Bien vivre votre présent, c'est effacer les erreurs passés et vous préparer un avenir plus heureux que toutes vos vies antérieures.

QUI SERA LÀ? Un Taureau flirte avec vous, ses intentions sont bonnes. Un Lion vous désire et fait tout ce qui est en son pouvoir pour vous impressionner. Un Scorpion, même immobile, vous fascine. Un Capricorne promet de vous protéger mais quelle garantie vous donne-t-il ? Un Bélier se passionne pour vous. Un Gémeaux fait figure parentale. Avez-vous besoin d'un autre père ou d'une autre mère? Un Verseau vous invite à l'aventure, mais il ne vous dit pas où il veut aller ? Faites votre choix ! S'il est nécessaire de faire un emprunt pour survivre, un ami de toujours vous prête l'argent dont vous avez besoin.

MAI 2002

AMOUR-AMITIÉ Jusqu'au 28, Mars est en Gémeaux. Saturne et Mercure sont aussi dans ce signe tout le mois. Vénus sera en Gémeaux jusqu'au 20. Ces planètes dans ce signe d'air en face de Pluton en Sagittaire vous feront douter de votre amour pour votre partenaire. Au moindre éloignement, vous vous sentirez abandonné. Vous serez si léger que vous suivrez celui qui vous sourit spontanément et gracieusement ! Si une bonne moitié d'entre vous pratiquent la sous-estimation et la torture morale, l'autre moitié désire fuir, partir à l'aventure, vivre l'excitation. Pour une parcelle de leur liberté, ceux-ci risquent de rompre une relation qu'en ce mois ils considèrent routinière. Mai sera long pour l'impatient en mal d'amour ! Mai sera aussi long pour l'amoureux qui a peur d'être quitté, alors que rien à l'horizon ne présage une rupture. En amitié, il est possible qu'un ami soit gravement malade. Vous réaliserez la fragilité de l'Être ! Et si la vie de cet ami est gravement menacée, vous songerez à votre vie. Ces attachements qui ne sont que des boulets aux pieds, ces responsabilités que vous prenez et qui ne sont pas vôtres, ces disputes qui ne riment à rien, ces peurs paralysantes, bref à toutes ces choses qui vous empêchent de réaliser vos rêves. L'épreuve d'autrui est une leçon de vie à retenir. Pourquoi perdre du temps à être malheureux, alors qu'en se défaisant de ses fausses valeurs et croyances on peut être si heureux ?

FAMILLE Si vous êtes parent de grands enfants qui travaillent mais qui, selon vous, ont la vie dure, rappelez-vous la vôtre. Fut-elle si facile ? Ne vous êtes-vous pas débrouillé avec le minimum ? N'avez-vous pas pris soin de vos enfants même si vous deviez travailler chaque jour ? Je suis d'accord avec la formule « Mère un jour, mère toujours ou père un jour, père toujours », mais ne vous empêchez pas de vivre. Ne soyez pas malheureux à leur place. Vous ne leur êtes d'aucun secours et vous pourriez « déresponsabiliser » vos enfants qui sont tout de même des adultes.

Si vous êtes parent d'un tout petit, en ce mois de mai, surveillez-le de plus près, surtout si vous habitiez en montagne ou près d'un cours d'eau, Si un petit souffre d'allergies, d'asthme ou de toute autre maladie, vous vous devez d'être plus présent pour lui. Si le malaise ou des douleurs perdurent malgré la médication, rendez-vous à l'hôpital. Quant à vos pré-adolescents ou à vos adolescents, sous ces planètes en Gémeaux, ils pourraient avoir de nouvelles fréquentations dont certaines seraient plutôt louches ! Votre vigilance leur évitera de se mettre dans le pétrin !

SANTÉ Attention au rhume du printemps. Ne le laissez pas dégénérer en bronchite. Vous serez plus fatigué qu'à l'accoutumée. Durant les fins de semaine, oxygénez-vous davantage. Si vous le pouvez, faites des cures de sommeil.

TRAVAIL-ARGENT Il arrive qu'on ait l'impression que l'argent nous glisse entre les doigts ; c'est ce qui se produira si vous ne faites pas attention à votre budget. Vous entrerez dans les magasins et en ressortirez avec plus d'objets que vous n'en avez besoin. Vous pourriez aussi, par désir de changement, vous meubler à neuf. Pourtant avec un petit effort d'imagination, vous pourriez transformer ce que vous possédez et à peu de frais, pour vous créer votre style personnel. Mais peut-être faites-vous partie de ceux qui déménageront bientôt. Si c'est le cas, vous donnerez ce que vous ne pouvez ou ne voulez transporter dans ce nouveau logement. Pourquoi ne pas vendre ces diverses objets auxquels vous ne tenez plus ? Chez certains d'entre vous, on constate un léger laisser-aller. Ils ne veulent rien de compliqué, aussi distribuent-ils leurs biens. Avec toutes ces planètes en Gémeaux dans le ciel, vous êtes généreux mais au détriment de votre compte en banque. Si vous ne pouvez organiser votre « vente débarras » seul, demandez l'aide d'un parent. Il se fera un plaisir de jouer au commerçant. Il y en a certainement un dans votre famille. Au travail, vous serez sur le qui-vive. La mode des fusions d'entreprises n'est pas encore terminée. Vous êtes néanmoins protégé par Jupiter en Cancer. Plutôt que de subir un congédiement, sans doute accepterez-vous un transfert.

CROYANCES Vous êtes d'une grande sensibilité. Le climat social vous marque et plus encore les événements qui touchent les membres votre famille. Vous percevez ce qui se passe autour de vous et à distance. Vous êtes si proche de ceux que vous aimez, que vous vivez leurs émotions comme si elles étaient les vôtres. Vous êtes donc vulnérable. Telle une éponge, vous absorbez les éléments positifs mais aussi négatifs. Soyez à l'écoute de vous-même ! Dès l'instant où vous aurez un malaise ou la sensation d'étouffer ou d'exploser à l'intérieur, réagissez ! Faites-vous plaisir, ainsi vous vous couperez des mauvaises vibrations qui circulent. Vos problèmes, quels qu'ils soient, vous suffisent. Vous n'avez pas besoin d'ajouter ceux des autres.

QUI SERA LÀ ? Un Scorpion vous donne une leçon ou un « truc » afin que vous n'ayez pas à subir les malaises d'autrui. Si un Sagittaire emprunteur navigue dans votre entourage, résistez ! Ne lui donnez pas cette somme qu'il vous demande. Le Taureau est le meilleur protecteur de vos biens, ainsi qu'un extraordinaire soutien moral si vous traversez une période difficile. Si vous êtes aimé d'un Lion, il est plus souvent, ou constamment, à vos côtés.

JUIN 2002

AMOUR-AMITIÉ Mars et Jupiter sont dans votre signe. Vous vous défendez mieux contre les envahisseurs que le mois précédent. Vous êtes enfin capable de repousser ceux qui imposent leur présence. En fait, vous n'avez pas envie de les voir. C'est tout de même au cours de mai que vous êtes devenu plus sélectif. En juin, vous osez vous fâcher et mettre à la porte ces personnes qui vous volent de l'énergie ou ne vous fréquentent que par intérêt. Vous voyez aussi que vous avez un nombre très limité d'amis. Les vrais ne demandent rien. Les autres ne cessent d'abuser de vos services. Si vous avez traversé une tempête amoureuse, elle se calme. Vous aurez la sensation d'avoir enfin atteint la plage sur laquelle reprendre votre souffle. En cas de séparation, vous savez qu'elle était inévitable. La rupture, même troublante, vous donne le droit d'espérer un avenir meilleur. Si votre relation s'est poursuivie avec un tas de problèmes à régler, famille, travail, enfants, etc., c'est le moment de vous reposer à deux. Pour continuer votre vie de couple, il est nécessaire de vous retrouver en tête-à-tête. Il est essentiel de recréer votre intimité. Cet échange sentimental et tendre fait que vous êtes encore ensemble. En tant que célibataire, Mars est dans votre signe. Votre côté conquérant émerge à nouveau. Vous vous ferez insistant dès l'instant où vous rencontrerez quelqu'un qui vous plaira. La tendance veut que vous exagériez en faisant la cour à cette personne. Si vous l'effrayez, vous la perdrez de vue bien rapidement. Même si vous êtes irrésistiblement attiré, contenez cet empressement. Ne déclarez pas votre amour lors du premier café à deux.

FAMILLE Votre signe est le symbole de la famille dans son entier. Certains parents ne pensent pas comme vous. Vous ne les obligerez pas à adopter ni vos valeurs ni vos croyances. Que vous soyez parent ou grand-parent, vos jeunes sont fortement représentés. Certains d'entre eux passent leurs examens et prennent cela très au sérieux. Vous serez à la fois inquiet et fier de tant de ferveur. D'autres, dont le milieu familial n'est guère reposant, ne penseront qu'aux vacances. Vos enfants et petits-enfants auront plus de difficulté à se discipliner. N'oubliez pas que Mars dans votre signe vous rend plus spontané ou plus prompt : vos enfants vous imitent. Attention de ne pas laisser s'envenimer une querelle d'argent dans la famille. Il peut s'agir de parents qui travaillent ensemble ou d'un héritage à partager. Si dès le début du mois, vous ne vous entendez pas les uns et les autres, à compter du 14, la situation peut s'aggraver. Y a-t-il des filous chez les vôtres ? Méfiez-vous d'eux. Ne faites pas celui qui fait semblant de ne rien voir, de ne rien entendre, de ne rien savoir. Protégez les intérêts de tous les autres en stoppant celui (celle ou ceux) qui s'apprête à agir avec malhonnêteté, vous pressentez ses agissements.

SANTÉ Vous aurez un bon appétit et serez plus attiré par les aliments plus lourds, tels que les fromages, les pâtés de foie, les viandes fumées, etc. Vous aurez l'excuse de faire passer tout cela avec des salades... aussi un peu trop garnies ! Vous flatterez votre palais, mais ferez souffrir votre foie. Des maux de ventre vous avertiront des abus. Si vous aimez le vin, ou tout autre alcool, vous en consommerez plus qu'à l'accoutumée. Lorsque ce type de repas est fréquent, il n'est pas sans conséquence, et ce, quel que soit votre âge.

TRAVAIL-ARGENT Comme on l'a vu précédemment, une histoire d'entreprise familiale peut troubler votre paix et miner votre compte en banque, si vous ne prenez pas les mesures qui s'imposent. Sauvegardez ce qui vous appartient. Au travail, si vous êtes un employé régulier, vous serez chargé de multiples occupations qui ne font pas partie de votre description de tâches. Vous y glisserez sans trop vous en rendre compte. Plus vous produirez, plus vous serez populaire. Mais vous paiera-t-on à votre mérite ? De nos jours, on demande et on insiste sur l'unité, l'entraide et la fidélité à l'entreprise. Depuis plusieurs années, on a démontré que celle-ci ne prêchait que pour « sa paroisse » et ne protégeait pas véritablement ses serviteurs. Dans votre milieu de travail, un chef se lèvera ; les insatisfactions et les injustices seront dévoilées au grand jour. L'objectif est d'obtenir de l'entreprise qui vous emploie une juste rémunération et le respect du travailleur. À la fin du mois, si vous faites des achats pour la maison : outils, meubles, si vous faites faire des réparations, méfiez-vous des beaux parleurs et des bons vendeurs. Avant de signer tout contrat, pour vos achats ou rénovations, exigez une garantie. Vérifiez la solvabilité de la société avec laquelle vous faites affaire, si c'est possible.

CROYANCES Que serions-nous si nous n'avions pas l'espoir de mieux vivre, quelle que soit notre condition sociale et économique ? Les bonnes fées sont rares, mais les sorciers maléfiques et les charlatans ont pignon sur rue en ce mois de juin 2002. Ils abusent du désespoir des uns et de l'insécurité des autres. Une secte vous approche ; quelqu'un a parlé de votre vulnérabilité et de la possibilité de faire de vous un adepte ou un fidèle. Avant qu'ait lieu votre adhésion religieuse, des rêves d'agression vous troubleront. Vous aurez là un sérieux avis. Ne vous engagez pas dans ce qu'on nomme la vie « spirituelle ». La véritable spiritualité est une affaire individuelle. Elle se passe entre vous et votre conception de Dieu. Ne perdez jamais de vue que Dieu est partout ! On en fait une fausse interprétation en le faisant passer pour un punisseur quand... vous refusez d'appartenir à un groupement religieux ! En tant que signe de la Lune, vous désirez toucher les étoiles. De nature possessive – ce n'est pas péjoratif –, il est possible qu'on vous donne l'envie de posséder Dieu.

QUI SERA LÀ ? Un Poissons vous stimule dans la poursuite de votre objectif. Un Scorpion vous met encore en garde contre des filous. Un Taureau a beaucoup d'affection pour vous. Ne laissez pas un Gémeaux vous critiquer, stoppez-le avant qu'il vous blesse, il s'en rendra compte et s'excusera de son manque de délicatesse. Un Verseau ou une Vierge flirte avec vous. Un Bélier prend votre défense à un moment où vous êtes mal armé pour vous défendre contre un envahisseur.

JUILLET 2002

AMOUR-AMITIÉ Vous avez remercié certaines gens. Ils ne font plus partie de votre vie, ne seront plus invités à vos petits soupers, à vos soirées, vous ne sortirez plus avec eux. Pourtant, maintes fois, vous vous demanderez si vous avez bien agi. Ces personnes n'étaient-elles pas devenues envahissantes et ne vous considéraient-elles pas comme un serviteur plutôt qu'un ami avec qui on partage ? N'a-t-on pas abusé de votre générosité ? Ne vous a-t-on aussi pas dit trop souvent ce qu'il fallait faire ? Ne vous a-t-on pas fait des suggestions que vous avez appliquées et qui, finalement, se révélaient contraires à vos intérêts ? Ce n'est pas facile de tourner la page, même quand on a mal. Il vous reste tout de même quelques souvenirs agréables auxquels vous vous accrochez. Mais le résultat final est tel que pour votre survie économique et émotionnelle, vos chemins doivent se séparer. À partir du 11, vous serez sous l'influence de Vénus en Vierge, en bon aspect avec votre signe. Si vous êtes célibataire et seul, l'amour se présente. Vous le croiserez au travail, par l'entremise d'un collègue, ou dans un endroit public, comme une librairie par exemple. En fait, votre premier lien se fera par un échange intellectuel, vous aurez le même intérêt culturel. Même si votre vie de couple est aussi vivante qu'aux premiers jours, entre le 14 et la fin du mois vous pourriez avoir à prendre soin de votre partenaire. Vous l'aiderez à passer à travers une maladie ou des malaises apparus sans crier gare. Votre affection et vos attentions font des miracles.

FAMILLE Au milieu du mois, vous serez témoin d'une querelle d'argent entre parents. Vous en tirerez une précieuse leçon : ne jamais faire comme eux. Ils se rendent malheureux pour quelques dollars prêtés. L'emprunteur n'a pas remboursé sa dette à la date prévue. On se dispute un héritage sans grande valeur. On se querelle pour des guenilles, des meubles et autres babioles ayant appartenu au défunt. Si vous avez des pré-adolescents ou des adolescents, à partir du milieu du mois, surveillez leurs sorties et leurs nouveaux amis. Si vous soupçonnez l'un d'entre eux d'être malhonnête, ne faites pas l'autruche et intervenez. Après tout, vous êtes encore le parent. Ces enfants ne sont pas tout à fait des adultes et ont besoin de leur guide. Si vous avez des petits, que vous êtes obligé de faire garder pendant que vous êtes au travail, il est possible que votre gardienne habituelle vous annonce son départ. Vous serez affolé et, sous le coup de l'impulsion, vous serez tenté d'accepter la première gardienne venue. De grâce, avant de confier vos bambins à un étranger, renseignez-vous sur ses antécédents. Faites une recherche approfondie. N'attendez pas de voir des bleus sur les bras ou les jambes des petits, pour savoir qui est cette personne à qui vous avez confié ce que vous avez de plus précieux au monde: vos enfants. Lorsque vos petits font du sport, enseignez-leur la prudence et le respect des règles du jeu!

SANTÉ De l'enflure constante dans les jambes, aux pieds ou aux chevilles n'est pas bon signe, consultez votre médecin, faites vérifier votre pression, si vous en êtes affligé. Des engourdissements à la fin du mois vous signalent un problème sanguin. Avant de désastreuses conséquences, passez un examen médical. Ce monde moderne vous permet de sauvegarder votre vitalité plus longtemps, la science est à votre disposition, servez-vous-en!

TRAVAIL-ARGENT Nous avons tous besoin d'argent pour vivre décemment. Le travail rémunéré fait en sorte que nous puissions manger, nous loger, nous habiller, payer nos diverses factures, etc. Certains dépensiers de votre signe ne savent pas tenir un budget. Ils se fient à « je ne sais quoi » pour assurer leur survie financière. Leur salaire s'envole, disparaît, fond par manque d'organisation. Si vous faites partie de ces gaspilleurs, alors que vous possédez si peu, vous serez tenté de faire des achats bien au-dessus de vos moyens. Entre le 21 et le 28, vous serez déprimé lorsque vous ouvrirez votre portefeuille pour vous apercevoir qu'il ne vous reste que quelques pièces de monnaie. On vous invitera à des fêtes d'anniversaire, vous n'oserez pas y aller faute de pouvoir offrir le moindre petit cadeau. Prenez donc la décision de limiter vos dépenses et ce, dès le début du mois. Supprimez le superflu. Si vous avez « opté » pour la pauvreté, vous n'êtes pas heureux. L'argent ne fait pas le bonheur, mais il est essentiel. Avoir de quoi vivre, c'est un poids de moins sur vos épaules. L'esprit est plus libre et donc plus créateur. Par contre, il y a aussi des Cancer ultra-économes, des radins souvent carrément mesquins et assez manipulateurs pour se payer les autres lors de leurs sorties. Vous êtes-vous identifié à ceux-ci? Soyez honnête! Cela se passe entre ces lignes et vous... personne d'autre. Si vous avez répondu oui à cette dernière question, je suis au regret de vous annoncer que vous perdrez vos prêteurs!

Vous êtes né de la Lune. Comédien, futé sont des qualificatifs excellents en affaires, mais pas dans les relations interpersonnelles. Vient toujours un moment où ceux qui ont cru en vous, qui pensaient être payés de retour pour leur générosité, vous ferment la porte au nez. Si vous n'êtes qu'un calculateur sans scrupules, vous perdrez vos créanciers. Plus encore des amis et des relations! À partir du 11, au travail, on constate un relâchement, des vacances pour les uns. On n'a rien à offrir, ou si peu, à ceux qui sont à contrat, durant cette période. Si votre emploi est régulier mais sans contrat écrit entre l'entreprise et vous, entre le 11 et la fin du mois, vous pourriez faire moins d'heures et automatiquement gagner moins d'argent.

CROYANCES On peut croire au miracle, mais savez-vous que le ciel ne vous aide que si vous vous aidez vous-même? Ce n'est pas d'un coup de baguette magique que nous changerons l'économie mondiale actuelle. La réforme des travailleurs ne se fait que petit à petit. Entre le 14 et le 21, vos prières sont écoutées, parce que votre ferveur est plus grande et pure. Durant ces quelques jours, vous aurez des intuitions et un instinct sûr ; ils vous conduiront plus rapidement vers le but qui vous tient à cœur.

QUI SERA LÀ ? Une Vierge vous appuie moralement et vous soigne si vous avez des malaises. Un Scorpion vous invite à croire *mordicus* à votre rêve et à ne pas avoir honte de votre ambition. Il est tout à fait légitime de vouloir accéder au meilleur. Lorsque vous l'atteindrez, vous vous souviendrez du Capricorne, qui vous a ouvert la première porte, du Taureau qui a tenu la suivante, du Lion qui s'est effacé pour vous laisser passer et qui peut-être a déroulé le tapis rouge tout le long de cette route qui vous a mené au succès.

AOÛT 2002

AMITIÉ-AMOUR Jupiter entre en Lion. Ce signe est le symbole du cœur, mais le Lion est aussi le deuxième signe du vôtre et symbole d'argent et d'or ! Il fait référence à votre manière de gagner votre vie, mais également à votre façon de faire une conquête amoureuse en 2002. Attention ! Certains d'entre vous auront tendance à étaler leurs possessions afin d'impressionner la personne qui leur plaît. Jupiter, dans le signe du Lion, vous poussera à vouloir briller et de toutes les manières possibles. Avez-vous songé qu'une fois votre période « flash » dépassée, il ne sera pas facile de revenir à un mode de vie plus simple, même si vous le voulez ? Croyez-vous que vous puissiez constamment épater quelqu'un ? Ne pensez-vous pas que cette personne finira par vous voir tel que vous êtes ? D'autres feront des calculs au moment d'une rencontre ; aussi intéressante soit-elle. Ils s'informeront du statut social, de la profession de leur flirt, de la fortune de sa famille, de son influence. Tous les prétendants ne sont pas vides sous votre signe, mais le chapeau fait parfaitement bien aux esprits mercantiles. Jupiter en Lion sera l'occasion pour ceux qui s'intéressent sérieusement aux qualités de cœur plutôt qu'au portefeuille d'autrui, d'être en face d'une bonne personne. Cela ne veut pas dire qu'elle sera fauchée. Mais elle ne fera pas étalage de ses richesses, vous non plus. Elle sera intéressée par votre être et vous par le sien. Elle aime l'action, les voyages et ses finances sont bonnes, les vôtres aussi. Cette personne peut quand même être quelqu'un de très aimable et extraordinairement aimant, comme vous. Jupiter en Lion a ce quelque chose de magique. Il fait en sorte que ceux qui se ressemblent sur les plans moral, psychologique, social, professionnel se rassemblent ! Votre ascendant joue un rôle primordial dans la longévité d'un couple déjà formé. Mais sous Jupiter en Lion, la perspective d'une montagne d'explications entre vous et l'autre est plus présente, plus encore si vous avez des enfants.

FAMILLE Jupiter en Lion, tel que décrit dans l'introduction de ce livre, concerne vos enfants, leurs études, leurs activités, leur éducation, l'amour qu'ils reçoivent ou celui qu'ils n'ont pas. Jupiter en Lion touche surtout vos grands sur le point de devenir adultes. En ce mois d'août, Jupiter est en face de Neptune en Verseau. Il vous dit de vous inquiéter, notamment si l'un des vôtres manifeste des états dépressifs. Un enfant pourrait se désintéresser de ce qui se passe dans le monde, et vivre en reclus. S'il vous dit qu'il n'a plus envie de voir ses amis, ne le laissez pas seul dans son coin.

Les vacances ne sont pas terminées et votre grand devrait, en principe, avoir du temps pour socialiser, pratiquer un sport, sortir, magasiner avec les copains et rigoler pour rien... Se retirer à son âge ne relève pas d'un comportement normal. Sous votre signe lunaire, vous aimez vous imaginer qu'il n'y a aucun problème. Soyez lucide, et réagissez.

Si vos enfants sont petits, il vous suffit de les garder à l'œil lorsqu'ils se trouvent dans un lieu où ils peuvent grimper. Vous leur éviterez ainsi une chute. Jupiter en Lion vous invite fortement à enseigner à vos enfants, même aux petits, à protéger leurs yeux. À deux, ou même cinq ans, on ne touche pas aux outils de papa quand il n'est pas là. On ne prend pas non plus les ciseaux de cuisine pour découper du papier ! Il s'agit de conseils élémentaires, mais qui sont d'une importance capitale à partir de maintenant. Si vous possédez des armes, des couteaux de chasse, rangez-les dans un endroit inaccessible aux enfants, petits et grands. Gardez-les sous clé dans une boîte fermée par un gros cadenas.

SANTÉ Vos reins sont vulnérables. Évitez donc le café et le thé ou réduisez-en la consommation. Vous êtes dans l'axe de la maison deux : amour-haine, amour et rancœur. Si vous vacillez entre ces états ou vivez les deux à la fois, vous serez moins résistant. Sous ce ciel, un problème d'anémie peut surgir sans crier gare. La vie appelle la vie. La haine envers autrui, un système, un groupe, peu importe, a un effet destructeur sur votre propre organisme. Nous traversons tous des obstacles, des épreuves s'abattent sur nous et, en bon être humain, nous cherchons un bouc émissaire. Si vous dépendez des décisions d'autrui, vous ne pouvez rien bousculer. L'attente vous est insupportable, mais de grâce ne vous rendez pas malade.

TRAVAIL-ARGENT Au cours des douze prochains mois, certains feront fortune ; pour eux tout commence maintenant. D'autres changent d'orientation de carrière, cela se fait rapidement. D'autres Cancer sont, malheureusement, au beau milieu de compressions budgétaires de l'entreprise qui les emploie. Une grève se déclare. Pour le Cancer cela ressemble à une déclaration de guerre ou presque !

Si vous êtes dans le commerce et souhaitez prendre de l'expansion, méfiez-vous des moyens publicitaires proposés. Une énorme dépense d'argent pourrait ne rien rapporter ou si peu. Si vous êtes ce commerçant, magasinez plutôt que de vous fier à un spécialiste en « marketing » Faites vous-même votre recherche. Étudiez votre marché. Dans vos dépenses personnelles, soyez sage. À maintes reprises, vous aurez le coup de foudre pour des meubles ou une nouvelle garde-robe. Si vous êtes riche, vous n'aurez aucun mal à payer votre solde de carte de crédit ; dans le cas contraire, résistez à l'endettement.

CROYANCES Vous croiserez des personnes si différentes qu'un jour vous croirez avoir rencontré un ange et le lendemain un démon. Et ce sera presque vrai ! Ce mois-ci, vous serez face à des réalités contrastées. Il n'y aura ni ange ni démon, mais plutôt des rencontres avec des gens aimables, honnêtes, généreux et inversement des gens fortement malhonnêtes.

QUI SERA LÀ ? Étant donné les aspects étranges de ce mois en ce qui vous concerne, un Lion se montre bon et un autre essaie de vous voler ! Un Scorpion vous soutient sur le plan professionnel, un autre veut vous éliminer de la course. Une Balance tombe amoureuse, une autre est intéressée par ce que vous possédez. Un autre Cancer, un nouvel ami, comprend ce que vous vivez. Un Taureau que vous connaissez depuis longtemps vous donne de précieux conseils, principalement au sujet de la manière dont vous devez vous détacher de ce que vous ne pouvez changer.

SEPTEMBRE 2002

AMOUR-AMITIÉ Avec Mars en Vierge, dans le troisième signe du vôtre, vous êtes moins impulsif. Lorsque vous vous expliquez, c'est de A à Z. Vous le faites si calmement qu'on ne peut que porter attention à vos paroles. Il est possible que vous désiriez suivre des cours ou terminer des études dans un domaine longtemps rêvé. Dès le départ, votre partenaire sera inquiet, surtout si vous avez des enfants et que deux salaires sont nécessaires, pour les loger, les nourrir, les habiller, les divertir ou les faire instruire. En fait, rien n'est gratuit. Papa et maman sont bien placés pour le savoir ! Pour la majorité d'entre vous, huit jours de discussions suffiront à persuader l'amoureux. Les études à terminer ne dépasseront pas deux ans. Malgré un retour à l'école ou à l'université, vous serez sans doute obligé de travailler, au moins à temps partiel. Si vous êtes encore célibataire, à partir du 9, vous entrez dans le cercle des rencontres. À souligner : lorsque vous vous trouverez face à face avec votre futur partenaire de vie, vous le ressentirez. À l'instant de la rencontre, vous aurez l'impression de voir votre avenir ensemble. Vous serez tenté de douter de votre pressentiment. Ce ne sera pas une simple impression. Cette connaissance de votre avenir avec l'autre sera aussi réelle que vous et moi. Par contre, si vous êtes près d'une séparation, vous retarderez ce triste moment. Il est aussi possible que vous dépassiez le cap de rupture qui semblait pourtant inévitable !

FAMILLE Sous votre signe, les conflits avec votre mère sont fréquents. Sur le zodiaque, sans tenir compte de l'ascendant, votre mère est représentée par le savoir-faire, le bien paraître, la beauté, l'esthétique. Pourtant, en tant que signe de la Lune et signe d'eau, c'est son âme que vous voudriez toucher. Ce que vous désirez par-dessus tout, c'est son affection et sa tendresse. Mais votre incarnation vous les refuse. Même en bas âge, vous devez souvent être le parent de votre mère ou de votre père. Vos parents ne vous comprennent pas, par contre, ils vous demandent de les accepter sans « rechigner » ! Il est possible que votre ascendant vous ait épargné cette épreuve ou qu'elle fut moins dure à supporter que pour la majorité des natifs de votre signe. Mars est en Vierge et, au milieu du mois, cette planète fera un aspect dur à Pluton en Sagittaire, qui est dans le sixième signe du vôtre. Tout cela signifie la maladie d'un proche. Sensible à la douleur d'autrui, comme vous l'êtes, vous vous porterez à son secours. Attention cependant! Si vous prêtez votre voiture à votre adolescent, assurez-vous qu'il ne boive pas d'alcool et ne prenne aucune drogue. Ce ciel laisse malheureusement présager un accident, et il ne dit pas s'il s'agit d'un simple accrochage ou de quelque chose de plus grave. Si votre partenaire a déjà conduit en état d'ébriété, s.v.p., ne lui donnez pas les clés de votre véhicule.

SANTÉ Vous êtes de nature à avoir plusieurs malaises et « bobos » que vous soignez comme il se doit. Par conséquent, cela vous permet de vivre longtemps. Quelques rares Cancer croient que tout mal est psychologique et excluent l'hérédité. Naturellement, ils ne passent jamais d'examens médicaux. Sous ce ciel, il vous est sérieusement conseillé de ne pas taire vos douleurs. L'avertissement est clair. Quelque chose ne va pas dans votre organisme ; voyez-y avant que ça s'aggrave.

TRAVAIL-ARGENT Septembre signale le retour sérieux au travail et aux horaires réguliers. Vous n'avez pas à vous inquiéter, vous aurez du boulot, même plus que vous ne l'imaginez. Nombreux sont ceux qui auront deux emplois pour s'assurer d'un revenu confortable. L'un des salaires sera déposé en fonds d'études pour les enfants. Jupiter en Lion vous invite à la méfiance dans vos achats, surtout pour des objets ou des meubles plus décoratifs qu'utiles. Votre nouvelle garde-robe pourrait aussi vous coûter plus cher que prévu. Des tas de gens se posent la question : vais-je gagner à la loterie ? Pourquoi pas, si vous êtes à la bonne place à la bonne seconde ! Je n'accorde que peu d'importance à la loterie dans ce livre, tout comme dans les précédents. La chance aux jeux de hasard, par l'achat de billets, c'est une affaire de seconde ! Il est impossible de calculer à quelle seconde vous aurez la main heureuse ou serez devant la bonne machine au casino. Néanmoins, des temps plus propices existent et nous permettent d'espérer. En ce mois de septembre, c'est peut-être votre tour. Je ne vous donnerai pas non plus des numéros de loterie : je ne les ai pas ! Si les chiffres que vous donnent certains horoscopes étaient vrais, ces astrologues ne travailleraient plus depuis longtemps. Ils auraient tous gagné plusieurs fois à la loterie. Si vous êtes un joueur au casino, soyez raisonnable, surtout à partir du 19 et jusqu'à la fin du mois. La chance, l'affaire d'une seconde, est présente entre le 1er et le 18 surtout. Je vous souhaite de « tomber dessus » ! Après tout est moins sûr, mais on ne sait jamais... peut-être en une seconde pourriez-vous tenir entre vos mains ce billet instantané tout droit sorti de la machine de votre dépanneur et qui ne vous aura coûté qu'un ou deux dollars ?

CROYANCES Nous avons une multitude de croyances : ne pas passer sous une échelle, ne pas croiser un chat noir, mettre le sou trouvé sur le trottoir dans sa poche comme porte-bonheur, etc. Bien que nous soyons dans une époque de raison, qui n'a pas dans son sac de petits objets porte-bonheur ou une médaille qui semble garantir la protection en tout temps ? L'homme a évolué depuis l'âge de pierre. Mais plus il est devenu intelligent, plus il est devenu complexe. Chacun de nous possède la mémoire du temps.La science dirait que nous sommes au moins une parcelle génétique de nos plus lointains ancêtres. Nous portons en nous la magie en laquelle on a cru pendant des siècles. En ce mois de septembre, faites la part des choses. Si vous savez que vous possédez une part de magie, sachez qu'en grande partie, ce monde a fait de vous des êtres logiques, calculateurs, observateurs. On ne vous a enlevé ni votre intuition ni votre sensibilité ni vos perceptions. Ce tout que vous êtes, et que nous sommes tous, n'est-ce pas ce qu'il y a de plus magique ? La Loi du Retour, selon moi, est aussi vraie que cette amulette qui ne vous quitte jamais. En ce mois, respectez la vie, la nature et ces personnes que vous croiserez. Bénissez votre chance d'être ce que vous êtes, c'est alors que vous verrez une différence notable de votre qualité de vie. Rien ne reste jamais sans effet.

QUI SERA LÀ ? Un Scorpion vous tend la main lorsque vous vivez un moment difficile ; il ressent votre peine, votre angoisse, mais sait que vous pouvez en sortir. Il vous fera des suggestions extraordinaires. Libre à vous de les utiliser ou non. Une Vierge vous fait un reproche que vous n'avez pas mérité. Vous serez blessé, elle s'excusera. Un Taureau, que vous prenez sous votre protection, vous inquiète ; mais il vous surprendra par une décision que vous vouliez qu'il prenne, sans le lui dire. Un Bélier est votre stimulant, celui qui vous dit indirectement de croire et de poursuivre votre rêve. Vous pourriez tomber amoureux d'un Poissons. Un Lion que vous trouvez trop autoritaire s'adoucit. Excellente relation de travail avec un Verseau.

OCTOBRE 2002

AMOUR-AMITIÉ Durant tout le mois, Vénus est en Scorpion dans le cinquième signe du vôtre, bien qu'il soit rétrograde à partir du 10, donc plus lent à manifester ses bienfaits envers vous. Mais il est là et protège votre union. Si vous vivez des tensions dans votre couple, que vous êtes sur le point de vous séparer, vous ne passerez pas à l'acte. Vénus en Scorpion, c'est comme quelqu'un qui vous soufflerait à l'oreille d'attendre, de patienter et de laisser l'autre se dévoiler afin que vous sachiez exactement ce qui se passe dans sa tête et dans son cœur. À partir du 16, vous serez fixé sur ce qui doit être. Vous saurez clairement qu'il vaut mieux se séparer. Si vous êtes célibataire, à partir du 16, tout laisse présager que votre flirt aura un ou des enfants. Par ailleurs, le lieu de rencontre peut être dans un endroit où on amuse ou dans un endroit où on instruit les enfants, ce qui laisse supposer que vous soyez vous-même parent. En amitié, vous verrez moins vos amis, mais le 23, vous vous rendrez compte que vous avez mis les plus précieux d'entre eux de côté. Que vous organisiez une soirée à la maison ou réunissiez vos amis dans un restaurant, chacun se fera un plaisir d'y être.

FAMILLE En tant que Cancer, la famille a la priorité : parents et enfants sont au centre de votre vie. Si vous êtes séparé des vôtres, vous avez plus de difficulté à vous sentir en sécurité. Dans ce cas, entre le 6 et le 15, vous réfléchirez sérieusement à un moyen de les revoir. Si une querelle vous a éloigné des vôtres, vous proposerez la paix. Il est possible que, pour la première fois, vous décidiez d'écrire à chacun d'eux. Vous proposerez d'agir ensemble, plutôt que de continuer ces guerres qui ne sont jamais petites et qui se déroulent un peu partout sur la planète. Ce sera une excellente idée. Si possible, agissez au début du mois. Laissez à ces parents en colère contre vous et contre les uns les autres le temps de se calmer et de réfléchir aux avantages de la paix familiale. Suggérez une rencontre à la fin du mois. Le mieux serait le 26 en soirée ou dans la journée du dimanche 27 octobre. Si vos enfants ont l'âge de contester vos ordres, à partir du 12, armez-vous de patience. Vos très jeunes enfants qui sont les reflets de vos émotions ne seront de bonne humeur et joyeux que si vous l'êtes. Si vous êtes constamment préoccupé, vos petits exprimeront votre angoisse en ayant constamment besoin de vous. Vous n'aurez alors que peu de temps pour les corvées quotidiennes. En tant qu'homme Cancer, vous serez tenté de vous en remettre à votre conjointe, alors que c'est vous que les enfants réclament.

SANTÉ Évitez le thé, le café ainsi que les aliments qui engorgent vos reins. Vous pourriez enfler ou ballonner. Si vous avez pris du poids, vous serez tenté par un nouveau régime à la mode dont les publicités font l'éloge. Méfiez-vous de ces produits dont on ne connaît pas encore tous les effets secondaires. Ne soyez pas victime de la beauté à tout prix !

CROYANCES Plusieurs d'entre vous croient que notre monde de communications modernes est la cause de tous les maux. Ils oublient que des cerveaux d'hommes et de femmes sont derrière les appareils de haute technologie. Certains Cancer cherchent un coupable à leur absence de bonheur. D'autres seront tentés de se réfugier dans une religion qui semble plus fascinante que celle de l'enfance. À ces derniers, il est conseillé de se méfier. Leur sensibilité et leur manque de réflexion peuvent les conduire vers une autre prison intérieure. Le désespoir et la solitude rendent des lunaires aveugles. Sous l'influence de Jupiter en Lion et de Pluton en Sagittaire, il est plus facile de croire qu'un « maître » en sait plus long que vous, sur vous-même !

QUI SERA LÀ ? Un Scorpion, une Vierge ou un Gémeaux vous donnent des clés afin que vous puissiez vous libérer des contraintes inutiles que vous avez créées vous-même. Un Taureau amoureux vous déclare à nouveau combien il vous aime. Une rencontre avec un autre Cancer peut vous ouvrir d'autres horizons intellectuels ou vous faire prendre conscience de votre indéniable talent artistique.

NOVEMBRE 2002

AMOUR-AMITIÉ C'est l'avant-dernier mois de 2002. Le Soleil est d'abord dans le cinquième signe du vôtre, puis dans le sixième quand il entre en Sagittaire. L'amour ne se discute plus, surtout si votre couple va d'une crise à une autre, l'amour est ou n'est pas. Vous cessez de vous reposer sans cesse les mêmes questions, vous trouvez les réponses. Si votre partenaire est malade depuis plusieurs mois voire des années, il traversera malheureusement une autre série d'épreuves. Vous serez à ses côtés, impuissant à soulager ses souffrances. Si vous vivez une telle situation, il est tout à fait normal d'être triste. Cependant, vous avez des devoirs envers vous. Songez que vous êtes important pour ceux qui sont en bonne santé. Même si vous êtes très présent auprès du malade, accordez-vous des pauses pour conserver un maximum d'énergie physique. Durant les derniers jours du mois, Pluton sera proche de Mercure dans le sixième signe du vôtre. Si, jusqu'à présent, vous vous êtes dévoué à autrui, et n'avez que peu reçu en retour, vous traverserez des instants de doute. Pourquoi ces épreuves, pourquoi à moi ? La maladie n'est pas au rendez-vous de tous les couples, par contre votre partenaire vit aussi ses changements intérieurs. Ces réactions pourraient vous surprendre. Une décision à laquelle vous ne vous attendiez pas du tout vous étonnera. Nombre d'entre vous ont un partenaire qui prend un tournant de carrière, qui change la routine et parfois même la tradition familiale. En tant que signe de la Lune, une fois la surprise passée et si vous êtes amoureux de l'autre, vous acceptez la nouvelle route qu'il prend.

FAMILLE En tant que maman à la maison avec des jeunes enfants, il est possible que vous acceptiez de garder le petit ou le grand enfant d'un parent qui traverse une période difficile. En tant que père au travail, cette situation peut aussi se produire. Vous demanderez alors à votre conjointe si elle accepte de prendre soin de l'enfant d'un frère ou d'une sœur. Si tout va bien dans votre couple, vous n'aurez aucun mal à vous entendre sur ce sujet. Votre famille s'agrandit, mais il s'agit des enfants des autres. Peut-être êtes-vous de ceux qui n'avez pas encore d'enfant ? Une longue discussion s'engagera sur le sujet, surtout si vous n'êtes ensemble que depuis quelques mois. La conclusion sera ni oui ni non ! Le magasinage pour les fêtes de Noël commence déjà. Sans doute, suggérerez-vous un échange de cadeaux pour les enfants de la famille seulement. On applaudira votre proposition. Le budget de chacun est plus serré ; les membres de votre famille sont devenus plus prudents quant à l'avenir. Chacun sera satisfait de réduire ses dépenses en supprimant les cadeaux aux adultes.

SANTÉ Si vous vivez une épreuve telle que la maladie d'un proche, vous êtes souvent déprimé et, par conséquent, vous ne mangez pas vos trois repas par jour. Vous risquez ainsi d'y perdre votre vitalité. Votre réserve d'énergie s'amenuisera à la fin du mois. Bon nombre de Cancer travailleront davantage en fin du mois, il est donc important de dormir suffisamment et de mettre de côté les travaux qui peuvent encore attendre !

TRAVAIL-ARGENT Si vous travaillez de la maison, vous aurez de nouveaux clients. Ils seront pressés et exigeants. Attention, on discutera vos prix ! Ne vous faites pas prendre au jeu de quelques bons manipulateurs à qui vous finiriez par donner ou presque vos produits ou services. Accordez votre attention à vos anciens clients, à ceux qui ont toujours payé leur facture à temps, et comme il se doit. Mais peut-être avez-vous fait des travaux pour un ami quelques mois plus tôt ? Il tarde encore à vous payer ce qu'il vous doit. Il est temps de vous demander si c'est vraiment votre ami. Si vous faites des placements en Bourse, quelques planètes vous suggèrent une extrême prudence avec des titres qui semblent être apparus par magie et qui pourraient disparaître en laissant peu de trace dans votre compte en banque. En tant que propriétaire d'une entreprise, il sera question d'une association. Il vous est fortement conseillé d'étudier l'offre qui vous est faite. Prenez des renseignements détaillés sur cet éventuel partenaire. Vous serez engagé dans une cause sociale de votre quartier, de votre ville. Vous y jouerez un rôle plus important que vous ne pouvez l'imaginer au départ. Vous découvrirez que vous avez un talent de chef de file !

CROYANCES Durant huit jours, soit entre le 20 et le 28, vous vous poserez des questions sur l'existence. Vous vous interrogerez sur ce qu'il faut croire et sur les mensonges qui ont modelé votre éducation et, par conséquent, votre manière de penser. Nous sommes complexes, comme l'étaient nos parents, nos grands-parents, nos arrière-grands-parents. Nous sommes pétris à la fois d'hérédité physique et de transferts psychiques qui se font d'une génération à l'autre. Nous portons tout cela en chacun de nous. En conclurez-vous que vous êtes Un et Tout ? N'est-ce pas la réponse la plus sage à vous donner ? Ne vous permettrait-elle pas un peu de repos pour votre âme ?

QUI SERA LÀ ? Un Sagittaire vous ouvre les yeux sur votre réalité et sur le fait que vous vous compliquez la vie ! Un Scorpion vous protège, il est votre ami mais peut-être est-il amoureux de vous ? Un Taureau vous attire, mais ne semble pas voir les signes que vous lui faites. Un Bélier très spécial fait votre conquête.

DÉCEMBRE 2002

AMOUR-AMITIÉ Vénus et Mars sont en Scorpion dans le cinquième signe du vôtre. La proximité de ces planètes symbolise en ce qui vous concerne : l'attraction, la passion d'un jour, d'une nuit, l'aventure extraconjugale, le retour d'un amoureux ou la séparation sans réflexion. En somme, tous les scénarios concernant la vie à deux sont envisageables sous cet aspect. Il y a cependant peu de chances de durabilité quand il s'agit d'une rencontre. Le mariage ou la vie commune une semaine plus tard sont déconseillés ! La nouveauté sentimentale vous donnera l'impression de revivre ou de vivre enfin. En tant qu'astrologue je n'ai aucune influence sur le ciel. Je ne peux le faire bouger à ma guise. Je puis simplement vous décrire ce que représente la position des planètes. Malheureusement, elles n'affichent pas la stabilité si celle-ci ne préexiste pas dans votre couple. Toutefois, si vous avez une relation qui dure depuis plus ou moins une décennie, votre partenaire et vous vous connaissiez bien. Vous traverserez sans mal le chahut astral. En fait, il est davantage possible que vous soyez témoin de drames amoureux d'amis qui n'ont pas votre chance d'aimer et d'être aimés. Vous aurez la sagesse de ne pas vivre leurs querelles à leur place.

FAMILLE Le manque de respect de certains adultes envers les enfants est scandaleux. Plus nous approchons de Noël, plus nos médias nous parlent de crimes d'enfants et de drames familiaux. En tant que parent attentif et de bonne famille, cela aura pour effet de vous rapprocher des vôtres. Vous saisirez chaque instant, recueillerez cette tendresse gratuite que vous donnent si généreusement vos petits. Vous admirerez vos aînés qui grandissent sagement et sainement. Lors de réunions, si des parents boivent beaucoup, ne les laissez pas prendre le volant. Si vous ne pouvez les reconduire, faites appel à Nez Rouge ! Vénus et Mars en Scorpion feront des aspects durs à Jupiter en Lion durant la période des Fêtes. Cela laisse supposer de l'exagération. Il n'est pas impossible que vous soyez, tout dépend de votre ascendant, le natif du Cancer qui dépasse la mesure. Lorsqu'un parent insistera pour que vous restiez chez lui jusqu'à ce que soient évaporées vos dernières vapeurs d'alcool, ne lui résistez pas. Dans votre famille, des parents sont presque des oubliés ; cette année, faites un effort, rendez leur visite ou invitez-les, surtout s'il s'agit de gens âgés. Mais, peut-être êtes-vous ce Cancer qui s'est isolé avec le temps. En cette fin de 2002, pourquoi ne pas inviter ceux et celles que vous considérez jeunes d'esprit ? Dans ce ciel étrange de décembre 2002, un ensemble planétaire indique des retrouvailles. Si vous étiez à la recherche d'un frère, d'une sœur, père, mère, peu importe, tout indique que vous pourrez enfin les retrouver.

SANTÉ C'est le mois de l'année où nous commettons des abus de table. Cependant, il s'agit davantage d'un excès de boisson, en ce qui vous concerne. Si vous pratiquez un sport d'hiver, soyez plus prudent ! À partir du 9, Mercure est en face de votre signe et ne protège ni vos jambes, ni votre dos, ni vos genoux. Cette position de Mercure vous met en garde contre la vitesse au volant et contre votre propre distraction.

TRAVAIL-ARGENT Vous serez occupé entre le travail, les courses, la famille, toutes vos autres obligations sociales, personnelles, choisies ou non. Vénus et Mars en Scorpion portent un bon nombre d'entre vous à renouveler leur garde-robe. Vous économiserez sur une multitude d'articles, mais lorsque vous passerez devant les magasins, vous aurez l'impression que les vêtements à la mode vous font d'irrésistibles clins d'œil. Les achats que vous n'offrirez pas en cadeau aux adultes de votre famille aux Fêtes seront pour vous. Sous l'influence de Jupiter en Lion, vos grands enfants auront des besoins vestimentaires parfois plus coûteux que les vôtres. Vous conclurez une entente avec eux. Ces tenues hors de l'ordinaire seront rangées et ne pourront être portées avant Noël ! Quant aux petits, vous savez fort bien quels jouets ils désirent. Les publicités ont fait leur chemin ! Par un hasard extraordinaire, il vous sera possible d'acheter ce qu'ils réclament dans un entrepôt, au prix coûtant ou presque. Question travail, vous ferez des heures supplémentaires et recevrez des chèques de paie plus ronds qu'à l'accoutumée... Mais vous ne ferez pas d'économies ! Jupiter en Lion dans le deuxième signe du vôtre vous fait faire des grosses dépenses malgré votre ferme résolution d'être raisonnable ! Un autre phénomène se produit sous Jupiter en Lion : pourquoi attendre et ne pas s'offrir le meilleur maintenant ? Qu'est-ce que demain nous réserve ?

CROYANCES Les événements mondiaux et les guerres qui éclatent ou se poursuivent un peu partout dans le monde ont un effet direct sur nos comportements. Et si nous étions à la place de ces gens qui perdent tout ou presque, que ferions-nous ? La moitié des Cancer se dira que la vie c'est ici et maintenant, et perdront parfois leur élémentaire prudence. L'autre moitié des Cancer se persuadera qu'il faut tout sauvegarder et attendre que cessent les violences. Vous pourriez aller dans un extrême à l'autre. Il en va de même avec vos croyances. Pour les uns, c'est la fin... mais de quoi ? Leur vie n'est pas menacée, mais ils auront peu de foi en l'avenir. D'autres se placent sous le régime de la restriction et communiqueront de moins en moins avec autrui. En général, vous compliquerez votre vie. Vous mêlerez les cartes ! En tant que signe lunaire, où que se déroulent les conflits, vous vous sentez concerné. En ce dernier mois de l'année, promettez-vous de passer de 2002 à 2003, avec harmonie. Votre vie intérieure est la première garante d'un monde extérieur meilleur : le vôtre d'abord et celui de la planète ensuite.

QUI SERA LÀ ? Un Sagittaire vous explique les vrais enjeux mondiaux. Un Capricorne vous offre sa protection, si vous vous sentez menacé. Il vous perçoit mieux que vous ne l'imaginez. Un Scorpion s'éloigne pendant quelques semaines. Il considère que ce qu'il vous a enseigné doit maintenant être mûri. Un Taureau peut tomber amoureux. Un Poissons, avec qui vous avez une relation amicale depuis longtemps, vous fait une déclaration amoureuse. Au travail, un Verseau veille à ce que vous ne commettiez aucune erreur.

CANCER ASCENDANT BÉLIER

Durant la première partie de l'année, vous serez concerné par vos enfants. L'un d'eux pourrait avoir un grand besoin de votre aide, de votre soutien, de votre compréhension. Les sept premiers mois de 2002 mettent l'accent sur les parents de préadolescents. Quant aux petits, il est bien évident qu'ils réclameront sans cesse de l'attention. Vos pré-adolescents se trouvent à la frontière entre l'enfant et l'adulte, si vous traversez une crise de couple, ils se sentiront perdus devant cette situation. Ne faites pas l'autruche ! Si vous constatez qu'une déprime perdure, consultez un psy de votre choix.

À partir du mois d'août, vous serez sous l'influence de Jupiter en Lion qui sera alors dans le cinquième signe de votre ascendant et dans le deuxième du vôtre. Sa position planétaire indique la possibilité d'un déménagement, d'une vente ou d'un achat de propriété.

Si vous avez des parents âgés qui ont eu de graves problèmes de santé et si un décès survient, la question du partage d'un héritage peut se poser. Vos deux signes cardinaux seront portés à vouloir s'accaparer plus qu'il ne leur en revient.

Si vous montez une affaire ou possédez un commerce, vous devez durant toute l'année 2002 être prudent quand il est question d'expansion. Si vous n'êtes pas persuadé du choix pour procéder, continuez de faire prospérer ce qui est en cours. Ne laissez personne vous persuader des bienfaits ou des avantages d'une association. D'ailleurs, les comptes qu'on vous soumettra seront peu clairs voire carrément confus.

L'an 2002 ne sera pas aussi calme que vous le souhaitez. Vous mettez un point final à des situations complexes créées par vous ou par d'autres en 2001.

En tant que signe de la Lune et de Mars, vous ne savez trop si vous devez user de diplomatie ou de force, de douceur ou de rigueur, au travail ou à la maison. Juin, juillet et août vous invitent à la réflexion avant toute décision, et à un changement d'attitude si vous vous êtes comporté en guerrier plus ou moins pacifique. Vous êtes lunaire, d'abord et avant tout. Votre ascendant concerne votre hérédité physique et la définition de votre comportement par rapport à la vie. Votre ascendant est ce que vos propres parents vous ont enseigné ou transmis à la suite de ce qu'ils ont eux-mêmes vécu. On vous a dit clairement, ou sans paroles, que vous devriez vous défendre, vous méfier, attaquer, être le premier ! Mais vous a-t-on donné le goût du bonheur ?

Pour les célibataires, l'amour est au rendez-vous durant la seconde moitié de 2002. Dès janvier, pourquoi ne pas vous préparer à le recevoir ?

CANCER ASCENDANT TAUREAU

Vous êtes né de la Lune et de Vénus. Au départ, vous êtes malléable, influençable parce que sensible et souvent naïf. Lorsque vous vous éveillez à votre réalité, vous rejetez brutalement faussetés et mensonges, vous vous écartez des gens qui vous ont trompé. Vous avez le sens de la famille mais, en 2002, certains d'entre vous boucleront la boucle. Ils considèrent que leurs enfants devenus adultes doivent se débrouiller sans eux.

Des parents Cancer ascendant Taureau qui ont de jeunes enfants auront la sensation d'être manipulés par leurs petits. En fait, il y a danger que quelques-uns se trouvent un prétexte pour s'accorder à eux-mêmes plus d'attention.

Si vous êtes de ceux qui se sont isolés et n'ont plus de vie sociale, vos obligations vous sembleront plus lourdes. Vous aurez envie de vous évader. Si vous avez un partenaire compréhensif, il sera possible de vous organiser pour retourner prendre des cours ou pour vous adonner à une activité qui vous permettra de garder votre équilibre émotionnel.

Durant les sept premiers mois de 2002, Jupiter est en Cancer dans le troisième signe de votre ascendant. Voilà un excellent présage en ce qui concerne le commerce. Le travail peut se présenter en double ; vous aurez un choix à faire entre deux emplois. Lors de votre décision, ne perdez pas de vue que la qualité de vie est aussi nécessaire qu'un gros salaire.

En tant que célibataire, c'est surtout durant les sept premiers mois de l'année que vous pourrez rencontrer votre âme sœur. Déjà à la fin de juin, vous parlerez de vie commune. Par contre, comme Saturne est en Gémeaux, il serait préférable de vous courtiser une année de plus, au moins. La connaissance de l'un et de l'autre est essentielle. Ce n'est pas en trois mois que vous saurez qui est votre partenaire ! Vous avez parfaitement le droit de vivre le grand amour à condition, pour l'instant, de ne rien changer à votre organisation sociale et personnelle.

À partir du mois d'août sous l'influence de Jupiter en Lion, si vous n'avez pas résisté à l'appel de la vie commune, vous emménagerez avec votre partenaire. Mais, dès le début, des questions d'argent dont vous n'avez pas discuté au préalable se glissent entre vous. S'installe alors un malaise dont il sera difficile de discuter. Et si vous étiez dans l'obligation de payer toutes les dépenses ou presque ? Cette dernière perspective est dans l'air !

Si votre nouveau partenaire et vous avez des enfants et que ni l'un ni l'autre n'ayez réglé certains problèmes avec vos ex, il sera question de garde, de pension et de tout ce qui concerne les besoins de vos enfants petits et grands. Vous gagnerez plus d'argent en affaires, mais vous risquez d'augmenter vos dépenses. Conclusion : si vous allez trop vite en amour, vous ne pourrez faire les économies prévues pour les études des enfants ou pour ce voyage que vous ne pourrez faire avant 2003.

Les couples heureux, harmonieux auront quand même, sous votre ciel, un accrochage avec la famille ou la belle-famille. Plus vite vous trouverez une solution, plus vite vous aurez la paix.

CANCER ASCENDANT GÉMEAUX

Rien n'est vraiment simple en 2002. Vous chercherez à comprendre les drames qui se produiront ici tout comme à l'autre bout de la planète. On peut leur trouver mille raisons... et aucune. En contrepoids à l'incompréhensible, vous vous lancerez en affaires. Vous poursuivrez votre but avec plus d'acharnement qu'auparavant. La majorité d'entre vous aura tendance à miser sur l'argent en tant qu'agent de sécurité.

En ce qui vous concerne, les occasions de gagner plus et même de faire fortune sont là ! Après tout, pourquoi passeriez-vous à côté ? Si vous possédez plus que bien d'autres, vous investirez : maisons, objets de collection, œuvres d'art, etc.

Si vous débutez dans le monde des affaires, vous apprendrez très vite. Vous aurez la chance de rencontrer quelqu'un qui deviendra votre mentor.

Né de la Lune et de Mercure, vous avez un esprit rapide et souvent un principe qui vous fait dire que si vous n'êtes pas le gagnant ce sera un autre, alors pourquoi pas vous ? Cette attitude peut être dangereuse. Vous pourriez « tasser » d'honnêtes gens. Si seuls vos intérêts financiers dominent, vous pourriez en oublier que vous négociez avec d'autres êtres humains et non pas avec une entreprise. En somme vous jouerez dur en 2002.

Au contraire des matérialistes, une grande partie des Cancer-Gémeaux sont des romantiques qui misent sur l'amour pour se sécuriser sur les plans affectif et matériel. Ces derniers ont généralement vécu plusieurs déceptions. Leur signe lunaire les rend dépendants, alors que leur ascendant leur fait croire que l'autre ou les autres sont plus intelligents qu'eux. Si vous correspondez à cette description, une autre déception est en vue. Mais à la différence de la précédente, vous avez retenu la leçon. Personne ne peut faire votre bonheur si vous êtes incapable de le faire vous-même ! Quelques-uns vivront le drame de la maladie. Faiblesses, baisse de vitalité seront le résultat des frustrations accumulées.

Mais où que vous en soyez, 2002 vous montre la porte de sortie vers un mieux-être et le plus souvent juste après votre anniversaire. La modération est conseillée aux agressifs ; aux autres, la sélectivité est recommandée.

En tant qu'étudiant, c'est à l'été 2002 que vous ferez un choix définitif de carrière. Il est possible que vous vous décidiez, alors que vous avez trouvé un emploi dans un domaine totalement opposé à ce que vous voulez faire pour vous réaliser et gagner de l'argent. Si vous êtes jeune et que vous ayez les mains agiles d'un petit voleur, vous serez pris. Vous aurez là une leçon pour la vie. Si vous êtes jeune et excessivement mélancolique, si cela vous gêne d'en aviser vos parents, voyez un psy, dans un CLSC par exemple.

CANCER ASCENDANT CANCER

Durant les sept premiers mois de 2002, Jupiter est en Cancer, à la fois dans votre signe et votre ascendant. Durant cette période, vous récolterez ce que vous avez semé. Vous serez aussi dans l'obligation de faire réparation pour les erreurs commises envers une entreprise ou envers des gens que vous n'avez pas traités comme vous l'auriez dû. Il ne faut jamais perdre de vue que Jupiter irradie dix fois plus que le Soleil. Chaque fois qu'il traverse un point stratégique d'un thème, tel que votre signe et votre ascendant, il exerce ses droits et fait en sorte que justice soit faite.

Si votre relation amoureuse n'est pas heureuse, vous pourriez taire vos maux sentimentaux. Vous faites comme s'ils n'existaient pas pour sauvegarder votre sécurité, protéger la tradition ou par crainte de la solitude qui suit une séparation. Si l'amour a cessé d'être entre vous et votre amoureux, un événement déclencheur provoquera une rupture. Il peut tant autant venir de vous que de votre partenaire.

Jusqu'en août, Jupiter en Cancer influence également vos affaires. Si vous n'avez pas été honnête, si vous avez triché, volé, menti à des collègues, fait des commérages, si vous n'avez pas travaillé consciencieusement, vous devrez en payer le prix. En fait, toute erreur commise dans le monde de la matière devra être réparée. Si vous ne le faites pas, Jupiter vous sanctionnera de la même manière que vous aurez failli.

Mais Jupiter en Cancer qui traverse votre signe et votre ascendant peut être fabuleux pour l'âme pure. Il vous rend ce qui vous appartient. L'argent est ici fort bien représenté. Si vous avez produit un travail honnête, le poste que vous désirez en secret, l'ascension dans la hiérarchie de l'entreprise, vous l'aurez enfin.

En amour, s'il est présent, il ne peut que grandir et vous emmener en voyage à deux dans un lieu que ni l'un ni l'autre ne connaît encore. Tout indique que l'océan ne sera pas loin. Vous aurez tous deux les pieds dans le sable chaud pendant que vos compatriotes démarreront leur « souffleuse » à neige ou sortiront leur pelle.

Si vous n'avez pas d'enfant mais en désiriez un, votre vœu sera exaucé. Si vous appartenez à la génération des *baby boomers* ou avez l'âge d'être grand-parent, vous serez béni par la venue d'un petit enfant.

Puis à partir d'août Jupiter entre en Lion. Il est alors dans le deuxième signe de votre ascendant. Il continue à faire payer la note à ceux qui n'ont vécu que pour eux. Le Cancer-Cancer généreux récolte encore de toutes les manières possibles. Il gagne plus d'argent, s'achète une plus belle maison, est heureux en famille, voyage et dépense. S'il est célibataire, sans doute a-t-il rencontré quelqu'un, sous l'influence de

Jupiter en Cancer et sous Jupiter en Lion. Le lien se solidifie, et il y a perspective d'un heureux mariage.

CANCER ASCENDANT LION

Vous êtes né de la Lune et du Soleil, difficile de trouver plus complet en tant que Cancer ! Vous êtes à la fois la nuit et le jour. Vous êtes le créateur et le faiseur. Vous êtes le rêveur qui réalise ou le réalisateur qui vit son rêve. Vous détenez un grand pouvoir, un extraordinaire magnétisme. Le Cancer-Lion utilise ses dons et ses talents à bon escient, ou alors le Cancer-Lion abuse de ceux qu'il considère comme petits et naïfs.

Vous avez un charme à faire craquer n'importe quoi ou presque. Durant les sept premiers mois de 2002, Jupiter en Cancer dans le douzième signe de votre ascendant est doublement exalté. Il invite les sages à méditer sur leur qualité de vie.

Si vous n'avez pas encore trouvé votre orientation professionnelle, un jour, un matin ou un soir, en l'espace d'une minute ou de quelques secondes, vous saurez où diriger vos pas afin d'être en totalité ce que vous êtes. Comme par magie, vous trouverez le domaine dans lequel vous êtes le plus à l'aise pour travailler. D'autres se découvriront un talent d'artiste. Tout se mettra alors en place afin que vous puissiez vous exprimer et vivre de votre art.

Au-dessus des bons Cancer-Lion, une étoile, un ange ou un guide veille. Comme par hasard, des gens se placeront sur leur route afin de leur faciliter l'accès au succès.

Le Cancer-Lion qui manque de respect à autrui construit sa prison intérieure et malheureusement se tisse une maladie. Même si le Cancer-Lion gentil a des maux, il s'en tire, il sera soigné adéquatement, parfois à temps, comme par miracle. Le Cancer-Lion est égoïste, coincé dans ses croyances. Il est épris de ses propres valeurs et ce sont souvent les seules qui comptent pour lui. Il trouvera la transition de la maladie à la santé plus difficile à réaliser. Personne ne lui tiendra la main sur la route de ses maux.

Puis à partir du mois d'août, Jupiter entre en Lion sur votre ascendant. Il renforce ceux qui ont trouvé leur chemin de vie. Ils s'affirment et s'installent de manière sécuritaire ici et maintenant pour un avenir prometteur. Ce qu'ils ont reçu sous Jupiter en Cancer est à jamais leur propriété. Ils sont à la bonne place entourés de gens aussi heureux qu'eux.

Si vous êtes de la catégorie du « moi-moi-moi », vous vous sentirez très seul lorsque vos derniers amis auront déserté. Si vous avez triché avec le fisc ou d'autres papiers comptables, si vous avez volé une idée, un projet, si vous avez abusé de votre influence pour détruire quelqu'un, Jupiter en Lion ne sera pas tendre avec vous. Il a le pouvoir d'exagérer le signe dans lequel il se trouve. Vous paierez plus que tout ce que vous avez pris, ne pouvant prouver que vous avez pris moins! La nuit vous êtes la Lune, et le Soleil, le jour. Votre première mission est de faire faire des beaux rêves à ceux qui croisent votre vie. Votre seconde mission, qui est solaire, est d'aider vos rêveurs à voir la réalité mais à la rendre aussi belle qu'un merveilleux jour d'été!

CANCER ASCENDANT VIERGE

Pendant les sept premiers mois de 2002, Jupiter est en Cancer dans le onzième signe de votre ascendant. Ce onzième signe correspond à la onzième maison astrologique.

Pour les astrologues amateurs, il ne peut être question ici que des maisons égales. Donc, de la onzième maison régie par Uranus, planète qui est présentement en Verseau dans le sixième signe de votre ascendant. Cela laisse présager à un grand nombre de Cancer-Vierge qu'il y a quelqu'un à soigner dans la famille! Le thème de la mort est à demi présent parce que votre présence est tellement forte qu'un malade que vous affectionnez recouvre la santé. Si vous vivez une telle situation, vous aurez besoin d'énergie. La seule façon de la sauvegarder c'est de manger sainement, de dormir suffisamment et de ne fréquenter que des gens positifs. Chassez ceux qui critiquent et qui n'aiment pas la vie. Trop souvent, ils ne parlent que pour faire les intéressants!

Pluton est en Sagittaire dans le sixième signe du vôtre et le quatrième de votre ascendant. Vous travaillez et vous donnez tout ou presque à la famille. Il est possible que vous vous soyez inquiété d'un enfant ou d'un de vos petits-enfants. Il est aussi probable que cet enfant ne sache pas très bien quel chemin de vie est le mieux pour lui. Vous ne pourrez influencer directement son choix, s'il s'agit d'un adulte mais pour un pré-adolescent ou un adolescent, votre présence est rassurante. Vous n'avez pas à lui dire quoi faire, être là lui permettra de trouver le calme en lui-même et de savoir où et comment il peut réaliser sa propre vie.

Saturne est en Gémeaux dans le dixième signe de votre ascendant. Si vous êtes une homme ou une femme monoparental et que vous veillez seul à l'éducation de très jeunes enfants, votre autorité sera souvent contestée. Il est nécessaire que vous vous armiez de patience. Vous trouverez votre tâche bien lourde. Puis à partir d'août, Jupiter est en Lion, dans le douzième signe de votre ascendant mais dans le deuxième signe du vôtre. Tout indique que vous gagnerez plus d'argent en travaillant, mais il n'est pas impossible qu'une somme que vous n'attendiez pas se retrouve entre vos mains. Ce peut être un héritage, un gain à la loterie ou le remboursement d'une somme prêtée il y a plus de 10 ou 20 ans. En somme, l'argent vous arrive par des voies mystérieuses. Si vous êtes célibataire, en mars 2002, vous ferez une magnifique rencontre. Ce sera le début d'un grand amour.

CANCER ASCENDANT BALANCE

L'année 2002 est plutôt étrange en ce qui vous concerne. Si vous possédez une entreprise, par un concours de circonstances, vous pourriez décider de la vendre à un prix très raisonnable. Si l'emploi que vous occupez ne vous plaît pas, évitez de le quitter sur un coup de tête.Il faudrait alors attendre la fin de l'été 2002 avant d'en retrouver un autre.

Sous l'influence de Jupiter en Cancer dans le dixième signe de votre ascendant, vous vous sentirez confus sur le plan émotionnel et à plusieurs reprises. Le plus souvent, ce sera à cause d'histoires de famille qui n'auront rien de drôle. Comme si vous régliez vos vieux comptes avec des parents qui ne furent jamais dans votre camp ou qui, sans bien vous connaître, ont porté sur vous des jugements négatifs ou vous ont fait mauvaise réputation. Fin janvier, février et juin sont des mois où les tensions seront particulièrement élevées.

Si votre vie de couple est ébranlée et qu'il soit question de séparation, si vous songez à rompre depuis plusieurs années, en 2002, vous vous sentirez prêt à voler à nouveau de vos propres ailes. Il ne s'agit pas de se quitter en guerrier, mais entre gens civilisés, surtout si vous avez des enfants. Si vous vous savez très en colère contre votre partenaire, attendez la mi-juillet pour prendre vos dispositions. Elles seront ainsi le plus juste possible pour vous, pour vos enfants et pour l'autre. C'est à partir du début d'août, lorsque Jupiter entrera en Lion, que votre esprit sera plus clair. Jupiter en Lion vous pacifiera. Certains couples qui allaient tout droit vers leur dissolution peuvent décider de se donner une autre chance.

Certains d'entre vous sont des gens amoureux qui n'ont que des problèmes « ordinaires », rien qui puisse changer leur quotidien. Si vous êtes jeune et sans enfant, vous songerez à fonder votre famille. D'autres pourraient avoir un second enfant. C'est sous votre signe et votre ascendant qu'on trouve le plus grand nombre de célibataires. Ce sont souvent des gens qui ont longtemps été pris par des responsabilités familiales dans leur jeunesse. Une fois adultes, dès qu'il y a possibilité d'engagement, ils reculent. À partir d'août, vous vous demanderez ce que vous avez à gagner dans votre solitude. Même si vivre à deux n'est pas facile tous les jours, vous choisirez le partage. Si, sous Jupiter en Cancer, la situation au travail a été complexe, à partir d'août, elle se simplifie. Des droits et des avantages qui vous avaient été retirés vous sont rendus.

CANCER ASCENDANT SCORPION

Vous êtes un double signe d'eau. L'eau est sensibilité, émotions, intuition, perceptions extrasensorielles. Sous l'influence de Jupiter en Cancer durant les sept premiers mois de 2002, vous aurez même des visions du futur. Vous ressentirez les gens qui se trouvent en face de vous. Vous pourrez contourner des événements négatifs, en ayant le bon réflexe. Ce sera comme si un ange se tenait sur votre épaule et vous disait où aller, que faire, chaque fois que vous êtes à la croisée de chemins.

Si vous avez un talent artistique, vous l'exprimerez, le développerez et l'exploiterez de manière qu'il rapporte de l'argent.

Si vous avez un emploi régulier, le même depuis longtemps, on vous fera une offre particulière pour un poste que jamais vous n'auriez même osé demander. En 2002, vous êtes en zone d'ascension, d'avancement, de progrès. C'est le moment de réaliser au moins l'un de vos grands rêves.

Vous avez fait la paix avec vous-même en 2001. Cette fois, elle est bien installée. Cette paix intérieure vous apporte de la chance dans divers secteurs de votre vie.

Les célibataires rencontreront une personne sage. Ils seront éblouis par ses connaissances, son savoir, qui n'auront rien de prétentieux. N'allez surtout pas vous dire que vous ne méritez pas quelqu'un d'aussi bien, ce serait vous sous-estimer, ce qu'a tendance à faire votre ascendant Scorpion.

À partir d'août, Jupiter entre en Lion. Il est dans le dixième signe de votre ascendant et représente fortement vos enfants adolescents ou adultes. En tant que double signe d'eau, vous avez parfois du mal à leur faire confiance. Pourtant, vos enfants ont un bon jugement et sont parfaitement sains d'esprit. Le moment est venu de relâcher votre emprise sur vos grands et d'accepter leurs choix, même s'ils sont très différents des vôtres.

Si vous avez des parents âgés qui ont été malades, à partir d'août, il est possible que l'un d'eux ait davantage besoin de vos soins, de vos visites. Quant à votre propre santé, si vous ne faites pas d'exercice, si vous mangez trop, mal, si vous n'avez pas fait attention à vous, sous Jupiter en Lion, vous saurez que votre vie est précieuse. Pour la conserver, il vous faudra changer de régime alimentaire et avoir des activités qui non seulement vous permettront de retrouver la forme physique, mais également de rencontrer de nouvelles gens. Il ne s'agit pas ici de faire le vide de vos anciens amis mais plutôt d'en ajouter à votre cercle. Vous élargissez votre communauté. Sous Jupiter en Lion, bon nombre d'entre vous jouerez un rôle social plus important dans votre quartier, votre ville ou même votre pays.

CANCER ASCENDANT SAGITTAIRE

Vous êtes né de la Lune et de Jupiter. Quand on vous observe, on a parfois l'impression que vous ne touchez pas terre lorsque vous marchez. La vie est quelque chose qui se passe en vous d'abord ! Vos désirs sont nombreux et sans doute qu'un observateur qui se veut logique et raisonnable, vous dira que vous ne pouvez tout avoir. Il aura une surprise. La vie pour vous est telle que les événements se mettent en place pour vous permettre de réaliser un vœu, et un autre et un autre... Et ça dure toute la vie !

Comme n'importe qui, vous aurez des choix à faire. Vous aurez des problèmes à régler. Cependant, dès que vous aurez besoin d'une solution, vous rencontrerez un ange gardien ou, plus proche de nous, quelqu'un qui simplifiera la situation complexe dans laquelle vous vous trouvez. Un autre vous ouvrira la porte que vous désiriez ouvrir en secret. En somme, vous avez l'art d'être à la bonne place, au bon moment et avec les bonnes gens.

Durant les sept premiers mois de 2002, Jupiter est dans votre signe, dans le huitième signe de votre ascendant. Il laisse présager une multitude de changements. Certains ne seront pas désirés tels que la maladie d'un proche et pire la mort d'un parent que vous auriez voulu immortel.

Si vous êtes de ceux qui se trouvent à la croisée des chemins côté carrière, vous y pensez. Quoi de plus normal que de se questionner ? Mars et avril sont des mois où, par d'heureux hasards, vous trouverez les bonnes réponses en ce qui concerne votre existence, vos buts, votre mission, vos moyens de subsistance, votre rôle familial en tant que parent, frère, sœur, oncle, tante, etc.

L'amour prendra aussi une dimension plus large dans votre vie. Jusqu'à présent, tout gravitait autour de votre partenaire et vous. En 2002, vous prenez conscience que tout le reste de planète est à aimer aussi ! Certains diront que vous êtes devenu « ésotérique », sous-entendu « hystérique ». Mais il n'en est rien. En fait, vous serez à même de constater que vous êtes connecté au monde invisible. Vous n'en parlerez pas à ceux qui ne veulent pas accepter cette autre dimension humaine et divine.

Puis à partir d'août, Jupiter est en Lion dans le neuvième signe de votre ascendant. Il se fait philosophe ! Ce sera le moment d'émerger dans un domaine que vous aurez au fond à peine choisi. Ce sera plutôt la carrière ou le travail qui vous aura appelé. Nombreux sont ceux qui retourneront aux études afin de parfaire une formation. En tant que célibataire, c'est dans un lieu de savoir que vous rencontrez cette personne avec qui tout partager ou presque !

Sous Jupiter en Lion, vous aurez l'occasion de partir en voyage pour une cause que vous défendez ou parce que la vie elle-même veut que vous sachiez comment ça se passe ailleurs.

Si vous avez un talent, quel qu'il soit, sous Jupiter en Lion, il devient impossible d'y échapper. J'ai précédemment parlé des Cancer-Sagittaire positifs et énergiques ; certains d'entre eux, heureusement rares, échappent à la règle. Ces esprits sans espoir ou qui en ont trop peu, qui refusent de voir que la vie ne se limite pas aux besoins du corps et à la satisfaction des désirs matériels, sont en mauvaise position. Si vous vous identifiez au dépressif, voyez un psy et demandez-lui de vous aider à extirper une enfance parsemée d'événements troublants. Révéler vos tristes souvenirs libérera votre âme, votre esprit et votre cœur des poisons qu'on vous a injectés à un âge où vous ne pouviez vous défendre !

CANCER ASCENDANT CAPRICORNE

Vous êtes né de la Lune et de Saturne. Vous êtes un mélange de fantaisies et de sérieux. Mais peut-être êtes-vous aussi tout l'un ou tout l'autre. Tout dépend de la qualité d'amour et l'éducation reçues dans l'enfance. Vous êtes mère et père avec ce signe et cet ascendant, vous êtes la foule et le chef de file. Vous avez autant besoin de protection que vous avez besoin de protéger autrui. La Lune est changeante, Saturne suit un plan ! La Lune se souvient par associations émotionnelles, Saturne se souvient parce qu'il n'abandonne pas les idées qu'il possède ! La Lune aime sa maison, Saturne s'assure de sa solidité. La Lune est curieuse, Saturne est sélectif. Vous êtes cela et bien plus encore. Vous êtes un double signe cardinal, double chef. La Lune donne des ordres avec un beau sourire, Saturne est ferme et entend qu'on lui obéisse. Si on applique ces données dans le quotidien, cela fait de vous une personne qui va de l'incertitude à l'assurance. Vous êtes à la recherche de plus d'amour à donner et à recevoir.

Vous vous souviendrez de 2002 parce qu'il vous aura tout donné et vous aurez pris ce que la vie vous offrait ainsi gracieusement. C'est un dû, un remboursement !

Si votre couple se porte bien, mais n'avez pas d'enfant ou si vous avez l'intention d'en avoir un autre, votre famille s'agrandira.

Vous gagnerez plus d'argent en 2002. Nombre d'entre vous occuperont deux emplois ou auront une activité agréable qui deviendra lucrative. Un héritage familial n'est pas à exclure. Un gain au jeu est possible. Si vous possédez une maison, vous la redécorerez de haut en bas, de A à Z, et ce, même si vous êtes débordé au travail. Peu après avoir remis votre propriété à neuf, la perspective d'un déménagement flottera dans l'air. Si vous vendez, vous obtiendrez le prix demandé. Lorsque vous achèterez, ce sera à rabais. Sans doute que votre nouvelle maison sera beaucoup plus grande que celle que vous habitez présentement. Ce sera comme si le temps passé en ce lieu était terminé, il faut expérimenter un autre quartier, une autre ville, plus rarement un autre pays.

Au mois d'août, vous serez dans une zone de défi et cela durera douze mois. Les uns seront au cœur d'une entreprise en développement. D'autres occuperont une position sociale importante dans leur communauté et deviendront influents sur le plan politique. Une mise en garde s'impose à partir d'août. Si vous faites des placements en Bourse, dites-vous que vous ne jouez pas à la loterie. Avant tout investissement, consultez une personne d'expérience et au moindre doute sur un titre, abstenez-vous. Vous avez tout à gagner en 2002. N'allez donc pas provoquer des pertes que, d'ailleurs, vous pouvez vous éviter.

CANCER ASCENDANT VERSEAU

Vous êtes né de la Lune et d'Uranus, et sans doute nerveux ! Vous avez l'imagination fertile, des idées plein la tête, qu'il faut maintenant classer. Jupiter en Cancer durant les sept premiers mois de l'année est dans le sixième signe de votre ascendant. Il représente principalement le travail et la santé.

En ce qui concerne votre carrière, vous ferez un bon en avant. Si jamais vous avez un emploi qui vous oblige à vous déplacer par la route ou les airs, vous ferez et referez constamment vos valises.

Vos écrits sont importants jusqu'à la fin de juillet. Vos documents personnels et d'affaires, votre courriel, les factures reçues par la poste, les lettres auxquelles il faut répondre, bref, tout ce qui demande un suivi doit être passé au peigne fin et accompli dans un délai non pas raisonnable mais rapide. Étrangement cette année, le moindre retard correspond à une montagne de problèmes de toutes sortes.

En tant que Cancer-Verseau, vous avez souvent envie de changer le monde pour le rendre meilleur. Vous savez que si vous agissez seul, rien ou presque ne bougera dans cette société, sur cette planète. En 2002, par un hasard ou par magie, vous trouverez le moyen de réunir un tas de gens autour de vous et de votre idéal. Vous serez le protecteur de l'environnement, le dépollueur, celui qui dénonce les malhonnêtetés d'une entreprise ou d'un gouvernement. Vous serez le défenseur des enfants battus, en somme, vous serez l'ambulancier, le policier, le pompier, le diplomate, le syndicaliste, etc. Qu'importe la cause, vous l'aurez tellement à cœur qu'on pourrait bien parler de vous dans les médias. Votre sujet d'intervention sera assurément d'intérêt public.

À partir d'août, vous serez sous l'influence de Jupiter en Lion qui sera alors en face de votre ascendant. Si vous avez été occupé par les problèmes planétaires, il est possible que vous ayez négligé vos proches, et surtout votre partenaire ! Sous Jupiter en Lion, il faudra désormais rendre à l'amoureux les attentions qu'il avait autrefois. Ne laissez pas votre cause détruire votre couple !

En tant que célibataire, c'est à travers votre rôle de défenseur que vous rencontrerez quelqu'un qui partage vos vues et vos idéaux. Si vous êtes dans « votre coquille » et avez vécu comme si vous ne faisiez pas partie du monde, les événements et les circonstances sont tels qu'il ne vous sera plus possible de vous contenter d'un quotidien banal. Ce ciel de 2002 éveille vos potentiels, des talents que vous ne pensiez pas posséder et un don assez particulier de rassembleur.

Cette vie différente vous invite à ne pas négliger votre alimentation pour sauvegarder votre énergie. Si vous mangez mal, votre estomac sera en alerte. Si vous ne dormez pas suffisamment, votre cœur battra plus vite. Ne laissez pas la maladie s'infiltrer en vous, pour ce faire, il suffit de respecter les besoins de votre corps, le porteur de votre esprit et de votre âme.

CANCER ASCENDANT POISSONS

Si l'amour n'est pas dans votre vie, ne désespérez pas ! Il vient vers vous et plus vite que vous ne l'imaginez. En mai, vous aurez l'impression d'avoir basculé dans un autre monde : vous serez aimé et traité comme un roi (ou une reine). Vous reconnaîtrez cet être merveilleux dès qu'il paraîtra devant vous. Vous saurez qu'il est là pour rester, pour bâtir avec vous. Si vous êtes jeune et sans enfant, peu après avoir emménagé avec votre amoureux en 2002, vous pourriez devenir mère ou père. S'il s'agit d'une famille reconstituée, vous avez des enfants ou votre partenaire en a. Il est possible que tout ce beau monde vive ensemble ! Ce sera alors une réorganisation complète de votre foyer.

Par ailleurs, la plupart d'entre vous aurez besoin d'un nouveau décor. Votre choix de couleurs pour les murs sera plus audacieux que jamais. Pour les meubles, le bois retiendra votre attention. Les antiquités exerceront un attrait irrésistible sur vous. Vous dépenserez beaucoup, cependant le travail ne manque pas. En plus de payer toutes vos factures, il vous en reste pour quelques luxes et fantaisies. Vous aurez de la chance en 2002, même au jeu. Nombre d'entre vous passeront d'une infernale année 2001 au paradis 2002. 2002 est une année de grandes réalisations, de succès, de croissance, de développement, de champs d'intérêt nouveaux et différents. Vous avez mûri et d'heureuses rencontres faites ici et là vous inciteront à croire davantage en vous et en vos talents.

À partir d'août, ou juste un peu avant, de nombreux Cancer-Poissons décideront de retourner aux études, de terminer un cours, de se perfectionner dans un métier. D'autres monteront une affaire avec leur amoureux, la plupart du temps.

Si vous avez de grands enfants, vous serez fier de la réussite de l'un d'eux. Tout indique un artiste dans la famille ou qu'un artiste naîtra ! Bien que la description de votre 2002 soit positive dans l'ensemble, des moments d'incertitude vous envahiront. N'y restez pas accroché. En mai, ne laissez pas la famille vous dire ce qu'il faut faire ; vous savez fort bien quel est votre idéal. Ne laissez pas un parent vous décourager.

En septembre et au début d'octobre, des réajustements professionnels sont prévus. Ne les laissez pas vous vider de vos énergies. Ces transformations sont nécessaires et vous demandent un effort supplémentaire.

LION

21 juillet au 21 août

À mon fils Alexandre Aubry, nouveau papa et heureux comme un roi!

Et à ces Lion, mes amis, les gens les plus originaux, les plus créatifs, les plus audacieux et les plus courageux qui soient, sur cette planète en ce début de siècle!

À Colette Chabot, Rita Corbeil, Sonia Richard, Johanne Bayard, Éric Arson, Wilbrod et Alain Gauthier.

LION 2002

Vous avez parfois l'impression que les difficultés sont constantes. Puis, tout à coup, vous songez à vos chances et aux événements heureux qui ont traversé votre vie. Rares sont les Lion dont l'optimisme s'absente longtemps. Il leur suffit de songer à leurs réussites, à leurs joies, même si elles sont derrière, elles sont vivantes, pour que l'optimisme revienne.

Lorsque la lumière entre en vous, vous voyez et vous retrouverez votre courage de chasseur et surtout votre force solaire. Quand le Soleil se couche ici, il se lève ailleurs. Il en est de même pour vous en tant qu'individu.

JUPITER EN CANCER

Durant les sept premiers mois de 2002, Jupiter est en Cancer, dans le signe qui vous précède, le douzième. Cette position astrologique rend le sage plus sage, mais le fou plus fou encore.

Partons du principe que vous soyez un sage. Jupiter en Cancer aura pour effet de vous rendre plus méditatif, plus créateur, mais également plus humble que jamais.

Vous vous rendrez aussi compte que vous n'avez pas à claironner qui vous êtes, pas plus que vos talents. L'espace vous est nécessaire, il vous faut souvent rayonner sur une grande surface. Pourtant, en 2002, vous réduirez votre espace, car vous n'aurez plus besoin de vous étendre pour dire aux autres que vous existez ! Vous aurez des périodes d'isolement au cours desquelles vous ferez le vide. Vous vous débarrasserez d'un surplus de bagages émotionnels négatifs, désuets et qui n'ont plus aucune raison d'être.

Vous vous séparerez de gens qui se disaient vos amis, parfois des membres de votre famille avec lesquels vous n'avez jamais partagé quoi que ce soit, si ce n'est un lien de sang ! Vous retournerez vers ces personnes qui n'ont eu que des bontés pour vous et qui jamais n'ont tenté de vous changer. N'avez-vous pas fréquemment interprété leur silence comme une forme de manipulation ? Ne vous êtes-vous pas dit qu'ils étaient froids à cause de la distance qu'ils mettaient entre vous ? Ne comprennez-vous pas que ces gens vous laissaient réfléchir et agir à votre guise ? Au cours des sept premiers mois, vous ferez votre grand ménage intérieur. Par la même occasion, vous donnerez des objets auxquels sont rattachés de mauvais souvenirs. Des objets qui auront une certaine valeur monétaire mais qui, à vos yeux et selon votre âme, ne représentent que des périodes grises et tristes de votre vie.

Si vous êtes ce sage qui a reçu beaucoup de la vie, vous sentirez qu'il est temps de dire merci. Vous serez nombreux à faire du bénévolat, à participer activement à une cause, à vous porter à la défense des faibles et des opprimés. Sous votre ciel, les enfants sont fortement symbolisés. Ce sont eux qui occuperont la première place dans vos préoccupations envers les personnes à protéger, à nourrir, à soigner. Par conséquent, certains Lion s'engageront sur le plan social afin de protéger les petits. Nous retrouverons plus de natifs du Lion que de tout autre signe dans les organisations sportives et au sein d'activités de toutes sortes pour les enfants en bas âge.

L'ARTISTE

Sous votre signe, les artistes sont nombreux. L'art est une aventure sans fin ainsi qu'un défi. Quel que soit l'art, l'artiste peut encore et encore se dépasser. Si pendant les sept premiers mois de 2002, vous préparez votre œuvre, en août, alors que Jupiter sera dans votre signe, vous émergerez. Certains feront une « sortie » rapide, d'autres se manifesteront petit à petit. Jupiter en Cancer correspond à un temps de préparation. Même si le public a tendance à le croire, l'artiste ne sort pas d'une boîte à surprises. Son cheminement n'est généralement pas en ligne droite. Le plus souvent, les détours sont si nombreux qu'il arrive à l'artiste de croire qu'il s'est trompé de route. L'année 2002 lui prouve le contraire.

PARENTS LION – VOS ENFANTS

Vous êtes sans doute le parent le plus préoccupé par ses enfants, pour deux importantes raisons : vous les aimez follement et vous désirez que vos enfants soient votre reflet. N'avez-vous pas remarqué que leurs petites et grandes réussites vous rendent fier comme un paon ? Vous êtes un signe fixe, et comme les trois autres signes fixes vous avez tendance à vous comporter avec vos enfants comme si vous en étiez propriétaire et non à les protéger, uniquement !

Vous traitez très bien les locataires qui se conforment à vos règlements !

Si vous avez plusieurs enfants, l'un d'eux peut refuser de suivre vos traces. Pire encore, plus vous insistez, plus il s'oppose à vous. À de nombreuses reprises, j'ai pu constater que lorsqu'un enfant confronte son parent Lion et refuse de se ranger à ses dires, à ses croyances, à ses suggestions, à son autorité, le parent Lion abandonne. Devant l'impossibilité de mouler l'enfant à l'image, le parent Lion peut aussi développer de l'agressivité envers celui-ci. Cette agressivité ne se manifeste pas ouvertement, elle est vibratoire, mais peut se révéler plus dévastatrice qu'une colère bien articulée !

Les deux paragraphes suivants sont là pour vous avertir que durant les sept premiers mois de 2002, sous l'influence de Jupiter en Cancer, vous devrez, parent Lion, changer d'attitude. Apprenez à faire confiance à votre progéniture. Cessez de vouloir qu'elle vous ressemble à tout prix. Si vos enfants sont des pré-adolescents ou des adolescents, mettez-vous à l'écoute de leurs rêves et de leurs projets d'avenir. S'ils sont amoureux, souvenez-vous de ce que vous étiez à leur âge. N'était-ce pas sérieux ? Ne pensiez-vous pas perdre la tête de temps à autre tellement vous étiez amoureux ?

JUPITER EN CANCER – L'ÉPREUVE

L'aspect parental est donc puissant en 2002, durant les sept premiers mois de l'année. Ainsi, si l'un de vos enfants souffre d'un mal chronique, pour ne mentionner que les plus courants en ce XXIe siècle, asthme et allergies alimentaires, vous devrez être plus attentif à leur besoin. Soyez constamment en possession des médicaments propres à le soulager.

Malheureusement, une maladie peut survenir sans avertissement. Les microbes circulent librement, ils voyagent par l'air, l'eau et même la terre. Leur origine, tout autant que leur réveil quand réapparaît un virus qu'on croyait à jamais disparu, est paniquant ! Il est donc question de prévention. Pour renforcer le système immunitaire de vos petits et grands, il serait bon que vous vous informiez sur le type d'alimentation qui vous aidera à stopper, à minimiser ou à empêcher qu'une maladie ne les atteigne en 2002.

AUTRE AVERTISSEMENT !

Si le comportement d'un de vos enfants change rapidement (ici encore il s'agit des petits tout autant que des grands), s'il passe de l'exaltation à la déprime, de l'excitation à la tristesse, de la douceur à la violence, de la bonté à la méchanceté, et ce, en un temps record, ne tardez pas et consultez un psychologue de votre choix.

Il est aussi possible que vous deviez « endurer » les fantaisies d'adolescents qui s'habillent d'une manière voyante. Ils écoutent une musique qui vous fait mal aux oreilles, refusent de nettoyer leur chambre, de vous aider, de sortir en famille, ils n'aiment plus votre cuisine et mangent sucreries et autres grignotines juste avant l'heure des repas, bref ce sont des vrais adolescents.

SI VOS ENFANTS ONT DES ENFANTS !

Si vous êtes mamie ou papi, si vos enfants ont des idées différentes des vôtres sur l'éducation de vos petits-enfants, et même parfois contraires à ce que vous auriez voulu pour eux, croyez-vous vraiment qu'il faille vous en mêler ?

Si l'un de vos enfants vit une séparation, il aura besoin de votre aide. Si vous le pouvez, passez votre temps libre avec vos petits-enfants qui eux aussi, en même temps que leurs parents, vivent un drame. Vous serez alors la figure rassurante. Ce sera comme si vous appreniez à vos petits-fils ou petites-filles que, dans la vie, on peut toujours avoir de l'aide quand on en a besoin.

Jupiter, qui traversera le Cancer durant sept mois sur douze en 2002, ira vous chercher aux tripes. La plus grande part de l'action se déroulera dans la famille où tant de choses peuvent arriver. Vous avez imaginé et cru que votre fils ou votre fille vivait le bonheur presque parfait en couple et, soudain, vous apprenez que ce couple est sur le point de divorcer. Vous êtes sous le choc ! Cependant, vous savez que vous ne pouvez empêcher la rupture. Avant d'agir, avant de réagir, demandez-vous si on veut que vous interveniez.

JUPITER EN LION

À partir du mois d'août et pour les douze prochains mois, Jupiter sera en Lion. Jupiter irradie dix fois plus que le Soleil et déjà votre signe est fort, brillant, magnétique, donc avec Jupiter dans votre signe tous les scénarios sont possibles ! Un Lion peut se révéler être un héros dans sa communauté, en créant des activités permettant aux gens des alentours de se distraire ou d'apprendre. Un Lion peut prendre la défense de ceux qu'on traite injustement dans son milieu de travail. Un Lion peut innover par son entreprise et générer de l'embauche. Un Lion peut sauver quelqu'un de la mort, le tirer de sa voiture ou de sa maison en feu. Un Lion peut s'élever en pacifiste. Il peut être la voix de ceux qui la désirent autant que lui, mais ne veulent pas prendre le risque de devenir un pacifiste professionnel. Un Lion peut aussi empêcher un groupe de malfaiteurs de voler des petits investisseurs. Etc. La liste pourrait s'allonger ainsi longtemps. Les situations difficiles et dramatiques de toutes sortes seront nombreuses au cours des mois à venir.

Jupiter en Lion fait ressortir le meilleur en vous, mais étant en face de Neptune et Uranus, il peut aussi faire ressortir le pire, en affaires comme en amour !

SI VOUS ÊTES DU TYPE GUERRIER

Sous Jupiter en Lion, si vous n'êtes pas un pacifiste, si pour vous c'est toujours la loi du plus fort, ou œil pour œil, dent pour dent, sous Jupiter en Lion, vous serez porté par le courant négatif qui règne sur la planète. Ce sera sûrement le cas, si vous ne savez pas ce qu'est l'harmonie parce que vous êtes né dans un milieu dur où dès l'enfance vous avez été abandonné à vous-même. Vous jouerez du coude, vous pousserez parce que vous êtes persuadé qu'il faut être le premier... En fait, si votre vie n'est qu'une série de jeux malhonnêtes, Jupiter le grand justicier vous prendra la main dans le sac.

Si vous êtes ce Lion pour qui le Soleil ne brille que pour lui-même, sous l'influence de Jupiter dans votre signe, une telle attitude n'obtient aucun succès. Peut-être jusqu'à présent avez-vous réussi à impressionner les autres, mais c'est terminé. Jupiter dans votre signe fait tomber les masques.

L'ARGENT

En tant que Lion, signe de feu positif, l'argent a pu venir à vous plus facilement qu'à bien d'autres du zodiaque. Si vous êtes honnête et l'avez toujours été, Jupiter, qui a bonne mémoire et qui se trouve dans votre signe, contribuera à augmenter votre fortune. Si, par contre, vous avez acquis des biens d'une manière douteuse, vous devrez rembourser. La vie se chargera de vous les faire perdre lors d'une situation semblable à celle que vous aurez fait vivre, quelques années plus tôt, à quelqu'un qui ne s'est pas méfié de vous.

Jupiter dans votre signe peut tout vous donner ou presque, mais il reprendra ce qui ne vous a jamais appartenu !

JANVIER 2002

AMOUR-AMITIÉ Depuis quelques mois, vous vous êtes peut-être isolé pour ne vous occuper que de vous-même. Commencez-vous à être las de cette vie ? Le contact avec les autres est important pour vous. Vous êtes le signe du Soleil et quand il ne brille pour personne, se faufile alors en lui un sentiment d'inutilité. Si vous êtes dans cette situation, vous attendrez au 19 pour réagir. Dès le 19, vous revenez dans le monde. Vous donnerez rendez-vous à vos amis qui, vous le savez, sont là quand vous avez besoin d'eux.

Vous êtes peut-être célibataire par choix. À la suite d'une grande déception, vous avez cru que l'amour faisait trop mal et qu'il valait mieux vous en tenir loin... une rencontre vous fera changer d'avis. Cette personne sera extraordinairement amicale. Elle sera aussi seule que vous. Comme vous, elle dira préférer être seule que mal aimée ! Aussi, ce n'est que lentement que vous vous apprivoiserez. Tout aussi lentement, vous laisserez les beaux sentiments se faufiler entre vous.

Si vous avez une vie de couple harmonieuse, vous cherchez à la protéger. Il est possible que votre partenaire ait des problèmes de santé ce mois-ci. Vous serez inquiet mais si présent qu'on vous dira que personne n'aurait pu en faire plus que vous ! Étrangement, cette potentielle maladie de votre amoureux vous rapprochera l'un de l'autre. Vous réaliserez la fragilité de l'humain, celle de l'amoureux, mais également la vôtre.

FAMILLE Vous êtes sous l'influence de Jupiter en Cancer, symbole de la famille. Dans le ciel, Mars est en Poissons jusqu'au 18, dans le huitième signe du vôtre. Ces aspects en signes d'eau augurent un problème avec l'un de vos enfants. S'il est jeune, peut-être devrez-vous l'avertir du mauvais choix de ses amis. Si vous vivez une telle situation, soyez diplomate. Ne lui faites pas sentir qu'il a un mauvais jugement ! Vous aurez besoin de toute votre psychologie pour l'aider à remettre sa jeune vie en ordre. Si vos enfants sont grands et qu'ils ne soient pas en bons termes entre eux, détachez-vous de leurs histoires. Prenez un recul. Ne vous faites pas prendre dans la situation où, pour donner raison à l'un, vous devrez dire à l'autre qu'il a tort. Si vous êtes un nouveau parent, jusqu'au milieu du mois, vous dormirez peu. Les enfants sont plus nerveux, ils ont des petits rhumes et, surtout, ils ont besoin de votre affection.

SANTÉ Si vous mangez beaucoup de sucreries, il faudra en supprimer quelques-unes dans votre alimentation. Étant donné que Jupiter est en Cancer et Vénus en Capricorne jusqu'au 19, les sucres artificiels affaiblissent votre organisme et réduisent votre résistance. Reprenez goût aux fruits !

TRAVAIL-ARGENT Si vous passez moins de temps au travail, vous gagnez sans doute moins d'argent. Vous chercherez donc un second emploi, peu après le jour de l'An. Vos démarches seront couronnées de succès surtout après le 19. Vous pourriez même avoir le choix. Pour certains, après le 19, il sera question d'un voyage. Votre entreprise vous charge de représenter ses intérêts. Certains d'entre vous pourraient accepter un contrat de travail à l'étranger. Ceux qui n'en sont pas à leur premier départ s'organiseront rapidement. Si vous avez acquis une solide expérience dans votre domaine, votre nom circule. Il se peut qu'un compétiteur de la société qui vous emploie vous fasse une offre que vous ne discuterez pas longtemps ! Le salaire vaut bien ce changement. Si vous êtes artiste, à partir du 19, vous aurez des idées créatrices que vous mettrez en application bien vite. Avant que le mois se termine vous aurez rencontré des gens intéressés par votre projet.

CROYANCES Vous n'êtes ni aveugle ni naïf. Vous avez parfaitement conscience que des gens exagèrent pour impressionner. Ils réussissent avec d'autres, mais pas avec vous. Avant d'accorder foi à des croyances, vous en aurez fait le tour à plusieurs reprises. Vous êtes un signe positif et le Nœud maintenant en Gémeaux, donc dans un signe positif, vous fait voir votre lumière intérieure. Vous n'avez pas besoin d'être éclairé par les autres. Vous voyez très bien ce qui se passe en vous.

QUI SERA LÀ ? Un autre Lion est là, plus présent qu'à l'accoutumée. Un Scorpion vous porte chance dans votre milieu professionnel. Un Capricorne peut devenir exigeant. Un Cancer est séduisant. Le comportement d'un ami Vierge vous inquiète. Ce serait bon de lui en parler. Un Gémeaux vous dit ce qu'il faut faire. Croyez-vous qu'il ait raison ?

FÉVRIER 2002

AMOUR-AMITIÉ Avec Mars en Bélier tout le mois, donc dans un signe de feu comme le vôtre, vous aurez la chance de rencontrer de bonnes personnes, mais également des gens originaux et des fonceurs. Ceux-ci sont placés sur votre route afin que vous ayez davantage confiance en vous et que vous croyiez en vos projets aussi fantaisistes puissent-il paraître aux regards de vos proches.

Si vous êtes célibataire, vous serez attiré par une personne de nationalité étrangère ou du moins quelqu'un qui a beaucoup voyagé. Au contraire du mois dernier, une rencontre faite en février présage un développement rapide de la relation. Vous aurez l'impression d'avoir toujours connu cette personne. Après avoir été séparé de votre amoureux, quelques semaines ou des mois, il se peut que vous vous retrouviez. Vous serez en paix l'un envers l'autre, plus que lorsque vous viviez ensemble. Si vous menez une vie de couple, vous rencontrez les amis de votre partenaire. Ils font partie du bagage qu'on transporte avec soi même dans une vie à deux. Il est possible que vous ayez une sérieuse explication avec votre partenaire. L'un de ses amis est envahissant et réclame constamment de l'argent. Ce peut être aussi un parent qui emprunte et jamais ne rembourse. Si vous désirez mettre fin à ce genre de situation, soyez poli et diplomate.

FAMILLE Lorsque vous avez des enfants, ils sont tout pour vous, et c'est normal ! J'en ai rencontré des Lion (ou des Lionnes) qui ont délaissé leurs enfants pour de multiples raisons. Le pire prétexte étant : c'était trop dur pour moi ! Un enfant c'est une responsabilité pour la vie. Elle s'allège avec le temps, mais que les enfants soient petits ou grands, en tant que Lion, vous leur restez très attaché. Leurs battements de cœur sont les vôtres. Par contre, quand ils vous mettent leurs malheurs sur le dos, croyez-vous que ce soit raisonnable de les accepter ? Vous pouvez les accompagner et les aider à en sortir, mais vous ne pouvez et ne devez pas vivre à leur place. Ils ont leur identité propre. Elle n'est pas la vôtre. Si vos enfants sont jeunes, ils sont entièrement sous votre protection. Il est naturel de les surveiller, de veiller sur eux, de vous assurer qu'ils soient en sécurité, en bonne santé et le plus heureux possible. Mais vient un temps où ils doivent prendre quelques responsabilités. Cela commence très jeune au fond. Mais c'est pour vous un effort suprême de les laisser s'occuper de leurs propres affaires, ne serait-ce que ranger leur chambre. Vous voudriez leur rendre la vie facile pour toujours. Vous avez là un comportement de bon père ou d'une bonne maman. Mais le danger est que vous en fassiez plus que nécessaire. Finalement, vos enfants ne se fieront qu'à vous. Vous le savez, un jour, il devra le faire seul, sans que vous soyez derrière. Ce mois risque d'être difficile si votre belle-famille cherche constamment à entrer dans votre vie. Elle tente peut-être de la contrôler, comme si vous étiez indigne de son fils, de sa fille ou de ses petits-enfants si vous en avez. Vous mettrez des hola à cette situation. Sans doute choisirez-vous de vous éloigner en refusant les invitations et en écourtant les leurs, s'ils sont du genre à s'inviter sans préavis.

TRAVAIL-ARGENT Qui n'est pas préoccupé par l'argent de nos jours ? Nous vivons une récession économique qui effraie même les plus fortunés et plus chanceux. Qui n'a pas envie de tomber sur le billet gagnant pour n'avoir plus à se serrer la ceinture de semaine en semaine ? Quel que soit votre compte en banque, vous êtes un débrouillard. Si vous avez cherché un emploi, vous trouverez et mieux que ce à quoi vous vous attendiez. L'aspect voyage est encore très présent et lié à un projet ou à une entreprise. Si, pour les uns, il s'agit de partir pour quelques jours ou quelques semaines, d'autres se voient offrir une fonction intéressante à l'étranger, et ils partiront. Si vous travaillez de la maison, vous augmenterez votre revenu. Vous trouverez un moyen peu coûteux pour augmenter votre clientèle et vous réussirez. Pour certains, il sera question d'acheter une petite entreprise avec un frère ou une sœur et de la remettre sur les rails. Le mois est bien choisi pour une telle décision.

CROYANCES Vous ferez beaucoup de rêves prémonitoires concernant votre vie personnelle. Mais vous en ferez aussi sur des événements mondiaux. Vous serez le premier surpris d'apprendre que tel pays est entré en guerre, que tel autre se lie à une autre nation. En fait, vous connaissez les nouvelles avant tout le monde. Vous êtes connecté à votre monde intérieur et sur l'Univers puisque l'un ne va pas sans l'autre. Durant la première partie du mois, vous aurez des instants de voyances. Vous garderez ces images pour vous. Cependant, lorsque vous verrez de vos yeux la réalité que vous aviez pressentie, vous vous sentirez plus fort et plus uni à tout ce qui vit.

QUI SERA LÀ? Un Scorpion est là pour vous aider à décompresser lorsque vous serez tendu. Vous tomberez amoureux d'un Verseau tout en sachant que vous êtes si différents qu'il faudra beaucoup de temps pour que vous trouviez votre véritable terrain d'entente. Un Bélier vous aide à vous introduire dans un nouveau milieu de travail. Un Cancer est attentif à vos besoins et il est aussi perceptif que vous ne l'êtes. La santé d'une Vierge vous inquiète, il faudra aider.

MARS 2002

AMOUR-AMITIÉ Mars est maintenant en Taureau. Il est dans le dixième signe du vôtre et concerne directement votre famille et la définition de votre rôle à l'intérieur de celle-ci. En tant que femme au foyer avec des enfants, il est possible que vous décidiez de retourner sur le marché du travail, pour arrondir vos fins de mois. Vous sentez aussi qu'il est temps de permettre à vos enfants qui grandissent de se débrouiller quand vous n'êtes pas là. Si votre homme est du type « macho » et qu'il ne veut pas que « sa » femme travaille, pas besoin de bien longues discussions. Vous lui ferez comprendre la nécessité d'agir comme vous le voulez. Un autre scénario est susceptible de se produire. Si vous êtes de ces Lion qui ne se sont pas occupés de leurs enfants ni quand ils étaient petits ni quand ils ont grandi, vous essayerez de faire un retour vers eux. Vous êtes envahi par un sentiment de culpabilité. Mais, il y a peu de chances que vous soyez accepté, peu de chances qu'ils vous pardonnent. Il n'y a, dit-on, pas pire punition pour un parent que de subir le rejet de ses enfants ! Si vous vivez cette situation, attendez la mi-avril avant de faire un geste. Ne prenez donc pas le risque d'un rejet trop évident sous ce ciel en colère. Ce Mars en Taureau fait des aspects durs à d'autres planètes. Il vous signale que ces événements désagréables avec vos enfants peuvent perturber votre union actuelle. Il vaut donc mieux rester en retrait et sauvegarder ce qu'il y a de beau et de bon. En ce mois de mars, vous verrez moins souvent vos amis. Chacun est occupé, chacun a ses problèmes, son travail, ses préoccupations.

FAMILLE Il a été fortement question de la famille au paragraphe précédent. En fait, tout est extrêmement lié en ce mois. Les fils sont serrés et les nœuds difficiles à dénouer. Il faut tout de suite que vous sachiez que vous ne pouvez pas compter sur votre famille pour avoir de l'aide. Il vaut mieux organiser votre mois sans elle.

Par contre, si vous êtes de nature à toujours dire oui quand on vous demande un service, préparez-vous à dire non. Vous avez vos obligations à remplir et elles sont plus nombreuses qu'à l'accoutumée. Votre partenaire a davantage besoin de vous. Vos jeunes enfants réclament plus d'attention, surtout s'ils sont d'âge préscolaire. Si vous avez des garçons adolescents ou adultes, ceux-ci sont plus représentés que les filles ce mois-ci. Il est possible que l'un d'eux se place dans une fâcheuse position et qu'il vous demande de l'en sortir. Vous serez là. Mais s'il n'en est pas à son premier problème, peut-être faudrait-il l'aviser que vous êtes son parent et non pas son serviteur !

Si vous vous sentez utilisé, essayez de comprendre pourquoi. Cela vous permettra de remonter à la racine et d'arracher ainsi la mauvaise herbe qui a créé un comportement destructeur ou autodestructeur chez un de vos fils. Sur le zodiaque, votre fonction parentale est représentée par le Scorpion. Pour plus de la moitié des Lion, il laisse présager un sérieux problème avec un enfant malgré tout l'amour donné. Cette fonction parentale exprimée à travers le signe du Scorpion est l'expression du pire de vous-même et que vous ne dévoilez pas. C'est comme si le problème de l'enfant était la mise au jour de vos secrets les plus noirs. Ce même signe signifie aussi la renaissance de l'enfant, le passage radical d'un état à un autre. Si vous nagez en eaux troubles actuellement, ne désespérez pas ! En tant que parent, vous ne pouvez tout faire. Par contre, vous pouvez beaucoup, car votre détermination finit par devenir celle de l'enfant.

SANTÉ Vous vivrez un grand stress. Vous avez une multitude de décisions à prendre. Il est normal que vous ayez besoin de dormir davantage. Le soir, relâchez tout. Chaque fois que vous vous mettrez au lit, n'oubliez pas de vous dire que la nuit porte conseil. Le sommeil est votre meilleur atout pour retrouver vos énergies. À l'heure des repas, même si vous avez peu d'appétit, prenez le temps de manger, un peu et lentement. Si vos nuits sont écourtées parce que vous ne cessez de repenser à vos problèmes, à la fin du mois vous risquez d'être déprimé. C'est à éviter. Apprenez à vous relaxer même au milieu de grandes inquiétudes.

TRAVAIL-ARGENT Et on reparle encore de l'argent qu'il ne faut plus donner à ceux qui jamais ne vous remboursent ou qui jamais ne l'utilisent à bon escient. La richesse ne va qu'à très peu de gens. La majorité d'entre nous vivons bien, mais sans plus, surtout en 2002. Les divers problèmes mondiaux affectent notre économie. Nos denrées alimentaires sont plus coûteuses. N'oubliez pas que nous avons vécu une sécheresse, l'été dernier. Les loyers ne baissent pas, la facture d'électricité non plus. Les frais des services téléphoniques sont à la veille de devenir un luxe. Mais nous avons fait du téléphone une nécessité en tout temps et en tout lieu. Nous ne pouvons plus nous contenter d'une télévision avec dix canaux, il nous en faut cent, etc. Il faut bien payer tout ceci. Vous penserez sérieusement à ce qui n'est pas essentiel. Lentement, vous vous habituerez à moins de services. Vous ne mettrez pas de temps à vous apercevoir que certains n'étaient pas aussi nécessaires qu'on vous l'a fait croire. C'est votre mois de compressions, de simplicité volontaire comme on dit. Vous ferez ces restrictions, avec intelligence.

Au travail, si vous commencez un nouvel emploi, vous ferez plus d'heures que demandé afin de vous familiariser avec vos nouvelles tâches. Si vous ouvrez votre propre commerce, au début vous serez un peu maladroit. Mais la peur vous passera bien vite, votre assurance sera de retour, vous garantissant le succès dans ce que vous mettez en marche.

CROYANCES Lorsque nous traversons des moments difficiles, nous avons l'impression que Dieu n'existe pas ou qu'il n'existe que pour ceux chez qui tout va bien. Ce genre de rébellion religieuse ne sert qu'à attiser votre colère. Ce Dieu que nous appelons Dieu le Père, ne vous a-t-il pas dit, en tant que père, que vous étiez responsable de vous ? Je vous suggère de ne pas prier pour gagner à la loterie. Cette demande va droit à la poubelle divine ! De temps à autre, foulez le sol, même s'il est enneigé, ressentez la terre, et les plantes qui fabriquent leur parure en silence et qui savent quand le moment sera idéal pour leur éclosion. Il en est de même pour vous.

QUI SERA LÀ ? Tel qu'exprimé précédemment, bien des amis et des parents seront trop préoccupés pour vous donner du temps. Vous aurez toutefois de nombreux contacts téléphoniques avec un autre Lion qui vous comprend, avec un Scorpion qui n'a jamais cessé de croire en vous. Un Gémeaux se plaint auprès de vous. A-t-il eu le temps de vous écouter ? A-t-il vraiment ressenti ce que vous viviez intérieurement ? Devez-vous encore l'écouter ? Sagittaire et Bélier vous soutiennent, ils sont des signes de feu et savent ce que vous vivez sans que vous ayez besoin de tout leur expliquer. Ils sont là pour vous stimuler dans vos projets.

AVRIL 2002

AMOUR-AMITIÉ Le mois dernier, vous avez peut-être connu des conflits sentimentaux, à cause de la famille de l'un ou de l'autre ou d'amis, les siens ou les vôtres, devenus trop envahissants. Jusqu'au 13, si les querelles se poursuivent, elles sont moins intenses. L'essoufflement apaise la colère qui se dilue lentement. Au milieu du mois, votre partenaire et vous pourrez vous parler sans vous emporter. Si vous êtes en couple, mais avez eu une aventure dont vous avez parlé à votre partenaire, sa rancœur semble moindre, mais elle demeure. C'est trop frais à sa mémoire pour qu'on vous ait pardonné, et que vos nuits infidèles soit considérées de simples erreurs de parcours ! Le mariage à trois ne fait partie ni de notre culture ni de notre morale ! À partir du 14, vous serez sous l'influence de Mars en Gémeaux. Il devient plus facile de discuter les uns avec les autres. Mars en Gémeaux en fait même une nécessité. Mais, à la fin du mois, il sera presque en face de Pluton en Sagittaire ; dans ce cas, si votre vie amoureuse ne « prend pas du mieux » vous pourriez opter pour la rupture. Comme tout aspect a son revers : si vous avez vécu une séparation, il sera question de réconciliation. À partir du 14, vous retrouverez les amis que vous n'aviez pu voir. Chacun se trouve du temps libre pour vous rencontrer. Vous rétablirez votre cercle et reprendrez le fil de vos conversations.

FAMILLE Si vous avez l'intention de reprendre contact avec des membres de votre famille, par exemple, des enfants que vous ne voyez plus parce qu'ils refusent de vous parler, attendez que Mars soit en Gémeaux, le 14. Si vos enfants sont jeunes, au primaire, au début du secondaire, il faudra surveiller leurs sorties de plus près, sans tomber dans l'indiscrétion totale. Vos bons enfants sans problèmes pourraient être approchés par d'autres jeunes moins aimables. En fait, pour être juste, l'aspect « taxage » apparaît. Lorsque vous verrez le comportement de l'un des vôtres changer, s'il ne peut plus vous regarder en face, posez-lui des questions. Demandez-lui de quoi il a peur. Nous ne vivons pas dans une société où règne la sécurité pour tous. Il vaut mieux prévenir. Mais, dans l'ensemble, si rien de dramatique ou de troublant ne se produit, merci au ciel. Si vous avez plusieurs enfants, il faudra redistribuer les chambres autrement. Déployez toute votre imagination afin que chacun puisse avoir son coin à lui. Nombre d'entre vous songent à déménager. La recherche d'une nouvelle maison est commencée.

SANTÉ Plus le mois avance, mieux vous vous sentez. Si votre médecin vous a mis au régime, il ne faut pas tricher. C'est de votre santé qu'il s'agit, pas de celle du médecin ! Si vous êtes gourmand, jusqu'au 25, sous l'influence de Vénus en Taureau, vous aurez du mal à résister aux mets dont vous raffolez, aux desserts qui vous font saliver rien qu'à y penser. Lorsque vous ferez votre épicerie, vous serez très tenté de mettre les produits interdits dans le panier ! Allez-y avec quelqu'un qui a votre santé à cœur !

TRAVAIL-ARGENT Si vous êtes à votre compte, vous travaillerez beaucoup. Jusqu'au 13, vous irez d'une idée à une autre afin d'augmenter votre clientèle. Vous songerez à une stratégie publicitaire qui ne devra pas gruger votre budget, et vous trouverez. Si vous avez besoin d'un ou deux employés, n'embauchez pas trop vite. Renseignez-vous sur les gens qui se présentent. Si vous vendez des produits quelconques, assurez-vous que vos candidats étaient honnêtes dans les entreprises où ils ont travaillé auparavant.

Si vous avez un emploi régulier et êtes heureux qu'il en soit ainsi, vous n'êtes pas sans savoir que rien « n'est coulé dans le béton ». Donc, pour sauvegarder ce que vous avez, vous travaillez plus d'heures que demandé. Si vous œuvrez dans le monde des communications, avez une expérience peu commune et particulière, vous serez très en demande, à partir du milieu du mois. Que vous soyez en création ou en technique, vos services sont requis. Si vous êtes dans le domaine médical, vous serez débordé.

CROYANCES Vous êtes en pleine réconciliation avec vous-même, avec ce que vous êtes, ce que vous avez fait et peut-être n'auriez pas dû faire. Tout « se tasse ». La tempête intérieure se calme. Vivre en paix avec vous-même et le reste du monde a un effet miraculeux. Vous aurez l'impression d'avoir simplement oublié de demander à la vie ce qu'elle a de mieux à vous offrir. Qui n'a pas un jour voulu connaître ce qui l'attendait ? Si vous décidez de rencontrer un voyant ou un clairvoyant, s'il se trompe constamment sur votre passé, comment pourrait-il être juste dans ses prévisions d'avenir ? Il est rare de trouver un clairvoyant qui ne soit pas influencé par sa vie privée. Cherchez-en un. Peut-être le trouverez-vous à la fin du mois ?

QUI SERA LÀ ? Vous avez calmé plusieurs personnes au début du mois, et ainsi vous avez rétabli la paix en vous. Vous attirez donc des gens aimables, ceux qui vivent avec l'aspect positif de leur signe. Un Gémeaux vous présente un groupe d'intellectuels qui étudient un sujet qui vous tient à cœur. Un Scorpion, que vous connaissez depuis longtemps, soutient votre projet. Vous pourriez tomber amoureux d'un Cancer. Vous rirez beaucoup avec un Verseau. Un Sagittaire et un Bélier vous portent chance dans divers secteurs de votre vie, même au jeu.

MAI 2002

AMOUR-AMITIÉ Jusqu'au 29, Mars est en Gémeaux dans le onzième signe du vôtre. Il est positionné dans le secteur amitié, tout comme Mercure et Saturne tout le mois. Vénus est aussi en Gémeaux, jusqu'au 21. Ces planètes en Gémeaux laissent présager de nombreuses nouvelles relations. Les unes sont amicales, mais plusieurs personnes voudront se lier à vous par intérêt. Il ne faut pas perdre de vue que Pluton est en Sagittaire, face à ces planètes en Gémeaux, ce qui crée automatiquement un revers plus sombre mais pas dramatique. Ce mois vous permettra d'être extraordinairement lucide. Vous ressentirez ceux qui se trouvent en face de vous. La réaction vous appartient. Vous pourriez sentir qu'on vous ment. Pourtant, vous resterez là à écouter le menteur jusqu'au moment où il aura presque réussi à vous convaincre de sa bonne foi. Faites attention si vous êtes plutôt naïf et gentil. Ne laissez pas un problème d'argent se glisser entre un vieil ami et vous. Il suffit parfois d'une somme insignifiante pour déclencher une querelle.

Côté vie amoureuse, il y a de l'action dans votre couple. Votre partenaire pourrait vous demander ce que vous ne pouvez lui donner, tant sur le plan matériel qu'en temps à lui consacrer. Votre amoureux traverse peut-être lui-même une période difficile. Il est nerveux, a de soudaines sautes d'humeur, et vous êtes sa cible première. En général, vous ne supportez pas cela longtemps. Si quelques Lion font ceux qui n'ont rien entendu, d'autres réagissent, en cherchant un amoureux plus tendre ! Que faites-vous quand la pression augmente ? Vous seul pouvez y répondre.

En tant que célibataire, vous pourriez tomber amoureux de quelqu'un qui voyage d'une ville à l'autre ou d'un pays à l'autre. Les rencontres ne seront pas nombreuses, mais intenses chaque fois ! Le téléphone sera votre lien de contact, votre rendez-vous quotidien. Mais votre histoire est à suivre.

FAMILLE Si votre partenaire est nerveux, il aura grand besoin de vous pour s'occuper des petits et des grands. Il est possible qu'il se plaigne souvent de ne pas vivre dans la richesse... que vous ne lui avez jamais promise ! Vous en aurez beaucoup sur les bras. Il vous faudra d'abord calmer l'amoureux, ensuite ne pas laisser sa famille venir régler vos problèmes. Ses difficultés sont les siennes, elle doivent demeurer dans son foyer, entre vous et lui. Dans tout ce méli-mélo, vous suggérerez de partir une fin de semaine afin de vous détacher du quotidien et de vos habitudes. Le but est de vous retrouver en famille, calmement, entre gens qui connaissent les limites de leur territoire.

SANTÉ Si vous avez délaissé le sport, vous aurez quand même besoin de courir ou de faire de la marche rapide pour vous oxygéner. Pour le Lion, rien de mieux que le sport individuel pour se remettre en contact avec lui-même, avec son moi, unique en son genre. Pour ne pas ressentir la nervosité de l'amoureux et de votre entourage, échappez-vous dans une activité solitaire qui vous plaît. Pour être en forme, la méditation est un atout. S'il est impossible de ne rien penser, il est aussi difficile de ne rien faire dans notre société où on fait l'éloge de la performance. Mais vous trouverez du temps, même s'il est court, pour vous, pour retrouver votre équilibre ou le garder.

TRAVAIL-ARGENT Ce mois où dominent les planètes en signes doubles vous rend plus actif, plus déterminé. Si une porte est à ouvrir devant vous pour entreprendre une démarche, vous songez immédiatement à la suivante pour terminer votre avancée. Sous ce ciel de mai, un bon événement n'arrive pas seul. Les bonnes nouvelles viennent par deux. Les appuis en affaires sont de deux sources, dont l'une reste un peu mystérieuse. Si dans le passé, il a été question de partir dans une autre ville ou à l'étranger afin d'exercer votre métier, vous êtes maintenant sur le point de départ. Si vous êtes en commerce avec l'étranger, les dénouements rémunérateurs seront nombreux. Si vous avez monté votre affaire, avez songé et appliqué une autre stratégie commerciale, vous serez heureux des résultats. Mais si vous faites des investissements boursiers, soyez prudent, le marché est extrêmement volatil.

CROYANCES Toutes ces planètes en Gémeaux ainsi que le Nœud qui se trouve dans ce signe peuvent vous faire vivre des moments d'extase. Vous aurez parfois la sensation de flotter, de marcher sans toucher le sol. Si vous faites partie des méditatifs, rien d'étonnant à cela. Vous vous rendez compte qu'une partie du monde vit dans l'illusion, et qu'une autre se contente de nager dans ses problèmes. Certaines personnes ne savent faire que la guerre, ne pensent qu'à l'argent, ne vivent pas ou si peu... Mais tous ces gens si différents font partie de l'Univers. Vous espérez les réunir, les unifier, les pacifier, le but premier étant d'accéder à la paix pour vous-même et de l'étendre ensuite autour de vous. Les pensées sont comme des vagues, elles finissent toutes par toucher terre !

QUI SERA LÀ ? Un Gémeaux calme, logique, pacifique croit en la pensée positive. Un Cancer aimant, amoureux est près de vous. Un Bélier renforce votre confiance en vous. Un autre Lion vous aide à atteindre votre but. Un Verseau partage avec vous une expérience paranormale dont il n'a jamais auparavant parlé à qui que ce soit. Vous êtes patient avec un Sagittaire qui bouillonne d'impatience.

JUIN 2002

AMOUR-AMITIÉ Mercure, Saturne et le Nœud nord sont en Gémeaux, ils résident dans le onzième signe du vôtre. Ce onzième signe est le premier symbole de l'amitié. Étant donné que Mars est en Cancer, vous ferez le tri de toutes ces nouvelles connaissances du mois précédent. Le plus souvent ce sera sur une intuition, dans l'instant d'un éclair. Vous chasserez les envahisseurs. Vous n'aurez pas à leur faire de grands discours, votre désintéressement parlera de lui-même.

Côté cœur, si vous aimez, vous êtes entier. En ce mois, vous donnerez encore plus de temps à l'amoureux, malgré vos nombreuses obligations. Il est également possible que vous décidiez de travailler avec votre amoureux. Si vous montez une affaire, elle commence rapidement à faire des profits. Toutefois, si vous n'êtes pas heureux dans votre vie de couple, vous aurez la franchise d'en parler. Vous n'êtes pas sans savoir que d'avoir cette conversation avec votre partenaire aura d'importantes répercussions sur vous et sur vos enfants. Encore plus si votre décision de le quitter est déjà prise. Vous n'agissez que rarement avec spontanéité en amour. En cas de rupture, la raison est réfléchie : vous ne supportez plus d'être blessé. Sous un autre angle, vous êtes aussi assez honnête pour vous rendre compte que votre partenaire n'est et n'a jamais été heureux avec vous et qu'il serait plus sain pour l'un et l'autre de vous séparer.

FAMILLE En cas de séparation entre votre partenaire et vous, la résidence familiale sera au cœur du problème. À qui est-elle réellement ? Qui doit encore la payer ? Qui peut l'habiter ? Quels sont vos droits ? Pension alimentaire à recevoir ou à payer ? Aurez-vous la sagesse de ménager la sensibilité de vos enfants, de rester près d'eux dans un moment aussi dramatique ? Serez-vous celui qui reste auprès d'eux ou celui qui ne les verra que de temps à autre ? Toutes ces questions auxquelles il faudra répondre..., et il y en aura d'autres ! À partir du 15, il sera question de voir un conciliateur ou un psychologue. Et si votre situation pouvait se rétablir ? Pourquoi ne pas vous donner cette chance ? Peut-être vous apercevrez-vous que l'amoureux ne sait tout simplement pas comment vous parler d'amour alors qu'il est très épris ? Vous avez un autre amour, une aventure qui vous a fait découvrir vos vrais sentiments ? En êtes-vous bien sûr ? Ces sentiments sont peut-être ceux que vous avez toujours ressentis pour votre partenaire actuel, mais vous étiez incapable de les exprimer ? Tout est écrit dans ce ciel pour éviter une rupture ! Si vous avez la chance de ne pas vivre ce déchirement, si tout va bien avec vos proches, il ne vous reste qu'à songer planifier ce que vos jeunes enfants feront pendant leurs vacances. Aidez-les à choisir leurs activités.

SANTÉ Vous aurez bon appétit, alors choisissez des aliments moins gras. Vous avez tendance à faire de la bile et cela se transforme en des maux de tête. Mais vous pouvez les éviter, il vous suffit de manger des légumes à chaque repas. De nombreuses femmes pourraient enfler ou ballonner. Évitez le thé, le café et tout ce qui entrave une bonne élimination rénale.

TRAVAIL-ARGENT Vous êtes sous l'influence générale de Jupiter en Cancer. Cette planète mène le bal et donne le pouls à l'année. Vous continuez de travailler en sourdine sur certains projets. Vous serez toutefois tenté d'en parler à quelques personnes. Attention, vous pourriez vous adresser à des bavards, des envieux ou des gens qui veulent un morceau du gâteau. Si vous êtes associé à des membres de votre famille, d'autres seront intéressés à vous rejoindre. Cela ne signifie pas qu'ils soient utiles ! Il y a toujours quelqu'un quelque part dans votre famille qui veut tout gratuitement. Il faut l'éloigner, car l'accepter signifierait nuire à ceux qui se donnent à l'entreprise, et celle-ci se porte bien actuellement. Si vous êtes à l'emploi d'une multinationale, de bons changements s'annoncent. Il n'est pas question de compressions, du moins pas dans votre secteur, au contraire. On augmentera les budgets et sans doute obtiendrez-vous un poste mieux rémunéré. Si vous êtes en plein déménagement à cause de l'entreprise, tout s'organise calmement autour de vous.

CROYANCES La magie vient de vous. Votre vie s'améliore. Meilleur moral, bonne vitalité : en additionnant ces deux facteurs, vous vous réalisez tel que vous le rêviez depuis longtemps. Bien mal venus ceux qui essaieront de vous convertir à d'autres croyances que les vôtres. Votre esprit est éclairé. Vous êtes d'une extraordinaire lucidité intérieure.

QUI SERA LÀ ? Un Cancer s'attache de plus en plus à vous et vous à lui. Un Capricorne flirte avec vous, mais il vous effraie. Il vous semble trop autoritaire. Apprenez à mieux le connaître. Il cache une grande et belle sensibilité. Un Taureau vous tient tête ou décide que vous vous trompez ! L'écouterez-vous ? S'il a plus d'expérience que vous sur le sujet dont il est question, vous avez intérêt à prendre des notes, mais vous n'êtes pas obligé de croire tout ce qu'il dit ! Un Gémeaux vous admire. Une Vierge s'éloigne de vous et vous ne savez comment la rattraper ? Qu'avez-vous fait de ce romantisme qui vous allait si bien au début de votre rencontre ? Une Balance vous plaît, mais elle se sauve !

JUILLET 2002

AMOUR-AMITIÉ Dernier mois où Jupiter est en Cancer. Il reviendra dans ce signe qui précède le vôtre dans douze ans. Jusqu'au 23 juillet, dans la période qui précède votre anniversaire, se produisent généralement les événements troublants, les nouvelles décevantes, ou vous ressentez une plus grande fragilité physique, etc. Il est donc conseillé de vous éloigner des trouble-fêtes et de ne fréquenter que les gens avec qui vous partagez, en général, des moments agréables. En amour, si tout va bien dans votre couple, entretenez ce bonheur. Sortez plus souvent en tête-à-tête avec votre partenaire. Si vous avez des enfants, vous ne pourrez les exclure. Ils sont dans votre vie pour y rester et longtemps. S'ils sont grands, recevez-les. S'ils sont petits, multipliez les activités qui leur plaisent. Si vous prenez vos vacances maintenant, je vous suggère la tranquillité plutôt qu'un voyage qui vous obligerait à faire beaucoup de route.

Vous avez besoin de repos, d'intimité amoureuse et familiale. En tant que célibataire, le 14, avec l'entrée de Mars dans votre signe, vous plairez dès qu'on vous apercevra ! Ou vous aurez un coup de foudre ! Sachez que l'aspect est volatil ! Si vous fréquentez quelqu'un depuis peu, ne décidez pas immédiatement d'aller vivre ensemble. Attendez encore un peu.

FAMILLE Ce mois-ci vous prenez conscience de ce que vous êtes, de ce que vous faites, de ce que vous dites même si cela vous semble parfois des banalités. Vos paroles ont des répercussions directes sur le comportement de vos enfants. Peut-être corrigerez-vous des attitudes, des habitudes que vos enfants sont sur le point d'adopter dans leur manière de vivre et dont vous aimeriez, vous-même vous défaire ! Cela vous aidera à prendre une décision définitive ou plusieurs. Si vous avez ce qu'on nomme une famille reconstituée, il est probable que la jalousie se glisse entre vos enfants et ceux de votre partenaire. Pourtant, tout semblait aller bien auparavant. Si vous ne voyez pas cette ombre qui se faufile, l'envie de part et d'autre se cristallisera. Si vous avez des conversations avec ceux qui sont en âge de vous comprendre, vous réglerez au moins la moitié du problème. Les petits ne sont pas sans ressentir que vous donnez plus d'affection à vos enfants qu'à ceux de votre partenaire, surtout si l'ex de ce partenaire n'est que rarement présent. Si ces petits sont là pour rester longtemps avec vous, incluez-les dans votre plan de vie affectif. Un enfant aimé, c'est un enfant qui un jour saura dire merci.

SANTÉ Reposez-vous le plus possible en ce mois de juillet. Ne vous lancez pas dans d'épuisants travaux de rénovation, surtout si vous y pensez. Votre foi est encore menacée sous ce ciel. Il est important de bien vous nourrir et de bien cuire vos viandes même si, habituellement, vous les mangez saignantes !

TRAVAIL-ARGENT Ceux qui prendront leurs vacances pourraient avoir besoin de plus qu'une ou deux semaines de congé. Même un mois sera à peine suffisant tant vous aurez envie d'apprécier l'été ! Et il y a ceux qui travaillent tous les jours. Si vous êtes à votre compte, les affaires seront au ralenti jusqu'au 13. Ne paniquez pas. De toute manière, ne vous étiez-vous pas dit que ça allait arriver ? N'aviez-vous pas prévu ce ralentissement dans votre budget ? Dès le 14, votre clientèle revient et plus que vous n'en attendiez. À la fin du mois, vous procéderez à d'autres changements dans votre entreprise. Cette fois, il s'agit de redécorer. Vous avez bon goût, en général, et vous procéderez aux travaux vous-même avec vos employés ou des membres de votre famille qui travaillent avec vous. Le climat sera à la fête malgré la somme de travail que le nouveau décor exige.

Si vous êtes à contrat, à la fin du mois, une offre intéressante se pointe. Il est possible que vous acceptiez d'être moins payé durant les premiers mois. Si vous travaillez pour une grosse entreprise (la mode des fusions tire à sa fin ou du moins diminue considérablement à l'échelle mondiale), le climat général est différent. Les collègues se tiennent les uns les autres. Il est maintenant possible de faire respecter des droits qu'on avait refusés aux employés quelques mois auparavant. Sans doute jouerez-vous un rôle de premier plan dans le rétablissement de ceux-ci.

CROYANCES Vous avez un pied dans la matière et l'autre dans le spirituel. Cela se passe sans aucun conflit. Il n'est pas interdit de gagner de l'argent. Vous savez parfaitement que vous êtes bon et généreux. Pour un grand nombre d'entre vous, le geste gratuit est une preuve de votre appartenance à l'Univers. La sagesse sait que le plus petit service rendu peut avoir des répercussions à l'infini. La vraie sainteté n'est-ce pas de rester humble même en étant grand pour une personne ou un groupe de gens ? La majorité d'entre vous ne ressent pas le besoin de se joindre à une secte pour savoir qui elle est. Si vous êtes ce Lion qui se prend pour un gourou, à partir du 22, vous êtes en zone céleste et votre enseignement pourrait être fortement critiqué.

QUI SERA LÀ ? Une Vierge a besoin de vos attentions. Un Gémeaux se remet à critiquer et vous le stopperez net. Un Scorpion dont vous n'aviez aucune nouvelle vous rappelle. Vous pourriez tomber amoureux d'une Balance. Un Poissons vous donne une petite leçon de vie. Il vous aide à réajuster votre jugement par rapport à de fausses valeurs adoptées comme des vérités et qui nuisent à votre développement personnel. Un Cancer vous inquiète surtout s'il s'agit d'un enfant. Il y a possibilité de vous retrouver soudain en compétition avec un autre Lion. Un Sagittaire essaie de vous dominer mais ne peut le faire longtemps.

AOÛT 2002

AMOUR-AMITIÉ Mars est dans votre signe jusqu'au 29. Il laisse présager de la passion, de l'amour fou, en somme vous aurez un débordement d'affection ! Jupiter maintenant dans votre signe augmente votre force solaire à la puissance dix ! N'essayez plus de passer inaperçu, ce sera impossible. Ce bonheur, cet amour et cette flamme romantique que vous désirez depuis longtemps peuvent soudain illuminer votre vie et changer totalement le cours de votre destin. À partir du 8, sous l'influence de Vénus en Balance, votre beauté sera transparente. Vénus augmente considérablement votre magnétisme ! N'oubliez pas que lorsque Jupiter traverse un signe, s'il lui permet d'être au mieux, Jupiter est aussi un justicier. Si vous abusez de votre charme, si vous manipulez une personne qui vous aime, vous vous mettez en position de dette. Vous paierez entre août 2002 et août 2003. Il est désormais conseillé d'être honnête avec toutes vos relations. Vos amis, que vous traitez comme tels, vous aideront de mille façons. Mais attention de ne pas faire croire à des gens qu'ils sont vos amis dans le but de leur prendre quelque chose qui vous fait envie. Jupiter, le justicier, ne vous permettra pas de garder longtemps ce bien mal acquis. Ce mois-ci, vous entrez dans cette période couvrant les douze prochains mois où le meilleur comme le pire peut arriver. Tout dépend de vous !

FAMILLE En tant que Lion, vous prenez souvent la famille en charge, que vous soyez un homme ou une femme. Vous dirigez l'orchestre. Vous prenez des décisions. Il vous arrive même d'influencer celles de vos grands enfants. Si Jupiter en Lion est un passionné, il est également plus possessif que Jupiter en Cancer, influence sous laquelle vous avez vécu durant les 12 derniers mois. Jupiter en Lion vous rend intuitif, perceptif mais vous ne devinerez pas tous les membres de votre famille. Il est possible que vous prêtiez à certains des intentions qu'ils n'ont pas. Vous pourriez devenir soudain plus exigeant envers eux alors qu'auparavant vous les serviez et ne leur demandiez que le minimum. La transition se produit entre juillet et août ou entre Jupiter en Cancer et Jupiter en Lion. Elle est radicale et vous transforme. Jupiter en Lion, c'est aussi la conscience du rôle parental. Vous aurez la vision claire de ce que vous n'avez pas donné ou donné en trop à vos enfants. En ce mois d'août, Jupiter est en face de Neptune et il laisse présager la maladie d'un parent que vous affectionnez.

SANTÉ Si vous avez déjà eu des malaises cardiaques, ou avez des palpitations anormales, des engourdissements, n'hésitez pas à consulter un médecin. Lorsque Jupiter traverse un signe, cette fois c'est le vôtre, le natif grossit ou maigrit énormément. Sous Jupiter dans votre signe, il sera plus difficile de rester entre les deux! Jupiter exagère tout!

TRAVAIL-ARGENT Vous serez plus pressé encore de gagner de l'argent, parfois sans même savoir pourquoi. Votre moteur sera un mélange de peur et d'excitation. La peur d'en manquer et l'excitation que procure le pouvoir financier. Parmi vous, se trouvent des Lion réservés et sages qui veulent gagner leur vie mais à condition de poursuivre leur idéal. Si certains d'entre vous ont hésité à s'engager sur une nouvelle voie, ils sont maintenant prêts à le faire. À partir du 7, vous prendrez d'importantes décisions. Si vous avez monté une affaire au cours des mois précédents, vous serez surpris de la vitesse des développements. Naturellement, vous aurez besoin d'aide. Même si cela vous semble urgent, prenez le temps de choisir ceux qui veilleront sur la destinée de votre entreprise.

Si vous travaillez pour une multinationale ou une grosse entreprise, vous êtes sur la liste des futurs promus. Si votre secteur est très spécialisé, vous aurez tout le loisir de discuter de votre salaire et d'obtenir plus que l'offre de départ. Lorsque vous prendrez la route au cours de ce mois, soyez extrêmement prudent, que vous voyagiez aux heures de pointe ou non. À partir du 16 surtout, la vigilance est requise au volant. Si vous savez que vous devez conduire plusieurs heures d'affilée pour vous rendre d'un point à un autre, ayez la sagesse de vous reposer avant de partir.

CROYANCES Alors que vous étiez modéré, voilà que vous êtes maintenant vulnérable et plus perméable. En fait, Jupiter en Lion vous rend transparent. Si quelqu'un essaie de vous convaincre d'adhérer à un regroupement religieux, il verra la faille en vous. Il pourrait vous convaincre plus aisément. Les uns verront dans ce « recrutement » une avancée vers leur idéal, tandis que d'autres y apercevront la porte de sortie de leurs malheurs. Jupiter en Lion a aussi une influence très bénéfique. Si vous restez en possession de vos moyens, si vous êtes fidèle à vous-même, Jupiter vous met en contact plus étroit avec la part de divinité que vous portez en vous. Vous manifestez vos bontés envers autrui et généralement sans faire le moindre bruit !

QUI SERA LÀ ? Un Lion, un Sagittaire ou un Bélier, ou les trois, vous appuient pour la réalisation d'un projet. Vous n'êtes plus seul. Un Scorpion, s'il se fait discret et peu bavard, a des mots simples pour vous rappeler à votre nature dès que vous vous en écarterez. Il vous ressent plus que vous ne l'imaginez. Si l'amour s'est déclaré entre un Cancer et vous, vous ferez des plans d'avenir ; vous discuterez beaucoup de votre éventuelle vie commune. Un Capricorne fait tout ce qu'il peut pour vous plaire, vous le fascinez. Un échange de mots durs est à éviter avec un Taureau mécontent de lui, de tout et de vous. Il vous réclame des attentions que vous ne pouvez lui donner.

SEPTEMBRE 2002

AMOUR-AMITIÉ Jupiter est en Lion, Mars est en Vierge. Si je donne autant d'importance à la position de Mars cette année, chers astrologues amateurs et professionnels, c'est qu'il joue un rôle capital sur les réactions générales de la planète et sur les réactions individuelles. En fait, Mars appartient d'abord au Bélier signe de feu. Pluton au fond ne voyage jamais sans Mars. Ces deux planètes poussent pour se tailler une place au soleil chacune à leur manière. Elles ont donc une relation plus étroite avec Pluton en Sagittaire. Toujours en tenant compte du côté « marsien » du thème de l'année, nous avons Saturne en Gémeaux qui se trouve dans le huitième signe du Scorpion ou de Mars et Pluton.

En ce mois, Mars en Vierge est dans le huitième signe de Neptune et Uranus en Verseau. Cela n'est guère un présage de paix sur la planète. Tout ceci vous touche de très près étant donné la présence de Jupiter dans votre signe. Il en va de votre vie personnelle, sentimentale, amicale et professionnelle. Il est question de votre intimité, de l'amour partagé.

En ce mois de septembre, si votre partenaire n'est pas calme, vous le serez et modérerez ses peurs de l'avenir, sa crainte du manque. Vous le rassurerez sur lui-même.

En tant que célibataire, si vous avez récemment fait une rencontre qui vous a emballé, presque ébranlé, à partir du 9, il est possible que vous commenciez à voir les défauts de votre flirt. Le pire étant qu'il sera porté à restreindre votre liberté d'agir. Il interférera dans vos décisions, même les plus banales. Vous direz alors que cette personne n'est pas vraiment pour vous. Étant donné que Jupiter est en Lion, quelques heureux vivront la situation inverse. Une relation de respect s'installera entre eux : respect des désirs et des besoins de l'autre. D'un côté c'est le bonheur en vue ou à l'inverse vous ferez votre malheur en acceptant ce qu'il vous déplaît pour vivre avec quelqu'un.

FAMILLE À partir du 9, vous serez sous l'influence de Vénus en Scorpion qui fait un carré ou un aspect dur à Jupiter en Lion. D'autres planètes vous sont très favorables. Ce carré concerne particulièrement la famille dans son ensemble, vos enfants, petits-enfants et vos parents. Si vous avez une famille reconstituée, les enfants de votre partenaire peuvent manifester de l'agressivité envers vous, à l'école, envers leur père ou mère. La situation pourrait prendre une dimension inattendue, surprenante et parfois dramatique. Il n'est pas impossible que l'ex de votre amoureux, pour nuire à votre couple, demande la garde des enfants après l'avoir perdue pour de bonnes raisons. Ni vous ni l'amoureux ne vous inclinerez, surtout si ce père ou cette mère a abandonné l'enfant ou s'en est très peu occupé. Cette lutte visera à protéger ces petits, ces jeunes ou ces presque grands. Elle ne sera pas facile à mener. Les scènes seront théâtrales et dramatiques pour tout le monde. Un autre scénario est aussi possible selon votre ascendant. Il est possible qu'un enfant soit malade ; les visites à l'hôpital seront nombreuses et naturellement pénibles. Si vous avez plusieurs enfants, cette situation pourrait les affecter chacun leur tour. Elle perturbera l'ordre et inquiétera votre partenaire ou les autres enfants. Le troisième scénario concerne l'un de vos enfants adultes. Il pourrait vivre une séparation et vous songerez à ce drame qui pourrait vous séparer plus souvent de vos petits-enfants. Finalement, dernier scénario : vous pourriez vous retrouver dans l'obligation de prendre soin d'un parent dépressif. Les autres planètes qui vous sont favorables vous donnent le courage de passer à travers ces possibles épreuves. Il est à souhaiter que ce carré de Vénus en Scorpion à Jupiter en Lion, n'ait aucun effet sur vous, mais j'en doute.

SANTÉ Nous avons la force de nos épreuves, mais lorsqu'elles s'accumulent, elles finissent pas miner notre moral. Si vous ne réagissez pas, si vous ne cherchez pas en vous un autre plaisir d'être, vous vous enfoncerez dans la déprime. Malgré une excellente alimentation, si vous vivez de grands stress, votre estomac ne digérera pas aussi bien qu'à l'accoutumée. La naturopathie vous aidera considérablement. Elle a généralement un effet rapidement bénéfique sur votre organisme. Si des médicaments chimiques peuvent vous sauver la vie, des produits naturels vous aideront à vous rétablir plus vite.

TRAVAIL-ARGENT À partir du 9, ce carré de Vénus en Scorpion à Jupiter en Lion exerce des pressions sur tous ceux qui travaillent à contrat, à commissions, sur appel, temporairement. Si les uns doivent travailler un temps fou, d'autres se tournent les pouces et leur attente est insupportable. Si vous n'avez pas de stabilité dans votre milieu professionnel, un changement administratif vous rendra nerveux. Même si vous êtes protégé par d'autres planètes, cette période est pénible à supporter. Vos patrons oublieront de dire bonjour, vos collègues ne seront pas patients, et votre voisin se plaindra de tout et rien. Cet aspect ne ménage pas vos peurs déjà existantes. Mais, si c'est difficile pour les uns, ce carré permettra à d'autres de faire fortune. De ce mois de septembre à la fin de l'année 2002, le ciel ne fait de cadeaux qu'à ceux qui les méritent. Les tensions sociales s'accentuent et créent une incertitude qui frise la panique. Les premiers à perdre dans ces conflits sont les riches, les propriétaires et les présidents d'entreprise ; ils sont excessivement nerveux. Leurs peurs se propagent à tous ceux qui travaillent pour eux. Sous votre signe, ceux qui évoluent au milieu du succès sont peu nombreux. Il y a les grands gagnants et les perdants, mais il y a aussi ceux qui veulent réussir et ceux qui démissionnent !

CROYANCES Il est trop facile d'imaginer que le diable est à votre porte lorsque tout va de travers ! Et plus vous alimentez ce type de pensées, pire vous êtes moralement, plus vous avez du mal à retrouver votre véritable sens de la vie. Si ça ne va pas, n'allez pas vous imaginer qu'on vous a jeté un sort. Demandez-vous pourquoi vous avez cessé de croire et de vouloir le meilleur. Étiez-vous trop sûr de vous ? Avez-vous rejeté l'Univers hors de vous ?

QUI SERA LÀ ? Une Vierge a énormément besoin de vos attentions. Vous êtes en désaccord avec un Gémeaux. Un Lion vous approuve et vous en soignez un autre. Un Sagittaire et un Bélier vous portent chance. Un Cancer s'attache à vous. Un Verseau vous refile des idées que vous pourrez appliquer à votre façon. Vous faites la paix avec un Taureau. Un Scorpion vous remonte le moral. Vous flirtez avec une Balance.

OCTOBRE 2002

AMOUR-AMITIÉ Encore tout le mois, Vénus est en Scorpion et fait un aspect dur à Jupiter en Lion. Cela signifie que si vous avez laissé une situation s'envenimer, vous en subirez les conséquences. Si des événements troublants se sont produits et que vous ayez fait l'autruche, vous serez « au pied du mur ». Vous serez obligé d'agir afin de retrouver votre équilibre, ou vous vous éloignerez de tous ces conflits. Dans ce cas, vous attendrez que la poussière retombe. Vous êtes le seul juge de votre situation sentimentale. Vous savez ce qu'il faut ou ne faut pas faire. Jupiter en Lion dans votre signe vous inspire les bons choix. Il ne vous reste qu'à les appliquer. À partir du 16, sous l'influence de Mars en Balance, dans le troisième signe du vôtre, la raison et l'action sont étroitement liées. Si des rectifications à faire se présentent dans votre vie de couple, avec votre ex, avec une vie amoureuse qui ne vous plaît plus, vous aurez les mots qu'il faut. Vous saurez vous expliquer sans choquer qui que ce soit. En amitié, certains amis seront des sources d'inspiration. Ceux-ci vous ont toujours été fidèles, sans vous diriger ou vous contrôler. Ils n'auront qu'à vous écouter et vous saurez aussitôt comment vous y prendre pour ramener la paix en vous ou avec votre partenaire. Peut-être même vous réconcilierez-vous avec d'autres amis que vous aviez mis de côté parce que vous aviez mal interprété leurs paroles. Si vous échappez à tout cela entre cet aspect dur en Vénus en Scorpion et Jupiter en Lion, vous pourrez remercier le ciel. C'est assurément parce que l'amour est extraordinairement vibrant entre vous et votre partenaire. En cas de querelles, à partir du 16, Mars en Balance laisse entrevoir une accalmie.

FAMILLE Nous sommes dans une époque où les familles reconstituées sont nombreuses. Ce type de famille est comme un « casse-tête » pour les enfants. Ils doivent retrouver tous les morceaux pour le remonter. C'est comme s'ils oubliaient constamment un morceau chez papa et un autre chez maman. Que vos enfants soient en bas âge, jeunes, pré-adolescents ou adolescents, la séparation de leurs parents continue de générer des tensions. Bien sûr, ceux-ci peuvent être heureux avec un autre partenaire, mais cela ne change rien pour les enfants. Il vous faut donc les calmer au fur et à mesure que les tensions se présentent. Si vous avez une « seule » famille et que votre partenaire est le père ou la mère des enfants, chacun sait que l'éducation requiert une attention constante de votre part et de la part du conjoint. Malgré la belle unité dont vous bénéficiez, vous n'êtes pas exempt des petits problèmes qui surviennent à toutes les étapes de croissance de votre progéniture. Vous ne serez pas plus strict, mais plus ferme en ce qui a trait aux devoirs scolaires et aux tâches domestiques de chacun. Vous les suivrez de manière qu'ils prennent l'habitude d'étudier et d'aider, puisqu'ils vivent en communauté.

SANTÉ Au début du mois, par nervosité, vous pourriez avoir des maux de ventre qui surviennent sans crier gare. Si vous avez été malade en septembre ou si vous avez subi une opération, vous récupérez bien et plus encore à partir du 16 lorsque Mars entre en Balance. Nous allons sérieusement entrer dans la saison froide. Prenez la décision de continuer à vous oxygéner même les jours frais, même s'il pleut ! Marchez les pieds sur terre et la tête au ciel, ainsi vous récupérerez rapidement.

TRAVAIL-ARGENT À partir du 16, vous entrez en zone de réalisation et plus particulièrement s'il s'agit d'ouvrir une porte dans le domaine des communications. Si vous faites partie des innovateurs, si vous avez travaillé à un projet depuis parfois plus d'une année vous bénéficiez de ces bons aspects. Si vous avez été patient et tenace, vous aurez alors les appuis moraux et financiers que vous n'espériez plus. Si vous faites partie de ces Lion qui ont envie de sortir de la ville afin de travailler dans un coin de campagne, tout deviendra possible quelle que soit votre carrière. Votre déménagement se mettra en place à partir de la nouvelle lune du 6. Si vous avez une propriété à vendre, dénichez vite votre agent. Il ne lui faudra que peu de temps pour trouver un acheteur qui déboursera d'ailleurs le prix demandé. Si vous êtes un artiste, ce mois est favorable à un contrat à long terme, mais tout indique de nombreux déplacements. Pour certains d'entre eux, un important voyage à l'étranger est possible. Les décisions importantes et les plus rémunératrices se prendront à partir du 21 à la pleine lune. Les 3, 4 et 5 de ce mois sont des journées où vous devrez vous attarder sur tous les détails, répondre à votre correspondance, entreprendre des démarches pour votre changement d'adresse. Dans l'ensemble, vous gagnerez plus d'argent. Restauration, esthétique, coiffure, vente d'objets de luxe, de meubles, etc., tous les métiers qui vous mettent en contact direct avec le public vous font bénéficier d'une augmentation de vos revenus.

CROYANCES Votre logique a repris le dessus. Sans doute tenterez-vous de trouver une explication rationnelle à des événements et manifestations étranges qu'on a tenté sans succès d'expliquer depuis la nuit des temps. Certaines expériences paranormales ne peuvent se partager qu'avec des personnes qui les ont elles-mêmes vécues. Heureusement, vous trouverez une oreille attentive et un éclaircissement sur le phénomène en question. Vous serez rassuré. Il est également possible que certains d'entre vous, qui ne se rendent pas compte qu'ils sont une part de cet Univers, fassent des rêves prémonitoires. Sur l'écran noir de leur nuit, ils voient des événements dramatiques se produire en un coin du monde qu'ils n'ont jamais visité et ce, avant même que la moindre détonation ait retenti.

QUI SERA LÀ ? Une Balance que vous aimez et qui vous aime et avec qui vous ferez de grands projets d'avenir. Une Vierge continue de vous inquiéter, cependant vous commencez à comprendre ce qui se passe en elle, surtout s'il s'agit d'un enfant. Si vous avez un frère, une sœur et qu'il soit Gémeaux, Poissons ou Verseau, vous serez étonné de ses dernières décisions sur sa vie privée et professionnelle. Vous resterez à l'écart. Vous observerez et cela vous servira de leçon pour vous-même. Un autre Lion peut avoir besoin de vos soins. Vous calmez les sautes d'humeur d'un Bélier. Vous flirtez avec un Sagittaire.

NOVEMBRE 2002

AMOUR-AMITIÉ Nous sommes dans l'avant-dernier mois de l'année. Fort heureusement, la petite guerre entre Vénus et Jupiter s'est calmée. Les feux se sont éteints. On se parle civilement et sensiblement les uns aux autres ; l'un à l'autre. Vous sortirez davantage avec votre amoureux. Vous recommencerez à lui faire la cour. En tant que célibataire, vous aurez la chance de rencontrer une personne toute spéciale, elle aura un talent artistique indéniable et vous deviendrez son plus important admirateur. Vous savez que durant les Fêtes, il est impossible de joindre tous vos amis et de les réunir. Chacun d'entre eux est généralement pris par sa propre famille. Aussi déciderez-vous d'organiser votre Noël d'amitié pour les 16 ou 17 ou les 23 ou 24 novembre, ou pour le dernier jour du mois. On se fera un plaisir de répondre à votre invitation que d'ailleurs on trouvera originale. Certains d'entre vous ont des fréquentations sérieuses, parfois depuis de nombreux mois, d'autres vivent ensemble depuis plusieurs années, ces amours « engagées, mais sans papier » résultent en demande de mariage officielle. Voilà une autre bonne raison de faire la fête !

FAMILLE Même si vous êtes entouré, si vous vivez au milieu d'enfants avec un partenaire qui fait tout pour vous rendre heureux, même si votre vie familiale est comblée, vous aurez à plusieurs reprises la sensation d'être seul. Cet état peut perdurer jusqu'au 20. Il correspond à la rétrogradation de Vénus. Si vos adolescents deviennent de plus en plus indépendants, c'est normal, mais pour vous, parent, leur détachement est douloureux à vivre. Heureusement, la majorité d'entre vous ne vivra cette torture morale que du 16 au 19, moment où Mercure qui représente la jeunesse fait un carré ou un aspect dur à Jupiter en Lion. Ne pensez-vous pas que bientôt vous parlerez d'égal à égal avec vos enfants ? D'adulte à adulte, ou presque ? Au cours du mois, que vous soyez un homme ou une femme, il est possible que vous gardiez plus souvent les enfants d'un ami ou d'un parent. Vous lui rendrez service, mais vous serez assez ferme pour le prévenir que cette situation n'est pas pour la vie !

SANTÉ Vous retrouvez tous vos moyens, sauf si, précédemment, vous n'avez observé aucune des suggestions énoncées : vous oxygéner, ménager votre organisme en vous alimentant sainement, faire de l'exercice, dormir suffisamment, etc. C'est surtout durant les premiers jours du mois que vous serez nerveux ou même anxieux. Si vous avez appris à vous relaxer, vous savez faire taire vos peurs. En développant la visualisation créatrice, vous améliorez votre santé, votre résistance physique et vous gardez le moral.

TRAVAIL-ARGENT Si vous êtes à votre compte, votre commerce se portera bien. Vos journées seront chargées, mais c'est aussi le signe que vous gagnerez plus d'argent. Si vous travaillez dans un domaine particulier, telle l'organisation d'événements spéciaux, vous serez très en demande. Votre réputation s'est étendue avec les années et elle vous permet de demander plus cher qu'auparavant. Si vous êtes artiste, et continuellement en déplacements, un contrat se termine mais un autre du même type commence. C'est à peine si vous pourrez être chez vous à Noël ! Si vous faites des placements, vous les repenserez. Vous investirez d'une manière plus sûre pour les mois à venir. Si vous êtes à l'emploi d'une grande entreprise, l'adaptation aux changements imposés ces derniers mois est terminée. Si vous êtes policier, ambulancier, pompier, docteur, gardien, tout travail qui vous met en contact avec la misère, le drame ou la douleur humaine, vous devrez être solide. Vous devrez répondre à de plus nombreux S.O.S. Soyez extrêmement prudent entre le 4 et le 10 et du 24 à la fin du mois. Si, en général, vous devez porter des vêtements protecteurs quels qu'ils soient, enfilez-les aux dates mentionnées mais en tout temps de préférence. Si le casque est conseillé aux sportifs, prière de ne pas l'oublier à la maison. Un accident, ça peut coûter cher !

CROYANCES Il ne faut jamais cesser de croire en sa bonne étoile, quelle que soit l'idée que vous lui prêtiez. La vie appelle la vie. Croire en un monde meilleur autant pour vous que pour ceux qui vous entourent, c'est semer dans l'Univers et c'est éventuellement récolter dans le monde de la matière, sur le plan de l'équilibre émotionnel et physique. Si on doit tenir compte de l'hérédité physique – un incontournable –, elle n'est pas seule en jeu. La pensée positive et votre hérédité laissent présager une vie plus agréable. Vous ferez le tri des valeurs auxquelles vous aviez accordé priorité. Tout à coup, certaines ne représentent presque plus rien pour vous. Les sages approuvent que vous vous débarrassiez de bagages inutiles. Plus nous vieillissons, plus ces bagages sont lourds. Quant aux jeunes, ceux qui en sont à l'étape de leur réalisation, les valises sont moins lourdes, mais elles sont souvent remplies de faits sans importance, de souvenirs qui ne sont pas toujours les plus heureux, etc. Il faudra à ces derniers atteindre un âge certain, tel le mitan de la vie, pour s'apercevoir que certaines complexités de leur vie sont de trop !

QUI SERA LÀ ? Une Balance joue un rôle positif dans l'orientation de votre carrière. Une autre Balance peut changer votre destin amoureux, alors que vous étiez sûr de n'avoir pas d'avenir sentimental. Un Gémeaux vous courtise, sera-t-il du deuxième décan ? Si c'est le cas, vous pouvez espérer un grand bonheur, mais une grande prudence est nécessaire avant qu'il s'engage entièrement dans la relation. Vous devez rétablir la réputation d'un Scorpion que vous avez directement ou indirectement écorchée.

DÉCEMBRE 2002

AMOUR-AMITIÉ Nous voilà maintenant dans le dernier mois de 2002. En tant que Lion, vous avez généralement le cœur à la fête. La majorité d'entre vous aime la tradition de Noël, car elle est l'occasion de réunir la famille et les parents qu'on ne voit que trop rarement. Mais ce mois, c'est aussi le plus dur pour les couples qui vivent des tensions, pour les gens séparés où la garde des enfants et les temps de visite se transforment en drame. Le drame peut d'ailleurs avoir plusieurs dimensions.

Ce paragraphe s'adresse particulièrement à ceux qui ne vivent pas leurs amours en paix, aux déprimés pour cause de solitude, à ceux qui sont sans amour et qui n'ont pas ou peu d'amis. Durant le mois de décembre, Vénus et Mars sont en Scorpion. Ces deux planètes feront des aspects durs à Jupiter en Lion. Bien que Jupiter en Lion ne soit pas directement opposé à Neptune et Uranus, il est en face et exerce une influence négative sur ces Lion qui vivent dans l'isolement et qui s'entêtent à ne pas en sortir.

Si votre partenaire, ou vous-même, est violent, sous ce ciel, vous aurez tendance à exprimer brutalement vos frustrations. (Je n'aime pas écrire ces mots, mais ils sont la réalité de certains d'entre vous.) Si vous êtes un Lion qui vit avec un partenaire ayant eu des enfants d'une autre union, il est possible que l'ex de votre amoureux ait des réactions extrêmement désagréables envers vous, mais également envers votre famille au grand complet. Cela laisse présager des larmes de peur et de peine. Si une telle situation se produit – ce qui n'est pas à souhaiter –, votre vie amoureuse sera écorchée. Un autre scénario se présente aussi : un ami que vous considérez comme un membre de votre famille peut tomber malade, alors que rien ne présageait qu'il fût en mauvaise santé. Vous passerez Noël au chevet du malade.

FAMILLE Avec Vénus et Mars en Scorpion dans le quatrième signe du vôtre (symbole familial) et en aspect dur à Jupiter, la belle-famille peut vous dire constamment quoi faire dans votre couple. Pire encore, elle peut se mêler de votre intimité et vous troubler par des mots méchants, des remarques négatives, des reproches, etc. Il faudra mettre fin à cette situation. Pour y parvenir, vous devrez faire preuve de grande fermeté. En tant que parent de grands enfants, une question de partage d'argent, de cadeaux que vous leur donnerez pourrait tourner au vinaigre. Ces « grands ou presque grands » vous reprocheront votre manque de générosité ! Une autre probabilité : un conflit qui s'était éteint entre l'un de vos enfants et vous se réanime pour une banalité. Au fil des derniers mois, il a été plus facile d'identifier, grâce aux positions planétaires, si le trouble venait d'une fille ou d'un garçon, cette fois les deux sexes sont représentés. Si vos relations père-mère-enfant n'étaient pas saines, ce mois ressemble à une dernière épuration. On se parle ou on se ferme mutuellement la porte au nez pour bien des mois à venir. Les gens heureux, les familles unies, et vous en tant que Lion, vous protégerez contre les envahisseurs. Vous les verrez venir de loin, qu'ils soient de la famille ou de mauvais amis de vos enfants.

SANTÉ Si une situation familiale vous stresse, vous pourriez avoir une impression d'étouffement. Cela résultera en maux d'estomac ou de ventre. Si vous faites de l'arthrite, vos douleurs seront plus fortes. Au mois de décembre, les urgences des hôpitaux et des cliniques sont généralement engorgées. Pour calmer le mal qui vous atteint et prend souvent son origine dans vos blessures morales, vous devrez vous relaxer et vous détacher du conflit. S'il n'y a aucune guerre dans votre famille, si tout va bien dans votre vie amoureuse, attention aux fêtes auxquelles vous serez convié. Vous mangerez beaucoup et votre foie portera plainte !

TRAVAIL-ARGENT Si des troubles familiaux se produisent, vous prendrez çà et là des journées de congé sans solde, bien souvent. Ce qui vous obligera à ajuster votre budget en conséquence. Certains d'entre vous, pour ne pas voir ces troubles familiaux, se réfugieront dans le travail. Pendant ce temps, ils gagneront plus d'argent mais, d'un autre côté, aucune lueur à l'horizon ne leur permettra d'espérer de régler leurs problèmes avec les enfants, leur partenaire ou l'ex-conjoint. Si vous occupez un poste de pouvoir, vous serez plus sévère avec ceux qui sont sous vos ordres. Même si tout se passe bien dans votre vie privée, vous aurez tendance à réagir selon la position des planètes qui symboliquement s'agressent entre elles.

Si vous avez un commerce, redoublez de prudence. Verrouillez bien quand vous le quittez et n'oubliez jamais de mettre votre système d'alarme en marche. Il en va de même à la maison. Protégez vos biens, car plus que tout autre signe, vous êtes susceptible d'être visité par des voleurs. Certains Lion craindront tellement pour leur avenir matériel qu'ils se priveront de l'essentiel et ceci s'applique autant aux riches qu'à ceux dont le revenu est moyen. Quant aux pauvres, ils n'en sont pas à leur première privation, mais ce mois-ci, à cause de l'augmentation du prix des aliments, les privations peuvent être excessives. Ne pas manger à sa faim dans un pays comme le nôtre nous dit que les budgets gouvernementaux censés protéger ceux qui ne peuvent se suffire à eux-mêmes, sont à repenser.

CROYANCES Je crains que les drames sur la planète ne soient en augmentation. Cette fois, nous nous sentirons plus concernés qu'en septembre dernier. La souffrance humaine ne porte-t-elle pas bon nombre d'entre vous à prier davantage pour la paix dans la monde ? Mais qu'est-ce donc que la prière sans l'action ? La prière est un repos pour vous, mais elle ne donne pas à manger. Qui peut aujourd'hui transformer l'eau en vin et multiplier les pains ? La réponse est simple : chacun de nous et chacun à notre façon.

QUI SERA LÀ ? Plusieurs éveilleurs de conscience. Un Scorpion vous dit carrément ce qu'il pense de votre idéalisme, surtout si vous ne faites aucun geste pour que ce monde vive plus à l'aise. Une association avec un autre Lion est possible. Un Verseau est à consoler. Il faut accepter un Gémeaux tel qu'il est. Il faudra peut-être vous éloigner d'un Taureau qui s'entête à vouloir vous contrôler. Vous prendrez grand soin d'une Balance ou d'un Sagittaire amoureux.

LION ASCENDANT BÉLIER

Les sept premiers mois de l'année sont consacrés à votre famille, à vos enfants et, par ricochet, à votre relation avec votre partenaire. Il y a présage de conflits à petite ou grande échelle. Vous êtes un double signe de feu, toujours un peu trop pressé de régler vos problèmes ou d'obtenir les objets de vos désirs. De la mi-janvier à la fin février, Mars est en Bélier sur votre ascendant, vous serez plus autoritaire. Cependant, Mars fait un aspect difficile à Jupiter en Cancer, qui est la représentation symbolique de vos plus jeunes enfants. Vous remarquerez que vous serez sévère. Plus on s'opposera, plus les petits pleureront, crieront ou feront des gaffes, plus vous serez strict. Ils seront le reflet direct de vos états d'âme bouillonnants. Ces enfants que vous aimez, traitez-les avec douceur et vous verrez toute la différence ! Ils ne hurleront pas, ils danseront !

Du début mars à la mi-avril, Mars est en Taureau dans le quatrième signe du vôtre et dans le deuxième de votre ascendant. Cette période correspond à l'argent et au budget familial. Peut-être ressentez-vous une certaine panique devant la crainte de manquer d'argent. La cause première de cette peur est peut-être une réduction de vos heures de travail, donc d'une diminution importante de vos revenus. Durant cette période, méfiez-vous de vous et des querelles de couple que vous pourriez déclencher.

De la mi-avril jusqu'à la mi-octobre, vous gagnerez très bien votre vie. Vous travaillerez beaucoup, et parfois à deux endroits à la fois. Quels que soient les moyens que vous preniez pour soutenir votre famille, vous pouvez vous en féliciter. Votre courage vous honore.

Si depuis le début de l'année 2002 vous cherchez un emploi régulier, vous l'obtiendrez à la mi-octobre. Quel soulagement ce sera ! Dans l'ensemble, à partir du mois d'août, Jupiter est en Lion sur votre Soleil et dans le cinquième signe de votre ascendant. Il annonce l'amour et de plus en plus de sécurité matérielle pour vous et vos enfants. Jupiter en Lion annonce au célibataire qu'il ne le sera plus très bientôt. Jupiter en Lion, c'est aussi un avertissement : vous devez accorder une attention particulière à l'un de vos enfants qui sans doute possède un talent hors du commun. Ou alors, vous découvrirez le vôtre que vous avez laissé dormir pendant bien des années !

LION ASCENDANT TAUREAU

Vous êtes un double signe fixe. Le Soleil du Lion s'occupe des affaires de cœur, il est rempli de bonnes intentions ! Quant à votre ascendant vénusien, dans le dixième signe du Lion, il est préoccupé par ses devoirs familiaux et par l'argent. Vous êtes généralement un être ambitieux. Si des aspects durs apparaissent dans votre thème personnel, vous n'avez aucun mal à écarter ceux qui vous font obstacle. Dans ce cas, vous ne serez pas dérangé durant les sept premiers mois de 2002. Vous serez habile et vous occuperez le poste désiré ; le sommet seul vous intéresse ! Vous serez aussi un fin manipulateur, mais vous essaierez de comprendre pourquoi vous ne parvenez pas à résister au désir de tricher, de mentir de temps à autre. Votre ascendant Taureau est avantageux en ce sens qu'il vous donne une attitude discrète, il vous donne un air humble... mais vous n'avez pas la chanson.

Il faudra consacrer beaucoup d'années pour que vos pensées se concrétisent. Si le Lion est actif, le Taureau, votre ascendant, est quelque peu paresseux. Il s'arrange pour que quelqu'un d'autre que lui s'occupe des détails qui l'agacent. Vous êtes l'homme ou la femme des grands projets, les petits ne rapportent pas suffisamment. C'est lorsque Jupiter sera en Lion à partir d'août que vous devrez apprendre vos leçons. Tout est important. Les gens qui vous ont aidé dans le passé seront là. Ils ne sont pas présents à cause de votre position sociale mais parce qu'ils ont deviné votre bonté. Par contre, cette fois, vous aurez droit à leurs reproches à la moindre erreur.

Sous Jupiter en Lion, vous déménagerez. Vous aurez la chance de vendre à bon prix et rapidement.

Votre travail pourrait devenir votre famille. Quelques Lion qui avaient quitté leur emploi ou étaient à la retraite, feront un retour. Travail ou non, sous Jupiter en Lion, vos proches seront mécontents. La situation sera telle que vous devrez y voir avant qu'un drame se déclare.

À partir d'août, Jupiter est dans le quatrième signe de votre ascendant. Il occupe la position la plus déterminante en ce qui concerne votre vie dans son ensemble : famille et enfants, amour, santé, travail. Il en va de même pour chaque signe qui, un jour, vit cette traversée de Jupiter.

En amour, vous serez en réflexion durant les sept premiers mois de 2002. Si vous fréquentez quelqu'un pendant ce temps, à partir d'août, sous Jupiter dans votre signe, vous serez prêt à vous engager s'il s'agit d'une première fois. Pour certains, ce sera la deuxième ou la troisième union ou la dixième !

Vous serez fort à partir de 2002. Vous avez acquis du pouvoir en début d'année et il sera plus grand encore entre août 2002 et août 2003. Sur le plan physique, vous ne vous ménagerez pas. Le revers de cette grande résistance dont vous abuserez ce sont de brutales baisses de vitalité. Si vos enfants sont jeunes, ils ne peuvent vous aider à traverser la maladie. S'ils sont grands, ils ne seront pas présents durant votre période de faiblesse. Pour la majorité d'entre vous, ce qu'on nomme le karma est vécu à travers et par vos enfants. La personne qui sera là pour vous appartient à votre passé ; du moins est-ce ce que vous avez voulu croire. Votre signe et votre ascendant font de vous un être attachant dès l'instant où vous donnez congé à la rigidité mentale et intellectuelle, dès le moment où vous faites une peu de place à la spiritualité qui, malgré les dires des esprits scientifiques, fait partie de tout être humain.

LION ASCENDANT GÉMEAUX

Durant les sept premiers mois de 2002, Jupiter est en Cancer dans le deuxième signe de votre ascendant, mais le douzième du Lion. Jupiter est une planète hautement intellectuelle. Votre raison est donc mise au service de l'ensemble de vos biens. La grande question sera : partagerez-vous ou garderez-vous tout pour vous ? Donnerez-vous à vos enfants ou les priverez-vous, par crainte d'une pénurie quelconque ? Sous votre signe, on a souvent la chance d'amasser un « magot » ou d'avoir un travail rémunérateur. Si vous faites des placements, ne vous faites pas conseiller par quelqu'un que vous ne connaissez pas bien. On pourrait vous induire en erreur. Vos pertes vous mettraient hors de vous.

Lors de ce passage de Jupiter en Cancer et étant donné que Saturne est en Gémeaux, des problèmes respiratoires du passé peuvent resurgir. Il est donc important de prendre des mesures préventives, dès le début de 2002.

Pluton est en Sagittaire dans le septième signe de votre ascendant face à Saturne en Gémeaux. Cette opposition vous fait hésiter entre l'engagement qui s'offre à vous et votre solitude, que souvent vous avez préférée au partage. Les mois de mai et de juin seront particulièrement troublants concernant votre vie amoureuse ou son absence. Vous dévoilerez des secrets reliés à un amour vécu ou au manque d'amour.

Durant les sept premiers mois de 2002, il faudra conclure et décider de ce que vous faites de votre vie et de vos talents. Ne restez pas figé dans ce que vous avez toujours été. Réagissez, sinon des gens à qui vous demandez de l'aide refuseront. Si vous n'allez pas vers autrui lorsque Jupiter entre en Lion, en août, rassembler autour de vous des parents, des amis ou simplement entrer en contact avec eux sera difficile. Vous avez généralement un système nerveux fragile. Sous l'influence de Jupiter en Lion face à Uranus et Neptune en Verseau, plusieurs rejets seront les conséquences de vos agissements précédents. Dans ce cas, il est possible que vous ayez à vous faire soigner pour une grosse déprime.

Les aspects positifs de l'an 2002 ne se manifestent qu'au Lion-Gémeaux généreux et dévoué envers autrui. Les bons effets se manifesteront par un accroissement de sa fortune, souvent par une voie mystérieuse, un meilleur emploi. Ce pourrait aussi être par l'arrivée d'un enfant pour les jeunes gens qui s'aiment. Si vous avez l'âge de devenir grand-parent, vous serez heureux d'accueillir un petit-fils ou une petite-fille.

Si vous travaillez dans le domaine des communications, vous aurez un succès inespéré. Que vous soyez égoïste ou altruiste, à partir d'août 2002 et jusqu'en août 2003, il est important de redoubler de prudence dès l'instant où vous prenez le volant.

LION ASCENDANT CANCER

Saturne est dans le douzième signe de votre ascendant. Pendant ce temps, Pluton lui fait face dans le sixième signe du vôtre. Cet aspect concerne directement votre santé et ces maux qu'on ne voit pas venir. Si votre thème natal révèle déjà des aspects durs à Saturne, votre dos est fragile. En fait, il s'agit de protéger l'ensemble de votre ossature durant toute l'année 2002.

Les aspects positifs : l'aspect financier, vos placements. En fait, vous avez fait de bons choix de titres, en général. Vous avez du flair concernant l'argent, et vous êtes prudent. Si vous avez monté des projets, par exemple avec votre amoureux, votre récente collaboration a des effets extraordinaires sur les affaires de l'autre. En fait, tous deux bénéficierez d'une augmentation de vos profits.

Si vous êtes voyageur, vous partirez plus souvent vers les plages tranquilles, le sable chaud et l'eau bleue magique de certains océans. Chaque fois que Jupiter traverse un signe, il a tendance à faire grossir le natif. Si vous désirez prendre du poids, vous n'aurez pas un seul effort à faire. Vous n'absorberez plus vos aliments de la même façon. Votre organisme utilisera mieux ses graisses. Ceux et celles qui ne sont pas heureux de cet effet de Jupiter n'ont plus qu'à adopter un régime plus strict, de préférence sous la surveillance d'un médecin.

En tant que Lion, il est fréquent que vous exagériez pour atteindre un objectif. Jupiter qui fait grossir a aussi une influence plus agréable. Il vous met en évidence dans votre milieu de travail. Il vous permet de vous rapprocher du sommet. Puis Jupiter sera en Lion à partir du mois d'août pour, en quelque sorte, consolider tout ce que vous aurez fait précédemment et en assurer la continuité.

Si vous gagnez de l'argent durant les sept premiers mois de 2002, vous en aurez davantage durant les mois suivants. Il est également possible que vous héritiez d'une tante ou d'un oncle jusque-là inconnu ! Ou que vous gagniez une grosse somme à la loterie.

Si vous êtes tombé amoureux, il sera question de vie commune et, chose que vous n'avez peut-être jamais vécue, vous recevrez de nombreux cadeaux de votre amoureux ou de votre futur conjoint.

Les aspects négatifs : il est important de tenir compte de la différence entre les gens négatifs et les gens positifs de votre signe. D'abord, que vous apparteniez à l'un ou l'autre groupe, vous êtes puissant et influent dans votre entourage, quelle que soit votre position sociale. Vous êtes à la fois le Soleil et la Lune, le jour et la nuit. Si vous vous comportez selon ce que vous inspire le Soleil, vous êtes l'élément positif. Si toutefois vous n'êtes que la Lune, c'est-à-dire votre ascendant, vous n'êtes que l'élément négatif. L'idéal est de pouvoir vivre avec votre signe et votre ascendant en parfaite harmonie. Il est possible que vous n'y arriviez pas.

Vos souvenirs d'enfance sont teintés de déceptions et de tristesse. Lorsqu'ils deviennent votre lot quotidien et un prétexte dès que vous vous trompez, c'est le signal que vous transposerez immanquablement vos problèmes et vos frustrations sur vos proches, vos clients, vos collègues, vos enfants, votre partenaire, etc.

Si vous avez adopté la Lune en tant que guide, vous êtes le Lion ou le Soleil, vous êtes ce qu'on vous a demandé d'être quand vous étiez petit. Vous n'êtes pas votre rêve, vous ne poursuivez pas votre idéal ; vous suivez plutôt la tradition de votre éducation.

Avec l'ascendant Cancer, il est souvent question de vous soumettre aux ordres. Par conséquent, à votre insu, vous demandez à ceux qui vivent avec vous d'être à leur tour des enfants obéissants, même à des adultes. Si c'est le cas, vous êtes lunaire et non pas solaire. Dans de nombreux recoins de votre âme, l'angoisse règne en roi et maître.

Tous ces gens qui furent jusqu'à présent convaincus que vous étiez un chef, un père ou une mère attentif, s'apercevront que vous n'avez fait que contrôler leur vie. Si vous vous reconnaissez dans le décideur de la famille, cette même famille aura envie de voler de ses propres ailes, surtout si tous ses membres ont l'âge de la raison. En cette année 2002, le chantage affectif n'a aucun effet. En tant que Lion ascendant lunaire, si vous avez pris beaucoup que ce soit des attentions ou de l'argent, vous devrez rendre ce qui ne vous appartient pas, ce que vous avez obtenu par d'obscurs et habiles détours.

LION ASCENDANT LION

Tout peut arriver ! Le meilleur, surtout ! Vos désirs seront comblés. Durant le séjour de Jupiter en Cancer, qui a commencé en juillet 2001 et se termine en juillet 2002, vous avez agi de manière à réaliser votre idéal. Alors, vous serez heureux de constater que, petit à petit, et déjà durant les premiers mois de 2002, le voile se lève. Vous pouvez enfin entrevoir votre succès. Si vous faites partie de ces Lion qui lancent un commerce, qui mettent une entreprise sur pied, vous vous entourerez de personnes compétentes, que vous connaissez depuis longtemps. En fait, vous recréez une famille, mais cette fois il s'agit d'une famille en affaires.

Depuis juillet 2001 et jusqu'en juillet 2002 vous vous questionnerez sur vous-même. Vous irez à la racine de ce qui a pu faire obstacle à votre réalisation. Vous ferez le bilan de vos diverses réussites professionnelles et de votre vie sentimentale. Vous trouverez des réponses à vos questions, mais pas toutes, sinon à quoi servirait l'esprit s'il cessait de s'interroger ? Ce n'est généralement pas l'appât du gain qui vous guide mais plutôt le rêve d'une vie meilleure, à la fois pour vous et pour les autres.

En tant que double solaire, vous êtes tout feu tout flamme. Vous ne brillez pas que pour vous. Dites-vous que tous ces gens que vous avez aidés au cours des dernières années sont maintenant là pour vous servir. Ils n'attendent qu'un signe. Mettez votre fierté de côté, et demandez.

Puis à partir d'août, Jupiter sera en Lion. Il y restera pendant douze mois. Il signifie que vous brillerez, même derrière les plus épais nuages. Aucun événement, aussi dramatique soit-il, ne vous arrêtera dans votre course à la vie pour la vie.

Sous l'influence de Jupiter dans votre signe et dans votre ascendant, vous jouerez un rôle social de première importance. Vous demanderez la paix dans le monde, le respect de l'environnement, plus de soins médicaux, en somme plus de justice, et pas seulement pour la communauté dont vous faites partie mais bel et bien pour le monde.

Vous êtes Lion-Lion ou Soleil-Soleil et cela se traduit par ces mots « Sauvons la planète ! »

Si l'ensemble de l'année 2002 présage des buts que vous atteindrez, rien n'est parfait. Un parent âgé, gravement malade, pourrait quitter ce monde ou ce sera un ami que vous affectionnez beaucoup qui sera surpris et coincé par une maladie qui ne pardonne que rarement. En tant que parent, un enfant peut suivre vos traces. Vous aurez beau ne pas vouloir qu'il soit comme vous, le convaincre de ne pas vivre comme vous, son destin se mêle au vôtre. L'enchâssement sera harmonieux.

LION ASCENDANT VIERGE

Votre Soleil est dans le douzième signe de votre ascendant. Il représente le service à autrui et le sacrifice de soi. Ou, au contraire, vous vous complaisez dans le monde des intrigues de toutes sortes. Vous vous compliquez la vie lorsque vous intervenez dans celle d'autrui et rarement pour la simplifier.

Les aspects positifs : vous êtes une association du Soleil et de Mercure dans un signe de terre. Vous savez généralement ce que vous voulez et très rapidement. Vous êtes décisif. Si vous appartenez au groupe des Lion-Vierge serviables et généreux, depuis juillet 2001 vous êtes très préoccupé par votre famille, surtout si un parent est malade. Vous êtes également fidèle à vos amis. Lorsque l'un d'eux a besoin de votre aide, vous trouvez le temps pour lui. Même s'il vous faut abandonner votre travail, vous volez à son secours. De juillet 2001 à juillet 2002, vous êtes sous l'influence de Jupiter en Cancer, onzième signe de votre ascendant et douzième du Lion. Mieux clairement dit, cela vous réserve de désagréables surprises de la part de membres de votre famille, surtout que ce n'est pas l'un d'eux qui ne se porte pas bien, mais plusieurs, et c'est ce qui est susceptible de se produire en 2002. Jupiter par rapport à votre ascendant et à bien d'autres planètes vous met en garde contre des gens qui se disent vos amis surtout, au travail, alors qu'ils convoitent votre poste. On jalouse votre force. Au fond, on voudrait être vous et comme c'est impossible, on intrigue autour de vous. On essaie de vous décourager du combat qu'il vous faut mener pour sauvegarder votre emploi. On ne réussit pas. C'est principalement en mars que vous obtiendrez ce poste que vous avez demandé et qui vous obligera à voyager.

Si tout ce qui concerne le travail prend une tournure positive, il est important que vous preniez soin de votre santé. À vous dévouer constamment pour les autres, vous vous épuisez. Il est important que, durant la première moitié d'avril, vous suiviez à la lettre le régime que votre médecin vous a prescrit. Prenez vos médicaments avec rigueur, si le « docteur » le recommande. Puis, nous serons enfin en août 2002 et, pour vous, c'est un soulagement. Vos ennemis disparaissent comme par magie. Votre patron reconnaît votre talent et vous donne une plus grand latitude dans les décisions à prendre pour l'entreprise.

De août 2002 à août 2003, vous serez dans une zone céleste où vous vivrez un éveil de vos facultés paranormales. Vous serez plus intuitif et non pas plus sensible. Vous serez capable, par moments, de prévenir des drames. Que vous soyez ou non parent, il est possible qu'à partir d'août vous ne puissiez refuser à un ami de prendre soin de son enfant. Finalement, vous deviendrez mère ou père remplaçant.

Si vous avez déjà eu des problèmes avec votre circulation sanguine, il est important de faire de l'exercice et de manger raisonnablement durant tout le passage de Jupiter dans votre signe.

Les aspects négatifs : si vous faites partie de ceux qui se complaisent dans des intrigues de toutes sortes dans le but de mieux vous servir, notamment dans votre milieu professionnel, malheureusement pour vous, Jupiter sera en Lion en août. Jupiter est un grand justicier, il mettra au jour vos combines malhonnêtes envers des groupes de gens. Si vous avez acquis un poste de chef en trichant, il vous sera retiré. Cette partie « négative » ne concerne pas les bonnes gens !

LION ASCENDANT BALANCE

Vous êtes une association entre le Soleil et Vénus, la Balance. Un signe fixe et un signe cardinal, un signe de feu et d'air. Si vous êtes un pacifique, vous êtes tout de même capable de vous battre, surtout avec les mots, pour gagner une cause qui vous tient à cœur. Vous êtes un signe fixe, un tenace et un chef, mais vous êtes un signe cardinal vénusien, donc quelqu'un capable d'être aussi le vice-président qui remplace le grand patron. En somme, vous êtes entièrement propriétaire de vous-même. Vous êtes du feu et de l'air, en conséquence une explosion en puissance ! Rien n'est banal chez vous et d'ailleurs, vous détestez passer inaperçu.

Depuis juillet 2001 et jusqu'en juillet 2002, vous êtes sous l'influence de Jupiter en Cancer, dans le dixième signe de votre ascendant. Jupiter en Cancer est aussi dans le douzième du Lion.

Si vous montez une affaire familiale, vous devez constamment y remettre de l'ordre. Il y a toujours quelqu'un quelque part qui, par exemple, fait des achats inutiles ou précipités. Vous devez pacifier des parents qui s'obstinent alors qu'ils poursuivent les mêmes buts.

Jupiter en Cancer dans votre cas signifie souvent une réorientation de carrière, une offre, un poste que vous ne convoitiez nullement, et puis voilà qu'on insiste pour que vous le preniez.

Sous Jupiter en Cancer vous devez prendre soin de vous. Des malaises apparaissent çà et là. Ils sont le plus souvent des manifestations de votre stress et de votre émotivité que vous essayez de camoufler. Pourtant, cette dernière s'exprime en ébranlant votre résistance physique. Sous votre signe et votre ascendant, il est important que vous dormiez vos huit heures par nuit. Lorsque cela est possible, pourquoi pas dix ou douze heures ! Tous ces petits dérangements ne vous empêcheront pas de progresser, mais ce sera plus lent. Vous croirez parfois que vous reculez, mais il n'en est rien. À partir d'août, vous serez sous l'influence de Jupiter en Lion, cela donnera un énorme coup d'envol à vos affaires en cours.

Jupiter en Lion vous adresse encore d'importantes mises en garde au sujet de votre santé.Prenez soin de vous, mangez sainement, couchez-vous tôt, oxygénez-vous et, de grâce, expulsez de votre vie ces personnes qui ne cessent de vous demander de l'aide mais ne renvoient jamais l'ascenseur. Comme autre mauvaise nouvelle puisque rien n'est jamais parfait : un ami avec qui vous pensiez partager vos vieux jours sera atteint d'une grave maladie. Sans doute l'accompagnerez-vous dans les cliniques et hôpitaux où il devra être soigné. Cette expérience pourrait bien transformer vos valeurs et certaines de vos croyances.

LION ASCENDANT SCORPION

Double signe fixe, vous êtes le Soleil d'en haut et l'or noir sous la terre, représenté par votre ascendant. Votre Soleil est l'éclosion de la nature, Pluton dans votre ascendant est au contraire la source première de la vie ! C'est un peu comme si vous étiez au monde avant de naître ! Vous avez généralement un destin très particulier. Lorsqu'un changement doit avoir lieu, il est radical. Vous changez votre mode de vie, vos valeurs, vos croyances, votre carrière, votre famille, etc., rien n'est oublié. La transformation est complète et elle n'est généralement pas voulue, c'est simplement parce que vous devez renaître !

Depuis juillet 2001 et jusqu'en juillet 2002, vous êtes sous l'influence de Jupiter en Cancer qui se trouve dans le neuvième signe de votre ascendant et le douzième du Lion. Il se produit ici un phénomène étrange. Jupiter en douzième signe par rapport au vôtre est doublement exalté. Le fait que cette planète soit dans le neuvième signe de votre ascendant la met également en position de puissance !

Si vous avez beaucoup perdu au cours des années précédentes, par exemple, s'il vous fut impossible de gagner votre vie dans le domaine où vous êtes spécialisé, pour lequel vous avez une grande expérience, un heureux concours de circonstances vous donne ou redonne cette place qui est vôtre. En fait, vous rencontrez les bonnes personnes, au bon moment, au bon endroit. Nombreux sont ceux en zone de recommencement, de réorientation de carrière. Ils ont de la chance ou une chance inespérée de faire la preuve de leur compétence.

Un élément négatif à ce Jupiter en Cancer : si vous avez dépassé la trentaine, vous aurez tendance à grossir, à enfler. Il vous est donc conseillé de vous astreindre à un régime strict. Sous votre signe et votre ascendant l'embonpoint peut apporter des problèmes cardiaques.

Puis à partir d'août, Jupiter entre en Lion dans le dixième signe de votre ascendant. Il sera à un moment ou un autre en conjonction à votre Soleil. (Impossible d'écrire quand, puisqu'il me faudrait faire la carte du ciel de tous mes lecteurs.) Cette conjonction aura lieu entre août 2002 et août 2003, elle vous confirmera dans votre réorientation et vous permettra de vous hisser vers le sommet. Vous travaillerez beaucoup. Il est donc important de vous accorder des moments de repos complet.

En tant que célibataire, l'amour se pointera avec une telle soudaineté que c'est à peine si vous oserez y croire.

LION ASCENDANT SAGITTAIRE

Vous êtes un double signe de feu, Soleil et Jupiter ou Lion et Sagittaire. Il s'agit là d'une association planétaire où il faudrait de bien mauvais aspects dans un thème natal pour être quelqu'un de méchant. Vous êtes un signe fixe et un signe double. Le premier a un but précis, le second veut tout expérimenter ! Si le Lion s'occupe généralement bien de son budget, le Sagittaire a tellement foi en l'avenir qu'il prend du temps avant de faire des économies.

Voilà qu'en 2002, sous l'influence de Jupiter en Cancer dans le huitième signe de son ascendant et le douzième du Lion, vous penserez sérieusement à vous mettre à l'abri pour l'avenir.

Les enfants coûtent plus cher, les factures de la maison ne baissent pas, le prix des aliments augmente, etc. Il devient impératif de faire de la prévention. Si vous n'êtes pas celui qui mettez la « hache » dans les dépenses, ce sera votre amoureux qui, sur le plan astrologique, est représenté par Mercure, le calculateur.

Il est fort probable que vous preniez un second emploi, à temps partiel ou pour occuper vos heures de liberté. En tant que parent de jeunes enfants, que vous soyez homme ou femme, vous aurez, sans doute, une grosse part de responsabilités. Les aspects représentant votre partenaire ne donnent pas l'indice d'une santé florissante, ni un moral d'acier. Aussi devrez-vous remplacer l'autre dans de nombreuses tâches quotidiennes. Ce surplus d'obligations vous épuisera. Vous proclamerez, à quelques reprises, votre droit à de longues heures de sommeil. Comme tout signe de feu, dormir vous permet de récupérer.

À partir d'août 2002, Jupiter est en Lion dans le neuvième signe de votre ascendant et favorisera les projets que vous avez en tête. La situation familiale, probablement dérangée par diverses difficultés, et l'intervention de parents envahissants se rétablissent. Le chaos est terminé. Un ordre différent s'installe.

Par ailleurs sous Jupiter en Lion, vous reprendrez votre place. Vous ne retournerez pas dans votre routine passée. Pendant votre période de réajustements personnels et professionnels, vous avez planifié, en secret, ce que vous vouliez réellement pour votre avenir. Des éléments de nature providentielle se produiront. Des rencontres hors du commun auront lieu. Vous ne penserez plus de la même manière. Vos valeurs seront autres et, à partir d'août, vous irez droit vers l'objectif que vous avez eu continuellement à l'esprit sous Jupiter en Cancer. Voilà que même la chance s'en mêle afin de faciliter votre accès à votre idéal.

LION ASCENDANT CAPRICORNE

Vous êtes né du Soleil et de Saturne. Si vous prenez du temps avant de vous mettre en route, c'est que vous y pensez longtemps. Vous n'avez pas l'intention de vous tromper. Malgré la montagne de calculs faits en vue de l'objectif, Jupiter en Cancer jusqu'en août 2002 vous obligera à reculer, à recommencer, à faire des arrêts et souvent au moment où vous penserez que vous êtes sur le point de prendre ce fameux tournant.

Jusqu'en août, Jupiter est en face de votre signe et touche directement votre vie de couple. Si vous n'êtes pas heureux dans votre relation, et avez gardé le silence sur vos insatisfactions, ou fait semblant qu'elles n'existaient pas, la dure réalité vous rattrape. Pour les uns, il deviendra impossible de poursuivre cette union ; d'autres seront quittés.

Un élément favorable pour les célibataires de longue date : une rencontre modifiera radicalement et rapidement le cours de votre vie. Votre quotidien sera transformé et si vous n'avez pas d'enfant, il est possible que vous vous retrouviez père ou mère, sans avoir eu le temps d'y penser. Si vous êtes ce parent seul et célibataire, vous croiserez quelqu'un d'aimant et de bon pour vous et vos enfants. Vous ne résisterez pas à la perspective de fonder une véritable famille.

En tant que Lion ascendant Capricorne, vous êtes doublement père ou mère ! Vous engager dans une relation de couple, enfants inclus, les vôtres et ceux de l'autre, ne représente nullement un défi pour vous. Il s'agit plutôt du déroulement complet et normal de votre nature.

Dans votre vie professionnelle, vous serez en plein changement là aussi. Mais, comme vous vous y attendiez, vous les vivrez sans laisser la panique vous atteindre. À partir d'août, Jupiter est en Lion, dans le huitième signe de votre ascendant. Il met l'accent sur la nécessité de prendre soin de votre santé.

Entre août 2002 et août 2003, vous songerez d'abord à déménager. Ensuite, vous magasinerez une première ou une seconde propriété. Si vous voulez vendre la vôtre, vous obtiendrez le prix demandé.

Jupiter en Lion annonce également la maladie d'un proche. Si cette personne est âgée, une longue hospitalisation est possible. Pour vous, cela représente un changement dans vos habitudes à cause de vos visites assidues. Pour certains, un décès et ensuite un héritage familial à partager risquent de ne pas se passer en douceur. Quelques parents réclament le gâteau en entier, plutôt que la portion qui leur revient. Certains Lion-Capricorne prendront des mesures juridiques, pas uniquement à cause de cet argent auquel ils ont droit, mais plutôt par esprit de justice.

LION ASCENDANT VERSEAU

Jupiter est entré en Cancer dans le sixième signe de votre ascendant en juillet 2001. Il y restera jusqu'en juillet 2002. Jupiter en Cancer est aussi dans le douzième signe du Lion. Deux aspects ressortent en force : l'un est la santé, l'autre le travail. Ces deux thèmes extrêmement liés sont pour de nombreux Lion-Verseau. Si vous avez un emploi à la maison, vous serez débordé par la demande. Si vous êtes à votre compte, les commandes seront si nombreuses qu'en voulant satisfaire tout le monde, en voulant gagner de l'argent, vous risquez de vous épuiser. Si vous travaillez pour une grande entreprise, vous croirez qu'on supprime des postes, en réalité, on exigera que vous fassiez le travail de deux ou même trois employés qu'on a licenciés. Au début, il est possible que vous soyez assez naïf pour penser que vous avez obtenu une promotion. Cependant, en peu de temps, vous vous rendrez compte qu'on abuse de vous et de vos services. Votre vie personnelle et familiale en sera-t-elle transformée ? Jupiter dans le signe du Cancer symbolise aussi vos enfants. S'ils sont jeunes et que vous travaillez à l'extérieur, vous ne serez pas surpris de voir votre petit ange devenir petit démon.

Jupiter étant dans le sixième signe de votre ascendant concerne aussi la médication. Il peut s'agir de celle que votre médecin vous prescrit pour un problème quelconque, par exemple pour contenir de la haute pression. Il est possible que le médicament en question n'ait pas sur vous l'effet espéré. Dans un tel cas, n'hésitez pas à revoir votre médecin. Lorsque vous déposerez vos ordonnances à la pharmacie, assurez-vous qu'on vous donne bien vos médicaments et pas ceux d'un autre qui vous feraient plus de tort que de bien. Soyez vigilant dès qu'il s'agit de pharmacie, pour vous comme pour vos enfants. Autre exemple, si jamais on insiste pour que votre enfant prenne un calmant, parce que son prof le juge hyperactif, consultez donc plusieurs médecins avant d'accepter. Puis à partir d'août, Jupiter est en Lion et restera 12 mois dans le septième signe de votre ascendant.

Si vous êtes célibataire depuis quelques années, c'est en 2002 que vous rencontrerez la personne avec qui vous partagerez votre amour de l'art. Si vous menez une vie de couple, êtes heureux, mais n'avez pas encore d'enfant, votre partenaire et vous n'aurez pas besoin d'une longue conversation avant de tomber d'accord. Certains d'entre vous ne sont pas heureux dans leur relation. Ils décideront de se séparer, sous l'influence de Jupiter en Lion. Un autre amoureux les attend peu après. De nombreux

Lion-Verseau sont des artistes. En 2002, si vous débutez dans votre métier, votre popularité grandira rapidement. Vous aurez à peine le temps de vous demander comment cela peut vous arriver. Ceux qui sont déjà connus auront une autre année de reconnaissance et de trophées en tout genre.

LION ASCENDANT POISSONS

Vous êtes un signe de feu par le Lion et un signe d'eau par votre ascendant. Depuis juillet 2001 et jusqu'en juillet 2002, Jupiter est en Cancer dans le cinquième signe de votre ascendant et le douzième du Lion. Cette position de Jupiter augmente vos perceptions extrasensorielles. Vous aurez parfois l'impression d'être ou de devenir devin. Vous serez extrêmement sensible et la condition des enfants dans le monde vous touchera beaucoup.

Des Lion-Poissons consacreront du temps à une œuvre caritative, pour nourrir ceux qui ont faim. Ou ils agiront contre l'esclavage des enfants, dont la pratique perdure dans quelques coins du monde. Si vous êtes parent, vous accorderez plus d'attention à vos enfants. Si vous n'avez pas encore d'enfant, et que vous êtes en amour, votre partenaire et vous prendrez la décision de fonder un foyer. Un premier bébé arrivera pour certains, un deuxième pour d'autres.

Si vous êtes un artiste, vous serez inspiré, non pas uniquement sous Jupiter en Cancer, mais également sous Jupiter en Lion, et ce, durant l'année 2002 au grand complet et même au-delà. Que vous soyez chanteur, acteur, musicien, peintre, sculpteur, etc., vous arrivez au moment où votre œuvre sera reconnue par le public.

Si vous faites partie des jeunes fraîchement sortis de l'université ou d'une école de métiers, vous trouverez de l'emploi dans le domaine de vos études. Peut-être êtes-vous de ceux qui ont quitté leur emploi ? Vous aviez besoin de réfléchir à un tournant professionnel, à la vie, ou est-ce le destin ou par hasard que vous vous êtes retrouvé sans emploi. Peu importe. Les circonstances sont telles que vous trouvez votre voie pour vous réaliser pleinement.

Si vous êtes un entrepreneur et avez l'intention de monter une affaire, ouvrir un commerce, vous saurez vous entourer de gens efficaces. Ils croiront en vous et en votre projet. Il ne serait pas étonnant que l'entreprise soit familiale. Pour les célibataires, 2002 est une année de rencontres. Elles seront nombreuses, en fait, vous aurez beaucoup de flirts. Vous hésiterez à vous engager devant autant de choix.

En fait, à partir d'août, même si l'amour vous intéresse, nombre d'entre vous consacreront davantage leurs énergies à leur carrière, surtout si elle est en progression depuis le début de 2002. Étant né du Soleil et de Neptune, vous avez une grande compréhension de la nature humaine. Vous n'avez pas besoin d'avoir suivi des cours de psychologie pour cela. Vous êtes si près de l'âme des autres que vous pouvez presque voir les peurs et les angoisses des hommes. Aussi, en cette année socialement troublée, vous serez là où on a besoin de soutien moral et pourrez même être un héros à plusieurs reprises. Vous aiderez des gens à voir la lumière au bout du tunnel. Par exemple, si vous travaillez dans le milieu hospitalier, vous serez débordé mais satisfait, car vous pourriez sauver plusieurs vies.

♍ VIERGE

22 août au 22 septembre

Au docteur Antoine F. Asswad, le plus grand gynécologue du Québec, un ami et l'homme le plus joyeux qu'on puisse rencontrer. Il ne fait pas que soigner les femmes, il est porteur de vie.

À Sarah-Virginie Langlois – souvenez-vous de son nom! – sa sagesse, son intelligence, son audace, sa ténacité, sa force, son humanisme et j'en passe... sont la porte de sortie pour un monde meilleur et juste, sur les plans politique et économique.

VIERGE 2002

Pour de nombreuses Vierge tout a commencé à basculer à partir d'avril 2001 : vie privée et relations intimes, vie professionnelle, amoureuse, familiale, santé, etc. Quelque part quelque chose changeait. C'est la faute de Saturne en Gémeaux ! Ce dernier est un déclencheur, un éveil, une alerte ou une épreuve ! Ce Saturne reste en Gémeaux jusqu'en juin 2003 ! Rassurez-vous, plus il avance sur le Gémeaux moins il y a d'influence sur vous. Vous vous adaptez aux conditions de vie qui vous ont été imposées, de même vous serez capable de faire face aux prochaines.

Passons d'abord à travers 2002. Une année à la fois suffit.

Jusqu'en juillet 2002, vous serez sous l'influence de Jupiter en Cancer. Cette planète donne les pouls social et individuel. D'une manière générale, nous les adoptons sans nous en rendre compte. Conscient ou non, Jupiter en Cancer vous est favorable, heureusement. Durant les sept premiers mois de l'année, il sera dans le onzième signe du vôtre. Ce onzième signe est égal à Uranus, planète des surprises : les bonnes et les moins agréables. Mais, chose certaine, lorsque Uranus intervient, il rompt avec la tradition.Dans ce cas-ci, c'est la vôtre. Uranus n'étant pas dans votre signe, mais bel et bien dans ce qu'on nomme une maison astrologique « égale »... charabia plaisant pour les amateurs ! ! ! Pour mes lecteurs qui veulent savoir ce que cela signifie, suivez le guide !

Des événements non voulus sont provoqués par les choix et les réactions des autres. Ils obligent à modifier vos plans ou à n'y rien changer. Dans ce cas, il faut alors déployer toute l'imagination que le ciel a mise à votre disposition et faire appel à des relations professionnelles et amicales. Jupiter en Cancer et cette onzième maison astrologique signifient un grand désir d'apprendre, d'étudier, une soif de savoir et la vision soudaine de l'intérêt que certains susciteront dès qu'ils termineront leurs études.

Vous avez au minimum deux projets en tête, un seul n'est que rarement satisfaisant. Mais en 2002, vous savez pertinemment que l'éparpillement dans le travail ne vaut rien. Votre priorité est généralement le boulot, cela va parfois jusqu'à l'obsession. Vous craignez, plus que tout autre signe, d'être inutile. Vous avez une peur bleue du manque. Vous symbolisez la récolte rangée dans les greniers qui assurera votre survie durant les prochaines saisons. Il est rare de trouver une Vierge dépensière, à moins que ça ne soit l'argent des autres. Ces salaires que vous gagnez à la sueur de votre front, vous les économisez. Vous rentabilisez aussi ce qu'il reste après avoir payé vos factures, votre épicerie, votre maison, etc. ! Il en reste toujours, vous possédez généralement un petit compte en banque dont personne ne connaît l'existence. Si, en 2001, vous êtes passé d'un emploi à un autre, toujours dans un domaine où vous savez y faire, en 2002 vous obtiendrez un contrat ou un travail à long terme.

Durant les mois d'avril, mai et juin, Saturne en Gémeaux fera opposition à Pluton en Sagittaire. Saturne est dans le dixième signe du vôtre. Pluton est dans le quatrième de la Vierge. Vous serez dans l'axe de la famille au complet, la famille proche et vos enfants. Cet axe inclut aussi votre maison et toutes vos possessions. En avril et en mai, méfiez-vous du feu. Assurez-vous du fonctionnement de votre système d'alarme, en cas d'incendie mais aussi de vol. Durant les trois mois mentionnés, si vous vivez en famille reconstituée, alors que tout semblait être dans l'ordre pour la garde ou la pension à donner ou à recevoir, il est possible que votre ex fasse une nouvelle réclamation ou demande une révision de la pension. C'est en juin ou en début juillet qu'il faudra trouver une solution satisfaisante pour tout le monde, pour vous, pour l'ex et pour vos enfants.

Si vos enfants sont grands et sur le point de quitter la maison, malgré vos recommandations, on déménage ! Tout aspect a son revers. Un enfant qui, par exemple, avait quitté la maison quelques mois ou des années auparavant vous annonce qu'il revient. Pendant son absence, vous aviez la certitude qu'il ne reviendrait plus. Vous aviez réorganisé la maison à vos goûts et pour vos besoins personnels. Pour quelques Vierge qui « croient » ne plus avoir d'enfant, ô surprise ! Il ou elle apprendra qu'elle sera mère ou qu'il sera père. Il aura suffi d'un soir de passion pour qu'elle doive repenser son avenir !

À partir d'août, le climat social change encore. Il s'agit malheureusement du résultat des tensions qui prévalent dans les industries et dans les échanges commerciaux internationaux. Les guerres de religion, d'idéalisme, les guerres territoriales et le racisme gagnent en popularité. L'humanisme dont nous avons tous rêvé, et plus encore ceux qui sont nés un peu avant ou un peu après la Deuxième Guerre mondiale, est loin dernière nous. De nombreux hommes y aspirent encore, mais les guerriers sont très nombreux et ils sont armés jusqu'aux dents surtout.

POSITIVEMENT

En tant que Vierge, vous serez sous l'influence de Jupiter en Lion, dans le douzième signe du vôtre entre août 2002 et août 2003. Vous serez touché au cœur par la misère. C'est sous votre signe qu'on recrutera le plus de bonnes âmes qui se mettront au service des malades et des blessés. Vous serez des défenseurs de nos droits (ou de ce qu'il en reste !), vous serez les diplomates, les pacificateurs, les protecteurs de l'environnement, etc. Il serait étonnant que vous restiez dans l'ombre. Vous serez en fait les premiers aux barricades pour contester ce qu'il est possible de repousser et pour récupérer ce qui revient à chacun. Est-ce que j'exagère votre rôle ? Pour certains, oui. Mais pour de nombreuses Vierge, non. Il sera si important que vous fassiez partie du jeu en 2002 que ces mots sont pour moi la seule manière d'attirer votre attention.

Vous ne serez pas tous des chefs de file. Par contre, chacun de vous sentira que le moment est venu de tenir les guides plus solidement dans sa communauté. Et tout commencera par la famille qu'il faut réunifier si elle s'était défaite, disloquée. C'est à vous que revient la tâche de réparer les pots cassés ! Pour faire image : vous sortirez de la maison l'idée de la famille éthérée et la ramènerez dans la splendeur de sa réalité. Que vous soyez un père, une mère, un frère, une sœur, quelle que soit votre place en son sein, vous serez celui qui stimule et invite les uns et les autres à se serrer les coudes. Vous redonnerez au mot « ensemble » toute sa force.

Êtes-vous un chef d'entreprise qui jusqu'à présent s'est satisfait de ce que l'autorité vous imposait ? Afin de préserver l'emploi de ceux qui ont fidèlement servi l'entreprise dont vous faites partie, vous proposerez des solutions intelligentes de préserver, si ce n'est en totalité, du moins en partie, vos acquis. En ce temps où les restrictions sont plus nombreuses, vous procédez à une expansion brillante qui garantit le succès de vos divers projets. Vous serez un chef d'orchestre et recréerez votre milieu de travail pour ne pas le laisser mourir ou se dissoudre.

Sous l'influence de Jupiter en Lion, il est possible que vous achetiez une PME à bon prix. Vous l'adapterez aux besoins actuels de la société. Vous offrirez les services que le public peut encore se permettre de payer. Il n'est pas impossible que vous rachetiez l'entreprise pour laquelle vous travaillez depuis longtemps et qui est sur le point de fermer. C'est souvent dans ces moments durs que vous manifestez votre force. Vous déployez alors votre génie « mercuriel » où se mêlent imagination et sens pratique. Jupiter en Lion vous donne un nouveau souffle de vie. Vous aurez une énergie extraordinaire et des inspirations qui souvent vous viendront d'ailleurs, notamment pendant le sommeil. À votre insu, et sans même que vous vous posiez la question, vos rêves dont vous n'aurez qu'un vague souvenir vous donneront la marche à suivre. Une chose est sûre, vous savez ce qu'il faut faire pour éviter la catastrophe quand elle est devant vous. Vous savez aussi en protéger les gens que vous respectez et qui n'ont ni votre sens du risque, qui sera d'ailleurs fort bien calculé, ni votre audace.

NÉGATIVEMENT

Vous n'êtes pas tous bénis ! Certains d'entre vous sont coincés dans leur égoïsme et ne voient que leurs intérêts. Ils ont une vision à court terme. Ils oublient que leurs bienfaits matériels dépendent de ceux qui les entourent. Leur succès n'est en fait que le résultat tangible de ce qu'ils ont donné à autrui ou échangé. Sous votre signe : ce qu'on ne garde que pour soi finit par devenir stérile.

Vous êtes le sixième signe du zodiaque. Vous avez une large conscience et un esprit expérimenté par rapport à bien d'autres. Votre gros bon sens doit maintenant s'étendre. Il ne doit plus n'être qu'à votre seul service. Vous êtes en zone où la collaboration et le partage sont essentiels au maintien, à la préservation et à la croissance de vos acquis.

Voici quelques scénarios susceptibles de se produire pour la Vierge qui refuse de donner d'elle-même. Ce qui suit ne s'adresse qu'à ceux qui ont l'intention de se mettre à l'abri pendant que la majorité se débattra pour s'assurer le minimum. Ce qui suit concerne la Vierge qui s'isole, alors qu'autour d'elle des tas de gens ont besoin d'aide. Voici donc les possibles « tuiles » qui tomberont sur la tête des Vierge qui ne participeront pas au nouvel ordre social. Leurs enfants seront les premiers à leur reprocher leur absence de la scène sociale petite ou grande où ils pourraient jouer un rôle de chef. Pire, leurs enfants qui ont l'âge de quitter la maison s'en iront ou parfois retourneront vers l'autre parent dont ils étaient séparés.

Par un concours de circonstances ou à cause d'une chute du marché boursier, la fortune accumulée grâce à ceux qui les ont servis, s'envolera. Perte de travail chez les uns, rupture de contrat chez les autres, syndicat ou non. La fermeture d'une entreprise pour cause majeure réduira considérablement les sommes qui devaient leur être données...

Sous l'influence de Jupiter en Lion, aspect de fête, mais en opposition à Uranus et Neptune, on voit des indices d'alcool ou de drogue au volant, avec tout ce qui en découle comme problèmes devant la loi. Pire, on peut envisager la perte d'un membre. Votre foie peut être au désespoir à cause d'une prise de poids et d'un mauvais cholestérol trop élevé. Des problèmes cardiaques qui ne tuent pas mais réduisent les fonctions de l'organisme pendant de longs mois peuvent aussi être présents. Si vous avez triché avec le fisc pendant longtemps et en toute impunité, voilà qu'on met le nez dans vos comptes. Vous rembourserez ce que vous devez. Cela vous a-t-il permis d'acheter des maisons luxueuses ? Croyez-vous pouvoir les garder ? Malgré toutes vos combines en tant que tricheur, vous serez pris. Et les gens influents que vous connaissiez ne seront plus là pour vous couvrir.

À ces Vierge qui ne pensent qu'à elles-mêmes, je dis ne prenez pas ces avis à la légère. Vous êtes dans la mire de la justice sous toutes ses formes. Même l'amour qui devait durer toujours peut disparaître...

EN CONCLUSION

L'an 2002 est divisé sous votre signe. Bon ou malhonnête, vous passerez à travers les divers obstacles des sept premiers mois de l'année. Les vilains paieront la « forte note » à partir d'août ! La Vierge sage démontrera plus de force et de puissance qu'elle ne croit posséder. Elle sera poussée et inspirée à agir et à réagir aussi intelligemment que sainement sur les événements mondiaux et destructeurs qui se dérouleront un peu partout sur la planète. Son intervention est primordiale.

C'est grâce à vous que cette planète survivra. Ce que vous ferez ici aura des répercussions partout dans la monde. Vous êtes « le ou la » journaliste. Nul besoin de quitter votre patelin. Par ailleurs vos départs et vos voyages vous feraient perdre du temps. Il y a urgence. Vous êtes le premier ou la première à pouvoir sauver ce monde. Si vous voulez en être convaincu, lisez les signes qui vous précèdent, selon mon analyse, vous êtes le seul saint !

JANVIER 2002

AMOUR-AMITIÉ Dans le ciel, Mercure occupe toujours une position importante par rapport à ce que vous êtes et ce que vous faites. Mercure joue un rôle dans vos actions et vos réactions. Elle est la planète qui régit votre signe. En ce mois de janvier, à partir du 4, Mercure est en Verseau. Ce signe symbolise l'amitié ; cependant, Mercure sera, la majeure partie du temps, conjoint à Neptune aussi en Verseau ; donc tout ceci peut vous amener à comprendre que certains de vos amis vous resteront fidèles mais qu'il vous faudra être vigilant. Vous devrez vous méfier de certains « amis » qui se retourneront contre vous. Peut-être seront-ils poussés par des jaloux et des envieux. Les esprits faibles et leur peur d'y perdre adhéreront-ils aux intentions néfastes de « visages à deux faces » ? Mercure et Neptune à proximité l'un de l'autre dans le sixième signe du vôtre indiquent que ces amis, pour ou contre vous, évoluent tous dans votre milieu de travail. Côté cœur, vous êtes sous l'influence de Vénus en Capricorne. Cette dernière passera ensuite en Verseau le 19. Vous ne serez pas démonstratif de vos sentiments. Votre partenaire vous trouvera distant et, à la fin du mois, bien impatient ! Mais si on vous aime tel que vous êtes, l'amoureux s'attendra à ce que, lorsque l'orage éclatera, vous vous blottissiez dans ses bras. N'est-ce pas ce que vous faites quand ça ne va pas ?

FAMILLE Si vos enfants sont adolescents ou pré-adolescents, ils vous préoccupent. Vos petits sont grouillants, mais ne sont jamais très loin, aussi vous inquiètent-ils moins ! Vos grands ont l'art de disparaître sans vous dire ni avec qui ils sortent ni où ils vont. Vous avez bien du mal à vous habituer à les voir agir et décider en adultes, en enfants libérés de l'autorité de papa ou maman. Les « grands » garçons sont plus inquiétants que les « grandes » filles.

Dans le ciel, Mars est en Poissons, il passera ensuite en Bélier le 19. Ces positions de Mars concernent particulièrement la Vierge dont les garçons sont devenus des hommes. Il est possible que l'un deux ou plusieurs délaissent leurs études. Ils aspirent à mener leur vie comme ils l'entendent. Pour l'instant, ils semblent rejeter l'éducation et la tradition transmises. Vos longs discours sur l'importance de terminer leurs études n'ont que peu ou pas d'effet. Il se pourrait même qu'ils aient l'effet contraire. Plus vous insistez, plus vos grands garçons affichent leur rébellion. Si vous avez toujours été présent auprès d'eux, en tant que père ou mère, ne faites pas de drame. N'avez-vous pas, vous aussi, traversé une période où rien d'autre que vous-même ne vous intéressait ? Si vous n'avez que des filles, c'est sans doute au sujet de leur copain que vous vous questionnerez. C'est un peu comme si vous ne vouliez pas être en paix, cher parent !

SANTÉ Les pressions sur votre vie personnelle font chuter votre résistance et affaiblissent votre système immunitaire. Un rhume ou une grosse grippe vous obligera à vous reposer et à prendre du recul par rapport à tout ce qui vous contrarie. Ainsi à distance, vous verrez clairement que ce n'est pas la fin du monde. Les événements contrariants comme tous les précédents finiront pas passer. Jusqu'au 18, essayez de découvrir les aliments qui vous donnent mal au ventre. Sans doute en finirez-vous avec cette douleur qui, sans vous empêcher de vivre, rend votre quotidien plus pénible.

TRAVAIL-ARGENT Vous ne manquerez pas de travail, bien au contraire. Si l'entreprise qui vous emploie exige que vous vous déplaciez, par la route ou les airs, vous ferez plus souvent vos valises, surtout durant la première moitié du mois. S'il a été question d'une augmentation de votre salaire au cours des mois précédents et qu'elle n'a toujours pas été accordée, vous insisterez. On honorera la promesse. De toute manière, vous placerez votre patron dans une situation où il lui sera impossible de s'esquiver. Si vous défendez une cause personnelle et qu'il vous faille utiliser les services d'un avocat, vous trouverez ses honoraires très élevés ce mois-ci. Est-ce parce qu'il vous faut aussi payer les dépenses accumulées pour vos cadeaux de Noël sur votre carte de crédit ? Pendant quelques années vous avez peut-être entassé quelques objets et meubles antiques, pour leur valeur sentimentale, eh bien vous vous décidez à les vendre ! Vous trouverez un acheteur qui osera à peine discuter votre prix. Et si jamais cet acheteur essaie de négocier le prix, votre réaction de recul, mais sans agressivité, fera comprendre à l'acquéreur qu'il risque de rater une très bonne affaire ! Vous êtes tout naturellement habile quand vous commercez de cette façon.

CROYANCES Vous ferez quelques rêves prémonitoires. Ces images seront de sérieux avis sur ce qu'il ne faut pas dire à certaines gens autour de vous. À partir du 20, quatre planètes seront en Verseau dans le sixième signe du vôtre. De temps à autre, vous serez selon des observateurs dans la lune... En réalité, vous serez connecté à l'Univers. Vous pressentirez des explosions qui pourtant se produisent à l'autre bout du monde. Le hasard vous mettra en relation avec un clairvoyant. Il suffira d'une simple parole de sa part pour que vous vous éveilliez à votre véritable nature.

QUI SERA LÀ ? Un Cancer est amoureux et vous attend. Un Taureau ne peut se passer de vous, mais il est aussi possible que vous deviez le soigner. Un Sagittaire vous envie ou vous met au défi : ce n'est pas nécessaire de le relever ! Un Scorpion vous guide et vous aide à déchiffrer des messages parvenus par vos rêves. Un Gémeaux plein de bonnes intentions peut quand même vous induire en erreur sur vos placements ou dans toute autre décision financière. Vous vivez un affrontement intellectuel avec un Verseau et personne n'y gagne quoi que ce soit.

FÉVRIER 2002

AMOUR-AMITIÉ Vous connaissez beaucoup de gens, mais vous pouvez compter vos véritables amis sur les doigts d'une seule main ! Étant le signe du travail, vous consacrez généralement plus d'heures que la plupart des gens à réussir ce que vous entreprenez. Non seulement êtes-vous perfectionniste, mais vous en faites plus qu'on ne vous en demande. En quelque sorte, vous êtes « boulot-boulimique » ! C'est à partir du 14 que bon nombre d'entre vous songeront à monter leur propre affaire ou à acheter une PME en difficulté. Il s'agit là d'une très importante décision. Vous n'avez besoin de personne pour y réfléchir. Vous ferez donc une recherche sur vos diverses possibilités pour remonter de cette affaire. Vous trouverez exactement ce qu'il faut faire pour la remettre sur les rails du succès. Une fois que vous aurez tout pensé et planifié, vous en causerez avec un parent et votre amoureux qui pourraient devenir votre partenaire d'affaires. Par exemple, vous serez président et l'autre le vice-président. Vous rallierez vos amis qui partagent votre idéal, qui croient en vous autour de ce projet. Sans doute leur proposerez-vous une part du marché, dès les premiers profits. Vous faites partie de ceux qui bâtiront l'entreprise du futur, la petite tout autant que la grande, où chacun des employés sera responsable de ce qu'il fait et ne fait pas. Tout va bien, tout le monde y gagne. On fait une gaffe et tout le monde est pénalisé. De ce nouveau fonctionnement professionnel de meilleures relations de travail en résulteront. En fait vous ferez du monde du travail un milieu amical et naturellement vous n'interdirez pas que l'amour puisse éclore !

FAMILLE Vous serez tellement pris par vos activités sociales, vos causes et votre travail qu'il risque d'y avoir une dislocation temporaire de la famille. Plusieurs enfants pourraient se disputer entre eux. Leur message est simple : chacun réclame votre attention ! Et la seule façon de vous distraire de vos obligations, c'est de faire du bruit entre eux ! Vous ne supporterez pas ce chaos. Votre intervention, le plus souvent remplie de colère, n'arrangera rien ! Si vous vivez en famille reconstituée et que vous ayez l'âge d'aller et venir entre vos deux parents, sans doute ferez-vous plusieurs déménagements avec chaque fois la ferme intention de vous installer chez papa ou chez maman... Si votre famille est unie, de temps à autre vous irez « camper » chez un ami. Mais quel que soit votre âge, protégez vos biens. À partir du 13, vous êtes sujet au vol. Et le plus souvent par quelqu'un que vous pensez bien connaître. Lorsque vous quitterez la maison, si vous avez un système d'alarme n'oubliez pas de le mettre en marche. En ce mois, Mars dans le signe du Bélier vous met aussi en garde contre le feu. Au moindre signal de défectuosité électrique, retenez les services d'un expert.

SANTÉ Vous êtes sous l'influence du Nœud nord en Gémeaux. Il se trouve dans le dixième signe du vôtre. Il vous stimule dans votre carrière. Il vous permet de vous redécouvrir un but, si vous ne saviez plus où aller. Pendant tout ce temps, votre stress est immense et votre système nerveux pourrait ne tenir qu'à un fil si vous ne dormez pas suffisamment. Si vous faites des abus de médicaments relaxants, leurs effets secondaires pourraient affecter une autre partie de votre organisme : foie, intestins, et vous causer des problèmes de digestion ou des migraines, pour ne mentionner que les maux qui apparaissent le plus dans les symboles planétaires.

TRAVAIL-ARGENT Votre travail est prioritaire, on l'a vu. Sous l'influence de Mars en Bélier, vous subirez des retards dans les développements en cours. Ceux-ci pourraient survenir à la suite de problèmes sociaux sur lesquels vous n'avez aucun contrôle. Il faut attendre que la poussière retombe pour reprendre le cours de vos affaires. Les gens sans problèmes financiers sont d'une extrême rareté dans notre société. Si vous êtes obligé de prendre certains médicaments pour vivre, une augmentation de leurs coûts imposée par le fabricant vous obligera à réviser votre budget, à faire votre épicerie différemment. Vous supprimerez ces quelques petits luxes que vous vous offriez de temps à autre. Soyez patient, la situation se replacera. Dites-vous que la nature a horreur du vide, même le vide de votre compte en banque ! Si vous possédez plusieurs immeubles, au milieu du mois, vous en mettrez au moins un en vente. Les acheteurs sérieux seront rares en février, vous serez dérangé souvent et inutilement.

Si jamais vous êtes de ceux qui veulent de l'argent sans le gagner, si vous aviez l'intention de préparer un « mauvais coup » revenez sur cette décision. Ce ciel met la main au collet des petits et grands voleurs. Le monde Internet permet de communiquer avec la planète en entier. Si vous êtes branché sur des sites douteux, quittez-les, il pourrait vous en coûter cher. Vous seriez obligé de vous défendre d'une accusation quelconque ! Protégez-vous des virus informatiques plus qu'à l'accoutumée. Une infection de votre ordinateur peut aussi être coûteuse.

CROYANCES Entre le 6 et le 18, vous pouvez croire davantage à la chance dans les jeux de hasard ! À condition, bien sûr, de ne pas arrêter de respirer ni d'en faire une obsession. N'allez pas donner votre démission... au cas où cette chance passerait tout droit, au cas où cette chance ne serait qu'un gain de 50 $! Si vous traînez avec vous quelques problèmes psychologiques et avez l'âme lourde, rendez visite à votre psy préféré. Il a l'art de vous faire voir votre vie sous un meilleur angle. En une ou deux sessions, il vous rendra espoir. Vous êtes un être logique d'abord et avant tout ; par contre, des événements troublants dont vous n'êtes pas responsable vous font voir que vous faites partie de l'Univers. Sous votre signe, on prie pour soi en premier. Vous mettez du temps à comprendre que le bonheur des autres c'est aussi le vôtre ! Mais lentement, vous changez cette façon de penser. Il faut désormais cesser de dire : « j'ai » sauvé le monde ! Sauver le monde pour attirer la gloire vous éloigne de la Sagesse.

QUI SERA LÀ ? Un sage Sagittaire vous donne une leçon de vie non pas en mots mais en actes. Un Verseau est un bon professeur. Un Taureau tombe amoureux de vous. Un Cancer est attaché à vos pas, au point où vous le trouverez souvent envahissant. S'il est en désaccord avec vos idées, devez-vous absolument lui dire adieu ou réfléchir à ses dires ? Un Scorpion vous dit ce qu'il pense de vous, de bon et de moins bon. Un Capricorne vous apporte de la prospérité dans le domaine des affaires.

MARS 2002

AMOUR-AMITIÉ Vous serez sous l'influence de Mars en Taureau. Cette planète est dans le neuvième signe du vôtre. C'est un symbole de pacifisme et d'alliances, aussi agréables que prospères. Jupiter en Cancer reçoit bien Mars en Taureau. L'effet de ces deux planètes est de rétablir la paix dans la maison, s'il y a eu des conflits. Les amis sont évidents, les faux disparaissent comme par magie. Par ailleurs, au cours du mois vous serez souvent visité par les meilleurs d'entre eux, plus particulièrement si vous montez une affaire avec l'un d'eux. Si vous menez une vie de couple où le bonheur règne en maître, si vous êtes jeune et n'avez pas encore d'enfant, il en sera question au cours de ce mois. Vous ne prendrez probablement pas une décision en mars, mais vous n'aurez pas dit non à la maternité ou à la paternité.

Si vous êtes célibataire, une rencontre hors du commun se produira à un moment où vous étiez loin de penser à l'amour. Ce sera si évident à l'instant où votre futur grand amour sera devant vous et que vous ne pourrez plus le quitter des yeux. Vous qui savez généralement quoi dire pour entrer en conversation, vous aurez l'impression que, cette fois, les mots vous échappent. Pourtant, vous réussirez à proposer un café! Si vous avez un amoureux, mais n'êtes pas entièrement certain de poursuivre la route avec lui, plusieurs aspects montrent que les occasions de tromper seront là, devant eux. Étrangement, l'infidélité, qui aura lieu dans ce dernier exemple, retardera la rupture qui était sur le point de se produire !

FAMILLE Si vos enfants ont chahuté, s'ils n'ont pas été sages depuis le début de l'année, les voilà différents, changés, transformés. Ils écoutent lorsque vous parlez. Ils sont plus affectueux et plus démonstratifs. Ils vous font des confidences ou vous racontent ce qu'ils considèrent comme des secrets. Cette quiétude qui s'installe au début du mois sera troublée par un parent malade. Vous vous en occuperez non pas parce que vous en sentez l'obligation, mais plutôt parce que vous êtes attaché à cette personne. Malheureusement, pour bon nombre de Vierge, il s'agira de leur amoureux qui fait une rechute si déjà il a été malade. Si vous faites partie des Vierge qui habitent une ville et travaillent dans une autre, afin d'apaiser ceux que vous aimez, vous voyagerez entre votre travail et la maison. Dans quelques cas, il peut être question que la famille au grand complet déménage là où vous devez vous rendre chaque jour pour gagner votre vie.

SANTÉ Si vous avez déjà eu une grave opération, récemment, ou il y a un an ou deux, il est possible que vous deviez voir votre médecin pour des malaises concernant l'organe « réparé » ou manquant. Si on vous a conseillé un régime et que vous l'avez suivi depuis plusieurs mois, comme vous allez mieux, n'avez-vous pas tendance à vous relâcher, à vous nourrir de ces aliments qu'on vous a strictement dit de bannir de votre alimentation ? Ne pensez surtout pas tromper votre médecin, c'est de vous qu'il s'agit.

TRAVAIL-ARGENT Un mois pour le bâtisseur. Si vous avez l'intention d'acheter un commerce, une petite ou une grande entreprise, le moment est idéal pour négocier. Si, pour démarrer, vous devez faire un emprunt à la banque, par exemple, votre demande sera approuvée. L'argent vient à vous plus aisément. On vous rembourse ce qu'on vous doit, ou vous recevez un héritage qui a été l'objet d'une longue querelle entre les membres de la famille. Un parent peut décider de vous donner une somme d'argent parce qu'il considère que vous en avez besoin et que vous en ferez bon usage. La chance est même présente au jeu et plus précisément jusqu'au 13. Si vous êtes à l'emploi d'une grande entreprise ou fonctionnaire, vous entrez dans une zone de réductions de postes. Vous vous y attendiez, aussi aviez-vous préparé votre sortie et savez-vous déjà où diriger vos pas afin d'obtenir un autre travail. Bon nombre de Vierge obtiendront un poste grâce aux bons mots d'un ami ou d'un ancien collègue. Quoi qu'il se passe dans votre milieu professionnel, vous ne serez pas désespéré. Notez que certains d'entre vous se lèveront et représenteront l'ensemble des travailleurs et plaideront si bien leur cause qu'ils réussiront à protéger tous ceux qui se sont mis sous leur protection.

CROYANCES Alors qu'en général vous croyez très peu en l'intervention des anges, même si vous aimez bien penser qu'ils existent, nombre d'entre vous vivront une expérience spirituelle peu commune. Celle-ci les réconciliera avec le monde invisible. Certains d'entre vous désireront prendre des cours afin de développer leur clairvoyance... Attention, on naît clairvoyant, on ne le devient pas ! Ne soyez pas dupe ! Demandez-vous sérieusement si vouloir connaître l'avenir, le vôtre et celui des autres, n'a pas pour but de vous procurer plus de pouvoir sur autrui. Nous sommes dans un monde troublé et troublant, à cause du chaos politico-religieux qui règne sur la planète. Les vendeurs d'espoir sont partout. N'en soyez pas victime !

QUI SERA LÀ ? Un Scorpion vous ramène à votre réalité dès que vous vous en écartez. Un Taureau vous encourage à poursuivre cette œuvre en laquelle vous croyez. Un Capricorne flirte avec vous. Un Cancer vous déclare son amour. Un Poissons peut vous plonger dans une intrigue, un Verseau vous aide à en sortir. Vous appliquez les idées d'un Sagittaire qui n'offre aucune opposition. Ce qu'il voit en grand, vous le simplifiez. Ce qui ne serait accessible qu'à peu de gens devient le gros bon sens lorsque vous l'expliquez.

AVRIL 2002

AMOUR-AMITIÉ Jusqu'au 13, Mars est en Taureau, mais il fait un aspect dur à Uranus, ce qui représente vos amis ! Vous pouvez donc vous attendre à ce que plusieurs personnes, que vous connaissez depuis parfois longtemps, se disputent au nom d'une religion, de la politique, d'une idéologie, etc. Sur cette planète, la violence est inacceptable, pourtant elle se poursuit. Nous sommes dans un monde où nos idées ont le droit de circuler et d'être librement discutées « à partir de l'instant où on naît en démocratie ». Les oppositions sont nécessaires et permettent à ceux qui se confrontent de se redécouvrir, de s'humaniser, de s'ouvrir à d'autres visions et possibilités. Vous serez donc le principal témoin de ces querelles entre amis qui jusqu'à présent s'entendaient presque parfaitement. Cette probabilité de divisions se retrouve aussi au sein de la même famille. Ce qui devrait ou ne devrait pas être dans nos communautés, notre milieu de travail, notre éducation, notre vie intime, notre secteur de la santé sont autant de sujets qui font débat. Les sujets sont nombreux et les opinions tout autant. Elles viennent le plus souvent d'expériences personnelles, ce que les belligérants en petits groupes oublient souvent. Mais vous serez là, modérateur et pacificateur. Par vos réflexions, vous obligerez chacun à réfléchir davantage sur ses propos. En ce mois de mai, l'amour reprend des couleurs et la place importante qu'il occupe généralement dans votre vie. S'il y a eu des tensions dans votre couple, elles s'estompent grâce à des gestes tendres, ceux qui valent mille mots ! En tant que célibataire, il est possible que vous soyez attiré par une personne d'une autre nationalité, d'une autre couleur et d'une autre culture. La rencontre peut se faire lors d'un déplacement ou au cours d'un bref voyage dans une autre ville.

FAMILLE Vos pré-adolescents ou vos adolescents devraient être plus prudents. Encore une fois, ce mois-ci, des planètes concernent plus vos fils que vos filles, mais il ne faut pas non plus exclure celles-ci surtout si elles sont excessivement rebelles. Donc à partir du 14, si vous savez que vos « grands » conduisent vite, ont des des amis plus ou moins recommandables à vos yeux, s'ils consomment de la drogue ou de l'alcool, de grâce, ne leur prêtez pas les clés de votre voiture, en aucune circonstance ! Cet avis est valable jusqu'au 16 mai !

Si vos enfants sont sages, si jusqu'à présent vous n'avez rien à leur reprocher, prévenez-les d'être plus prudents que d'habitude sur la route. La perspective d'un accident est plus forte que jamais entre le 13 avril et le 16 mai. Il faut minimiser les risques.

Un parent âgé ayant des problèmes de santé et étant obligé de prendre des médicaments affectant ses réflexes pourrait aussi avoir un accrochage sur la route. Souhaitons que ça ne provoque qu'un retard de circulation !

Si j'étais Vierge, entre le 13 avril et le 16 mai, je ne prendrais pas l'avion ! Il est impossible d'être plus précise sur le jour le plus dangereux. Il me faudrait la date, l'heure et le lieu de votre naissance, mais aussi la longitude et la latitude des lieux où vous vous retrouverez chaque jour. Vous voyez pourquoi il est impossible à un astrologue de définir les jours néfastes. Voici tout de même les pires journées qui apparaissent dans le ciel astral. Cela sans tenir compte de l'ascendant de chacun de vous. Sans savoir celui de vos enfants, de vos parents ou des amis que vous considérez comme les membres de votre famille : 13, 14, 15, 16, 17 avril – 19, 20, 21, 22, 24 avril – 26, 27, 28, 29, 30 avril. Il reste peu de jours sans aspects durs ! Mais c'est à vous de juger, de pressentir : 2, 3, 4, 5, 6, 7 mai, 11, 12, 13 mai...

SANTÉ À partir du 13, des aspects durs concernant la respiration viennent vers vous. Ils peuvent découler d'allergies, d'une sévère sinusite, d'une angine, etc. C'est comme si vous manquiez d'oxygène. Quand vous le pouvez, prenez de l'air ! À partir du 13, si vous avez des problèmes aux os, d'arthrite et d'autres maux connexes, vous devrez faire un effort ne serait-ce que pour marcher quelques pas par jour. Les mêmes conseils sont valables si vous avez des difficultés de coordination dues à des douleurs musculaires. Vous êtes un signe de terre et malgré une apparente faiblesse, vous possédez une résistance extraordinaire. À partir du 13, il est important de vous occuper de vous et de soigner un mal qui semble vouloir s'installer dans votre corps.

TRAVAIL-ARGENT Si vous ne vous êtes pas encore engagé dans votre communauté, vous n'êtes pas sans ressentir un vide, le plus étrange que vous ayez connu jusqu'à présent. La vie vous appelle à un rôle de chef dans votre milieu ou dans l'entreprise qui vous emploie. Vous savez pertinemment que pour être satisfait, vous devez monter une affaire et engager des gens que vous connaissez bien ou des parents qui vous soutiendront lorsque vous donnerez le coup d'envoi. Qu'avez-vous fait depuis le début de 2002 ? Attendez-vous que quelqu'un vous prenne par la main et vous dise quoi faire ? Ce n'est pas ainsi que les choses positives doivent se passer. C'est à votre tour d'entraîner autrui vers la création, quelle que soit sa nature. Je vous l'ai dit au début, vous êtes le bâtisseur de 2002. Vous ne pouvez échapper à cette « mission ». Rome ne s'est pas bâtie en un jour. Il en est de même de votre projet. En toute logique, il ne sera pas mis au point sans que vous deviez passer par-dessus des obstacles. Les bons et les mauvais aspects se chevauchent ce mois-ci. L'essentiel est de ne laisser personne vous arrêter ou vous décourager. Si vous avez un emploi régulier, vous le garderez malgré les changements qui se font à l'intérieur de l'entreprise. L'argent gagné est une sécurité, mais il n'est pas un idéal. Amasser une fortune ne fait pas de vous un héros, par contre faire fortune et en faire profiter autrui vous fera passer à l'histoire.

CROYANCES Que choisirez-vous ? Croire en vous et en toutes les bénédictions qui vous seront accordées à la suite d'une action positive, ou avoir peur de l'avenir et vous asseoir sur vos lauriers ? Nombreux seront ceux pris dans ce dilemme. Une porte s'ouvre sur un avenir où vous serez en bonne compagnie. Vous en aurez des signes même si au départ vous n'y croyez pas ! Si vous vous calez sur vos acquis, vous aurez aussi des signes qui vous diront que vous n'êtes pas à la bonne place !

QUI SERA LÀ ? Un Capricorne est bon guide. Un Gémeaux critique mais il est aussi un éveilleur de conscience ; il vous démontre que d'un côté vous n'y pouvez rien, et d'un autre, que vous pouvez tout changer. Il suffit d'une seule personne pour faire toute la différence entre le blanc et le noir. Un Sagittaire intervient favorablement sur le plan de votre carrière ou votre destin. Un Bélier vous protège tout au long de vos changements. Un Taureau, un Cancer ou un Scorpion est amoureux de vous.

MAI 2002

AMOUR-AMITIÉ Vous êtes coincé entre deux amours. Cet amant ou cette maîtresse qu'au fond vous connaissez peu vous obligera à vous adapter à une famille reconstituée dès l'instant où vous déciderez ensemble.

Si vous êtes extrêmement malheureux avec votre présent partenaire, il est normal que vous aspiriez à une autre relation.

Mais en ce mois de mai, un tas d'aspects contradictoires sur votre signe ne laissent guère présager de bonheur à long à terme avec l'autre quel qu'il soit ! Au moins, attendez après le 21 avant de vous positionner définitivement. Si vos amis se trouvent en majorité dans votre milieu de travail, vous découvrirez que certains d'entre eux ne veulent pas votre bien, mais plutôt votre poste. Encore sous la protection de Jupiter en Cancer, vous aurez l'occasion de démasquer les menteurs et de les repousser. Ils seront finalement dans l'impossibilité de vous nuire. Si on a entaché votre réputation, la vérité sera connue. Par la suite, vous deviendrez intouchable. Si vous êtes célibataire, quelques flirts sans importance sont possibles. Vous en conclurez que vous avez fait de nouvelles connaissances, rien de plus.

FAMILLE Si vous avez des enfants, vous serez plus préoccupé par vos grands qui ont l'âge de prendre des décisions. Ils vous annonceront un changement d'orientation de carrière, ou un conflit avec leur partenaire. Certains quittent leurs études ou partent vivre à l'autre bout du monde pour donner un sens à leur vie. Vous serez aussi surpris que contrarié ! Par contre, le mieux quand il s'agit d'adultes c'est sans doute de dire que vous serez là si leurs nouvelles aventures et expériences tournaient mal. En ce qui concerne vos petits, les planètes en Gémeaux dans le ciel les rendent extrêmement grouillants et plus casse-cou. Il faudra donc surveiller leurs jeux de très près. Il ne serait pas non plus étonnant que vous ayez à insister pour qu'ils mangent. Les moins gourmands n'auront pas beaucoup d'appétit. Assurez-vous aussi de la fraîcheur des aliments achetés. Un courant de « toxines » ou « d'agents de conservation chimiques » pourrait affecter ou menacer la santé d'un enfant ou d'un parent. Il est difficile de deviner ce qui est sain et ce qui ne l'est pas. Soyez plus sensible à ce sujet, plus réceptif par rapport à l'alimentation. Faites votre épicerie dans les magasins bio, pour vous procurer des produits purs, des fruits et légumes sans pesticides. Ce mois-ci, c'est dans la cuisine que les troubles se faufilent le plus !

SANTÉ Il fut précédemment question de la santé de vos enfants, mais la vôtre aussi peut être affectée si vous vous nourrissiez d'aliments altérés par les pesticides ! Aucun présage de mort mais plutôt de malaises ; ce qui est tout de même désagréable ! Si vous avez tendance à boire un peu plus que de raison, attention ! Votre foie s'en plaindra sérieusement. Durant les deux premières semaines du mois, si vous faites des sports de vitesse, prenez un maximum de précautions pour protéger vos jambes.

TRAVAIL-ARGENT Le ciel est envahi par plusieurs planètes en Gémeaux ; elles se trouvent dans le dixième signe du vôtre et symbolisent votre carrière et les gens avec qui vous travaillez. Vous serez plus nerveux. Certains ont raison de s'inquiéter. Les envieux, les jaloux et les mauvaises langues surveillent ce que vous faites. À la moindre erreur, ils claironneront que vous êtes incompétent ! Vous n'êtes pas du genre à laisser passer de telles accusations. Le temps pris à vous défendre, c'est de l'énergie gaspillée et souvent de l'argent perdu pour assurer votre défense. Il est à souhaiter que vous arrêtiez l'hémorragie dès le début. Vous éviteriez ainsi une montagne de démarches qui n'auront pour objectif que de démontrer que l'erreur est humaine. Si cette dernière situation se produisait, soyez assuré que les « vilains » en seront les perdants ! Vous êtes toujours plus fort qu'on ne le croit !

D'autres Vierge continuent de mettre leur entreprise sur pied et créent des alliances. Malheureusement, ce mois-ci rien n'est jamais acquis à 100 %. Mais soyez patient ! À la toute fin du mois, vous obtiendrez les réponses positives que vous attendiez depuis six ou huit semaines. Si vous travaillez pour une compagnie qui est en changements administratifs ou sur le point d'être vendue, on vous offrira d'occuper un autre poste. Au départ vous aurez des doutes sur la longévité de cet emploi. Ne paniquez pas. Ces transformations seront éventuellement avantageuses.

CROYANCES Lorsque des « tuiles » vous tombent sur la tête, vous sortez l'image d'un saint, une statuette ou un porte-bonheur ! Vous vous souvenez dans ces moments-là que vous n'avez pas « le contrôle », que vous ne pouvez intervenir dans les décisions d'autrui. Vous allez donc vers de bons guides. Ils sont encore là, ils vous recevront. Leurs conseils vous feront comprendre que la vie a un sens caché. Seule existe la foi dépouillée de ses fausses croyances. En tant que signe de terre, la matière, le pouvoir, la gloire, le succès et la fortune exerceront toujours de l'attrait sur vous. Il n'y a aucun mal à vouloir plus ; cependant, ne perdez jamais de vue que la vraie prière est une communication entre vous et l'Univers et non entre vous et les dieux du casino ! Dieu ne s'intéresse pas à votre compte de banque ni aux jeux de hasard.

QUI SERA LÀ ? Vous demandez des conseils aux uns et aux autres sur des problèmes qui traversent votre vie personnelle. Un Scorpion vous aide à voir clair en vous écoutant. Un Cancer qui vous aime vous reproche de trop calculer. Si vous faites une colère à un Taureau, il prend ses distances en attendant que vous retrouviez votre calme. Les décisions d'un Verseau vous surprennent et certaines vous semblent absurdes. L'avenir vous démontre autre chose ! Un Gémeaux est à soigner ; un Bélier est à aider et d'ailleurs n'avez-vous pas une dette du même genre envers lui ? Une Balance intervient à bon escient dans l'ordre familial.

JUIN 2002

AMOUR-AMITIÉ Voici un mois plutôt calme en perspective. En mai, tout a été dit ou presque ! Vous passez par les cases : arrangement, solution, compromis, entente, acceptation et retrouvailles. Si vous avez eu un échange de mots durs avec un vieil ami et que vous aviez cessé de vous parler durant quelques semaines, c'est vous qui irez vers lui et proposerez de faire la paix. De toute façon, la guerre ne peut être que destructrice. Au départ, vous êtes de nature méfiante. Vous partez du fait que les êtres humains ne sont là que pour retirer des intérêts les uns des autres. Mais les années passent, et vous vous rendez compte qu'il y a des personnes agréables. Elles vous rendent la vie plus douce et jamais ne cherchent à vous prendre quoi que ce soit. Ce sont elles qui vous reviennent en mémoire et vous réconcilient avec vous-même et avec ceux pour qui vous n'avez que des échanges de politesse. Vous reprendrez contact avec des amis de toujours mais que vous ne voyez toutefois que très rarement. Vous lancerez une invitation à dîner qu'on s'empressera d'accepter. Pour les célibataires, voici enfin un mois propice à la rencontre. Elle se produira en toute simplicité. Vous serez certain que cette fois vous n'avez pas à porter de masque et il en sera de même pour cette personne. Vous serez comme deux vieux amoureux qui se retrouvent après une semaine d'absence.

S'il y a eu des tensions dans votre couple, elles se dissipent et ne seront bientôt plus qu'un mauvais souvenir. Pour d'autres voici le moment venu de parler de leur destination vacances. Si vous avez de jeunes enfants, ils feront partie du voyage.

FAMILLE Lorsqu'il y a vie de couple et des enfants, il est impossible de ne pas lier amour et enfants. Mais il arrive que les enfants deviennent le principal sujet de conversation et que finalement l'amour entre les conjoints devient « plat ». Les disputes, quand elles ont lieu, ne tournent qu'autour des enfants ! Si c'est votre situation, si vous sentez que vos enfants « ont tout pris » et que vous n'avez plus de temps pour vous, pas même celui de voir des parents que vous affectionnez, à partir du 15, vous ferez la part des choses. Un temps pour vous, un pour les enfants.

Si vous n'avez pas d'enfant mais êtes l'oncle ou la tante chez qui on se rend lorsque cela ne va pas entre papa et maman, vous n'aurez jamais eu autant de visites de vos neveux et nièces ! Vous aurez le don de les calmer et de leur faire comprendre que leur rôle d'enfant fâché contre leurs parents, c'est comme un personnage d'une mauvaise pièce de théâtre.

Si votre famille est « reconstituée », si les enfants de l'un étaient jaloux des enfants de l'autre, la possibilité que l'un d'eux aille vivre chez l'ex est forte. Vous serez prêt à rendre votre décision au cours de la dernière semaine du mois.

SANTÉ La menace d'une nourriture trop chimique pour votre organisme plane encore. Évitez de consommer les produits qui contiennent une foule d'agents de conservation ! Votre estomac et votre intestin n'absorbent bien que les aliments purs et non pas ceux qu'on a arrosés de pesticides.

TRAVAIL-ARGENT Signe de terre régi par Mercure, vous avez généralement plusieurs talents. Vous savez comment organiser le secteur de l'entreprise qu'on vous confie et y remettre de l'ordre. Si vous appartenez à la catégorie des Vierge énergiques, vous êtes un bâtisseur. Vous vous servirez de l'expérience acquise pour solidifier une entreprise que vous avez mise sur pied quelques mois plus tôt ou dans laquelle vous débutez. Le présent ciel astral relie vos intérêts à ceux d'un parent ou d'un enfant. Certains d'entre vous, des *baby boomers* surtout, donneront à leurs enfants adultes la chance de faire leurs preuves. Cela pourrait se faire dans un domaine connexe à celui dans lequel ils ont travaillé pendant longtemps ou dans lequel ils travaillent encore.

Si vous faites des placements, vous vous assurerez qu'ils soient à long terme et garantis. Si vous avez de l'argent de côté, vous songerez à l'investir dans une propriété. Certains d'entre vous achèteront à bas prix une maison ou un édifice. Si vous œuvrez dans les communications Internet ou en informatique, à partir du 19, vous serez très en demande, surtout si votre spécialité est de « soigner » les ordinateurs atteints par un de ces nombreux virus qui se propagent rapidement par le Net.

CROYANCES Vous connaissez la loi du balancier, et d'ailleurs vous y penserez plus que d'habitude. En ce mois, vous réparerez une faute commise envers quelqu'un à qui, finalement, vous avez beaucoup nui. Vous ne pourrez reconstruire ce que vous avez détruit, par contre, vous pouvez bâtir pour l'avenir. Vous vous assurerez que cette loi du balancier s'appliquera à vous de façon positive. En ce qui concerne votre signe de terre, cette loi du balancier s'applique sur terre et non pas dans un au-delà encore bien loin de vous.

QUI SERA LÀ ? Un Bélier est là, présent, attentif, si vous n'allez pas bien, il vous soignera. Mais vous prendrez soin des intérêts d'un Taureau. Vous avez une dette à lui rembourser et vous veillez à le faire. Vous pouvez vous reposer sur l'épaule d'un Scorpion dans vos moments difficiles. Il vous écoute. Un Verseau ou une Balance sont en désaccord avec vous. Essayez de comprendre leurs points de vue.

JUILLET 2002

AMOUR-AMITIÉ Nous voici au mois où la plupart des gens prennent leurs vacances. Dans les lieux de villégiature, des rencontres se produisent. Il est facile de parler calmement lorsqu'on est en congé et que obligations et problèmes de toutes sortes sont mis entre parenthèses. Où que vous alliez, même si vous ne quittez pas votre patelin, vous connaîtrez un voisin. Ce dernier habite pourtant tout près de chez vous depuis parfois dix ans mais voilà que le moment de sympathiser est venu. On dit que rien n'arrive pour rien et c'est vrai.

Vous aurez la surprise de découvrir que vous avez un lien de travail avec ce voisin ou que, de temps à autre, vous côtoyez un membre de sa famille. La conversation sera si agréable que vous vous inviterez l'un et l'autre. Puis d'un sujet à un autre, vous en arriverez à cet instant où vous pouvez discuter de vos idéaux et vous vous apercevrez alors que vous avez les mêmes !

Les célibataires, à partir du 14, seront sous l'influence de Mars en Lion en face de Neptune en Verseau. Vénus est dans votre signe, mais Pluton est en Sagittaire et lui fait un aspect dur. Ces planètes servent une mise en garde : ne succombez pas aux charmes d'un beau parleur ou d'une enjôleuse ! Ne confondez pas attirance sexuelle et beaux sentiments !

FAMILLE Il vous arrive de compliquer ce qui est simple ! En tant que signe de terre et parent d'adolescent, vous essaierez de savoir ce qu'il vit sur le plan sentimental. Est-il avec quelqu'un qui lui convient ? La question ne serait-elle pas plutôt : votre fils ou votre fille est-il amoureux d'un copine ou d'un copain qui cadre avec vous, avec l'éducation et la tradition que vous avez transmises à cet enfant ? Il est normal de vouloir le meilleur pour ces enfants que vous aimez plus que vous-même ou presque. Cependant, cette attitude ultraprotectrice face à leur choix d'ami de cœur n'est pas saine. C'est un peu comme leur dire que vous n'avez pas confiance en leur jugement ! Il n'est pas impossible qu'un « jeune » se trompe. Mais n'avez-vous pas vécu ce genre d'expérience ? Finalement, ne vous en êtes-vous pas sorti plus conscient et mieux avisé sur les relations humaines ? Si vous êtes grand-parent et êtes tenté de dire à vos enfants ce qu'ils doivent faire, pour le bien de vos petits-enfants, peut-être devriez-vous garder vos réflexions pour vous. Chaque génération a ses valeurs qui ne sont pas forcément les vôtres. C'est surtout à partir du 8 que vous serez tenté de donner des leçons sur ce que, selon vous, doit être une famille parfaite ! Croyez-vous vraiment que cela existe ?

SANTÉ Si vous avez déjà eu des problèmes de circulation sanguine, des palpitations cardiaques anormales, des engourdissements, si vous ressentez des semblables malaises, ne tardez pas à retourner voir votre médecin. À partir du 22, méfiez-vous de vos colères. Elles entravent votre digestion plus que vous ne l'imaginez.

TRAVAIL-ARGENT Si vous possédez beaucoup il est normal que vous ayez la sensation d'avoir beaucoup à protéger et à préserver. En cette année 2002, la récession et le chaos mondial affectent chacun de nous. Certains vivent des pertes immenses, d'autres cessent de gagner de l'argent et réduisent leur consommation. D'autres encore ne trouvent pas de travail malgré les nombreuses demandes qu'ils font. Les plus favorisés d'entre vous sont à leur compte, même si leurs revenus sont, en général, plus faibles que ceux des salariés. Ces derniers surnagent et s'en sortent, malgré les difficultés financières et la réduction de profits des entreprises. À partir du 22, vous prendrez d'autres dispositions afin d'élargir votre clientèle. Si vous avez un emploi régulier, rendez-vous compte de votre chance. Au travail, soyez le plus sage en inspirant la paix à chacun de vos collègues. Si vous êtes à la recherche d'un travail manuel ou intellectuel, entre le 7 et le 21, bien que vous soyez en période de ralentissement à cause des vacances, déplacez-vous, rencontrez ceux qui embauchent. Vous aurez de la chance ces jours-là.

CROYANCES La foi et le doute ne vont pas bien ensemble. En tant que « mercuriel » et signe de terre, vous êtes souvent pris entre ces deux états. Avez-vous toujours pris le temps d'apprécier ce que vous étiez, ce que vous aviez, ce que vous viviez ? Ne levez-vous la tête au ciel que lorsque vous avez besoin d'aide ? Ce mois-ci, vous prendrez conscience de ces oppositions qui cohabitent en vous et qui ne demandent qu'à se réconcilier.

QUI SERA LÀ ? Un Lion vous éclaire sur vous-même. Un Bélier vous stimule à l'action dans le domaine des affaires. Une association avec un Taureau ou un Cancer est probable. Le mensonge et le charme intéressés d'un Gémeaux peuvent vous faire réfléchir sur l'attitude que vous avez envers certaines gens dont vous voulez retirer quelque chose ! Le Gémeaux est votre meilleur vendeur si vous possédez une entreprise de ventes. Un Scorpion vous ouvre la voie afin que vous puissiez élargir votre territoire commercial. Un Sagittaire fait une gaffe qui tourne en votre faveur.

AOÛT 2002

AMOUR-AMITIÉ Les célibataires sont plus transparents et plus romantiques que le mois dernier. Si vous êtes toujours sujet à succomber à une attraction, vous aurez la présence d'esprit de reculer devant quelqu'un qui veut tout de vous mais qui n'a que trop peu ou rien que son « corps » à vous offrir ! Jupiter entre en Lion pour les 12 prochains mois. Il touchera de près votre vie de couple. Jupiter en Lion et toute la suite des événements sociaux et dramatiques qui se sont produits en septembre 2001 affectent nos vies privées. Pour les Vierge, vous vous rapprocherez de l'amoureux. Vous reprendrez contact avec vos amis mis de côté par paresse ou par fatigue. Vous aviez peut-être la sensation de leur être moins attaché ou avez-vous conclu qu'il était plus commode de vous réfugier derrière votre ordinateur, de leur faire parvenir des petits mots par courriel plutôt que de les voir « en personne » ? Jupiter en Lion et Mars dans ce signe vous font réfléchir sur votre entourage. Un bon nombre de ces personnes ont fait de vous ce que vous êtes. Que seriez-vous s'ils n'avaient pas existé ?

FAMILLE Jupiter en Lion se rapporte aux enfants. Sous Jupiter en Cancer, vos petits ont été les vedettes de votre vie. Sous Jupiter en Lion, vos grands ont la priorité. Jupiter en Lion ce sont vos pré-adolescents ou ces enfants en voie de devenir des hommes et des femmes. Jupiter en Lion, ce sont vos adolescents, ceux-ci sont presque des adultes. Jupiter en Lion inclut aussi vos petits-enfants. Si les problèmes de discipline minent votre famille, vous imposerez calmement des règles à vos « grands » et vos « grandes ». Non seulement voulez-vous la tranquillité d'esprit mais il est nécessaire aussi de limiter leurs sorties ou leurs fréquentations pour les protéger. Comme vous l'aurez deviné, ce n'est pas la paix dans le monde ! Il est important que vous expliquiez à vos « grands » ce qui se passe. N'interdisez rien, sans avoir expliqué pourquoi au préalable. La vie doit se poursuivre, mais un maximum de précautions est nécessaire actuellement. Mars en Lion est en face d'Uranus en Verseau. Cela signifie que des explosions de violence peuvent se poursuivre.

SANTÉ Votre plus grande période de stress commence le 21. Durant ces jours, relaxez-vous dès que vous le pouvez. Nourrissez-vous d'aliments énergisants. Ils ne coûtent pas toujours une fortune malgré ce qu'on en dit. Si vous avez déjà eu un problème respiratoire ou une allergie, soignez-vous comme vous l'avez fait dans le passé.

TRAVAIL-ARGENT Vous êtes habile en affaires. Vous devinez les services il faut offrir au public, surtout lorsqu'une crise éclate et quelle que soit sa nature. Vous réagissez rapidement.L'intellect est toujours actif et pratique chez vous. Certains monteront rapidement un commerce correspondant aux besoins actuels de la majorité des gens. D'autres, bien installés dans leur entreprise ou ayant un emploi régulier, ne se laisseront pas démonter par le désordre social qui inquiète beaucoup de gens.

Il est important de bien verrouiller vos portes lorsque vous quittez la maison pour la journée entière, surtout si vous avez l'habitude de ne pas le faire. Des « vilains » pourraient vous observer de loin. Étrangement, en réaction à ce qui se passe un peu partout sur la planète, des Vierge pourraient se mettre à dépenser plus qu'elles ne possèdent et au-delà de leurs capacités de remboursement. Le zodiaque établit clairement que résident sous votre signe la Vierge sage et la Vierge folle. Si vous êtes de nature nerveuse, ne laissez pas Mercure vous étourdir !

CROYANCES Si la panique plutôt que la raison s'est emparée de vous, de grâce ne courez pas les clairvoyants. Si ces derniers avaient un vrai don, il en existe, votre propre comportement pourrait les induire en erreur. Vos peurs les porteraient à vous dire ce que vous voulez entendre. Vous serez moins tendu à partir du 26 !

QUI SERA LÀ ? Vous rallierez la famille autour de vous. Un Taureau vous aime et vous admire. Un Cancer vous guide et vous modère. Un Sagittaire vous invite à penser avec logique et lucidité. Un Lion vous manifeste une grande tendresse. Une Balance se place sous votre protection. Un Verseau vous fait un discours sur l'importance du détachement quant à la peur qui vous prend aux tripes. Que de sagesse vous est enseignée par quelqu'un de plus jeune que vous !

SEPTEMBRE 2002

AMOUR-AMITIÉ Mars est dans votre signe et fait de vous un conquérant, quelqu'un de plus sujet au flirt qu'à l'accoutumée ! Si vous avez un amoureux depuis déjà plusieurs années ou un partenaire avec qui vous vivez, à partir du 15, les occasions de le tromper seront nombreuses. Si votre morale est flexible, vous succomberez ! Mais vous serez incapable de garder votre tromperie pour vous et vous sentirez l'obligation de vous « confesser ». L'amoureux pourrait vous faire expier votre faute pendant plusieurs mois ! Avant de vous lancer dans une aventure qui ne sera sans doute qu'un coup de foudre, une passion de courte durée, pensez-y ! Vous êtes sous l'influence de Jupiter en Lion, symbole du cœur. Si vous blessez un cœur qui vous aime beaucoup, il pourrait vous en garder rancune, non pas durant quelques jours ni quelques semaines mais pendant des mois !

S'il y a des trompeurs, il y a aussi des trompés et des Vierge pleureront. Les relations amoureuses seront en général complexes. Méfiance et possessivité seront proches l'une de l'autre et créeront un climat malsain pour les gens qui ne résistent pas aux aspects négatifs de leur signe. Bien des Vierge traverseront ce mois sans en subir le moindre mal amoureux et elles devraient apprécier leurs conditions de vie harmonieuses et tranquilles !

FAMILLE Plus qu'à tout autre signe, il vous arrive d'avoir au sein de votre famille un parent qui n'a pas les deux pieds sur terre. Cela peut être un oncle, une tante, un frère, une sœur, etc. Lorsque cette personne ne va pas bien, elle vient vous voir pour être secourue, pour que vous lui remontiez le moral, pour avoir de l'argent. Ce mois-ci, vous trouverez le courage de refuser de lui donner votre appui. Vous êtes occupé à gagner votre vie et à prendre soin de proches qui, eux, méritent que vous soyez à leurs côtés. Cela ne sera pas sans conséquences. Il est possible que ce parent frappe à votre porte en pleine nuit ! Si vous avez décidé de vous consacrer aux malheureux, vous n'aurez pas une minute à vous, surtout si un parent qui ne se débrouille pas seul amène un ami qui se trouve dans le même état que lui ! Il y a des « mère Teresa » sous votre signe. Si vous en êtes, vous vous dévouerez au point de manquer de sommeil.

SANTÉ À partir du milieu du mois, prenez le temps de cuisiner des plats sains. Vous serez sous l'influence de Mars en Vierge, en aspect dur à Pluton en Sagittaire. Cela vous prédispose à faire de l'anémie. Chez certains, des allergies surgissent à nouveau. Pour d'autres, c'est la digestion qui est capricieuse avec des maux d'estomac ou de ventre. Vous avez là plusieurs bonnes raisons de manger sainement !

TRAVAIL-ARGENT Septembre est le signal officiel de la fin des vacances ! C'est le retour aux choses sérieuses et, cette année, elles le sont ! Notre monde n'est pas en paix, l'économie vacille. Des entreprises ont fermé leurs portes ; des tas de gens dont certains d'entre vous sont à la recherche d'un emploi. Si vous êtes du « genre à tout faire » vous n'aurez aucun mal à trouver du boulot ; cependant, rien n'annonce du long terme. Débrouillard comme vous l'êtes, dès qu'un travail se termine, vous commencez ailleurs. Jupiter en Lion face à Neptune en Verseau attire vers vous des amis emprunteurs. Peut-être sont-ils en difficulté financière ? Vous voulez aider, cependant vous savez fort bien que si vous êtes vous-même serré vous pénaliserez votre propre famille. Surtout si vous n'êtes pas remboursé rapidement. Une telle situation est pénible, mais elle se répétera pour de nombreuses Vierge. Si vous avez acquis une entreprise en début d'année, vous travaillez beaucoup et ne comptez pas vos heures, cela vous épuiserait ! Bien que les consommateurs soient plus économes, vous réussissez à respecter vos échéances. Si vous vendez des produits dans un magasin à rayons, ayez l'œil ouvert. Des mains agiles se faufilent et défient même une caméra de surveillance.

CROYANCES Vous croyez en vos propres forces et en votre volonté. Vous pensez n'avoir aucune influence sur ce qui est en dehors de vous. En réalité, vos pensées, tel le principe d'électricité, se rendent vers ces personnes auxquelles vous songez et plus que jamais en ce mois. Vous ferez d'étranges expériences de télépathie et vous

vous donnerez ainsi la preuve qu'il y a plus que les poussées qu'on se donne à soi-même. Il en ressort que vous intervenez dans la vie d'autrui !

QUI SERA LÀ ? Une autre Vierge vous appuie et vous aide en affaires. Il est possible que vous vous associiez avec un Taureau qui vous apportera plus de succès que vous ne l'imaginez. Un Scorpion vous fait réfléchir sur les jugements que vous portez sur certaines gens alors que vous les connaissez si peu. Un flirt se développe avec un Verseau. Un Cancer se sent délaissé. Un Lion essaie de « vous tasser » dans votre milieu de travail.

OCTOBRE 2002

AMOUR-AMITIÉ Vénus est en Scorpion, il est en exil sentimental, mais n'interdit pas l'amour... Vénus en Scorpion est toutefois secrète et ne parle pas de ses sentiments. Vénus en Scorpion est dans le troisième signe du vôtre où se mêlent attraction sexuelle et compatibilité intellectuelle. Advenant un flirt, il est facile de confondre attraction et sentiments, compatibilité intellectuelle et échanges émotionnels ! Aussi, avant de donner votre âme à votre flirt, donnez-vous le temps de mieux le connaître !

Si votre partenaire a déjà été malade, il est possible que vous deviez le soigner encore ce mois-ci. Jupiter est en Lion en aspect dur à Vénus en Scorpion. Cet aspect laisse présager que certains d'entre vous seront pris par surprise par un grave malaise de l'amoureux. En amitié, c'est surtout à la fin du mois que vous reprendrez contact avec vos amis. Si vous travaillez avec l'un d'entre eux, il pourrait vous mettre en garde contre un collègue qui vous jalouse au point de vouloir vous faire perdre votre emploi. On vous suggère d'être discret mais surtout de ne rien révéler à l'envieux.

FAMILLE À partir du 15, Mars entre en Balance dans le deuxième signe du vôtre. Si vous êtes une Vierge qui économise sur tout, même quand elle est riche, vous serez tenté de couper les vivres à l'un de vos enfants. Vous demanderez à votre partenaire de resserrer le budget, plus qu'il ne l'est déjà ! Mars en Balance exerce une grande influence sur vous si vous avez des planètes dans ce signe. S'il s'agit de votre ascendant, vous serez porté à exagérer votre peur d'une pénurie quelconque. Toute une génération est née avec Neptune en Balance. Il s'agit de celle du *Peace and Love* qui a voulu croire que l'argent poussait dans les arbres et qui fut très déçue de constater que ce n'était qu'un rêve ! Cette génération avait dit non au mariage, mais chose surprenante, à la fin des années 60 et au début des années 70, les Vierge se sont mariées et ont eu des enfants !

En octobre 2002, sous l'influence de Jupiter en Lion et des planètes en Verseau, la raison a repris le dessus à un point tel que vous oubliez qu'il est important de déclarer votre amour à vos enfants et à votre partenaire, qu'il soit le premier, le deuxième, le troisième ou le dixième ! Pour maintenir l'harmonie familiale dans une famille reconstituée ou non, parler d'argent et d'économie n'est-ce pas transférer vos propres insécurités vers vos proches ? Les aspects célestes étant puissants, le danger de cristalliser l'insécurité financière sous plusieurs formes est grand.

SANTÉ Ne vous laissez pas aller à l'épuisement total. Lorsque vous êtes fatigué, donnez à votre corps la chance de récupérer. Si vous dépassez vos limites, un organe en pâtira. Sous ce ciel, le cœur est le plus susceptible de subir de désagréables soubresauts.

TRAVAIL-ARGENT Il est normal de vous inquiéter quand l'argent amassé dans votre compte de banque diminue ou que vos épargnes ne grossissent plus. Par contre, sous votre signe de terre et sous ce ciel de 2002, les situations difficiles trouvent leurs solutions. Vous êtes le digne représentant du travail sur le zodiaque. Si vous avez démarré un commerce au cours des derniers mois, à partir du 15, sans doute demanderez-vous officiellement à votre partenaire de vous donner un coup de main. Plus particulièrement s'il a un talent de comptable ou de relationniste ou les deux. Il vous sera considérablement utile ! Si vous défendez une cause afin de faire respecter vos droits ou si vous réclamez un remboursement, vous pourriez perdre sur le plan juridique, surtout si vos documents ne sont pas parfaitement clairs. Si vous êtes un joueur, et avez déjà gagné une somme importante, il est possible qu'une fois de plus vous soyez chanceux au jeu. Si vous n'êtes pas du genre « gros gagnant » n'allez pas risquer votre salaire ou vos profits. C'est tout ou rien pour vous en ce mois. Des millions ou rien !

CROYANCES On dit que la foi soulève les montagnes ! Mais au juste, quelle est la signification de cette phrase et où s'applique-t-elle ? Si vous avez tendance à voir des signes partout, jusqu'au 15 vous exagérerez. Vous inventerez des scénarios fantaisistes afin de vous soulager de quelques obligations ou pour vous trouver un prétexte pour ne pas faire un travail.

QUI SERA LÀ ? Si vous êtes inquiet et angoissé, une autre Vierge lève un coin du voile pour vous permettre de voir la lumière. Vous avez un échange d'arguments avec un Sagittaire, pourtant vous n'avez rien à y gagner ! Vous flirtez avec un Capricorne, un Taureau ou un Scorpion. Un Lion vous donne une leçon de vie et de respect d'autrui. Un Bélier prend soin de vous, si vous êtes malade. Un Verseau devient votre serviteur mais peut vous dire qu'il démissionne de ses fonctions !

NOVEMBRE 2002

AMOUR-AMITIÉ Les amateurs d'astrologie apprendront que le ciel de novembre laisse entrevoir des aspects difficiles entre Vénus en Scorpion et Neptune en Verseau, entre Mercure et Neptune puis entre Mercure et Uranus. Si nous ajoutons à cela des passages lunaires complexes, pour maintenir une belle relation amoureuse, il faudra du doigté, de la délicatesse, de la tendresse, etc. Les planètes sont en Scorpion, surtout jusqu'au 20, alors que Mercure est dans ce signe. Si vous aviez dans l'idée de mentir à votre amoureux quelle qu'en soit la raison, changez d'avis ! Rien ne restera secret. Il en est de même avec les amis. Lorsque ceux-ci vous posent une question, il est dans votre intérêt de répondre honnêtement. Le climat social n'est toujours pas à la joie et se reflète dans les relations intimes et amicales. Quand ce n'est pas le mensonge, il y a des cachotteries, des silences lourds. Néanmoins, il reste des gens heureux, des unions qui ont réussi grâce au respect que les amoureux se vouent et qui, dans les moments difficiles, unit leur force plutôt que de les diviser.

FAMILLE Si vous avez des enfants, ils sont votre préoccupation première. Jupiter en Lion vous fait désirer le meilleur pour eux. Il est possible que vous insistiez auprès de l'un d'eux afin qu'il termine ses études. Il a décidé de prendre un petit congé afin de vivre l'expérience du monde du travail. Au fond, il ne sert à rien de vous disputer avec lui. Vos leçons et vos recommandations n'ont aucun effet. Au contraire, elles pourraient renforcer son désir de vivre comme les adultes et de gagner sa vie ! Mais vous avez aussi des enfants qui poursuivent leur scolarité, ceux-ci auront sans doute l'occasion d'étudier à l'étranger. Les conflits qui perdurent un peu partout à travers le monde vous inquiètent. Il vous est facile d'imaginer que vos enfants étudiants pourraient se retrouver au cœur d'un conflit. Le ciel affiche une protection pour vos jeunes voyageurs. Vos petits commenceront à faire leur liste de cadeaux de Noël ! Cette année sans doute leur demanderez-vous d'en limiter le nombre.

SANTÉ Mars en Balance ne vous aide pas à renouveler votre énergie. L'angoisse, l'inquiétude, la peur sont les sources principales de vos malaises d'estomac et de digestion. Mars en Balance est dans un double exil par rapport à votre signe. Il vous avertit sérieusement de boire moins de thé, de café et d'alcool, surtout si pour vous toutes les raisons sont bonnes pour sortir une bouteille ! Si vous devez prendre plusieurs médicaments, soyez plus attentif à la posologie ! De grâce, évitez d'en prendre une double dose si votre médecin ne l'a pas prescrite !

TRAVAIL-ARGENT Si vous travaillez dans une grande entreprise, ses remaniements administratifs se terminent. Vous savez maintenant où est votre place. Si vous faites un travail intellectuel ou si votre métier exige que vous soyez excessivement minutieux, couchez-vous plus tôt afin de garder l'esprit alerte. Une erreur pourrait vous coûter cher, en temps surtout. Si vous avez créé votre commerce et êtes en marche vers le succès, vous songerez à de nouvelles stratégies publicitaires. Une nouvelle manière de mieux faire connaître vos produits ou votre service est aussi envisageable. Si vous œuvrez dans un domaine technique, notamment l'informatique, en tant que spécialiste vous serez constamment appelé. Il est même possible que vous travailliez la nuit. Ce qu'en général vous n'aviez jamais fait ou si rarement. Si vous travaillez de la maison, sur appel, et la plupart du temps à temps partiel, vous devrez être prêt à partir à tout instant. Si vous vous êtes à l'emploi d'un gouvernement ou d'une ville, à partir du 22, on vous offrira un autre poste. Vous devrez voyager afin de régler des affaires urgentes. Votre rôle ressemblera à celui d'un modérateur. Si vous faites des placements, vous récupérerez quelques-unes de vos pertes à partir du 16. Vous investirez à court terme dans des titres qui vous rapporteront une fortune.

CROYANCES En tant que signe de terre, vous croyez en ce que vous voyez. Vous chercherez à vous isoler plus souvent ce mois-ci. Vous ne ferez pas le vide en vous, l'esprit ne s'absente jamais. Les pensées défilent sans cesse, même si on ne réfléchit pas chaque fois! Vos instants ou vos heures solitaires vous mettront en contact avec votre partie la plus créative. Vous aurez de soudaines inspirations, des éclairs de génie. Une fois de retour, après parfois quelques secondes de détachement, vous vous demanderez d'où vous est venue la solution à un problème ou la résolution qu'il fallait prendre pour une meilleure qualité de vie. Vous saurez comment sauver une entreprise ou encore à quelle porte frapper pour obtenir un emploi.

QUI SERA LÀ? Un Lion ou un Sagittaire est là au moment où vous avez besoin d'un service ou de soins. Un Bélier se dévoue, mais vous ne semblez pas voir tout ce qu'il fait pour vous. Une autre Vierge vous fait des remontrances au sujet d'une de vos mauvaises habitudes. Une Balance se colle à vous, par affection ou par intérêt, ou encore elle vous fuit sans vous expliquer pourquoi! Vous ne comprendrez pas les réactions d'un Verseau.

DÉCEMBRE 2002

AMOUR-AMITIÉ C'est le dernier mois de l'année 2002. Mars et Vénus se tiennent côte à côte dans le signe du Scorpion. Ils font des aspects durs à Neptune jusqu'au 21. Si le bonheur a passé tout droit côté cœur, votre partenaire et vous discuterez constamment de ce qu'il faut faire et changer pour que tous deux ayez une chance de vivre ensemble d'autres jours heureux!

Chaque année, plus on approche des Fêtes, moins on a tendance à faire la paix, lorsque déjà rien ou presque ne va! Sauf pour le 25 décembre!

À la fin du mois, les planètes en Scorpion entrent en conflit avec Uranus! Si au début du mois une querelle amoureuse ne se règle pas, à la fin décembre, vous ou l'autre essaierez de rallier des amis à votre cause... Et ce sera peine perdue! Ce qui se produit entre deux personnes sensibles et susceptibles est souvent le reflet d'une société désorganisée! On a beau se vouloir unique et agir en individualiste, si nous ne sommes pas conscients de ce qui se produit en nous, nous ne sommes que les pâles images du monde en désaccord! Des conversations à n'en plus finir et pas la moindre tendresse: c'est tout simplement stérile.

En tant que célibataire, vous attendrez qu'on vienne vers vous... Pourquoi ne feriez-vous pas le premier pas? Les planètes en Scorpion et bien d'autres tendent à augmenter la dispute déjà existante. En regardant de l'autre côté de la médaille, on trouve la paix. Quant à vous, si vous n'avez pas envie d'un amour d'un soir, à partir du 9, sous l'influence de Mercure en Capricorne, une personne calme et avec qui vous aurez une assez grande différence d'âge, vous permettra de finir l'année 2002 en beauté et de commencer la prochaine sur le même ton.

FAMILLE Si vous n'êtes pas une famille reconstituée et que vous êtes bien avec vos proches, vous vous tiendrez loin de ceux qui se disputent. La paix dans les familles devient de plus en plus rare. Si vous êtes proche de vos enfants, ils seront tous autour de vous pour la fête de Noël. Cette année, il est possible que vous revoyiez des parents avec qui les ponts ont été coupés pendant de nombreuses années. Peut-être accueillerez-vous un membre de votre famille qui traverse une période sombre. Vous l'encouragerez. Vous l'aiderez moralement et matériellement. Pour changer la tradition, certains recevront les amis de leurs enfants. C'est un moyen de mieux les connaître et de vous rassurer. Si vos enfants, quel que soit leur âge, font des sports d'hiver, si vous leur prêtez votre voiture, faites-leur des recommandations de prudence, même si vous n'avez jamais été inquiet au sujet de leur comportement en votre absence.

SANTÉ Vous avez généralement une grande résistance physique, mais ce mois-ci, la fatigue accumulée s'en mêle. Une grippe ou un rhume vous retiendra au lit. Les plans et les activités prévus pour votre détente seront annulés. Vous n'irez pas chez des amis ou un parent. Justement, il s'agit de ceux que vous n'aviez pas vraiment envie de voir! Si vous pratiquez un sport tel que le ski, le patin à glace ou tout autre sport d'hiver, soyez plus prudent: une jambe cassée ou même une banale foulure, c'est plutôt désagréable.

TRAVAIL-ARGENT Vous ne ralentirez pas durant ce mois de décembre. Au contraire, vous produirez davantage. Vous ferez encore plus d'heures que le mois précédent. Au travail, vous remplacerez des absents à plusieurs reprises, mais vous augmenterez ainsi vos revenus. C'est le moment de faire vos achats de Noël. Contrairement à bien d'autres signes qui se sont promis d'être raisonnables et ne le seront pas, vous tiendrez parole. Vous avez fait une liste des présents que vous comptez offrir, et vous la suivrez telle quelle! Par ailleurs, elle sera moins longue que par le passé. Vous avez dépassé votre sens de l'obligation. Ceux qui recevront un cadeau peuvent se dire qu'ils sont vraiment vos préférés. Si on vous demande ce que vous voulez en cadeau, pour une fois, demandez un ou des billets de loterie! Votre chance vous vient de l'extérieur, à travers quelqu'un qui vous aime et que vous connaissez. En tant que parent, un enfant est un porte-bonheur! Il en va de même dans le secteur professionnel. Si vous avez une promotion, dites-vous que vous la devez à la bonne réputation qu'un collègue vous a faite dans l'entreprise.

CROYANCES Beaucoup de gens sont plus religieux durant ce mois. Ils ont un sentiment d'union avec le reste du monde. Il en va de même pour vous. Notre situation économique n'est pas reluisante, mais ensemble nous passerons à travers. Certains d'entre vous sont choyés par la vie. Pour remercier le ciel, l'Univers et Dieu, ils iront vers ceux qui sont seuls et leur tiendront compagnie durant la période des Fêtes. D'autres ramasseront des fonds afin de nourrir les enfants qui ont faim. La vraie foi ne se contente pas de prières, elle s'accompagne de bons gestes. En fait, durant toute l'année 2002, vous avez questionné vos croyances. Vous n'avez pas toutes les réponses. Le doute est sain. Il dénote que vous n'adhérez pas à tout ce qui passe...

QUI SERA LÀ? Un Scorpion est là tout près de vous, et peut-être est-ce le grand amour? Un Cancer est votre ami et vous accueille lorsque vous doutez de vous et de ce que vous faites. Il vous enlace lorsque vous avez mal à l'âme. Évitez de vous disputer avec un Sagittaire, vous ne gagneriez pas. Méfiez-vous des manipulations d'une autre Vierge. Cessez de faire des reproches à un Bélier. Il ne voit pas la vie comme vous! Un Taureau est affectueux, mais trop dépendant, selon vous! Vous vous entendez à merveille avec un Gémeaux, surtout sur le plan intellectuel.

VIERGE ASCENDANT BÉLIER

Vous êtes né de Mercure avec un ascendant « marsien ». Cela fait de vous quelqu'un de très travailleur mais qui, de temps à autre, a des sautes d'humeur surprenantes. Vous êtes un perfectionniste qui, en plus, fait tout ou presque rapidement. Le danger vient de votre éparpillement et de votre désir à vouloir servir tout le monde ! Vous avez tellement besoin d'être aimé qu'il vous devient impossible de dire non, lorsqu'on vous dit sérieusement qu'on a besoin de vous ! En fait, votre vie est consacrée à tout ce qui vit, à tous ceux qui vous entourent : parents, enfants, partenaire, patron, collègues, etc. Qu'il s'agisse d'un travail ou d'une activité qui en principe devrait être relaxante, vous y mettez la même passion, la même énergie, la même intensité. Vous vous y appliquez comme si votre vie en dépendait ! Depuis juillet 2001 et jusqu'en juillet 2002, Jupiter est en Cancer dans le quatrième signe de votre ascendant et le onzième signe de la Vierge. Si on additionne ces deux maisons astrologiques, la quatre et la onze, on obtient un foyer où tout explose, tout change. Votre attitude envers vos enfants se transforme. Vous devenez plus tolérant pour les uns, moins avec les autres. Quant à la parenté, si elle vous dit ce qu'il faut faire et ne pas faire, vous n'êtes pas tendre avec elle. Vous dites, sans la moindre gêne, qu'elle peut mener sa vie comme elle veut, mais qu'elle n'a pas à vous faire de remontrances. Et là-dessus vous avez raison !

Pendant de nombreuses années, vous avez plié. Vous consentiez à tous leurs caprices ou presque. Les années 2001 et 2002 vous éveillent à vos besoins réels et à la nécessité de vous distinguer selon ce que vous êtes et non selon ce qu'on veut que vous soyez. Ne faites-vous pas d'importantes rénovations dans votre propriété ? N'y investissez-vous pas beaucoup d'argent ? Vous décèlerez bien vite ceux qui essaient de vous faire payer trop cher ou qui travaillent mal !

En tant que personne amoureuse, si tout va pour le mieux dans votre couple, si vous n'avez pas d'enfant, c'est le moment ! La même chose si vous croyez que le moment est choisi pour en avoir un second. Votre partenaire ne résistera pas à ce genre de proposition ! En route pour la paternité ou la maternité ! À partir d'août, Jupiter entre en Lion dans le cinquième signe de votre ascendant et renforce l'idée des enfants. Il sera question de leur éducation et des frais qu'elle entraîne. Probablement que vous permettrez à l'un de vos grands d'avoir un professeur privé qui l'aidera à rattraper son retard. Si vous êtes célibataire, c'est à partir d'août que vous entrez en zone de rencontre et d'amour. Il est même possible que vous rencontriez un parent célibataire. Ce qui fera soudainement de vous un père ou une mère, et quelques placotages à faire taire de la part des deux familles !

VIERGE ASCENDANT TAUREAU

Double signe de terre, que d'émotivité, de sensibilité et de tendresse vous habitent ! Mais pouvez-vous exprimer ce que vous ressentez ? N'attendez-vous pas plutôt qu'on vous devine ? Je parie que vous espérez qu'on sache qui vous êtes, ce que vous valez, sans avoir à ouvrir la bouche ! Un aspect difficile souffle sur votre ascendant et cela mine la communication avec les autres.

Par contre, lorsque vous éclatez, il faut une tonne de patience et une montagne de délicatesse pour vous arrêter !

Depuis juillet 2001 et jusqu'en juillet 2002, sous l'influence de Jupiter en Cancer, vous êtes plus modéré, moins timide, plus raisonnable sans rien y perdre de votre sensibilité. Vous êtes aimable tout en étant capable de dire non à ceux qui demandent sans jamais vous remercier. Si vous êtes dans le commerce, vous progressez. Vos profits grossissent, parce que vous êtes beaucoup plus prudent dans vos achats. Plus le temps passe, plus vous devenez un habile négociateur. Si vous occupez le même emploi depuis longtemps, des changements bénéfiques s'annonceront dès le début de 2002. N'ayez crainte, vous serez à la hauteur de ce qu'on attend de vous. Vous dépasserez même l'objectif que votre patron vous fixera. Les déplacements, les voyages sont au programme. Vous aurez aussi plus de journées de congé que vous n'en avez prises depuis cinq ans.

À partir d'août, Jupiter entre en Lion, dans le quatrième signe de votre ascendant. Vous dépenserez quelques-uns de vos profits sur la maison : rénovation, réparation, décoration, achat de meubles et autres nécessités domestiques. Certains d'entre vous déménageront. S'ils vendent, ils obtiendront le prix demandé. Ceux qui achètent obtiennent un rabais inespéré. De nombreuses Vierge-Taureau qui habitent la ville partiront pour la campagne. La terre et la nature leur font des signes auxquels elles ne peuvent résister.

VIERGE ASCENDANT GÉMEAUX

Votre Soleil est dans le quatrième signe de votre ascendant. Il symbolise la famille, celle avec qui vous travaillez, ou des membres de votre famille qui travaillent pour vous. Mais où que vous soyez, il y a en vous un père ou une mère qui sommeille. Vous prenez soin de ceux qui vous entourent. Vous serez sous l'influence de Jupiter en Cancer durant les sept premiers mois de 2002. Jupiter est dans le deuxième signe de votre ascendant et le onzième de la Vierge. Certaines personnes vous feront des emprunts quel que soit l'état de votre fortune. Attention, on pourrait aussi vous utiliser comme endosseur. Vous vous retrouverez alors responsable d'échéances que l'emprunteur ne pourra rembourser. Un parent ou un ami pourrait vous placer dans ce genre de situation. Il vous est donc conseillé d'être prudent dès qu'on vous approche pour vous parler d'argent. Chaque aspect peut avoir son effet contraire. Si vous êtes l'emprunteur, en ne payant pas vos factures, vous vous ferez des ennemis. Vous vous mettrez un parent « à dos » aussi. Jupiter en Cancer est en lien direct avec vos finances. Cela peut aussi signifier un héritage ou un gain à la loterie. Si vous en parlez à vos amis, assurez-vous que vous ne parliez qu'à ceux qui peuvent garder des secrets. Advenant le cas où vous devenez riche, si vous vous confiez à des bavards, peu après vous vous retrouverez entouré de nouveaux amis. Bien sûr, ils ne seront là que par intérêt.

Si vous êtes une Vierge dynamique et entreprenante, vous songerez à monter une affaire. Votre pire risque cette année est le choix de votre associé. Avant toute signature d'engagement, il est important que vous épluchiez les antécédents de vos éventuels partenaires d'affaires. À partir d'août, Jupiter entre en Lion. Il restera durant 12 mois. Il est alors dans le troisième signe de votre ascendant et le douzième de la Vierge. Par rapport à votre ascendant, Jupiter en Lion laisse présager une expansion dans votre milieu professionnel. Si vous êtes à votre compte, vous gagnerez plus d'argent. Jupiter en Lion annonce des voyages et peut-être enfin des vacances. Celles que vous n'avez pu prendre ces quatre ou même cinq dernières années.

Jupiter en Lion vous met en garde contre les petits voleurs et les fraudeurs que vous coincerez mais qui vous occasionneront un tas de problèmes. En tant que double signe de Mercure, si vous écrivez, exercez un métier de journaliste ou connexe, sous Jupiter en Lion vous vous démarquerez. Vous êtes en pleine création depuis deux ans. Vous aurez enfin ce succès que vous méritez.

Le ciel de 2002 ne prévoit pas un grand amour pour le célibataire. Ce dernier sera trop pris par des histoires de famille et, par la suite, par sa carrière. Si vous avez une vie de couple harmonieuse, sans doute faites-vous partie de ces grands sages qui reconnaissent que l'amour est la paix. Vous disposez de l'équilibre, de l'énergie physique et psychique pour la préserver. Cependant, il est aussi nécessaire de passer à travers des périodes de compromis quasi quotidiens !

VIERGE ASCENDANT CANCER

Vous êtes né de Mercure et de la Lune. Que d'imagination, que de talents de toutes sortes ! Dorment-ils ou sont-ils connus du monde ? Une chose est sûre, travailleur actif, vous ne négligez pas votre famille. Vos enfants sont des trésors et des œuvres d'art !

Depuis juillet 2001 et jusqu'en juillet 2002, vous êtes sous l'influence de Jupiter en Cancer qui continue sa traversée de votre ascendant. Jupiter ainsi positionné crée un éveil de soi. Il est signe de ces hasards aussi étranges qu'heureux. Il vous permet de rencontrer des personnes qui vous stimuleront. Vous aurez la sensation de les connaître depuis des siècles. Ils sauront ce qu'il y a de mieux à faire pour que vous puissiez vous réaliser. À votre grand étonnement, ils connaîtront vos rêves même les plus secrets ! Sont-ils magiciens, devins, clairvoyants ? Êtes-vous psychiquement connecté à ces étrangers ? Vous irez d'une surprise à l'autre.

Il est possible que des événements désagréables se produisent. Ils vous signaleront la fin d'une étape de votre vie. Surtout ne soyez pas découragé ! C'est le signal d'un important recommencement.

Vous devrez vous surveiller physiquement, Jupiter passant à travers l'ascendant a la manie de faire grossir le natif !

Si Jupiter en Cancer annonce de la prospérité – tel l'embonpoint qui l'a pendant longtemps signifié dans de nombreuses cultures –, chez certains d'entre vous, cela se traduira par le gonflement de l'ego. La tendance à « se prendre pour un autre » vous guette. Par contre, vous pourriez au contraire vous sous-estimer, mais c'est rarement le cas sous ce signe et cet ascendant.

Jupiter en Cancer qui se trouve aussi dans le onzième signe du vôtre en même temps que sur votre ascendant vous met en garde contre des idées qui ne seraient pas de vous. Untel vous pousse vers des affaires pour lesquelles vous n'avez jamais eu le moindre intérêt. Un autre vous attire dans sa secte ou son groupe intellectuel même si vous avez toujours été en désaccord avec lui. Puis, voilà le charmeur ou l'enjôleuse qui tente de vous convaincre de délaisser votre famille car elle nuit à votre évolution...

Si Jupiter en Cancer rend les uns très forts, d'autres sont extrêmement vulnérables et soumis, ce qu'ils n'ont jamais été dans le passé. Si vous provoquez une crise dans votre vie, à partir d'août, sous Jupiter en Lion pendant 12 mois, vous passerez la majeure partie de votre temps à essayer de combler vos pertes. D'un autre côté, si vous avez attiré les bonnes gens, leur avez permis d'entrer dans votre antre, leurs influences seront positives. Si vous avez bâti ou rebâti, sous Jupiter en Lion, vous récolterez ce que vous avez semé. L'énergie sera généreuse, le partage équitable et l'entente excellente. Non seulement serez-vous plus à l'aise sur le plan émotionnel, mais vous serez sans doute plus à l'aise sur le plan matériel. Jupiter en Lion représente l'argent qui vient vers vous. Celui que l'on gagne par le travail, par des transactions ou par des contrats dont on retire des bénéfices.

VIERGE ASCENDANT LION

Depuis juillet 2001 et jusqu'en juillet 2002, vous êtes sous l'influence de Jupiter en Cancer, qui est dans le onzième signe du vôtre et le douzième de votre ascendant. Ce qui laisse présager de nombreux changements dans le secteur professionnel. Vous serez secoué par l'instabilité de l'entreprise qui vous emploie. Celle-ci effectue des changements administratifs, et vous devrez accepter un autre poste. Vous êtes généralement chanceux avec votre Soleil en deuxième maison de votre ascendant. En cas de congédiement, vous ne resterez pas longtemps sans travail. La tendance est : tant que Jupiter est en Cancer, vous êtes difficile à satisfaire. Vous craindrez constamment de ne pouvoir gagner votre vie.

Si vous êtes à votre compte, il est possible que vos profits ne soient pas aussi élevés qu'ils l'étaient il y a deux ans. Par contre, vous traverserez cette baisse de profits sans encombre. Certains d'entre vous auront l'occasion d'acheter un commerce à un prix très bas. La négociation pourrait ne se terminer que fin avril ou début mai, mais vous l'obtiendrez au prix que vous vous étiez fixé.

À partir d'août, Jupiter entre en Lion. Il le restera pendant 12 mois. Il est donc sur votre ascendant et rétablit l'ordre. C'est la fin du chaos, côté carrière. Jupiter en Lion symbolise que bon nombre d'entre vous, et principalement ceux qui ont pris un important tournant dans leur travail, gagneront plus d'argent qu'ils ne le croient possible.

Le Cancer et le Lion sont des signes qui représentent vos enfants dans votre thème. Jupiter en Cancer fait référence aux petits qui sont entièrement sous votre protection (juillet 2001 à juillet 2002). En tant que parent, vous devrez calmer vos angoisses et rester patient. Vos petits seront nerveux et, par conséquent, auront une moins bonne résistance physique. Quant à vos grands, pré-adolescents, adolescents ou jeunes adultes, ils sont sous l'influence de Jupiter en Lion. L'un d'eux travaille peut-être avec vous. Ou alors il connaîtra une réussite hors du commun à l'école ou dans une activité parascolaire. Sous Jupiter en Lion, l'un de vos grands ayant un bon emploi, mais qui habite encore avec vous, peut vous apprendre qu'il quitte le nid familial. Il commence sa vie d'adulte! Si vous avez l'âge d'être grand-parent, mais qu'on vous avait prévenu de devoir attendre encore un peu, vous serez surpris par l'annonce d'un des vôtres. Vous deviendrez grand-papa ou grand-maman. Jupiter en Lion sur votre ascendant, c'est le retour de la chance.La possibilité de prendre une place plus grande dans votre communauté ou sur la scène sociale est grande. Vous avez généralement une grande influence sur votre entourage.

VIERGE ASCENDANT VIERGE

Vous êtes un double signe de Mercure et un double signe de terre. Vous êtes pratique. Vous laissez les autres rêver. Vous choisissez un emploi qui sera votre abri financier. S'il vous a été permis de faire de longues études, vous êtes un parfait intellectuel. S'il vous a fallu vous débrouiller, les moyens financiers étant réduits dans votre jeunesse, vous avez opté pour un métier où il est possible d'apprendre davantage et de vous adapter au fur et à mesure des nécessités.

De juillet 2001 à juillet 2002, vous êtes sous l'influence de Jupiter en Cancer, dans votre onzième signe et le onzième de votre ascendant! Nombre d'entre vous retourneront aux études, termineront un cours ou se perfectionneront dans le domaine où ils travaillent déjà. Jupiter ainsi positionné laisse présager de multiples surprises dans votre milieu familial.

Par exemple, un enfant sage cesse de l'être. Il se fait des amis que vous n'approuvez pas. Vous interviendrez, mais il sera nécessaire de demander les conseils d'un psy afin de ne pas inciter l'enfant à courir vers d'autres dangers dont il n'est probablement pas conscient. Si c'est votre situation, il en faudra bien peu pour augmenter la colère de l'enfant. Votre propre peur, ainsi que vos réactions et interdits, sont un cocktail explosif.

Jupiter en Cancer concerne votre maison. Il est important de mieux vous protéger des voleurs. Si vous faites des rénovations, magasinez vos matériaux. Vous avez tendance à acheter trop vite, alors que la majeure partie du temps vous êtes économe.

Si vous vivez en famille reconstituée, que c'est calme jusqu'à présent, il est possible qu'un de vos enfants ou l'enfant de votre partenaire décide d'aller vivre avec l'autre parent, s'il est en âge de choisir. S'il y a un départ dans l'air, le retour ne tardera pas !

À partir d'août, Jupiter est en Lion et sera dans ce signe durant 12 mois. Il est dans le second signe du vôtre et de votre ascendant, ce qui laisse présager un emploi à temps partiel en plus de celui que vous occupez à plein temps. Étant donné les changements économiques qui se produisent partout sur la planète, vous prévoyez et vous avez raison.

Si jusqu'à présent vous occupiez un emploi stable, il est possible qu'il ne puisse plus l'être entre août 2001 et août 2002. Vous aurez des pressentiments au sujet de l'entreprise pour laquelle vous travaillez et ce, dès le début de 2002. On n'aura d'autre choix que de faire des réductions de postes, aussi avant que vous receviez la nouvelle, vous saurez déjà comment remplir votre temps et boucler votre budget.

VIERGE ASCENDANT BALANCE

Jupiter est en Cancer, de juillet 2001 à juillet 2002. Il est dans le dixième signe de votre ascendant et le onzième de la Vierge. Si vous faites partie de ceux qui sont sur le point de prendre leur retraite, on vous propose de partir avant la fin du terme. Vous hésiterez et à juste titre. Si on vous soumet une montagne de papiers à lire, vous les trouverez compliqués, surtout s'ils concernent votre retraite anticipée. Demandez une aide juridique. Assurez-vous que la prime de séparation soit écrite noir sur blanc. Ne vous fiez pas aux paroles qui s'envolent. Si vous conservez ce même emploi depuis longtemps, vous pouvez vous attendre à une promotion. Mais attention ! Elle peut être déguisée. Vous pourriez devoir travailler pour deux, pour à peine plus d'argent.

Jupiter en Cancer concerne votre famille. Un enfant arrive si vous êtes jeune et amoureux. En fait, il s'agira pour certains de fonder un foyer. D'autres songent à déménager et à acheter leur première maison ou une seconde. Si vous avez une propriété à vendre, vous trouverez votre acheteur et, chose extraordinaire, il y a dans ce ciel une probabilité d'échange de propriétés. Sous votre signe et votre ascendant, il est suggéré de limiter vos voyages en avion entre la mi-janvier et la mi-avril.

Durant cette période encore, si vous aimez le bon vin et l'alcool en général, réduisez votre consommation. Les risques d'accident au volant sont plus grands.

Si vous avez vécu des conflits avec vos adolescents et que tout semblait calme depuis plus d'une année, il est possible que l'un d'eux veuille une explication sur des décisions antérieures qui n'ont plus aucun intérêt ni pour lui ni pour vous.

Lorsqu'on vous parle d'adulte à adulte, il vaut mieux répondre, surtout si vous tenez à maintenir le lien. Certains d'entre vous de la génération des *baby boomers* apprendront qu'ils deviennent grands-parents. La roue de la vie tourne et le bonheur viendra vous visiter plus souvent.

À partir d'août, Jupiter entre en Lion et le restera jusqu'en août 2002. Sa position vous donne maintenant un conseil en ce qui concerne vos voyages. Il faut les réduire au minimum. Jupiter, symbole de la justice, est ainsi placé par rapport à votre signe et votre ascendant qu'il vous avertit de ne jamais tricher avec l'argent. Par exemple, si vous avez des impôts à payer et qu'ils soient élevés, faites des arrangements avec les gouvernements. Ne glissez aucun papier « sous la table » ! Évitez des achats au-dessus de vos moyens, sous Jupiter en Lion. Si vous faites des placements en Bourse, si vous prenez « des chances », celles-ci pourraient s'absenter. Pendant 12 mois, sous Jupiter en Lion, soyez prudent avec vos finances. Et en tout temps avec vos versements. Respectez vos échéances.

VIERGE ASCENDANT SCORPION

Vous n'êtes pas banal. Vous ne passez pas inaperçu et cela quel que soit votre engagement social. Vous aimez le pouvoir, l'argent et surtout celui des autres que vous dépensez d'ailleurs plus aisément que le vôtre. Vous êtes né de Mercure, de Mars et de Pluton. Vous êtes le plus guerrier des Vierge. Votre Soleil est dans le onzième signe de votre ascendant, cela signifie que la planète Uranus est constamment active. C'est d'ailleurs ce qui vous porte à lutter contre les injustices de toutes sortes. Le Scorpion est le troisième signe du vôtre, il indique que vous n'avez pas la langue dans votre poche. Dès que vous vous emballez pour une cause vous savez la défendre. Vous avez un talent de narrateur, mais tout autant d'écrivain. Dans cette vie, sans doute vivrez-vous l'un et l'autre à parts égales. Votre ascendant Scorpion vous donne une grande concentration et la capacité de vous isoler pour réfléchir avant de passer à l'action, lorsque vous jugez la situation importante.

De juillet 2001 à juillet 2002, Jupiter est en Cancer, dans le neuvième signe de votre ascendant et le onzième de la Vierge. Il s'agit là d'une association entre Jupiter et Uranus qui vous pousse vers l'avant. En ces temps troublés, vous tombez à point. Jupiter et Uranus associés transforment la tradition. Il s'agit d'une collaboration planétaire qui brasse les gens (Uranus) afin que chacun puisse éventuellement vivre dans un monde en paix (Jupiter). Mais Jupiter et Uranus ne restent jamais tranquilles. Ils n'hésitent pas à participer aux manifestations pour la paix, pour la justice, pour les travailleurs, contre la pollution, contre la guerre, contre les réductions dans le système de santé, etc. Dans tout cela, vous jouez toujours un premier rôle, vous êtes un initiateur.

Sous l'influence de Jupiter en Cancer, les sept premiers mois de 2002 correspondent à une réorientation de vie personnelle et de carrière. Des expériences différentes se présentent sur votre route. Lorsque Jupiter sera en Lion en août 2002, vous prendrez alors la sortie tournant professionnel. On assiste à un changement complet de vos valeurs, de vos croyances, de votre façon de vivre. Entre août 2002 et août 2003, vous serez sur la voie de « toutes » les transformations ! Durant ces mois, Jupiter sera dans le dixième signe de votre ascendant et le onzième de la Vierge symbolisant Saturne et Uranus. Ces deux planètes sont puissantes. Saturne dessine votre avenir, Uranus le provoque. L'action se fait simultanément. Vous pourriez vous éloigner de votre famille pour vous concentrer sur votre idéal. Ce temps ne sera pas sentimental ; si l'amour est présent, préservez-le. S'il ne l'est pas, vous ferez comme s'il n'avait jamais existé tout en sachant que dans « deux ans » vous pourrez encore y penser !

Vous êtes dans la portion sociale de votre thème natal. Vous découvrez en vous une force que peut-être vous ne pensiez pas posséder. Votre magnétisme vous devancera. Votre esprit sera en alerte, et constamment occupé par le but à atteindre.

VIERGE ASCENDANT SAGITTAIRE

Vous êtes né de Mercure et de Jupiter. Votre pensée est élevée. La paix est essentielle à votre équilibre. Votre vie familiale est souvent étrange. Il y a en vous un mélange de possession Vierge et à travers le Sagittaire une acceptation des libertés et choix de chacun des membres de votre famille.

Depuis juillet 2001 et jusqu'en juillet 2002, Jupiter est en Cancer dans le huitième signe de votre ascendant et le onzième de la Vierge. Il s'agit ici d'une association de Mars, Pluton et Uranus, le tout arrosé par Jupiter en Cancer. Dans un langage plus terre-à-terre, cela vous signale des changements familiaux non souhaités. Il est possible qu'un parent soit malade. En bon Samaritain, vous serez le seul à prendre soin de lui. La parenté s'enfuira lorsqu'elle fera face à la douleur qui, un jour pourtant, la touchera aussi.

Jupiter en Cancer concerne vos enfants et plus particulièrement les petits qu'il faudra surveiller davantage. Ne jamais les confier à une gardienne que vous ne connaissez pas. Il ne suffirait que de quelques secondes de désintéressement de la part de votre *babysitter* pour qu'un accident se produise.

Si vous êtes généreux et mauvais comptable quand vient le temps de faire plaisir à vos enfants, refermez votre portefeuille. Vous pourriez dépenser au-delà de ce que votre budget vous accorde. Mais un autre fait peut aussi se produire : vos propres enfants, surtout ceux qui, de la maternelle ou du début du primaire, peuvent être en situation de devoir payer un droit de passage. Dans les bulletins de nouvelles on appelle cela le « taxage ». Si vous soupçonnez une telle chose, allez droit aux informations. Protégez vos petits et vous-même contre ce chantage. En ce qui concerne votre maison, vous aurez besoin de changer les meubles de place, histoire de renouveler votre énergie dans ce lieu où vous vous retrouvez tous les jours. Si cela vous fait du bien, allez-y, décorez et changez la couleur des murs.

À partir d'août et jusqu'en août 2003, Jupiter est en Lion dans le neuvième signe de votre ascendant. Cela laisse présager de la chance dans divers secteurs de votre vie, jeux de hasard y compris. Si vous avez vécu des désordres familiaux dans le passé, tout se rétablit. Sous Jupiter en Lion, vous aurez des intuitions extraordinaires, des prémonitions. Vous ferez des rêves qui vous permettront de trouver dès votre réveil des réponses claires à certaines de vos questions. Sous Jupiter en Lion, vous pacifierez votre entourage. Votre présence elle-même sera apaisante.

VIERGE ASCENDANT CAPRICORNE

Vous êtes un double signe de terre, une union entre Mercure et Saturne. Votre pensée est profonde. Vous respectez les idées et les façons de vivre d'autrui, même quand elles vont à l'encontre des vôtres.

Depuis juillet 2001 et jusqu'en juillet 2002, Jupiter est en Cancer et face à votre ascendant. Jupiter concerne votre vie de couple durant les sept premiers mois de 2002. Si vous êtes seul depuis longtemps, célibataire, sans amour, sans lien affectif, vous rencontrerez enfin quelqu'un ayant un idéal semblable au vôtre. Il respectera autant ce que vous êtes que ce que vous faites. Votre nouvel amoureux aura l'esprit ouvert. Il sera affectueux, attentif à vos besoins, ce que peut-être vous n'avez jamais connu !

Le ciel de 2002 indique que vous croiserez cette personne par l'entremise d'un ami et dans un lieu où chacun partage le même but. L'aspect culturel est fortement représenté. Imaginez qu'un soir, vous décidiez d'aller voir une pièce de théâtre, vous croisez un ami accompagné d'un copain (ou d'une copine). Soudain vous engagez la conversation avec ce parfait inconnu comme si vous vous étiez toujours connu ! Attention à partir d'août si vous décidez de vivre avec votre nouvel amour. Pendant 12 mois, vous serez en période d'adaptation. Chacun devra peut-être régler une histoire d'amour laissée derrière soi !

Sous Jupiter en Cancer, si vous travaillez de la maison, si vous êtes à votre compte ou sur appel, vous n'aurez jamais été aussi occupé. À partir d'août et pendant 12 mois, vous serez sous l'influence de Jupiter en Lion. Il sera alors dans le huitième signe de votre ascendant. Il laisse malheureusement présager la maladie d'un proche parent. Cet aspect donne des indices d'un partage d'héritage pour certains d'entre vous. Cela ne se passera pas en douceur. Puisque sous Jupiter en Lion, il est question d'argent, quel que soit votre travail, sans doute aurez-vous une augmentation grâce à une promotion. Si vous offrez un service ou vendez des produits quelconques, vous pourrez demandez plus. Le plus beau étant qu'aucun de vos clients ne se plaindra ! Saturne en Gémeaux file dans le sixième signe de votre ascendant. Il est l'indice du travail qui arrive en double. Si c'est votre cas, lorsque Jupiter sera en Lion, vous devrez vous faire le devoir de prendre soin de vous et de bien vous nourrir.

VIERGE ASCENDANT VERSEAU

Vous êtes né de Mercure et d'Uranus. La Vierge aimerait prendre son temps, mais le Verseau vous pousse à avancer, à vous dépasser, à en faire toujours plus ! La Vierge a des idées et le Verseau des ambitions.

La Vierge, en tant que signe de terre, aime sa maison et ces moments de solitude. Tranquille, elle lit, écoute de la musique. Mais voilà que le Verseau ne supporte pas l'inaction. Il lui faut bouger et être utile aux autres. Il est rare que vous trouviez le repos. Votre nature est complexe. Une partie de vous suggère de vous occuper de vous, l'autre vous dit que la planète a besoin de votre aide. Pendant une période de votre vie, vous gagnez de l'argent. Vous travaillez comme un déchaîné, comme si c'était l'unique chose à faire. Puis, vient le temps où Uranus fait tout voler en éclats. Il défait toutes les pièces de cette tradition familiale et professionnelle qu'on vous a imposées avant même que vous ayez l'âge de raison ! Vos grandes transformations se font entre quarante et quarante-quatre ans. Durant ces années, vous adoptez d'autres valeurs, d'autres croyances. Vous changez souvent complètement de style de vie. Si vous n'avez pas encore atteint cet âge, et avez refusé toute transformation, si vous vous rapprochez de cette période, vous n'échapperez pas à ces instants. Votre peur de l'avenir devient soudain une excitation mentale qui vous donne tous les courages.

De juillet 2001 à juillet 2002, vous êtes sous l'influence de Jupiter en Cancer. Jupiter est dans le sixième signe de votre ascendant et il vous fait travailler fort ! En réalité, par rapport à bien d'autres, vous êtes chanceux. Vous pouvez acheter et payer vos factures sans problèmes. Si vous êtes le pourvoyeur de la famille, que vous soyez homme ou femme, vous êtes heureux de donner à vos enfants tout ce dont ils ont besoin. Mais vous n'êtes pas sans songer à vous réorienter. En mai, nombre d'entre vous décideront de retourner aux études pour parfaire une formation ou dans le but de changer de carrière.

Durant le passage de Jupiter en Cancer, si vous vivez en couple, vous parlerez peu de vos sentiments. Vous faites de l'introspection, vous vous questionnez sur l'amour : est-il ou n'est-il plus ?

À partir d'août et jusqu'en août 2003, Jupiter est en Lion dans le septième signe de votre ascendant. Au cours de ces mois, vous trouverez vos réponses aux questions que vous vous serez posées sur votre relation amoureuse.

Sous Jupiter en Lion, si vous êtes malheureux, il est possible qu'une aventure fasse basculer votre mariage. Elle pourrait aussi vous donner la raison que vous cherchiez pour quitter votre amoureux. Si vous prenez la décision d'aller vivre avec votre nouvel amour, le ciel de 2002 n'est pas un présage de long terme sentimental ! Si vous êtes célibataire, vous ne resterez pas seul. Vous aurez le choix. Les flirts seront nombreux. Ce n'est probablement qu'en 2003 que vous saurez qui est l'élu de votre cœur ! La suite en 2003...

VIERGE ASCENDANT POISSONS

Vous êtes né avec le signe opposé ou le signe complémentaire au vôtre. Vous êtes généreux et très souvent vous vous retrouvez dans des situations où vous êtes incapable de dire non aux quémandeurs !

Vos amours sont souvent comme des tempêtes. Quand vient le calme, vous vous imaginez qu'il est là pour toujours. Surprise ! L'océan que représente votre ascendant est toujours en mouvement. Mais étant bon, intelligent, sensible et analytique, vous en arrivez à comprendre où vous vous trompez.

Vous avez aussi la sagesse de changer et d'apprendre que vous avez le droit de recevoir comme n'importe qui.

De juillet 2001 à juillet 2002, Jupiter est en Cancer dans le cinquième signe de votre ascendant et le onzième de la Vierge. Eh oui !, vous avez rendez-vous avec l'amour. Si vous êtes jeune et encore sans enfant, vous rencontrerez la perle rare ! Étant sous l'influence de Jupiter en Cancer, ce ne sont pas que deux personnalités qui se croisent mais deux âmes faites l'une pour l'autre et toutes deux prêtes à avoir un enfant ! Pour un grand nombre d'entre vous, vos vies seront radicalement changées et ce, en quelques mois seulement.

Si vous êtes en amour et que tout soit comme vous le souhaitez, il sera question de l'achat d'une maison. Vous pourriez aussi redécorer votre appartement de fond en comble. C'est pour vous une manière d'étaler vos états d'âme. Lorsque vous êtes bien, heureux, tout est lumineux autour de vous.

Vous avez un travail routinier qui vous permet de gagner votre vie, mais vous êtes aussi un artiste. Ce talent que vous exprimez à peine ou si peu ne peut plus être retenu. Les circonstances seront telles qu'il vous sera permis de l'exercer. Que vous soyez peintre ou musicien, écrivain ou danseur, acteur ou sculpteur, sans doute prendrez-vous des cours pour vous perfectionner. Si on n'a rien à vous apprendre ou presque, vous serez en contact avec des gens qui, en général, aspirent à vivre de leur art. Ces personnes seront stimulantes pour vous. Leur idéal est aussi une voie vers la paix en soi.

À partir d'août, Jupiter est en Lion dans le sixième signe de votre ascendant. Il ne met aucune entrave à ce que vous aurez entrepris, au contraire. Il appuie vos diverses démarches et augmente votre chance dans un ou plusieurs secteurs de votre vie. Jupiter en Lion correspond à votre renaissance.

Il faudra toutefois faire attention à votre santé. Vous vivez vite et beaucoup ! En ce qui vous concerne, il est important de dormir huit heures par nuit. Si vous ne vous nourrissez pas bien, vous détesterez prendre de l'embonpoint ou gonfler. Si vous allez jusque-là, vous pourriez avoir des douleurs aux reins. Si vous négligez ce que vous mettez dans votre assiette et vous contentez d'aliments « réchauffés » et sans grande valeur nutritive, vous perdrez du temps, puisque certains jours vous serez forcé de rester à la maison pour vous reposer.

BALANCE

23 septembre au 22 octobre

À ma bonne copine Andrée Plante et à un ange incarné Jean-Paul L'Heureux!

BALANCE 2002

Votre vie est un perpétuel ajustement. Vous ne savez pas si vous devez aller plus à gauche ou plus à droite. Lorsque vous avez pris position d'un côté ou de l'autre, bien évidemment vos plateaux oscillent et vous voilà reparti vers une autre quête du centre!

QUAND JUPITER EN CANCER EST INTRANSIGEANT – JUPITER EN CANCER: JUILLET 2001 – JUILLET 2002

Depuis juillet 2001, et jusqu'en juillet 2002, Jupiter est en Cancer dans le dixième signe du vôtre. Sur le plan de la matière, il s'agit d'une association entre Jupiter et Saturne. Ce dernier représente le dixième signe ou l'ambition, le désir d'accéder à plus grand, plus gros, à posséder plus, à mettre sa famille à l'abri, à protéger ses acquis, tout en travaillant à un accroissement, etc.

Le Cancer est un signe cardinal comme la Balance, symbole de commandement. Celui qui veut diriger qu'il y soit ou non autorisé. Cet aspect dur entre la Balance et le Cancer rend certains d'entre vous si compétitifs qu'ils en oublient de respecter les règles. Ils tentent parfois de passer outre à la loi. Ils jouent du coude avec des gens qui pourtant dans le passé les ont souvent aidés à se tailler une place au soleil.

Sous Jupiter en Cancer, vous avez tendance à vouloir que le passé soit différent. Vous tentez de vous camoufler à vous-même des faits et des événements désagréables de votre vie familiale. Nombreux sont ceux qui s'inventeront une histoire leur permettant de justifier la vie qu'ils mènent. Ces faussetés auront pour but de se donner plus d'importance.

Jupiter en Cancer ainsi positionné vous fait voir le sommet. Cependant, vous ferez tout ce qui est en votre pouvoir pour sauter quelques marches, celles-là même qui sont à la base de la grande aventure que vous avez l'intention de vivre. Votre engagement social envers de bonnes œuvres donne ainsi du vernis à votre nom et à votre réputation. Un masque n'est qu'un masque. Il y a toujours quelqu'un ici ou là capable de vous convaincre de l'enlever.

Votre intelligence est difficile à égaler, c'est indéniable, et ce, quels que soient votre milieu, votre éducation, votre études, votre savoir, diplômés ou non, etc. Vous êtes né logique, calculateur et prévoyant. N'y voyez aucun reproche. Vous êtes le meilleur protecteur de vous-même. Votre charme vénusien permet à bon nombre d'entre vous de se faufiler parmi les riches et célèbres de ce monde, et de profiter de leur influence et de leurs cadeaux. Lorsque tout votre moi est concentré sur le pouvoir, vous y mettez le temps et l'ardeur pour vous ouvrir les portes généralement réservées aux personnes bien nées. Vous êtes tenace. Pour vous, il est clair que l'argent et le pouvoir mènent le monde.

Chez vous, tout est porté au maximum si vous êtes dans la catégorie « succès seulement ». Vous vous donnez le droit de choisir, d'utiliser les gens qui, la plupart du temps, ne voient pas vos manipulations, le droit de préférer l'argent et le pouvoir à toute autre chose. Vous vous donnez le droit de vouloir la sécurité financière, éventuellement pour rendre votre vieillesse plus confortable.

Chez quelques parents, Jupiter en Cancer fait un aspect difficile à votre signe. Si vous préférez contrôler l'éducation de vos enfants plutôt que de les assister dans leurs choix, il vous lance l'avertissement de faire marche arrière, avant que vos enfants s'éloignent de vous, d'abord sur le plan affectif, puis sur le plan physique. Vous ne pouvez imposer à un enfant de devenir médecin, s'il vous dit qu'il veut être mécanicien ou pompier, coiffeuse ou comédienne, etc. Vous ne pouvez pas non plus chasser tous ses amis sous prétexte qu'ils dérangent ses études... N'est-ce pas plutôt vous qui détestez le désordre et le bruit dans la maison ? Vous ne pouvez choisir la garde-robe d'un adolescent, ses goûts ne sont pas ceux de votre génération. Vous n'arrêterez pas un bébé de grandir. Vous ne le ferez pas vieillir plus vite que l'a décidé la nature. Sous Jupiter en Cancer, la poussée est là. Attention de ne pas confondre vos rêves d'enfance non réalisés avec ceux de vos enfants !

Pour faire suite à vos choix, si votre pensée n'est orientée que vers la matière, les conséquences seront nombreuses durant les sept premiers mois de 2002. Vos combines financières, même les moins malhonnêtes, mais de quelque nature qu'elles soient, seront découvertes par un concours de circonstances. Entre la mi-janvier et durant février, la justice a le bras long et applique la loi. Ceux qui auront subi vos malices s'allieront pour vous dénoncer et vous pénaliser. Durant cette période, un problème familial peut survenir, surtout si vous travaillez avec un membre de votre famille. Votre amoureux et plus encore vos enfants pourraient vous surprendre en demandant une séparation et un partage des biens. En mars et jusqu'à la mi-avril, il sera question de vos impôts et de quelques déclarations révisées par le fisc. En conclusion, les pénalités matérielles seront, en général, le résultat de manœuvres frauduleuses envers une entreprise ou des individus.

L'EFFET POSITIF DE JUPITER EN CANCER

Les Balance honnêtes en tout temps, sensibles à autrui, compatissantes, « branchées » non pas sur l'argent et la possession mais sur la qualité de vie vivront des développements beaucoup plus positifs. Si vous agissez pour le bien de votre entourage, être bon avec vous ne fera pas perdre la tête. Votre intelligence reste intacte. Vous ne vous appauvrissez pas en respectant le bien d'autrui et le vôtre. Nul besoin de tricher pour avoir le droit à la richesse. D'ailleurs, ne dit-on pas que « bien mal acquis ne profite jamais » ?

Jupiter en Cancer précipitera un grand nombre d'entre vous vers une autre carrière. Vous poursuivrez un but différent. Vous serez en pleine découverte. Vous vous allierez à des gens que vous connaissez depuis des décennies et pour qui, parfois, vous avez plus de considération que pour les membres de votre famille. Jupiter en Cancer sera aussi l'occasion de vous réconcilier avec des parents dont vous vous êtes éloigné, surtout durant les mois de mars, avril, mai et juin.

Jupiter en Cancer représente la rencontre avec un sage, un guide. Cela peut être dans le regard d'un enfant, au cours d'une conversation agréable avec un parfait inconnu et qui, de prime abord, paraît tout à fait banale. Vous pourriez aussi vous rallier à un groupe de gens afin de protester contre la pollution de votre ville. Une fois encore, vous y croiserez des personnes avec qui il vous sera possible de construire ou de reconstruire l'œuvre de votre vie, celle dont vous avez toujours rêvée.

Sur un ton plus terre-à-terre, vous pourriez mettre sur pied une petite entreprise avec un parent ou des amis. Chacun est poussé par un idéal, mais également par un besoin de survie économique. Puis, les mois passant, vous voici en août 2002. Vous vous rendez compte alors que ce que vous avez créé répond aux besoins de la masse. Les acheteurs sont nombreux. Vous gagnez de l'argent et vous créez de l'emploi.

Jupiter en Cancer représente la rupture avec un mode de vie qui ne répond plus à vos besoins. Il faut du courage pour se défaire de ses habitudes et de gens que l'on fréquente, mais avec qui il ne se passe jamais rien, pas la moindre étincelle de plaisir ou si peu. Il faut du courage pour se débarrasser de certains bagages, comme ces vieux vêtements auxquels on porte un attachement sentimental. Ils sont déchirés, usés, on n'ose plus les porter, mais autrefois ils semblaient nous porter chance, alors on les garde. Les fétiches n'ont plus leur place dans votre vie. Vous êtes à un point où croyances et valeurs doivent être jetées par-dessus bord. Elles ne vous appartiennent plus. Il faut faire le vide, mais il ne reste jamais vide longtemps. La nature a horreur du vide. Et puis, ne plus porter en soi ce qui, au fond, nous déplaît depuis longtemps, n'est-ce pas là un moment de joie ? N'est-ce pas là une promesse d'avenir meilleur ?

La traversée de Jupiter en Cancer ne sera pas facile ou simple. Après avoir plonger au plus profond de soi, la remontée demande du souffle ! Voir la lumière quand on resté longtemps dans le noir n'est-ce pas magique ? Merveilleux ? Si jusqu'à présent votre vie ne fut qu'une suite d'épreuves, si malgré la douleur vous n'avez pas perdu le respect de vous-même, vous êtes prêt à recevoir plus que jamais. Telle est la mission positive de Jupiter en Cancer pour les tendres vénusiens !

JUPITER EN LION

Si sous Jupiter en Cancer vous avez perdu vos acquis, Jupiter en Lion à partir d'août vous permet d'en récupérer une partie. Mais sous condition : vous les retrouverez si vous avez encore des amis et, s'il n'en restait qu'un, prenez-en grand soin. Il faut, par ailleurs, que sous Jupiter en Cancer, vous vous soyez, en quelque sorte, remis au monde.

Je vous épargne les longues descriptions des bienfaits divers que vous apportera Jupiter en Lion entre août 2002 et août 2003. Mais je me permets de préciser que l'amour, quand il se présentera aux célibataires, aura le visage de l'amitié. Quant à vos projets, ceux que vous aurez mis en marche, ils progresseront. Certains d'entre vous redresseront leur situation. Si vous n'avez pas été « correct », vous avez une seconde chance de tout remettre en ordre, de faire la paix et de payer vos dettes !

Uranus et Neptune seront en Verseau, en face de Jupiter en Lion. Les planètes en Verseau vous sont favorables. Elles vous inspirent et vous mettent en relation avec de nouvelles amitiés et des gens au grand cœur. Jupiter est en face. Ainsi, si vous vous engagez sur la voie négative par vos agissements, sous Jupiter en Cancer, vous ne récolterez que très peu. Si, au contraire, vous partez du principe de donner, vous recevrez énormément.

Saturne est en Gémeaux. Il est dans le neuvième signe du vôtre. Il donne le sens des affaires et si, au risque de me répéter, vous n'êtes pas entièrement honnête, Pluton en Sagittaire face à Saturne en Gémeaux enfoncera vos possessions au creux de la terre et les diluera dans le magma ! Cette opposition entre Saturne en Gémeaux et Pluton en Sagittaire a un revers extraordinaire. Elle permet aux beaux et grands esprits d'émerger dans leur métier. Ils seront tout autant des éveilleurs de conscience ; ils seront à l'écoute de leurs collègues ou de leurs collaborateurs.

JANVIER 2002

AMOUR-AMITIÉ Jusqu'au 19, Vénus est en Capricorne. Elle vous donne beaucoup de sévérité. Vous voyez votre vie amoureuse comme une obligation, et plus encore si vous avez des enfants. Vénus en Capricorne n'est guère joyeuse. Elle a tendance à dramatiser les moindres contrariétés et à tenir une énorme comptabilité ! Vous pourriez dire à l'amoureux que vous faites ceci pour lui et qu'il devrait, en retour, faire cela pour vous. Les services échangés dans un couple ne se mesurent pas, malgré toute la précision que vous croyez posséder.

Entre le 5 et le 12, méfiez-vous de vos discussions qui ne mènent à rien. Elles vous éloignent de l'affection de votre partenaire. À partir du 19, Mars entre en Bélier. Il se retrouve alors en face de votre signe. Cette fois, vous serez tenté de donner des ordres à l'amoureux. Il y a peu de chance qu'il vous écoute.

Si vous êtes célibataire et qu'une rencontre se fait à partir du 19, prenez votre temps. Ne vous engagez pas dans une relation alors que vous ne connaissez pas encore votre flirt. Certains d'entre vous sont des esseulés qui supportent leur solitude de plus en plus mal. Mais en ce mois, l'empressement risque de vous conduire vers une autre déception. Vous avez des amis, c'est vers eux qu'il faut vous tourner. Ils sont là pour vous aider à comprendre qui vous êtes et pourquoi l'amour vous est refusé, pourquoi votre relation est si douloureuse. Les gens heureux sont rares. Si vous êtes cette exception, remerciez le ciel que le bonheur soit chez vous chaque jour et de connaître quelqu'un qui vous aime, même avec vos défauts !

FAMILLE À partir de l'instant où un conflit éclate dans votre couple, aussi minime soit-il, vos enfants le ressentent. Ils réagissent avec une extrême nervosité. Ils contestent vos règles en élevant la voix. Leur ton est même plus haut que celui que vous employez pour leur faire des reproches ! Ils sont vos signaux d'alarme. Soyez attentif à leurs réactions. Ils vous disent que vous dépassez les limites, que vous vous écarté du bonheur, que vous avez perdu le sens du mot « joie ». C'est principalement à partir du 19, que votre aîné, le plus représenté par les aspects célestes, vous donnera du fil à retordre, surtout s'il s'agit d'un adolescent ou d'un jeune adulte. Il ne voudra plus de vos conseils. S'il est amoureux et que vous lui dites que « ça lui passera », il comprend que vous ne le prenez pas au sérieux. Sa réaction n'aura rien d'agréable. Il s'entêtera à fréquenter cette personne qui ne vous plaît pas ou qui vous effraie parce qu'elle vous « vole » votre enfant. À partir du 19, si l'amour s'était effrité avec les années d'habitudes et sous le poids de la routine, vous serez tenté par une aventure. Méfiez-vous d'une passion qui ne serait que passagère. Elle pourrait détruire ce que vous avez construit avec l'autre. Un flirt reste un flirt !

SANTÉ Si déjà vous avez des problèmes d'arthrite, de fréquentes raideurs musculaires, si vous ne faites aucun exercice, des douleurs lancinantes vous obligeront à réagir. Certaines vitamines et plantes ont des vertus extraordinaires. Elles soulagent et peuvent même guérir. Il est dans votre intérêt de vous informer à ce sujet. Si vous pratiquez un sport et avez un esprit de compétition, à partir du 19, modérez votre désir d'être le premier. Mars en face de votre signe vous invite à ralentir.

TRAVAIL-ARGENT Ce mois-ci, vos affaires ralentissent. Pour obtenir une réponse d'un partenaire, d'un collaborateur commercial, il vous faut insister à maintes et maintes reprises. Vous détestez les réponses incertaines, les « à peu près » et qu'on vous dise « bientôt », sans pour autant vous donner la moindre précision. Si vous êtes en affaires, sans doute aurez-vous des discussions çà et là mais elles ne donneront pas les résultats espérés. Certains prendront des décisions pour des achats pour l'entreprise. Si vous ne voulez pas les remettre à plus tard, il serait dans votre intérêt de les faire avant le 18, avant que Mars soit en Bélier.

En début d'année, des Balance se verront licencier pour cause de restrictions dans l'entreprise. Une fois l'émotion passée, ces dernières ne mettront pas longtemps avant de retrouver un autre travail. Si vous œuvrez dans le monde des communications Internet ou dans celui des médias, vos services spécialisés seront requis. Même si le contrat n'est pas à long terme, vous gagnerez au moins assez d'argent pour payer vos factures et aurez mis, comme on dit, « les pieds dans la place ». Lorsque l'embauche se fera à temps plein, vous serez le premier appelé.

CROYANCES Pendant que la moitié des Balance ne croit qu'en leur intelligence, l'autre attend qu'une intervention divine la sorte de ses problèmes. La logique dénuée de sensibilité et de considération envers autrui correspond à une accumulation de dettes et vous en serez débiteur à votre insu. Même si votre compte en banque augmente, il n'est que matière et toute matière est sujette à se dissoudre. Quant à ceux qui se sont persuadés que la pensée est magique, il leur faut réviser leur opinion ; il s'agit là d'une pensée enfantine. Sous votre signe, les plateaux oscillent. Ceux qui ont la foi oublient souvent que certaines gens n'ont pas de cœur : être constamment leurs victimes n'a rien d'héroïque. Ceux qui ne croient qu'en la science ou aux affaires pourraient bien vivre des expériences aussi étranges qu'une communication télépathique. Ce sera un point de départ qui les amènera à constater que l'esprit est plus qu'intelligence et logique.

QUI SERA LÀ? Un Cancer vous rappelle que la paix vaut mieux que la guerre. Vous ne manipulerez plus un Scorpion qui jusqu'à présent a bien servi vos intérêts. Une Vierge fait une réclamation. Un Bélier n'est pas tendre, si vous ne l'êtes pas avec lui. Un Taureau fait autant de calculs que vous et c'est ainsi qu'une longue discussion sur les finances entre vous pourrait tourner au vinaigre. Vous pouvez vous confier à un Gémeaux, il vous écoute et peut aussi vous donner de très bons conseils.

FÉVRIER 2002

AMOUR-AMITIÉ Certaines personnes ne font que passer dans votre vie, d'autres resteront. Au début de la relation, rien n'est évident, aussi amicale puisse-t-elle être. Vous développez également une bonne entente avec ceux avec qui vous travaillez. Puis lorsque le temps est venu d'aller chacun de son côté, vous cessez de vous voir ! À partir du 13, il est possible qu'une telle situation puisse se présenter. Si vous travaillez avec votre amoureux, entre le 22 et la fin du mois, évitez d'argumenter à propos de tout et de rien. Vous détruiriez l'harmonie entre vous. Il est aussi possible que vous ayez une baisse de vitalité durant ce mois, donc si vous tenez à bénéficier des petits soins de votre amoureux, soyez gentil. Si vous êtes célibataire depuis longtemps, si autour de vous des amis en couple se séparent, vous aurez tendance à vous éloigner de l'amour, même à fuir ces gens qui vous font de beaux sourires. À partir du 8, Saturne reprend sa marche avant et il lance des invitations aux vieux copains que vous n'avez pas vus depuis longtemps. Vous renouerez conversation.

FAMILLE Si vous vivez en famille reconstituée, comme tant d'autres, sous l'influence de Mars en Bélier, certains problèmes qui semblaient être résolus avec votre ex ou celui de votre partenaire actuel, se manifestent à nouveau. Ils seront plus persistants si vous avez des enfants, car ceux-ci seront au cœur de discussions à n'en plus finir. Il sera question d'une nouvelle garde partagée ou d'une révision de la pension, que vous soyez le payeur ou la personne qui demande davantage de soutien financier pour vous et les enfants. Si vous portez cette affaire aux oreilles de votre avocat, parce qu'aucune entente à l'amiable n'est possible, les chances d'un règlement ce mois-ci sont minces.

Même si votre famille est unie, il est possible qu'un parent se mêle de vous dire quoi faire pour mieux vivre. Il vous donnera des conseils sur l'éducation de vos enfants. En tant que signe cardinal, vous n'aimez pas qu'on s'immisce dans votre intimité. Vous n'aurez aucun mal à congédier l'intrus.

Une querelle d'argent familiale, avec des frères, des sœurs et d'autres parents, risque de ne pas se terminer par une entente ce mois-ci ! Le temps n'est pas aux solutions rapides pour l'argent, surtout si vous êtes de ceux qui croient qu'ils doivent absolument gagner !

SANTÉ Vous aurez moins de résistance physique. Il est possible qu'une grippe vous cloue au lit. De nombreuses Balance sont sujettes aux rhumes et toussent beaucoup, pendant longtemps. Il serait bon, même au moment où vous avez guéri un mauvais rhume, de vous renseigner sur les plantes qui renforcent le système immunitaire. Ainsi, dans le futur, vous éviterez ces toux désagréables qui peuvent, dans quelques années, dégénérer en problèmes pulmonaires. Nous pouvons prévenir certains maux grâce aux plantes que l'on trouve dans les pharmacies et les magasins d'aliments naturels, pourquoi ne pas les utiliser ?

TRAVAIL-ARGENT Au travail, vous faites des heures supplémentaires à n'en plus finir. Si vous êtes à commissions, vous encaissez des profits qui vous permettent de payer vos factures des fêtes et en plus de faire des économies. Vous maintiendrez ce rythme jusqu'au 13 puis, au fil des jours, vous diminuerez le temps consacré au travail. Les uns décideront d'accorder plus de temps à leurs enfants ; d'autres auront moins de vitalité, d'autres encore verront une diminution de leur clientèle. Si vous faites partie de ceux qui voyagent beaucoup pour les intérêts de l'entreprise, malgré une chute de vitalité, à partir du 13, vous ferez constamment vos valises. Vous irez d'un rendez-vous à l'autre, afin d'établir des ponts avec d'autres partenaires. Vous constaterez une certaine résistance de leur part. S'il s'agit de commerce avec l'étranger et, particulièrement avec l'Europe, sans doute leur recul ou leurs hésitations sont le fait des problèmes économiques qui perturbent notre planète. Si vous aviez un projet d'expansion pour une entreprise en cours, vous y repenserez. Ce mois invite à une extrême prudence dans tout ce qui concerne les nouveaux investissements et les acquisitions.

CROYANCES Entre le 13 et le 21, vous pourriez vivre une expérience paranormale, avoir une intuition si vive que vous aurez l'impression d'être là où l'action se passe, en fait, là où elle aura lieu. Si vous avez pris l'habitude de méditer et de vous recentrer, de prendre conscience que vous êtes UN et TOUT dans cet Univers, vous êtes en connexion directe avec un événement mondial qui risque d'être traumatisant.

Bien que vous soyez à l'abri de l'épreuve, vous savez fort bien que ce qui se produit à l'autre bout du monde a des répercussions ici sur chacun d'entre nous, tant sur le plan matériel que sur celui des émotions. La plupart d'entre vous gardent le silence sur cette expérience que vous pouvez qualifier « d'au-delà du réel » ou de dossier « X-files ». Votre logique ne s'absente jamais. Quant au monde invisible, vous préférez ne pas en discuter, au cas où vous seriez mal jugé par des amis, des parents ou pire par des collègues.

QUI SERA LÀ ? Un Scorpion vous rassure sur votre contact avec le monde invisible. L'explication n'est pas uniquement « mystique ». Il vous explique que l'homme, depuis sa création ou son apparition sur terre, s'est développé au point où son esprit, s'il le rend disponible, a la capacité de voyager et de rapporter des informations. Un Bélier vous fait la morale, si vous cherchez la dispute. Un Cancer est sérieusement attiré par vous, mais c'est à peine si vous le voyez. Vous êtes ébloui par un Lion qui vous fera croire que vous êtes indispensable, merveilleux ou magique... tout pour vous séduire ! Un Sagittaire flirte avec vous si gentiment que lui accordez une attention toute spéciale ; votre conversation peut éventuellement se transformer en un tendre amour. Un Gémeaux vous observe et vous considère comme une personne de grande valeur. Un Poissons étale vos défauts, surtout dans votre milieu de travail. Ne craignez-vous pas la fuite d'un Verseau dont vous êtes amoureux ?

MARS 2002

AMOUR-AMITIÉ À partir du 9, Vénus est en Bélier face à votre signe. Cela a pour effet de vous faire oublier les vrais signaux de l'amour. Vous avez un amoureux avec qui vous vivez, mais vous ne le voyez pas, ne le ressentez pas. Il vous parle, mais vous ne l'entendez pas ou si peu. Vous êtes plus préoccupé par le monde extérieur que par les sentiments. Votre partenaire ne se sent pas bien. Plutôt que de l'aider, vous vaquez à vos activités. Vous lui parlez de vos problèmes, sans songer qu'il pourrait en avoir lui aussi. Vénus en Bélier fait émerger votre peur de l'intimité. Vénus en Bélier, selon votre ascendant, peut aussi avoir pour effet de faire fuir l'amoureux. Il doit vivre comme si vous n'étiez pas à ses côtés et prendre des décisions sans vous consulter. En somme, durant le passage de Vénus en Bélier, vivre à deux peut vous agacer, vous n'aurez toutefois pas l'idée de rompre. La communication est momentanément rompue ou brouillée entre vous.

En tant que célibataire, vous pourriez être séduit par les apparences de l'amour. Vous serez attiré par une personne ayant une grande différence d'âge avec vous, que vous soyez homme ou femme. Vous êtes à la recherche de la sécurité mais, étrangement, vous avez un vif désir d'excitations nouvelles. Sous Vénus en Bélier, vous ne tenez pas compte de l'échange des beaux sentiments.

FAMILLE Vénus est en Bélier à partir du 9. Mars en Taureau, Saturne en Gémeaux et Jupiter en Cancer traversent le mois de mars. Avez-vous remarqué que ces quatre planètes se suivent dans l'ordre du zodiaque ? Bélier, Taureau, Gémeaux, Cancer. Ce qui présage des réactions en chaîne. Vénus en Bélier, vous incite à communiquer à peine avec votre partenaire. Ce dernier prend lui aussi ses distances. Mars en Taureau dans le huitième signe du vôtre déclenchera la peur de manquer d'argent. Vous voudrez éviter quelques dépenses, mais Saturne en Gémeaux, et le Nœud nord aussi dans ce signe trouvent des raisons pour vous faire acheter des gadgets. Vous parlez de vous acheter une nouvelle voiture. Et voilà que Jupiter en Cancer, dans le dixième signe du vôtre, vous sortira de votre « moi-moi-moi », car il représente vos enfants. Vos enfants, surtout les grands, ne seront pas sages. Ils vous obligeront à sortir de cette non-communication. Ils vous convaincront de ne pas réduire leurs allocations. Vous leur donnerez ce qu'ils demandent. Dites adieu à vos restrictions budgétaires ! Vous ne vous achèterez ni gadget ni voiture. Ils vous feront comprendre que leurs besoins sont plus urgents que les vôtres ! Et, en dernier lieu, vos enfants sont un indéniable trait d'union entre votre partenaire et vous. Sans eux, pas de famille ! Sans eux, votre liberté ne vous sert pas à grand-chose, puisque vous savez que la vie est plus importante que tout ce qu'on peut posséder. Ce n'est que très lentement que vous reviendrez vers votre famille et vers vos enfants d'abord. Ensuite, vous renouerez avec vos parents que vous cherchiez aussi à fuir. Pourtant, vous les aimez et vous partagez de bons moments avec eux.

SANTÉ Mars dans le signe du Taureau a tendance à ouvrir la porte à la déprime à ceux déjà souvent aux prises avec cet état. Vénus en Bélier concerne le fonctionnement de vos reins. Il est donc nécessaire de vous abstenir de thé, de café et de tout autre aliment qui provoquent des ballonnements. Vos reins refusent de purger votre système entièrement.

TRAVAIL-ARGENT Ce mois-ci, la différence entre le bon et le mauvais sera plus évidente. Vous devrez payer vos dettes envers une personne ou une communauté. Ce sera le cas si vous avez triché dans l'entreprise qui vous emploie. Le manque de respect envers certaines gens qui n'ont à vos yeux qu'un rôle mineur ou un poste « ordinaire » sera sanctionné. Si vous avez joué du coude ou usé de votre influence pour congédier quelqu'un que vous n'aimez pas, ce sera le moment de payer pour votre intransigeance. Peut-être l'avez-vous obligé à démissionner à force de harcèlement et l'avez-vous rendu malheureux ? Vous ne vous en tirerez pas comme ça ! Quel que soit le jeu de pouvoir et les malhonnêtetés dont vous vous êtes servi, c'est le moment de passer à la caisse. Si vous avez trempé dans des affaires d'argent apparemment légales, mais que plusieurs personnes ont beaucoup perdu par vos manigances pour que vous puissiez vous enrichir, la loi du balancier s'applique. Et pas dans une autre vie, mais dans celle-ci. Les circonstances seront telles que des gens plus influents que vous, vous soupçonneront de ne pas jouer franc jeu. Ils demanderont une enquête sur vos biens et découvriront que certaines sources de vos revenus sont louches. À ce point, toute négociation cessera, notamment si des échanges commerciaux étaient entamés. Tout sera stoppé net. Et c'est ainsi que la descente commence ! Il s'agit bien entendu d'une situation « extrême », mais ceux d'entre vous qui ont commis des petites fraudes... aussi minimes soient-elles, ne seront pas impunis. Vous découvrirez à quel point « les premiers seront les derniers » !

De leur côté, les Balance honnêtes n'ont pas à s'inquiéter. Si vous avez été victime de manipulations, avez perdu de l'argent, votre travail, votre réputation, la roue de la vie s'applique à réparer vos pertes.

Sous votre signe, il arrive qu'une question d'argent soit à l'origine d'une division de la famille. Votre huitième signe, symbole de l'héritage, étant le Taureau, un autre signe de Vénus vous fait croire qu'en cas de partage de biens à la suite d'un décès, vous méritez plus que les autres.

CROYANCES Faut-il que vous tombiez malade pour que vous vous mettiez à croire que le monde invisible existe ; pour que vous sachiez que tout ne dépend pas de votre seule volonté ? Vous êtes un être fier et lorsqu'une « tuile vous tombe sur la tête », vous possédez un arsenal de logique qui vous fera rejeter la faute sur le dos des autres ! Si vous êtes tout l'opposé, si vous êtes un être résigné, peut-être avez-vous oublié que le ciel ne vous aide que si vous vous aidez vous-même. La résignation n'appartient pas à votre signe. Vous devez réagir quand ça ne va pas. Votre logique peut être excessive, lorsqu'elle vise à détruire ce que vous ne voyez pas, donc ce qui, selon vous, n'existe pas. Elle vous entraîne à lutter tous les jours, sur différents plants, contre les uns et les autres. Ce ciel de 2002 vous suggère plus de souplesse et une meilleure ouverture d'esprit. Un amas de connaissances n'est toujours qu'un amas de connaissances. Si celles-ci ont façonné votre jugement dans un domaine précis, ne perdez pas de vue que vous côtoyez des gens. Vous pouvez toujours essayer, mais il est impossible que vous puissiez tenir leurs émotions et leurs intuitions dans vos mains.

QUI SERA LÀ ? Vos amis sont encore là. Certains que vous connaissez depuis des décennies vous acceptent comme vous êtes, avec le bon, le moins bon, l'agréable et le déplaisant. Mais ce mois-ci, il est possible que quelques-uns d'entre eux vous délaissent afin que vous réfléchissiez. Un Taureau trouve que vous lui demandez plus qu'il ne peut vous donner et vous le dit d'ailleurs. Il s'attend à ce que vous lui rendiez autant de services qu'il ne vous en a rendus. Un Bélier est direct et exigeant comme jamais vous ne l'avez vu. Un Gémeaux soutient vos idées de transformations personnelles ou d'entreprise. Un Lion aimé s'éloigne, vous serez inquiet ! Un Sagittaire flirte, ne jouez pas avec son cœur. Un ami Verseau vous fait une excellente suggestion si vous cherchez un emploi. Il peut même vous ouvrir une porte.

AVRIL 2002

AMOUR-AMITIÉ Vénus, la planète qui régit votre signe, est maintenant en Taureau, à sa place originale mais... rien n'étant parfait, Vénus est dans le huitième signe du vôtre, dans une maison astrale correspondant à son exil.

L'astrologue amateur y verra donc une dualité vénusienne. Pendant que la Balance pense « je t'aime », les mots « et mes placements » lui viennent à l'esprit simultanément. Vénus a une énorme influence sur votre vie de couple. Ce mois-ci, il serait bon que vous parliez d'amour et non d'argent, même si votre budget est serré ! Par ailleurs, ce n'est qu'en discutant que vous gagnerez plus d'argent, surtout si votre salaire est fixe. Vous vous êtes lié d'amitié avec certaines personnes qui n'étaient que des relations d'affaires au départ. Si vous n'avez fréquenté, reçu, rendu visite à ces gens que par intérêt, vous lâcherez le mot ou la phrase dévoilant vos intentions mercantiles, à votre insu. D'autres gens sortent de votre vie.

Certaines Balance ont des amis qu'ils aiment profondément. À partir du 13, vos projets communs reçoivent de bonnes nouvelles. Ce sera l'occasion de fêter ensemble, une fois de plus. Ces dernières ont le cœur pur, leurs pensées sont des vœux de réussite pour chacun. Ces Balance connaissent un certain allégement dans diverses sphères de leur vie.

Ces gentilles Balance ne seront pas seules. Elles seront entourées de gens dynamiques, qui croient en eux et qui jamais ne les trahiront en leur prenant ce qui ne leur appartient pas.

L'amour deviendra un incontournable pour le célibataire. La majeure partie des planètes indiquent une rencontre dans le milieu de travail. Les présentations pourraient être faites par un collègue qui a aussi de bons amis. Si des tensions existent dans votre couple, elles se calment enfin. À la fin du mois, elles seront plus qu'un mauvais souvenir, mais vous donneront une leçon à ne plus jamais oublier.

FAMILLE Jusqu'au 13, Mars est en Taureau dans le huitième signe du vôtre. Il fait un carré ou un aspect dur à Uranus en Verseau dans le cinquième signe du vôtre. Si vous êtes parent de grands enfants, adultes ou adolescents, il sera question d'argent avec eux. Ils vous diront que vous leur devez plus que vous ne leur donnez déjà ! Cela vous fera tout drôle à entendre de la part de vos enfants. Il n'y a pas si longtemps, ils étaient gentils, tendres et si peu exigeants ! Mais tout a changé pour bon nombre de Balance. En 2002, le défi parental est au programme et vous n'avez aucun mode d'emploi ! Lorsque les enfants sont jeunes, vous les éduquez, vous les disciplinez, vous faites ce qu'il est nécessaire de faire, mais à demi-mots, vous leur interdisez de prendre une décision sans vous avoir consulté.

Votre dernier interdit est la limite à leur liberté, surtout lorsqu'ils sont devenus adolescents. Et les parents ne savent pas tout !

Après le 13, vous êtes moins rigide. Vous serez prêt à discuter, capable d'accepter vos erreurs. Le dialogue avec les grands sera enfin agréable. Quant à vos petits, qui sont entièrement et constamment sous votre responsabilité, jusqu'au 13, votre impatience pourrait bien perturber vos nuits ! Leurs rêves plus agités les réveilleront ! Un conflit d'argent entre des membres de votre famille peut survenir à la fin du mois, vers le 25. Vous espérerez que chacun retrouve son calme et qu'enfin le début d'un règlement convenable puisse s'imposer.

SANTÉ Les 13 premiers jours du mois seront aussi les plus difficiles pour votre santé. Vous serez si nerveux que plus d'une nuit de bon sommeil sera nécessaire pour récupérer votre énergie. Si c'est possible, la sieste en cours de journée est recommandée. Faites-la, même si vous ne dormez pas. La relaxation est nécessaire. Si vous conduisez en état de stress, vous risquez un accrochage, une contravention pour excès de vitesse ou en étant distrait, vous vous stationnerez là où c'est interdit !

TRAVAIL-ARGENT À partir du 14, Mars entre en Gémeaux, un signe d'air comme le vôtre. Si vous avez réparé une faute commise dans le passé, rapidement les bonnes choses reviennent vers vous. Si vous avez fait des démarches en vue d'obtenir un emploi, sans doute aurez-vous ce que vous voulez. Si vous travaillez dans le domaine des communications et principalement dans le secteur technique, vous serez très en demande. Si vous êtes sur appel, à partir du milieu du mois, vous n'aurez plus de temps pour vous. Vous devrez même mettre quelques activités de loisirs de côté. Si vous êtes en commerce avec l'étranger, les échanges seront fructueux. La plupart de vos négociations seront menées et conclues par téléphone. Si vous avez été congédié de votre emploi ou avez pris votre retraite, les circonstances feront en sorte que vous serez rappelé. Vous accepterez, car les conditions et les avantages sociaux seront supérieurs à ce que vous aviez auparavant. Si vous vendez un produit dont vous n'avez jamais été vous-même convaincu, vous devrez répondre à quelques plaintes de vos clients. Si votre travail vous met en relation directe avec le grand public : restauration ou magasins, jusqu'au 13, vous aurez très souvent à servir des gens capricieux.

Dites-vous qu'ils subissent l'influence de l'aspect dur de Mars et Uranus. Cela vous aidera à pardonner leur impatience et leur agressivité !

CROYANCES Vous êtes le signe le plus sceptique du zodiaque, vous croyez en la science. Mais, à l'opposé, certains d'entre vous donnent foi à des rites magiques ou se laissent absorber par une religion ou une secte. Ils excluent de leur vie tous ceux qui refusent d'adhérer à leurs croyances. Si la Balance sceptique donne son congé à Dieu et rejette tout phénomène paranormal, la Balance dont la foi est aveugle donne leur congé à tous les humains qui ne croient pas en « son » Dieu. La tolérance ne transparaît que dans vos propos. La vraie tolérance est plus difficile à trouver, car elle faite d'amour et de détachement.

QUI SERA LÀ ? Si vous vous laissez aller à la déprime, un Bélier vous secoue et vous aide à voir la route la plus éclairée sur laquelle poursuivre votre chemin. Un Taureau, à qui vous devez de l'argent, en réclame le remboursement. Si vous êtes amoureux d'un Taureau, il est possible que vous ayez des sérieuses mises au point à faire quant au partage dans votre couple et concernant le temps que chacun de vous consacre aux enfants. À la fin du mois, un Gémeaux critique à l'excès, ne le laissez pas miner votre joie de vivre. Un jeu de pouvoir avec un Scorpion n'a pas l'effet que vous souhaitiez, ses réactions ne sont pas celles que vous anticipiez. Un Sagittaire ou un Lion a l'art de vous réconcilier avec vous-même et l'Univers.

MAI 2002

AMOUR-AMITIÉ Les conflits qu'a connus votre couple disparaissent. Ils ne seront bientôt plus qu'un mauvais souvenir. Vous êtes-vous brouillé avec quelques amis ? Vous êtes pardonné. Par ailleurs, pour mettre fin aux petites chicanes, vous serez invité à leur table. Par la suite, vous en ferez autant pour eux. Et ainsi votre cercle d'amis se reforme.

Si vous êtes toujours célibataire, sans doute est-ce parce que vous avez décidé de vous isoler, de vivre seul. Si vous êtes malheureux de la situation, ne dites pas que vous êtes heureux ! Dans le ciel de mai, tant de planètes défilent en Gémeaux qu'il vous sera impossible de passer inaperçu. Votre magnétisme est puissant. Du même coup, vous chassez la morosité de l'hiver. Même si vous ne recherchez pas la compagnie, on viendra vers vous, pour un brin de causette agréable, gratuit et désintéressé. Cela se passera dans un magasin, à l'épicerie, dans les transports en commun, au restaurant, etc. De tous ces gens avec qui vous aurez un échange, un seul retiendra votre attention. Vous éviterez de parler de vos sentiments. Vous vous renseignez à fond sur ce que les autres ressentent pour vous. Ainsi, vous en savez plus sur celui qui vous face qu'il n'en sait sur vous. C'est votre approche, votre manière de faire confiance en la vie et en l'amour qu'un autre peut porter en lui. Il pourra ou ne pourra pas vous offrir.

FAMILLE Autant de planètes en Gémeaux dans le neuvième signe du vôtre déclenchent chez vous le besoin de vous enfuir de la maison, de prendre congé pour vous retrouver avec vous-même. Si vous avez de jeunes enfants, vous savez fort bien que votre présence leur est nécessaire. Vous ferez donc de nombreuses sorties avec eux, pour briser la routine. Vous avez besoin de vous émerveiller et quoi de mieux que de le faire avec les enfants ? Si vos enfants sont adolescents, il est question de ce qu'ils feront de leurs prochaines vacances. Vous en parlerez longuement avec eux. Il est possible que l'un d'eux ayant quelques difficultés scolaires vous demande de l'aider en lui « payant » des cours privés. Vous serez surpris de constater qu'il prend enfin son avenir au sérieux. Même si vous devez vous priver de quelques fantaisies, vous n'hésiterez pas à retenir les services d'un professeur. Si vous êtes jeune, en amour et encore sans enfant, votre partenaire et vous serez d'accord pour fonder un foyer. Pour d'autres, il s'agit de la décision d'avoir un second enfant.

SANTÉ Vous serez beaucoup plus énergique que depuis le début de l'année. Certains commenceront à faire des exercices pour se refaire une musculature. Si vous avez subi une opération au cours du mois dernier ou même avant, vous retrouverez rapidement vos énergies. Vous cicatriserez beaucoup plus vite. Si vous suivez un régime amaigrissant et qu'il n'ait que peu d'effet sur vous jusqu'à présent, votre métabolisme se stabilise sous ce ciel couvert de planètes en Gémeaux. Votre poids diminuera considérablement au cours des 31 prochains jours.

TRAVAIL-ARGENT Voici un mois rempli de dénouements heureux sur le plan professionnel. Si vous étiez à la recherche d'un emploi et avez fait de nombreuses démarches, vous serez récompensé pour votre ténacité. Vous obtiendrez un travail où avantages sociaux et bon salaire seront au rendez-vous. Si vous êtes à votre compte, quel que soit le type de commerce, votre clientèle qui vous avait peut-être déserté, revient plus acheteuse que jamais. Si vous œuvrez dans le domaine des communications verbales ou écrites, on vous offrira un poste plus intéressant. Il vous sera permis de vous améliorer constamment. Si vous êtes en création, vous serez bien inspiré. Pour vos placements, il est important de demeurer prudent. Il y a, mois-ci, un envoûtement sur certains titres du marché boursier. Restez aux aguets, dès que vous ressentirez qu'il faut vendre, encaissez vos profits. Toutes les planètes en Gémeaux dans le ciel signifient des titres volatils, la plupart sont un lien avec le monde des communications et de l'informatique. Ce mois-ci est favorable à ceux qui travaillent en librairie, dans l'édition, l'imprimerie ou la distribution de produits quels qu'ils soient.

CROYANCES Vous vous imposez en gardien de la raison ou alors vous ne donnez foi qu'à l'intuition, à la perception extrasensorielle et vous négligez l'importance de l'observation pure et simple. Nous sommes un Tout indivisible. Notre naissance elle-même est un miracle, même si on peut l'expliquer par la rencontre du sperme et de l'ovule ! Nos rêves continuent de nous fasciner. Ceux qui n'y croient pas se laisseront troubler. Ils se questionneront sur des images plus que réalistes survenues pendant qu'ils étaient des « témoins endormis ». Ces événements qui se produisent ou se produiront quelques jours après leurs rêves auront lieu à l'autre bout de la planète.

QUI SERA LÀ ? Vos amis sont de retour. Vous avez l'impression de mieux respirer. Malgré votre indépendance, vous avez besoin comme chacun de nous d'avoir au moins un ami à qui parler. Un Lion vous aide à relever votre entreprise. Il sera question d'une association qui vous permettra, éventuellement, à vous et à ce Lion de faire fortune ou du moins de vivre plus confortablement. Un Gémeaux vous fait d'excellentes suggestions. Certaines ne sont pas applicables dans l'instant, mais gardez-les en réserve. L'amour peut prendre le visage d'un Lion, d'un Sagittaire ou d'une autre Balance. C'est probablement un Verseau qui vous présente votre futur amoureux.

JUIN 2002

AMOUR-AMITIÉ Pour vous, c'est le retour au *cocooning*. Vous discuterez de rénovations dans la maison avec votre amoureux. Ces échanges sur les goûts de l'un et de l'autre vous aideront à mieux le comprendre. De son côté, il pourra enfin savoir dans quel décor vous vous épanouissez le mieux. Vous ferez ensemble une sérieuse étude sur la manière de laisser entrer la lumière dans votre maison ou votre appartement. Si jusqu'à présent vous avez toujours vécu dans une atmosphère feutrée, rideaux tirés, lumières tamisées, vous ressentez un profond besoin d'ouvrir, de voir le jour le plus longtemps possible et jusque tard en soirée. Il est plus facile d'arriver à ce résultat avec les jours qui allongent. Mais comme la décoration est une affaire de long terme, vous aurez la présence d'esprit de prévoir une façon de conserver cette clarté lorsque l'automne arrivera. Vous ne faites pas un tel investissement à court terme ! Vous verrez moins souvent vos amis ce mois-ci, vous serez occupé chez vous. Vous êtes de plus en plus capable d'exprimer votre besoin d'intimité. Vous cessez d'avoir peur de parler d'amour. Les célibataires qui ont fait une rencontre le mois dernier, se rapprochent de plus en plus de l'être cher. Vous laissez entendre à l'autre que vous êtes prêt à vous engager.

FAMILLE Les planètes de juin sont centrées sur la maison. Elles correspondent à vos enfants, surtout aux plus jeunes. Vous n'êtes pas sans connaître l'influence que vous avez sur eux. Même s'ils sont petits, vous pouvez observer qu'ils ont déjà adopté quelques-uns de vos comportements. Dans certaines situations, ils réagissent exactement comme vous. Vous ne changerez pas ce que vous aimez en eux. Vous les aiderez, par l'exemple, à modifier des attitudes et des habitudes copiées sur vous mais que vous détestez ! Vos enfants sont vos professeurs. Ils sont divers reflets de vous, mais chacun d'eux, en y regardant de près, est aussi une partie de vous. C'est ainsi qu'en ce mois, de jeunes enfants font l'éducation de leur parent Balance. Si vous vivez dans une famille reconstituée, que vos enfants et ceux de votre partenaire sont avec vous, des petites querelles et des rivalités éclatent entre les uns et les autres. Et avant qu'ils ne se divisent en deux clans opposés, ce qui ne serait guère agréable dans la maison, agissez, soyez le modérateur. Votre signe représente l'avocat !

SANTÉ Si vous avez perdu du poids, sous l'influence de Mars et de Jupiter en Cancer et de Vénus dans votre signe jusqu'au 14, éloignez-vous des desserts, des gras, en fait de tout ce qui, en général, vous fait prendre du poids. Les 14 premiers jours du mois vous rendent gourmand. Vous mijoterez de bons plats. Il est suggéré de remplacer la crème et le fromage par des aliments moins riches !

TRAVAIL-ARGENT Vous avez retroussé vos manches, vous travaillez d'arrache-pied. Vous investissez dans la maison afin d'améliorer votre qualité de vie et ces dépenses se paient ! C'est pourquoi dès qu'il vous sera possible de faire des heures supplémentaires, vous sauterez sur l'occasion. Sans doute en sera-t-il ainsi durant tout le mois ! Au mois de mai, vous avez repris de l'énergie ; en juin, vous l'investissez ! Attendez le 8 pour prendre vos décisions et le 15 pour les appliquer, surtout si de grosses d'argent sont en jeu. Si vous travaillez de la maison, êtes sur appel, vous serez débordé. Si vous avez été licencié d'une manufacture, les portes rouvriront. On a besoin de faire tourner les machines. Il se peut toutefois que vous ne fabriquiez plus le même produit. Cependant, vous opérerez les mêmes machines ! Si vous faites de la recherche scientifique, quelque soit le laboratoire, à la suite de nombreux essais, vous trouverez la recette qui permettra la fabrication d'un médicament. Votre trouvaille pourrait aussi servir à purifier l'air ou l'eau d'une manière moins coûteuse.

CROYANCES La paix n'est pas revenue sur toute la planète. Nous sommes tous menacés, même si nous avons l'impression que la guerre se passe ailleurs, loin de nous. Vous en êtes de plus en plus conscient. Vous n'avez pas créé ces conflits, ils ont surgi d'esprits machiavéliques et de personnalités fortes aimant le pouvoir à tout prix. Le parfait raisonnable qui ne croit qu'à ce qu'il voit et celui qui a foi en la prière cesseront de s'obstiner. Ils se mettront d'accord sur le fait que tout ce qui fait du bien à l'humain est acceptable.

QUI SERA LÀ ? Vous n'avez pas toujours raison avec un Cancer. Il a quelques leçons de vie à vous donner. À votre tour de donner des conseils à un Lion. Il existe un beau partage amoureux avec un Sagittaire. Un Gémeaux et vous pourriez stimuler la panique de l'un et de l'autre par vos craintes d'un manque quelconque. Un Verseau vous déçoit en ne tenant pas une promesse.

JUILLET 2002

AMOUR-AMITIÉ Il s'agit du dernier mois du passage de Jupiter en Cancer. Cependant, les 13 premiers jours du mois ravivent de vieux conflits familiaux. Il aura suffi d'une rencontre pour qu'une vieille rancœur envers un parent se réveille. L'argent est souvent le cœur du problème. Peut-être est-ce vous qui devez rembourser une somme et vous trouvez mille raisons de ne pas le faire. Vous a-t-on rendu de nombreux services pour lesquels vous n'avez pas dit merci ? C'est contre vous qu'on devrait être fâché. Étrangement, c'est vous qui êtes insulté par la réclamation ! Une telle situation peut également s'être produite avec des amis. Mais certains d'entre vous sont d'authentiques victimes, arnaquées par un parent ou un ami. Quoi de plus insultant, surtout quand on lui faisait confiance ! Si une brouille existe dans la famille, votre amoureux insistera pour que vous y mettiez fin. Comment peut-on avoir la paix sur terre quand on ne l'a pas dans un cercle aussi restreint que la famille ? À partir du 14, vous songerez sérieusement aux recommandations de votre partenaire. Lentement son idée de réconciliation cheminera en vous. Dès l'instant où vous aurez la sagesse de passer à l'action pacifique, vous le ferez autant avec vos amis dans le but de vous réconcilier.

FAMILLE Il a été précédemment question de votre famille « adulte ». Sur le plan de vos enfants, votre présence est nécessaire, surtout si votre travail vous éloigne d'eux très souvent. Vos plus jeunes ne savent pas forcément ce que veut dire « gagner sa vie ». Ils ont assurément de la difficulté à comprendre que vous deviez constamment travailler pour mettre du pain sur la table. Pour attirer votre attention quand vous rentrez, ils mènent un train d'enfer. Ou est-ce pour vous rendre la monnaie de votre pièce, ils sortent avec leurs amis que parfois vous ne connaissez pas du tout. Réagissez avant que vos pré-adolescents ne fassent des bêtises.

Attention si vous êtes sur le point de devenir grand-parent, ou si vous l'êtes déjà ! Ce nouveau-né ou ce tout-petit, qui assure votre continuité, vous porte à vous immiscer davantage dans la vie de votre fille ou de votre fils. Ce mois-ci, il possible que vos conseils, que vous aurez beaucoup de mal à ne pas donner, dérangent ! Ce côté « je sais tout cela » face à des nouveaux parents peut être très irritant. En août, vous serez mieux reçu. En ce moment, vos grands enfants sont préoccupés et veulent régler leurs problèmes eux-mêmes et à leur façon !

SANTÉ Il faut surveiller votre foie. Vous ne digérez pas aussi bien qu'à l'accoutumée. Votre médecin vous a peut-être prescrit un nouveau médicament auquel, pour l'instant, votre système résiste ou qu'il ne tolère pas du tout. Il faudra rapidement en discuter avec votre médecin. Par ailleurs, lorsque vous déposerez vos ordonnances à la pharmacie, vérifiez ce qu'on vous remet. Une erreur peut se glisser. Après tout, au Québec, 80 millions d'ordonnances sont remplies chaque année. Les gens qui vous servent sont des êtres humains et peuvent parfois se tromper ! Pour éviter une aggravation de votre mal, vérifiez bien ce que contient votre petit sac.

TRAVAIL-ARGENT Vous envisagez d'autres dépenses pour la maison. Cette fois, il sera question de réparations nécessaires ; pour certains, d'une révision de la tuyauterie qui sonne l'alarme. Surveillez votre lave-vaisselle, votre laveuse, les toilettes, l'écoulement du bain, etc. Tout ce qui utilise l'eau est sujet à un bris. Si vous n'y êtes pas attentif, les coûts qui s'ensuivront pourraient faire un trou dans votre budget. Vous détesteriez devoir remettre la décoration de votre appartement ou de votre maison, qui est probablement commencée, à plus tard. Juillet est un mois où de nombreuses gens prennent leurs vacances, pourtant il est possible que vous deviez remettre les vôtres. Vous remplacerez les absents. Vous pourriez aussi être le seul à pouvoir régler un problème précis dans un secteur de l'entreprise. Si vous faites du commerce avec un parent ou un ami, ce n'est pas le moment de vous arrêter et vous le savez. Tout est en développement et vous ne devez rater aucune étape.

CROYANCES La foi et le doute continuent de se heurter en vous. S'agit-il de croire ou de raisonner dans cette vie ? Mais pourquoi devriez-vous être tout l'un ou tout l'autre ? Après tout, comment pouvez-vous expliquer vos sentiments, votre passion pour votre amoureux. Est-ce raisonnable ? Est-ce palpable ? Et dans quelle partie de votre corps pouvez-vous exactement les situer ? Dans le cœur ? Mais n'est-ce pas qu'un muscle, selon la science ? Dans votre tête ? Votre tête aurait-elle des pulsations cardiaques lorsque vous êtes ému ? Et n'avez-vous pas l'impression de « perdre la tête » lorsque vous êtes troublé ? Dans ce cas, quel organe en est le déclencheur ? N'a-t-on pas des explications sur le fait que la pensée produise de l'électricité et que, bien « branchée », elle allume le récepteur ? Heureusement, ce passage infernal où l'esprit est en constante délibération entre ce qui est vrai et faux tire à sa fin !

QUI SERA LÀ ? Un Lion vous plonge dans toutes les réalités qui vous entourent, car il ne sépare pas l'émotion de la raison, ni le don de soi et le fait de se servir. Il est sage et le devient de plus en plus... il vous éveille à d'autres dimensions. Un Sagittaire peut jouer un rôle semblable, la différence étant qu'il peut parfois vous plonger dans l'excitation ou la panique. Un Verseau répare une bêtise et vous comprend mieux. Une Vierge vous ralentit et vous invite à la réflexion au sujet d'affaires en cours. Un Cancer essaie de vous impressionner... Vous êtes amoureux d'un Bélier à qui vous ne le dites pas suffisamment.

AOÛT 2002

AMOUR-AMITIÉ Certains passages de la vie ne sont pas faciles, surtout quand on en vient au domaine des sentiments qu'on ne peut régler comme une facture à payer. Jusqu'au 7, en cas de conflits ou de discussions qui ont mal tourné dans votre couple, vous aurez tendance à bouder, à vous retirer et à penser le pire, tantôt de vous-même, tantôt de votre partenaire. Mais cela vous passera. Qui a dit que c'était facile de vivre au quotidien avec la même personne, tous les jours ? Bien menteur celui qui aurait affirmé une telle chose ! Mais à partir du 8, avec l'entrée de Vénus dans votre signe, vous verrez clairement que sans amour échangé vous ne seriez pas ce que vous êtes. Il vous nourrit et plus que vous ne voulez bien le dire.

En tant que célibataire, à partir du 8, non seulement Vénus vient à votre rescousse et vous ramène aux beaux sentiments, mais également Mars réactive votre désir d'aimer et d'être aimé. Vous recevez aussi l'appui Jupiter qui est maintenant en Lion.

Avec Jupiter et Mars en Lion dans le onzième signe du vôtre, de nouvelles relations amicales s'annoncent. Ces planètes ont un effet d'ouverture. Vous allez devenir plus confiant en la nature humaine. Vous porterez moins de jugement sur les autres et vous vous donnerez ainsi l'occasion d'approcher des personnes agréables et aussi saines d'esprit que vous-même.

FAMILLE Faites-vous partie de ceux qui sont sur le point d'élargir leur famille parce que leur nouvel amoureux a des enfants ? Si vous êtes célibataire, vous devrez repenser votre intimité et sans doute vous adapter à partager votre temps entre l'amoureux et ses enfants. Quel que soit votre âge – car l'amour n'a pas d'âge –, ce mois d'août laisse présager une rencontre extraordinaire, avec une personne ayant un certain talent artistique, elle sera aussi fantaisiste et non traditionnelle ! Mais elle ne vous empêchera pas de vivre selon vos croyances et valeurs. Étrangement, cet arrangement conviendra parfaitement à l'un et à l'autre. Vous aurez tellement à vous apprendre ! Si vous menez une vie de couple, vous serez peut-être inquiet pour la santé de votre partenaire. Il sera fatigué au point de perdre ce sourire qui lui va si bien. Il faudra donc inciter vos enfants à donner un coup de main, surtout s'ils sont pré-adolescents ou adolescents. Si vos enfants sont très jeunes, c'est vous qui devrez mieux vous partager entre le travail et la maison, afin d'alléger le poids des responsabilités du partenaire malade pour qu'il se remette. L'amour et vos attentions ont un effet guérisseur !

SANTÉ Vous êtes énergique, cependant vos journées seront remplies et il serait sage de vous coucher dès que l'essentiel est accompli. Il vous faut généralement vos huit heures de sommeil pour être en forme le matin. N'essayez pas d'aller au-delà de vos limites, car c'est de vous qu'on devra prendre soin.

TRAVAIL-ARGENT Avec l'entrée de Jupiter en Lion, vous voilà soulagé de quelques problèmes de travail. Vous ne chômerez plus, si ce fut votre cas. Il est possible qu'une entreprise vous ayant licencié vous rappelle. Si vous êtes à contrat, vous en signerez plusieurs, tous plus avantageux les uns que les autres. L'économie dans son ensemble ne s'est pas encore remise, par contre, un bon vent souffle dans votre direction. Si vous faites commerce avec l'étranger, vous établirez de nouvelles relations. Vous y aurez là des clients plus acheteurs que ceux de chez vous ! On a besoin de vos services et de vos produits. Jupiter en Lion concerne non seulement ce qui est utile, mais en grande partie les produits de luxe dont on pourrait se passer, mais qu'on s'offre pour compenser les petites misères quotidiennes. Si votre commerce vend des gâteries, vous ferez une petite fortune. Si votre service est en rapport avec le loisir et la relaxation, vous devrez éventuellement embaucher du personnel, tant la demande sera grande.

CROYANCES Vous entrez dans une zone céleste où vous aurez une plus grande ouverture sur le monde. Il n'est plus uniquement question de vous et de votre bien-être, mais également celui de la planète. Bien évidemment, comme on a pu le constater en 2001, tout se répercute. Si vous adoptez une attitude opposée, si vous devenez rigide et replié sur vous, vos affaires, vos croyances, vos valeurs et plusieurs personnes vous tourneront le dos, le temps que vous réfléchissiez à ce qu'est une attitude positive. Vous vous rendrez compte qu'un geste généreux en attire un autre.

QUI SERA LÀ ? Un Bélier vous stimule, mais vous ne semblez pas croire en ses intuitions... pourtant, il aura raison ! Un Lion est toujours là pour vous modérer et vous assagir. Souvent, il vous aime plus que vous ne l'imaginez. Vous pourriez tomber amoureux d'une autre Balance. Un Gémeaux aimable et séduisant est près de vous. Un Verseau bon conseiller vous guide dans des affaires en lien direct avec le monde des communications modernes. L'amour fou et vrai survient avec un Sagittaire.

SEPTEMBRE 2002

AMOUR-AMITIÉ Vous êtes maintenant sous l'influence de Vénus en Balance, et ce, jusqu'au 8. Par la suite, Vénus sera en Scorpion jusqu'à la fin de l'année. Mars est en Vierge ce mois-ci. Si vous avez des soupçons quant à la fidélité de votre partenaire, vous deviendrez méfiant à l'excès et plus jaloux que jamais. Attention, si portez une accusation sans preuve, vous pourriez dire des mots qui dépassent votre pensée ! Peut-être prêterez-vous à votre partenaire des intentions qu'il n'a pas. Il est pris par des problèmes personnels ou professionnels provoquant sur lui un effet de recul. Il a besoin d'y réfléchir seul ! Si vous aimez contrôler, cela ressort en long et en large, sous les influences célestes de septembre. Si vous êtes au début d'une relation amoureuse, méfiez-vous de vos provocations. Vous traversez une zone où vous avez besoin de savoir la vérité sur les sentiments qu'on vous porte. Vous êtes vous-même en état d'insécurité sentimentale. Vous reportez vos peurs sur l'autre. Vénus en Scorpion a ce quelque chose de primitif qui vous incite à calculer ce que vous faites pour l'autre et ce qu'il fait pour vous. Généralement, la colonne de crédits est en votre faveur, tandis que les dettes sont le résultat des mauvais calculs de l'autre. Il y a aura assurément parmi vous quelques victimes d'amour, des Balance abandonnées et, naturellement, la question sera pourquoi ? Si vous voulez des réponses honnêtes, soyez honnête envers vous. Regardez-vous tel que vous êtes, et non pas tel que vous voudriez qu'on vous voie !

FAMILLE En cas de rupture, elle affecterait tous les membres de votre famille, et particulièrement vos enfants. Il est possible de l'éviter. Il faut d'abord calmer vos peurs d'abandon et vos craintes de manquer de l'essentiel. Il faut cesser de voir vos responsabilités plus lourdes qu'elles ne le sont en réalité. Si vous vivez en famille reconstituée, quelques signaux vous avertiront d'un éventuel conflit potentiel entre vos enfants et ceux de votre partenaire. Ce conflit peut aussi toucher les membres de chacune des familles qui elles aussi se trouvent « reconstituées ». L'argent sera le point central des discussions. Dans notre monde, rares sont les gens qui échappent à l'économie. Celle du couple est parfois un élément déclencheur de disputes, qu'il y ait abondance ou rareté d'argent ! Jupiter en Lion vient à votre rescousse. Vous pouvez éviter une séparation, à moins que les querelles ne durent depuis des mois, voire des années. Peut-être dans ce cas, faut-il conclure ! Certains d'entre vous devront soigner un membre de leur famille, et ils seront les seuls à le faire ! Aucun autre parent n'est là pour donner un coup de main ! En tant que parent, ce ciel concerne particulièrement vos filles dans la vingtaine. Leur décision de vivre leur vie amoureuse ne tient pas souvent compte de vos conseils. Il faudra sans doute accepter la situation si vous ne voulez pas qu'elle dégénère en bouderies pouvant durer des mois.

SANTÉ Si vous avez eu des problèmes cardiaques ou des palpitations anormales qui vous ont rendu très mal, il serait sage de consulter un médecin. Ne serait-ce que pour vous entendre dire que vous êtes stressé ! À partir du 14, si vous ne mangez pas sainement, votre intestin fonctionnera de façon irrégulière. Il n'y a pas 36 solutions : nourrissez-vous bien à chaque repas. Si vous pensez que le chocolat et les sucreries vous calment, renseignez-vous donc à ce sujet ! Vous apprendrez qu'il en va bien autrement.

TRAVAIL-ARGENT Votre lieu travail est sacré pour vous. D'abord, il vous permet de gagner votre vie, ensuite vous y avez des rapports avec toutes sortes de gens avec qui vous établissez un lien qui ne vous engage guère. Sous la pression de Mars en Vierge, en ce mois de septembre, vous consacrerez plus de temps au travail. Les jours où vous aurez moins de travail à produire, il est possible que vous y restiez, même si vous n'y êtes pas obligé pour mettre de l'ordre, même dans les affaires des autres. Si vous occupez un poste d'autorité, et que vous ayez le « boulot » de procéder aux congédiements, votre rôle n'est pas facile. Avant d'avertir un employé qu'il est « suspendu » de ses fonctions, vous préparez bien votre discours afin d'atténuer la nouvelle. Si votre emploi est stable, vous vous débrouillez bien. Si vous êtes dans la vente, vos clients sont acheteurs. Si vous êtes à votre compte, malgré le contexte social et économique difficile, vous songerez à accroître votre entreprise. Vous développerez une stratégie hors du commun. Vous serez génial.

CROYANCES Méfiez-vous des commérages. Par hasard, une personne en qui vous avez confiance a fait du tort à une autre qui est parfaitement honnête. Ce sont des situations de ce genre qui vous font globaliser et vous font dire que le monde est malhonnête ! Mais les gens ne sont pas tous mal intentionnés. Il suffit de voir ceux qui vous appuient et qui croient en vous. Les guerres de religions se poursuivent. Elles ont toujours existé, mais on en parle davantage. N'entrez pas dans ce type de conflits qui opposerait vos idées à d'autres croyances !

QUI SERA LÀ ? Un Scorpion est très présent, il n'est pas tendre vis-à-vis d'une situation que vous exagérez. Il vous parle si franchement qu'au départ il est possible que vous lui en vouliez. Un Lion vous tient la main durant ces jours où vous avez moins d'espoir. Un Sagittaire adoucit votre vie en vous rendant de multiples services. Une Vierge qui travaille pour vous vous demande plus de respect et de délicatesse. Si vous ne tenez pas une promesse faite à un Bélier, vous risquez de rompre ce lien solide et honnête qui dure depuis si longtemps.

OCTOBRE 2002

AMOUR-AMITIÉ Tout le mois, Vénus, la planète qui régit votre signe, fait un aspect dur à Jupiter. Vénus est en Scorpion, celui-ci est en exil et vous retient tout autant qu'il vous fait douter de l'amour. Jupiter est en Lion et vous pousse vers l'avant en vous démontrant que les beaux sentiments ont leur place. Si votre couple est jeune, si vous vivez tous deux certaines routines à cause des responsabilités parentales et professionnelles de chacun, un vif mécontentement se manifestera, mais cela dépend de votre ascendant. Par contre, le résultat est le même, le bonheur s'enfuit. Des querelles d'abord mineures éclatent. On se dispute, puis on se réconcilie. Cependant, vous savez fort bien que ce n'est pas ainsi que vous pourrez vivre longtemps une vie de couple. Vous avez besoin de paix et de calme pour vous épanouir. Vous n'avez pas à tomber dans le piège des aspects durs du ciel astral. Vous n'êtes pas obligé de réagir de façon négative. Vous pouvez, au contraire, mieux comprendre ce qui se passe en vous. Déterminez les vrais besoins de l'amoureux et non pas ceux que vous imaginez et qui sont généralement les vôtres.

FAMILLE Vous avez une famille à protéger, que vous soyez homme ou femme. Vous devez travailler et veiller à ce que vos enfants ne manquent de rien. Vous avez généralement de grandes aspirations pour eux. Vous êtes né de Vénus. La fierté de Vénus fait souvent en sorte qu'on projette sur ses enfants les désirs que l'on a pour soi. De plus, vous voulez qu'ils brillent, ainsi votre Vénus sera lui-même plus lumineux ! Si vos enfants sont jeunes, vous leur donnez le temps de grandir ; mais s'ils sont préadolescents ou adolescents, il est possible que vous exigiez d'eux plus qu'ils ne peuvent donner. Dans leurs études, leurs activités, vous les voulez champions alors qu'ils n'ont peut-être nullement envie de l'être. Il faut dès maintenant y réfléchir et accepter qu'ils fassent des choix qui ne ressemblent pas aux vôtres. Si vous avez des frères et sœurs, ce ciel astral présage une maladie de l'un d'eux. Si vous vous êtes imposé en chef de famille, il est normal que vous soyez celui sur qui on compte. Mais Vénus en Scorpion en aspect dur à Jupiter en Lion concerne aussi l'argent de famille et principalement un partage d'héritage, si un parent est décédé. Soyez juste ! Vous aurez tendance à vouloir plus qu'il ne vous est dû pour toutes sortes de prétextes.

SANTÉ Si vous laissez les problèmes familiaux vous enterrer, vous absorber, vous serez physiquement, émotionnellement, psychiquement épuisé ! Il est donc important, si vous voulez éviter la déprime, de vous en détacher. Tout peut se régler sans que vous ne soyez ni agressif ni nerveux. L'argent est le principal agent déclencheur de conflits. L'argent est nécessaire pour vivre, mais il ne doit pas mettre votre santé en péril. Si c'est votre cas, si le matérialisme l'emporte sur tout le reste, il draine votre vitalité.

TRAVAIL-ARGENT Tel qu'on l'a vu au paragraphe précédent, l'argent est le centre de vos préoccupations. Que viviez richement, moyennement et bien certainement si vous êtes pauvre, il compte pour vous. Cependant, il peut vous rendre malade. Vous vous en faites parce que vous gagnez moins bien votre vie et voulez gagner plus, est-ce bien raisonnable ? Si vous travaillez sur un projet depuis quelques mois, il est vrai que vous pourriez connaître un ralentissement d'activité. Vos négociations pourraient être retardées. La situation mondiale a un effet direct sur chacun de nous, quel que soit le travail que nous ayons. Il est conseillé de poursuivre sur votre voie actuelle. Je vous ai également averti, au tout début de la description pour la Balance, pour 2002, que vous devriez payer pour votre malhonnêteté passée envers certaines personnes. Ainsi, si vous avez déjoué un système, la loi du balancier s'applique. Les biens mal acquis ne profitent pas indéfiniment ! Et en ce mois, vous devrez rendre ce qui ne vous appartient pas. Si vous ne le faites pas, quelqu'un ou une entreprise intenter des procédures judiciaires contre vous. Il vaut mieux régler à l'amiable !

CROYANCES C'est la tour de Babel ! Le choc des idées entre les pacifistes et ceux qui croient que la guerre est la solution à nos problèmes mondiaux. De quel côté êtes-vous ? Pour le savoir, examinez votre vie personnelle et familiale dans son ensemble, dans vos relations avec chacun. Analysez vos comportements avec vos collègues et vos collaborateurs. Croyez-vous que vous devez absolument être le premier, avez-vous le sens de l'équipe ? Êtes-vous sage ou ne l'êtes-vous pas ?

QUI SERA LÀ ? Un Scorpion a été présent le mois dernier et il reste toujours à vos côtés. Il vous guide, mais ne ménage pas votre susceptibilité. Un Lion vous appuie. Un Lion est amoureux. Un Sagittaire essaie d'attirer votre attention. Un Bélier s'éloigne temporairement. Un Gémeaux vous dit carrément ce qu'il pense, mais il ne vous choque pas. Vous rirez avec un Verseau. Il dédramatise votre histoire !

NOVEMBRE 2002

AMOUR-AMITIÉ Mars est dans votre signe. Fait-il la guerre ou la paix ? Tout dépend de votre ascendant. Mars en Balance vous donne un puissant magnétisme. Il vous rend convaincant. Si vous avez vécu des tensions et si vous tenez à votre partenaire, vous trouverez les mots qui rassurent, les mots d'amour qui vous rapprocheront. Vénus en Scorpion est rétrograde et modère les rancunes. Cette planète vous permet de prendre du recul sur votre réalité amoureuse, sur ce que vous avez grossi, sur ce que vous désirez pour vous, mais sans tenir compte des besoins de votre amoureux. Mars en Balance fait une excellente réception à Jupiter en Lion. C'est souvent pour et par vos enfants que vous retrouvez l'équilibre à deux ! Si vous êtes célibataire, vous serez plus ouvert et prêt à rencontrer quelqu'un. Vous serez plus engageant !

Pour plusieurs, ce sera le début d'une belle et nouvelle vie en amour pour la deuxième, troisième ou dixième fois ! Vous laisserez l'espoir reprendre sa place. Il sera accompagné de confiance envers les autres !

FAMILLE Voici un mois plus paisible que le précédent. Plusieurs événements heureux se produiront dans la famille. Vous aurez l'occasion d'être fier d'un de vos enfants. Après avoir pris une décision sans vous consulter, il réussit au-delà de vos espérances ! Si un enfant a un talent artistique et que vous l'ayez aidé et soutenu, il pourrait obtenir un prix ou avoir une reconnaissance publique. Votre porte sera largement ouverte aux amis de vos enfants. C'est le moment de savoir qui ils fréquentent et, du même coup, vous savez où sont les vôtres. S'il y a des discussions au sujet d'argent, de la pension alimentaire à recevoir ou à donner, s'il a été question d'un partage d'héritage, voilà que tout se met en place. Si vous étiez le querelleur, vous cessez vos disputes. Elles sont trop pénibles et vous acceptez que chacun reçoive ce qui lui est dû. S'il a été question de pension alimentaire, vous payez ou vous recevez ce qui vous revient. Finalement, c'est un mois plus reposant que le précédent !

SANTÉ Vous serez plus en forme. Si vous devez subir une opération, tout se passera très bien. Vous serez vous-même étonné de la vitesse à laquelle vous récupérerez. Si vous avez été déprimé et avez suivi une thérapie, vous voyez maintenant la vie plus clairement.

TRAVAIL-ARGENT Ce mois est très favorable pour les Balance sur le plan des affaires. Tout reprend un cours plus agréable, mais surtout plus rentable. Vos négociations seront rapides. Les résultats aussi satisfaisants que vous le souhaitiez. Vous restez fin stratège dans les grands débats financiers. Si votre entreprise était en compétition avec une autre, vous adopterez une stratégie commerciale différente, surprenante et payante ! Si vous faites des échanges avec l'étranger, sans doute devrez-vous partir à la fin du mois afin de signer officiellement une entente ou pour finaliser un important achat ou une vente. Si vous servez des clients, quel que soit votre métier, ils reviennent et sont meilleurs acheteurs qu'ils ne l'étaient. Si vous avez un emploi régulier, vous serez débordé, mais, fort heureusement, bien rémunéré ! En tant que vendeur, vous ferez des profits supérieurs à ceux que vous attendiez. Si vous cherchez un emploi, vous n'aurez aucun mal à trouver.

CROYANCES Quand tout s'améliore dans votre vie et autour de vous, la moitié des Balance affirme que c'est parce qu'elle l'a voulu ainsi, et elle retourne à sa solitude ! L'autre moitié, consciente que sa réussite ne dépend pas d'elle seulement, mais aussi d'une multitude de gens voit plus grand. Songez à un acteur, qui serait-il s'il n'avait pas un public pour l'applaudir et l'admirer ? Faire partie d'un Tout est une considération personnelle qui n'empêche pas cette personnalité pensante d'être originale, authentique et unique.

QUI SERA LÀ ? Vous devez un service ou de l'argent à un Taureau. Remboursez ce que vous devez, si vous avez autre chose à lui demander ! Un Gémeaux vous voit tel que vous êtes et même s'il vous accepte, il n'est pas toujours d'accord avec ce que vous dites. Une Vierge vous effraie par ses menaces, surtout si celle-ci occupe un poste au-dessus du vôtre. Un Lion continue de vous donner d'excellents conseils ou de vous aimer à la folie. Un Cancer, que vous n'aviez pas vu depuis longtemps, annonce sa visite. Un Sagittaire flirte, le voyez-vous ? Un Verseau vous rend service.

DÉCEMBRE 2002

AMOUR-AMITIÉ Si vous n'avez fait qu'étouffer vos problèmes sentimentaux sans les avoir réglés, en ce dernier mois de l'année, ils reviennent à la charge. Décembre est souvent le mois le plus difficile de l'année quand des tensions existent déjà dans un couple. Nous devrions être en période de réjouissances, Noël approche ! Cependant Noël, qui devrait nous inspirer le plaisir familial, le bonheur, la joie, l'amour, etc., a souvent l'effet inverse. Si rien ne va bien ou presque dans votre couple, votre partenaire ou vous-même oserez le dire ouvertement. Si vous êtes au banc des accusés, vous vous défendrez des torts qui vous sont reprochés. Mais attention, il est possible que votre partenaire ait raison quand il vous dit que vous n'êtes guère présent pour lui ! Si vous vous pointez du doigt mutuellement, une réplique n'attendra pas l'autre. Un enchaînement de mots durs, une suite de malentendus se manifesteront entre vous. Si vous êtes du type à laisser votre partenaire prendre toutes les décisions, pour les lui reprocher par la suite, vous jouez avec le feu ! Si, au contraire, vous êtes le décideur, celui qui ne tient pas compte des besoins réels de l'autre, vous vous y brûlerez les ailes. Les gens heureux sont rares. Sous votre signe, très souvent, l'amour devient une convention qui éteint le plaisir de vivre de chacun des partenaires. N'existe plus alors qu'obligations et responsabilités à partager. Pour rester en amour, pour l'entretenir, il est nécessaire d'être vigilant !

FAMILLE Noël est un temps où la famille désunie et chicanière semble en profiter pour laver son linge sale dans le salon ! Si vous avez décidé de prendre des vacances avec votre partenaire et vos enfants, vous éviterez des problèmes de coordination entre les visites aux uns et aux autres. Peut-être avez-vous décidé qu'il valait mieux, cette année, vous éloigner des grosses réunions où il y a toujours quelqu'un qui étale ses insatisfactions. Une fête pourrait être attristée par l'annonce de la maladie d'un parent bien-aimé. Si vos enfants sont adolescents, vous ne serez sans doute pas étonné qu'ils vous demandent de célébrer avec leurs amis, plutôt qu'avec vous. Si vous tenez à les avoir autour de vous, pourquoi ne pas inviter aussi leurs amis ? Certaines Balance sont tellement branchées sur leur carrière qu'elles ont bien du mal à s'arrêter, même les jours de congé. Ces dernières auront effectivement des demandes spéciales durant ce mois, et d'autres problèmes à régler. En conséquence, ces natifs ne seront que rarement en famille ! Si on jette un coup d'œil sur la planète, la tendance pour ce dernier mois de l'année n'est pas aux grandes réunions. On aura plutôt le désir de se retrouver en petits groupes, et vous n'échappez pas à la tendance !

SANTÉ À partir du 21, vous aurez une baisse de vitalité. Certains auront la sagesse de ralentir. D'autres continueront et lutteront contre leur fatigue. Ces derniers sont guettés par une grippe qui les obligera à garder le lit, ce sera un repos forcé ! En tant que signe cardinal, vous avez généralement une très bonne résistance physique. Mais pour la préserver, il faudrait dormir vos huit heures par nuit. Dès l'instant où vous dépassez la limite, vous aurez un avertissement.

TRAVAIL-ARGENT Le besoin de gagner de l'argent est très fort, ce mois-ci. Certaines Balance sont si économes qu'elles ne s'offrent que rarement une fantaisie, un luxe. Elles mettent tout à la banque, et passent la moitié de leur temps à compter et recompter. Pourtant, elles savent exactement ce qu'elles possèdent. Celles-ci travailleront beaucoup ce mois-ci. Elles ne ratent jamais une occasion de gagner plus. Quant aux cadeaux qu'elles offrent, ils sont souvent d'un montant très inférieur à ce qu'elles pourraient donner. Par contre, la Balance investit beaucoup dans sa maison. Si elle fait des dépenses ce mois-ci, ce sera pour la décoration, l'achat de meubles, une rénovation. Elle embellit sa propriété. Le but étant qu'un jour, elle pourra la revendre beaucoup plus cher qu'elle ne l'a payée. Mais sous Jupiter en Lion, quelques Balance se réveillent. Elles se rendent compte qu'elles ne sont pas généreuses et, plus le temps a passé, plus elles se sont isolées. Des Balance finissent même par ne plus sortir, ne plus aller au resto avec les amis, au cas où on leur remettrait l'addition !

L'argent des Balance sages peut peser lourd, mais cette Balance ne craint pas de donner aux autres. L'argent a été un thème important pour vous, toute l'année. Il faut noter que l'argent revêt une signification différente pour chacun de vous. Le partenaire avec qui vous vivez joue un rôle important dans votre façon d'économiser ou de dépenser. C'est presque toujours de l'autre que vous apprenez à être généreux ou hyperéconome, confiant ou craintif face à votre avenir matériel. Votre deuxième signe étant le Scorpion, représentation de l'argent, vous adoptez l'attitude extrême de votre partenaire au sujet de vos biens. Étudiez votre attitude par rapport à l'argent. Demandez-vous si vous n'avez pas adopté les pires peurs de votre partenaire ou sa grande confiance par rapport à votre capacité de pouvoir gagner votre vie ?

CROYANCES On peut croire au pire, au meilleur et aux deux. Ça dépend des jours, des mois ou des années ! Au cours de l'année écoulée, vous avez révisé vos valeurs. Vous avez appris à faire taire votre jugement. Vous êtes moins autocritique et moralement mieux avec vous-même. Du même coup, grâce à cette progression, vous avez développé de nouvelles relations avec des gens qui ne pensent pas comme vous. Ils ont beaucoup à vous apprendre. Les uns découvrent qu'ils ne sont pas « pure logique » et d'autres que avoir des intuitions et des perceptions extrasensorielles ne doit pas les empêcher de raisonner devant certaines situations.

QUI SERA LÀ ? Une autre Balance est là, une rencontre amicale pouvant se développer en relation amoureuse, dans les mois à venir. Un Gémeaux qui critique est un Gémeaux qui ne sera pas le bienvenu, deux fois en cours de mois. Un Scorpion vous protège, en vous empêchant de prendre des décisions hâtives dans votre vie personnelle ou dans vos finances. Un Lion est amoureux. Un Sagittaire n'est que douceur pour vous. Un Cancer vous réserve une leçon de vie quant au respect envers lui et autrui. Un Capricorne vous tient tête. Un Bélier peut éponger l'une de vos peines.

BALANCE ASCENDANT BÉLIER

Vous êtes né de Vénus et de Mars, deux planètes qui ont bien du mal à s'entendre. Vénus veut la paix et Mars a l'impression qu'il est obligé de se battre pour obtenir ce qu'il veut. Durant les sept premiers mois de 2002, Jupiter est en Cancer dans le dixième signe du vôtre et dans le quatrième de votre ascendant. Si vous vous consacrez à votre famille, vous sortirez quelques parents de situations difficiles. Pendant ce temps, vous ferez abstraction de vos propres besoins. Si vous avez des parents âgés et malades, vous serez à leur chevet, même si jadis, vous vous étiez promis de ne pas leur consacrer tout votre temps. En tant que parent, vous serez aux aguets, inquiet pour vos petits. Déjà vous songez à leur avenir, alors n'est-il pas peut-être trop tôt ? Certains ont l'entière charge de leurs enfants sans recevoir d'aide financière de leur ex-conjoint. Ces Balance-Bélier seront tentés de faire un procès à l'ex ! Il sera long. Peut-être devrez-vous attendre l'été 2002 pour recevoir, enfin !, une somme quelconque. Puis, il y a le travail qui ne répond pas tout à fait à vos attentes. Votre signe et votre ascendant sont mal positionnés par rapport à Jupiter en Cancer. Malheureusement, vous perdez certains avantages, on vous supprimera des heures de travail. Cela vous oblige à trouver un second emploi pour payer vos factures à la fin du mois. À partir d'août, la situation change. Enfin, ces misères matérielles et morales vous quittent ! Votre vie reprend un cours plus normal. Vous récupérez une part de ce que vous avez perdu. Vous avez des amis qui seront là, si nécessaire. Si vous êtes célibataire, vous pouvez espérer une rencontre hors du commun. Si vous n'avez pas d'enfant, l'amour, qui éclôt rapidement, pourrait vous conduire à la paternité ou la maternité désirée. Il ne s'agit pas d'une « erreur de parcours », mais bel et bien du désir de deux êtres qui s'aiment profondément. Lion et Sagittaire seront derrière vous. Vous exercerez sur eux un magnétisme extraordinaire. Si vous rencontrez l'un d'eux, ne fuyez pas à moins que vous ne ressentiez en elle une personne négative. Mais à partir d'août, en principe, vous attirerez des gens capables d'une aussi grande générosité que la vôtre.

Il ne reste qu'à souhaiter que les sept premiers mois de l'année s'écoulent plus doucement que prévu. La seule façon d'y arriver, c'est de vous détacher de l'impossible pour rester ouvert à tout ce qui est possible et mérité. Étant né sous les auspices de votre signe opposé, votre volonté peut se transformer en toquade. L'amour peut devenir une dépendance ou provoquer en vous une attitude de contrôle. On est bien loin des beaux sentiments. Votre peur de manquer de quoi que ce soit peut tourner à l'angoisse. Il faut du temps pour échapper à cela. Un temps qui vous force à reculer, pour ensuite mieux sauter. C'est ce qui se passera pour vous en 2002.

BALANCE ASCENDANT TAUREAU

Double signe de Vénus, vous ne passez pas inaperçu ! Vous êtes plutôt travailleur et, s'il le faut, vous acceptez un salaire sous vos compétences, notamment si vous avez des bouches à nourrir. Vous avez le sens du devoir. Vous êtes minutieux. Lorsque vous aimez ce que vous faites, vous y accordez plus de temps que nécessaire. De juillet 2001 à juillet 2002, Jupiter est en Cancer dans le troisième signe de votre ascendant et le dixième de la Balance. Il s'agit d'une excellente association entre les maisons astrales. Vous aurez des idées originales. Elles vous permettront de vous hisser vers un autre sommet. Vous dormirez moins durant ces 12 mois. Votre mental sera constamment en état de créativité. Pour réaliser vos idées, vous passerez de nombreuses nuits blanches. Si vous avez l'intention de monter votre propre entreprise, bougez vite. Les sept premiers mois de 2002 sont très favorables à la mise en place de votre projet. Plus vous brasserez de papiers, plus vous prendrez d'informations, plus vous rencontrerez des gens. Certains non seulement vous appuieront, mais ils voudront aussi faire partie de l'affaire en question. Vous aurez un talent particulier pour réunir les gens autour de vous et les amener à croire en votre idéal. Et, effectivement, celui-ci se matérialisera rapidement. Si vous avez un travail régulier, celui-ci vous oblige à des déplacements. Vous serez constamment parti en 2002. Dès qu'on aura besoin de quelqu'un de fiable pour représenter les intérêts du patron, c'est vous qui serez nommé. Lorsque vous négocierez, vous serez fort, presque hypnotique. On vous écoutera jusqu'au bout. Si vous êtes vendeur, pendant que bien d'autres collègues ne gagnent pas d'argent, vous augmentez vos profits.

À partir d'août 2002, si vous avez fait des économies, vous achèterez une première ou une seconde propriété. Vous pourriez aussi acheter plusieurs maisons à prix réduit, pour quelques mois plus tard les revendre pour une somme nettement supérieure à celle payée. À partir d'août, sous serez aussi tenté de faire d'importantes rénovations sur votre maison. Allez-y doucement ! Choisissez vos employés. Jetez un œil sur les matériaux utilisés. Votre belle assurance peut vous rendre imprudent ou naïf. Si vous vivez en appartement, ce sont vos meubles que vous déplacerez sans cesse. Vous changerez la couleur des murs et probablement plus d'une fois dans la même pièce. Votre empressement peut vous coûter cher ! Entre le mois d'août 2002 et août 2003, vous serez sous l'influence de Jupiter en Lion. Cela vous avertit qu'un membre de votre famille peut tomber malade. Vous serez presque le seul à lui rendre visite et à en prendre soin. Pendant douze mois, vous ferez le grand ménage de vos amis. Certains resteront, mais un bon nombre d'entre eux auront droit à un long congé. Si vos enfants sont adolescents, n'allez surtout pas croire qu'ils soient tous comme vous ! Vous aurez une prise de conscience à faire à ce sujet. Des événements désagréables ou agaçants vous feront aussi repenser au temps que vous leur avez consacré, et à celui qu'ils n'ont pas eu. Si vous vivez en famille reconstituée, il est possible que vous deviez y mettre de l'ordre. Votre ex ou l'ex de votre partenaire s'opposera au genre d'éducation que vous donnez à « ses » enfants ! Ne soyez ni dupe ni malin. Ce sera le moment de prouver qu'un double signe de Vénus est un pacifiste !

BALANCE ASCENDANT GÉMEAUX

En tant que double signe d'air, vous avez le sens des communications. En général, vous exprimez clairement vos idées, oralement ou par écrit. Votre Soleil étant dans le cinquième signe de votre ascendant, vos enfants sont vos trésors. De votre côté, vous gardez votre éternelle jeunesse. De juillet 2001 à juillet 2002, Jupiter est en Cancer. Il est dans le deuxième signe de votre ascendant et le dixième de la Balance. La grande question pourrait bien tourner autour de votre budget familial. Si vos enfants grandissent, ils demandent une plus forte allocation. Si vous en avez les moyens, vous n'aurez aucun mal à la leur accorder, mais il est aussi possible que les plus grands dépassent les limites. Peut-être déciderez-vous de les envoyer étudier dans un collège privé, ce qui vous obligera à repenser toutes vos dépenses et vos économies. Certains d'entre vous, déjà parents d'un enfant, pourraient en vouloir un second. Aucune dispute avec votre partenaire à ce sujet ne se profile à l'horizon. La conséquence de cette décision est plutôt l'achat d'une maison plus grande. Vous commencerez toute une série de démarches pour emprunter, sans compter que vous visiterez de nombreuses demeures avant d'arrêter votre choix. Vous habiterez sans doute un quartier entièrement différent du précédent.

Au travail, vous pouvez vous attendre à des offres intéressantes. Pendant que des tas de gens sont au chômage, vous, au contraire, ne saurez plus où donner de la tête tant vous serez occupé à gagner de l'argent. Si vous faites partie de ceux qui montent une entreprise avec un parent ou un ami, les développements seront rapides. Avec un apport financier minimal, une stratégie commerciale géniale, vous attirerez une clientèle acheteuse qui vous sera fidèle. Puis, d'août 2002 à août 2003, Jupiter est en Lion, dans le troisième de votre ascendant. Il symbolise une autre croissance et une expansion commerciale. Jupiter en Lion sera aussi dans le onzième signe du vôtre. Des amis influents seront très présents dans toutes ses nouveautés. Ils vous guideront afin qu'aucune erreur ne soit commise. Jupiter en Lion concerne aussi les amis de vos enfants ou leurs amours. Tout laisse présager que l'un d'eux puisse choisir une amitié qui ne lui apportera que des problèmes, mais vous veillez. Vous lui ferez comprendre le danger qu'il court avec cette fréquentation. L'un de vos grands enfants, déjà en couple, peut vous annoncer une rupture imminente. Vous aurez l'intelligence de rester derrière ou à ses côtés. En fait, vous consolerez votre enfant-adulte qui a quand même besoin de votre appui durant cette période difficile qu'il soit celui qui quitte ou est quitté. Dans une telle situation, que vous avez peut-être vous-même vécue, vous savez que seul le temps arrange les choses et cicatrise les plaies du cœur. Vous ne lui ferez pas la morale. Vous serez simplement cette oreille qui écoute et qui comprend la peine de votre fils ou de votre fille. Puis, tout rentrera dans l'ordre et la paix reviendra pour chacun.

BALANCE ASCENDANT CANCER

En tant que double signe cardinal, vous n'aimez pas mener une vie ordinaire ! Longtemps, vous sortez des chantiers battus. Vous choisissez un métier, une profession qui vous obligera à lutter. Vous pensez que seul un combat vous donne le droit de mériter vos médailles. Il faut souvent des années avant que vous compreniez que ce type de démarche est inutile. Mais vous y voilà ! De juillet 2001 à juillet 2002, Jupiter est en Cancer et traverse alors votre ascendant. Il vous met en évidence. Il ne faut pas perdre de vue que ce Jupiter en Cancer est aussi dans le dixième signe de la Balance et vise le sommet. Depuis de nombreuses années, vous travaillez sur un projet, vous désirez une promotion, et vous avez consacré beaucoup de temps à atteindre cet objectif, vous serez heureux d'apprendre que vous obtenez enfin « l'objet de votre désir ». Jupiter est symbole de justice. Si vous avez passé par-dessus des gens d'expérience et que les moyens employés n'ont pas été les plus nobles, vous aurez à faire face à des gens très forts. Ils vous obligeront à rembourser ou vous empêcheront d'atteindre l'objectif que vous êtes sur le point de décrocher. Il est donc à souhaiter que n'ayez pas triché de quelque manière que ce soit.

Il est important que vous fassiez attention à votre santé. Saturne est en Gémeaux, dans le douzième signe de votre ascendant. Il vous donne quelques troubles osseux et épuise votre système nerveux. Mangez plus sainement. Si vous faites du sport, protégez toujours vos genoux et si possible vos hanches. Par ailleurs, les sept premiers mois de l'année vous proposent de changer une partie de votre mode de vie. Il faudra vous défaire d'habitudes nuisibles à votre santé. Puis, à partir d'août et jusqu'en août 2003, Jupiter est en Lion, dans le deuxième signe de votre ascendant et le onzième de la Balance. Jupiter en Lion laisse présager la maladie d'un proche. Vous lui consacrerez du temps pour le soigner. Il est possible qu'un décès survienne ; par la suite, il serait question d'héritage. Si plusieurs membres de votre famille héritent, surtout n'essayez pas d'avoir la plus grosse part du gâteau. Ne doit-il pas être divisé à parts égales ? Sous Jupiter en Lion, il sera aussi question de vendre ou d'acheter une maison. Vous êtes habile dans ce type de transaction. Pour la vente, vous obtiendrez le prix demandé. En tant qu'acheteur, vous ferez une bonne affaire. Si vous êtes parent de grands enfants, Jupiter en Cancer vous suggère de respecter les choix qu'ils font. Si vous intervenez, si vous interdisez, si vous vous opposez, vous risquez de les voir s'éloigner pendant de longs mois, peut-être même une année complète à partir d'août.

BALANCE ASCENDANT LION

Vous êtes le résultat de l'association de Vénus et du Soleil, deux planètes très fières de leur reflet. Vous soignez votre image, car vous avez peur du jugement des autres. Vous êtes un magnifique communicateur. Vous avez l'art de détecter les gens ayant « de la classe ». De plus, vous attirez les personnes influentes. Vous avez horreur de la vulgarité, à moins que vous n'ayez été éduqué dans un milieu qui la valorisait, mais ce cas est d'une extrême rareté sous votre signe et votre ascendant. Si c'était pourtant le cas, la majorité d'entre vous s'est éloignée de ce milieu. Bien plus que d'autres Balance, vous êtes chanceux dans cette vie. Malheureusement et fréquemment, vous vous dites que vous n'avez pas reçu assez ! Il est vrai que des Balance-Lion vivent avec les aspects négatifs de leurs thèmes natals et arrangent leur perte et leur chute pour s'imposer en victimes. Mais bien d'autres ont reçu et reçoivent encore bénéfices, faveurs, cadeaux, argent, etc. Ils sont des adultes, mais aussi des enfants gâtés qui oublient les jours où ils n'avaient que bien peu. De juillet 2001 à juillet 2002, Jupiter est en Cancer dans le douzième signe de votre ascendant et le dixième de la Balance. Si vous êtes de ceux qui n'ont pas su apprécier les bénédictions que le ciel leur a envoyées, si pour eux la manne n'est jamais suffisante, c'est triste mais vous devrez réfléchir sur les bienfaits accordés pendant longtemps. Jupiter est un justicier et un grand moralisateur qui vous retirera ce que vous n'appréciez pas à sa juste valeur, afin de vous donner une leçon ! Il vous rendra ce qui vous appartient à l'instant où vous saurez du plus profond de vous-même que, en périodes de vaches grasses, vous auriez dû remercier le ciel et ceux qui provoquaient votre fortune ou vous la servaient sur un plateau d'argent.

Si vous êtes à la recherche du sens de la vie et si cette quête dure depuis toujours, pendant les sept premiers mois de 2002 sous l'influence de Jupiter en Cancer puis sous celle de Jupiter en Lion, vous le découvrirez.

Vous développerez le talent que vous avez laissé dormir par peur de ne pas être à la hauteur. Vous irez droit vers un idéal différent. Vous jetterez par-dessus bord les valeurs et les croyances qui n'étaient que superficielles.

Si votre union est malheureuse, vous aurez le courage de rompre. Si vous êtes célibataire, vous serez prêt à vous engager avec une personne avec qui vos liens dépassent l'entente intellectuelle. Vous rencontrerez cette personne qui vous aidera à vous révéler entièrement à vous-même. Si vous êtes jeune et sans enfant, il est possible que votre vie se trouve complètement transformée par la maternité ou la paternité.

En conclusion, la Balance-Lion qui a tout et n'a pas apprécié les cadeaux de la vie apprendra que rien n'est acquis. La Balance-Lion qui ressent, respecte et aime autrui, malgré de grandes épreuves et de grosses déceptions, recevra le passeport pour une vie meilleure, et ce, dans tous les secteurs de sa vie.

BALANCE ASCENDANT VIERGE

Vous êtes né de Vénus et de Mercure, un étrange mélange. Vénus fait référence à un signe d'air, tandis que Mercure appartient à un signe de terre. Aussi vous arrive-t-il d'avoir la tête au ciel, les pieds sur terre et d'oublier qu'entre les deux, vous avez un corps dont il faut vous occuper.

Votre Vénus est un artiste, votre Mercure quelqu'un de pratique ! Lorsque Vénus a la priorité dans votre thème natal, vous avez le cœur sur la main. Il est facile de vous manipuler. Si Mercure domine, vous êtes plutôt calculateur mais à cause de Vénus, vous faites des erreurs. Vous gagnez bien votre vie en général. Vous ne dépendez de personne. Vous trouvez facilement un emploi lorsque vous perdez le vôtre. Vous êtes dévoué à l'entreprise qui vous emploie. Quand vous découvrez le sens du mot « famille », c'est parce que vous en avez une à vous. Vous êtes parent, vous avez des enfants et vous les protégez mieux que vous ne l'avez été quand vous étiez petit. Vous ne répétez pas ce que vous avez subi, il est fréquent de n'avoir pas été un bébé et un enfant choyés sous votre signe et votre ascendant ! Vous avez souffert de l'absence de l'un de vos parents au moins. C'est pourquoi vous brisez ce cercle en donnant le maximum à ceux que vous aimez : partenaire et enfants !

De juillet 2001 à juillet 2002, Jupiter est en Cancer dans le dixième signe du vôtre et le onzième de votre ascendant. La conjoncture économique n'est pas sans vous affecter, et vous fait peur. De nombreuses Balance-Vierge trouveront un second emploi en cas de restrictions dans leur emploi actuel ! Mais rassurez-vous, ces compressions ne vous toucheront pas. Vous accepterez quand même de travailler quelques heures pour une autre entreprise. Vous avez un cercle d'amis que vous rétrécirez au cours des sept premiers mois de l'année. Certains d'entre eux et, vous savez qui, ne viennent vers vous que pour faire des emprunts !

Puis, à partir d'août, Jupiter sera en Lion et restera dans ce signe jusqu'en août 2003. Ce travail que vous avez pris afin d'arrondir vos fins de mois pourrait devenir votre principal gagne-pain ! Sous Jupiter en Lion, il sera nécessaire, essentiel, que vous preniez soin de vous. Votre santé peut décliner. La fatigue se sera accumulée. Un engourdissement sera le signal que votre cœur commence à se fatiguer sérieusement. Vous pourriez aussi souffrir de maux de ventre chroniques. Que l'un ou l'autre de ces malaises se manifeste, voyez votre médecin. Sous votre signe et votre ascendant, on a tendance à remettre sans cesse ses rendez-vous. Toutes les raisons sont bonnes ou presque pour ne pas manquer une journée de travail !

BALANCE ASCENDANT BALANCE

Vous êtes un double signe d'air de Vénus. Vous êtes extrêmement sélectif. Au fond, vous ne vous liez qu'à très peu de gens. Par contre, lorsque vous établissez une amitié, elle est solide. Vous possédez plusieurs talents artistiques et vous êtes aussi fort habile pour négocier vos contrats de travail. Vous êtes un double vénusien dans un signe d'air. L'air est raison, l'air se sent l'obligation de discuter et de négocier, le but étant d'obtenir plus qu'on ne lui offre. Vous en sortez généralement gagnant.

De juillet 2001 à juillet 2002, Jupiter est en Cancer dans le dixième signe du vôtre ainsi que de votre ascendant. Cela a de nombreux effets, ce sont en fait les conséquences de ce que vous avez vécu et fait vivre aux autres, quelques années plus tôt. Si vous occupez le même emploi depuis longtemps, sous l'influence de Jupiter en Cancer durant les sept premiers mois l'année, vous irez d'un changement administratif à un autre. Sans doute devrez-vous accepter un autre poste. Vous n'hésiterez pas à choisir la sécurité financière. Si vous prenez votre retraite et n'y êtes pas bien préparé, si vous n'avez pas prévu d'autres activités, vous serez envahi d'une profonde détresse. Si vous savez que vous quitterez votre emploi au début de 2002, réorganisez votre vie de manière à être occupé.

Vous êtes un double signe cardinal, vous êtes né pour l'action. Il est important que vous restiez en contact avec les gens. Grâce à ceux qui vous entourent, vous renouvelez votre énergie. Si vous êtes de la génération des *baby boomers* et avez des enfants adultes, si vous êtes un grand-parent, sous Jupiter en Cancer, restez en dehors des problèmes des vôtres. Évitez de dire à vos enfants comment « éduquer » leurs enfants. Vous ne donnerez des conseils que lorsqu'ils vous le demanderont !

Il est possible que certains d'entre vous deviennent un grand-père ou une grand-mère pour la première fois. Ce sera une surprise et une grande joie.

Sous Jupiter en Cancer, il est important d'avoir une alimentation saine en tout temps. Votre estomac et votre digestion seront capricieux.

À partir d'août, et pour douze mois, Jupiter est en Lion dans le onzième signe du vôtre ainsi que de votre ascendant. La position de Jupiter en Lion concerne particulièrement vos amis. Vous ferez beaucoup de nouvelles connaissances. Quelques personnes s'ajouteront dans votre carnet d'adresses. Mais il est aussi possible que vous appreniez qu'un ami de toujours ou presque est très malade. Vous irez le voir régulièrement. Chaque fois vous en reviendrez troublé ; sa maladie vous fera prendre conscience de votre fragilité.

Jupiter en Lion concerne aussi vos enfants. Ceux qui sont assez grands pour choisir leurs amis. S'il est nécessaire de leur faire confiance, il faudra tout de même que vous y regardiez de plus près. L'un des vôtres peut subir une mauvaise influence. Si le comportement d'un enfant change radicalement, ne vous en remettez pas aux mots si populaires chez les parents : « Ça doit être l'âge ! » Prenez discrètement des informations sur leurs activités et sur leurs fréquentations. Si vous apprenez que votre enfant est entouré de voyous, faites le maximum pour l'éloigner de ce cercle. Si vous ne savez pas comment vous y prendre, consultez un psy de votre choix. Il saura vous donner des indications sur la manière de l'aider avant que la situation dégénère en drame pour tout le monde.

BALANCE ASCENDANT SCORPION

Vous êtes né de Vénus et par votre ascendant de Mars et de Pluton. Vous avez là une étrange et puissante association planétaire. Vénus dans votre signe d'air, c'est le doute et la logique. Mars est la combativité et le désir de vous tailler une place au Soleil. Pluton, lui, ne craint pas de commencer au bas de l'échelle. Il préférera comprendre les détours nécessaires qu'il faut faire pour se rendre à l'objectif. Pluton, c'est la compréhension tout aussi instinctive qu'intuitive des êtres que vous côtoyez. Votre signe de Vénus ne se fie jamais aux apparences et vit bien au-delà de ces dernières. Lorsque vous vous consacrez à un travail, à une œuvre, à votre famille, à vos enfants, vous êtes entier. Vous avez la capacité de donner à chacun et à chaque chose qui vous intéresse le temps nécessaire.

L'ascendant Scorpion ne rend pas la vie facile. Rien ne vous est servi sur un plateau. Vous devez travailler fort pour gagner vos médailles, mais vous êtes si tenace que vous finissez par atteindre votre objectif quel qu'il soit.

De juillet 2001 à juillet 2002, vous êtes sous l'influence de Jupiter en Cancer. Vous n'avez pas à vous inquiéter pour votre travail, vous n'en manquerez pas, au contraire. D'autres responsabilités vous seront confiées. Elles vous conduiront vers un nouveau sommet durant l'été 2002. Peut-être en serez-vous à un tournant de carrière. Vous n'en avez parlé à personne, mais vous le préparez en secret depuis de nombreuses années parfois.

Si vous avez eu des problèmes avec un ex-partenaire et vos enfants, vous aurez enfin la paix. Chacun trouve désormais la place qui lui convient au sein de la famille.

Si vous êtes amoureux, et sans enfant, vous vous sentirez appelé par la paternité ou la maternité. Sans doute vous préparez-vous à vivre cet état de grâce qu'est la naissance d'un enfant.

Mais peut-être deviendrez-vous grand-parent ? Avec l'ascendant Scorpion, un enfant signifie la continuité, votre survie et celle de vos enfants non seulement sur le plan physique, mais aussi sur celui de vos valeurs. Celles de vos enfants seront psychiquement transmises. Puis, à partir d'août, et pendant douze mois, Jupiter sera en Lion dans le dixième signe de votre ascendant et le onzième de la Balance. Si vous aviez l'intention de monter votre propre affaire, vous êtes prêt. Vous serez entouré de gens efficaces et honnêtes que vous aurez d'ailleurs sélectionnés. Si tout le monde est le bienvenu chez vous, bien peu ont le droit d'y rester !

En couple, il est possible que l'amoureux et vous songiez à déménager. Les uns feront leur première acquisition d'une maison, d'autres en seront à leur deuxième ou dixième transaction du genre. Pour les célibataires, c'est surtout au cours des sept premiers mois de 2002 qu'ils rencontreront leur complément. Il s'agira probablement d'une personne que vous aurez croisée une fois dans votre milieu de travail et que vous retrouverez par hasard en traversant une rue ou en faisant vos courses. C'est alors que la conversation s'engagera et vous déciderez que vous avez le temps pour un petit café !

BALANCE ASCENDANT SAGITTAIRE

Vous êtes né de Vénus et Jupiter. Vous préférez tout voir en grand. Vous choisissez la richesse à la pauvreté, et pourquoi pas ? Vous aimez le beau, l'élégance, le raffinement.

Vous admirez les gens puissants et influents, mais à travers toutes ces considérations plutôt superficielles, vous faites très bien la différence entre le bien et le mal, entre les bonnes et les méchantes gens. Vous détectez le mensonge d'autrui comme vous respirez ! Vous reconnaissez la bonté lorsque vous la voyez. Il arrive tout de même que votre vision de la vie soit déformée par Jupiter ; il devient insatiable à côté de Vénus !

Pour vous, l'amour devrait être une passion continue. Vos enfants doivent être parfaits ! Comment pourraient-ils ne pas l'être, puisqu'ils sont issus de la cuisse de Jupiter ? Vous êtes fidèle à vos amis et ils le sont généralement envers vous. Vous les avez connus durant l'adolescence. Vous avez grandi avec eux et, en tant qu'adulte, le lien est « tricoté serré » du moins de votre côté.

De juillet 2001 à juillet 2002, Jupiter est en Cancer dans le huitième signe de votre ascendant et le dixième de la Balance. Jupiter en Cancer a pour effet de vous faire réfléchir sur votre carrière. Vous vous demandez si vous êtes à la bonne place, même si vous connaissez une belle réussite, même si vous gagnez de l'argent. Il y a ce quelque chose qui doit changer, mais vous ne savez quoi au juste ! Il est suggéré de ne rien remuer sous Jupiter en Cancer et de continuer à occuper votre emploi actuel. Vous effectuez une longue traversée de réflexions et de questions. Plusieurs d'entre elles resteront sans réponse, jusqu'en août.

Jupiter en Cancer concerne votre famille et votre attitude envers vos enfants. Jupiter vous invite à une plus grande ouverture et à plus de démonstrations affectives envers vos petits et vos grands. Peut-être votre famille s'est-elle agrandie ?

Voilà que vous repensez votre budget. Vous songez à l'éducation, à l'école, aux études de vos enfants, au fond, vous tirez des plans à leur place. N'est-ce pas trop ? Est-ce nécessaire ? Ne perdez-vous pas de précieux instants présents à essayer de voir l'avenir, qui viendra bien assez vite ?

Sous votre signe et votre ascendant, votre mère joue souvent le premier rôle dans l'orientation de votre vie. En général, maman est possessive à l'excès ou complètement absente. Tout ou rien ! C'est un amour étouffant ou un amour qui n'a jamais existé. En 2002, vous vous détacherez de ce lien. Vous prendrez conscience que votre vie vous appartient que vous ayez été aimé ou non.

Certains d'entre vous verront un psy afin de bien comprendre la manipulation ou l'abandon subi quand ils étaient petits. Si vous êtes parent, vous savez qu'il faut briser ce cercle d'emprisonnement de soi, avant qu'il soit transféré à vos propres enfants.

À partir d'août 2002 et jusqu'en août 2003, Jupiter est en Lion. Il vous libère de divers poids que vous avez traînés avec vous pendant des années. La chance sera au rendez-vous dans divers secteurs de votre vie, parfois même dans les jeux de hasard.

Si vous gagnez très bien votre vie, sans doute doublerez-vous votre salaire ou vos profits si vous êtes dans la vente ou si vous possédez un commerce. Si vous cherchez un emploi, vous en trouverez un qui corresponde à vos compétences et fort bien rémunéré. Vous pourrez vous offrir plus de luxe, un ou des voyages.

Intérieurement, vous verrez la vie différemment. Elle ne sera plus noire et grise mais comme un perpétuel arc-en-ciel. Votre ascendant Sagittaire, qui est régi par Jupiter, a tendance à jouer avec votre poids. Les uns ne réussissent jamais à prendre un gramme de plus, ils sont sous leur poids santé, sans en être malades pour autant. D'autres, au contraire, traversent des mois ou des années où ils grossissent malgré toutes sortes de régimes aussi stricts soient-ils. Ces derniers sont en plus grand nombre que les premiers. Le Sagittaire en ascendant concerne votre foie ; il semble s'endormir plutôt que de faire son travail ! Il vous suffit de vous renseigner sur les plantes qui en régularisent la fonction. Ajoutez-en à votre alimentation pour constater toute la différence.

BALANCE ASCENDANT CAPRICORNE

Vous êtes un double signe cardinal. Vous êtes né de Vénus et de Saturne. Donc, vous vous comportez en protecteur ou vous cherchez constamment à être protégé ! Vénus, qui régit votre signe, est du domaine de l'air ; Saturne relève du Capricorne, un signe de terre. Pendant que Vénus veut tout comprendre, tout expliquer, causer, fraterniser, sympathiser, échanger, s'amuser et finalement se disperser, Saturne vous ramène à l'ordre et vous invite à vous isoler, à réfléchir afin de prévoir l'avenir.

Vous avez une personnalité complexe. Vous êtes un mélange de la tendresse de Vénus et de la rigidité de Saturne ! De juillet 2001 à juillet 2002, Jupiter est en Cancer dans le septième signe de votre ascendant et le dixième signe de la Balance. Sa position concerne vos associés et collègues, votre vie de couple ainsi que vos relations avec l'ensemble des membres de votre famille.

Jupiter en Cancer vous met à votre place, celle que vous devez occuper, celle que vous ne prenez pas ou celle qui ne vous appartient pas.

Si Jupiter en Cancer vous met en évidence dans votre milieu de travail, vous serez également sujet à la critique. Entre la mi-janvier et la fin février, sous l'influence de Mars en Bélier face à votre signe et en mauvaise réception à Jupiter, il est suggéré de ne rien décider trop vite. À aucun moment, il ne faut vous attribuer un rôle de justicier ou de moralisateur. Si vous n'avez pas ce type de formation, ne donnez pas d'ordres à ceux qui n'ont pas à en recevoir de vous. Vous rencontreriez de vives oppositions et peut-être occasionnerez-vous des ruptures avec des gens influents.

Jupiter en Cancer dans le septième signe de votre ascendant est aussi symbole de justice. Si vous avez commis un acte illégal, si vous avez une dette, si vous avez triché, si vous avez trompé des gens, si pour protéger votre emploi, vous avez nui à la réputation d'une personne, en fait quelle que soit la faute, Jupiter intervient. Il vous oblige à réparer.

Au cours des sept premiers mois de 2002, vous aurez l'impression que tout se complique. Vous vous convaincrez que vous n'y êtes pour rien ! Manque de considération et manipulation envers autrui sont pénalisés.

À partir d'août et jusqu'en août 2003, Jupiter est en Lion, dans le huitième signe de votre ascendant et le onzième de la Balance. Ces maisons astrales activeront Pluton, Mars et Uranus de votre thème personnel.

Pluton vous signale qu'un parent âgé et malade prend la route de l'au-delà. Pluton, c'est la plongée et le regard juste qu'on jette sur soi, sur ses bonnes et moins bonnes actions.

Mars vous rend combatif ou destructeur. Mars est une énergie positive, quand la réflexion et la réaction sont simultanées. La colère et la rancune seront mauvaises pour votre cœur en 2002. Elles peuvent le dérégler.

Quant à Uranus, cette planète vous avertit que vous ne pouvez absolument pas tout contrôler. Uranus est lié aux réactions des foules. Dans ces foules se trouvent vos clients si vous êtes en commerce, vos patients si vous êtes médecin, vos amis, ces gens que vous connaissez et ceux que vous ne connaissez pas, ceux qui vous fuiront, ceux qui resteront, ceux qui sont pour vous, ceux qui sont contre vous.

Jupiter en Lion dans le huitième de votre ascendant et face à Uranus fait sortir tous les chats du sac et vos secrets sont dévoilés. Si vous avez une aventure alors que vous vivez en couple, lors du passage de Jupiter en Lion, n'allez surtout pas croire qu'elle passera inaperçue ! En conclusion, 2002 est un grand défi pour vous. C'est aussi le moment de vivre la différence entre votre être et votre paraître.

BALANCE ASCENDANT VERSEAU

Vous êtes un double signe d'air : une alliance entre Vénus et Uranus, symbole d'amour humaniste. Vous avez le cœur à aimer le monde entier. Malheureusement, cette alliance entre Vénus et Uranus a tendance à faire voler l'union en éclats. Vous ne pourrez expliquer pourquoi vous devez partir, ou l'autre ne sait pas pourquoi il s'en va !

Vous êtes Balance, symbole du mariage avec signature, tandis qu'Uranus déchire ces papiers qui le lient. Il a horreur de se sentir obligé. Vous idéalisez la vie à deux. Votre ascendant choisit pourtant de rester libre, il préfère l'amitié à l'amour. Aussi, au fil des ans, avez-vous probablement développé avec votre partenaire une amitié amoureuse. Pourtant, au début de vos fréquentations, il en était bien autrement. Vous étiez un amoureux romantique, puis vous avez glissé vers ce concept d'amitié amoureuse. À partir de là, votre partenaire ne vous a plus reconnu ! Il est rare que vous restiez marié pour la vie sous votre signe et votre ascendant. Votre Soleil étant dans le neuvième signe de votre ascendant, symbole jupitérien, vous avez tendance à amplifier vos bonheurs, mais également vos drames. Sur votre ascendant, on trouve actuellement Neptune et Uranus. Vous êtes plus impressionnable et sujet à suivre divers courants d'idées empruntés aux uns et aux autres. Neptune vous dit d'être bon et Uranus de vous distinguer des autres. Les moyens pour y parvenir dépendent de votre thème personnel.

Depuis juillet 2001 et jusqu'en août 2002, Jupiter est en Cancer dans le sixième signe de votre ascendant et se trouve dans la zone astrale représentative de travail, de la santé ou des deux à la fois. Cette maison astrologique vous porte à considérer vos collègues comme des membres de votre famille. Peut-être votre travail est-il devenu votre maison ou le lieu où vous vous sentez le plus en sécurité ? Si c'est ce que vous vivez, vous allez au-devant de quelques déceptions. Si un climat de bienveillance est préférable aux jeux de pouvoir, un collègue n'est pas un parent, un collègue est un collègue et quelqu'un qui d'abord protège son emploi. Peut-être vous oublie-t-il dès qu'il met un pied hors de l'entreprise. Vous pouvez construire de beaux liens avec vos collaborateurs, mais soyez réaliste. Ne perdez pas de vue qu'en ce XXIe siècle, s'il y a beaucoup d'appelés, il y a de moins en moins d'élus. Les restrictions budgétaires et les congédiements se poursuivent. Lentement, au fil des prochains mois, cette notion de parenté s'estompera. En août 2002, vous adopterez une attitude plus défensive, sans pour autant devenir agressif. Vous protégerez mieux votre territoire. Vous cesserez de vouloir à tout prix faire plaisir aux uns et aux autres. Vous aurez compris qu'il est essentiel pour votre survie économique de vous servir vous-même. L'année 2002 laisse entrevoir un tournant professionnel pour un grand nombre d'entre vous. Celui-ci prendra tout son sens au mois d'août.

En amour, si vous êtes célibataire, c'est à partir d'août que vous serez prêt à aimer et à être aimé, surtout si vous avez vécu une cuisante rupture amoureuse dans le passé.

BALANCE ASCENDANT POISSONS

Vous êtes né de Vénus et de Neptune. Vous êtes intuitif, perceptif, sensible. Lorsque vous prenez vos distances face à certaines gens, c'est pour vous protéger. Vous êtes si perméable et si vulnérable. Vous êtes conscient de votre fragilité, aussi choisissez-vous souvent de vous éloigner pour ne pas être absorbé par autrui. Dès l'instant où vous aimez quelqu'un, vous le laissez entrer en vous. Sans doute n'avez-vous pas toujours été visité par des gens honnêtes ?

De juillet 2001 à juillet 2002, vous êtes sous l'influence de Jupiter en Cancer qui est également dans le dixième signe du vôtre. Il concerne vos enfants. Peut-être est-ce le temps de laisser aller un grand afin qu'il suive son chemin. Il ne veut plus que vous lui teniez la main ! Il peut marcher seul ! La séparation n'est pas facile. C'est un peu comme si vous perdiez un membre ! Pourtant, vous devrez vous y faire, vous le savez et vous réussirez.

Peut-être deviendrez-vous un grand-parent ? Vous aurez alors une perspective différente de votre avenir. Vous vous sentirez très proche de l'enfant à naître et sans doute ferez-vous de nombreux rêves sur son son destin.

Mais peut-être êtes-vous seul, jeune, sans amour ? Ne désespérez pas. Au cours des sept prochains mois, toute votre vie peut se transformer. Vous tombez amoureux et vous vous retrouvez père ou mère.

Si vous avez un talent artistique, sous Jupiter en Cancer, vous serez magnifiquement inspiré. Vous rencontrerez des gens qui non seulement admireront votre œuvre, mais qui, en plus, vous permettront de la rentabiliser.

Vous serez nombreux à vous engager dans une cause sociale, par exemple pour la protection de l'environnement. Vous amasserez des fonds afin de nourrir les enfants qui ont faim ou pour mieux prendre soin des gens âgés que leurs enfants ont oubliés !

À partir d'août jusqu'en août 2003, Jupiter est en Lion dans le sixième signe de votre ascendant et le onzième de la Balance. Cette position de Jupiter laisse présager plus de travail et de bonnes rentrées d'argent. Pour certains, ce sera une promotion bien rémunérée. Si vous désiriez pénétrer dans un autre univers professionnel, des amis vous ouvriront la porte. Vous voyagerez davantage sous Jupiter en Lion. Les uns le feront par plaisir, tandis que d'autres seront régulièrement délégués par leur entreprise. Si vous avez monté votre propre affaire, déjà au début de 2002, vous afficherez des profits. Sept mois plus tard, il est possible que vous preniez de l'expansion et embauchiez. Sous Jupiter en Cancer et en Lion, si l'un de vos enfants possède un talent particulier ou un don, donnez-lui l'occasion de l'exprimer, de l'expérimenter. Vous serez surpris des développements qui suivront vos encouragements.

♏

SCORPION

23 octobre au 22 novembre

À ces êtres si différents et tout aussi mystérieux les uns que les autres.

À Pierre Béland, Pierre Arcand, Claude Poirier, Germain Monté, Guy Bertrand, Jean-Pierre Coallier.

SCORPION 2002

L'année 2001 ne fut pas tout à fait comme vous l'aviez espérée. Les moments heureux ont néanmoins fait oublier les périodes plus difficiles. Le travail bien qu'incessant a été aussi inconstant. Le Scorpion a connu des hauts et des bas sur le plan de l'énergie physique, tout comme avec ses états d'âme.

Jupiter, qui donne le ton ou la couleur de l'année, sera en Cancer durant les sept premiers mois de 2002 et fera un bon aspect au Scorpion. Jupiter est d'ailleurs en Cancer depuis le 14 juillet 2001 et, aux alentours de cette date, les affaires du Scorpion se sont notablement améliorées. Il faut de bien mauvais aspects dans son thème natal pour ne pas bénéficier du passage de Jupiter en Cancer.

La majorité des Scorpion sortent gagnants de toutes les batailles, pour eux les défis à relever sont importants. Lorsque tout est trop facile, simple ou routinier, ils s'égarent, tout juste s'ils ne perdent pas le sens de leur vie marquée par la motivation.

Notez que le Scorpion, qui a toujours eu mauvaise réputation depuis la nuit des temps, ne se bat contre personne, mais bel et bien pour son idéal, ses buts, ses objectifs. Il cherche constamment à être le meilleur dans son domaine. Être le meilleur signifiant pour lui le pouvoir : pouvoir de changer les choses, de les améliorer. Quand il a un emploi routinier, il l'exerce au maximum et se fait un honneur de réussir, d'être à la hauteur de ce qu'on attend de lui. Il a besoin de son travail pour vivre, mais également pour donner à peu près tout ce qu'il gagne à sa famille. Nous explorerons la personnalité du Scorpion noir, un peu plus loin.

On lui a fait une mauvaise réputation dans le zodiaque, et cela tout le monde le sait. Vous qui êtes Scorpion et qui lisez ces lignes, demandez à un ami de jouer le jeu. Lorsque l'occasion se présentera qu'il se déclare Scorpion, même s'il ne l'est pas. Il verra alors son interlocuteur reculer ou avoir une réaction de crainte. On vous a aussi attribué une sexualité débridée, une recherche du pouvoir à tout prix, une propension au crime et à presque tous les vices. Il aura suffi de quelques grands criminels, Scorpion célèbres et vicieux, pour qu'on fasse de vous le pire de tous les signes.

Le Scorpion est le huitième signe du zodiaque. Ill est le symbole des transformations, de celles qui se font dans l'ombre. Il représente aussi la mort à soi-même, une mort psychique. Mais il est aussi celui qui renaît de ses cendres ! Le Scorpion est la représentation symbolique des maladies mortelles, mais c'est également sous ce signe que se sont faites les recherches sur les vaccins et les médicaments pour assurer la survie de malades à qui on a annoncé une mort certaine. Mars, qui régit le Scorpion, symbolise le bistouri, mais de toute évidence, certains pensent au pire : au couteau utilisé par Charles Manson, né sous le signe du Scorpion. Si le Scorpion est un signe de criminel, il est aussi à l'opposé celui de l'inspecteur, du criminologue, de l'avocat criminaliste, du journaliste spécialisé dans les faits divers, bref, de toute personne en lien avec les milieux interlopes, quand ce ne sont pas carrément des criminels.

Le Scorpion est un signe d'eau et, comme le Cancer et le Poissons, il se modèle aisément sur la forme qu'on lui donne. S'il est issu d'une famille où on ne respecte ni règle ni loi, pour se faire accepter de son monde, il se conformera à cette manière de vivre. Il fera sien ce manque de morale.

Le Scorpion est un signe fixe, comme le sont aussi le Lion, le Verseau et le Taureau. Il a horreur qu'on lui dise ce qu'il doit faire surtout à l'âge de raison. De toute façon, il sait au plus profond de lui qu'il ne peut donner plus qu'on ne lui demande. Il déteste par-dessus tout se faire réprimander devant des inconnus. Il est capable d'accepter ses fautes, à condition qu'on les lui reproche en privé et sans témoin.

Quand un parent explique à son Scorpion ce qui lui a déplu, il le comprend. La prochaine fois où la situation se représentera, il ne commettra plus la même erreur ! Comme tous, Scorpion ou non, ne nous a-t-il pas fallu commettre quelques bêtises pour que « rentre » l'expérience ?

On dit souvent que le Scorpion a une « tête dure », mais pourquoi ne pas remplacer cette expression par « tenace ». Quand il a un rêve, un idéal, un but, il le poursuit avec toute la passion de son âme, tout l'amour de son cœur et l'énorme ambition associée à sa logique.

Bien sûr, devenir méchants, chers Scorpion, n'est pas exclu. Une trahison suffit et la moindre fibre de votre mémoire l'emmagasine. Imaginons un instant que vous enfermiez à double tour le traître dans un coffre dont vous seul détenez la clé. Sur le coup, vous ne savez trop quelle leçon lui infliger. Utiliserez-vous votre magie vibratoire négative pour punir le fautif ou interviendrez-vous sur le plan matériel, là même où vous avez été roulé ? Vous possédez un pouvoir de transmission psychique dont vous êtes rarement conscient. Pourtant le ciel vous envoie des signes qu'il suffit d'observer. Vous vous apercevriez alors punir le vilain, le voleur, le traître sans avoir à lever le petit doigt, tant dans sa vie privée que professionnelle.

Malheureusement, lorsque vous vous faites vengeur, la vie se charge de vous diriger dans un bourbier ou vers des sables mouvants. Vous avez un pouvoir de réformateur, si vous êtes de la race des punitifs, le bonheur n'est plus pour vous qu'une idée vague. La moindre contrariété peut rompre votre équilibre émotionnel. Pour en terminer avec l'ombre du Scorpion, les plus récentes descriptions et évolutions de chaque signe disent que le vôtre, plus que les onze autres signes, plonge dans l'angoisse et en sort plus difficilement.

Uranus et Neptune sont en Verseau dans le quatrième signe du Scorpion, ces planètes symbolisent l'éloignement de la famille. Le Scorpion a besoin d'air, de se retrouver, d'être lui-même, et ne plus subir l'influence du père ou de la mère. Uranus et Neptune lui donnent aussi la sensation de n'habiter nulle part tout en étant capable d'être bien partout.

Au cours de 2001, nombreux furent les Scorpion qui se sont départis d'objets qu'ils gardaient parfois depuis de nombreuses années au fond d'un placard. Si le Scorpion n'a pas déménagé, il a changé les meubles de place et, quand il le pouvait, il en a remplacé quelques-uns.

Uranus et Neptune en Verseau, signe des communications modernes, ont mis quelques Scorpion au fait de l'informatique et d'Internet. Quand un Scorpion s'intéresse à un sujet, il s'y donne à fond. Bon nombre de Scorpion ont sans doute passé des nuits blanches devant leur écran à « chatter » ou naviguer pour leur travail.

Uranus et Neptune en Verseau signifient beaucoup pour Scorpion. Le Verseau représente les amis ; Uranus, lui, repère les nouveaux amis qu'on se fait spontanément, les rencontres intéressantes pour de beaux échanges intellectuels. Neptune est en Verseau, c'est-à-dire dans le douzième signe du sien ; le domicile naturel de Neptune étant le Poissons. Pour le Scorpion, Neptune ainsi positionné l'avertit que des connaissances furtives se font passer pour ses amis. Il court le risque qu'on abuse de ses bontés. Sans doute a-t-il souvent subi mensonges et traîtrises de ces faux amis en 2001, avec Jupiter qui traversait alors le Gémeaux. Le Scorpion a fait un sérieux ménage dans son entourage : tout a débuté officiellement le 14 juillet 2001 alors que Jupiter entrait en Cancer.

Pour les sept prochains mois, Jupiter est en Cancer, dans le neuvième signe du Scorpion. C'est une position qui caractérise la chance de façon très particulière. Le

Scorpion récupère ce qu'on lui a pris, ce qu'on lui a volé. Il assiste sans broncher et, de toute façon sans pouvoir faire quoi que ce soit, à la chute de ces vilains qui lui ont mis des bâtons dans les roues.

Désormais, sous Jupiter en Cancer, seules les personnes vraies l'accompagneront sur le chemin de sa vie. En 2001, le Scorpion a pressenti qu'il devait s'engager sur une voie différente, penser autrement. En 2002, ses pensées sont claires. Il est parfaitement lucide vis-à-vis de son prochain objectif. Sans détour, il se rend droit au but.

Jupiter en Cancer correspond au retour. Une collaboration avec de gens connus douze ou vingt ans plus tôt, et avec qui il s'entendait bien, est probable. Si le Scorpion n'a plus voyagé ces dernières années, s'il n'a pas pris de vacances, 2002 est propice pour les déplacements. Il s'en donne le droit, et les circonstances sont telles qu'il peut enfin partir sans s'inquiéter des conséquences de son absence au travail. Sous Jupiter en Cancer, il redécouvre le plaisir de vivre et de vivre dans le plaisir.

Si le Scorpion est en relations commerciales avec l'étranger, la table s'est mise en place en 2001 mais les résultats n'ont pas été satisfaisants. En 2002, les choses changent. Les réponses positive se succèdent, beaucoup plus en fait qu'il ne l'avait espéré.

Le Cancer est un signe familial. Sous son influence, le Scorpion amorcera un retour vers sa famille. Il sera très pris par des parents qui ont besoin de lui, ou à qui il considère n'avoir pas suffisamment donné d'attentions. S'il dirige une entreprise avec un parent, la chance les attend au détour. D'autres membres de la famille viendront, sans aucun doute, œuvrer dans cette société. Le Scorpion gagnera plus d'argent et les profits de son entreprise seront tels qu'il pourra investir afin d'élargir davantage son territoire commercial.

Le Scorpion, quoi qu'en disent les livres d'astrologie, est un signe extrêmement sociable. Sous Jupiter en Cancer, il en fera la démonstration. En 2002, il fréquentera des gens de diverses nationalités, et il ne serait pas surprenant qu'il se joigne à un mouvement visant à réunir les gens de différentes origines et religions.

S'il a eu des problèmes de santé, le Scorpion récupère rapidement. Le moral est bon, les maux disparaissent.

L'AVIS

Pendant que Jupiter est en Cancer, soit durant les sept premiers mois de 2002, faites le maximum de tout ce qui vous intéresse. En août, Jupiter entre en Lion, il fera ce qu'on nomme un carré ou un aspect dur à votre signe. Son influence est double : Jupiter veut votre succès, mais ce Jupiter en Lion a en même temps du mal à vous faire de la place !

Les compétiteurs qui n'étaient pas présents sous Jupiter en Cancer sortiront de l'ombre. Ils vous ont observé et peuvent aussi vous imiter ! Si vous avez des idées, des produits, des services à protéger, parce que ce sont vos créations, protégez-les juridiquement, sous Jupiter en Cancer. Il est possible que ce soit trop tard sous Jupiter en Lion, vous devrez alors revendiquer vos droits de propriété et les défendre.

À partir d'août, sous Jupiter en Lion, vous serez plus stressé. Vous aurez beaucoup à préserver et à protéger. Vous ne perdrez pas votre intuition. Il faudra toutefois en tenir compte dès l'instant où votre petit doigt vous dira d'éloigner quelqu'un qui vous semble louche.

Sous Jupiter en Lion, vous entreprendrez un tournant de carrière qui vous conduira vers d'autres sommets. Ne perdez pas de vue que plus on monte, plus on est seul. Ne vous étonnez donc pas si peu de gens vous accompagnent dans votre ascension. Vous êtes un signe fixe et la majorité des Scorpion sont des personnes qui travaillent en solo. Ce besoin de produire seul est excessif. Vous vous méfiez de votre prochain, vous l'éloignez, de peur qu'il ne vous demande un service. Dans ce cas, vous ne portez pas la sceau de la générosité. Si vous appartenez à la catégorie des Scorpion qui passent leur temps à refaire leur comptabilité, non sans être angoissés, convenez que ce genre de vie est loin d'être heureux. Si votre seul idéal est de devenir riche, puissant et contrôlant, vous sentez-vous près des autres ? J'en doute !

Un autre Scorpion a dépassé ce stade où tout n'est axé que sur la matière. On l'appelle l'Aigle, car il vole au-dessus des nuages. Il sert de guide à ceux qui se perdent. Il est libre. Bien que sauvage, il est capable de plonger vers la terre pour indiquer à ceux qui se perdent le chemin qui les ramène à la maison ou à la civilisation.

Le troisième type de Scorpion est le Serpent qui s'enroule sur lui-même et se dévore ! Il correspond à celui qui garde pour lui toutes les connaissances accumulées au fil de ses expériences. Il est le possessif extrême. Prenons l'exemple d'un parent de ce type. Ses enfants n'auront pas été conçus pour l'amour de la vie, mais bien pour lui seul. Il les possède, comme on le fait d'un objet, et il finira par étouffer toute créativité en eux. Ses enfants n'iront nulle part. Il les engloutit, comme il le fait avec lui-même.

Le Scorpion est un signe fixe. À partir d'août, il est sous l'influence de Jupiter en Lion, symbole de ses enfants, de sa famille. Si jamais il est du type serpent qui s'enroule sur lui-même, ses enfants, s'ils ont l'âge de s'opposer à lui, sont capables de fuir pour ne plus subir son contrôle, ils risquent aussi d'être désagréables. Malheureusement, ce Scorpion-serpent-possessif et inconsciemment destructeur provoquera des scènes familiales qu'il n'oubliera pas de sitôt.

Jupiter en Lion bien vécu donne un résultat complètement différent. L'un des enfants, même jeune, un pré-adolescent, par exemple, connaîtra une belle réussite grâce à un talent particulier : en mathématiques ou en art, peu importe. L'enfant pourrait même se montrer héroïque lors d'une situation dramatique ou alors généreux, serviable et si sage que les parents eux-mêmes en reconnaissent les leçons de vie. Cet enfant agit comme s'il était né avec des connaissances vieilles de plusieurs siècles en lui ! La réincarnation d'un maître n'est pas exclue ! Jupiter en Lion présage pour le couple sans enfant une naissance ou du moins la conception d'un poupon. Il n'est pas non plus impossible qu'une petite famille dont le père ou la mère est

Scorpion, ayant déjà deux ou trois enfants, soient pris par surprise par une autre naissance ! Ce bébé sera reçu comme le « dernier » cadeau du ciel !

Un bruit court au sujet des Scorpion qui ont refusé d'avoir des enfants. On a dit d'eux, à maintes reprises, qu'ils en étaient à leur dernière vie et n'avaient donc pas besoin de descendants ! Permettez-moi de douter de cela. Après 25 ans de pratique, j'ai constaté que de nombreux Scorpion avaient volontairement refusé la maternité ou la paternité parce que le besoin de s'occuper d'eux-mêmes et de n'être pas dérangés prédominait. Leur petite personne était la priorité. Bien sûr, il y a ceux pour qui la vie n'a pas voulu se manifester. Un grand nombre de ceux-ci se sont cependant occupés des enfants des autres ou ont donné leur temps à une œuvre afin de sauver des enfants. Au cours de la prochaine année, ces derniers se dévoueront pour les autres plus que jamais.

CONCLUSION

2002 est consacré aux enfants. Au fond, ne sommes-nous pas tous restés des enfants ? Nous avons bien sûr des rêves, mais ne vous arrive-t-il pas d'avoir des pensées qui ressemblent de très près aux songes magiques des petits ? Nous souhaitons un événement, un objet ou autre, avec l'espoir de le voir soudain se manifester. Vous êtes adulte, mais si vous plongez en vous, vous découvrirez dans l'arrière-mémoire, dépourvue de logique, des connaissances apprises par cœur, que l'enfant en vous est toujours aussi vivant et spontané. Votre écran secret vous remet en mémoire la petite fille ou le petit garçon libre à qui l'on a permis presque tout, c'était bien avant que l'on ne vous éduque pour faire de vous un citoyen affairé à gagner sa vie, bien avant que l'on vous rende responsable de vous-même et de tout. Vous n'êtes pas non plus sans vous souvenir des plaisirs de votre pré-adolescence et des folies souvent naïves de votre adolescence. L'année 2002 vous plongera à nouveau dans cette magie de ce temps qui n'est pas perdu. Vous le ramènerez au présent, avec toutes les énergies qu'il contient, qu'il maintient et qui, à tout jamais, vivront en vous.

Vous êtes né Scorpion et ce que vous étiez enfant, vous l'êtes encore. Vous êtes un signe d'eau. L'eau prend la forme qu'on lui donne, mais l'eau ne peut être autre chose que de l'eau. Vous êtes encore et toujours cette source vive qui se déversait tout autour. Certains d'entre vous n'ont pas de beaux souvenirs de leur enfance et pourtant, s'ils y regardent de plus près, ils reverront ces mondes merveilleux qui habitaient leur esprit le jour et la nuit, ou de jour comme de nuit. Rien n'est jamais parfait pour qui que ce soit, mais je ne connais personne qui n'ait au moins vécu un seul bonheur dans son enfance. L'année 2002 vous redonne votre énergie, à condition que vous ne vous complaisiez dans vos ténèbres. Ne pensez plus qu'au soleil et aux moments agréables. Laissez tomber vos mauvais souvenirs d'enfant malheureux. Ce n'est qu'ainsi que Jupiter en Lion vous fera quelques fleurs et faveurs.

JANVIER 2002

AMOUR-AMITIÉ Le Nœud nord étant en Gémeaux dans le huitième signe du vôtre, vous découvrirez qu'une personne qui se disait votre amie n'est, depuis toujours, que purement intéressée par ce que vous pouviez lui apporter. Que vous lui donniez en temps, de l'argent ou les deux. Entre le premier de l'An et le 18, vous ferez le ménage. Vous trouverez le courage de vous séparer de cette personne. Au fil des ans, un attachement s'est créé entre vous, vous en serez déçu. Vous savez à l'avance qu'elle laissera un vide. Dites-vous, cependant, que jamais le vide ne reste vide bien longtemps. C'est une impossibilité tant en ce qui concerne le monde de la matière que celui de l'esprit. Ne peut-on pas remplacer les mauvaises pensées par les bonnes ? N'avez-vous pas remarqué que lorsque vous cessiez de voir quelqu'un, quelle qu'en soit la raison, peu après une rencontre comblant l'absence de l'autre se produit. Lorsqu'il s'agit d'avoir un ou des amis qui remplacent celui, celle ou ceux qui n'y sont plus, c'est simple, le fait s'accomplit naturellement. Par contre, si c'est un conjoint qui nous quitte ou dont on se sépare, cet amour n'est pas aussi rapidement remplacé ! Il n'y a pas de méfiance envers les amis ou si peu. Le Scorpion est, en général, un être sociable. Il a un grand besoin de nouer de nouvelles connaissances. Avec le temps, elles deviennent des amitiés. Mais si le Scorpion a été blessé dans ses amours, il se ferme et se replie dans sa peine ou sa rancœur. Rempli de mauvais souvenirs, il n'y a alors pas de place pour un nouvel amour ! Tel est l'enseignement du Nœud nord en Gémeaux : se détacher de ses peines et faire le plein de bonheur, amicalement ou amoureusement si vous êtes un Scorpion célibataire.

FAMILLE Sa famille, ses enfants, ses parents sont au premier plan. Il a un saint respect de ses racines. Après tout, le Scorpion n'est-il pas le signe de ce qui sera conçu, c'est-à-dire les éléments originels tels que le sperme et l'ovule ? Certains d'entre vous vivent dans une maison où, chaque jour ou presque, éclate un orage. Ils habitent avec des parents, frères et sœurs, tantes, oncles, etc., qu'ils n'aiment pas et avec qui ils se querellent... Bizarre ! De nombreux Scorpion vivent cette situation ! Si vous êtes de ceux-là, en ce début d'année, vous songerez à partir. Jupiter en Cancer attise votre désir de paix. Mars en Poissons jusqu'au 18 vous aide à vous détacher, ou tout au moins, à vous éloigner de ceux qui vous blessent. Le 19 sous l'influence de Mars en Bélier, vous passerez à l'action. Vous ferez vos valises. Bien sûr, d'autres Scorpion ont « réussi » leur famille. En tant que parent, leurs enfants ne sont pas parfaits : ils sont humains. Ces parents Scorpion respectent ce qu'ils sont et acceptent que leurs enfants ne veulent pas d'une vie comme la leur. Si, par exemple, vos enfants sont adultes et que vous ayez l'intention de monter une entreprise, sans doute l'un d'eux ou plusieurs d'entre eux vous feront part de leur désir de travailler avec vous. Si vous n'avez pas d'enfant, si vous vous sentez prêt à bercer un bébé, votre partenaire et vous n'hésiterez pas à faire un signe à la cigogne. Vous êtes en période fertile ! Si vous avez l'âge d'être grand-parent, vous apprendrez que la famille s'agrandira encore !

SANTÉ Si vous souffrez de maux physiques, ils sont, pour la majorité d'entre vous, liés à des déceptions. À partir du 19, sous l'influence de Mars en Bélier, vous sauterez un repas çà et là et bien sûr, vous serez plus faible et souvent fatigué. Il vous suffit de penser à manger, ainsi vous garderez la forme. Des planètes sont en Verseau, par conséquent, l'exercice est nécessaire pour une bonne circulation sanguine.

TRAVAIL-ARGENT Vous n'avez pas peur du travail. Vous adorez les défis. Ils vous donnent le droit de vous dire que vous êtes intelligent ! Quelqu'un de capable ! Rares sont les Scorpion paresseux. Comme vous aimez le pouvoir que l'argent vous donne, la fortune se manifeste par le travail, par un poste en vue ou par votre entreprise que vous menez d'une main de maître. En tant qu'employé, vous êtes fidèle à votre patron quand celui-ci vous respecte, notamment dans les tâches qu'on vous confie. À l'instant où vous vous apercevez que vous atteignez un palier dans l'emploi occupé, vous cherchez ailleurs. Là où il vous sera possible de prouver que le précédent employeur a beaucoup perdu en ne voyant pas toutes vos compétences ! Au cours de ce mois, un ami vous fera une proposition commerciale intéressante. Mieux encore, elle correspondra à un désir et à l'un de vos idéaux. Quelques planètes indiquent que de nombreux Scorpion prendront un tournant professionnel radical. Il s'agira de faire carrière différemment et peut-être pour la première fois dans un climat agréable !

CROYANCES Un Scorpion défaitiste voit des signes sombres là où il n'y en a pas ! Ses amis le lui feront remarquer, mais il n'écoutera pas. Lorsqu'il s'apercevra qu'il s'est trompé dans son interprétation, il déprimera. À partir du 19, il sera très émotif et plus susceptible. Le déçu peut reprocher à Dieu lui-même de ne pas s'occuper de lui ! Le chantage et les reproches n'auront aucun effet. Ce type de prière n'est pas entendu ! Dieu n'est ni coupable ni responsable des décisions et idées noires du Scorpion !

QUI SERA LÀ ? Un Cancer fait tout ce qu'il peut pour adoucir l'esprit du Scorpion qui devient lourd lorsque les choses ne se déroulent pas comme il le veut ! Certains tombent amoureux d'un Cancer ou d'un Poissons. Avec celui-ci, une décision hâtive de vivre ensemble ne garantit pas un bonheur éternel. Prenez le temps de connaître le Poissons avant de lui donner votre âme. Un Bélier vous dit à quel point il vous admire. Un Capricorne vous porte chance en affaires. Un Gémeaux vous fait douter de vous.

FÉVRIER 2002

AMOUR-AMITIÉ Des vies de couple se terminent et rarement sans drame. Si vous êtes sur sur le point de vous séparer, le partage des biens ne se fera pas dans l'harmonie surtout si au début de votre relation, un notaire ne vous a pas conseillé pour les ententes nécessaires en cas de rupture ! L'un ou l'autre réclamera même des bibelots sans valeur pour dévier votre attention du principal problème qui est la perte d'amour !

Si vous êtes seul depuis longtemps et particulièrement ceux qui ont déjà divorcé deux fois, voilà que la perspective d'une troisième union se présente. Si vous êtes dans ce cas, faites confiance à la vie et au temps. L'amour est de retour ; ne le laissez pas s'échapper ! Si vous en êtes à une première union, la rencontre aura probablement lieu dans un endroit agréable, dans un environnement musical, théâtral, cinématographique, bref, relié à un art que vous pratiquez ou qui vous transporte. Vous prendrez plusieurs repas avec vos meilleurs amis. Vous en reviendrez chaque fois chargé d'énergie.

FAMILLE Il est normal d'être triste et troublé lorsqu'un parent âgé qu'on aime tombe malade. Vous n'avez ni le pouvoir de le guérir ni celui de le rajeunir. Par contre, vous pouvez lui rendre maux et malaises plus supportables. Vous pouvez raviver son courage dans l'épreuve.

Si vous avez de jeunes enfants, ne faites pas un drame s'il l'un d'eux s'enrhume. Ne le soignez pas comme s'il allait rendre l'âme ! En le dorlotant plus qu'à l'accoutumée, vous pourriez développer en lui le désir d'être malade plus souvent ! Si vous êtes le seul soutien de famille, à n'en pas douter, vous êtes débordé ! Vos obligations sont plus irritantes sous l'influence de Mars en Bélier. Vous serez autoritaire dans des moments où il n'est pas vraiment nécessaire d'intervenir, alors que vous serez souple quand vous devriez être sévère. Sous votre signe, un drame familial vient rarement seul. Il y en a deux, trois et pire quatre. En ce mois, cela se passe dans votre belle-famille. L'enfant de l'un a fait un mauvais coup, le père ou la mère de votre partenaire est déprimé, les finances d'un autre sont maigres, quelqu'un subit une opération, etc. Votre rôle est de visiter ce parent par alliance. Vous n'avez pas à régler le problème quel qu'il soit. Considérez-vous comme un témoin sympathique et sympathisant !

SANTÉ Votre point faible est l'anus, mais avant que la nourriture se rende à cet organe d'évacuation, un travail de digestion doit se faire. Vous avez tendance à exagérer un régime alimentaire. Vous mangez trop ou pas assez. Vous êtes obsédé par tout ce que vous consommez. Mars en Bélier dans le sixième signe du vôtre exerce souvent ce genre de pression. Chez vous, le désir d'être mince frôle l'anorexie ou, au contraire, l'insatiabilité ressemble de près à la boulimie. Cette souffrance est autant celle du corps que de l'âme. Si vous êtes dans cette situation, il serait sage de consulter un médecin.

TRAVAIL-ARGENT Jusqu'au 19, le Soleil est dans le quatrième signe du vôtre, en Verseau. Après, il passera dans le cinquième, en Poissons. Le passage du Soleil dans ces signes exerce une grande pression sur le secteur professionnel. Principalement dans le Verseau, lorsque se rajoutent les planètes Uranus et Neptune. Si vous occupez un nouvel emploi, même si personne ne se plaint de votre travail, vous craindrez quand même de le perdre. Si, pour exercer votre profession, vous devez être assis toute la journée, il vous faudra déployer une montagne de volonté, et peut-être bien vous attacher à votre chaise. Vous avez un extrême besoin de bouger. Si vous êtes à la recherche d'un emploi, accrochez un sourire sur vos lèvres lorsque vous rencontrerez le directeur du personnel. Cessez de croire qu'il vaut plus que vous. N'ayez pas peur d'étaler vos expériences, vos compétences et peut-être bien un talent hors du commun. Certains d'entre vous ont des difficultés financières ; la famille viendra à la rescousse. D'autres, propriétaires d'une maison, décideront de vendre pour acheter moins cher. L'acheteur se présentera à la fin du mois ; et il acceptera votre prix. Vous doutez de votre chance. C'est d'ailleurs un concept auquel vous n'accordez pas foi en général. Remplacer le mot « chance » par « destin » vous convient mieux. Vous constatez qu'en cas de problème, la solution est quasi immédiate. Vous êtes sous l'influence du magnifique Jupiter en Cancer qui, tel un protecteur, est là dès que vous avez besoin d'aide. Parfois, il ne vous suffit que d'en exprimer le souhait !

CROYANCES Vous pouvez croire à votre chance. Elle est présente plus que vous ne pouvez l'imaginer. Toutefois, un changement que vous ne souhaitiez pas peut intervenir. Son avènement présage une bonne nouvelle, peu banale. Vous n'aimez pas la stagnation. L'immobilité vous semble désastreuse, aussi au tréfonds de vous-même, vous souhaitez l'action et elle se manifeste.

QUI SERA LÀ ? Vous n'avez qu'un nombre restreint d'amis, puisque vous êtes sélectif. En ce début d'année, vous n'avez pas été s'en vous apercevoir que vous êtes plus intuitif. Dès qu'un faux frère se présente, vous le savez. L'éloigner est une saine réaction. Si vous ne vous protégez pas, qui le fera ? Côté carrière, vous aurez l'appui d'un Verseau. En tant qu'artiste, un Poissons vous encourage. Un Bélier vous donne de précieux conseils concernant vos finances. Un Gémeaux et une Balance ont besoin de votre soutien moral.

MARS 2002

AMOUR-AMITIÉ En ce mois de mars, Mars est en Taureau, en face de votre signe. La planète Mars n'est pas à l'aise dans ce signe. Cela vous porte à faire des gestes hâtifs sur le plan de l'amour tout autant que sur celui de vos relations amicales. Vous cessez soudain de voir quelqu'un que vous connaissez depuis longtemps simplement parce qu'il vous a contrarié ! Il ne s'en est pas rendu compte, car vous n'avez rien dit ! Bien sûr, c'est un exemple extrême ! Mars en Taureau augmente votre susceptibilité et votre capacité à réagir. Vous ne répondez plus aux appels de vos amis, vous faites comme s'ils n'existaient pas. Et tout cela sans leur donner la moindre explication. Vous boudez ! Pourquoi ne pas simplement dire que vous avez besoin d'isolement, pour refaire le plein d'énergie mentale ? Entre le 9 et le 20, si des tensions existent au sein de votre couple, les risques de s'obstiner à cause des enfants surtout est plus grand. Un Scorpion fera un honteux chantage. Il culpabilisera son amoureux pour obtenir ce qu'il veut ! Ce Scorpion devenu l'Aigle aura pour rôle de maintenir la paix dans son foyer, avec l'amoureux, avec les enfants ou entre ceux-ci. Si vous êtes célibataire et fait avez fait une rencontre en début d'année, ou au cours des derniers mois de 2001, vous avez la trouille ! L'engagement ne vous sourit guère pour l'instant. Laissez passer ces turbulences planétaires. Ne prenez pas de décisions que vous regretteriez. À moins qu'il ne soit très évident, ce flirt n'est qu'une passade.

FAMILLE Dans le paragraphe précédent, il a été question d'une possibilité de disputes dans la maison. Ces querelles peuvent déborder du foyer et s'étendre à d'autres parents avec qui vous avez peu d'affinités. Vous avez choisi votre partenaire, mais vous n'avez pas épousé sa famille. Ce mois-ci, vous avez encore moins envie de voir cette belle-famille qui ne pense ni ne vit comme vous. Il n'y a pas 36 solutions : ne pas commenter leurs différences vous aidera à vous détacher d'eux. Après tout, ils ne vivent pas avec vous. Ils ne sont pas dans votre maison. Ils n'ont aucun pouvoir sur votre travail ou votre compte en banque. Pensez qu'ils sont les parents de votre partenaire. Pour cela, vous leur devez un minimum de respect.

SANTÉ Des problèmes de thyroïde sont fréquents sous votre signe. La difficulté d'assimiler le fer aussi. Si vous vous sentez très souvent faible, il serait bon de faire des prises de sang. Allez au bout de cette histoire. Vous n'êtes pas invincible comme vous aimeriez le croire. À partir du 9, sous l'influence de Vénus en Bélier, vos maux de tête pourraient être plus fréquents. Détendez-vous plus souvent. Cela pourrait être une réaction de votre système digestif qui fait des caprices en ce mois de mars.

TRAVAIL-ARGENT Il vous sera plus difficile de faire des économies. Des dépenses pour la maison, des réparations nécessaires imprévues sont probables. Vos pré-adolescents et vos adolescents auront des goûts plus dispendieux dans le choix de leurs vêtements. Ils se feront si insistants que vous finirez par céder. Si vous n'avez pas d'assurance contre le vol, le feu, etc., songez-y ! C'est plus prudent parce qu'une ombre plane sur vos biens. Il vaut mieux prévenir. Au travail, vous mettez les bouchées doubles. Vous faites des heures supplémentaires. Il vous arrivera même de ne terminer qu'au milieu de la nuit. En fait, vous utiliserez votre insomnie pour travailler plutôt que de sombrer dans l'inertie et d'attendre que le jour se lève.

CROYANCES Attention ! au cours du mois vous serez porté à accuser votre prochain et le monde entier de ce qui ne va pas dans votre vie. Pire, vous croirez que quelqu'un vous envoie des vibrations négatives pour vous empêcher d'atteindre votre objectif ou prendre votre place. Certains Scorpion s'inventent mille raisons pour ne rien faire. Ils justifient leurs échecs par des explications presque rationnelles ! Bien que vous soyez soutenu par Jupiter en Cancer, les positions de quelques planètes symbolisent des défis et des obstacles que vous ne dépasserez qu'en y mettant du vôtre !

QUI SERA LÀ ? Un Bélier ou un Gémeaux que vous considérez comme un grand ami refuse de vous rendre un service et justement à un moment où vous en aviez grand besoin. Vous serez tenté de le classer parmi les égoïstes et peut-être de le rayer de votre carnet d'adresses. Ce serait une erreur. Un Taureau vous fait un emprunt, alors qu'il ne vous a pas remboursé le précédent. Ne vous laissez pas apitoyer par son charme. Un Poissons est présent pour vous. Un Cancer est amoureux. Un autre Scorpion vous fait la cour. Vous avez un bel échange intellectuel avec un Lion et un Sagittaire.

AVRIL 2002

AMOUR-AMITIÉ La passion procure de l'excitation, une bonne dose d'adrénaline ! La découverte de l'autre vous plaît et vous donne des ailes, le goût de déplacer des montagnes. Vous travaillez sans effort, bien que vous dormiez moins et que vous vous leviez tôt. L'amour vous rend fort et léger ! Vous avez trouvé l'amour et vous ne voulez surtout pas vous questionner. Vous choisissez l'aveuglement plutôt que les réponses décevantes. Tout se passe durant les deux premières semaines du mois. Puis, lentement les voiles se lèvent. Ce nouveau partenaire n'est pas parfait et ses défauts sont justement ceux que vous ne vouliez pas voir chez l'autre. Si vous n'êtes pas un débutant dans la vie, si dans le passé vous avez essuyé des déceptions et vécu des ruptures, vous savez que vous vous êtes raconté une histoire ! Lentement, vous reviendrez à la réalité. Mais ne vous en faites pas ! Elle n'est pas dure, vous revenez sur terre, là où vous habitez depuis votre naissance. Votre réalisme n'est pas un manque de romantisme, il fait tout simplement partie de vous, au même titre que votre logique. Vous serez conscient de votre descente. Le nuage sur lequel vous vous trouviez n'était pas solide, vous le saviez. Une fois l'étape des imperfections passée, vous verrez ce nouvel amour tel qu'il est. Sans doute sera-t-il agréablement humain et non pas surhumain comme vous l'espériez dans votre recherche de l'impossible perfection ? Si votre conjoint voyage constamment pour son travail, plus avril avance et moins vous êtes satisfait de cette situation que vous pensiez avoir accepté pour toujours. Si c'est votre cas, vous ferez de subtiles pressions pour qu'il change de poste et plus encore si vous avez des enfants ensemble.

FAMILLE Vous ne serez guère patient avec vos enfants durant la première semaine d'avril. Vous songerez déjà à leurs prochaines vacances et à ce qu'ils en feront. N'essayez-vous pas de voir trop loin ? Cette prévoyance n'est-elle pas de toute manière excessive ? Sans vous en rendre compte, ne cherchez-vous pas à les éloigner afin de pouvoir vous reposer ou pour vous retrouver seul pendant quelques jours ? Certains d'entre vous sont des parents exigeants qui espèrent une progéniture géniale plutôt qu'équilibrée et heureuse. Si vous vous reconnaissez dans cet être contrôlant, ce qui est généralement difficile à s'avouer, vous devriez plutôt admirer vos enfants qui peuvent prendre leurs propres décisions. N'ont-ils pas hérité ce trait d'indépendance de son parent Scorpion ? Dans ce ciel astral, Uranus et Neptune en Verseau vous indiquent que vos chérubins, les grands surtout, aspirent à choisir leur avenir librement. Donc, la route de leurs prochaines vacances aussi ! Mars est en Taureau jusqu'au 13, Vénus est dans ce signe jusqu'au 26, tous deux font des aspects durs à Uranus et Neptune. Si vos enfants sont très jeunes, surveillez leurs jeux de plus près. Ne les laissez jamais sans surveillance dans un grand espace tel qu'un parc, un centre commercial, etc. Une distraction de votre part, le petit s'égare et c'est la panique ! Ce dont vous n'avez nul besoin. Restez près d'eux.

SANTÉ Si vous manquez d'appétit, n'hésitez pas à prendre quelques vitamines qui vous aideront à apprécier ce qui est dans votre assiette. Si vous faites tout au contraire partie des gourmands, la modération est nécessaire. Sous ce ciel d'avril, vous tombez aisément dans l'excès. Jusqu'au 13, vos reins feront plus d'efforts. Il vous est donc suggéré d'éviter de consommer ce qui entrave leur travail et qui provoque chez vous des ballonnements.

TRAVAIL-ARGENT Au fil de 2001, vous avez développé une vision nouvelle de votre vie au travail. Depuis le début de 2002, votre idéal a pris une autre forme : il s'est raffiné. Votre ambition demeure la même. Toutefois, votre façon d'atteindre le but s'est considérablement transformée. Si vous produisez toujours au même rythme, à haute vitesse, vous réussissez à vous défaire de votre stress. Vos tensions n'étaient, de toute manière, que des bagages en trop ! Jupiter en Cancer vous aide à gagner la partie. Vous êtes également beaucoup plus créatif et inventif. Vous avez redécouvert comment vous amuser tout en travaillant très fort. Vos affaires seront bonnes, mais pas excellentes. Par ailleurs, vous êtes vraiment très difficile à satisfaire ! C'est à la toute fin du mois que des dépenses imprévues pour la maison surviendront. Sans doute devrez-vous investir une part de vos économies afin de maintenir et de préserver votre propriété. Un toit solide sur la tête, c'est primordial ! Ne soyez pas inquiet ! Si l'argent sort d'une poche, il entre dans l'autre, et plus encore si vous êtes à contrat ou travailleur autonome. Attention au secteur professionnel ! Vous serez tenté de recommander une personne qui n'est pas digne de confiance. Cela peut se produire entre le 14 avril et le 28 mai. Méfiez-vous d'un élan de générosité qui pourrait éventuellement nuire à vos affaires en cours. Il est rare qu'il soit question de loterie sous votre signe, vous n'êtes pas le signe de la chance au jeu. Mais ce mois-ci, le ciel est clément et peut-être qu'un petit billet pourrait vous permettre d'encaisser le montant nécessaire aux travaux dans la maison ou pour une nouvelle voiture !

CROYANCES Vous êtes un être intuitif de naissance. Vous êtes aussi très logique. Comme pour tous, il vous arrive d'avoir des instants de moindre confiance en la vie. Ce mois-ci, certains jours vous aurez une irrésistible envie de consulter un clairvoyant ! Surtout n'allez pas voir quelqu'un qui fait semblant de voir. Vous serez si pressé d'avoir des réponses que vous pourriez tomber sur un personnage qui vous dira non pas la vérité mais ce qu'il vous fera plaisir d'entendre. Bien que vous ressortiez de cette consultation tout ragaillardi, plus les jours passeront et plus vous verrez que vous avez eu affaire à un charlatan. Rien de ce qui vous a été annoncé à court terme ne se produit. Regardez à l'intérieur de vous ! Vous possédez les réponses à ces questions que vous vous posez depuis longtemps déjà.

QUI SERA LÀ ? Un Taureau gentil et généreux, un vrai vénusien sera présent. Il y a également un Taureau dont Vénus est resté collée à la terre et qui ne veut pas votre bien mais le sien. Il peut en être de même avec les deux autres signes de terre, le Capricorne et la Vierge. Vous rencontrerez ces signes plus souvent que tous les autres. Vous serez en face d'un Capricorne donnant et d'un Capricorne manipulateur, d'une Vierge honnête et d'une Vierge qui n'aura aucun scrupule à vous voler, au sens propre du terme.

MAI 2002

AMOUR-AMITIÉ Jouez-vous les distraits avec votre partenaire ou l'êtes-vous vraiment ? Laissez-moi en douter. Un Scorpion peut faire semblant de ne rien voir, de ne rien entendre, de ne rien comprendre de l'autre. Si vous agissez ainsi, peut-être prenez-vous la fuite ! C'est souvent votre méthode pour faire comprendre à quelqu'un qu'il ne vous intéresse plus. Mercure et Saturne sont en Gémeaux, Vénus aussi jusqu'au 20, et Mars jusqu'au 28. Tout cela peut créer une certaine panique dans votre vie sentimentale. Certains reculent devant l'engagement. Ils craignent d'être blessés à nouveau, après s'être donné corps et âme. D'autres ont une relation qui n'a plus aucun sens. L'amour s'est dissous, évaporé sous trop de reproches et de pressions du partenaire. En tant qu'amoureux, vous détestez qu'on manque de confiance en vous. Mais plutôt que de le dire de vive voix, vous agissez en prenant la direction opposée à celle de votre partenaire. Le mois de mai n'est pas particulièrement sentimental, mais il déborde de « nouvelles amitiés ». Certains d'entre vous reverront un ancien amour, ils en seront profondément troublés. Les tendres sentiments qu'ils croyaient avoir passé à la moulinette revivent comme autrefois, quand « on était ensemble pour toujours » ! Cette rencontre n'exclut pas une aventure d'un jour ou d'une nuit. Puis, par la suite, ces derniers auront simplement le désir de rentrer chez eux. Cette histoire est terminée et cela n'aura jamais été aussi vrai. Quelques heureux tout de même : un début timide, des premiers pas vers une nouvelle relation qui correspond en tout point ou presque à votre idéal amoureux.

FAMILLE Sans doute donnerez-vous un bon coup de main à un parent qui déménage. Vous l'aiderez à plusieurs reprises à trier ce qu'il emporte et ce qu'il laissera derrière lui. Si vous avez des frères et des sœurs, un peu de chamaille au sujet d'argent est à prévoir, surtout si papa ou maman est décédé. On se querelle pour quelques biens sans grande valeur si ce n'est celle d un souvenir palpable. Pourtant ne dit-on pas que les meilleurs souvenir sont dans l'âme, l'esprit et le cœur ? Les grandes fortunes sont peu nombreuses. Parfois, pour une modique somme, pour un meuble, un service de vaisselle, des bibelots, etc., frères, sœurs cousins, cousines et même petits-enfants s'entre-déchirent. Si une telle chose se produit, le calme et la sagesse ne reviendront qu'à la toute fin du mois. En tant que parent, surtout si vous êtes du type contrôlant, vous serez tenté d'interdire à vos enfants certaines fréquentations qui vous semblent louches. Cela peut être vrai pour certains, mais le plus souvent, vous sonnerez une fausse alerte ! Ce sera comme dire à vos enfants qu'ils manquent de jugement ! Le ciel est de bon présage pour le Scorpion amoureux désirant un enfant et fonder une famille. Son vœu de paternité ou de maternité sera exaucé. Si vous avez l'âge d'être grand-parent, sans doute serez-vous heureux d'apprendre que vous aurez un descendant.

SANTÉ Autant de planètes en Gémeaux est annonciateur d'états nerveux et parfois d'insomnie. Il vaudrait mieux limiter la quantité de café ou de thé que vous buvez, principalement le soir. Vous n'éliminez pas ces excitants aussi facilement qu'à l'accoutumée.

TRAVAIL-ARGENT Au travail, vous vous débrouillez bien et de mieux en mieux. La majorité d'entre vous sont en pleine remontée économique personnelle. Si vous êtes à contrat, encore ce mois-ci vous en obtiendrez qui seront rémunérateurs et en laissent présager bien d'autres. Si vous faites partie des voyageurs, des représentants, vos déplacements seront plus nombreux. À chacun de vos retours, vous serez heureux d'avoir conclu de bonnes affaires. Certains d'entre vous se querellent au sujet d'un héritage, d'autres héritent tout simplement et sans complication. Une grosse somme peut être en jeu, mais quel qu'en soit le montant, il sera apprécié, bien dépensé ou servira à rembourser une dette. Si vous êtes à la recherche d'un emploi, par exemple, dans le domaine de la restauration, vous n'aurez aucun mal à trouver. Si vous cherchez dans les communications, une ouverture se présentera. Au départ, elle ne vous paraîtra pas tout à fait conforme à vos compétences, mais acceptez l'offre ! Quelques semaines plus tard, vous occuperez le poste recherché au moment de votre demande.

CROYANCES Vous ne croyez pas au père Noël ! Étrangement pourtant, vous croyez en la magie ! Intérieurement, vous savez que si vous projetez un événement, votre désir est si puissant que le vœu se réalise. Lorsque aucun doute ne subsiste en votre esprit, vous obtenez totalement ou du moins en grande partie ce que vous demandez. Vous réussissez à obtenir ce que vous voulez parce que vous avez foi en un Univers généreux. Il n'a jamais fait la sourde oreille à vos suppliques. C'est à partir du 22 que vous recevez les meilleures réponses !

QUI SERA LÀ ? Un Gémeaux vous encourage à poursuivre ce que vous avez entrepris. Vous êtes en compétition avec un Lion du même sexe que le vôtre. Un Sagittaire vous fait rire alors que lui-même traverse des moments difficiles. Un Cancer choyé par la vie ose se plaindre auprès de vous, et vous lui rappelez la signification du mot « reconnaissance » pour bienfaits reçus et faveurs accordées.

JUIN 2002

AMOUR-AMITIÉ Jusqu'au milieu du mois, vous passerez des moments agréables en compagnie de vos amis, particulièrement ceux que vous ne voyez que rarement mais avec qui le fil de la communication ne s'est jamais rompu. Si votre relation est solide avec votre partenaire, et que vous n'avez pas encore d'enfant, il sera question d'un premier bébé. Un bon nombre d'entre vous songeront même au deuxième. Si vous êtes célibataire et seul depuis longtemps, le hasard vous est sentimentalement favorable. Une attirance réciproque aura tôt fait de changer le cours de votre destin. Ce sera le début d'une relation qui, cette fois, pourrait durer indéfiniment. À partir du 15, Vénus entre en Lion et fera tour à tour une opposition à Uranus et à Neptune. Ces trois planètes, alors en aspects difficiles à votre signe, laissent présager une grosse querelle dans votre couple, surtout si des tensions existent déjà. Si vous êtes sur le point de vous quitter, parfois depuis des mois et des mois, que vous remettez la décision pour diverses raisons et divers prétextes, ça ne tient plus. Certains couples seront chamboulés par le coup de tête de l'un des partenaires, sous l'influence de Vénus en Lion. Si vous êtes de la catégorie des décideurs ultrarapides, entre le 15 juin et le 13 juillet, méfiez-vous de vous et d'une rencontre avec une personne « sexy ». Elle pourrait vous faire douter de votre présente relation amoureuse. On peut être follement amoureux de l'autre, et soudain, avoir des doutes. Cela fait partie de la vie à deux. Demandez-vous lesquels de vos amis forment un couple parfait. Il serait surprenant que en vous trouviez.

FAMILLE Vous êtes un signe d'eau et généralement très attaché à vos enfants. L'exception confirme la règle. Vous êtes aussi un signe fixe et bien rares sont ceux qui échappent au désir de contrôler leurs enfants. Cela n'est pas fait d'une manière réfléchie ou volontaire. Vous ne les attachez pas, vous ne les torturez pas, mais vous leur faites des suggestions sur leur choix de vie qui ressemblent à des ordres. Vous tombez aussi facilement dans le chantage émotionnel, pour qu'on se conforme à vos désirs. Vous vous reconnaissez dans ce parent si protecteur qui interdit à ses enfants de prendre des initiatives ? Eh bien, sous l'influence de Vénus en Lion à partir du 15, vous réfléchirez à ces détours que vous prenez et aux mots parfois menaçants qui empêchent vos grands de se réaliser selon leurs aspirations. Il est tout naturel pour un parent de désirer que ses enfants aient plus que lui n'a jamais eu. Cependant, certains coups de pouce ne doivent pas être donnés. Votre grand sait déjà ce qu'il veut et où il veut aller. Si vos enfants sont très jeunes, par exemple qu'ils n'ont pas encore l'âge scolaire, sous Vénus en Lion, vous devrez redoubler votre surveillance dans les endroits publics. Ne les laissez pas jouer à des jeux dangereux. Des grands-parents Scorpion aideront financièrement leurs enfants et, par ricochet, leurs petits-enfants.

SANTÉ Si vous avez des problèmes de circulation sanguine ou des engourdissements, voyez un médecin sans tarder. Vous savez fort bien que quelque chose ne va pas en vous, pourquoi attendre ? Faites de la prévention. Passez un examen médical complet, surtout si vous n'en avez pas fait depuis longtemps. Mars, la planète qui vous régit, est en Cancer, Jupiter s'en tient tout près, surtout à la fin du mois. Tout cela concerne votre alimentation. Mangez-vous trop ou pas assez ?

TRAVAIL-ARGENT Depuis le début de l'année, une nette amélioration se signale du côté professionnel. Alors qu'en début de 2001, vous vous demandiez si vous alliez ou non garder votre emploi, cette fois vous dites : quand cessera-t-on de me donner autant de travail ? Vous ne vous plaignez pas de faire plus d'argent. Pourtant, vous voudriez un compte en banque bien garni mais en travaillant peu ! Ne voulez-vous pas l'impossible et n'est-ce pas vous lamenter inutilement ? Ne brouillez donc pas ce courant positif qui traverse votre champ de compétences. Soyez heureux qu'on ait autant besoin de vous. Au milieu du mois, vous ferez de grosses dépenses pour votre maison. N'achetez pas vos matériaux auprès du premier marchand venu. Magasinez davantage. Vous découvrirez rapidement que les prix des matériaux, de l'outillage, du service, ont été gonflés. Avec le Nœud nord en Gémeaux et Saturne dans ce signe, si vous faites un métier de création, vous êtes vif et vous avez des idées géniales.

CROYANCES La raison et l'intuition sont extrêmement liées chez vous. Vous avez le sens de l'observation et des perceptions extrasensorielles. Tout cela fait partie de votre vie quotidienne. Aussi, vous savez très bien ce que vous voulez et ne voulez pas. Vous demanderez à un ami ou un parent de vous donner son opinion sur une décision d'ordre personnel ou professionnel. Vous avez déjà votre propre réponse mais si vous écoutez ce que disent les uns et les autres, vous ouvrirez la porte aux doutes. Dès l'instant où ce doute s'installe, il vous envahit au point de vous mener à l'angoisse. Cessez immédiatement de croire qu'un autre sait mieux que vous ce dont vous avez besoin et ce qu'il faut faire.

QUI SERA LÀ ? Un Cancer vous approuve. Un Lion du sexe opposé vous envie ou vous fait une suggestion qu'il ne faut pas retenir, surtout du côté des affaires. Si un Gémeaux vous critique alors qu'il fait bien peu de sa propre vie, faites-vous le cadeau de lui donner son congé pour une durée illimitée. Un Sagittaire vous promet beaucoup, mais ne croyez pas qu'il tiendra toutes ses promesses. Une Balance que vous avez déjà aidée vous fait un autre emprunt. Lui direz-vous non, cette fois ? Un Taureau du même sexe que le vôtre tente d'abuser de vos bontés. En fait, il veut ce que vous ne voulez ou ne pouvez lui donner : affection, argent, protection, etc.

JUILLET 2002

AMOUR-AMITIÉ Comme on l'a vu au mois précédent, Vénus est en Lion jusqu'au 13. Cette planète fait un aspect de plus en plus difficile à Uranus et vous met en garde contre une attirance qui ne serait qu'un coup de tête et un feu de paille. Un célibataire en mal d'amour pourrait mal choisir son partenaire durant ces 13 premiers jours de juillet. Du 14 à la fin du mois d'août, voilà que Mars, la planète qui régit votre signe, est en Lion. Si vous étiez tenté par un amour d'un jour, d'une nuit, protégez-vous. Vous n'êtes pas à l'abri des MTS. Pire, si vous rencontrez quelqu'un infecté, notamment du sida, vous pourriez être infecté ! Une personne contaminée ne sait pas toujours qu'elle l'est. Il est vraiment plus prudent pour vous de vous abstenir d'une relation sans protection. Comme dans n'importe quoi, il vous arrive d'avoir des passions aveugles, et vous traversez une de ces périodes. Vous changerez lentement de cercle d'amis. La transition se fera lentement. À la fin du mois, vous vous apercevrez que vous discutez beaucoup avec de nouvelles connaissances, et que vous n'avez eu que très peu ou même pas du tout de contact avec vos anciens amis.

FAMILLE À partir du 15, vous êtes sous l'influence de Mars en Lion dans le dixième signe du vôtre, et juste en face de Neptune, la planète mystère. L'un de vos enfants s'éloignera. Pour certains, ce sera la conséquence d'une mésentente qui dure depuis longtemps. Chez d'autres, l'enfant adulte, ou qui l'est presque, a décidé de voler de ses propres ailes et de prendre ses décisions concernant sa vie. Il agit en être libre. Si vous avez un parent âgé et malade – père, mère sont les plus représentés –, il est possible que vous vous retrouviez aux urgences ou plus souvent à l'hôpital pour lui rendre visite. Ce n'est jamais facile de voir un membre de sa famille décliner et c'est souvent l'occasion de s'interroger sur l'existence. Qu'est-ce que ceux qui partent trouvent dans l'au-delà ? À partir du 22, ce sont vos pré-adolescents que vous devrez mieux surveiller dans leurs fréquentations. Si vous êtes de ces gens complètement seuls, sans famille aucune, le hasard pourrait vous mettre en contact avec des personnes qui remplaceront, en quelque sorte, les parents manquants.

SANTÉ Si vous êtes saisi de fatigues soudaines, que vos états de faiblesse augmentent au fil des jours, si votre thyroïde vous joue des tours, si malgré toutes vos vitamines, vous n'avez pas remonté la pente, passez un examen médical complet avec prises de sang afin de déceler ce qui ne va pas en vous.

TRAVAIL-ARGENT Dans le secteur professionnel, vous êtes inquiet. Surtout si vous œuvrez dans le domaine des communications, vous pressentez les changements. En réalité, vous êtes à un point tournant de carrière. Si vous travaillez pour une grande entreprise, votre patron a d'autres plans en réserve pour vous. Il a découvert que vous pouviez relever de grands défis. Sans doute qu'à la toute fin du mois, vous apprendrez que vous occuperez un autre poste désormais. Pour l'argent en lui-même, éloignez les emprunteurs. Des gens de votre entourage sont très doués pour jouer avec vos sentiments. Ils ne lâchent qu'au moment où vous leur donnez ce qu'ils désirent. En général, ces manipulateurs réussissent à vous rendre généreux malgré vous ! Ils vous arrachent subtilement ce que vous possédez. Vous ne pouvez leur faire aucun reproche quand ils réapparaissent, car ils vous étourdissent à nouveau avec leurs récents problèmes. Si vous montez un projet ou une affaire en vue de devenir travailleur autonome, vous aurez une montagne de paperasses de toutes sortes à remplir. Si vous choisissez un nouveau comptable, prenez des renseignements sur cette personne. Dans le ciel, une embauche hâtive est une menace pour vos intérêts.

CROYANCES Vous tentez de cacher votre émotivité sous des airs d'être hyperlogique. Cela ne va pas dans votre intérêt. Vous êtes transparent. Votre camouflage n'est pas réussi. Et puis, quel que soit votre âge, quelqu'un vous traitera en enfant parce qu'il aura perçu votre vulnérabilité. Si vous entrez dans son jeu, vous vous retrouverez à sa merci. Si la normalité en ce début de XXIe siècle, c'est d'être d'abord et avant tout rationnel, cela ne signifie pas que cette société soit équilibrée. La raison est « in ». L'émotivité est « out ». Par contre, en tant qu'êtres humains, nous avons en nous des parcelles de mystères qui font de nous quelqu'un d'unique. Pour votre propre protection en tant que Scorpion, soyez ce que vous êtes et exprimez votre sensibilité, votre raison, votre intuition et votre perception extrasensorielle. Grâce à tout cela, vous êtes capable de vous défaire ou d'éloigner les envahisseurs et les parasites. Ce mois-ci, n'allez jamais croire celui ou celle qui vous dit que vous « n'êtes pas capable ».

QUI SERA LÀ ? Une Vierge vous aide à voir clair dans vos affaires ou votre vie sentimentale. Elle vous empêche de commettre une bêtise en vous ralentissant dans vos élans. Un Verseau vous est aussi utile, tant sur le plan professionnel que personnel. Vous aurez une belle relation amicale et un échange d'idées avec cette personne. Un Cancer fait des caprices ; il suffit de le lui dire pour qu'il s'arrête immédiatement.

AOÛT 2002

AMOUR-AMITIÉ Vos amis font presque partie de votre famille ou remplacent des parents avec lesquels vous n'avez que peu ou pas d'affinités. Cependant, notez bien que les liens qui vous relient à votre vraie famille ne se défont pas. Parents, frères, sœurs, cousins, cousines, etc., tout ce monde vous a vu naître et grandir. Il fait partie de votre enfance, il est votre premier souvenir. Les membres de votre famille sont vos racines. Jamais vos amis ne l'ont été et ils ne le seront jamais. Les amis sont comme de belles plantes qui viendraient se greffer aux racines des origines. Certaines greffes sont durables, d'autres ne prennent pas. Au cours de ce mois, Jupiter en Lion et Mars dans ce signe sont deux planètes qui exercent une énorme influence sur vous. Elles représentent des amis perdus. Ceux qui ne l'ont jamais été sortiront de votre vie. Vous serez plongé dans de nombreuses réflexions pour démêler les vrais souvenirs de ceux imaginés. Un parent que vous n'avez plus fréquenté depuis des décennies pourrait vous raconter un secret de famille. Au premier abord, cela vous fera sursauter, pourtant il vous permettra de comprendre certains de vos comportements, inexplicables autrement. Jupiter entre en Lion. Il représente les enfants. Il représente aussi le parent qui fait de son enfant un roi, lui demande de l'être, alors que cet enfant n'a aucune idée de grandeur. Il ne recherche que votre amour et votre affection. Jupiter en Lion exercera des pressions sur vous. Vous croirez que vous devez être parfait pour vos enfants... Jamais un parent ne réussit à cacher ses défauts à ses enfants. Si ceux-ci ne peuvent le dire par des mots, ils le manifesteront autrement. Ces défauts que vous pensiez imperceptibles ou impossibles à deviner sont, en général, perçus par vos enfants. Si vous êtes amoureux et sans enfant, vous ne résisterez pas à l'appel de la maternité ou de la paternité. Certains Scorpion ont cru ne jamais être parents, ou pensent ne plus avoir l'âge. Leur médecin leur a peut-être dit qu'ils n'étaient pas fertiles, même parfois, sans avoir passé tous les tests préalables. Surprise, la cigogne passe et distribue des enfants à un grand nombre de ces Scorpion qui soupçonnaient leur cadran biologique responsable de leur infertilité.

FAMILLE La famille est en expansion ! Si vous faites partie de la génération « grands-parents », il est possible que vous soyez surpris par une seconde grossesse rapprochée d'une de vos filles ou belle-fille. Certains Scorpion choisiront d'adopter un enfant et, le plus étrange, cette décision sera prise surtout par ceux qui ont déjà un ou deux enfants. Alors que ces derniers s'attendent à des démarches longues et coûteuses, le ciel fait en sorte que cet enfant qui a besoin de vous se retrouve rapidement dans vos bras ! Mars en Lion correspond à vos enfants qui entrent dans leur majorité, qui terminent, selon la loi, leur adolescence ! N'allez surtout pas croire qu'ils n'ont plus besoin de vous. Au contraire, ils seront maintenant placés devant des choix de vie et rien de pire que de ne pas savoir ce qu'il y a de mieux pour soi. Vous avez vécu ces sensations et ces malaises émotionnels qui viennent avec les incertitudes face à l'avenir. Chers parents de grands enfants, vous entrez dans une période où votre rôle de guide est primordial. Sans doute serez-vous souvent déchirés entre votre devoir familial et votre carrière ? Celle-ci vous tient par les tripes et vous permet de gagner votre vie ou du moins de payer vos factures. Le temps accordé à votre progéniture n'est pas un sacrifice – malheureusement, c'est trop souvent ainsi qu'on le considère. Ce temps alloué avec un sourire et beaucoup d'amour n'est-il pas un gage de bonheur et d'équilibre pour vos grands ?

SANTÉ Quelques planètes indiquent aux femmes que des dérèglements hormonaux peuvent survenir sans crier gare. On peut avoir 20, 30, 40, 50 et même 60 ans, et les subir. Nous sommes presque tous quotidiennement en état de stress. Les raisons varient pour les uns et les autres. Ces tensions, malheureusement, touchent directement et brusquement les femmes, et leur système de reproduction ! Pour les hommes, c'est la « pompe du cœur » qui doit être vérifiée à la moindre anomalie. La majorité des Scorpion adopteront un régime alimentaire sain afin de conserver leur énergie ou simplement pour rester en bonne santé.

TRAVAIL-ARGENT Les dépenses se poursuivent. Le Scorpion propriétaire fait des rénovations importantes dans sa propriété. Si vous ne possédez ni appartement, ni condo, ni maison, vous vous renseignerez sur votre capacité financière pour faire l'acquisition d'un toit vous appartenant. Si vous n'êtes pas fortuné et si, jusqu'à présent, vous avez cru ce projet impossible, vous serez surpris des réponses lors d'un emprunt. Avec peu, vous pouvez posséder votre première maison. Pour ces derniers, le mois de septembre sera déterminant. Ils auront les fonds nécessaires pour combler leur désir. Sur le plan de votre vie professionnelle, vous êtes dans une voie d'ascension, sans promesse de facilité toutefois. Vos efforts garantissent votre succès. Nombreux sont ceux qui retourneront aux études. Il s'agit d'une décision spontanée, il y a urgence de se perfectionner pour obtenir une promotion le plus rapidement possible. Pour quelques-uns, il y a indice d'héritage, ce qui sous-entend un décès. Au départ, ce sera la chamaille. C'est en septembre que se fera officiellement la distribution des biens. Un ou des membres de votre famille ont essayé de vous faire croire que le testament était confus. Le notaire annonce, au contraire, que tout est clair !

CROYANCES Si vous avez cru qu'il fallait dire oui-oui-oui pour vous faire aimer, vous vous rendez compte que ces concessions et ces accords conclus dans le passé n'ont aucun lien avec l'amour donné et reçu. Votre constant et triple oui est un refus de combattre. Cependant, il a pu dégénérer. Les gens qui ont bénéficié de votre générosité en sont au point où ils se croient capables de vous manipuler. Si vous ne vous êtes éveillé que lentement à votre réalité du « consentement en tout temps », c'est maintenant évident. La prochaine demande, qui une fois de plus dépassera ce que vous avez envie de donner, vous direz non. Et un seul !

QUI SERA LÀ ? Un ami Poissons vous conseille tant et si bien ! En fait, il est insistant. Mais vous laissez tomber au moins la moitié de ce qu'il appelle ses « suggestions ». Un Bélier est très présent, il est là de cœur et d'esprit. Vous vous connecterez bien à lui et il n'est pas impossible qu'un lien sentimental se développe entre vous. Un Taureau vous propose une affaire intéressante. Écoutez jusqu'au bout. Un Taureau qui peut entrer en compétition avec vous, fuyez-le, il est dangereux. Une Vierge peut vous ouvrir des portes importantes dans le secteur professionnel.

SEPTEMBRE 2002

AMOUR-AMITIÉ Voici un mois plus calme que le précédent. Vous êtes plus souple ou considérablement moins rigide, moins strict avec vous. Vous avez traversé l'étape de la sélection de vos amis. Vous savez qui restera et à qui vous fermerez la porte. Si vous occupez un nouvel emploi, vous développerez un lien avec un collègue avec qui cela a cliqué, bien au-delà du travail. Vous savez d'instinct qu'entre vous, il n'y aura jamais de compétition. Vous vous imaginez ensemble, dans 40 ans, une fois la période de travail terminée. Vous partagerez encore des instants magiques. Sur le plan sentimental, si vous avez fait une rencontre et qu'un déménagement est prévu avec l'autre, vous hésiterez. Surtout si vous êtes seul depuis bien des années. Ce temps de réflexion sera mal interprété. L'autre croira que vous le rejetez. Jupiter en Lion, qui fait face à Uranus mais plus directement à Neptune, vous suggère d'attendre encore, même si votre partenaire insiste. Vous lier avec la promesse que ce sera pour toujours... sous ce ciel, permettez-moi d'en douter ! Le Scorpion n'est pas un signe hésitant. Lorsqu'il ressent un doute intérieur, il s'agit généralement d'un sérieux avis. Il y a danger. Même si vous êtes attaché à votre partenaire et n'avez nullement l'intention de rompre, vous savez, par expérience parfois, que le fait de partager le même toit modifie les rapports. Si vous vivez avec votre amoureux et que tout va bien ou presque, en ce mois de septembre qui correspond au travail, au sens du devoir, au retour à l'école, vous discutez de votre prochaine destination de vacances hivernales.

FAMILLE Jusqu'à la fin d'août 2003, Jupiter est en Lion dans le dixième signe du vôtre. Ainsi positionné, Jupiter a deux symboles majeurs. Le premier est l'objectif de carrière et votre désir d'accéder au sommet de la hiérarchie de l'entreprise. L'autre concerne votre famille dans son ensemble, votre vie de couple et vos enfants lorsque vous êtes parent. En ce mois, ne laissez pas un ami décider de vos choix. Il ne peut être à votre place en affaires ni comprendre parfaitement ce que vous vivez sur le plan familial. Cet ami n'était pas là à votre naissance. Peut-être n'y était-il pas la première fois où vous êtes tombé amoureux. Était-il à votre mariage ? À la naissance de votre premier enfant ? Votre ami ne vous connaît qu'à partir du moment où il vous a rencontré. Par tous ces exemples, vous comprenez sans doute qu'il lui est impossible de décider à votre place. Vous expliquerez à l'un de vos amis que s'il veut le rester et vous rendre service, il doit se taire même quand vous lui demandez son avis. Vous traverserez une année charnière vous et votre famille. Votre relation avec vos enfants, quel que soit leur âge, évoluera. En parallèle, vous modifierez votre objectif professionnel ou votre manière de travailler. Il est aussi possible que vous réalisiez un vieux rêve mis de côté parce que votre cœur vous disait les enfants d'abord ! Si vous faites partie des femmes qui attendront un enfant d'ici août 2003, sans doute aurez-vous besoin de repos, plus que vous ne le croyez. Quant aux hommes, certains se sentiront confus dans leur rôle paternel sous Jupiter en Lion et parfois inutiles, notamment dans l'éducation de leurs enfants. Le rôle du père est aussi important que celui de la mère. Que vous soyez père ou mère, vous vous demanderez si vous êtes à la bonne place. Qu'on soit homme ou femme, on vit toujours des semaines et le plus souvent des mois de questionnements sur ses compétences parentales. Le Scorpion en est là ! Vous surmonterez ce défi. Sans doute se produira-t-il plusieurs événements qui ne seront pas tous agréables, vous devrez intervenir auprès de vos enfants, vos jeunes adultes qui ont encore besoin d'un guide.

SANTÉ Votre stress se transforme en maux de ventre. Votre digestion est lente et sans doute votre système produit-il plus d'acidité qu'à l'accoutumée. Si vous êtes sujet aux migraines, souhaitons qu'un médicament vienne stopper cette douleur incontrôlable et qui dure parfois plusieurs jours. Et, à la fin du mois, méfiez-vous des courants d'air.

TRAVAIL-ARGENT Tel que mentionné au paragraphe FAMILLE, vous êtes sur une voie de changement. Vous retrouverez en majeure partie ce que vous avez perdu, ce qu'on vous a pris. Par exemple, si quelqu'un a nui à votre progression, non seulement lui sera-t-il impossible de vous faire du tort, mais cette personne pourrait même vous présenter des excuses. Le pire étant qu'elle soit à son tour dépendante de vos décisions. Vous ne la torturerez pas, vous n'aurez rien à ajouter à son énorme malaise. Un prêt que vous avez accordé dans le passé et qui ne vous a pas été remboursé le sera. Vous ne l'attendiez plus de tout ! Si vous cherchez un emploi, à partir du 8, avec l'entrée de Vénus en Scorpion, vous en obtiendrez un qui correspond à vos compétences. Vous aurez aussi un salaire que bien d'autres gens vous envient. Si vous êtes à contrat, vous en signerez un à long terme, et plus avantageux que vous ne l'imaginez. Entre 14 et le 21, vous découvrirez qu'un collègue ou un collaborateur a « presque tout fait » pour vous faire perdre votre poste. Certains d'entre vous intenteront une poursuite contre ce malhonnête, mais tout tend à un règlement hors cour.

CROYANCES Lorsque vous êtes méfiant envers une personne, ne chassez pas cette première impression. Restez sur vos gardes jusqu'au moment où vous l'aurez définitivement éloignée. Il ne s'agit pas de paranoïa dans votre cas, mais plutôt d'un fait que vous ne pouvez prouver. Si vous pensez que votre raison se trompe, ou si un psy quelconque vous suggère de supprimer ce doute de votre psychisme avant d'en être malheureux, n'en tenez pas compte. N'accordez aucune place à cette personne. Vous possédez un instinct de survie extraordinaire. Vous avez la capacité de discerner le véritable danger du danger imaginaire. Pénétrez en vous et vous saurez comment éloigner définitivement ce parasite, et cela, sans être méchant une seule minute.

QUI SERA LÀ ? Vous aurez une superbe entente avec un autre Scorpion sur le plan des affaires. Si vous êtes amoureux d'une Vierge, ne vous disputez pas. Une petite critique peut déclencher une crise de couple. Tout est simple entre vous ? Vous avez l'habitude de discuter quand un problème survient ? C'est ainsi qu'il faut continuer. Une Balance peut vous envier et être à l'origine de cette querelle entre votre partenaire et vous. Vous apportez votre aide à un ami Sagittaire qui vit une période de déclin physique.

OCTOBRE 2002

AMOUR-AMITIÉ Vénus est dans votre signe. En tant que célibataire, vous rencontrerez plus souvent des personnes qui vous plaisent. Cependant, vous trouverez mille et une raisons pour ne pas arrêter votre choix. Jupiter en Lion fait un aspect dur à Vénus. Vous avez tellement peur de vous tromper que vous préférez ne pas trop vous approcher du bonheur. Croyez-vous que ce soit la bonne recette pour sauvegarder votre tranquillité ? Avez-vous décidé que rêver de l'amour nourrissait suffisamment votre âme ? N'êtes-vous pas en train de vous mentir ? En tant que signe d'eau sans affection, vous vivez lentement une évaporation. C'est un peu comme si vous disparaissiez à vos propres yeux. Vous avez besoin d'aimer et d'être aimé. Prenez un risque. Ne vaut-il pas mieux avoir une histoire à raconter que de n'avoir rien à écrire dans ses mémoires ? Si vous avez une relation qui dure depuis de nombreuses années et que vous la sentez s'effilocher, n'attendez plus, proposez des activités inhabituelles à votre partenaire. Ne laissez pas mourir votre couple que vous avez mis tant de temps à bâtir. Dans votre entourage, existent des amis que vous ne voyez pas assez souvent. Vous leur manquez. Cessez de trouver des excuses et acceptez leurs invitations. Moralement, ce mois sera difficile à traverser, si vous ne réagissez pas. Il faut sortir, voir du monde. En réinventant vos loisirs, vous élargirez votre cercle d'amis et serez stimulé par vos nouvelles connaissances.

FAMILLE Si vos enfants grandissent, en bon Scorpion, c'est avec un œil inquiet que vous les voyez s'envoler hors du nid familial. Vous auriez voulu les protéger encore et encore, mais ils ont vieilli. Ils font des choix qui ne sont pas les vôtres. Mars en Vierge, qui passera en Balance au milieu du mois, vous aide à modérer votre peur de parent ultraprotecteur. Il est possible qu'un membre de votre famille, ni jeune ni vieux, tombe malade à votre grande surprise. Jamais on n'aurait cru que ce parent pouvait s'effondrer. Non seulement serez-vous attristé par l'événement, mais il vous fera aussi réfléchir sur votre propre vie. Vous penserez à vous, qui n'êtes pas tellement plus âgé (ou plus jeune) que ce parent. La famille est un cercle privilégié, quand on s'entend bien avec les uns et les autres. Si vous avez une relation harmonieuse avec père, mère, frères et sœurs, vous apprécierez comme jamais votre chance. Sans doute vous rapprocherez-vous davantage d'eux. Un secret de famille sera dévoilé. Vous n'en serez pas étonné parce que vous en aviez rêvé. Vous vous étiez dit que si ce rêve était prémonitoire, un jour ou l'autre sa signification vous serait révélée. Tout au long de ce mois, vous rêverez souvent de ce qui se passe dans la famille et qu'on ne vous dit pas. Votre détecteur vous permettra d'entrevoir votre avenir ou celui de quelques parents auxquels vous êtes très attaché.

SANTÉ Votre vitalité est directement liée à vos états émotionnels. Vous êtes vulnérable malgré la force qu'on vous prête. Vous cachez vos faiblesses. La majorité des Scorpion a l'habitude de se retirer quand elle souffre, elle s'isole, car tel l'animal blessé, c'est ainsi qu'elle se fabrique une nouvelle énergie. Jupiter en Lion et Vénus en Scorpion vous invitent à mieux vous nourrir et à ménager votre foie. Mais peut-être votre médecin vous a-t-il déjà dit de bannir les aliments gras ?

TRAVAIL-ARGENT Vous vivez à un autre rythme, sous Jupiter en Lion. Certains jours,vous travaillerez sans relâche, passionnément et, soudain vous vous arrêterez tel un écrivain devant sa page blanche. Si vous œuvrez dans la vente, vous verrez vos clients les uns après les autres pendant trois jours de suite et vous vendrez au maximum. Puis, comme si vous aviez épuisé toutes vos ressources, il vous faudra deux jours pour vous en remettre. Si votre patron vous connaît, il ne sera pas dérangé par votre rythme irrégulier. Probablement qu'il n'en est pas à sa première expérience du genre avec vous. Si toutefois vous avez un emploi qui vous demande de produire à un rythme régulier sur une base quotidienne, vous y arriverez, mais non sans mal. Attention, ce mois-ci, modérez vos dépenses ! Évitez d'acheter des babioles plaisantes à l'œil mais qui, après quelques semaines ou mois, se révèlent totalement inutiles. Si vous faites des achats de meubles, par exemple, magasinez ! Il est possible que, las de ne pas trouver exactement ce que vous désirez, vous achetiez un mobilier ne correspondant pas vraiment à vos goûts. Demandez à un ami économe de vous accompagner. Il vous empêchera d'augmenter le solde de votre carte de crédit ! Certains d'entre vous ont mis leur maison à vendre. Ces derniers ont cru qu'ils attendraient longtemps avant que l'acheteur sérieux se présente. Surprise ! La vente sera rapide et le prix supérieur à vos espérances. C'est à toute vitesse qu'un déménagement s'organisera.

CROYANCES Même si certains d'entre vous se disent purement logiques et ne croient ni en leurs rêves, ni à la numérologie, ni à l'astrologie, et surtout pas aux clairvoyants, eh bien ! ils auront la surprise de découvrir qu'ils possèdent et ont toujours possédé une intuition fine. Un des jours de ce mois, un Scorpion qui ne croit qu'à la raison aura l'idée de se rendre à un endroit particulier mais sans savoir au juste pourquoi il décidera de ne pas y aller. Plus tard, il apprendra qu'un grave accident s'est produit sur la route qu'il devait prendre. Il se posera une multitude de questions. Qui donc l'a protégé, est-ce Dieu ? A-t-il eu une intuition ? Était-ce vraiment un hasard, une coïncidence ? C'est souvent dans de telles circonstances que le Scorpion découvre qu'il y a la logique mais aussi autre chose qu'il lui reste à définir.

QUI SERA LÀ ? Une Balance est source d'inspiration. Une autre vous lance un défi. Et une troisième entre en compétition avec vous. Un Lion vous rend un grand service. Un autre est malade et réclame votre présence. Un Bélier vous donne de sages conseils. Un Taureau intervient de façon positive dans vos affaires.

NOVEMBRE 2002

AMOUR-AMITIÉ Si votre date d'anniversaire tombe après le 23 octobre, vos amis vous fêtent et sans doute pendant plusieurs jours. Ce que vous avez donné vous sera rendu de diverses manières. Jupiter en Lion vous met en évidence parmi les vôtres. Vous occupez une grande place dans le cœur de votre entourage. Votre amoureux bénira ce jour où il vous a rencontré ; il voudra marquer cet anniversaire de manière à en faire un souvenir indélébile. Tous ces gens que vous connaissez depuis longtemps, que vous ne voyez que rarement mais qui jamais ne perdent votre trace, et pour qui vous êtes toujours disponible, seront aussi présents. Vous aurez la surprise de les entendre vous souhaiter bon anniversaire sur votre répondeur. Vous recevrez des cartes par la poste ou par courrier électronique en quantité astronomique. Si vous aviez le moral à plat un peu avant votre anniversaire, il remonte grâce à tous ces vœux qui sont autant de marques d'estime et d'attachement. En tant que célibataire, un flirt prendra rapidement une allure de romance. On sera attentif à vos besoins, à ce que vous ressentez, on respectera ce que vous faites tout autant que ce que vous êtes. De nombreux Scorpion trouvent l'amour, alors qu'ils pensaient n'avoir plus qu'à le rêver ! En ce mois, le Scorpion veut prendre le risque d'être heureux !

FAMILLE Si vous avez un bébé, bien jeune ou d'âge préscolaire, il est normal que votre vie ne soit plus la même. Sa venue a tout changé, et surtout vous. Vos valeurs se sont déplacées. Vous ne voyez plus votre qualité de vie de la même manière. Désormais, vous la partagerez, et d'instinct, vous savez que faire le bonheur de votre enfant c'est faire le vôtre. Mais peut-être votre couple en est-il encore à réfléchir sur la pertinence de fonder un foyer. Vous aurez votre réponse ce mois-ci.Vous êtes prêt pour la maternité ou la paternité. Si vous êtes grand-parent, vous donnerez un coup de main à l'un de vos enfants qui traverse une période difficile. Vos petits-enfants ont plus souvent besoin de vous. Vous serez heureux et fier d'être là pour eux. Vous apprendrez qu'un de vos enfants vous fera grand-mère ou un grand-père. Vous êtes sous l'influence de Mars en Balance ce mois-ci. Les tensions existantes dans votre famille s'estompent et ne seront dès la fin du mois qu'un mauvais souvenir. S'il y avait une querelle au sujet d'un héritage, le pire survient entre le 10 et le 16. Par la suite, tout s'éclairera. Le partage se fera équitablement, tel que cela aurait dû être dès le départ.

SANTÉ Mars en Balance a pour effet de vous ralentir. Vous prendrez du temps pour vous. Vous vous offrirez des instants de bien-être. Vous choisirez les gens que vous voulez voir autour de vous. Vous refuserez des invitations à des fêtes où vous savez n'y rencontrer que des gens que vous n'aimez pas particulièrement. Vous éliminerez des stress inutiles. Automatiquement, vous irez mieux, car vous n'éparpillerez pas votre énergie. Elle sera concentrée sur ce qu'il vous plaît.

TRAVAIL-ARGENT Le travail ne manque pas. Si vous avez eu quelques difficultés à vous tailler votre place au soleil, elle semble plus assurée, ou vous vous en approchez. Un projet sur lequel vous avez travaillé comme un forcené prend forme. Il reste beaucoup à faire, mais vous êtes stimulé par votre création. Si vous avez eu quelques problèmes financiers, parce que vous êtes à contrat et avez été placé sur la liste d'attente, à la fin du mois vous aurez une excellente nouvelle. Enfin, vous signerez une entente à long terme qui, naturellement, vous sécurisera. Si vous faites partie de ceux qui voyagent pour représenter leur entreprise, à partir du 20, vous serez celui qu'on délègue le plus souvent. Vous ferez alors des négociations extraordinaires. Non seulement vos ententes gonflent les caisses de l'entreprise, mais également votre compte en banque personnel. Si vous avez un travail routinier, à partir du 20, on vous proposera d'occuper un autre poste, plus valorisant et mieux rémunéré. Vous n'hésiterez pas plus de trois minutes avant d'accepter. Si vous devez faire valoir vos droits de travailleur, vous vous défendez comme un maître. En quelques jours, vous obtiendrez ce que vous réclamez. Si on vous doit de l'argent, que vous ayez pris de mesures juridiques pour être remboursé, prêts et intérêts vous seront rendus. Justice sera faite !

CROYANCES Lorsque tout va bien, vous oubliez qu'il faut dire merci au ciel ! Lorsque tout va mal, ne vous mettez-vous pas à prier Dieu et tous les saints ? Que deviennent-ils quand vous n'avez plus besoin d'eux ? Dans le succès, ne dites-vous pas à ceux qui vous écoutent qu'il n'est que le résultat de votre volonté alors que dans la défaite, les coupables sont les autres ? La nature humaine a tendance à se trouver un bouc émissaire. S'il y a des périodes où tout va quasi parfaitement, il y a des moments où tout est pénible. Astrologiquement, on traverse, chacun notre tour, des zones grises, roses, rouges, bleues, de grand succès, de succès mitigé, de grand bonheur, de petit bonheur ou de malheur. C'est pourquoi on dit que la roue tourne. Cette année, sous l'influence de Jupiter en Lion, sur la grande roue astrologique, il s'agit de votre carrière. On parle souvent d'un recommencement ou d'un retour à un domaine professionnel que vous connaissez bien. Ce mois-ci, votre passion est tempérée par Mars en Balance, et votre raison découvre que vous possédez un attribut important : l'intuition.

QUI SERA LÀ ? Étant plus sélectif dans vos fréquentations, bien que vous connaissiez des tas de gens, c'est un ami Sagittaire que vous verrez plus souvent, pour le plaisir de chacun. Un Bélier ou un Taureau joue un rôle important dans le déroulement de vos affaires. Un Cancer, un Verseau ou une Vierge peut tomber amoureux de vous. Pour l'amour réciproque, ce sera avec un Poissons.

DÉCEMBRE 2002

AMOUR-AMITIÉ Durant tout le mois, Vénus fait une conjonction à Mars. Cela augure un retour à l'état de lutte intérieure. Certains d'entre vous ne supportent pas la paix longtemps. Il leur faut quelque chose ou quelqu'un contre qui se mesurer pour se sentir vivants. Si vous êtes émotionnellement fragile, jaloux, possessif, vous croirez que votre amoureux a moins d'affection pour vous ou pire qu'il veut vous quitter. Quant à vos amis qui vous ont manifesté leur reconnaissance, vous les regarderez d'une manière différente. Vous pourriez même les accuser d'opportunisme, de malhonnêteté envers vous. Vous ne supportez pas le moindre refus de leur part. Advenant que cela se produise, vous concluez qu'ils ne sont jamais là quand vous avez besoin d'eux ! Ne détruisez pas ce que vous avez bâti, en amour comme en amitié. Il est vrai que certaines personnes vous réclament de temps à autre un service que vous rendez gentiment. Elles ne renvoient jamais l'ascenseur et en redemandent. Par ailleurs, vous n'avez jamais su vraiment pourquoi vous consentiez à leur donner ce qu'ils réclament. En ce mois, vous serez capable de dire non. Toutefois, cela vous rendra mal à l'aise. Encore une fois, vous n'aurez aucune explication pour vous-même. N'oubliez pas qu'en ce monde les manipulateurs savent prendre. Ils en ont fait un métier ou presque. Ce sont les personnes les plus difficiles à chasser. Elles s'accrochent aux forts, car c'est ainsi qu'elles se renforcent ! Mais le temps est venu de les voir avec lucidité et de cesser de les servir. Ceux d'entre vous qui sont tombés amoureux depuis peu se mettent à douter ou à avoir peur que leur bonheur se transforme en prison. Si c'est votre cas, sans doute est-ce dû à votre passé. Vous avez vécu un grand amour qui devait selon vous durer toujours... puis un jour, vous vous êtes senti coincé et pris au piège. Vous craignez encore d'y remettre le pied. Quant à ceux qui ont été trompés, trahis, la peur de l'engagement les domine. C'est le dernier mois de 2002, et il n'est pas rare qu'en décembre, surtout autour de Noël, on prenne la décision de rompre au moindre signe de malaise intérieur ou d'insécurité sentimentale. Mais ce n'est pas obligatoirement le geste à faire. Vous êtes sous l'influence de Vénus et Mars dans votre signe, ce qui vous rend sujet à un coup de tête, que vous regretterez dans quelques semaines. Pour ces Scorpion qui cultivent leurs angoisses face à leur vie amoureuse, la rupture n'est pas un mal nécessaire, sauf dans des cas d'extrêmes violences verbales ou physiques. On peut discuter de ses peurs avec l'autre, pour ensuite découvrir qu'on est follement aimé ! Rompre sur un coup de tête, ce n'est vraiment pas sage !

FAMILLE Nous sommes dans le mois des réunions familiales, des retrouvailles avec la parenté, celle qu'on revoit régulièrement et celle qu'on ne rencontre que dans les « grandes occasions ». Il faut ici encore tenir compte de Mars : il est dans votre signe et en conjonction à Vénus. Ces planètes, ainsi positionnées, symbolisent un temps difficile pour être calme. Vous dramatisez les situations les plus banales. En ce temps de fêtes, vous voudriez avoir vos grands enfants près de vous, mais s'ils ont leur propre famille, vous ne les verrez pas aussi souvent que vous le voudriez. Ne vous fâchez pas. Ils ont leur vie à vivre. Une partie de celle-ci s'accomplit sans vous, sans vos interventions. Si vous êtes jeune et avez été gâté par votre mère, votre père ou les deux, vous leur reprocherez les cadeaux qu'ils vous ont faits au cours des ans. Ceux qui mènent une vie de couple peuvent vivre une histoire désagréable dans la belle-famille. Au fond de chacun de nous, bien que ce soit profondément enfoui pour certains, nous aspirons à la paix, à un monde parfait. (Si ce n'est pas votre cas, vous avez assurément besoin d'un thérapeute.) Le problème est que quelques-uns veulent tout décider, tout organiser, sans penser à autrui, pas même à ces gens qui furent bons pour eux. Si vous faites partie des tendres Scorpion, de ceux qui aiment sans jamais posséder, les fêtes seront une bénédiction. Si vous avez choisi de partir en voyage au soleil avec votre petite famille et de louanger le ciel à l'étranger, tout sera merveilleux pour vous !

SANTÉ Si vous prenez des vacances, vous aurez du mal à vous détacher de vos préoccupations professionnelles. Si vous ne partez qu'une semaine, vous reviendrez fatigué. Il en faut au moins deux pour que vous récupériez. Votre stress est tenace en ce mois. Si vous pratiquez un sport d'hiver, soyez prudent. Vous avez besoin d'un défoulement, mais ne le faites pas au risque de vous rompre les os !

TRAVAIL-ARGENT Si vous travaillez avec le public, par exemple dans le commerce, celui-ci sera capricieux. Alors que vous n'y pouvez rien, certains se plaindront des prix qu'ils jugent trop élevés. Certains jours, vous aurez envie de tout laisser tomber. Mais cela passera. Jupiter en Lion et les planètes en Scorpion plongent la population dans l'incertitude quant à son avenir économique. Pour cette raison, la clientèle grogne contre les prix dans les grands magasins, auprès d'un vendeur qui n'y peut rien. À partir du 8, malgré la mauvaise humeur des gens que vous côtoyez en affaires, vous ferez d'excellentes transactions. Vous renflouerez votre compte en banque et vous affirmerez votre position dans l'entreprise. Il me faut ici parler de loterie. Vous n'êtes pas en général le signe de la chance au jeu. Mais ce ciel contient quelque chose qui laisse présager un gain, dû au hasard, notamment si vous prenez vos billets avec des membres de votre famille, vos enfants ou une équipe de travail dans laquelle règne l'harmonie, la bonne humeur et l'entente. Un Scorpion pouvant gagner un gros lot à lui seul n'est pas exclu, mais cet aspect est moins puissant.

CROYANCES On ne raisonne pas la sagesse, elle vient d'un Univers qu'on porte en soi, de cette conscience d'être relié les uns aux autres. Vous êtes un signe fixe et souvent un grand individualiste. Vous oubliez que votre succès, s'il est le fruit de vos constants efforts, est également relié aux gens qui, par exemple, achètent ses produits et services. Votre succès dépend de ceux qui travaillent avec vous, quelle que soit leur fonction. Sous l'influence de Mercure en Capricorne à partir du 9, vous réfléchirez sérieusement à cette question. Dès lors, peut-être serez-vous respectueux de celui qui ramasse les déchets et qui, ce faisant, empêche la pourriture et les mauvaises odeurs de s'installer près votre lieu de travail et autour de votre maison.

QUI SERA LÀ ? Un autre Scorpion peut vous éclairer. Si un autre Scorpion a joué avec vos émotions, s'il s'est montré mauvais joueur dans le secteur professionnel, s'il vous a manipulé, en 2003, son nom sera effacé de votre carnet d'adresses personnel. L'amour pour le célibataire se présente sous une influence saturnienne, sous l'aspect d'un Capricorne, parfois d'un Verseau. Vous consolez un Cancer, vous le rassurez sur lui-même. Vous répondez à l'appel au secours d'un Gémeaux. Un Sagittaire qui vous a donné des conseils que vous écoutiez sans les appliquer est averti qu'il n'a plus à en donner, puisque vous ne voulez plus les entendre.

SCORPION ASCENDANT BÉLIER

Jusqu'en août 2002, Jupiter est en Cancer dans le quatrième signe de votre ascendant et le neuvième du Scorpion, puis Jupiter passe en Lion et y restera jusqu'en août 2003. Malgré le déplacement de Jupiter, Jupiter en Lion ne sera pas une fête tous les jours pour la plupart des Scorpion. Vous pouvez espérer une progression, des ajouts intéressants à votre vie ; cependant, ne croyez pas qu'ils se produiront comme vous les imaginez. Tous les ans, chacun de nous subit l'influence de planètes lourdes. Les aspects positifs se matérialisent par un ou des voyages. Ils vous seront soit offerts, soit gagnés dans un concours. Vous aurez les moyens financiers de rénover votre maison ou de décorer votre appartement, de fond en comble. Certains achèterons leur première propriété. Les autres, déjà propriétaires, pourraient vendre leur maison et obtenir le prix demandé.

Si vous êtes amoureux et n'êtes pas encore parent, il sera question de fonder un foyer, d'avoir un bébé. Paternité ou maternité vous lance un irrésistible appel. Si vous êtes de la génération « grand-parent », l'un de vos enfants assurera votre descendance. Ce nouvel être vous apportera une joie indescriptible. S'il s'agit de votre premier petit-enfant, vous ferez de grosses dépenses pour lui. La nouvelle vous parvient sous Jupiter en Cancer. Le nouveau-né aura sans doute un mobilier grand luxe offert par sa grand-mère ou son grand-père. Si vous apprenez la nouvelle sous Jupiter en Lion, ce petit sera habillé de la tête aux pieds et pour plusieurs années à venir, avant même qu'il voie le jour ! Même si vous travaillez au salaire minimum, pas une seconde vous ne vous sentirez privé. Au contraire, plus vous serez généreux, plus la chance se manifestera. Elle ne le fera pas forcément par un gain à la loterie, mais sous d'autres formes. Par exemple, même si vous êtes à l'âge de la retraite ou presque, on vous offrira un poste plus valorisant et mieux rémunéré. Vous direz alors qu'il y a une justice.

En tant que parent, si votre enfant a l'âge d'aller à l'école ou à la maternelle, il aura du mal à quitter la maison, qu'il soit fille ou garçon. Il a conscience qu'il grandit et est responsable de lui. Il faudra lui enseigner qu'il aura du plaisir à apprendre et que vous ne l'abandonnez pas. Si au retour de Saturne, vous êtes âgé entre 27 et 29 ans et demi, vous cherchez un autre sens à votre vie, une autre issue à votre carrière. Vous avez le désir de vous réorienter. Il serait plus sage d'attendre l'été 2002 pour arrêter votre choix, car vous saurez alors ce qu'il faut faire pour vous réaliser. De nombreuses informations reçues feront pencher la balance. Quel que soit votre âge, vous serez plus créatif, plus audacieux et ainsi très bon vendeur de votre œuvre ou de votre talent que vous voudrez exploiter. Le moins bon concerne votre santé. Occupé, vous aurez tendance à vous nourrir avec n'importe quoi et à n'importe quelle heure. Un problème d'anémie peut en découler, heureusement ce sera vite corrigé. Si votre organisme n'a pas ce qu'il réclame, sous ce ciel, un avertissement du type léger trouble cardiaque ne manquera pas de vous inquiéter.

De mars à la fin de mai, redoublez de prudence au volant. Au cours de ces trois mois, si vous décidez d'acheter un véhicule, surtout usagé, avant d'en faire le paiement, une vérification complète s'impose. Si le véhicule qui vous fait tant envie a été accidenté dans le passé, il est suggéré de regarder ailleurs ou vous le faites passer au peigne fin. En juin, la vague dangereuse concernant les véhicules motorisés sera dépassée ! Néanmoins, vous ne devez quand même pas vous abandonner à l'imprudence ! Et si vous êtes un sportif, il me faut ajouter que vous ne devez pas dépasser vos limites durant ces trois mois déjà mentionnés. Ne vous transformez pas en cascadeur. Un pied, un coude ou même un doigt dans le plâtre n'a rien d'agréable ! Tout accident est évitable. Sachez que vous avez moins d'équilibre et dans ce cas, il suffit tout simplement de vous modérer.

SCORPION ASCENDANT TAUREAU

Au cours de 2001, vous vous êtes éloigné de gens qui n'ont jamais voulu ni votre bien ni votre bien-être. En tant que double signe fixe, la coupure est toujours pénible pour vous, car vous croyez que les choses doivent durer indéfiniment. Vous étiez alors sous les influences de Saturne et Jupiter en Gémeaux dans le huitième signe du vôtre. Vous avez appris les secrets des uns et des autres. Vous avez su que des gens en qui vous croyiez pouvoir faire confiance vous avaient trahi.

Vous êtes maintenant sous l'influence de Jupiter en Cancer, troisième signe de votre ascendant et neuvième du Scorpion. L'aspect intellectuel est fortement représenté. C'est le temps propice pour le retour aux études, l'enseignement d'une connaissance hors norme, dans le secteur scolaire ou universitaire. La créativité vous est naturelle ou du moins aspirez-vous à une œuvre originale, à de l'inédit, que pour portez en vous et n'avez pas encore exprimé. Vous traversez un zone céleste où vous serez plus sociable. Vous retrouverez des gens que vous n'avez jamais oubliés. Divers événements et problèmes vous ont parfois empêché de les voir. D'autres ont été carrément mis de côté, car vous saviez très bien que vous pourriez reprendre le contact et que ces gens seraient toujours là pour vous.

Jupiter en Cancer laisse présager un important voyage de travail et au cours duquel vous aurez aussi beaucoup de plaisir. Jupiter en Cancer dans le neuvième signe du vôtre concerne les jeunes Scorpion, amoureux et sans enfant. Votre partenaire et vous serez heureux d'apprendre que vous serez père ou mère. Si vous êtes seul, célibataire, depuis quelques mois ou quelques années, vous ferez une rencontre comme vous n'en n'espériez plus. Elle peut se produire au cours d'un déplacement, d'un voyage, au moment où vous suivez des cours.

Sur le plan de votre carrière, le redémarrage peut vous sembler lent, alors que les choses suivent leur rythme comme cela doit être. Sous Jupiter en Cancer, si vous avez tendance à prendre du poids ou à gonfler, il faudra mieux vous nourrir. Jupiter en Cancer fait grossir! Puis, en août, Jupiter entre en Lion et y restera pendant les douze prochains mois. C'est comme si vous étiez projeté dans un jeu, alors que vous n'avez pas choisi la compétition. Le courant sera tel qu'une multitude d'imprévus modifieront le cours de votre carrière. Vous serez sur une voie d'accès rapide, vous allez vers un sommet que vous n'aviez encore jamais exploré.

Jupiter est en Lion dans le dixième signe du vôtre et, par moments, vous aurez l'impression d'être seul au monde, surtout si vous consacrez la majeure partie de votre énergie au travail. Sous Jupiter en Lion, vous serez si sélectif dans vos fréquentations qu'effectivement, il y aura peu de gens autour de vous, seuls ceux que vous aimez beaucoup. Sous Jupiter en Lion, la perte d'un être cher ou d'un ami pourrait vous accabler et vous attrister profondément. Si vous êtes à votre compte, sous Jupiter en Lion, vous gagnerez plus d'argent, mais vous pourriez aussi le dépenser très facilement.

Que vos enfants soient adolescents ou adultes, ils auront besoin de vous, de votre réconfort et peut-être aussi de votre aide financière. Si vous êtes tombé amoureux sous Jupiter en Cancer, sous Jupiter en Lion, il sera question de faire vie commune. Pour la majorité d'entre vous, le mieux serait d'attendre la fin d'août 2003, quand Jupiter passera en Vierge pour prendre cette importante décision. Sous Jupiter en Lion, vous écoulerez vos vieilles histoires d'amour passées que vous n'oublierez jamais, mais avec lesquelles vous pourrez vivre sans souffrir intérieurement.

SCORPION ASCENDANT GÉMEAUX

Vous aurez des choix importants à faire sur le plan professionnel, surtout si vous occupez le même emploi depuis longtemps. À certains, on offrira un autre poste, il faudra alors bien réfléchir avant de l'accepter. On pourrait être en train de vous tasser pour faire place à des nouveaux, qu'on paiera moins bien que vous. Si vous êtes propriétaire d'une maison ou de plusieurs, vous déciderez de vendre, et vous ferez de très bonnes affaires, vos profits seront réconfortants pour votre compte en banque. Sous votre signe et votre ascendant, le travail occupe généralement le centre de votre vie. Si vous êtes travailleur autonome et avez moins de contrats, moins d'engagements, vous vivrez des moments de panique qui, fort heureusement, s'estomperont avec de bonnes nouvelles.

Durant les six premiers mois de l'année, tout se déroulera plus lentement, vous devriez alors en profiter pour vous reposer, vous détendre plus souvent. À partir d'août 2002, et jusqu'à la fin d'août 2003, Jupiter est en Lion dans le dixième signe du vôtre et troisième de votre ascendant. Cela laisse présager une remontée rapide. Les plans que vous avez faits et qui n'aboutissaient pas pourront tous se réaliser, et ce, dans un délai très court. Il faudra sans doute vous entourer de gens fiables, car vous aurez besoin d'aide. Quelques Scorpion-Gémeaux, sous Jupiter en Lion, iront travailler à l'étranger. D'autres verront leur travail se transformer. Ils seront obligés de se déplacer quelques semaines ou quelques mois afin de remplir leurs nouvelles fonctions. En conséquence, la vie familiale est vécue différemment. Si vous avez une vie de couple où les tensions se sont accumulées, sous Jupiter en Lion, certains en seront à un point de rupture. Pendant cette difficile période de séparation, vous ferez une rencontre spéciale. Vous tomberez amoureux et serez soudain très pressé de terminer la précédente relation. Vous devrez surveiller votre santé. Ne faites pas comme si vous n'aviez pas mal alors que vous aurez des douleurs persistantes.

Sous Jupiter en Lion, si vous faites du sport à l'excès, le but premier étant d'être en forme, attention de ne pas dépasser vos limites et de vous retrouver en état de faiblesse. Si vous suivez un régime amaigrissant, vous serez trop strict. Demandez à un médecin de vous guider si vous voulez perdre du poids. N'oubliez pas que Saturne est encore en Gémeaux dans le huitième signe du vôtre et, depuis son arrivée officielle en avril 2001, une multitude de choses, que vous avez cru durer toujours, cesseront. Saturne reste en Gémeaux jusqu'en juin 2003 et il continue sa marche lente de transformations. Vous travaillez pour une grande entreprise qui n'a jamais connu aucun problème financier, voilà que soudain vous apprenez sa fusion avec une autre entreprise. Des collègues que vous côtoyez depuis des années sont mis en retraite forcée ou pire congédiés. Saturne en Gémeaux est à la recherche de la stabilité économique, tout comme vous.

SCORPION ASCENDANT CANCER

Jusqu'en août, Jupiter est en Cancer, sur votre ascendant dans le neuvième signe du vôtre. Vous vous affirmerez davantage. Sur le plan du travail, vous vous taillerez une place au soleil, et plus rapidement que vous ne l'imaginiez. Vous avez de la chance. Votre magnétisme est extrêmement puissant, même si vous en doutez. Si vous croyez en l'amour, si vous êtes seul, il viendra vers vous. Si vous êtes jeune, amoureux et désirez un enfant, votre vœu sera comblé. Si vous pratiquez un art : théâtre, peinture, musique, sculpture, etc., vous serez magnifiquement inspiré. Si vous êtes à la recherche de la reconnaissance publique, sans doute l'aurez-vous. Si vous aspirez à la popularité, vous entrez dans vos années de gloire. Si vous faites du bénévolat peu importe le domaine, vous ferez tant pour aider votre prochain qu'on parlera de vous, et du même coup, vous attirerez des fonds importants pour poursuivre votre œuvre. Vous serez en quelque sorte le héros d'un groupe de gens moins choyés que d'autres par la vie. Le héros des gens qui ont des handicaps physiques ou qui traversent des épreuves dont ils ne peuvent se relever sans aide. Si, en 2001, vous avez obtenu un nouvel emploi et que vous n'étiez pas assuré de le conserver, en 2002, vous serez rassuré làdessus. Vous obtiendrez votre permanence.

En tant que parent et comme double signe d'eau, vous êtes très attentif à vos enfants. Sous Jupiter en Cancer, l'un d'eux pourrait agréablement vous surprendre par son talent ou un don qu'il veut et peut exprimer.

Si vous n'avez pas pris de vacances depuis longtemps, sous Jupiter en Cancer, vous ne résisterez plus. Vous vous offrirez ce voyage dont vous rêvez depuis longtemps. Si vous êtes heureux en amour, Jupiter en Cancer vous permet de solidifier votre relation, de l'approfondir. Puis, en août, Jupiter entre en Lion, dans le deuxième signe de votre ascendant et le dixième du Scorpion. Ce Jupiter en Lion concerne votre maison. Si vous n'êtes pas encore propriétaire, vous conclurez votre premier achat. Si vous n'en êtes pas à votre première maison, vous désirez vendre et acheter dans un autre quartier. Si vous habitez la ville, il est possible que vous désiriez aller vivre en banlieue pour vous rapprocher de la nature. Mais peut-être déménagerez-vous dans un appartement plus grand, que vous meublerez, peut-être bien pour la première fois de votre vie, entièrement à votre goût.

Déménager est une grande source de stress, même lorsqu'on désire le faire. Sous Jupiter en Lion, une fois que vous serez dans votre nouvelle maison ou appartement, ne faites pas toute la décoration d'un seul coup. Donnez-vous des moments de répit. Jupiter en Lion vous met en garde contre un excès de zèle. L'avis est aussi valable pour le travail. Sous Jupiter en Lion, il faudra dire non à quelques personnes qui ne cessent de vous demander des services et qui ne sont là jamais pour vous. La générosité est une belle qualité, mais être obligé d'être généreux signifie qu'on est manipulé. Il a eu et il y aura toujours quelqu'un çà et là qui veut plus que vous ne pouvez lui donner. Apprenez à refuser. Vous n'avez pas à vous épuiser pour un ou des parasites. Ce sera une importante leçon à retenir sous Jupiter en Lion.

SCORPION ASCENDANT LION

Vous êtes un double signe fixe, vous donnez une impression de force, de puissance. Les gens ne voient pas à quel point vous êtes vulnérable et émotionnellement fragile. Jupiter est en Cancer dans le douzième signe de votre ascendant et le neuvième du Scorpion aussi. Durant la première partie de l'année, vous serez porté à tout remettre en question, vous, votre travail, votre vie familiale, amoureuse, vos amitiés, etc. Il est possible que vous soyez dépressif certains jours ou durant des semaines. Si vous savez que vous avez besoin d'aide, mettez votre fierté de côté et voyez un médecin. Parlez de tous ces doutes qui vous assaillent à un psychologue. Le Scorpion-Lion se sent parfois l'obligation de porter le monde sur ses épaules. Vous finissez alors par avoir tant de responsabilités que vous vous épuisez. Lorsque Jupiter traverse ainsi la douzième maison astrologique, il vous avise de ralentir, de vous départir de certaines idées et croyances qui n'ont plus leur raison d'être. Le Scorpion-Lion n'a pas toujours connu une enfance heureuse. Il transporte avec lui des souvenirs tristes. Cette année, il faut les liquider. Si vos propres parents n'ont jamais fait votre bonheur, vous n'êtes pas obligé de poursuivre votre vie en étant malheureux. Si vous avez l'intention de changer d'emploi, ne le faites pas sur un coup de tête ! Attendez l'arrivée de Jupiter en Lion pour faire la transition. Jupiter sera en Lion d'août 2002 à août 2003, vous aurez devant vous douze mois pour tout mettre à plat sur le plan de votre carrière. Mais auparavant, c'est de vous dont il faut vous occuper. Votre signe prend la vie très au sérieux et oublie que les petits plaisirs font aussi partie de la vie, qu'ils préservent l'équilibre mental et émotionnel.

En tant que parent, vous êtes ultra-protecteur et parfois plus contrôlant que vous ne l'imaginez. Si vos enfants ont l'âge de vous répondre, de prendre leurs décisions et que vous agissez comme s'ils avaient encore deux ans, il est possible qu'une crise éclate entre vous. Jupiter en Cancer veut vous faire prendre conscience que si la famille est importante, vient un temps où il faut laisser aller ses enfants. Vous ne les abandonnez pas, mais vous cessez de leur tenir la main. Par contre, dès qu'ils auront besoin d'aide, vous serez là pour leur tendre la main. Si vos enfants sont grands, n'est-il pas temps que vous choisissiez de nouvelles activités ? Pour vous, rien que pour vous faire plaisir ! Sous Jupiter en Cancer, vous abandonnerez une façon d'être et de vivre, et sous Jupiter en Lion, vous ferez des choix lucides quant à votre vie privée et professionnelle.

SCORPION ASCENDANT VIERGE

Vous êtes rapide, travailleur et sans doute le plus méticuleux des Scorpion. Si vous œuvrez dans le domaine des communications, vous ne manquerez pas de travail. Au contraire, vous serez débordé durant les six premiers mois de l'année. Si vous venez de terminer vos études, vous n'aurez aucun mal à trouver un emploi correspondant à la formation reçue. Si vous désirez changer d'emploi, parce que vous avez l'impression de ne plus rien apprendre, vous n'aurez pas à faire 36 démarches. Le hasard sera bon et la recommandation d'un ami très utile. Si vous êtes à votre compte, vous agrandirez votre entreprise, vous gagnerez plus d'argent. Ce sera une importante année d'expansion. Vous ne prendrez pas de repos ou très peu. Vous aurez de nombreux nouveaux amis. Votre cercle va considérablement s'élargir. Vous vous lierez avec des gens avec qui vous aurez d'excellents échanges d'affaires. Vous réorganiserez votre maison. Vous décorerez, vous meublerez à neuf, vous y ferez d'importants travaux.

Si vous avez une vie de couple harmonieuse, il faudra lui accorder du temps. Vous devrez vous efforcer de prendre quelques jours de congé çà et là avec votre amoureux et vos enfants, si vous en avez. N'attendez pas qu'on vous appelle l'homme ou la femme invisible avant de réagir ! Ne mettez pas votre bonheur en danger, alors que vous avez tant fait pour le bâtir. Si vous êtes célibataire, vous ferez une rencontre intéressante, sans doute dans votre milieu de travail ou lors d'une activité sportive.

Vous développerez une nouvelle amitié, l'amour vous fait peur surtout si auparavant vous avez eu une cuisante rupture. Cette amitié se transformera rapidement en romance. Puis, viendra le mois d'août et vous serez sous l'influence de Jupiter en Lion dans le douzième signe de votre ascendant. Vous aurez alors tendance à fuir l'amour qui vous a apprivoisé, tout en voulant rester. Jupiter sera en Lion d'août 2002 à août 2003, c'est au cours de ces douze mois que vous prendrez un important tournant de vie. Les engagements deviennent entiers en amour comme en affaires. Personne ne fera pression sur vous, vous choisirez vos chemins de vie avec lucidité. On commet toujours de petites erreurs de conduite en cours de route, mais le pire est de ne rien choisir, de ne rien faire. N'ayez pas peur d'avancer, n'ayez pas peur de vivre pleinement. La roue du zodiaque vous invite à l'action en 2002. Vous ferez des excès de zèle, vous dépenserez plus qu'à l'accoutumée, mais en fin de compte, l'important est que vous aurez enfin déterminé ce qui est important et ce qui ne l'est pas. Pour le savoir, il faut vivre toutes sortes d'expériences. Si vous avez des enfants, ouvrez-leur votre porte et laissez-les faire la fête chez vous ! Ainsi, vous serez moins inquiet si vous croyez qu'ils ne s'entourent pas des meilleurs copains, et vous saurez qui ils fréquentent.

SCORPION ASCENDANT BALANCE

Si votre carrière est en zigzag, la raison en est que vous n'avez jamais fait de choix définitif. Vous avez pris la première porte qui s'ouvrait, convaincu d'être sûrement à la bonne place ! Certains ont peut-être été obligés de gagner leur vie rapidement pour se nourrir et avoir un toit sur la tête et n'ont pu faire d'études dans le domaine qui les attirait. Quel que soit votre âge, durant la première moitié de 2002, vous êtes sous l'influence de Jupiter en Cancer dans le dixième signe de votre ascendant et le neuvième du Scorpion. Vous serez inspiré dans ce qu'il y a à faire pour vous réaliser pleinement. N'hésitez pas à entreprendre des démarches. Foncez ! Le moment est venu de poursuivre votre rêve, puisque votre rêve n'est pas venu à vous. Jupiter en Cancer fera de certains d'entre vous des parents pour la première ou la deuxième fois. D'autres deviendront grands-parents. Si vous n'avez pas vu certains parents depuis parfois des décennies à cause de querelles familiales, le hasard vous rapprochera de nouveau. Vous pourriez faire la paix ou vous rendre compte que vos chemins diffèrent pour toujours, sans rancune.

Si vous habitez la même maison depuis longtemps, vous la transformerez de haut en bas. Vous y ferez de gros travaux de manière à la rendre encore plus confortable. Certains d'entre vous décideront de vendre par besoin de changer de quartier ou d'environnement. Dans ce cas, vous n'aurez aucun mal à trouver un acheteur d'une part, et une autre maison correspondant à vos besoins d'autre part. Entre août 2002 et août 2003, vous serez sous l'influence de Jupiter en Lion. Cette planète ajoute un brin de fierté au Scorpion-Balance, elle vous rend plus théâtral. Vous changerez votre garde-robe, votre voiture, etc. Vous ressentirez le besoin de prendre plus de place sur la scène sociale après la période tranquille de Jupiter en Cancer. Attention, vous pourriez dépassez les limites ! Plutôt que de prendre votre place, la vôtre seulement, vous pourriez vous mettre à jouer du coude et à tasser des gens à qui il ne faut jamais toucher ! Jupiter en Lion réveillera votre sens de la compétition. Vous poursuivez un rêve et c'est très bien ; mais n'oubliez jamais d'où vous êtes parti ni qui vous a aidé. Jupiter en Lion vous donne le goût de la réussite. Vous avez parfaitement le droit au succès. Jupiter en Lion vous ouvre des portes que vous pensiez blindées, vous pouvez passer. L'essentiel est que vous continuiez à respecter ceux que vous avez dépassés. Un jour viendra où vous aurez encore besoin d'eux. Sur le plan de votre santé, vous vous portez bien. Cependant, attention à votre poids ! Il varie un peu trop rapidement. Mais n'est-ce pas dû à ces régimes yo-yo que vous suivez ?

SCORPION ASCENDANT SCORPION

Vous ne manquerez pas de travail, quel que soit votre métier. Si vous êtes dans le domaine des communications, vous croiserez des personnes qui vous aiguilleront vers un autre défi, un autre sommet et même une autre façon de vous réaliser. La même chose s'applique si votre profession vous met constamment en relation avec de nouvelles gens. En tant que double plutonien et « marsien », vous êtes un éternel inquiet. En 2002, surtout durant la première moitié de l'année, vous serez réassuré sur votre avenir professionnel et, par conséquent, sur votre sécurité financière. Si vous êtes à votre compte, vous augmenterez vos profits. Si vous êtes à contrat, on aura constamment besoin de vos services. Certains d'entre vous seront nommés à un autre poste dans l'entreprise qui les emploie. Ils profiteront de leur nouveau pouvoir pour aider ceux qui, dans le passé, leur ont rendu service.

Sous Jupiter en Cancer, la famille prend plus de place, ou trouve la place que ce Scorpion-Scorpion veut lui donner. C'est l'occasion de se parler, de faire la paix, et de régler les malentendus entre parents survenus sous Jupiter en Cancer.

Si vous êtes amoureux et sans enfant, votre partenaire et vous serez prêts à vivre ce bonheur. Si vous êtes célibataire, seul depuis plusieurs années et parfois convaincu qu'il en sera toujours ainsi, la vie vous réserve une rencontre extraordinaire. Vous croirez parfois rêver ! Puis Jupiter passe en Lion, il sera dans ce signe d'août 2002 à la fin d'août 2003. Il sera alors dans votre dixième signe et dixième également de votre ascendant. Vous fixerez votre position de votre carrière pour de nombreuses années à venir. Vous liquiderez les derniers problèmes de famille. Des solutions sages à la fois pour vous et pour les membres de votre famille se présenteront. Si vous êtes parent d'enfants adultes, l'un d'eux peut faire de vous un grand-père ou une grand-mère. Par contre, si vous êtes un parent rigide, vous vous rendrez compte que votre préadolescent ou votre adolescent conteste maintenant votre autorité. En fait, cet enfant vous dit qu'il n'est pas heureux des barrières érigées autour de lui. Il fait du tapage pour attirer votre attention. Ne soyez pas sourd à sa demande. Ne vous limitez pas à ce que vous savez de l'éducation, lisez des ouvrages sur ce qu'est un parent. Sans doute y apprendrez-vous des leçons utiles pour vous et nécessaires à l'équilibre émotionnel et mental de votre enfant. Ne dit-on pas qu'il n'y a pas de fumée sans feu ?

SCORPION ASCENDANT SAGITTAIRE

Jupiter est en Cancer dans le huitième signe de votre ascendant. Cela représente une mort psychique, la fin d'une étape et le commencement d'une autre. En tant que Scorpion, vous avez tendance à résister aux changements. Vos habitudes sont sécurisantes. Pour certains, c'est le moment de la retraite. Il est temps de dire adieu aux collègues et bonjour aux loisirs ! Si vous faites partie de ceux-ci et et n'avez pas préparé votre retraite, pas choisi d'autres activités ou un autre travail qui vous plaise, vous angoisserez durant la transition. Dans ce cas, pourquoi ne pas suivre une thérapie qui vous aidera à prendre un nouveau chemin de vie ? Inutile de vous torturer.

Jupiter en Cancer concerne aussi vos enfants. S'ils sont petits, vous les surveillez tellement que vous vous épuisez. Et, finalement vous perdez patience ! Apprenez à leur faire confiance. Si vos enfants sont adultes et ont fait leurs choix, même s'ils ne sont pas tout à fait en accord avec les vôtres, vous devriez passer à la phase de l'acceptation, plutôt que de vous quereller. Si vous avez l'âge d'être grand-parent, l'un de vos enfants peut vous apprendre la bonne nouvelle. Pour certains d'entre vous, ce Jupiter en Cancer peut aussi signifier qu'un de vos jeunes est déprimé. Il a besoin qu'on s'occupe de lui. Ne faites pas comme si tout était normal. Vous savez fort bien que votre enfant n'est pas bien dans sa peau. N'attendez pas qu'il soit au pied du mur pour l'aider à se relever.

Sous votre signe et votre ascendant, il arrive que vous supportiez des tensions amoureuses longtemps et que vous vous taisiez lorsque l'amoureux vous menace ou vous insulte. Jupiter en Cancer réveillera votre colère. Trop de frustrations se sont accumulées et vous annoncerez que vous voulez rompre. Seul le thème personnel peut donner des détails concernant la séparation si elle devient inévitable.

Jupiter en Cancer laisse présager de multiples transformations dans votre vie. Certaines n'auront rien d'agréables, mais elles sont nécessaires. À partir d'août, Jupiter est en Lion et il y restera jusqu'en août 2003. Il sera dans le neuvième signe de votre ascendant. Cela correspond à un retour à la paix et à un cheminement complètement différent des dix ou vingt précédentes années, si ce n'est plus encore. Si vous êtes seul depuis longtemps, vous sortirez de ce célibat auquel vous vous étiez accroché ! Si vous avez vécu une séparation sous Jupiter en Cancer, sous Jupiter en Lion, vous rencontrez une personne que vous aimerez et qui aimera spontanément, instantanément. Ce sera comme si vous vous connaissiez depuis toujours. Si vous êtes dans la trentaine et n'avez pu terminer vos études, vous y ferez un retour. Maintenant, vous savez exactement ce que vous désirez pour votre avenir professionnel.

SCORPION ASCENDANT CAPRICORNE

En 2002, vous entrez dans un mouvement de bascule. Jusqu'en août, Jupiter en Cancer est dans le septième signe de votre ascendant. Il représente vos collègues, vos patrons, vos collaborateurs, votre conjoint, vos enfants et tous les autres membres de votre famille. Votre ascendant Capricorne vous donne le sens des responsabilités, mais apporte avec lui sa rigidité. Vous êtes indépendant et débrouillard. Vous avez le sens du pouvoir et de l'ambition. Vous aimez l'argent pour la sécurité qu'il apporte à ceux que vous protégez, mais il y a toujours un moment de la vie où vos plus belles qualités et même vos forces sont excessives. Vous en êtes arrivé à ce point.

En tant que parent, vous avez imposé vos valeurs et vos croyances à vos enfants, sans manifester aucune souplesse. Maintenant vos pré-adolescents ou vos adolescents ont appris autre chose à l'école, avec leurs amis, par leurs lectures, etc. Ils ne veulent pas que vous décidiez de leur vie à leur place. Il faudra vous mettre à leur écoute, avant qu'ils fassent des bêtises. Si vos enfants sont adultes et vivent eux-mêmes en couple, il est possible que vous deviez consoler l'un d'entre eux pour une séparation que vous ne pourrez empêcher. Si vous avez des parents âgés, il est possible que l'un d'eux soit hospitalisé. Ce sera alors la course entre le travail et l'hôpital. Si jusqu'à présent vous avez toujours eu le dernier mot avec votre conjoint , on vous demandera de rester à l'écart, cette année. Dans l'ensemble, sous Jupiter en Cancer, il faudra vous adoucir. Cessez de vous inquiéter pour vous et pour les autres. Dans la famille, votre sens des responsabilités est peut-être de l'autorité et de la sévérité. Pour votre bonheur et celui de votre entourage, relâchez votre prise. Dans le secteur professionnel, vous pourriez être déçu de la décision d'un supérieur en qui vous aviez entièrement confiance. Il vous apprendra que vous occuperez un autre poste peut-être moins valorisant et moins rémunérateur que le précédent. Dans ce ciel, la possibilité de faire intervenir la loi afin de protéger vos acquis est présente. Si une telle lutte est engagée, elle pourrait durer jusqu'à la fin d'août 2003 ! Puis Jupiter est en Lion d'août 2002 à la fin d'août 2003, il est alors dans le huitième signe de votre ascendant et dans le dixième du Scorpion. Cette position de Jupiter accentue et accélère les changements déjà en cours. Il faudra rester calme durant ces douze mois ou vous entraîner à l'être. C'est le moment d'apprendre que vous exercez peu de contrôle au fond. La vie est pleine de surprises et les choses ne sont pas toujours comme on les souhaite. Si ces lignes vous paraissent dures, peut-être est-ce parce que vous vous identifiez à ce type de Scorpion-Capricorne très rigide avec lui-même et les autres. Si vous savez vous modérer, parce que Saturne que représente votre ascendant est sage, vous ne perdrez rien, au contraire ! Ce sont des événements positifs qui se placeront sur votre chemin. Vous récolterez le maximum de ce que la vie vous offre. Ce sera alors l'amour, le bonheur, le succès et même de la chance au jeu !

SCORPION ASCENDANT VERSEAU

Jupiter en Cancer est dans le sixième signe de votre ascendant jusqu'en août. Il est dans le secteur travail et santé de votre thème. Si l'idée de monter une affaire vous prend, le temps est venu d'entreprendre vos démarches de financement ou de partir en quête d'associés. Trouvez des gens ayant la même vision que la vôtre.

Jupiter en Cancer laisse présager une possibilité d'association avec un membre de votre famille. Si vous n'avez pas votre permanence à l'emploi actuel, vous l'obtiendrez. Vous avez fait la preuve que vos services sont essentiels. Si vous êtes à votre compte ou sur appel, viendra un temps où vous devrez refuser des clients. Vous serez débordé et vous les recommanderez à une personne qui fait le même travail que vous.

Jupiter en Cancer concerne votre santé. N'avez-vous pas commis quelques abus : trop mangé, trop bu, trop consommé de médicaments, de drogues ? Avant de constater des dégâts physiques irréversibles, une cure santé s'impose. Vous vous remettrez à faire de l'exercice, à bien manger. Cette attitude influencera positivement toute votre famille, votre partenaire, vos enfants. À la maison, la vie sera plus agréable.

Il n'est pas exclu avec cette position de Jupiter qu'un de vos enfants vous inquiète. Il se plaindra de divers maux. Il faudra le croire. Faites-lui passer un examen médical complet. S'il n'a rien, vous serez rassuré. S'il est malade, il sera soigné.

Vous serez plus économe sous Jupiter en Cancer. Vous ressentirez le besoin de vous protéger pour l'avenir, et mettre de l'argent de côté vous calmera. D'août 2002 à août 2003, Jupiter est en Lion, en face de votre ascendant. Si votre vie de couple est sous tension, vous envisagez une rupture. Vous procéderez à la séparation par étapes, surtout si vous avez de jeunes enfants. Sous Jupiter en Lion, rares sont les Scorpion-Verseau qui resteront seuls. La rencontre aura généralement lieu dans le milieu de travail ; les présentations seront faites par un collègue. Sous Jupiter en Lion, si vous avez fait des démarches en vue d'acquérir une entreprise, vous êtes maintenant prêt à vous lancer dans cette aventure. En peu de temps, vos produits et services seront populaires. Vous augmenterez rapidement votre clientèle. Si vous êtes à l'emploi d'une entreprise depuis longtemps, sous Jupiter en Lion, vous pourriez enfin obtenir la promotion tant désirée. Si, lors du passage de Jupiter en Cancer, vous n'avez pu régler vos problèmes familiaux, sous Jupiter en Lion, ils risquent de s'aggraver. Malheureusement, les épuisantes querelles seront nombreuses. Serez-vous assez sage pour mettre fin à ces jeux de pouvoir entre gens civilisés, ou entretiendrez-vous l'état de guerre ? Nous avons tous le choix. La paix appartient à celui qui la désire !

SCORPION ASCENDANT POISSONS

Vous êtes le maître des émotions ! Vous êtes vulnérable pourtant. Quand les gens vous rencontrent, vous donnez une impression de force. Jupiter est en Cancer jusqu'en août dans le cinquième signe de votre ascendant et dans le neuvième de votre signe. Cela augmente votre créativité, votre amour de la vie, votre amour pour vos enfants, pour vos proches, pour l'Univers. À Jupiter en Cancer correspond le rêve qu'on réalise. La chance et les heureux hasards s'en mêlent. Si vous avez travaillé fort pour obtenir un emploi, un poste quelconque, vous obtiendrez ce que vous désirez.

Si vous êtes célibataire, l'amour se présentera souvent dans un moment et un endroit impossible à imaginer. Vous rencontrerez quelqu'un à aimer et de qui être aimé. Si votre vie de couple est agréable, mais sans enfant, votre partenaire et vous ne discuterez pas longtemps sur la possibilité de fonder un foyer. D'autres envisageront un second ou un troisième enfant ! Un certain nombre d'entre vous songeront même à adopter et n'hésiteront pas à entreprendre des démarches en ce sens.

Sous votre signe et votre ascendant, la vie vous fera beaucoup de cadeaux en 2002. Ils seront divers. Pour les uns, c'est le retour à la santé après une longue période de faiblesse ou une maladie grave. Pour d'autres, c'est la possibilité d'acheter leur première maison, leur première voiture, de faire leur premier voyage outre-mer. Pour un artiste, son art sera reconnu. Vous serez sur une vague qui vous portera plus loin que vos rêves. Il faudra tout de même que vous soyez attentif lors du passage de Jupiter en Lion, entre août 2002 et août 2003. Par exemple, au volant, soyez constamment sur vos gardes. Le bonheur et le plaisir de vivre ne doivent pas vous faire sortir de la route. Si vous avez tendance à trop vous nourrir, par gourmandise, il sera nécessaire de vous modérer, sinon vous prendrez beaucoup de poids. La sécurité a tendance à vous faire grossir. Votre nervosité étant au repos, vos calories sont brûlées plus lentement. Quant aux Scorpion-Poissons ultra-généreux, attention ! Vous posséderez plus et vous ne verrez pas toujours venir les parasites et les emprunteurs qui savent que vous avez du mal à dire non. Mettez-vous une note dans votre portefeuille. Vous n'êtes pas obligé de sauver le monde, et surtout pas ces gens que vous aidez mais qui ne veulent pas vraiment être sauvés !

SAGITTAIRE

23 novembre au 21 décembre

À ma grande amie Évelyne Abitbol et à ma belle-fille Nathaly Lemieux.

SAGITTAIRE 2002

Rien n'est jamais banal avec vous ! Régi par Jupiter, pour vous, tout doit être magnifique, beau, grandiose, merveilleux, extraordinaire, parfait, et ainsi soit-il ! Mais lorsque les choses s'inversent, alors tout devient terrible, épouvantable, catastrophique, etc. Vous êtes expert en superlatifs ! Lorsqu'une épreuve survient – il y en a toujours une pour chacun de nous –, quand vient votre tour, en un temps record vous vous retournez. Vous cherchez la solution, vous la trouvez et vous l'appliquez. Avec un Sagittaire, tout est possible ! Vous êtes le neuvième signe du zodiaque, vous avez l'expérience de tous ceux qui vous précèdent à partir du Bélier.

Faites l'expérience. Cherchez dans les descriptions du Bélier, du Taureau, du Gémeaux, du Cancer, du Lion, de la Vierge, de la Balance et du Scorpion tout ce que vous possédez d'eux. Lisez leurs qualités et leurs défauts. Vous vous apercevrez que vous avez hérité la moitié de ce qu'ils sont ! L'autre moitié est devenue Sagittaire ! Brièvement, du Bélier, vous avez le sens de l'initiative et l'impulsivité. Du Taureau, vous aimez l'argent pour le dépenser, pour vous offrir le dernier cri et le plus chic. Du Gémeaux, vous avez appris à négocier et vous êtes doué pour marchander. Du Cancer, vous avez retenu le sens de la famille, mais également un gros désir d'être regardé et admiré. C'est aussi sous le signe du Cancer que vous avez appris ce qu'est une blessure à l'âme et le respect d'autrui. Sous le Lion, vous avez appris à résister sur le plan physique, à faire de l'exercice et à prendre une place centrale de manière à être vu et si possible entendu. Mais voilà que sous la Vierge, vous avez appris à choisir les moments où il fallait vous montrer humble et ceux où il est nécessaire d'étiqueter vos qualités et talents. Sous la Vierge, vous avez développé davantage le langage afin d'être le plus convaincant possible. Sous la Balance, ce fut surtout le mariage par intérêt, par association de classes entre bonnes gens, entre intellectuels, le mariage qui rapporte ce que vous recherchez. La Balance vous a donné la capacité de vous défendre devant la loi et de demander que justice soit faite. Pour ce qui est du Scorpion, le signe qui vous précède, vous avez encore beaucoup à apprendre de lui. Votre apprentissage dans ce signe est encore bien jeune. Mais vous en tirez ce désir de vous venger que vous osez à peine vous avouer. Quand on vous a fait mal, vous avez une très forte envie de punir celui qui vous a blessé. Sous le Scorpion, vous avez appris à vous battre jusqu'au bout. Sous le Scorpion, vous avez appris à mourir à vous-même et à renaître. C'est pourquoi vous pouvez aller d'un travail à un autre, sans être trop dépaysé. Vous pouvez, grâce à votre expérience du Scorpion, faire table rase d'un style de vie et en adopter un autre. Les attachements de toutes sortes sous le Scorpion vous ont fait souffrir. Sous le Sagittaire, les détachements se dessinent sans pour autant que vous abandonniez vos idéaux. Il serait bien long de vous écrire ce qu'il vous reste de chacun des signes, mais ce survol peut piquer votre curiosité. En cherchant ce qui vous motive, peut-être découvrirez-vous que vous vous « êtes accroché les pieds » dans l'un des huit signes précédents ! Et si vous êtes amateur d'astrologie, examinez bien les maisons astrologiques contenant une ou des planètes. Ce sont elles qui contiennent les diverses leçons que vous n'avez pas bien apprises !

JUPITER EN CANCER

Nous voici en 2002 ! Depuis juillet 2001, Jupiter est en Cancer. Il restera dans ce signe jusqu'en juillet 2002. Il est dans le huitième signe du vôtre. Il correspond à de nombreux changements dans la famille, à la maladie de l'un des vôtres, à la mort d'un parent bien-aimé. Jupiter en Cancer concerne aussi votre santé. Il touche davantage celle des femmes : utérus, seins, ménopause, changements du cycle menstruel, enflure et pour certaines : grossesse ou accouchement et, par conséquent, fatigue.

Jupiter en Cancer, c'est votre désir de posséder une maison ou de décorer celle que vous avez de la cave au grenier. C'est aussi le moment de changer vos serrures. Trop de gens possèdent la clé de votre résidence, alors que vous avez besoin de votre intimité. Jupiter, c'est l'interdit à un parent de vous rendre visite. Jupiter en Cancer, c'est pour vous la famille reconstituée au sein de laquelle des ajustements sont nécessaires entre les enfants. Jupiter en Cancer, c'est pour les uns la retraite, pour d'autres un travail différent. Jupiter en Cancer, ce sont vos secrets dévoilés ou de « vieux péchés » que vous cachiez et qui, par hasard, émergent ! Jupiter en Cancer, ce sont des dépenses pour les enfants, mais également la peur de manquer d'argent. Jupiter en Cancer concerne vos collègues. Si vous en considérez quelques-uns comme des membres de votre famille, il est possible que vous soyez déçu.

Les possibilités que vous ayez vécu une partie des événements précédemment décrits sont grandes. Mais l'histoire n'est pas finie. Jupiter poursuit sa route en Cancer. Il est l'occasion de guérir, si vous avez eu mal. De changer d'emploi, si vous n'aimez pas ce que vous faites. De vous remettre en forme, si vous ressentez une grande fatigue. De consulter votre médecin, si vous n'êtes pas bien. Il vous aidera à vous remettre sur pied pour l'arrivée du grand bénéfique que sera pour vous Jupiter en Lion.

Il faut mettre de l'ordre dans la famille s'il y a du chaos. Si vous savez que vos enfants vous manipulent et qu'ils ont l'âge de comprendre ce que vous expliquez, vous devez les stopper. Vous leur éviterez ainsi de se faire des ennemis dans la vie. Jupiter en Cancer, c'est aussi l'heure de laisser aller les plus grands, maintenant des adultes, de leur donner la chance d'être aussi autonomes que vous. Si l'un d'eux s'envole du nid familial, bien que votre logique vous dise que c'est normal, vous devrez passer à l'étape du détachement. Vous devrez croire qu'il peut être heureux sans vous.

Certains d'entre vous seront de nouveaux parents. C'est le commencement d'une nouvelle vie. Vos activités ne seront plus les mêmes. Vous n'aurez plus la liberté d'aller et venir comme bon vous semble. Un petit être dépendra de vous et vous réclamera de l'amour et des attentions constantes.

Mais peut-être appartenez-vous à la génération des *baby boomers*? Sous Jupiter en Cancer, nombre d'entre vous deviendront grand-père ou grand-mère pour la première ou la seconde fois, mais qu'importe. La vie nouvelle est excitante, vos petits-enfants sont votre prolongement. Bon nombre de mes lecteurs sont maintenant des arrière-grands-parents et, eux aussi, se renforceront dans le fait d'être une fois de plus à l'origine d'une autre naissance.

ET L'AMOUR?

Sous Jupiter en Cancer en 2001, il y a eu de nombreuses ruptures ou d'importants ajustements sentimentaux. Il fallait se reconnaître à nouveau, se redécouvrir, s'ouvrir, se démasquer et se voir au grand jour. Les nouvelles relations se terminaient parfois après une ou deux rencontres, ou un ou deux mois de fréquentations. Jupiter en Cancer, durant les sept premiers mois de 2002, vous suggère de guérir votre mal d'amour ou de chercher le pourquoi de ces cassures à répétition. Avez-vous peur de l'intimité, de l'engagement? Choisissez-vous la liberté mais également la solitude plutôt que le partage, persuadé que vous êtes que le quotidien tue les beaux sentiments? Et si c'était cela, qui donc vous l'a appris? Quelle autorité ce professeur avait-il sur vous? C'est à partir d'août 2002 que vous avez rendez-vous avec l'amour, si vous êtes seul actuellement.

JUPITER EN LION

D'août 2002 à août 2003, Jupiter est en Lion dans le neuvième signe du vôtre. Il renforce tout ce qui est jupitérien en vous ! La chance elle-même sera de la partie. Vous retrouverez cet élan de positivisme qui vous va comme un gant. Vous trouverez les portes d'accès à de plus grandes réalisations. Si vous avez travaillé sur des projets, vous connaîtrez leur aboutissement. Là encore, la réussite sera au rendez-vous.

Si vous avez l'intention de changer d'emploi, soyez patient ! Attendez l'été avant de passer à l'action. Si vous agissez sous Jupiter en Cancer, il n'y a aucune garantie de durée. Jupiter, ainsi positionné dans le Lion, signe fixe, stabilise ce que vous mettez en marche. Jupiter en Lion, en ce qui vous concerne, symbolise de rapides progrès. Par exemple, vous acceptez un poste supérieur à celui que vous aviez, peu après vos compétences sont « réquisitionnées » à une échelle encore plus élevée dans l'entreprise.

Jupiter en Lion annonce des voyages, et souvent des voyages qui ne vous coûteront pas un sou. Il s'agit d'un cadeau en guise de remerciements pour services rendus. Vous pourriez le gagner en participant à un concours. Ou votre entreprise vous délègue régulièrement pour représenter ses intérêts. Si vous êtes à votre compte et faites du commerce avec l'étranger, vous vous étendrez là où jamais personne n'avait auparavant songé investir. Vous aurez découvert (sur le plan symbolique) une mine d'or.

Si vous avez été malade sous Jupiter en Cancer, sous Jupiter en Lion vous récupérez si bien que vous serez plus en forme qu'avant la maladie ou votre opération. Attention ! si vous avez tendance à grossir, Jupiter en Lion vous donnera bon appétit et vous détesterez les quelques kilos qui s'ajouteront à votre poids actuel. La solution : soyez plus frugal ! Renoncez aux sucres, gras, fromages et pâtés de foie !

EN CONCLUSION

La plupart d'entre vous auront vécu leur enfer sous Jupiter en Cancer, entre juillet 2001 et juillet 2002. Après, il se trouve dans le huitième signe du vôtre. Cela signifie mourir à vous-même afin de renaître. Sous Jupiter en Cancer, peut-être aurez-vous été de ceux qui auront subi des restrictions administratives ? Vous aurez travaillé moins d'heures, gagné moins d'argent. Peut-être avez-vous été congédié à la suite de la fermeture de votre entreprise et êtes dans la quasi-impossibilité de payer vos factures ? Peut-être avez-vous fait faillite ou survécu avec un minimum d'argent ? Si Jupiter en Cancer vous a éprouvé, sans doute l'avez-vous été sous plusieurs aspects, comme si vos malheurs ne pouvaient venir qu'en double.

Si tout cela a commencé en 2001, il est possible que quelques problèmes se présentent encore au cours des sept premiers mois de 2002. Ils sont la suite logique mais aussi la fin de vos ennuis, pour que la boucle soit bouclée, le nœud serré !

À partir d'août, vous serez sous l'influence de Jupiter en Lion. Il laisse présager le retour de la chance, d'une meilleure qualité de vie, du succès. Mais rien n'étant parfait, il vous arrivera en certaines périodes, semaines ou mois, de vous heurter à des obstacles. Chaque fois qu'une « tuile vous tombera sur la tête », elle ne vous blessera pas. Cela change de ce que vous avez vécu dans le passé.

Jupiter en Lion compensera rapidement votre perte. Par exemple, votre assurance vous couvrira rapidement. Durant toute l'année 2002, le Nœud nord sera en Gémeaux, en face de votre signe, donc le Nœud sud en Sagittaire. Cela vous rendra ce que vous aviez perdu, il y a parfois bien longtemps. Vous revivrez un événement presque en tout point semblable à celui qui, malheureusement, avait joué contre vos intérêts.

Le Nœud en Gémeaux vous avertit d'être vigilant lorsque ces signaux d'alarme se répétent. Ils seront assez nombreux pour que vous puissiez éviter de retomber dans le piège.

JANVIER 2002

AMOUR-AMITIÉ La rupture avec le partenaire en qui vous fondiez beaucoup d'espoir et de désirs d'amour est difficile à accepter. Au cours des 18 premiers jours du mois, votre déception et sa trahison ne cesseront de vous hanter. Durant cette période de larmes, certains se cachent pour pleurer et n'osent pas appeler leurs amis pour leur confier leur peine. Vous aurez la délicatesse de leur épargner vos tourments ! Mais si vous ne voyez personne, si vous ne vous confiez pas à qui que ce soit, vous remettre de cette peine sera plus long. Pourquoi ne pas consulter un psychologue si votre fierté vous interdit d'en causer avec vos amis ? Après quelques sessions en thérapie, vous verrez plus clair. Dès le 19, plutôt que de rentrer en vous-même, de vous isoler et d'être malheureux, vous aurez la force d'affronter le monde. Certains d'entre vous seront affaiblis sur le plan physique, jusqu'au 18. De l'anémie vous guette. Il sera important de changer votre alimentation afin de donner à votre organisme ce dont il a besoin pour maintenir son équilibre.

FAMILLE Jusqu'au 18, Mars est en Poissons dans le quatrième signe du vôtre. Plus le 18 se rapproche, plus il rend vos enfants exigeants. L'un d'eux pourrait tomber malade, ce qui vous demandera l'énergie que vous n'avez pas vous-même en grande quantité. Si vous vivez en famille reconstituée, une rivalité entre vos enfants et ceux de votre partenaire peut se manifester. Dans le ciel astral, Jupiter en Cancer face à Vénus qui sera en Capricorne jusqu'au 19, indique que l'aîné de l'un ou de l'autre réclamera des faveurs particulières. Pour les obtenir, il pourrait ne pas être très gentil avec les plus petits. Avec de la diplomatie et beaucoup de psychologie, vous calmerez l'esprit en feu. À partir du 19, le chaos retournera au chaos et la paix reviendra chez vous. Si vos enfants sont adultes ou de grands adolescents encore aux études, l'un d'eux peut vous annoncer qu'il quitte l'école ou l'université. Il a envie d'expérimenter le monde du travail, comme vous le faites. Vos leçons et votre morale n'auront aucun effet pour l'instant. Pourquoi ne pas le laisser vivre quelques mois en « grande personne », jusqu'au moment où il vous suppliera de lui permettre de reprendre sa vie comme avant. Un de vos enfants pourrait manifester un grand talent musical. Soyez présent pour lui. Peut-être son destin est-il déjà tout tracé ?

SANTÉ Au début du mois, soignez votre grippe, ne l'ignorez pas. Si vous ne soignez pas une bronchite, elle peut dégénérer en pneumonie. Demandez de l'aide si vous êtes fatigué. Mettez votre orgueil de côté. Il y a assurément un membre de votre famille qui volera à votre secours. À partir du 19, protégez votre dos. Ne faites pas de mouvements brusques et ne déplacez pas un meuble sans aide.

TRAVAIL-ARGENT Si vous travaillez pour une grosse entreprise ou en tant que fonctionnaire, des contestations peuvent surgir au milieu du mois. Les restrictions budgétaires imposées sont extrêmes. Il sera difficile d'arrêter l'hémorragie, nous ne sommes pas encore en reprise économique. Certains d'entre vous participent aux manifestations, d'autres se contentent d'en être des témoins silencieux et des observateurs. Des jours de congé non désirés et une réduction de votre salaire ne vous aideront pas. Si vous êtes le meneur d'une manifestation, vous procéderez sans doute avec diplomatie et vous vous engagerez dans une lutte d'idées pouvant se passer d'un arrêt.

Vous occupez un poste d'importance, vous dirigez un service de l'entreprise ? Durant la première partie du mois, votre mutation est possible. Le nouveau poste n'équivaut pas à celui que vous occupiez.

Vous défendez votre position. Si vous pouvez retarder cette mutation, soyez tenace. À partir du 19, de bons aspects viennent vers vous. Les circonstances seront telles qu'il deviendra impossible de vous déloger. Si vous travaillez dans le domaine des communications, et des médias plus particulièrement, vous donnerez publiquement votre opinion. On en parlera longtemps.

CROYANCES J'y crois, je n'y crois pas ! En fin de compte, il vous est impossible de ne pas vous émerveiller devant la vie elle-même. Lorsque survient une épreuve, malgré tous vos beaux raisonnements, quelque chose au-dessus de toute compréhension se passe en vous. Il ne s'agit pas d'un tour de votre imagination, mais bel et bien de votre connexion avec l'Univers. Elle fait partie de vous et elle se passe de toute réflexion.

QUI SERA LÀ ? Un Scorpion vous soutient et comprend vos peines. Un Lion peut tomber amoureux ou retomber amoureux de vous à chaque instant. Un autre Sagittaire vous fait signe, mais vous ne le verrez pas. Vous admirez la sagesse d'un Poissons, car vous savez qu'il peut vous apprendre encore beaucoup.

FÉVRIER 2002

AMOUR-AMITIÉ Mars est en Bélier dans le cinquième signe du vôtre. Cela signifie souvent une attirance, une aventure, un coup de foudre, un flirt, mais d'autres planètes se posent en interdit. Si vous succombiez à une nuit d'amour, en tout temps bien sûr, mais surtout à partir du 20, avec Vénus en Poissons qui fait un aspect dur à Pluton en Sagittaire, il est fortement suggéré de prendre un maximum de précautions contre les MTS. Si vous êtes une femme et allez chez un inconnu, vous courez un grand risque. L'intimité qu'il désire ne sera peut-être pas aussi romantique que vous l'imaginez. Ce ciel vous invite à ne pas rentrer seule le soir. Mesdames, faites-vous raccompagner jusqu'à votre porte.

Jupiter en Cancer vous ramène aussi à des souvenirs de votre rupture qui vous enserre encore le cœur. Entre le 5 et le 12, Vénus est en Verseau et fait une conjonction à Uranus, ce qui se rapporte à tous ces gens que vous appelez vos amis. Il est possible que l'un d'entre eux ne soit pas ce que vous aviez cru. Vous découvrez qu'il est intolérant. Peut-être refusera-t-il, sans pitié, son aide à un groupe de gens au nom d'un principe et de valeurs personnelles.

Si vous vivez en couple et en êtes fort heureux, le bonheur n'est jamais tout à fait parfait. Durant la seconde moitié du mois, vous pourriez avoir quelques discussions avec votre partenaire au sujet des enfants.

FAMILLE Du 16 au 23, Vénus en Poissons dans le quatrième signe du vôtre fait un aspect dur à Saturne en Gémeaux.

Ainsi, si vos enfants ont l'âge de choisir leurs amis, cela ne veut pas dire pour autant qu'ils fassent les meilleurs choix. Heureusement, ils s'en rendront compte bien vite. L'un d'eux rencontrera un menteur. Un autre pourrait vivre sa première peine d'amour. Un autre pourrait avoir un petit accident en pratiquant un sport d'hiver. Puis, du 23 à la fin du mois, Vénus fait alors un aspect dur à Pluton. L'un de vos enfants portera des jugements sur vous. Vous aurez avec lui une querelle, comme celle des amoureux. Il est rare que tout soit parfait dans une famille. Vos frères et vos sœurs sont représentés par le signe du Gémeaux, en partie, le troisième signe du vôtre. Le Verseau est également dans votre maison trois à partir de l'ascendant, si vous connaissez votre thème natal. Face à votre signe, le Nœud nord et Saturne en Gémeaux laissent sous-entendre des mésententes avec un frère ou une sœur. Leurs propos s'envenimeront, si vous êtes intolérant. Si, au contraire, vous avez toujours eu de bons rapports avec eux, mais que vous n'avez plus d'énergie à leur accorder, plus de temps à leur donner, on vous traitera d'ingrat. Même si vous avez été très généreux dans le passé. Si c'est votre situation, dites-vous que la reconnaissance viendra d'une autre source.

SANTÉ Si vous avez été malade, un peu ou beaucoup, Mars en Bélier ainsi que Pluton en Sagittaire sont les signes d'une récupération rapide. Saturne et Mercure sont rétrogrades jusqu'au 8, ils vous demandent de ralentir sur les pentes de ski, en patins à glace, en motoneige, etc. En somme, soyez prudent dans tous les sports de vitesse que vous soyez sur vos jambes ou motorisé. En cas d'accident, vous risquez une blessure au genou.

TRAVAIL-ARGENT Votre rapidité sera incroyable dans votre travail intellectuel, ou si vous devez produire de nombreux documents pour d'autres, et ce, jusqu'au 13.

Les 13 premiers jours du mois vous feront croiser de nouveaux visages dans l'exercice de votre profession. Vous courez d'une réunion à l'autre.

En cas de conflit de travail, vous pourriez être appelé à le régler. Vos journées seront épuisantes et longues. Vous commencerez tôt et ne terminerez que tard en soirée, bien longtemps après que les oiseaux se sont couchés.

À partir du 13, les travailleurs manuels devraient vérifier leurs outils avant de les utiliser. Ne vous servez jamais d'un outil défectueux, surtout s'il fonctionne à l'électricité, et sous aucun prétexte.

Au travail, protégez vos yeux et vos doigts.

Soyez plus minutieux que d'habitude. S'il vous faut prendre un maximum de précautions, faites-le. Il est mieux d'en faire trop que pas assez. Si vous travaillez à contrat pour une entreprise quelconque, un compétiteur pourrait vous faire une offre. Du 21 à la fin du mois, méfiez-vous des promesses verbales.

CROYANCES Avec l'entrée de Vénus en Poissons, en aspect dur à Pluton ainsi qu'à Saturne, vous constaterez que l'idéal en lequel vous croyez n'est pas prêt de se réaliser. Vous vous imaginez que tous les humains sont bons, vous voulez croire en la paix. La guerre sainte se poursuit en plusieurs coins du globe. En général, sous votre signe, vous êtes croyant et pratiquant. Mais n'interdisez à personne d'avoir d'autres croyances. En tant que signe hautement intellectuel, il vous arrive d'avoir de longues discussions sur Dieu, notamment entre amis. Parfois vous émettez des doutes tout droit sortis de votre raison, même si en dedans, vous n'en n'avez aucun. Avec vous, Dieu n'est pas mort!

QUI SERA LÀ? Un Scorpion avec qui vous parlez beaucoup du destin de la planète et avec qui vous partagez vos pensées intimes, vos idées, celles dont vous ne feriez part à personne d'autre. Vous savez qu'il ne vous jugera pas. Un Bélier vous dynamise sur le plan physique, mais vous ressentez une sensation d'épuisement devant une Balance. Ce signe pompe votre énergie, ce mois-ci. Un Cancer vous rassure sur vous-même et vous fait rire. Un Lion vous appuie dans une démarche professionnelle. Évitez de vous quereller avec une Vierge.

MARS 2002

AMOUR-AMITIÉ Vénus est en Poissons jusqu'au 8, il est dans le quatrième signe du vôtre. Votre maison est ouverte, des amis viennent vous voir. D'ailleurs, vous avez besoin de les sentir plus près de vous. Pendant les 8 premiers jours du mois, dès l'instant où vous serez seul, vous aurez la sensation d'être abandonné. C'est pourquoi vous rechercherez la compagnie de ceux qui vous font du bien. Parmi ces amis, il y a des connaissances récentes. Il est possible que l'une d'elles ne vous voie que par intérêt. Entre le 19 et le 27, ne confiez pas vos secrets à des bavards, surtout si ces « grandes langues » ont des amis dans votre milieu de travail. Ces personnes pourraient se transformer en dangereux ennemis et pourraient nuire à votre réputation et parfois même à votre emploi.

Si vous êtes célibataire, un flirt se manifestera dans un lieu public, en allant à un vernissage, en bouquinant dans une libraire, en magasinant... Du début du mois jusqu'au 24, Mars fait un aspect dur à Neptune en Verseau. Au fil des jours, vous reverrez votre joli cœur, et vous vous apercevrez que vous n'êtes pas fait l'un pour l'autre. Votre vision de la vie et de l'amour n'a rien à voir avec celle de cette personne!

Si vous menez déjà une vie de couple, que vous vous y sentiez bien, attention! Sous la pression de Mars en Taureau, vous serez porté à vous faire servir, au point de choquer votre amoureux. Il n'y aura pas là matière à rupture. Il vous suffit donc de vous rendre compte « quand » vous demandez trop !

FAMILLE Même si vos enfants sont grands et mariés, que vous êtes grand-parent, vos enfants sont encore vos petits, quand vous pensez à eux. Entre le 12 et le 29, pendant que Mercure est en Poissons dans le quatrième signe du vôtre, vous serez porté à leur faire une foule de recommandations, alors qu'ils ne vous ont rien demandé ! Vous serez très inquiet pour les amours de l'un, triste pour l'autre qui est en pleine séparation. Vous serez hyperémotif entre le 12 et le 29. Vous aurez la larme à l'œil pour des riens, mais fort heureusement, vous êtes aussi capable d'éclats de rire.

Si vous êtes parent de très jeunes enfants, vous devrez surveiller leurs jeux de plus près, surtout si l'un d'eux est un casse-cou. Il faudra lui interdire certaines pirouettes au cours desquelles il pourrait se blesser.

Si vous vivez en famille reconstituée, pendant plus de la moitié du mois, les enfants de l'un seront jaloux de ceux de l'autre. Il est aussi possible que vous ayez la visite d'un ex-partenaire qui se réclame de ses droits parentaux, alors qu'il n'a jamais été présent auprès des enfants. Le débat sera désagréable. Il vous troublera beaucoup. Il est fréquent sous votre signe que vous consentiez au départ d'un enfant, plutôt que de supporter complainte sur complainte. Méfiez-vous d'une telle décision. Ne vous hâtez pas et demandez conseil à votre avocat.

SANTÉ Le stress est épuisant pour l'organisme. Si vous ne soignez pas rapidement un mal de gorge, vous pourriez développer une multitude d'infections. Vous serez porté à manger vite et parfois n'importe quoi, au cours de ce mois. Il en résultera un affaiblissement général de votre système immunitaire. Vous êtes né avec une grande résistance physique, mais il vous arrive de ne pas connaître vos limites. Si, en plus, vous manquez de sommeil, la récupération sera lente.

TRAVAIL-ARGENT On travaille pour gagner sa vie, mais certains ont hâte d'être à la retraite alors qu'ils sont encore bien jeunes ! Si vous avez une telle pensée, peut-être que vous ne faites pas le métier qui vous convient. Il est encore temps d'en changer. Ce mois de mars vous invite à suivre un cours du soir afin d'acquérir ce savoir qui vous permettra d'accéder à un autre poste. Passez un test d'orientation, si vous ne savez quel chemin prendre pour vous réaliser. Si vous n'obtenez pas de réponse satisfaisante, au moins vous en saurez plus sur vos capacités et vos goûts. Si vous faites un travail emballant, sans doute êtes-vous dans le domaine des communications et constamment en relation avec de nouvelles gens. C'est généralement dans ce type de profession que vous êtes heureux. Le travail en solitaire n'a pas été inventé pour vous. Laissez cela à d'autres signes.

À partir du 13, si vous êtes à l'emploi d'une grosse entreprise qui fabrique des produits de consommation, vous pourriez faire l'objet de réductions budgétaires ! On vous offrira de conserver votre poste sous condition : faire le travail de deux employés mais pour le même salaire ! Ce sera à débattre ! On proposera à certains d'entre vous de travailler de chez eux, notamment si le travail peut être acheminé par Internet, mais pour une rémunération moindre ! Vous pourriez accepter cette solution temporaire, mais avant la fin du mois, vous aurez déjà commencé à regarder ailleurs. Vous aurez la chance de cogner à la bonne porte, là où justement on a besoin de compétences comme les vôtres.

CROYANCES Vous êtes placé sous le signe de la foi. Bon nombre d'entre vous ont tendance à changer de pratique religieuse au cours de leur vie. Cela se fait, en général, avant d'aborder la quarantaine. Après, c'est plus rare. Le danger, ce mois-ci, est de « signer » une entente avec une secte, comme on entre dans l'armée. Le principe est le même. Cela pourrait malheureusement envelopper votre personnalité pendant des mois, voire des années. Surveillez les « missionnaires » quand ils vous approchent. S'ils détectent en vous la moindre faille de désespoir, ils sauront vous convaincre qu'ils ont la solution à vos maux. N'oubliez pas qu'ils ne rateront pas d'« embellir leur terre promise ». Notre planète est secouée par divers événements qui ne nous semblent pas humains, c'est le moment que choisissent les charlatans de tout acabit pour émerger.

QUI SERA LÀ ? Un Verseau est convaincant, mais son idée est-elle vraiment raisonnable ? Attention ! il peut vous faire courir un risque à sa place. Poissons, Scorpion et Cancer vous aident à rester en éveil, et ce, dans diverses situations. Vous ouvrez un dialogue avec un Taureau, mais c'est comme si vous ne parliez pas la même langue ! Un Bélier est exigeant et s'il est cet emprunteur qui ne rembourse jamais ce qu'il doit, avertissez-le que vous n'êtes pas donnant. Vous avez autant besoin d'un Lion qu'un Lion a besoin vous et, principalement, si cela concerne votre famille.

AVRIL 2002

AMOUR-AMITIÉ Jusqu'au 13, Mars est en Taureau et fait un aspect dur à Uranus. Mars symbolise votre réaction et Uranus vos amis, les nouveaux tout autant que les anciens. L'un d'eux ne remplira pas une promesse ; un autre qui devait vous aider parce que vous ne vous sentez pas bien, vous annonce qu'il ne peut le faire. Imaginez un instant que vous êtes dans une grande détresse morale. Vous appelez les uns et les autres, et chacun se trouve des prétextes que vous savez complètement faux. Vous découvrirez que ces gens en qui vous aviez confiance sont indignes de vous. La vie n'étant pas totalement ingrate, ce sera la personne la plus occupée et débordée de problèmes qui sera là pour prendre soin de vous. Vous n'auriez jamais osé demander quoi que ce soit à cette personne... et pourtant ! Au vu d'un tel événement, vous ferez le tri de vos amis. Les vrais se comptent sur les doigts d'une seule main. À partir du 14, vous serez sous l'influence de Mars en Gémeaux. Saturne est aussi dans ce signe.

En tant que célibataire, vous pourriez rencontrer une personne ayant beaucoup d'influence dans son milieu de travail mais qui, dans sa vie privée, exerce le même pouvoir ! Si la puissance vous fascine, elle ne vous retient pas ! Si vous avez une vie de couple avec un partenaire sociable, s'il aime causer avec les uns et les autres, sous l'influence de Mars et de Saturne en Gémeaux, vous vous sentirez abandonné, voire trahi. Votre imagination peut vous jouer des tours ! Et si vous « piquez » une crise, plutôt que de ramener votre partenaire vers vous, vous l'éloignerez. S'il a un flirt sous peu, un vrai cette fois, vous vous demanderez si vous n'en êtes pas responsable. De nombreux Sagittaire disent à qui veut bien les entendre qu'ils ne sont pas jaloux ! Il s'agit d'une affirmation purement intellectuelle. La majorité des Sagittaire sont de grands jaloux ! Cela fait partie de l'héritage du signe qui vous précède, le Scorpion.

FAMILLE Vous ne voulez plus vivre de problèmes familiaux, pourtant il y en a toujours un qui surgit quelque part. Ce mois-ci, pour la majorité d'entre vous, ces problèmes sont à l'échelle réduite. Vous visiterez un parent à l'hôpital, mais vous n'absorberez pas son mal. Vous serez compatissant. En tant que parent de plusieurs enfants adultes ou presque, le fils aîné peut avoir à déménager pour son travail. La nouvelle est réjouissante pour lui, mais elle vous peinera. Vous savez que vous le verrez moins souvent. S'il traverse une étape amoureuse difficile et que son couple n'est plus aussi harmonieux qu'il ne l'était, cela aussi vous affecte. Il est même possible qu'il « débarque » pour quelques jours chez maman ou papa Sagittaire avec son « sac de linges » et le cœur gros, comme lorsqu'il était petit et avait perdu ou cassé son jouet préféré. Si vos fils sont étudiants, vous pourriez apprendre que l'un d'eux a obtenu une bourse pour étudier à l'étranger. Si vous avez une ou des filles, il n'est pas impossible qu'on vous annonce que l'une d'elles suive votre trace sur le plan professionnel. Elle a déjà un métier mais pourrait en changer. Il est aussi possible que vous l'introduisiez dans votre milieu de travail. Si vous êtes à votre compte, propriétaire de votre entreprise, votre fille vous proposera de vous associer. Si vos enfants sont encore sous votre entière protection, vous trouverez la charge plus lourde. Vous êtes fatigué mais, chaque fois que vous penserez à eux, vous vous direz que jamais vous ne donneriez votre place à qui que ce soit, tant vous les aimez.

SANTÉ Si vous avez des maux de ventre, votre alimentation entre en ligne de compte. S'ils sont persistants et plus douloureux, voyez un médecin. Votre système s'acidifie rapidement ce mois-ci. Le stress produit cet effet. Si vous vous relaxiez plus souvent, quelques minutes par jour, si vous cessiez toute activité, vous vous éviteriez petits et gros problèmes.

TRAVAIL-ARGENT Au travail, le ciel est bon. Votre clientèle est plus généreuse mais également très agréable. C'est sans doute au travail que vous serez le plus en forme. Côtoyer des gens avec qui vous n'avez pas un profond engagement émotionnel vous repose de votre famille. Étrangement, cela vous permet de refaire le plein d'énergie. Celle-ci sera en chute chez vous plutôt qu'au boulot. Au début d'avril, d'autres ajustements administratifs auront lieu, mais rares seront ceux qui seront directement touchés. Si vous jouez un rôle de médiateur dans l'entreprise, parce que vos collègues vous l'ont attribué, vous serez fort occupé à rétablir la paix entre les uns et les autres. Vous réussirez un tour de force, car personne ne sera déçu. Vos propositions pacifistes feront le bonheur et l'affaire de tous. Si on vous a confié la tâche de fermer les portes après le travail, n'oubliez pas de le faire. Ce mois d'avril, surtout durant ses derniers jours, laissent entrevoir des risques de vol.

CROYANCES Vous débattrez de vos idées avec votre entourage et des inconnus. Il s'agira de philosophie ou de religion. Vous ne réglerez rien, mais ces conversations vous permettront d'en savoir plus sur eux et sur vous-même. Si vous avez la manie de courir voyants ou clairvoyants, vous perdez votre temps, surtout s'il s'agit de connaître vos numéros chanceux ou de vous entendre dire que vous serez chanceux au jeu. Personne ne connaît la combinaison gagnante. Si c'était possible, aucun de ces charlatans ne feraient de consultations ! Si vous êtes malade, n'accordez pas uniquement votre foi aux médecines douces et ne délaissez pas vos ordonnances. Vous vous mettriez en danger. Ces deux visions de la médecine sont compatibles, et peut-être que dans 20 ans elles se compléteront avec succès !

QUI SERA LÀ ? Vous retrouvez un Taureau que vous n'aviez pas vu depuis longtemps et de qui vous avez peut-être été amoureux. N'acceptez pas que Poissons et Gémeaux vous critiquent. Un Scorpion a besoin d'un coup de main. Un Cancer vous rend service. Un autre Sagittaire a des idées opposées aux vôtres. Une Vierge demande plus que vous ne pouvez lui donner. Ne fâchez pas un Lion, vous vous en souviendriez longtemps. Un Verseau bouillonne d'idées qui ne sont pas applicables pour l'instant, mais elles sont intéressantes à écouter. Vous pourriez tomber amoureux d'une Balance ou d'un Bélier.

MAI 2002

AMOUR-AMITIÉ Ce ciel de mai, dominé par les planètes en Gémeaux face à votre signe, laisse présager des querelles d'amoureux. Vous pourriez rencontrer des personnes qui vous convaincront que votre destin a changé du tout au tout. Donnez-vous le temps de bien connaître un nouveau flirt, ne lui donnez pas immédiatement votre âme.

Un ami pourrait s'immiscer dans votre vie de couple, loin d'être pacificatrice, cette intrusion causera des conflits entre votre amoureux et vous. Soyez vigilant avec cet ami, tout comme avec un autre qui a besoin d'être dépanné et à qui vous ouvrez généreusement la porte. Il apporte avec lui de la zizanie et des déceptions. Il pourrait ne repartir qu'après vous avoir mis dans tous vos états ! Ce que vous avez mis des années à construire avec votre partenaire pourrait disparaître comme fumée un jour de grand vent, ou tout au moins s'en trouver terriblement endommagé. Un bon conseil : ne laissez personne s'introduire dans votre vie de couple, surtout pas quelqu'un qui arrive avec une valise pleine de problèmes en tout genre.

FAMILLE Jupiter est en Cancer. Il veut garder la famille unie, cependant d'autres planètes exercent des pressions inverses. C'est comme si on essayait de vous convaincre qu'il vaut mieux vivre sans attache, alors que vous aimez vos enfants, votre partenaire et votre vie tous ensemble. L'un vos enfants pourrait avoir de drôles de fréquentations, il serait bon d'y voir, surtout s'il s'agit d'un pré-adolescent ou d'un adolescent. Si un petit rentre de l'école avec quelques bosses, il serait sage que vous vous alliez au fond des choses. Assurez-vous qu'il n'a pas été victime de taxage ou de brutalité des plus grands. Si vous vivez en famille reconstituée, le mois de mai n'est pas paisible. Par exemple, un ex qui n'a pas la garde des enfants vous réclame de l'argent. Ou alors, déçu d'avoir été laissé, cet ex, même après bien des années, vous appelle constamment. Son seul et unique but est de vous empoisonner la vie. Il sera plus difficile de garder l'équilibre ce mois-ci, il faudra faire un effort supplémentaire pour y parvenir.

SANTÉ Vous serez nerveux, évitez donc les excitants tels que le thé et le café. Si vous suivez un régime, vous pourriez être si strict avec vous que vous risquez de vous affaiblir. Vous voulez perdre quelques kilos, alors mangez raisonnablement et faites de l'exercice. Vérifiez les ordonnances qu'on vous remet. Une erreur peut s'y glisser.

TRAVAIL-ARGENT Le ciel est quasi couvert de planètes en Gémeaux, et elles vous font face, ainsi qu'à Pluton dans votre signe. Il s'agit ici de l'axe des écoles et des universités. Si vous êtes professeur, il est possible que vous soyez dérangé par des contestations étudiantes, notamment dans les écoles secondaires et les cégeps. Cela peut aller du fait le plus banal à une très grande violence telle que la destruction des propriétés scolaires, et même pire à une prise d'otages ! Imitation du terrorisme ? À l'université, les manifestations sont davantage des luttes d'idéologies. Il y aura de la protestation contre certaines mesures d'ordre politique ou des décisions gouvernementales sur le coût des cours. Si vous travaillez dans le domaine des communications Internet, dans les systèmes de téléphonie, en audiovisuel, et tout ce qui concerne la machinerie lourde, vous serez débordé. Lors de vos nombreux déplacements, soyez prudent au volant. Si vous ne voulez pas être en retard, partez plus tôt. Ce ciel de mai laisse présager des embouteillages monstres.

CROYANCES Lorsque tout ou presque se dérègle autour de vous, demandez-vous si ce n'est pas le signal de changer votre perspective. Vous avez beau intellectualiser les problèmes mondiaux et expliquer pourquoi il en est ainsi, le problème n'en est pas réglé pour autant. Vos aspirations pacifistes doivent être accompagnées de gestes généreux envers autrui. Par contre, n'allez pas croire que tout le monde soit bien intentionné. Vous seriez alors hors de la réalité. En mai, vous serez fasciné par des événements étranges que la science ne peut expliquer. Laissez-vous porter par ce que vous ressentez d'abord et, ensuite, disséquez avec votre capacité d'analyse !

QUI SERA LÀ ? De nombreux Gémeaux, les uns matérialistes, les autres purs idéalistes vous côtoient. Un Bélier vous appelle plus souvent. Un Scorpion vous fascine. L'imaginaire d'un Poissons vous séduit. Un Cancer perçoit clairement les états d'âme dont vous ne parlez à personne. Un Lion tombe amoureux. Un autre Sagittaire vous courtise. Une Vierge vous contrarie. Une Balance se rapproche de vous par sympathie émotionnelle et intellectuelle.

JUIN 2002

AMOUR-AMITIÉ Durant la seconde partie du mois, un ami prend plus d'importance que les membres de votre famille. Il a besoin d'aide tant physique que morale. Vous pourriez être obligé de l'accompagner à l'hôpital pour ses traitements. Votre soutien est important; il compte pour une grande part de la guérison de votre ami.

Lorsque vous vous retrouverez en tête-à-tête avec vous-même, vous apprécierez votre force, et même votre résistance physique. Ainsi, vous avez peut-être réussi à vous sortir de terribles maux alors que les médecins eux-mêmes en doutaient. Un ex-amoureux pourrait revenir vers vous. Jusqu'au 14, vous ne saurez plus très bien si vous devez ou non lui ouvrir la porte. Et si tout recommençait comme avant ? Votre relation avait été élastique et tellement tendue dans le passé. Attendez après le 15 pour prendre une décision. Des événements pourraient ouvrir les yeux sur l'éventuelle bêtise que vous commettriez en revenant avec lui.

Si vous vivez une relation pas très heureuse, et que vos enfants soient encore jeunes, demandez-vous ce qui a bien changer entre vous ? Tout le mois, le Nœud nord en Gémeaux est opposé à Pluton en Sagittaire. Le bonheur est dans votre vie, dans votre maison, alors n'hésitez pas à chasser ceux qui viennent le troubler. Ne tolérez pas qu'on sème le doute en vous. N'écoutez pas les commérages de gens malheureux, ne perdez pas votre temps avec eux.

FAMILLE Si vous vivez dans une famille reconstituée, cela crée parfois de la confusion lors des fêtes de famille. Qui faut-il inviter et qui faut-il éviter ? Ce mois-ci, tout le monde semble avoir envie de vous rendre visite. Mais vous n'avez pas envie de voir tout le monde pour autant. Vous ferez un petit tri de vos connaissances. N'y a-t-il pas un voisin qui se trouve plus souvent dans votre maison que chez lui ? Il vous empêche de faire votre travail. Vous ne vous sentez pas libre, même si vous êtes chez vous. Il faudra mettre fin à tout cela.

Ce sont peut-être vos grands enfants qui invitent un tas d'amis envahissants. Au début du mois, vous n'y verrez rien de mal, après tout, il faut bien que les jeunes s'amusent quelque part. Mais après une semaine ou 15 jours, vous ne pourrez plus supporter le désordre ! Si vous piquez une colère, elle vous fera du bien. Et c'est peut-être la seule façon de faire comprendre à vos enfants et à ceux des autres qu'ils vous manquent de respect. Au cours de la dernière semaine du mois, si vous avez une discussion avec votre ex au sujet de la garde des enfants, vous vous apercevez qu'aucune entente raisonnable n'est possible. Il faudra appeler votre avocat pour qu'il tranche la question.

SANTÉ Si vous avez tendance à enfler ou que vos reins sont douloureux, peut-être devriez-vous diminuer votre consommation de thé ou de café ? Si vous êtes une bonne fourchette et aimez particulièrement desserts et sucreries, vous êtes insatiable. Mais vous détesterez les kilos qui s'ajouteront à votre tour de taille.

TRAVAIL-ARGENT Le changement vous étourdit. Vous avez pris un tournant de carrière, vous travaillez à la maison, vous avez repris vos études, tout cela vous bouleverse. L'adaptation ne se fait pas du jour au lendemain. Le passage d'un style de vie à un autre ne se fait pas comme une lettre à la poste ! Il faut du temps pour se reconnaître, mais également pour, selon une expression de ce siècle, « maximiser » toutes les nouveautés.

Des raisons médicales vous incitent peut-être à travailler chez vous. Dans ce cas, vous aurez du mal à maintenir votre rythme. Il faudra accepter que vous ne puissiez pas aller aussi vite que vous le désirez. Mais n'êtes-vous pas en demi-repos ?

Si l'entreprise qui vous emploie se retrouve sens dessus dessous des suites des conflits qui se produisent dans le monde, vous vous imposerez en pacificateur auprès de vos collègues. Ceux-ci craignent la fermeture de l'entreprise ou d'autres restrictions budgétaires.

Si vous œuvrez dans le domaine des communications Internet, attendez-vous à d'autres « virus » à la fin du mois. Souhaitons que votre logiciel antidote soit à jour. Soyez plus prudent en traitant les documents reçus par courriel. Ce ciel de juin indique des ennemis virtuels.

CROYANCES À partir du 15, vous croiserez des gens qui « se prennent » pour de grands philosophes ! Attention ! ils sont sans doute impressionnants, mais ils ne détiennent pas les clés du savoir universel. Vous sentirez le besoin d'apprendre et de croire en des jours meilleurs. Un ami vous entraînera dans une conférence qui traitera du mieux-vivre. Soyez vigilant. Ces belles paroles pourraient ne viser qu'à vous enrôler dans une secte ou dans un mouvement religieux qui ne serait en fait qu'une prison de plus pour votre esprit.

QUI SERA LÀ ? Les signes d'eau sauront vous conseiller dans votre recherche d'une meilleure qualité de vie et d'une amélioration de vos relations avec autrui : Cancer, Poissons et Scorpion. À la fin du mois, un Lion vous sert de garde-fou et vous empêche de prendre une mauvaise décision professionnelle. Un autre Sagittaire compétitionne contre vous. Une Vierge emprunteuse pourrait vous coûter cher. Vous éclairez un Verseau qui ne se comprend plus.

JUILLET 2002

AMOUR-AMITIÉ C'est le dernier mois du passage de Jupiter en Cancer dans le huitième signe du vôtre. Jupiter cessera de vous bousculer. En fait, vous saurez mieux résister à l'assaut des envahisseurs qui entrent dans votre maison et s'y installent en maître des lieux, ou presque. Durant les 13 premiers jours du mois, vous mettrez officiellement de l'ordre dans votre carnet d'adresses. Quelques numéros de téléphone en disparaîtront. La nature ayant horreur du vide, après le 14, vous rencontrerez de nouvelles gens avec qui vous vous lierez d'amitié. Vous reverrez également des amis mis de côté à cause de votre travail trop prenant, ou parce que votre famille vous a trop accaparé. Le 11, avec l'entrée de Vénus en Vierge dans le dixième signe du vôtre, les célibataires pourraient croiser l'amour dans leur milieu de travail ou par l'intermédiaire d'un collègue qui vous présentera son meilleur ami. À partir du 22, vous pourriez partir en voyage avec un ami. L'un et l'autre, vous êtes libres comme l'air et avez tous deux le goût de l'aventure. Vous avez les moyens, du temps, alors pourquoi pas ?

FAMILLE Le Nœud nord en Gémeaux est opposé à Pluton en Sagittaire. Vous désirez ardemment la paix au foyer, entre les membres de votre famille, avec vos enfants. Vous avez l'impression que dès qu'un problème se règle, un autre surgit. Peut-être écoutez-vous trop les uns ou les autres ? Avez-vous trop d'attentes envers vos propres parents ou vos enfants ? Êtes-vous obligé de servir chacun comme vous le faites ? Pourquoi devriez-vous combler tous leurs désirs ? Que font-ils des vôtres ? Vous avez envie de réorganiser votre maison à votre goût, pourquoi écouter vos enfants, votre sœur, votre frère, votre partenaire ? Pour vous entendre dire que vos goûts sont douteux ! Que vous êtes extravagant ! Vous n'avez pas à écouter les tristes histoires de familles des autres, de vos amis. Vous en perdez vos énergies. Prenez donc la décision de prendre soin de vos proches, de ceux qui sont vraiment importants pour vous.

SANTÉ À partir du 11, Vénus fait un aspect dur à Pluton dans votre signe. Vénus concerne votre corps, et particulièrement vos fonctions rénales. Ainsi positionné dans la Vierge, l'élimination intestinale est aussi un élément à surveiller. Il est important de bien vous nourrir. Ne prenez pas une douleur au ventre à la légère, n'hésitez pas à voir votre médecin. Les aspects de ces planètes symbolisent souvent un siège d'infections. Donc, passez les examens pour vous assurer que tout va bien.

TRAVAIL-ARGENT C'est un mois de vacances pour bien des gens. Si vous travaillez, la première partie du mois n'est pas des plus calmes. Les révisions budgétaires se poursuivent dans l'entreprise. Vos collègues seront divisés sur le sujet. Vous assisterez à des revirements d'opinions. Une fermeture d'entreprise ou une réduction des dépenses obligeant les employés en poste à travailler pour deux peuvent créer de la contestation. La situation ne se réglera sûrement pas avant la dernière semaine du mois. Dans le domaine des communications, notamment si vous êtes relationniste, déployez tout votre talent de diplomate avec les autres. Des tensions à grande échelle se répercutent dans tous les secteurs. Faites plus attention à votre argent ce mois-ci. Évitez les dépenses inutiles ou les trop grands luxes. Sauvegardez vos économies.

CROYANCES Ce n'est pas la fin du monde si tout ne va pas comme vous le voulez. Il s'agit de la dernière vague déferlante de Jupiter en Cancer. Depuis le début de l'année, et petit à petit, vous avez modifié votre façon de vivre et de voir votre avenir. On a parfois essayé de vous convaincre d'adhérer à un mouvement, à une philosophie, mais vous avez résisté. Vous savez où vous en êtes, vous avez déterminé ce que vous avez encore besoin d'apprendre. Vous chercherez à vous rassurer pour ne pas céder à la panique. Vous irez voir des voyants, des clairvoyants ou des astrologues. Cette fois, si on vous prédit une amélioration de votre vie, vous pourrez y croire.

QUI SERA LÀ ? Vous aurez des divergences d'opinions avec un Sagittaire. Un Lion vous soutient dans vos démarches. Un Gémeaux ne tient pas une promesse. Vous avez toutefois l'appui d'un Bélier à partir du 14. Un Cancer peut se fâcher pour un détail et malheureusement, vous serez justement là au moment où il a une saute d'humeur. Un Poissons vous suggère une autre manière de penser votre vie.

AOÛT 2002

AMOUR-AMITIÉ Nous voici au huitième mois de l'année, enfin Jupiter est en Lion. C'est l'occasion de réparer les pots cassés, de reprendre doucement des conversations avec les amis, de se donner rendez-vous au restaurant et rire ensemble. À partir du 8, Vénus entre en Balance. Vénus se fait plus câline, plus gentille, plus profonde et plus intelligente dans ses approches. Une amitié peut se transformer en grand amour. Les célibataires feront une rencontre qui est la promesse d'une relation paisible et non un simple emballement. Vous découvrirez rapidement vos nombreux points en commun avec cette personne. Vous n'avez nul besoin de vous disputer pour prouver que vous êtes quelqu'un. En fait, cette personne ne ressent pas non plus de désir de domination envers qui que ce soit. Vous vous demanderez si une relation d'égal à égal est possible. La chance de la vivre vous est offerte.

Si votre couple a traversé une crise, c'est terminé. Votre partenaire et vous voyez la vie sous des angles plus favorables. Plusieurs d'entre vous voient aussi la fin des problèmes financiers qui minaient leur romance !

FAMILLE La famille parfaite n'existe pas. Il y a toujours un parent qui se plaint, qui est insatisfait et qui finalement se sert de vous afin de se rendre la vie plus facile. C'est avec un beau sourire que vous lui donnerez son congé pour un temps indéterminé. Une querelle d'argent autour d'un héritage pourrait perdurer depuis longtemps. En ce mois d'août, la solution apparaît enfin. Le problème sera résolu par un avocat ! Vos adolescents ou vos enfants adultes vous en ont fait voir de toutes les couleurs par leurs attitudes et leurs troubles récemment, voilà qu'eux aussi trouvent le moyen de s'en sortir. Votre famille reconstituée retrouve aussi son calme, les conflits avec votre ex-partenaire se terminent, puisque ce dernier sort de votre vie, presque comme par magie ! De telles périodes vous font dire que la vie vaut d'être bien vécue !

SANTÉ Ne laissez pas des problèmes de circulation sanguine, des engourdissements ou des fourmis dans vos membres vous envahir, par exemple lorsque vous restez assis dans la même position longtemps. Passez un examen médical. N'oubliez pas de prendre vos médicaments afin de régulariser votre tension artérielle. En allant les acheter en pharmacie, assurez-vous de recevoir vos médicaments selon le dosage prescrit par votre médecin.

TRAVAIL-ARGENT Vous serez chanceux ce mois-ci, surtout si vous êtes du premier décan. Je vous suggère d'acheter des billets de loterie, chaque semaine. En fait, les trois décans entreprennent un voyage avec des bagages plus légers ou se délestent de plusieurs problèmes. Si la récession économique se poursuit, vous n'êtes pas touché. Vous entrez en zone d'expansion, de croissance, d'amélioration de votre qualité de vie au travail. Les plus favorisés des Sagittaire sont ceux qui ont l'occasion de créer, ceux qui prennent des décisions. Vous avez le sens de l'initiative et personne ne peut vous le reprocher. Si vous êtes à votre compte, vous songerez à une stratégie commerciale et vous la mettrez rapidement à exécution. Si vous cherchez de l'emploi, pourquoi ne pas tenter votre chance dans un nouveau domaine ? Peut-être ne possédez-vous pas toutes les compétences demandées pour ce poste ? Dans ce cas, insistez ! Il est possible qu'on vous fasse une faveur en vous proposant une formation personnalisée. Votre personnalité est « détonante » et votre détermination impressionnante ! Si vous avez été congédié, vous pourriez être rappelé dans l'entreprise. On vous offrira de meilleures conditions de travail qu'auparavant ! Vos problèmes financiers se terminent. Bientôt, vous pourrez payer toutes vos dettes et s'il vous reste des sous, faire quelques économies et des investissements.

CROYANCES En tant qu'être humain, nous cherchons des preuves pour consolider notre foi ! Quand tout va bien, nous levons les yeux au ciel et nous remercions Dieu ! Si votre foi s'est égarée et que les choses ont mal tourné pour vous, Jupiter en Lion donne des ailes à votre âme et à votre cœur. Gardez cet état de bien-être en vous pour les jours où vous aurez besoin d'un peu plus de courage. Vous revivrez alors cet instant d'envol vers le meilleur.

QUI SERA LÀ ? Un Lion est plus présent que jamais pour vous, pour vos besoins. Il vous dit à quel point il ressent de l'affection pour vous. Sil s'agit d'un flirt, du début d'une relation, il ne tarde pas à vous dire combien il vous aime. Un Bélier prend beaucoup de place dans votre vie, mais attention, il pourrait commettre une erreur en vous transmettant un message incomplet ! Entre le 12 et le 19, évitez de vous entêter avec une Vierge. Faites le maximum pour travailler dans l'harmonie avec un natif de ce signe. Ce sera plus difficile si vous vous connaissez depuis longtemps. Une Balance qui apprécie ce que vous faites pour elle vous offre un cadeau. Vous êtes en contact téléphonique avec un Scorpion. Votre communication est aussi forte que si vous étiez face à face.

SEPTEMBRE 2002

AMOUR-AMITIÉ Les mois se suivent, mais ne se ressemblent pas. Comme les vagues sur l'océan, on constate des petits clapotis, les bonnes vagues et les déferlantes. Mars se pointe dans le signe de la Vierge et fait un aspect difficile à Pluton. De plus, Mars fera çà et là des aspects durs au Nœud en Gémeaux. Celui-ci à son tour est en face de votre signe. Heureusement, bien que face à votre signe, Saturne fait une bonne réception à Uranus... Cette petite histoire d'astrologie est pour vous dire que des amis mécontents – ou des gens qui se disent vos amis – attendent beaucoup de vous. Regardez bien, dans votre entourage, mine de rien, quelqu'un veut que vous lui rendiez service. Il ne demande pas, il l'exige. Il fait de l'humour en serrant les dents pour ne pas trop persifler ! Jupiter étant en Lion, vous voyez clairement qu'on empiète sur votre territoire. On essaie d'obtenir de vous des faveurs. Cette personne est démasquée par trop de démonstrations fort peu réussies, elle sera mise à la porte. Vous lui direz clairement que vous n'y êtes plus pour elle, ni maintenant ni jamais ! Si l'amour a rendu de l'espoir au célibataire, voilà que Mars en Vierge sème le doute en lui, parfois sans motif valable. Est-ce la peur de perdre cette pseudo-liberté qui vous fait peur ? Attendez au moins la fin du mois pour conclure qu'il doit y avoir une conclusion !

FAMILLE Avec la rentrée scolaire, votre ex revient à la charge avec une tonne et plus de recommandations sur l'éducation des enfants que vous avez eus ensemble ! Cet ex peut aussi bien être une femme qu'un homme, car certains messieurs ont la garde de leurs enfants. Lorsqu'on a été marié avec quelqu'un, et surtout si on a des enfants ensemble, jamais la relation ne se rompt définitivement, sauf quelques rares exceptions. Même si ces enfants sont adultes, le jour où l'un d'eux se marie, ne voudra-t-il pas inviter ses deux parents biologiques ? Même à un âge avancé, il arrive que les enfants fassent du chantage et continuent d'espérer que leurs parents reviennent ensemble. Surtout s'ils ont connu cette vie de famille ! Vous pouvez donc vous attendre à ce type de conflit extra-familial dans une famille reconstituée. Si vous savez clairement où vous en êtes avec votre conjoint actuel, ne laissez pas vos enfants, ou ceux de l'autre, petits ou adultes, miner votre paix familiale. L'argent sera un point chaud lors de vos discussions avec l'ex. Votre partenaire d'aujourd'hui ne saura plus quoi vous dire ! Mais peut-être est-il assez sage d'attendre que l'orage se calme ?

SANTÉ Votre digestion difficile et les maux de ventre sont présents ! Si vous vivez un grand stress, de petits bobos ou de grandes douleurs se manifesteront. Il est important de rester calme au volant. Une simple distraction suffit pour vous sortir de la route. C'est une grosse peur à éviter !

TRAVAIL-ARGENT À partir du 9 et jusqu'à la fin de 2002, Vénus entre en Scorpion, dans le douzième signe du vôtre. Vénus fait référence à vos contrats, à l'argent que l'entreprise vous doit, mais également au chèque qu'on oubliera de vous faire, alors que vous y avez droit. C'est triste, mais Vénus brouillera temporairement sa relation avec Jupiter, la planète qui régit votre signe. Cela est l'indice d'une promesse remise à plus tard, mais sans qu'on en précise la date ! Si vous faites du commerce, ne faites pas crédit à des clients qui déjà n'ont pas l'habitude de payer régulièrement leur facture. Jupiter en Lion concerne aussi vos grands enfants. L'un d'eux peut avoir besoin d'argent. Il est à souhaiter que vous ne soyez pas dans le même cas trop rapidement. Au travail, bien que le climat ne soit pas à la joie, vous ne perdez rien sur le plan matériel. On reconnaît que vous êtes l'employé idéal pour remplacer les autres sans même retarder les échéances de vos propres tâches.

CROYANCES Ne replongez-vous dans vos doutes, vos peurs, vos angoisses ? Dieu existe-t-il ou vous a-t-il abandonné ? Votre raison n'a pas quitté le bateau. C'est votre moral et votre énergie physique qui subissent des baisses et qui vous donnent l'impression d'être seul au monde. Sous Vénus en Scorpion et Jupiter en Lion, vous ne voudriez voir que du beau dans tous les secteurs de votre vie. Vous êtes suffisamment perceptif pour savoir que le bon et le moins bon se côtoient de près ces temps-ci !

QUI SERA LÀ ? Un Scorpion vous éclaire et vous rassure. Un Bélier vient à votre rescousse. Une Vierge qui fait des réparations chez vous risque d'oublier quelques détails. Un Lion vous aime. Une Balance flirte avec vous. Un Verseau a des idées si larges que vous ne saurez plus très bien où elles commencent et à quoi elles aboutiront ! Un Cancer vous fait sourire. Un Poissons vous suggère de regarder vos déceptions comme les jours de panne d'électricité et pendant lesquels on finit toujours par s'organiser !

OCTOBRE 2002

AMOUR-AMITIÉ Les querelles ou les mises au point avec un pseudo-ami ne sont pas terminées. Il revient à la charge ! Méfiez-vous, sans doute a-t-il fourbi ses armes ? Ne vous laissez pas impressionner par ses menaces verbales ! Vénus est encore en aspect dur à Jupiter. Mars fait maintenant un carré ou un aspect négatif à Saturne, et ce, jusqu'au 16. Vous serez prompt ces jours-là. Vous jetterez carrément à la porte un ex-amoureux qui insiste. Il faudra s'être levé de bonne heure si on tient à gagner la partie avec vous. On ne fait pas pression sur vous ! Vous n'en acceptez aucune, et surtout pas de la part d'un pseudo-ami ou d'un ex qui vous a considérablement fait souffrir. Si vous avez un lien de travail avec un ami, il est possible qu'il essaie de vous tromper sur le plan financier. Il est plutôt mal tombé ! À partir du 16, si aucun règlement satisfaisant n'intervient avec lui, vous ferez appel à un avocat, même s'il ne s'agit que d'une petite somme. On ne vous roule pas. Ce serait une insulte à votre intelligence ! La portion ami de votre thème annuel est secouée, en ce moment. Rassurez-vous, il n'en sera pas ainsi pendant douze mois. Il faut simplement achever ce qui était en suspens et qui polluait votre paix d'esprit.

FAMILLE Mars en Vierge est un lien direct avec vos enfants. Si l'un des vôtres manifeste un comportement tel qu'il passe du jour à la nuit, il est nécessaire que vous réagissiez. L'enfant peut avoir 2 ou 20 ans, qu'importe ! Un changement radical d'attitude n'est pas normal. Vous devez savoir quel scénario se déroule dans sa tête ! La révolte est ce qui suit une grande colère non manifestée, une énorme frustration, une peine cuisante, etc. Si vous vivez en famille reconstituée, la deuxième partie du mois peut être sous le signe du chaos. En fait, cela sera ainsi si vous n'avez pas clairement établi les règles de vie tous ensemble. N'oubliez pas que chacun a son ex, un autre parent qui n'a pas la garde des enfants. Si vous pensiez que tout rentrerait dans l'ordre, sans problème, vous vous êtes trompé. Le pire serait de faire l'autruche, de faire semblant que tout est bien alors que les « bombes » explosent autour de vous.

Saturne est en Gémeaux, il rétrograde à compter du 11. Saturne représente le père, en astrologie. Si vous êtes une femme et êtes séparée du père de vos enfants, ce dernier peut exercer des pressions, parfois sournoises, pour se les accaparer même si vous en avez la garde. Ce père pourrait réduire ou cesser de payer la pension des petits. Si votre ex a la possibilité de miner votre réputation, des indices de ce genre dans le ciel laissent présager qu'il le fera.

Si vous êtes un homme, la situation décrite précédemment peut aussi être la vôtre. En tant que seul soutien de famille, sur les plans matériel, physique et moral, vous aurez du mal à garder le sourire durant la première moitié du mois.

SANTÉ Il n'est pas facile de rester en bonne santé quand on est très fatigué ! Mais plus vous parlerez de vos « bobos », pires ils vous paraîtront ! Si déjà vous êtes sujet à quelques allergies alimentaires, évitez les aliments qui, même s'ils ont bon goût, provoquent chez vous des irritations cutanées.

TRAVAIL-ARGENT Bienheureux ceux qui reçoivent un salaire chaque semaine. Ce n'est pas le lot de chacun. Nous n'avons pas fait beaucoup de chemin dans la reprise économique. Les entreprises sont sur le qui-vive et l'embauche continue de se faire au ralenti ! Si vous avez un emploi stable, sans doute devez-vous travailler plus qu'autrefois ? Le personnel a été réduit. Le commis qui préparait le café et l'autre qui distribuait le courrier ne sont plus là. Vous devez vous servir vous-même. Si vous aviez l'habitude de travailler dans une grande salle bondée, cette fois, elle est presque déserte. Mais vous êtes chanceux, vous bénéficiez de la protection de Jupiter en Lion. Si vous cherchez un emploi, à partir du milieu du mois, vos démarches seront couronnées de succès. Ceux qui travaillent dans le domaine des communications sont les plus favorisés. De grandes transformations sont possibles dans le domaine de l'engagement social et du bénévolat. Cet aspect de la vie en société pourrait prendre une plus grande importance dans votre vie et vous procurez un emploi régulier.

CROYANCES Un ami d'une autre religion que la vôtre peut avoir besoin de vous pour défendre ses croyances et la place qu'il occupe au sein de la communauté. Politique et religion ont mené le monde jusqu'à présent. Toutes deux sont depuis toujours des sources de conflits un peu partout sur la planète. Il ne s'agit pas ici de terrorisme mais d'un fanatisme religieux. Il risque de nous y conduire si l'hémorragie n'est pas stoppée. Vous participerez à des débats sur la ou les religions au cours du mois d'octobre.

QUI SERA LÀ ? Un Scorpion assiste de loin aux solutions que vous adopterez pour régler vos petits et grands problèmes. Une Balance appuie vos démarches et est plus présente que jamais à vos côtés. Même si elle vous connaît peu, elle vous soigne si vous êtes malade. Un Verseau vous confie ses doutes. Avez-vous vraiment besoin d'en entendre plus ? Un Lion que vous n'avez pas vu depuis longtemps vous rend visite ou vous serez la première personne qu'il verra en rentrant de voyage. Une Vierge veut toujours plus de vous. Elle envie probablement ce que vous êtes et ce que vous faites. Parlez-lui-en ! À la fin du mois, un Cancer a besoin de vos lumières.

NOVEMBRE 2002

AMOUR-AMITIÉ Au risque de vous décevoir, le climat planétaire n'est pas tellement plus paisible ce mois-ci. Sur le plan personnel, Mars en Balance vous permet de vous éloigner de ce qui vous agace, vous ennuie, vous dérange. Mars en Balance vous donne une attitude de juge, sans le décorum et la robe. Mars en Balance vous calme. Vous adoptez une attitude pacifique qui étend son influence partout autour de vous. Mars en Balance, c'est aussi des mesures juridiques prises afin de faire respecter vos droits qu'un pseudo-ami a tenté d'usurper. Mars correspond à l'obligation qu'il a de vous rembourser ce qu'il vous doit. Mars en Balance, c'est la reconnaissance et la certitude de vos vrais amis. Vous organiserez une fête trois, quatre ou cinq mois plus tard, en l'honneur de quelqu'un que vous appréciez. Il est possible qu'on devance votre anniversaire. Vous serez réjoui du succès de l'un ; vous apprécierez le cadeau de l'autre. Si vous êtes célibataire, où que vous alliez, vous serez regardé. Votre magnétisme est puissant. Votre sourire fait fondre les observateurs. On tombe amoureux de vous dès qu'on vous aperçoit ! Si vous avez une seconde ou une troisième vie de couple, qu'importe le nombre, les épreuves infligées par votre ex sont du passé. Si vous n'avez pas trouvé la parfaite solution, vous avez au moins récupéré les deux tiers de votre capacité au bonheur.

FAMILLE Si un de vos enfants vous a causé des inquiétudes, et si vous avez pris les mesures qui s'imposaient pour rétablir son équilibre et le vôtre, votre succès est quasi total. Bien que vous soyez Sagittaire, vous n'aurez jamais la perfection de vie que vous souhaitez. La lampe d'Aladin n'existe pas, sauf dans l'esprit d'un enfant ou la fantaisie d'un adulte. Si vos enfants sont grands, pré-adolescents ou adolescents, l'argent est un sujet épineux. Ils veulent plus de vêtements, plus de gadgets, un nouvel équipement sportif, etc. Si vous en avez les moyens, vous leur demanderez quand même de trouver du travail afin qu'ils en paient une partie, aussi mince soit-elle. Si votre budget est serré, vous réussirez à leur dire, avec tact et diplomatie, que vous n'êtes pas une banque !

SANTÉ Si vous avez le cœur est fragile et qu'un cardiologue suit votre état de santé, suivez ses instructions. Ne pas les observer, c'est vous tromper vous-même, et surtout ne pas améliorer votre condition physique. Mars en Balance veille sur vous et ramène les plus indisciplinés à la raison.

TRAVAIL-ARGENT Vous êtes chanceux. En tant qu'excellent négociateur, vos paroles font toujours pencher la balance en votre faveur. Quel que soit le travail que vous fassiez, vous êtes ordonné. Les gens qui travaillent avec vous sont bien en votre présence. Dès qu'un problème surgit, vous avez une solution à proposer. Vous allez au-devant de ceux qui sont plus lents et maladroits, ceux qui n'ont pas votre expérience et vous n'hésitez pas à leur enseigner les « trucs du métier ». Si vous êtes à la recherche d'un emploi, vous n'aurez aucun mal à en trouver un. Vous aurez un bon salaire. Si vous êtes à contrat, on vous proposera de prolonger celui qui se termine avant la fin du mois. Il est même possible que vous soyez embauché à temps plein. Il est rare que je mentionne la chance au jeu, mais j'insiste. Achetez des billets de loterie, ça pourrait être votre tour !

CROYANCES Ce mois de novembre en est un recueillement. Vénus est rétrograde. C'est le moment de faire le bilan de vos pertes ; de repenser aux gens que vous ne reverrez plus parce qu'ils vous ont blessé trop souvent. Laissez-les suivre leur propre chemin. C'est le moment de mettre fin aux colères qui vous habitent, et qui vous nouent les tripes. Jupiter en Lion vous élève au-dessus de tout jugement et élargit vos horizons. Que vous soyez croyant ou non, vous méditerez sur la vie !

QUI SERA LÀ ? Un Lion est là pour vous tenir la main, pour vous aimer, pour vous réconcilier avec la vie et le monde. Vous êtes éloigné d'un autre Sagittaire, peut-être le pleurez-vous ? Il a fait son choix, respectez-le. Une Balance vous fait un grand plaisir. Un Gémeaux adoucit le ton lorsqu'il vous parle. Un Cancer a besoin de votre soutien moral. Un Scorpion avec qui vous pouvez parler fait surgir en vous des émotions que vous aviez transformées en raisonnements. Il vous permet de les ressentir sans que vous en soyez blessé, comme si vous étiez sous hypnose et le témoin d'une étape difficile mais achevée.

DÉCEMBRE 2002

AMOUR-AMITIÉ C'est le dernier mois de l'année, celui où nous nous promettons de nous réjouir. Nous voulons prendre quelques jours de congé, de trouver du temps pour voir nos amis et sortir avec nos grands enfants, en copains. Mais ce mois-ci, Vénus et Mars sont en Scorpion et font des aspects durs à Jupiter, puis à Neptune et à Uranus. Il faudra accepter que vos projets ne se réalisent pas exactement comme vous l'auriez souhaité. Les fêtes de Noël n'auront pas ce parfum que vous avez déjà senti. Vous êtes en forme, vous avez le cœur à la joie, cependant des amis que vous aimez bien ne pourront participer à vos réjouissances. Leur propre vie familiale est sens dessus dessous. Leurs enfants ne sont pas sages. Il se peut même qu'ils fassent des bêtises. Ainsi, vos amis sont trop préoccupés pour prendre plaisir même à un morceau de gâteau et un café. En somme, vous passerez plus de temps à consoler les uns et les autres qu'à vous amuser.

Si un couple d'amis vit une rupture, ne vous portez pas volontaire comme médiateur, à moins que ça ne soit votre métier. Laissez ces personnes régler leurs problèmes entre elles.

L'un de vos enfants, maintenant adulte, a lui aussi des difficultés amoureuses. La seule chose que vous puissiez faire, c'est l'écouter. Vous ne pouvez pas les obliger, lui et son amoureux, à se réconcilier. La vie est un long fleuve tranquille ! Dessous, circulent des courants forts que personne ne peut contrôler. On ne peut pas non plus détourner un fleuve de son lit, sans provoquer des conséquences.

Si vous êtes amoureux, si vous êtes béni de cette grâce, passez le plus de temps possible avec l'autre. Savourez ces instants uniques et cette douceur impalpable mais bien réelle entre deux personnes qui n'ont peut-être rien à se dire mais tout à ressentir.

FAMILLE Si vos enfants sont adolescents ou pré-adolescents, Jupiter en Lion les invite à des fêtes chez des amis, à des expériences à l'abri du regard des parents ! Si le ciel de décembre affichait des planètes harmonieuses, je vous dirai de les laisser faire, sans vous poser une seule question. Mais décembre n'a que peu d'aspects sages. Si vous savez que vos pré-adolescents ou vos adolescents aiment l'alcool, ne leur prêtez pas votre voiture. Si vous savez que leurs amis ont toujours quelque chose à boire – et pas du jus d'orange –, soyez plus futé qu'eux. Suggérez-leur de célébrer chez vous plutôt qu'ailleurs. Ainsi, vous saurez exactement ce qu'ils consomment. Si la colère les gagne et que vous vous sentez incapable d'imposer des interdits, allez vous-même les conduire à la fête en question. Avertissez-les de l'heure à laquelle vous irez les rechercher.

Si vous vivez en famille reconstituée, l'entente au sujet de la garde des enfants, ou de la pension à payer ou à recevoir, risque d'être perturbée. Vous pourriez devoir supporter une crise d'un ex, qu'il sera difficile de modérer. Jupiter en Lion vous donne beaucoup de sagesse mais n'a pas cet effet sur tous. Quelques signes du zodiaque peuvent se sentir insultés pour des riens. Leur orgueil et leur susceptibilité ont grossi sous l'influence de Jupiter en Lion. En conclusion, Noël sera plus intime cette année. Ceux qui seront autour de vous seront des amis ou des parents que vous aimez et qui vous aiment profondément. Les autres s'abstiendront.

SANTÉ La santé d'un jeune enfant vous inquiétera. Sa grippe pourrait vous tenir éveillé pendant de nombreuses nuits. Si l'un des vôtres fait de l'asthme qu'il soit impossible à contrôler même avec toutes les précautions et les médicaments que vous avez à la maison, n'attendez pas trop. Réagissez et précipitez-vous chez votre médecin. Vous serez fatigué, aussi dès l'instant où vous pourrez avoir une nuit complète, dormez !

TRAVAIL-ARGENT Plusieurs personnes vous doivent de petites sommes et vous avez vous-même oublié votre prêt, eh bien, ils vous rembourseront ! Cet argent ne traînera pas longtemps dans vos poches. Hop ! vous en profiterez pour acheter un cadeau à un ami, puis à un autre. Vous avez du plaisir à donner. Vous n'offrez rien de banal, en général. Vos cadeaux sont en quelque sorte des symboles. Vous avez l'art de trouver l'aubaine ou de dénicher le petit objet rare qui sera en parfaite harmonie avec son destinataire. Vous bénéficierez sans doute de quelques jours de vacances durant les fêtes, mais avant, vous serez débordé de travail surtout à partir du 9. Alors que des collègues commencent à s'absenter, vous ferez des heures supplémentaires. Si vous êtes dans la vente, vos clients seront probablement plus économes que les années précédentes. Ils n'achèteront pas vos produits de luxe, ils font des économies. La récession interdit le gaspillage, mais elle n'empêche personne de donner. On donne des objets moins coûteux. Si les produits que vous vendez ont quelque utilité, vos profits n'en souffriront pas trop. Par contre, les gros diamants ne seront pas les grosses ventes du mois. Seul Hollywood peut se les offrir !

Vous ne manquerez de rien sur le plan matériel, même si vous êtes plus serré. Vous êtes un expert pour arranger votre budget afin qu'il y en ait pour tout le monde, tout cela sans tomber dans le bas de gamme. Les Sagittaire les plus occupés durant ce mois de décembre seront ceux qui travaillent dans les hôpitaux, dans le système ambulancier, en tant que policier, pompier, etc. Dès l'instant où vous servez une population, vous serez le héros du mois surtout si votre métier consiste à sauver des vies.

CROYANCES Si novembre fut un mois de recueillement, cela se prolonge ! Sur nos écrans de télé, nous verrons qu'à l'autre bout du monde, des gens ont dû repousser Noël à une date ultérieure ! Il ne nous restera qu'à apprécier nos libertés et la sécurité dans laquelle nous vivons. Nous comparer avec ces pays où l'oppression est au menu quotidien est suffisant à nous faire prendre conscience de notre chance. Vous êtes au chaud, à l'aise. Pourquoi vous ? Pourquoi pas eux ? Y a-t-il une réponse à ces inégalités ?

QUI SERA LÀ ? Un Capricorne vous tient tête lors d'une discussion philosophique. Sa rigidité rencontre la vôtre ! Un ami de longue date, un Scorpion, est présent à vos côtés pour toutes les étapes difficiles de votre vie. Il allège le poids de votre peine. Un Lion a autant besoin de vous que vous de lui. Vous faites la paix avec un autre Sagittaire. Vous riez avec un Cancer et un Poissons. Un Gémeaux vous donne un coup de main, mais il ne vous dit pas ce qu'il veut en échange. Tirez les choses au clair dès le début. Un Bélier qui s'était éloigné reprend contact avec vous. La conversation sera agréable mais banale. Il vous donne de ses nouvelles, mais il oublie de vous demander comment vous allez ! Vous flirtez avec un Verseau ou une Balance.

SAGITTAIRE ASCENDANT BÉLIER

Vous êtes un double signe de feu, tantôt emporté, tantôt sage. Que vous soyez un voyageur ou que vous restiez au sol, votre esprit ne cesse de concevoir et de s'envoler vers des mondes féeriques. Vous avez une merveilleuse capacité d'émerveillement. Vous gardez toute votre vie la naïveté d'un enfant. Ce côté bon enfant vous porte vers divers courants. Beau temps, mauvais temps, le courage ne vous quitte pas, pas plus que votre force de vaincre.

En tant que double signe de feu, vous êtes à la recherche de la pierre philosophale. Durant votre quête, les indices vous suffisent pour continuer à croire que ce monde sera meilleur un jour.

De juillet 2001 à juillet 2002, Jupiter est en Cancer dans le huitième signe du vôtre et le quatrième de votre ascendant. Pour la majorité d'entre vous, cela indique un tournant vie et peut-être le plus important que vous ayez à prendre puisque qu'il peut faire basculer votre destin.

Jupiter en Cancer concerne votre famille et des changements dans son organisation. Vous pourriez vivre le deuil d'un parent bien-aimé et ensuite partager un héritage. Rares seront ceux qui vivront ces événements dans le calme. Les uns et les autres s'entredéchirent, chacun espérant la plus grosse part. Même si les enjeux financiers ne se chiffrent pas en millions, il suffit de quelques dollars pour qu'une guerre se déclenche. Certains faisaient semblant de bien s'entendre mais n'étaient en fait que des envieux et des jaloux. Il est à souhaiter que vous ne soyez pas partie prenante de ce conflit, car il vous marquerait et détruirait votre image de famille « très correcte » ! Au fond, si cela était, c'est peut-être un avertissement pour que vous cessiez de vous bercer d'illusions.

Sous Jupiter en Cancer, certains choisiront une autre carrière, l'exercice d'un autre métier. Ils prendront ce qu'ils appellent une chance. Cette décision aura un sens quand Jupiter entrera en Lion, en août. Jupiter en Lion ramène la paix. Jupiter en Lion vous rendra plus créatif, plus audacieux et chanceux. Vous aurez alors le don d'attirer les bonnes gens à vous, ceux qui vous ressemblent, qui ont le goût de l'action, qui ont à cœur de vivre dans l'unité plutôt que la division.

Si vous êtes célibataire, sous Jupiter en Lion, vous tomberez amoureux. Si vous êtes déjà amoureux, encore jeune et n'avez qu'un enfant ou pas du tout, vous vous sentirez appelé par la maternité ou la paternité. Par ailleurs, votre partenaire qui n'en avait peut-être pas soufflé mot sera heureux de votre décision d'agrandir la famille.

SAGITTAIRE ASCENDANT TAUREAU

Vous êtes né de Jupiter et de Vénus. Pendant que Jupiter veut aimer, Vénus décide de se laisser désirer ! Quand votre Jupiter s'amuse à être désiré, Vénus ne cesse de soupirer et s'abstient de provoquer quoi que ce soit qui puisse l'engager. Jupiter est un voyageur, la Vénus du Taureau aime et protège son territoire.

Votre pire ennemi, c'est d'imaginer que l'amour emprisonne celui qui le donne ! Votre nature est souvent déchirée entre l'action ferme et l'immobilité de votre signe de terre en ascendant. Jupiter compte sur sa chance et Vénus s'attire des protecteurs ! En fin de compte, votre charme vous permet d'en sortir gagnant !

De juillet 2001 à juillet 2002, Jupiter est en Cancer dans le troisième signe de votre ascendant. Il laisse présager beaucoup de travail. Si vous œuvrez en création, vous serez génial. Si vous montez un projet, vous devrez éviter d'en parler surtout si sa réussite ne dépend que de vous. Pendant les sept premiers mois de 2002, des personnes vous envieront. Elles vous surveilleront de près, et si vous révéliez le secret de votre futur succès, on pourrait s'en emparer.

Si vous êtes en affaires et devez choisir des associés, prenez un maximum d'informations sur vos candidats. Si vous embauchez du personnel dans votre entreprise ou pour effectuer des réparations dans votre appartement ou votre maison, assurez-vous de l'honnêteté de ces personnes.

Lorsque vous quittez votre maison, fermez bien et mettez votre système d'alarme en action. Pendant les sept premiers mois de 2002, dans les endroits publics, surveillez vos effets personnels. Vous n'aurez jamais été aussi sujet au vol de toute votre vie.

À partir d'août et pour les douze prochains mois, vous serez sous l'influence de Jupiter en Lion. Il sera dans le quatrième signe de votre ascendant et le neuvième du Sagittaire. Voilà encore bien des chances de vous hisser au sommet de votre entreprise. Sans doute vous offrira-t-on un autre poste avec davantage de responsabilités et mieux rémunéré.

Il sera question d'apporter d'autres changements à votre maison. Certains déménageront, vendront leur propriété ou en rachèteront rapidement une. Pendant que la moitié d'entre vous décide de quitter la ville pour la campagne, l'autre moitié fait le chemin inverse.

Jupiter en Lion vous suggère de vivre une expérience nouvelle dans un environnement qui convient mieux à vos plus récentes aspirations. Jupiter en Lion est une inspiration, un éveil à l'amour, si vous êtes seul depuis longtemps. Si vous êtes amoureux, vous vous engagerez comme vous ne l'aviez jamais fait.

SAGITTAIRE ASCENDANT GÉMEAUX

Vous avez besoin de communiquer, de vivre avec et parmi les autres. Vous savoir aimé est essentiel à votre équilibre. Si l'amour disparaît, s'il y a rupture, votre souffrance est profonde et la cicatrisation lente.

De juillet 2001 à juillet 2002, vous êtes sous l'influence de Jupiter en Cancer dans le deuxième signe de votre ascendant et le huitième du Sagittaire. Certaines « maisons astrales » sont en duel, en conflits d'intérêt. Vous vivrez un désordre qui n'est pas le vôtre, mais celui de gens de votre entourage, de collègues, de votre famille ou d'amis, de votre amoureux même. Ces « maisons astrales » laissent présager d'énormes changements dans de nombreux secteurs de votre vie. Ne dit-on pas que tout arrive en même temps ? Ce sera le cas ! Alors reprenez votre souffle.

N'avez-vous pas souvent été contrarié depuis juillet 2001 ? Si votre travail vous oblige à être sur la route, vous serez constamment en déplacement. Vous verrez moins souvent votre famille et vos amis. De temps à autre, vous vous demanderez si vous avez pris le bon chemin professionnel. Pendant les sept premiers mois de l'année, ce n'est pas le moment d'en changer, surtout s'il vous apporte la sécurité financière. Si vous démissionniez sur un coup de tête, plusieurs mois seraient nécessaires avant de retrouver un travail, même si vous êtes disposé à gagner moins. Ne jouez pas contre vous, contre vos intérêts.

Si vous avez l'intention de déménager, il vaudrait mieux y repenser, si c'est possible. En fait, évitez de déménager en 2002, cela vous évitera quelques désagréments. Mais peut-être y serez-vous obligé ? Les raisons en sont aussi nombreuses qu'il y a de Sagittaire-Gémeaux. Elles seraient trop longues à énumérer, le pire problème qui vous guette et qui vient en tête de liste est la possibilité d'une rupture amoureuse. Si vous habitez avec un membre de votre famille, une dispute peut éclater pour une question d'argent, pour une poignée de dollars.

Malgré tout, vous devrez rester en forme. Si vous avez tendance à manger pour compenser vos frustrations, vous risquez de prendre beaucoup de poids. Mais à partir d'août jusqu'en août 2003, Jupiter est en Lion dans le troisième signe de votre ascendant et le neuvième du Sagittaire. Vous pouvez bouger sans avoir peur qu'un malheur vous arrive !

Si vous avez perdu votre emploi, vous en retrouverez un autre plus intéressant que le précédent. Vous serez d'ailleurs en relation avec des gens pétillants qui ont le goût de vivre.

Sans doute voyagerez-vous sous Jupiter en Lion. Vous aurez besoin de vous dorer au soleil, surtout si vous n'avez pu le faire depuis juillet 2001.

Si vous êtes célibataire, état que bien peu d'entre vous supportent longtemps, rassurez-vous. Vous ferez une belle rencontre. Sans doute aurez-vous une grande différence d'âge avec cette personne, mais vous serez follement amoureux.

Sous Jupiter en Lion, vous retrouverez votre capacité de vivre dans l'instant présent. Le temps est venu pour vous de communiquer, au-delà du simple bavardage. Vous vous engagerez dans une cause sociale qui vous tient à cœur. Certains d'entre vous agiront à temps plein, d'autres se porteront à la défense des plus faibles par le bénévolat. Pendant au moins les 12 mois, cela pourrait bien remplacer toutes vos autres activités. Vous êtes un optimiste nerveux, mais tout de même un très grand optimiste capable de relever le moral des plus tristes. Vos seules armes sont votre magnétisme et votre sourire et elles vous servent à convaincre les foules de penser comme vous.

SAGITTAIRE ASCENDANT CANCER

Vous êtes né de Jupiter et de la Lune. Jupiter est la colonne de feu qui s'élève vers le ciel pour éclairer les hommes dans la nuit. La Lune est mouvante et émouvante. S'il faut lever les yeux aux ciel pour voir cette colonne de feu, on fait de même pour la Lune.

Sous votre signe et votre ascendant, on se met au service d'autrui. On ressent un profond besoin d'aider les âmes en peine et de soulager ceux qui souffrent. Quel que soit votre profession, même si vous n'êtes pas médecin, votre présence est guérisseuse. Vous générez de l'énergie qui, sans cesse, se renouvelle. Plus vous donnez, plus vous possédez, c'est pourquoi vous ne craignez généralement pas de vous départir d'objets ou d'argent. Si quelqu'un sait que la nature a horreur du vide, c'est bien vous. La vie vous a démontré à plusieurs reprises que les moments creux ne durent jamais très longtemps. Ils se remplissent de bénédictions, de cadeaux venus tout droit du ciel ou presque.

De juillet 2001 à juillet 2002, Jupiter est en Cancer et traverse votre ascendant. Il vous met en évidence dans votre milieu de travail. Vous obtenez une promotion. Si vous cherchez du travail, on vous offre plus que vous ne demandez.

La famille est sujette à quelques changements, mais ils sont de nature positive, en général. Jupiter en Cancer correspond à une autre étape de mûrissement de la vie. Vous adopterez d'autres valeurs, une autre philosophie de vie. Si vous êtes célibataire, vous rencontrerez l'amour en lettres lumineuses et aux couleurs de l'arc-en-ciel.

Si vous êtes amoureux, si vous n'avez pas d'enfant, vous pourriez avoir votre premier bébé. Si vous êtes de la génération des *baby boomers*, vous pourriez devenir grand-parent.

Sous Jupiter en Cancer pendant qu'on se chamaille à l'autre bout du monde, vous faites tout ce qui est en votre pouvoir pour maintenir la paix autour de vous. Et vous y réussissez très bien.

À partir d'août, Jupiter sera en Lion dans le deuxième signe de votre ascendant. Cela symbolise un accroissement de votre fortune, de la chance même dans les jeux de hasard. Si vous avez l'intention de monter votre propre entreprise, commencez dès le début de 2002. Alliez-vous à des gens en qui vous avez parfaitement confiance. En peu de temps, vous rentabiliserez vos investissements. Si vous êtes étudiant et cherchez votre voie, vous la trouverez un matin en vous réveillant, à la suite d'un rêve ou d'une intuition. Vous saurez clairement ce qu'il faut faire pour vous réaliser. Si certains d'entre vous, sans être des étudiants, se questionnent, vous saurez aussi ce qu'il y a de mieux à faire à cette étape de votre vie. Surtout, cessez de chercher. Ne froncez plus les sourcils, vous êtes déjà sur le point d'obtenir votre réponse.

SAGITTAIRE ASCENDANT LION

Vous êtes béni des dieux ! Votre Soleil est dans le cinquième signe de votre ascendant, ce qui fait de vous un roi, un prince, une reine, une princesse. Vous êtes né avec un puissant magnétisme et de l'amour plein le cœur.

De juillet 2001 à juillet 2002, Jupiter est en Cancer dans le douzième signe de votre ascendant et le huitième du Sagittaire. Vous avez beau avoir beaucoup reçu de la vie, vous n'êtes pas exempt de questionnements existentiels. Le « qui suis-je ? » est un murmure constant dans votre esprit.

Vous serez très près de vos enfants et, par moments, vous vous demanderez comment vous avez fait pour vivre avant qu'ils soient là. De quel amour étiez-vous nourri ? À qui auriez-vous donné votre âme s'ils n'existaient pas ?

Sous Jupiter en Cancer, la crainte de la mort peut surgir en vous. Qu'est-ce qui vous effraie tant ? Votre mort ou laisser ceux que vous aimez se débrouiller sans vous ? Vous craignez peut-être la mort de vos parents, et ce que vous feriez sans eux ? Ce sujet est généralement tabou chez vous. On ne parle pas de cela dans les conversations de salon. Il n'y a souvent qu'avec un psy que vous pouvez en discuter. Vous n'obtiendrez pas toutes les réponses, mais certaines d'entre elles vous rassureront sur vous-même et sur les limites de vos responsabilités envers autrui.

Durant les sept premiers mois de 2002, Jupiter en Cancer vous porte à douter de votre choix de carrière. En avez-vous vraiment fait un ? Ou n'est-ce pas plutôt la carrière qui vous a choisi ? Pourtant vous continuerez à travailler, à produire, à gagner de l'argent plus aisément et en faisant moins d'efforts. À partir d'août et pendant 12 mois, Jupiter est en Lion et achèvera la traversée de ce signe en août 2003. Jupiter en Lion sera sur votre ascendant et en aspect bénéfique à votre signe. Vous n'y perdrez rien, au contraire. Tout le travail effectué rapportera de nouveaux bénéfices financiers.

Si vous occupez le même emploi depuis longtemps, sans doute vous offrira-t-on une promotion ?

L'un de vos enfants pourrait démontrer un talent artistique particulier. Il vous donnera des signes. Il vous suffira d'y être attentif. Il n'est pas impossible que cet enfant, même s'il est très jeune, puisse vous révéler ce qu'il sait être son destin. Jupiter en Lion sur votre ascendant vous rend plus important à vos propres yeux mais aussi dans votre milieu professionnel. En face de Jupiter en Lion, Neptune et Uranus en Verseau concernent votre partenaire de vie. Il faudra lui accorder plus d'attentions.

Vous serez si occupé par votre travail, si intéressé, si passionné par celui-ci, qu'il est possible que le doute s'installe en votre amoureux. Vous ne lui direz plus aussi souvent combien vous l'aimez.

Si vous êtes célibataire, vous ferez une rencontre au début de 2002, mais ce sera en août que vous saurez que vous êtes engagé sur le plan amoureux et vous voudrez le rester !

SAGITTAIRE ASCENDANT VIERGE

Vous êtes né de Jupiter dans son signe de feu et de Mercure dans un signe de terre. Vous êtes pratique mais pas toujours ordonné. Vous pensez rapidement, mais généralement à deux ou trois choses en même temps. Vous pouvez être doux ou sec dans vos réponses, mais jamais indifférent aux autres. Chacun suscite en vous une émotion, mais parfois de la confusion. Vous pouvez toujours faire semblant d'être dur, il faut être aveugle pour ne voir votre sensibilité. Vous rêvez d'un amour parfait, peut-être n'existe-t-il pas. Le Sagittaire veut qu'on respecte son besoin d'être libre, d'aller et de venir sans lui poser de questions. La Vierge est symbolisée par l'expression : « Je n'appartiens à personne. » Sous ce signe double, de nombreux célibataires et divorcés tiennent à rester libres, mais qui recherchent constamment l'amour... parfait !

Étrangement, vous vous retrouvez souvent avec toute la famille à charge et cela dès votre plus jeune âge. Vous remplacez le père ou la mère. Vous êtes vos deux parents qui sont trop immatures pour s'occuper de vous. Il est rare que vous ayez une vie simple ! Les complications vous cherchent et vous trouvent.

De juillet 2001 à juillet 2002, vous êtes sous l'influence de Jupiter en Cancer, huitième signe du vôtre et onzième de votre ascendant. Si votre chemin a été chaotique dans le passé, cette fois vous avez besoin d'y voir clair. Vous mettrez fin à des relations qui n'étaient pas aussi amicales que vous avez voulu le croire. Vous ferez de la place à de nouvelles rencontres plus stimulantes, intéressantes et dynamisantes.

Il est possible que vous cessiez de soutenir un membre de votre famille qui compte constamment sur vous, et vos bontés depuis toujours ou presque. Vous conclurez qu'il n'est pas votre enfant. En tant qu'adulte, il doit grandir lui aussi. Il est possible que vous déménagiez, mais sans doute pas très loin du lieu où vous habitez maintenant. Vous aurez simplement trouvé une maison ou un appartement convenant mieux à vos besoins et dont le prix sera plus qu'abordable, une vraie aubaine !

Si un parent est âgé et malade, Jupiter en Cancer laisse présager une aggravation de sa maladie, et peut-être son décès. L'héritage ne sera qu'un tas de souvenirs, certains à conserver, d'autres à donner. Rien n'indique qu'il puisse y avoir un conflit dans le partage financier de cet héritage. À partir d'août, Jupiter entre en Lion et le restera pendant 12 mois. Il sera dans le neuvième signe du vôtre et le douzième de votre ascendant. Bon nombre d'entre vous deviendront de véritables télépathes ! Vous serez si intuitif que vous vous surprendrez vous-même à deviner ce qu'on a à vous dire avant même qu'on ait ouvert la bouche. Vous ferez des rêves prémonitoires. Vous serez plus curieux de tout ce qui est paranormal. Vous serez intéressé par les religions, les philosophies et les philosophes dont les idées ont changé le monde.

Vous serez en quelque sorte à la recherche de vos propres origines. Lorsqu'une planète traverse une douzième maison, le natif s'isole généralement, mais sous Jupiter en Lion, ce n'est pas ce que vous ferez. Au contraire, vous irez vers autrui afin d'échanger des idées. Vous pourriez vous joindre à un groupe d'intellectuels en quête de savoir et qui partagent leurs connaissances plutôt que de les garder pour eux. Si vous êtes célibataire, sans doute le resterez-vous en 2002. Si vous avez une vie de couple, mais qu'elle n'est faite que de routine, vous vous enfuirez, non pas en rompant votre union, mais en vous enfonçant dans une recherche personnelle. Vous chercherez à mieux vous connaître et à découvrir les potentiels que vous laissez dormir en vous. Vous serez sans doute nombreux à étudier l'astrologie ou à suivie un cours sur le tarot ou la numérologie. Vous apprendrez très vite.

SAGITTAIRE ASCENDANT BALANCE

Vous êtes l'avocat, le politicien, le diplomate, le négociateur, le professeur, le décorateur, l'écrivain, l'animateur, l'acteur... En fait, vous vous plaisez dans un métier qui vous permet de vous placer en avant, de manière à être vu, entendu ou lu, généralement vous aimez les trois à la fois, et certains y arrivent très bien. En ce début de XXIe siècle, votre signe prend une autre dimension. Vous êtes né de Jupiter dans un signe de feu, vous êtes un juge de la Cour suprême. Vénus dans un signe d'air régit votre ascendant et cette fois l'amour est conditionnel. Vous ne donnez votre confiance aux gens qu'après les avoir longuement observés et vous n'aidez que ceux qui vous aident. Votre devise pourrait être : « Je te donne et tu me dois ! » Vous mettez du temps à apprendre ce que vaut un geste gratuit, généreux et désintéressé. Il faut que vous soyez né sous des aspects très particuliers pour que vous ayez échappé à l'égoïsme de notre vie moderne, à ce côté qui fait en sorte que vos affaires aient toujours la priorité et que celles des autres puissent attendre...

Depuis les années 1990, notre monde gravite de plus en plus autour des questions économiques, financières, politiques. Les planètes lourdes vous ont changé. La majorité d'entre vous est à l'aise dans ce climat de compétition où il est dit que le plus fort gagne.

Vous avez du charme à revendre et une intelligence vive, rapide. Vous vous adaptez aux changements de cette vie moderne. Ne vous êtes-vous pas endurci, ces dernières années ? Ne ressentez-vous pas que toute cette pression devient oppressante ?

De juillet 2001 à juillet 2002, Jupiter est en Cancer, signe d'eau, huitième du vôtre et dixième de votre ascendant. Toute cette composition astrale symbolise un poids de plus en plus lourd à supporter. Vous avez beaucoup travaillé et vous obtenez du succès, vous gagnez de l'argent. Cependant, sous Jupiter en Cancer, vous n'êtes pas satisfait. Un jour, vous continuez et le lendemain, vous avez envie de tout larguer.

Si l'entreprise qui vous emploie a opéré de nombreux changements administratifs, cela vous a rendu nerveux. Vous avez parfois craint de perdre votre emploi. Mais vous êtes encore là et votre position est solide. C'est l'édifice intérieur et vos motivations qui oscillent, comme le font les plateaux de la Balance. En tant que Sagittaire, vous avez envie d'élargir votre vue sur le monde. Pendant les sept premiers mois de 2002, réfléchissez sur ce que vous aimeriez faire. Si vous vous sentez troublé, consultez un psy et demandez-lui de vous aider à vous réorienter, à retrouver vos véritables valeurs. Vous n'êtes pas sans vous souvenir de celles que vous aviez autrefois. À partir d'août et pendant les 12 mois suivants, sous l'influence de Jupiter en Lion, vous saurez où vous en êtes. Vous serez prêt pour une autre aventure plus stimulante que celle que vous vivez actuellement en affaires comme en amour !

SAGITTAIRE ASCENDANT SCORPION

Vous êtes né de Jupiter, de Mars et de Pluton. De Jupiter, vous êtes la colonne de feu qui s'élève vers le ciel pour éclairer les hommes. Votre ascendant l'aspire pour qu'elle retourne dans les profondeurs de la terre et qu'elle se charge de la chaleur et des couleurs aussi vives que criantes du magma. Puis, cette colonne de feu s'élance à nouveau vers les cieux, plus resplendissante qu'elle ne l'était à votre naissance ! Après cette étape, la colonne de feu brûle et éclaire avec une telle ardeur qu'on ne peut pas ne pas la voir. On ne peut pas ne pas être fasciné par sa puissance. Avant que Jupiter puisse donner des leçons de sagesse, il doit passer par l'épreuve du Scorpion et s'émouvoir, jusqu'à avoir la sensation qu'il perd la raison. Mais Jupiter ne l'abandonne pas, puisqu'il fait corps avec lui et le rattrape avant qu'il s'engloutisse dans sa peur de ne pas être dans sa totalité. Vous êtes Jupiter ou la paix sur terre, ainsi que Mars et Pluton capables de tuer si cela devait garantir leur survie !

J'espère que cette petite histoire où j'ai fait ressortir le pire et le meilleur de votre signe et votre ascendant vous a fait prendre conscience de votre force, mais également de la nécessité de vous engager dans la société du XXIe siècle. Vous avez un rôle important à y jouer.

De juillet 2001 à juillet 2002, Jupiter est en Cancer. Il est dans le huitième signe du vôtre et le neuvième du Scorpion. Jupiter en Cancer laisse présager des changements radicaux qui prennent leur source dans la maison représentée par le signe du Cancer. Un parent peut être malade, une mort peut survenir, un enfant peut vouloir voler de ses propres ailes et avec autant d'audace que vous. Une rupture peut arriver, un nouvel amour se manifester, un enfant tomber malade, une naissance s'annoncer. On y trouve des signes de maternité, de paternité. Vous pouvez devenir grand-parent ou changer d'orientation de carrière, embrasser une cause, etc. Les passages sont rapides et souvent plusieurs événements se produisent en même temps.

Dans une épreuve, après la douleur une joie immense vous emporte et vous réanime. Vous prenez votre chemin de vie. Puis, Jupiter passera en Lion d'août 2002 à août 2003, il sera dans le neuvième signe du vôtre. La leçon apprise est retenue. Jupiter en Lion sera dans le dixième signe de votre ascendant vous invitant à vous engager dans votre communauté afin de modérer, amuser et surtout rassurer chacun. Vous pouvez agir sur divers plans, en usant de politique si vous avez de l'influence ou en imposant le calme à un groupe en état de panique. Dans les circonstances actuelles où l'individualisme et l'ego sont au paroxysme, Jupiter en Lion vous invite à prendre votre place au soleil. C'est là que vous serez vu et entendu !

SAGITTAIRE ASCENDANT SAGITTAIRE

De juillet 2001 à juillet 2002, Jupiter est en Cancer dans le huitième signe du vôtre ainsi que de votre ascendant. Vous vivrez de grandes et profondes transformations. Vous ne voyez plus la vie de la même manière. Plus Jupiter avancera dans le signe du Cancer, plus vos valeurs se modifieront. Vous accéderez à un rêve que vous n'avez pu réaliser quelques années auparavant. Si vous êtes à votre compte ou à contrat, vous travaillerez sans relâche. Vous serez entouré de gens que vous aimez comme s'ils étaient des membres de votre famille. Il est possible qu'un parent âgé et malade ait besoin de vous plus souvent. Un décès pourrait survenir. Si vous-même avez eu des problèmes de santé, il faudra bien vous nourrir pour maintenir et préserver l'énergie dont vous avez tant besoin pour vous réaliser. Si vous devez subir une opération, tout se passera très bien. Votre cicatrisation sera rapide.

Uranus et Neptune sont en Verseau dans le troisième signe de votre ascendant. Cela laisse présager plusieurs déplacements afin de représenter l'entreprise. Si vous travaillez dans le domaine des communications Internet ou des médias, vous serez débordé. On aura constamment besoin de vos services. Si vous faites partie de ceux qui cherchent leur voie, après avoir travaillé dans toutes sortes de secteurs, dès l'automne 2002, vous saurez exactement ce dont vous avez besoin pour vous accomplir. La réponse vous viendra de façon intuitive.

Si vous êtes amoureux, vous vous demandez constamment si vous êtes avec la bonne personne. Quelque part en vous, vous craignez le rejet. Plutôt que de le subir, pourquoi ne pas être le premier à partir ?

Votre imagination vous joue des tours et vous fait voir la vie en noir et en gris, trop souvent. Peut-être votre amoureux ne sait-il plus les mots à vous dire pour vous rassurer ? Si vous êtes jeune, en âge d'avoir un enfant, et vivez en couple, vous cesserez de vous questionner sur l'amour. La paternité ou la maternité viendra confirmer votre union.

Il sera aussi question de déménager. Vous pourriez acheter votre première maison ou la seconde. Si vous vivez en appartement, vous ne résisterez pas à l'envie de le redécorer de A à Z. Vous changerez la couleur des murs, achèterez des meubles d'un style différent, plus « in », plus modernes et des gadgets amusants. Tout cela dans le but de vous redonner une sensation de jeunesse, un goût d'enfance.

À partir d'août 2002 jusqu'en août 2003, Jupiter est en Lion dans le neuvième signe du vôtre et de votre ascendant. Il vous apporte la chance mais également les réponses à vos questions.

Si, par exemple, vous avez fréquenté quelqu'un sous Jupiter en Cancer, vous savez maintenant si vous êtes prêt à vivre avec cette personne.

Jupiter en Lion vous fera voyager comme vous ne l'aviez plus fait depuis presque deux ans. Vos projets auront une forme officielle. Lentement, sous Jupiter en Cancer, vous avez étudié une autre philosophie de vie. Cette fois, sous Jupiter en Lion, elle fait partie de votre quotidien. Le bonheur est là sous Jupiter en Lion, et vous donne un regain de vitalité. Vous serez plus volontaire que jamais. Si vous avez un enfant, il est possible que vous décidiez avec votre partenaire d'en avoir un second. Si vous êtes de la génération des *baby boomers*, il y a une grande possibilité qu'un de vos enfants vous offre la joie d'un petit-fils ou d'une petite-fille, ce qui aura pour effet de vous rajeunir !

SAGITTAIRE ASCENDANT CAPRICORNE

Votre Soleil est dans le douzième signe de votre ascendant et vous prenez la vie très au sérieux ! Vous n'agissez pas sur un coup de tête. Vous ne vous fâchez pas souvent mais lorsque vous faites une colère, tous s'en souviennent longtemps ! Aux yeux de certaines gens, vous passez pour un timide, mais lorsque vous êtes à l'aise avec autrui, vous occupez le plancher ! Le Capricorne en ascendant ou Saturne a pour effet de vous ralentir. Vous mettez un temps fou avant de changer de travail, alors que vous savez que vous n'y êtes pas bien. Doit-on appeler cela de la prudence ? Vous êtes à mi-chemin entre la peur et la prudence.

De juillet 2001 à juillet 2002, Jupiter est en Cancer dans le septième signe de votre ascendant. Il concerne votre partenaire, le mariage, l'amour, vos associés, vos collaborateurs, vos collègues. Jupiter est aussi dans le huitième signe du vôtre et durant les sept premiers mois de l'an 2002, vous repenserez votre union. Vous pourriez vous retrouver au milieu d'une querelle entre associés et collaborateurs. Peut-être l'entreprise qui vous emploie fait-elle des changements administratifs qui vous obligent à accepter un autre poste ? Celui, justement, que vous ne vouliez pas ! Qu'importe, vous resterez. Vous avez le sens du devoir et votre peur de manquer d'argent vous fait plier pour l'instant.

Étant donné que Saturne est en Gémeaux, sans doute avez-vous développé un autre champ d'intérêt. Ce qui au départ n'était qu'une activité devient un travail bien payé. En conclusion, sur le plan professionnel, vous n'avez pas à craindre quoi que ce soit.

Côté cœur, il est important que vous parliez franchement de ce que vous voulez et ne voulez plus vivre avec votre amoureux. Si certains d'entre vous optent pour une rupture, sans doute ne resteront-ils pas seuls très longtemps. Jupiter en Cancer ne tardera pas à vous présenter quelqu'un d'autre. Même si vous vivez en couple, un flirt vous trouble beaucoup, au point où vous aurez une aventure. Vous avez beau en calculer toutes les conséquences, il y a peu de chance que vous les ayez toutes comptabilisées.

D'août 2002 à août 2003, Jupiter est en Lion dans le huitième signe de votre ascendant et le neuvième du vôtre. En cas de séparation, une très grosse querelle suivra concernant le partage des biens du couple. Jupiter en Lion vous met aussi en garde contre certains investissements irréfléchis. Jupiter en Lion n'indique pas une perte totale, mais une grosse perte quand même.

Si vous voyagez sous Jupiter en Lion, n'emportez pas d'objets chers. Voyagez léger ! Sous Jupiter en Lion, verrouillez bien vos portes lorsque vous quittez la maison, surtout si vous possédez des tableaux ou des objets de valeur. Si vous achetez une voiture, prenez votre temps pour la choisir. Surtout si vous en faites l'acquisition sous Jupiter en Lion. Il est possible que vous désiriez un bolide bien au-dessus de vos moyens. Pour quelques Sagittaire-Capricorne, Jupiter en Lion est une période d'adaptation à la suite d'une série de changements qui se sont produits dès le début de 2002.

SAGITTAIRE ASCENDANT VERSEAU

Vous êtes l'alliance d'un signe de feu et d'un signe d'air. Vous êtes Jupiter et Uranus, une explosion ! Une vie banale n'a aucun intérêt pour vous. De toute manière, le hasard s'occupe bien de vous. Il vous place sur des chemins où il vous est possible de vous accomplir. Votre Soleil dans le troisième signe de votre ascendant fait de vous un excellent communicateur, tant en paroles que par les écrits. Il n'est pas rare que vous travailliez dans le monde des médias. À moins que votre emploi ne vous mette en constante relation avec de nouvelles gens.

De juillet 2001 à juillet 2002, Jupiter est en Cancer dans le sixième signe de votre ascendant. Il symbolise le travail qui occupe vos journées. Vous aurez parfois l'impression de ne plus savoir vous amuser ! Mais vous n'allez pas refuser de ramasser tous ces dollars qui passent dans votre compte en banque, au cas où la prochaine année serait moins généreuse. Vous êtes toujours plus prudent que vous n'en donnez l'impression.

Jupiter en Cancer jusqu'en juillet vous met en garde contre une alimentation de type *fast food*. Trop pressé pour bien manger ? Lentement et sans trop vous rendre compte, vous usez votre système nerveux. De temps à autre, les vitamines commencent à manquer. Ce manque vous fait voir les choses différemment, vous n'avez pas le moral ! Ce que personne d'autre que vous ne sait ! Lorsque vous êtes en groupe, vous montrez votre meilleur visage.

Si vous n'avez pas d'amoureux, peut-être allez-vous d'une fleur à une autre, sans trouver le bonheur. Un bonheur que vous imaginez si extraordinaire qu'il n'est peut-être pas plus réel qu'un conte de fées.

Puis, à compter d'août 2002 jusqu'en août 2003, Jupiter est en Lion. Il est dans le septième signe de votre ascendant et dans le neuvième du vôtre. Cette fois, vous pouvez espérer trouver votre perle rare. Tout indique que cette personne possédera un talent artistique qui vous impressionnera beaucoup. En fait, pour vous retenir, vous avez besoin d'être surpris. Vous voulez être assuré que les jours à venir seront tous différents. La routine n'est pas pour vous. Vous êtes incapable de vivre une intimité comme la majorité des gens. Il vous faut courir derrière l'autre, l'attraper, le voir repartir, l'accueillir, l'aimer, avoir peur qu'il ne revienne plus pour vous apercevoir que vous êtes aimé et que vous l'aimez. Pour vous, l'amour c'est comme du cinéma ! Et vous vivrez votre film à partir d'août.

Côté travail, si tout a bien été sous Jupiter en Cancer, ça ne peut qu'aller encore mieux sous Jupiter en Lion.

SAGITTAIRE ASCENDANT POISSONS

Vous êtes libre et sans doute tenez-vous à votre liberté ! Vous êtes né de Jupiter, le grand voyageur, et de Neptune, le grand rêveur. Ce qui ne vous empêche pas de faire très sérieusement votre travail. Votre Soleil est dans le dixième signe de votre ascendant. Vous avez vos responsabilités à cœur.

De juillet 2001 à juillet 2002, Jupiter est en Cancer dans le cinquième signe de votre ascendant et le huitième du Sagittaire. Jupiter en Cancer n'a pas permis de vous faire réaliser tous vos rêves au fil des années. Ils sont temporairement mis de côté. Un parent peut être malade, un autre est décédé, il ne s'agit pas de gens qui allaient changer votre façon de vivre.

Si vous œuvrez auprès de la clientèle, elle a pu légèrement diminuer. Vous avez moins travaillé, surtout si vous êtes à votre compte. D'un autre côté, vous avez profité de votre temps libre pour pratiquer plus souvent les activités que vous aimez.

Vous êtes un être sélectif. Vous n'avez que peu d'amis et vous les avez vus plus souvent depuis 2001, vous les verrez encore davantage jusqu'en juillet.

Jupiter en Cancer présage un flirt, de l'amour. Il sera là devant vous, mais il n'est pas assuré que vous saisissiez ce moment lorsqu'il passe, surtout si vous vivez seul depuis longtemps.

Si vous avez une famille et des enfants, vous vous occuperez d'eux plus que d'habitude. Vous participerez à leurs jeux que ceux-ci soient petits, adolescents ou pré-adolescents.

Si vous vivez avec la même personne depuis longtemps, peut-être ressentez-vous de l'ennui, mais vous n'en direz rien ! Vous aurez la délicatesse de ne pas insécuriser votre partenaire qui peut-être ne lit pas en vous !

D'août 2002 à août 2003, Jupiter est en Lion, dans le sixième signe de votre ascendant et le neuvième du Sagittaire. L'étape du repos est passée. Le travail revient en force. Pendant les 12 prochains mois, vous gagnerez beaucoup d'argent ! Vous pourriez même être chanceux dans les jeux de hasard.

Si vous êtes dans le commerce, après avoir songé à une expansion pendant plusieurs mois, vous êtes prêt à passer à l'action. Si vous avez des associés, des collaborateurs, c'est à vous que reviendra la charge de réorganiser les finances de l'entreprise. Si vous faites du commerce avec l'étranger, vous serez obligé de partir à plusieurs reprises afin de vous occuper de vos intérêts sur place. Personne ne va vous supplier d'y aller à votre place, vous êtes toujours content quand vient le moment de partir. Votre Soleil en dixième signe de votre ascendant est bienheureux quand il rentre chez lui. Profitez de ce plaisir, bien entendu, il vous aura fallu partir quelque temps. Jupiter en Lion vous rend votre énergie, vous donne le sens de l'action. Vous êtes un entrepreneur nouveau genre et peut-être aussi un nouveau riche !

CAPRICORNE

22 décembre au 19 janvier

À un grand ami, Paul Martel, à mon gendre Paul Chaput et à la mémoire de mon père, Paul Aubry.

CAPRICORNE 2002

Votre ascendant a été important dans l'équilibre des événements. Il y a eu de nombreuses oscillations dans divers secteurs de votre vie, surtout depuis juillet 2001, alors que Jupiter a atteint le Cancer juste en face de votre signe. Jupiter restera en Cancer jusqu'en juillet 2002.

LES SUITES DE JUPITER EN CANCER

Voici divers événements susceptibles de se produire d'ici juillet 2002. Ils ont presque tous un lien avec votre vie privée.

- Vous n'êtes pas heureux dans votre vie amoureuse, pourtant vous hésiterez à quitter votre conjoint. Vous considérerez non seulement votre rôle auprès des enfants, mais également ce qu'il vous en coûterait en pension alimentaire, à payer ou à recevoir.
- Votre partenaire peut s'éloigner de vous pendant quelques semaines, voire des mois, sans toutefois vous annoncer qu'il rompt officiellement votre union.
- Vous mettrez toute votre énergie à vouloir un enfant ou à prendre soin d'un enfant qu'il soit le vôtre ou celui d'un autre. En tant qu'homme, vous serez plus maternel. En tant que femme, vous manifesterez à travers votre rôle féminin beaucoup de « paternité ».
- Si vous avez des enfants adultes, l'un d'eux peut quitter le nid familial pour ensuite vous annoncer que vous devenez grand-papa ou grand-maman.

- Si vous faites partie des quelques rares parents fortunés, sans doute serez-vous généreux envers un enfant et l'aiderez-vous à s'acheter une maison. Peut-être la paierez-vous entièrement !
- Si un membre de votre famille ou, du moins, quelqu'un très proche vous doit de l'argent, il est possible que vous preniez des mesures juridiques pour être remboursé. Par contre, il n'est pas exclu que vous abandonniez cette poursuite alors que vous êtes sur le point de la gagner.
- Certains d'entre vous adopteront un enfant.
- Si vous êtes seul et célibataire depuis longtemps, vous pourriez rencontrer la perle rare. Ou on vous propose le mariage ou au contraire, vous en faites la demande.
- Toujours dans la même veine des événements personnels, si votre travail vous permet de vous éloigner de la maison plusieurs jours à la fois, bien que vous soyez satisfait et plutôt heureux dans votre union, vous aurez du mal à ne pas succomber à une aventure. Celle-ci aura plus d'effets que vous ne le vouliez sur votre vie amoureuse.
- Vous ferez d'importantes rénovations à l'intérieur et à l'extérieur de votre propriété.
- Un léger accident de voiture est possible, surtout pendant le retour à la maison. Une main ou un genou blessé vous demandera d'interminables attentions.
- Si vous travaillez avec un membre de la famille, des désaccords ont pu survenir en 2001, et peuvent se poursuivre en 2002. Sans doute demandez-vous plus qu'on ne peut vous donner.
- Des malaises physiques vous ont obligé à garder le lit et vous avez ainsi pu découvrir quelques secrets, talents, champs d'intérêt, inquiétudes de vos enfants, etc. Sans cet arrêt de travail forcé, vous n'auriez pu en apprendre autant sur eux.
- Votre amoureux a décidé de modifier son orientation de carrière sans en discuter avec vous.
- Vous aviez peut-être beaucoup d'amis, cependant, après avoir découvert que certains ne sont là que par intérêt, pour se placer sous votre protection, pour des faveurs, vous en avez écarté plusieurs, en faisant preuve de sagesse.
- Si vous avez monté une affaire, principalement un commerce, en famille, sans en avoir suivi toutes les opérations commerciales, vous constatez maintenant du gaspillage !
- Certains de vos écrits personnels sont mal interprétés par des membres de votre famille lorsqu'ils les découvrent.

JUPITER EN CANCER ET VOTRE CARRIÈRE

Vous êtes né de Saturne. Jupiter est en Cancer face à votre signe jusqu'en juillet. Il s'agit de planètes opposées ou complémentaires. Saturne est la planète qui préserve, retient, contrôle, immobilise. Saturne regarde le monde d'en haut et s'isole. Saturne est un politicien. Saturne est le chef de la famille, le protecteur de la tradition. Saturne fait des calculs, il accumule des biens, ne jette rien au cas où tel ou tel objet lui serait utile. Saturne est méfiant, inquiet pour l'avenir, le sien et celui de ses proches. Il est rare que vous possédiez tout ce qui est précédemment décrit !

De toute manière, votre thème astral contient bien d'autres planètes qui modifient, atténuent ou font même disparaître quelques-uns de ces traits. En tant que signe de Saturne, vous êtes responsable et extrêmement travailleur. Vous êtes la personne des solutions lorsque rien ne va plus. Saturne est ici dans le signe cardinal symbole d'action. Saturne qui régit votre signe n'est-il pas à court de mots quand il s'agit spontanément de convaincre des gens ou de prendre une décision au nom d'un groupe ?

De juillet 2001 à juillet 2002, Jupiter en Cancer dans le septième signe de votre ascendant concerne non pas uniquement la vie au foyer, mais également les grands événements du travail. La septième maison astrale symbolise ce qui vous est imposé et non ce que vous avez choisi de vivre. Les événements viennent de l'extérieur, mais vous avez la liberté de réagir comme bon vous semble.

Peut-être serez-vous poursuivi par un voisin qui a décidé qu'il pourrait retirer quelques dollars de votre compte en banque. Cette possibilité de poursuite peut aussi venir d'une entreprise mécontente de vos services. Peut-être s'agit-il aussi d'un partenaire d'affaires ou d'un collègue qui vous réclame de l'argent. Ici, les raisons sont aussi nombreuses qu'il y a de Capricorne. L'entreprise peut être en restrictions budgétaires et vous licencier. Pourtant, vous savez fort bien quel est son capital, quels sont ses profits et sa capacité à résister à la récession. Peut-être votre congédiement est-il aussi illégal ?

Certains accepteront un poste secondaire par rapport à celui qu'ils occupaient précédemment. Ils choisissent cet abri, plutôt que rien. D'autres n'auront d'autre choix que d'aller travailler dans une autre ville. L'entreprise ne tient pas compte de votre vie familiale et, pour survivre, vous acceptez. Un projet sur lequel vous avez travaillé pendant des mois ou même des années est carrément mis de côté. La raison invoquée est la diminution des fonds alloués, surtout si ces derniers devaient venir d'une subvention gouvernementale.

Au chapitre des bonnes nouvelles, vous avez réussi à retirer ce qu'il y a de meilleur de toutes les déceptions et contrariétés incontournables qui vous ont frappé. Vous êtes retourné vers un métier que vous aviez quitté parce qu'on vous avait « tassé ». De plus, vous avez obtenu un meilleur contrat, un poste mieux rémunéré et des bénéfices que vous n'aviez pas auparavant. Vous avez pris votre place au soleil. On vous a accordé une promotion après avoir conclu que vous étiez le plus solide et le plus fiable des employés. Vous avez fait de nombreuses heures supplémentaires pour augmenter votre revenu. Vous avez pris une autre orientation professionnelle et tout vous réussit.

Au chapitre des moins bonnes nouvelles : vous avez sombré dans la déprime. Vous avez accusé le monde entier de vos malheurs. Ils ont été imputables aux attentats du 11 septembre 2001. Pour vous, c'était la faute des gouvernements qui n'ont pas rempli vos poches tel que promis. Vous avez crié à l'injustice, alors qu'au fond et en toute logique, vous n'avez rien fait qui puisse mériter la moindre faveur ni la moindre attention.

JUPITER EN LION

D'août 2002 à août 2003, Jupiter est en Lion dans le huitième signe de votre ascendant. Cette huitième maison astrologique n'est que rarement généreuse. En fait, chaque fois qu'une planète la traverse, nous avons une leçon à apprendre et elle est rarement facile à retenir. En tant qu'être humain, il semble qu'il nous faille une épreuve, un problème, un obstacle, pour que nous puissions apprécier notre chance ou pour ouvrir les yeux sur notre réalité. Même si vous êtes né de Saturne et êtes logique, organisé, respectueux des traditions, il arrive que vous exagériez dans un domaine ou un autre de votre vie. Vous prenez une place qui n'est pas la vôtre. Et alors que Saturne est censé suivre les lois à la lettre, certains croient qu'ils peuvent les outrepasser !

Jupiter, qu'on nomme le grand bénéfique, ne l'est que parce qu'il est le justicier du zodiaque. Il ne tolère aucun mensonge, aucune tricherie. Jupiter est un extraverti et il révèle les secrets de Saturne. Jupiter vous invite à moderniser votre pensée. Il veut que vous rajeunissiez votre vision du monde. Cessez de jeter des regards de reproches aux plus jeunes, aux moins expérimentés et même aux gens que vous jugez sans les connaître. Jupiter vous invite à payer vos impôts comme tout le monde, et à rendre l'argent qui ne vous appartient pas ! Même si, par hasard, il était passé « légalement » dans votre compte de banque ! Si vous faites partie de ceux qui gagnent de l'argent au noir, vous risquez de vous faire prendre la main dans le sac. Jupiter en Lion vous affirme qu'il est nécessaire de mettre de l'ordre dans votre comptabilité.

JUPITER EN LION ET VOS ENFANTS

Jupiter en Lion concerne vos enfants. Si vous vivez en famille reconstituée, que vous ayez ou non la garde parentale de vos enfants, votre ex ou vous-même reviendrez à la charge. Le montant de la pension a été réglé lors de la séparation, mais certains en demanderont une augmentation, d'autres une réduction. Un long combat s'ensuivra entre les deux parties, si vous n'êtes assez sage, ni l'un ni l'autre, pour un règlement hors cour.

Si, par contre, vous avez une belle vie de couple, si vous êtes heureux, il est possible que vous soyez béni par la naissance d'un enfant. Peut-être est-il un bébé surprise, mais il sera aussi bébé désiré et entièrement accepté.

Si vos enfants ont l'âge de voler de leurs propres ailes, et que vous n'avez jamais pu imaginer que les enfants puissent quitter le nid familial, vous devrez accepter les choix de vos grands. Vous auriez aimé garder vos « poussins » autour de vous, mais ils empruntent leur chemin de vie. À leur tour, ils se réaliseront en tant qu'adultes.

Voici un dernier scénario concernant vos enfants. Si votre partenaire et vous n'êtes pas en bons termes et qu'il soit question de séparation, la possibilité que vos enfants suivent l'autre parent et aillent vivre dans un autre pays ou une autre ville est grande. En fait, ils s'en iront dans un lieu où vous ne pourrez les voir tous les jours. La situation sera moins dramatique, s'il n'y a pas de séparation. Malgré tout, certains d'entre vous seront loin de leurs enfants, notamment si leur partenaire accepte un travail dans une autre ville ou un autre pays. Les enfants pourraient choisir de suivre ce parent dans sa nouvelle aventure professionnelle.

VOTRE SANTÉ SOUS JUPITER EN LION

Si vous avez été très malade sous Jupiter en Lion, si vous avez mis toutes les chances de votre côté et fait le maximum pour recouvrer votre énergie vitale, il est possible qu'enfin vous puissiez vous déclarer guéri.

Mais si, au contraire, tout au long de votre convalescence vous vous êtes fié sur les uns et les autres, sans vraiment faire le moindre effort personnel pour aller mieux, Jupiter en Lion risque de vous enfoncer plus profondément dans votre mal. Cette fois, vous serez au pied du mur et vous réagirez. Le Lion est le symbole du Soleil, de la vie qui ne vous abandonne pas. Mais il est dit : « Aide-toi, le ciel t'aidera ! »

Jupiter en Lion, donc dans le huitième signe du vôtre, concerne directement la fonction cardiaque. Si vous avez eu de sérieux problèmes avec votre cœur, même il y a quelques années de cela, c'est dans votre intérêt de suivre les conseils de votre médecin. On a pu vous conseiller un régime alimentaire et une manière de vivre différents, du repos ou moins de travail, mais avez-vous bien suivi ces recommandations ? N'attendez pas une « grosse frayeur » pour faire attention à vous !

EN CONCLUSION

Durant les sept premiers mois de 2002, vous ressentirez de grands changements de vie et d'orientation de carrière. Ces nouvelles valeurs émergent en vous. Vous aurez parfois l'impression de vous regarder dans un miroir déformé et ne plus tout à fait vous reconnaître. Puis, à partir d'août avec Jupiter dans le huitième signe du vôtre, les événements bons et moins bons collaboreront à faire de vous un être neuf.

JANVIER 2002

AMOUR-AMITIÉ Tout le mois, vous serez entouré d'amis, même de ceux qui ne vous rendent visite que rarement ! Peut-être ont-ils une faveur à vous demander ? Veulent-ils parler d'affaires ? Ne sont-ils pas curieux de découvrir l'un de vos secrets dont ils ont eu vent ? Si les vrais amis sont là, les faux sont aussi plus présents. Ne succombez pas à leurs flatteries. À partir du 19, alors que Mars entre en Bélier dans le quatrième signe du vôtre, une personne introduite dans votre foyer par un membre de votre famille ou un enfant sera la source de quelques problèmes. Ne vous fiez pas à son beau sourire ! Vous voulez sauver le monde, faire plaisir à chacun ? Croyez-vous que cela soit réaliste ? Dans votre vie de couple, au début du mois, tout de suite après le jour de l'An, il sera question du budget familial. Rares sont les dépensiers sous votre signe, mais il arrive que vous ne puissiez refuser de payer les factures de vos grands enfants ou de vos amis qui insistent. Saturne qui régit votre signe veut vous protéger, mais quand Saturne est excessif, il en perd sa propre comptabilité. Peut-être votre partenaire est-il un acheteur de gadgets et court-il les soldes d'après les fêtes ? Si une telle situation se produit et que vous êtes le principal payeur ou le sauveur quand une carte de crédit ne répond plus, vous constaterez qu'on aurait pu vous épargner quelques versements fantaisistes.

FAMILLE Si des questions d'argent se sont glissées entre votre partenaire et vous pour devenir des querelles, vous ne pouvez les cacher à vos enfants. S'ils ne sont pas des témoins oculaires de vos mésententes, ils en ressentiront vos malaises. Vos disputes peuvent s'étendre bien au-delà du budget familial. À partir du 19, si vous n'avez pas retrouvé votre équilibre parental, si la paix n'est pas de retour entre votre amoureux et vous, un enfant manifestera physiquement son malaise. Inconsciemment, il attirera l'attention sur lui et ainsi fera retomber la tension entre vous ! Ce sera le but de l'exercice et cela peut fonctionner chez certains d'entre vous, par contre, l'effet sera nul chez ceux préoccupés par leur bien-être matériel plus que par le confort et la paix d'esprit de leurs enfants.

De nombreux Capricorne prêtent à leurs enfants des raisonnements d'adultes, même s'ils sont encore très petits. Ces Capricorne s'attendent à ce que les jeunes comprennent tout ce qu'on leur explique, mais parfois le bambin n'a pas l'âge de raison et à peine celui de la garderie ! Puis, les enfants grandissent, les voilà pré-adolescents ou adolescents. Cette fois, le Capricorne s'attend à être obéi comme il obéissait lui-même à ses propres parents ! Un jour enfin, les enfants sont des adultes qu'il connaît à peine. Il les critique parce qu'ils n'ont ni ses valeurs ni ses croyances ! En tant que parent Capricorne, ne sautez aucune étape. Un jour ou l'autre, il faudrait revenir dessus !

SANTÉ Vous êtes né de Saturne, symbole de longévité, et vous bénéficiez d'une très grande résistance physique. C'est pourquoi, de temps à autre, vous trichez avec votre régime. Vous mangez des aliments trop gras, vous consommez trop de sucre, vous vous couchez tard, vous cessez de faire de l'exercice, vous travaillez plus d'heures, etc. Finalement, vous êtes épuisé ! À partir du 20, une baisse de vitalité vous sert une mise en garde et vous invite à trouver où se situent les limites de votre résistance.

TRAVAIL-ARGENT Si vous travaillez dans le domaine des véhicules lourds, qu'il s'agisse de les vendre ou de leur entretien mécanique peu importe, l'entreprise vous avertira qu'elle doit restreindre les heures de travail, ou pire, vous congédier, et ce, à partir du 19. Mais il est rare que vous n'ayez pas déjà un second travail en vue. Vous êtes prévoyant. Vous vous étiez préparé à une telle éventualité, surtout depuis les attentats du 11 septembre 2001. C'est sans doute au lendemain de cette terrible tragédie que vous avez songé davantage à un autre moyen de gagner votre pain quotidien. Vous retrousserez vos manches. Pour vous, la réorganisation de votre temps commencera, vous y mettrez immédiatement de l'énergie. Ce pourra être dans cette petite affaire qui vous appartient et dans une autre qui assurera votre survie économique. Les plus chanceux sont ceux qui œuvrent dans le domaine juridique, vous serez populaire. Si vous représentez les droits d'une communauté, on ne trouve pas meilleur défenseur que vous, ni plus batailleur et plus fin stratège. Si vous travaillez en communications, vos services informatiques spécialisés seront en demande. Ce mois-ci, la police Internet pourrait devenir essentielle pour tous les utilisateurs. Si vous êtes professeur, quel que soit votre degré d'enseignement, un autre débat au sujet de vos droits et privilèges d'enseignant pourrait avoir lieu. Du côté des écoles, la lutte pourrait s'étendre jusqu'à la fin de février. Il s'agira principalement de protection à la fois pour les professeurs et pour tous les élèves.

QUI SERA LÀ ? Un Bélier vous donne une leçon de vie et vous enseigne comment il est possible et nécessaire de vivre dans l'instant présent et non pas dans un futur qui viendra bien assez vite. Un Taureau qui subit des coups et contretemps de Neptune et Uranus a besoin de votre aide. Un Gémeaux vous agace par ses critiques ; vous ne pouvez plus en entendre une seule ce mois-ci. La présence d'un Scorpion vous rassure sur vous-même et au sujet d'un défi à relever. Vous pourriez tomber amoureux d'un Poissons ou d'un Cancer. Les idées d'un Verseau vous fascinent, mais vous en prenez et vous en laissez ! Et ne fâchez pas un Lion.

FÉVRIER 2002

AMOUR-AMITIÉ Mars en Bélier est dans le quatrième signe du vôtre. Il exerce une forte pression dans la maison. Si des tensions existaient déjà entre votre partenaire et vous, il y a danger qu'elles s'accentuent. On peut vous reprocher de n'en pas faire assez. Ou au contraire, c'est vous qui accuserez votre partenaire d'être trop lent, de ne pas réagir assez vite, de ne pas vous deviner, et plus particulièrement si vous avez de jeunes enfants. Ne perdons pas de vue que Jupiter est en Cancer face à votre signe. Cela signifie, surtout ce mois-ci et plus encore à partir du 13, que des amis ou des parents que vous aimez pourtant beaucoup vous disent quoi faire dans votre vie de couple, avec vos enfants, pour vos achats, pour vos économies. La liste pourrait s'allonger indéfiniment ! Il en va de votre paix de les faire taire.

Même si vous êtes dans l'ensemble heureux, et que vous vous sentez protégé par l'amoureux, il n'est pas impossible que des doutes et certaines de ses paroles vous blessent. Vous ne réagirez pas sur-le-champ. Vous refoulerez votre peine. Vous trouverez des prétextes à ces réactions envers vous. À partir du 13, ne laissez pas une querelle prendre l'allure d'une guerre. N'invoquez pas la fatigue ni le manque de mots pour omettre de vous défendre ni une baisse d'énergie. Certains d'entre vous se surprendront à dire à leur partenaire de retourner chez leur mère ou de partir en voyage pendant quelques semaines ! Oui, c'est vous qui oserez demander à votre partenaire de quitter les lieux, temporairement bien sûr ! La situation mondiale n'est guère pacifique et elle a des répercussions sur votre vie privée. Soyez donc assez sage pour vous en rendre compte à temps. Après tout, n'êtes-vous pas amoureux fou de votre partenaire ? Alors pourquoi le laisser filer ? Pourquoi lui donner son congé ?

FAMILLE Si vous êtes une femme seule, une célibataire, vous avez un amoureux depuis longtemps et pourtant vous refusez de vivre avec lui. Vous avez mille raisons pour en rester là ! Si vous avez encore l'âge d'avoir un enfant, il est possible que, sans le dire à monsieur, vous décidiez de faire bébé ! Il est vrai que ce ciel présage une grande fertilité pour les dames. Plusieurs d'entre elles peuvent tomber enceintes d'un homme qu'elles aiment. Si c'est votre situation, et que vous annoncez à l'amoureux qu'il sera papa, essayez d'imaginer vos nombreuses conversations et tout le vocabulaire de persuasion qu'il déploiera pour vous convaincre de faire vie commune !

Laissez le mois passer. Ne prenez pas encore de décision. En mars, vous saurez jusqu'où vous voulez aller avec ce charmant homme devenu père ! Si, par contre, vous menez une vie de couple et que vous ressentiez tous deux de l'ennui, même avec des enfants qui s'activent autour de vous, votre lassitude ne vous quitte pas. À partir du milieu du mois, vous inventerez un tas de situations qui pourraient mener à une rupture. Vous serez tourmenté, mais il y a peu de risque que vous concluiez à une séparation définitive. Après tout, comment survivriez-vous à cette institution qu'est votre mariage et contre laquelle vous vous battez tous les jours ou presque ? Comment feriez-vous pour vivre sans cette lutte avec votre conjoint ? Les gens heureux n'ont pas à s'inquiéter. Ils se parleront plus sèchement, mais ils n'ont aucune intention de se quitter et toute leur famille est au courant !

SANTÉ Mars est en Bélier et en aspect dur à votre signe, Pluton est en Sagittaire dans le douzième signe du vôtre. Jupiter est en face de votre signe et voilà que Vénus en Poissons fait un bon aspect à votre signe, mais à partir du 13 fait un mauvais parti à Pluton ! Cette petite histoire astrologique n'a qu'un but : vous dire ne pas négliger un mal qui va et qui vient, mais qui jamais ne disparaît. Pire, surveillez l'apparition d'une « bosse » où qu'elle se produise sur le corps. Voyez donc votre médecin.

Pour rester en forme, il est important que vous mangiez sainement. Ce ciel de février vous cause des baisses d'énergie sans prévenir.

TRAVAIL-ARGENT Si vous êtes une personne « à tout faire » comme il s'en trouve fréquemment sous votre signe. Si la première moitié du mois a été difficile, la seconde vous est plus favorable. Vous trouverez plusieurs emplois à temps partiel ! En fin de compte, toutes vos journées seront remplies. Vous produirez plus que vous ne l'auriez fait avec un travail fixe. À partir du 13, si vous êtes à la recherche d'un emploi et avez un talent de vendeur, Vénus dans le troisième signe du vôtre vous invite à regarder du côté des communications : librairies, magazines, cinéma, affichage, sites web, etc. Vous trouverez selon vos compétences. Si vous ne craignez pas de travailler la nuit, regardez ce type de travail. Vous ne serez peut-être pas très touché par la récession, votre vie continue comme avant ou presque. Toutefois, vous n'êtes pas sans savoir que vos clients tarderont à vous payer. Si vous êtes propriétaire d'une entreprise vendant un produit sur grande échelle, vos consommateurs seront moins nombreux. Il ne vous restera qu'à réduire votre train de vie ; vous y penserez à la fin du mois.

CROYANCES À partir du 14, quelques-uns d'entre vous consulteront un voyant ou un clairvoyant. Ils espèrent s'entendre dire qu'ils gagneront à la loterie ou qu'un événement extraordinaire les aidera à régler leurs divers problèmes. Malheureusement, cette pensée magique sera le plus souvent le résultat des influences de Mercure et Neptune en Verseau, une promesse non tenue par le destin. Pour une poignée de dollars que vous ne posséderez plus, vous aurez eu un instant d'excitation. Méfiez-vous par les temps qui courent, les faux prophètes sont tous dehors ! Les vrais détestent vous annoncer que l'attente doit se poursuivre.

QUI SERA LÀ ? Un Verseau ne vous dit pas toute la vérité ; on vous cache le moitié de la réalité. Devinez le reste. Il y a une possibilité d'association commerciale avec un Scorpion. Si vous êtes malade, un Sagittaire et un Bélier prennent soin de vous. Un Cancer s'inquiète et vous devez le réconforter. Un Poissons vous dit ce qu'il pense ! Que cela vous fasse plaisir ou non ! Mais vous n'hésiterez pas non plus à lui répondre ! Un vieil ami Gémeaux peut vous ouvrir une porte pour un emploi si vous êtes en recherche.

MARS 2002

AMOUR-AMITIÉ En ce mois, Mars est en Taureau dans le cinquième signe du vôtre. Vos conversations seront vraiment plus aimables avec votre partenaire. Si l'amoureux traverse une période difficile sur le plan émotionnel ou physique, vous lui consacrerez plus de temps. Vous serez présent pour lui, pour ses besoins et souvent en restreignant vos activités ; vous en remettrez quelques-unes à plus tard, car votre couple a priorité. Vous n'avez probablement pas envie d'une rupture et vous savez fort bien que pour l'éviter, votre présence est nécessaire. Si vous êtes devant l'inévitable, après avoir tout essayé pour faire la paix avec votre partenaire, le mois du partage des biens est venu, notamment si vous possédez une propriété en commun. Il y a aura des tiraillements durant la deuxième et la troisième semaine du mois. Il veut tout, à cause de papiers signés fort peu clairs. Le partage est compliqué. Il est facile à l'un ou à l'autre de contester la vente ou le montant du rachat de la moitié de l'autre. Dans un tel cas, si la séparation est inévitable, avec ou sans enfant, retenez les services d'un avocat, surtout si vous avez l'impression d'être dans un cul-de-sac.

Si vous vivez en famille reconstituée et que votre nouveau partenaire et vous avez des enfants, n'espérez pas le silence lorsque ceux-ci se rencontrent. S'ils sont jeunes, leurs jeux seront grouillants et sans doute auront-ils pour but d'affirmer la suprématie d'un clan sur l'autre. Je vous suggère de lire quelques livres de psychologie sur ce sujet si vous tenez à la paix entre tous ! Lorsque des enfants se querellent, ils exercent une pression sur le couple. À leur insu, ils veulent vous séparer de ce partenaire qui n'est pas leur père ou leur mère. Si vous tenez à l'amour, n'essayez pas de deviner ce qu'il faut faire. Demandez conseil à un psy spécialisé en relations familiales.

FAMILLE Il a été grandement question de la famille dans la précédente rubrique ; impossible d'y échapper. Quand vous avez des enfants, ils font corps avec votre vie amoureuse, ils en sont indissociables. Mais la famille n'est pas réduite aux enfants. Vous avez d'autres parents dont certains s'imaginent que vous leur devez beaucoup. En tant que Capricorne, fils ou fille, il est fréquent que vous ayez des parents exigeants.Il vous est impossible de leur refuser le moindre service. Ceux qui vous ont « élevé » connaissent vos points faibles. Ils savent de quels mots user pour vous faire sentir coupable et obtenir de vous ce qu'ils réclament : un service, de l'argent, des attentions, votre visite, etc. Enfant, on vous a peut-être chargé de remplacer le père, et ce, que vous soyez garçon ou fille. Si certains ont refusé le rôle, d'autres l'ont accepté sans qu'on leur ait donné le temps d'y réfléchir. À partir du 9, donnez à chacun la place qui lui revient. Vos propres parents n'ont pas à empiéter sur votre territoire. Ils n'ont pas à vouloir que vous restiez leur petite fille ou leur petit garçon gentil et serviable. N'étant ni dupe ni naïf, vous savez que chacun doit occuper sa place, celle qu'il aurait dû prendre depuis longtemps.

SANTÉ Avec le Nœud nord en Gémeaux, des faiblesses respiratoires peuvent provoquer rhume sur rhume. Votre système immunitaire est à plat et vous le fait savoir. Vous avez besoin de dormir, de vous reposer, de vous relaxer plus souvent. On dit souvent que la santé est dans l'assiette. Cela n'a jamais été aussi vrai que ce mois-ci, en ce qui vous concerne.

TRAVAIL-ARGENT Vous travaillerez beaucoup, en plus de vous occuper plus assidûment de vos proches. Si vous avez un emploi régulier, vous terminerez sans doute plus tard pour vous assurer d'avoir fait toutes vos tâches. Vous avez aussi un grand sens du devoir. Il vous est impossible de ne pas aller jusqu'au bout des travaux commandés. Si vous avez dû vous recycler à la suite des restrictions budgétaires de l'entreprise qui vous employait, vous êtes plus débordé que les autres. Vous avez établi votre propre clientèle. Et ce mois-ci, vos prix sont compétitifs et raisonnables. Vous progressez à si bon rythme que vous êtes obligé d'embaucher. Pensez-vous que vous êtes à l'origine d'une PME appelée à devenir une multinationale dans quelques années ? Vous avez le sens de la continuité. Vous êtes tenace. Plus vous développez votre service ou vos produits, plus vous découvrez à quel point vous êtes fin stratège en commerce. Certains d'entre vous ont des intérêts à l'étranger. Dans ce cas, il faudra être plus rigoureux dans votre comptabilité et veiller en personne à ce que débits et profits soient parfaitement calculés.

CROYANCES Prendre soin de vos proches, les aimer, leur prouver, n'est-ce pas le plus bel acte de foi en la vie qu'on puisse avoir ? Donner à ceux qu'on aime va bien plus loin que toute pratique religieuse. Depuis déjà plusieurs mois, les médias parlent en long et en large des diverses religions de la planète. Peut-être y a-t-il là de quoi y perdre son latin ? Si vous possédez de l'influence dans votre communauté, vous serez de ceux qui dénoncent les mauvais traitements infligés à des croyants, peu importe leur foi. Le destin du monde ne vous laisse jamais indifférent. Vous n'avez, en général, aucun mal à entrer par la porte de derrière quand il est question de réformer afin de protéger des innocents ! Vous êtes conscient qu'une vie d'enfant est importante et qu'elle mérite une attention particulière. La vie d'un seul enfant peut être un jour ce qui fera basculer le monde ! Vous êtes né de Saturne et Saturne voit loin.

QUI SERA LÀ ? Un Bélier qui fait partie de votre quotidien ou de votre famille vous propose des solutions d'avenir efficaces pour vos affaires. Réfléchissez davantage à votre relation avec un Taureau qui, de son côté, subit encore les foudres de Neptune et d'Uranus. Vous êtes encore en « froid » avec lui. N'êtes-vous pas attaché au natif de ce signe ? N'est-ce pas votre trop grand orgueil respectif qui vous sépare ? Grâce à un Gémeaux, vous pourrez obtenir un travail. Un Cancer tombe amoureux dès qu'il vous aperçoit. Un Scorpion ne vous quitte pas, malgré la distance qui vous éloigne l'un de l'autre. La communication est télépathique. Un Verseau vous agace, demandez-lui de cesser de vous donner ses conseils dont vous n'avez pas besoin. Un Poissons n'a que du bien à dire de vous.

AVRIL 2002

AMOUR-AMITIÉ Jusqu'au 26, Vénus est en Taureau dans le cinquième signe du vôtre. Cette planète occupe une place maîtresse. Elle préfère la paix et l'amour à la guerre. Vénus en Taureau se fait tout de même coincer. Elle confond sens et sentiments, et plus particulièrement ce mois-ci où Vénus fera un aspect dur à Neptune et, par la suite, à Uranus. Vous pourriez donc tomber amoureux d'un corps avec un esprit qui ne vous inspire pas. Ou encore, être séduit par l'apparence de l'intelligence tandis que vous avez devant vous un manipulateur hors pair ! Il en va de même avec les nouveaux amis que vous croyez vous faire. Attention ! Les bons aspects dans ciel sont ici et là truffés de mensonges divers. Ne perdez pas de vue que nous sommes en récession. Le chaos et les violences qui se produisent à l'autre bout du monde ne sont pas sans effet sur nous. Certaines gens ne cherchent qu'un protecteur, pas un amour ni un ami. Il ne faut toutefois par ignorer que des gens s'aiment et continueront de s'aimer. Ils sont assez forts pour passer par-dessus quelques pièges célestes. Le bonheur n'est pas à la mode. Il est présentement placé en arrière-plan, la survie économique a priorité.

FAMILLE Vous êtes père ou mère, et ce rôle vous va comme un gant. Par ailleurs, selon l'astrologie karmique, vous avez pour mission d'être un bon parent. Malheureusement, le manuel du parent parfait n'a jamais été écrit. Au fond, la création de cette œuvre est individuelle. La plupart d'entre vous ont tenu pour acquis les enseignements de leurs parents. À votre tour, vous transmettez la même éducation, les mêmes valeurs et croyances. Vous y ajoutez votre touche personnelle mais, dans l'ensemble, vous en faites autant que vos parents, pas plus ! Il est fréquent que certains Capricorne aient été « élevés » sévèrement, aussi vous appliquez-vous à discipliner votre progéniture. Mais les temps ont changé. Nous avons eu de plus en plus de liberté, mais nous avons aussi « subi » une augmentation de nos besoins et désirs. En tant que Capricorne, vous vous êtes donc mis au travail afin de donner à vos enfants ce qu'ils vous réclament, ou croyez qu'ils veulent ! À partir du 14, avec l'entrée de Mars en Gémeaux, Saturne est dans ce signe, vous travaillerez beaucoup plus que d'habitude. Certains d'entre vous ont même deux emplois. Combien de temps vous reste-t-il à consacrer à vos bambins ? La fin du mois concerne vos adolescents ou vos enfants adultes. Peut-être ont-ils quelques remontrances à vous faire au sujet du contrôle que vous continuez d'exercer sur eux ? Écoutez-les, vous apprendrez beaucoup sur eux et sur vous ! Vous avez maintenant atteint la trentaine, mais vous êtes toujours en colère contre vos propres parents ? Réfléchissez ! Où une dispute vous mènera-t-elle ? Vous avez une mémoire phénoménale, mais ne serait-il pas préférable de vous éloigner plutôt que de vous disputer ?

SANTÉ Il vous suffit de bien vous nourrir pour sauvegarder votre énergie. Votre estomac est plus nerveux, donc évitez les épices. Cela vous évitera des brûlures ou des reflux gastriques tellement déplaisants. À partir du 14, sous l'influence de Mars et de Saturne en Gémeaux, si vous ne travaillez pas, vous n'aurez pas le moral ! Et si vous ne trouvez aucun exutoire à vos angoisses, à partir du 25, vous risquez de voir des allergies cutanées qui semblaient disparues à tout jamais surgir à nouveau.

TRAVAIL-ARGENT Le ciel vous est favorable sur le plan professionnel. L'entreprise qui vous emploie peut vous demander de transmettre vos connaissances à la relève. Vous serez un excellent professeur. Vous êtes patient et surtout très précis dans vos explications. Si vous travaillez dans la vente, vous serez constamment en déplacements. À partir du 14, vous augmenterez votre clientèle et vous gagnerez plus d'argent. Si vous cherchez un emploi de vendeur, vous n'aurez aucun mal à trouver dans ce secteur où vous avez déjà une longue expérience. Certains d'entre vous achèvent rapidement un cours afin de parfaire une formation ou font quelques semaines d'études pour obtenir une carte de compétences professionnelles. Quelqu'un a une dette envers vous, et ne peut vous rembourser. Pour excuser son retard, il vous aidera à faire votre ménage du printemps, à repeindre une pièce de la maison, à réorganiser votre jardin, etc. Avec le Nœud nord en Gémeaux, sixième signe du vôtre, il est possible qu'une entreprise qui vous a congédié pour d'obscures raisons vous rappelle. La nouvelle administration a besoin de vous.

CROYANCES S'il est une chose à laquelle vous ne croyez pas, c'est la magie ! Saturne, qui régit votre signe, a constamment besoin de vérifier ce qui est dit, énoncé, prédit. C'est ce qui souvent vous conduit à faire des recherches sur tout ce qui concerne l'Invisible ou l'ésotérisme. Une fois que vous avez dépassé la raison pure et dure, vous élargissez votre vision de la vie. Vous devenez tolérant envers autrui. C'est sans doute pourquoi votre signe est celui qui rajeunit en vieillissant !

QUI SERA LÀ ? Il n'est pas rare que vous tombiez amoureux d'un Taureau, mais il est aussi fréquent que vous soyez tous deux en compétition. En tant que signes de terre, votre union manque d'eau, donc d'émotions. Entre vous, il n'est plus question que d'argent, de sécurité, d'économies... Votre amour finit par ressembler au désert ! Si c'est votre situation ou si vous pressentez que vous prenez ce chemin, réagissez immédiatement. Demandez-vous pourquoi vous avez aimé votre Taureau. Si vous trouvez une réponse positive, il n'est pas trop tard pour tout reprendre du début ou presque ! Ne laissez pas un Gémeaux vous dire constamment quoi faire. Reprenez votre assurance. Un Bélier n'hésite pas à vous rendre service.

MAI 2002

AMOUR-AMITIÉ Le ciel de mai est couvert de planètes en Gémeaux, dans le sixième signe du vôtre. Si votre partenaire n'est pas en bonne santé, vous devrez le soigner. Si, au contraire, c'est vous qui avez des problèmes de santé, votre amoureux sera là. Seul votre ascendant peut déterminer de quel côté vous vous trouvez. Un ami aura besoin de vos services et vous volerez à son secours sans même vous poser une question. Si vous êtes célibataire, étant dans un état d'hypersensibilité et puisque Jupiter en Cancer fait face à votre signe, vous ne laissez personne indifférent. La moitié d'entre vous « s'amourache » d'une personne pour la sauver. Selon votre ascendant, l'autre moitié d'entre vous manipule afin d'être protégée sur le plan matériel. Vous seul pouvez vous placer dans l'une ou l'autre des catégories. Que vous soyez le sauveur ou le sauvé, une nouvelle relation risque de s'établir durant les trois derniers jours du mois. Un événement provoqué par une vieille connaissance sera tel que vous verrez clairement où vous en êtes sur le plan émotionnel. Sans doute renoncerez-vous à ce rôle de sauveur, mais peut-être moins à celui de sauvé ! Si votre Saturne a développé son aspect matérialiste au détriment du sage et du guide, vous n'avez alors aucun mal à prendre ! Nous avons tous notre libre-arbitre. Vous pouvez choisir de grandir, prendre vos responsabilités, être conséquent ou, au contraire, jouer à l'adolescent que vous n'êtes peut-être plus !

FAMILLE Surveillez de plus près un parent qui prend des médicaments. Il pourrait commettre une erreur, oublier un médicament ou le prendre deux fois. Lorsque vous déposerez ses ordonnances à la pharmacie, vérifiez la posologie. Ce ciel de mai est couvert de planètes en Gémeaux. Il concerne principalement vos adolescents. Ceux-ci sont de nature à contester votre autorité, à critiquer le système, et surtout celui qu'ils connaissent le mieux, l'école, le cégep ou l'université. Peut-être faudra-t-il les guider afin qu'ils modèrent leurs ardeurs ! Mais peut-être vos enfants sont-ils adultes ? En bon parent, vous êtes là dès qu'ils ont besoin d'aide. Mais l'un des vôtres n'exagère-t-il pas sa « misère » ? Si vous connaissez cette situation, si votre « grand » est un manipulateur, n'avez-vous pas envie de le stopper ? Si vous avez de bonnes relations avec vos grands enfants, sans doute sera-t-il question de monter une entreprise ensemble. L'économie a besoin de nouveaux entrepreneurs. Il est aussi possible qu'un projet commercial prenne forme entre frères et sœurs.

SANTÉ Si êtes pris de tremblements, voyez immédiatement un médecin. Lors de vos activités, vos pratiques sportives ou au travail, protégez vos bras et vos mains plus que d'habitude. Les planètes en Gémeaux, plus nombreuses encore que dans le ciel du mois précédent, vous invitent à ne pas consommer d'aliments que vous ne tolérez pas bien. Votre peau est plus sensible. Vous pourriez avoir des réactions cutanées fort désagréables.

TRAVAIL-ARGENT Vous ne manquerez pas de travail, tout arrive en double ! Vous serez incapable de refuser de faire des heures supplémentaires. Si vous êtes pompier, ambulancier, médecin, ou avez un travail qui vous met en contact avec la douleur et la misère humaine, vous serez débordé. Si vous êtes dans la vente, peut-être vos revenus seront-ils plus bas, par contre vous établirez de meilleures relations avec vos clients. Dans quelques semaines ou parfois des mois, ils seront de bons consommateurs. Vous n'aurez pas à les convaincre que vos produits ou vos services sont excellents ! Dans le domaine de l'immobilier, certaines gens peuvent vous faire perdre du temps. Lors de vos déplacements, ne serait-ce que le jour des emplettes à l'épicerie, surveillez vos biens personnels : sac à main, mallette, portefeuille, etc. Vous êtes dans la cible des petits voleurs.

CROYANCES Même si vous avez foi en la vie et un bon moral, des gens qui ne sont pas aussi en forme et qui voient le pire partout gravitent dans votre entourage ! En tant que signe de Saturne, vous avez intérêt à vous éloigner d'eux. La peur s'empare rapidement de vous. Imaginons que cette peur, généralement remplie d'émotions, soit semblable à une inondation. Elle envahit vos terres : votre récolte sera détruite, plus rien n'y poussera parce que votre terre ne sera plus que de la boue ! Si votre entourage vous considère comme une personne forte, méfiez-vous, des faibles viendront se greffer sur votre vie. Si vous êtes bon, vous ne saurez comment les chasser. Ne vous souvenez-vous pas du proverbe « Charité bien ordonnée commence par soi-même »? Cette phrase vous convient plus que jamais ce mois-ci.

QUI SERA LÀ? Les Gémeaux sont partout autour de vous. Il faut chasser ceux qui critiquent. N'accueillez que les esprits positifs. Un conflit d'idées est possible avec un Sagittaire. Une Vierge vous propose des solutions lorsque vous lui parlez de vos problèmes. Un Taureau qui ne parle que d'argent vous agace. La présence d'un Scorpion vous rassure. Un Verseau peut vous faire dépenser inutilement. Un Cancer flirte avec vous. Un Bélier ou un Lion est amoureux.

JUIN 2002

AMOUR-AMITIÉ Votre amoureux et vous discuterez des prochaines rénovations à faire sur la maison. Vous décorerez et repeindrez. Sans doute ferez-vous tout cela ensemble. Il n'est plus question que l'un décide plus que l'autre. Il serait étonnant que vous décidiez de partir en voyage avec ou sans vos enfants. Vous allez plutôt organiser vos prochaines vacances non loin de la maison. Vous tirez une multitude de plans pour visiter votre coin de pays, comme jamais vous ne l'aviez fait. Si des membres de votre famille ou des amis habitent à l'étranger, ils vous annonceront leur visite. Il est possible qu'ils vous demandent de les recevoir parfois pour juin et juillet ! Si votre maison est grande, ni vous ni votre partenaire n'aurez de difficulté à leur ouvrir la porte. Par ailleurs, préparer les pièces qu'ils occuperont remplira vos temps libres. Cela aura pour effet de vous rapprocher de l'autre. Si vous êtes célibataire, le mois est extrêmement favorable à une rencontre. Cette personne sera douce et aimable, tout le contraire de toutes celles que vous avez connues auparavant.

FAMILLE Jupiter et Mars sont en Cancer. Vénus est aussi dans ce signe jusqu'au 14. Ces planètes vous relient à vos enfants. Vous faites en sorte qu'ils s'éloignent de vous ; dans ce cas, vous serez le seul responsable de cette situation. Si vous répondez présent pour les besoins de vos enfants qui ont maintenant l'âge de vous parler, ils vous diront comment ils veulent vivre leur avenir. Sans doute découvrirez-vous un côté de leur personnalité que vous ignoriez totalement. Si vos enfants sont adultes et qu'ils aient eux-mêmes des enfants, à partir du 15, l'un d'eux viendra chercher conseil auprès de vous. Il serait sage d'écouter jusqu'au bout ce que vos enfants ont à vous dire. Ils pourraient vous demander de prendre une décision à leur place, ayez la sagesse de ne pas le faire. Laissez vos grands vivre leur vie sentimentale. Restez en dehors de leurs problèmes.

SANTÉ Il faut bien vous nourrir, c'est la base de votre énergie. Évitez les gras, surtout si déjà vous grossissez facilement. À partir du 15, des baisses ou des hausses de pression peuvent se manifester. N'attendez pas et voyez votre médecin, même si vous prenez déjà des médicaments.

TRAVAIL-ARGENT Ce mois est plutôt calme au travail. Il suit son petit bonhomme de chemin. Les réponses espérées pour un projet peuvent se faire attendre. Soyez patient, après le 8, Mercure reprend sa marche en avant et, en principe, les hésitations financières disparaissent. Vous obtenez ce que vous demandez. Si vous occupez deux emplois, vous irez de l'un à l'autre avec plus de facilité. Vous vous êtes adapté à votre nouvel horaire. Vous réussissez même à trouver du temps pour votre famille. Vous ferez quelques dépenses pour la maison, mais vos achats seront sélectifs. Vous magasinez longtemps avant d'investir votre argent dans un outil ou dans tout autre produit de décoration.

CROYANCES Vous êtes plus sensible ce mois-ci et la famille est dominante. Vous regarderez vos enfants comme s'ils étaient des miracles de la vie, et ils le sont. En ce mois, vous laisserez tomber des valeurs, des croyances, des superstitions, des jugements qui limitaient votre regard sur vous-même et le monde.

QUI SERA LÀ ? Un Cancer est très présent à vos côtés, son affection vous fait fondre ! Vous admirez la force et le talent d'un Bélier. L'optimisme d'un Lion vous fait du bien, il vous rafraîchit, vous sort de quelques-unes de vos sombres pensées. Un Gémeaux veut discuter, mais vous savez que vous perdrez votre temps, vous n'êtes pas sur la même longueur d'onde. Un Poissons vous fascine, vous en tombez amoureux.

JUILLET 2002

AMOUR-AMITIÉ Des tensions perdurent dans votre vie de couple. Vous ne réussissez peut-être pas à parler calmement avec votre partenaire. En conséquence, d'ici le 13, vous pourriez prendre la décision de quitter la maison. Vous pourriez aussi demander à l'autre de le faire, tout dépend de votre entente financière. Il est aussi possible que vous découvriez qu'un ami n'est là que par intérêt. Il ne se préoccupe nullement de votre bien-être. Vous lui demanderez carrément de sortir de votre vie et de n'y plus jamais revenir. Vous chasserez les parasites d'ici le 13. Le 11, Vénus entre en Vierge, dans le neuvième signe du vôtre ; pour les célibataires, cela peut supposer une rencontre lors d'une sortie, en faisant du sport, en allant voir un spectacle. Cette personne et vous aurez beaucoup à échanger. Il pourra s'agir d'une personne de nationalité étrangère.

FAMILLE C'est le dernier mois où Jupiter est en Cancer et face à votre signe. Si Jupiter, depuis le début de l'année, a été le symbole de la lutte familiale, vous arrivez à la fin des querelles. Si, au contraire, Jupiter en Cancer vous a rapproché des vôtres, ce n'est pas parce qu'il sortira du signe à la fin du mois que vous vous en éloignerez. Au contraire, vous aurez appris beaucoup d'eux et eux de vous. La leçon se poursuivra, mais avec plus de légèreté. Pour un grand nombre d'entre vous, c'est le mois de vacances en famille. Le plaisir est au rendez-vous. Ceux qui ont décidé de se replier sur eux-mêmes et de s'éloigner de leur proches pour pouvoir vivre leur vie librement, ressentiront plus la solitude. Le bonheur de cette liberté sera teinté de culpabilité. Ce n'est pas le plaisir qui sera au rendez-vous mais plutôt la tristesse. Votre signe symbolise le père ou la mère. Si vous ne prenez pas votre rôle au sérieux, c'est une prison intérieure que vous vous fabriquez. Vous êtes celui qui doit réunir la famille et non la diviser. Ne passez pas à côté de votre mission.

SANTÉ À partir du 14, sous Mars en Lion, courez chez votre médecin en cas de problèmes cardiaques ou de palpitations anormales, et encore plus vite si ce n'est pas la première fois. Si on vous conseille de suivre un régime, tenez-vous-y. Tricher c'est vous tromper vous-même. Si vous devez soulever des objets lourds, ne le faites pas seul. Demandez de l'aide ! Dos et chevilles sont plus fragiles.

TRAVAIL-ARGENT Si vous êtes en vacances, vous dépenserez de l'argent mais plus modérément que les années passées. Vous serez appelé à remplacer les absents au travail. Vos journées seront très longues, surtout si vous êtes dans la construction. Si vous êtes à contrat, on renouvellera celui que vous êtes sur le point de terminer. À partir du 11, vous serez plus chanceux dans les jeux de hasard. Par ailleurs, si quelqu'un vous doit de l'argent, alors que vous pensiez que jamais on ne vous rembourserait, vous serez surpris lorsque cette personne vous donnera un chèque, avec les intérêts courus. Si vous êtes à l'emploi d'une grande entreprise et avez été congédié ou mis en disponibilité à la suite de restrictions budgétaires, il est possible que vous soyez rappelé.

CROYANCES Inquet, vous serez peut-être tenté de consulter un clairvoyant à la fin du mois. Vous voulez être rassuré sur vous-même, sur votre travail. En sortant de cette consultation, vous vous direz que vous saviez tout ce qu'il vous a dit. Vous êtes plus intuitif que vous ne le pensez. Vous n'avez pas besoin qu'on vous dise ce que vous savez déjà. À la fin du mois toujours, vous pourriez suivre un cours d'astrologie, de tarot ou de numérologie. Le sujet vous intéresse. Allez-y en vous disant que vous allez pratiquer un sport de l'esprit. Vous ne ressortirez pas de là magicien, clairvoyant ou médium. Vous serez la même personne, mais vous posséderez de nouvelles connaissances et des outils pour mieux grandir.

QUI SERA LÀ ? Un Lion entretient votre bonne humeur. Un Bélier est un bon guide. Un Sagittaire vous dit quelques vérités que vous n'aimerez pas, mais écoutez-le quand même. Vous tombez amoureux d'un Cancer, d'un Taureau ou d'un Poissons. Une Vierge amicale est souvent la source de nouvelles connaissances. Un Verseau a beaucoup d'idées nouvelles et originales, mais elles ne sont pas toutes bonnes à développer. Certaines doivent être mises de côté pour être reprises plus tard. Un Gémeaux est un bon vendeur et vous êtes acheteur à son contact !

AOÛT 2002

AMOUR-AMITIÉ Jupiter est en Lion, symbole du cœur. Il est dans le huitième signe du vôtre et vient maintenant de changer les règles du jeu entre votre amoureux et vous. Jusqu'à présent, vous avez été le « patron » du couple, mais votre partenaire ne le tolérera plus ! Votre amoureux pourrait aussi être malade ou moins résistant que d'habitude. Il aura besoin de votre soutien moral et de votre aide physique. En fait, il est même possible que vous vous absentiez du travail à quelques reprises pour être à ses côtés. Si vous étiez sur le point de vous séparer de l'autre et avez sans cesse reporté votre décision, ce mois-ci vous pourriez entreprendre les mesures juridiques qui s'imposent pour vous séparer. Pour les célibataires, de nombreux flirts sont en vue, mais vous ne voudrez pas vous engager. Vous préférerez vous retrouver avec vos amis de toujours, plutôt qu'avec une personne en particulier. Il est possible que certains d'entre vous, après quelques mois de difficultés sentimentales et de mises au point, prennent congé de l'amour.

FAMILLE Si vous vivez en famille reconstituée, vos enfants et ceux de votre partenaire ont peut-être vieilli. Ils commencent à se disputer le territoire familial. Il faudra faire cesser la petite guerre qui se profile à l'horizon entre les jeunes. Si leur comportement change en pire, c'est qu'ils ont besoin d'être rassurés sur eux-mêmes, sur l'amour qu'ils reçoivent. Ils ont besoin de savoir qu'ils en recevront encore. Si vous avez de très jeunes enfants, des bébés qui commencent à marcher ou des enfants d'âge préscolaire, vous ne devez jamais les quitter du regard. Il est important que vous les surveilliez surtout si vous êtes près d'un cours d'eau. Ne les laissez pas seuls, sans surveillance, pas même deux minutes, lorsque vous allez au parc avec eux. Ne les laissez pas non plus jouer à des jeux dangereux. Lorsque vos petits sont avec des grands que vous ne connaissez pas dans ces lieux publics, encore une fois restez à leurs côtés. C'est important. Il y a dans l'air un aspect qui prévoit que les enfants des autres, par malice, poussent les vôtres !

SANTÉ Entre le 22 et le 29, le stress supporté pendant de longs mois pourrait se manifester soudainement par divers malaises. Vous aurez des moments de grande fatigue. Ne résistez pas, prenez du repos ! N'avez-vous pas accumulé des jours de vacances ? Vous pourriez prendre un congé pendant quelques semaines ? Qu'attendez-vous pour le faire ?

TRAVAIL-ARGENT Si vous êtes au travail, vous y êtes à plein ! Vous faites le travail de deux ou même de trois personnes. La situation sociale n'est pas reluisante. Vous êtes heureux d'avoir un emploi, cependant vous en faites tant et tant que vous finirez pas vous épuiser. À partir du 8, il est possible que l'entreprise emploie du personnel temporaire que vous serez chargé de surveiller. Vous prenez cela très au sérieux. Comme ces personnes ne sauront pas toujours ce qu'elles doivent faire, plutôt que de le leur expliquer, vous ferez leur travail à leur place ! Ne manquez-vous pas de patience ? Êtes-vous excessivement perfectionniste ? Si vous êtes à la recherche d'un emploi, vous n'aurez pas de nombreuses démarches à faire. Vous aurez le don d'arriver à la bonne place et au moment où on a besoin de vos compétences. À partir du 7, vous pouvez espérer de bonnes nouvelles. Bon nombre d'entre vous auront de la chance dans les jeux de hasard. Vous pourriez gagner souvent de petites sommes que vous réinvestirez immédiatement au casino ou dans des billets de loterie ! En fin de compte, il n'y a aucun profit, seulement le plaisir de dire que vous avez gagné !

CROYANCES Vous êtes logique au départ. Sans preuves, vous ne prêtez foi ni aux dires ni aux affirmations. Le monde invisible existe, soit, qu'il le prouve ! Le monde est celui que vous voyez ! Ce n'est cependant pas aussi simple que vous aimeriez le croire. Sous Jupiter en Lion et sous la pression de Mars en Lion, vous découvrirez une partie de la face cachée de vos motivations personnelles. Vous vous rendrez aussi compte de la possibilité qu'il puisse exister « autre chose » que ce que vos yeux peuvent voir. Vous serez hyperintuitif. D'où vous vient cette préscience d'un événement dont vous serez d'ailleurs témoin avant que le mois se termine ?

QUI SERA LÀ ? Un Lion joue un rôle important dans le déroulement de vos affaires. Il en est l'initiateur. Votre rôle est celui de l'organisateur. Un Bélier vous dynamise et vous soutient. Si vous protégez affectueusement un Cancer, il vous le rend bien. Refusez de prêter à une Balance qui déjà vous doit de l'argent et ne croyez pas tout ce qu'elle vous dit. Elle a tendance à vous faire un coup de théâtre pour vous impressionner. Vous tombez amoureux d'une Vierge ou d'un Taureau. Un Sagittaire rencontré par hasard partage vos valeurs.

SEPTEMBRE 2002

AMOUR-AMITIÉ Mars est en Vierge et ne fait pas encore un aspect dur à Saturne, la planète qui régit votre signe. Si vous désirez une explication avec votre partenaire, vous la remettrez à plus tard, pourtant, il serait plus favorable de l'avoir maintenant. Le ciel astral et ses symboles vous aideront à vous parler calmement, et vous n'exagérerez pas vos besoins et vos demandes. Si vous vivez en famille reconstituée, votre ex, ou celui de votre partenaire, fera à nouveau intrusion dans votre couple. La raison en est généralement les enfants que vous avez eus ensemble. Ayez une conversation avec l'ex pendant que l'air est encore beau entre vous. Prenez une nouvelle entente si nécessaire. Préservez la paix dans votre couple actuel. Si vous faites partie des Capricorne qui ont eu deux amours, vous mettrez fin à une relation cachée qui vous a rendu infidèle ! Les questions les plus sérieuses à vous poser sont : Devez-vous vraiment lui raconter votre infidélité ? Croyez-vous qu'il vous pardonnera ?

FAMILLE Il a été question de famille reconstituée et de paix entre votre nouveau partenaire et vous. Étant donné que Jupiter est en Lion, les enfants sont au cœur de vos préoccupations. Si ceux-ci sont petits, ils changent complètement vos plans de vie. Ils ne sont pas sages comme des images ! Vous avez besoin d'un maximum de patience et de tolérance. Encore ce mois-ci, vos petits ne sont pas au mieux sur le plan de l'expression de leurs énergies ! À la fin du mois, vous devrez surveiller le rhume de l'un d'eux. Cela pourrait tourner en vilaine bronchite ou en allergie. Vos grands adolescents et pré-adolescents s'opposent presque automatique à ce que vous êtes. Ils veulent s'affirmer tels qu'ils sont. Ce n'est que très lentement, en cours de mois, que vous les verrez changer pour adopter des comportements qui ne sont pas ceux que vous aviez à leur âge. La roue de la vie tourne... et avant qu'ils se rangent à vos bonnes valeurs, ils s'opposeront à celles auxquelles ils ne croient pas !

SANTÉ Vous serez plus en forme. Si vous avez été malade ou avez subi une opération, vous cicatrisez rapidement. Mais vous avez la manie de rebondir dès vous vous sentez mieux et de reprendre ce que vous considérerez comme du temps perdu ! Attention de ne pas être obligé de retourner en convalescence ! Vous avez généralement une vie longue et productive. Elle peut être longue, mais si vous négligez de vous soigner, elle sera moins productive que prévu.

TRAVAIL-ARGENT On ne vous reprochera pas d'être travailleur. Vous êtes sans doute l'employé le plus indispensable et le plus efficace. Il faut des aspects très durs dans votre thème natal pour que vous passiez à côté de votre sens des responsabilités. Les paresseux sont d'une extrême rareté sous votre signe. Si toutefois vous apparteniez à cette minorité qui se satisfait de parasiter la vie des autres, on risque de vous fermer la porte au nez. Ceux que vous dérangez constamment et depuis longtemps ne vous supportent plus. Cela permettra à plusieurs de « se prendre en main ». Je m'adresse maintenant à ceux qui ont démissionné, qui s'en sont remis aux autres, à ceux qui voulaient qu'on les prenne en charge. Avec l'entrée de Vénus en Scorpion à partir du 9 et qui fera des aspects durs à Neptune et à Uranus en Verseau, ces amis et ces parents compatissants envers vous s'éloigneront. Nous entrons malheureusement dans une autre période où l'argent sera plus rare, et ce, jusqu'à la fin de l'année. Nous ne sommes pas au bout de la récession. Mais vous n'avez pas à vous inquiéter si vous avez déjà un emploi. Si vous êtes du genre débrouillard et capable d'accepter un travail même sous vos compétences, vous vous en sortirez. Si vous avez à cœur de mettre du pain sur la table pour vous et votre famille, vous ne serez pas mal pris !

CROYANCES Certains d'entre vous sont des bigots ! La tradition familiale leur a enseigné la bigoterie et ils ne s'en sont pas sortis ! Malgré vos prières pour sauver le monde, vos supplications pour que le ciel vienne en aide à ceux qui souffrent... rien ne s'arrange ! Que diriez-vous d'avoir un geste généreux ? Ne pensez-vous pas que la vraie foi doit s'accompagner de bontés et de gratuités ? En parler et y penser est insuffisant ! Pourquoi ne feriez-vous pas du bénévolat ? Vous seriez alors en contact avec des gens qui sont dans le besoin ! La vie s'occupe de la vie ! C'est là qu'est le véritable acte de foi !

QUI SERA LÀ ? Vous assistez au retour d'un Scorpion dont vous n'aviez plus eu de nouvelles depuis longtemps. Peut-être habite-t-il maintenant à l'autre bout de la planète ? Quoi qu'il en soit, il reprend contact avec vous naturellement. Vous vous entendiez bien tous les deux. Un ancien amour, un Lion ou un Cancer, fait un retour vers vous. Un Bélier vous aime et n'ose pas vous le dire. Ne supportez pas les sempiternelles critiques du Gémeaux au sujet de ce qui se passe dans le monde. Il veut tout changer mais sans faire le moindre geste pour que les choses aillent mieux.

OCTOBRE 2002

AMOUR-AMITIÉ Si le mois dernier vous aviez l'intention de régler vos problèmes, grands et petits, avec votre partenaire, ce sera maintenant plus difficile d'en parler si vous avez gardé le silence. Au début du mois, votre partenaire manifeste des gestes d'impatience dans des moments où tout est apparemment calme ! Si vous avez vraiment l'intention d'aller au bout des « embrouilles » pour clarifier le jeu, ne le faites pas durant la fin de la semaine du 5, du 12, du 19 et du 26. Vous choisiriez alors le pire moment pour des explications. Si vous êtes tombé amoureux alors que votre union se compte par décennie, vous serez très embêté. Devez-vous suivre la voie de la passion ou « respecter votre contrat » ? La réponse vous appartient. Votre astrologue pourrait vous expliquer, avec votre thème personnel, les conséquences de votre décision. Mais on ne peut vous dire ce qu'il y a de mieux à faire. Certains d'entre vous sont très attachés à leur amoureux mais s'il est malade physiquement ou psychologiquement, vous êtes présent pour veiller à ses besoins affectifs. Vous êtes aussi attentif s'il a besoin de soins médicaux. Votre thème astral pourrait révéler que vous n'êtes pas en bonne santé et que vous êtes celui qui a besoin de ces attentions. Si vous êtes aimé, celui qui ne veut pas vous perdre pourrait quitter son travail pendant quelques semaines pour vous consacrer un maximum de temps.

FAMILLE À partir du 16, sous l'influence de Mars en Balance dans le dixième signe du vôtre, vous procéderez à une réorganisation de votre famille. Si vos enfants ont l'âge de vous aider, vous leur assignerez des tâches précises et vous exigerez qu'elles soient faites. Si vous êtes un Capricorne souple, vous le serez moins. Si, jusqu'à présent, vous aviez l'entière responsabilité de la maison en plus de travailler à l'extérieur chaque jour, vous devenez plus exigeant. Un parent pourrait intervenir dans vos affaires, il sera promptement reconduit vers la porte ! Sous l'influence de Mercure, aussi en Balance, vos explications seront brèves, précises et sans détour ! Les pénalités imposées aux grands qui ne feront pas leurs devoirs seront des coupures d'argent de poche. Plus ils refusent de se plier à vos demandes, plus l'argent de poche diminuera. Si vos enfants sont petits et n'ont pas l'âge pour faire le ménage de leur chambre, aiguisez votre patience ! Vos images sont en mouvement. Plus ils sentiront que vous voulez de l'ordre, plus ils répandront leurs jouets partout dans la maison ! C'est leur manière de vous démontrer que vous vous énervez !

SANTÉ Vos fonctions rénales sont visées ce mois-ci. Thé, café et jus contenant de nombreux produits chimiques et du sucre sont à éviter. Vous prenez le risque d'avoir des douleurs. Que diriez-vous de boire beaucoup d'eau ?

TRAVAIL-ARGENT Tout le mois, Vénus, le symbole des contrats, fait un aspect dur à Jupiter en Lion. Il est possible qu'une promesse ne soit pas tenue. La signature d'une entente pourrait être remise à une date indéterminée. Jusqu'au 15, Mars et Saturne se chamaillent. Votre associé et vous êtes en désaccord sur l'administration de l'entreprise ou sur la manière dont une tâche doit être accomplie. Si on vous a mis des bâtons dans les roues et que vous ayez découvert que le procédé est illégal, à partir du 12, vous retiendrez les services d'un avocat. Peut-être vous défendrez-vous contre une personne qui vous réclame de l'argent que vous ne lui devez pas ! Si vous occupez un emploi fixe, la situation sociale ne l'étant pas et la récession faisant encore des ravages, il est possible que vous subissiez des restrictions, vous travaillerez moins d'heures que d'habitude.

CROYANCES Si vous avez cru que le monde deviendrait plus beau, vous êtes déçu ! Par contre, ne vous refermez pas. Continuez de croire que la nature humaine, malgré ses soubresauts parfois négatifs, finit toujours par retomber sur ses pieds !

QUI SERA LÀ ? Un Bélier, un Lion amoureux ou qui tombe amoureux de vous est près de vous. Une Balance a tendance à prendre le plus possible sans rien donner en retour, soyez alors sur vos gardes. Un Scorpion avec qui vous travaillerez vous fait découvrir une manière différente de vivre intérieurement votre quotidien. Un ami Verseau vous donne d'excellentes idées commerciales. Un Sagittaire vous porte chance au jeu.

NOVEMBRE 2002

AMOUR-AMITIÉ Il y a des amitiés qui se brisent et parfois même après des années de fréquentations. Les raisons les plus souvent invoquées ce mois-ci sont le travail et la trahison. Cet ami s'est introduit dans votre famille au point d'en avoir presque pris le contrôle. Pire, cet ami est devenu l'amoureux de votre partenaire ! Vénus est rétrograde en ce mois, elle est dans le onzième signe du vôtre et concerne principalement les amis qui vous entourent ou ceux qui se font passer comme tels. Vous n'êtes pas aveugle. Si vous l'avez été, vous savez maintenant à quoi vous en tenir. Bienheureux soyez-vous si votre couple réussit à passer par-dessus le malaise social et ce qui semble être une déprime répandue ! Si vous et l'autre vous aimez passionnément, follement, si vous êtes attaché l'un à l'autre, vous ne manquerez pas de renouveler vos vœux de bonheur.

FAMILLE Mars est encore en Balance dans le dixième signe du vôtre. Il symbolise la famille et principalement vos grands enfants. Ceux-ci vous demandent plus encore qu'ils ne reçoivent déjà. Il faut que vous leur disiez haut et fort que votre carnet de chèque n'est plus à leur disposition ! Mais peut-être êtes-vous ce grand, cet adulte qui ne cesse de vouloir plus de vos parents ou de l'un d'eux ? Vous serez fâché qu'on « ferme le robinet à dollars ». On vous rend service. On vous invite à trouver une solution, à vous prendre en main. Une querelle de famille au sujet d'un héritage risque de ne pas se calmer ce mois-ci ; son règlement n'est pas au point. Et si vous retenez les services d'un avocat pour « encaisser » votre dû, vous paierez cher pour n'obtenir aucune bonne nouvelle ! Quelques éléments célestes jouent contre vos intérêts surtout quand ils sont reliés à des parents.

SANTÉ L'avis du mois précédent à propos de vos reins est toujours valable. Si vous êtes ce Capricorne, ce saturnien triste qui se décourage à la moindre pression, voyez un médecin. Le ciel est lourd, et vous pressentez que vous glissez dans la déprime, demandez-lui de vous guider vers une thérapie adaptée à votre cas. Méfiez-vous des faux médecins, des pseudo-guérisseurs, ils seront presque à votre porte. Vous pourriez dépenser une grosse somme et ne pas guérir !

TRAVAIL-ARGENT Si vous utilisez des outils tranchants ou électriques au travail, redoublez de prudence. Vous êtes plus nerveux et distrait. Même un tout petit accident serait de trop ! Vous pouvez l'éviter en étant attentif à ce que vous faites. Vérifiez les appareils nécessaires à la production. Si vous êtes en affaires, un léger ralentissement peut survenir. Ne paniquez pas ! Faites une analyse complète de vos transactions et des opérations financières auxquelles vous procédez. Peut-être est-il temps de réviser les décisions de ceux qui vous entourent, surtout si vous leur avez confié en partie votre portefeuille. Si vous travaillez avec un parent, vous aurez plusieurs discussions autour des changements à apporter sur le plan commercial. Sans doute tous deux trouverez-vous une autre stratégie afin de promouvoir vos produits ou vos services.

CROYANCES Lorsque les temps sont plus durs, vous devenez cynique ! En tant que signe cardinal, il vous arrive aussi d'être positif avec les uns et d'adopter les idées négatives avec d'autres. Si vous faites partie de ceux qui ne se retrouvent pas en eux-mêmes, vous ne nagez pas dans la joie ! Alors que seule la joie qu'on laisse entrer en soi est porteuse d'espoir. C'est une manière d'avoir foi en la vie, quelle que soit la tournure des événements.

QUI SERA LÀ ? Un Lion et un Bélier sont près de vous. Ils ressentent ce que vous vivez. Ils entrent dans votre âme pour la guérir, surtout si vous n'êtes pas bien avec vous-même. Vous pourriez tomber amoureux d'un Taureau, un Cancer ou un Scorpion. Vous êtes à l'aise en présence d'une Vierge. Un Poissons vous secoue afin que vous puissiez développer vos talents au maximum.

DÉCEMBRE 2002

AMOUR-AMITIÉ Je ne puis malheureusement pas pousser les planètes vers une meilleure position. Je les interprète. En ce mois, Vénus est encore en Scorpion, mais voilà que Mars est aussi dans ce signe. Ces deux planètes sont dans le onzième du vôtre. Elles font tour à tour des aspects durs à Neptune et à Uranus. Ceci pour vous dire que les relations amicales ou dites amicales sont sur le point de se dissoudre pour de longs mois, peut-être une année. Si ces pseudo-amis vous ont utilisé, vous mettrez fin à leurs manèges malhonnêtes. En principe, en ce dernier mois de l'année, nous espérons tous un Noël agréable, familial, amoureux. Mais le ciel ne donne pas beaucoup d'indications de paix ! Si vous avez vécu une rupture, vous pleurez sur celle-ci, que vous l'ayez décidée ou que vous ayez été quitté. Il serait sage que vous fréquentiez ceux en qui vous pouvez avoir confiance. Il y en a toujours quelques-uns autour de vous, même si vous avez congédié de nombreux faux amis. Les vrais vous restent. Ce sont des gens qui vous connaissent depuis très, très, très longtemps ! Si vous traversez une crise de couple, vous vivez le mois le plus dur au chapitre des réajustements, ce sont les derniers !

FAMILLE La liberté a pour effet de permettre à vos enfants d'avoir des idées différentes des vôtres. Cela peut néanmoins provoquer çà et là quelques querelles ou prises de bec. Mais vos enfants sont vos amours ; alors vous avez la patience de les écouter. Vous vous dites que vous avez vous aussi vécu une période de rébellion. Vous avez fait subir les mêmes tourments à vos propres parents quand vous étiez adolescent. Il vous faudra beaucoup de patience pour maintenir la paix en famille. Au fond, les attentats du 11 septembre 2001 continuent de faire des ravages. L'insécurité sociale règne et fait sortir tous les chats du sac. Toutes les idées s'expriment comme le veut la loi de la liberté de la presse. Vos enfants, même vos petits, ont leur mot à dire ! Cependant, ils transfèrent la peur sociale à l'intérieur de la vie familiale. Comme chez bien d'autres, les fêtes seront plus intimes, avec moins d'invités. Vous essaierez et réussirez à relier les uns aux autres, et plus particulièrement si vous avez une famille reconstituée.

SANTÉ Si vous avez eu des malaises et des maux, vous récupérez bien et vite. À partir du 21, si vous devez prendre des médicaments pour protéger votre cœur, n'en n'oubliez aucun. Ne prenez pas de double dose non plus. Lorsque vous ramassez vos ordonnances à la pharmacie, vérifiez-les sur place. Assurez-vous de recevoir le bon médicament et la bonne posologie. Si vous avez des problèmes de peau, peut-être est-ce le signal de changer votre alimentation. Ne succombez pas à certaines gâteries que généralement votre système rejette.

TRAVAIL-ARGENT Peut-être aviez-vous prévu prendre des vacances et partir vers le soleil ? Mais vous ne pourrez pas. Le travail vous réclame et plus encore qu'à l'accoutumée. Il n'y a personne qui puisse régler les problèmes qui se présentent mieux que vous. Si votre emploi vous met en relation directe avec le public, vous constaterez que les clients sont plus difficiles à satisfaire. Avant de vous rendre au boulot le matin, accrochez votre sourire et solidement ! Vous en aurez besoin jour après jour. Malheureusement, l'impatience générale est au rendez-vous. À partir du 9, elle commencera à diminuer, mais à peine. Si vous êtes commerçant, ceux qui gagneront le plus d'argent seront ceux qui vendent des produits durables, solides et pratiques. Sous votre signe, la fantaisie est moins en demande ! Si vous travaillez dans le domaine de l'alimentation, vous serez surpris du comportement pressé des gens qui font leurs emplettes. Vous serez aussi étonné de constater à quel point on achète autant de produits en conserve, plutôt que des aliments à cuisiner et à consommer assez rapidement ! Si vous cherchez du travail pour ce mois de décembre, vous n'aurez aucun mal à trouver; même les avocats seront débordés de demandes... étonnant pour un mois de décembre !

CROYANCES Vous savez maintenant que vous n'avez pas le contrôle de tous les événements qui se produisent dans votre vie. Ils sont, en quelque sorte, les résultats des actions d'autrui. Vous avez une plus grande souplesse d'esprit. Vous faites preuve de tolérance envers des personnes qui comprennent plus lentement que vous ou qui ne voient pas plus loin que le bout de leur nez ! N'aviez-vous pas cette grande faiblesse de classer les gens selon vos valeurs et croyances ? Ne vous sentez-vous pas mieux intérieurement grâce à votre détachement envers les pensées et les paroles des autres ?

QUI SERA LÀ ? Un Scorpion est présent lors de vos moments difficiles, mais il peut aussi partager vos joies. Il vous protège dans votre milieu. Un Taureau est en désaccord, pas uniquement avec vous, mais peut-être bien avec le reste du monde qui ne pense pas comme lui ! Un Bélier et un Lion sont rassurants. Vous pourriez tomber amoureux d'un autre Capricorne. Un Cancer et une Vierge flirtent avec vous. Vous devez à votre tour rassurer un Sagittaire.

CAPRICORNE ASCENDANT BÉLIER

De juillet 2001 à juillet 2002, Jupiter est en Cancer dans le septième du vôtre et le quatrième de votre ascendant. Cette position de Jupiter vous rapproche d'un membre de votre famille dont vous avez été partiellement séparé. Jupiter en Cancer, c'est également la paix avec votre amoureux si des tensions ont existé entre vous. La plupart d'entre elles étaient reliées aux longues heures que vous investissiez dans votre vie professionnelle. Pour certains, Jupiter en Cancer, c'est l'adaptation à une autre carrière. Le retour à un métier que vous aviez abandonné est probable. Il peut être aussi question d'un plus grand engagement social. Vous vous portez à la défense d'une communauté, d'un groupe dont les droits sont bafoués.

Peut-être avez-vous déjà déménagé ? Si c'est le cas, vous rénovez. Il est aussi possible que vous y investissiez vos économies et plus encore ! Mais vous vous débrouillez bien financièrement. Peut-être recevrez-vous une somme quelconque de la part d'un membre de votre famille. Ce sera un cadeau comme ça, simplement !

Si votre couple est jeune et amoureux, la question de la maternité ou de la paternité a été soulevée. Vous connaîtrez cet état d'ici juillet 2002.

Sous ce signe et cet ascendant, vous vous défendez bien dans la vie. Vous prenez votre place. Vous êtes vif et prévoyant. Vous ne laissez rien au hasard. Vous pouvez mieux que bien d'autres voir venir les coups durs, personne n'en est exempté. Par contre, vous êtes capable de les minimiser. Dans votre milieu de travail, une lutte peut être à mener ; à partir d'août, la bataille est gagnée. Si vous attendiez votre permanence, vous l'obtiendrez. La majorité des gens se débattent avec la récession, vous, vous avez une augmentation, surtout si vous travaillez auprès des enfants.

Sous Jupiter en Lion, d'août 2002 à août 2003, vous êtes en zone de chance dans divers secteurs de votre vie, mais également dans les jeux de hasard. Si vous n'avez pas l'intention d'avoir un second ou un troisième enfant, il existe d'excellents moyens de contraception ! Si vous n'en utilisez aucun, vous serez à nouveau père ou mère ! Les pires aspects de 2002 sont la dépression. Vos liens familiaux déjà désagréables pourraient connaître une crise pire que la précédente. Si c'est possible, évitez tout ça !

Vous avez tendance à vouloir vous accaparer les biens d'autrui plutôt que de les gagner par vous-même. Toute tentative de vous emparer de ce qui ne vous appartient pas sera sérieusement pénalisée et passible d'une sanction juridique ! Une grande solitude en découlera et, sans doute, un abandon. Vos amis qui, jusqu'à présent, vous étaient fidèles parce qu'ils excusaient la plupart de vos fautes, vous laisseront aussi tomber.

CAPRICORNE ASCENDANT TAUREAU

Votre Soleil est dans le neuvième signe de votre ascendant. C'est difficile d'être méchant dans votre cas. Vous êtes une association entre Saturne et Vénus. Saturne aimerait bien contrôler, mais Vénus refuse d'agir ainsi. Saturne prend ses responsabilités par amour de ce qu'il fait et par respect d'autrui. Si Saturne sait compter, Vénus en ascendant oublie le prix de ses services et peut même omettre de se faire payer !

De juillet 2001 à juillet 2002, Jupiter est en Cancer dans le troisième signe de votre ascendant, le septième du Capricorne. Sans doute ferez-vous des études ou suivrez-vous des cours afin de vous améliorer dans le secteur professionnel.

Vous voyagerez davantage pour représenter votre entreprise. La famille vous fera danser d'un pied sur l'autre, mais elle vous fera aussi réfléchir sur votre rôle. Vous vous affirmerez dans la famille au fur et à mesure que les mois passent.

Il y a ici une association entre votre troisième et septième maison astrologique ou Mercure et Vénus. Cela indique un partenaire plus nerveux qui ne saura pas toujours ce qu'il veut pour s'accomplir. Sans doute l'assisterez-vous à réaliser ses désirs et à établir ses besoins. Il aura envie de changer les meubles de place, de décorer, de repeindre, etc. En tant que propriétaire, il n'est pas impossible que votre partenaire vous demande de dresser des murs. Vous serez l'aide dont il a besoin pour venir à bout de toutes ces rénovations !

Lorsque vous êtes amoureux, vous êtes incapable de dire non ! Vous travaillerez quasi constamment sous Jupiter en Cancer. Il est donc important que vous vous nourrissiez sainement afin de préserver toute cette énergie vitale que vous avez reçue à votre naissance !

D'août 2002 à août 2003, Jupiter est en Lion dans le quatrième signe de votre ascendant. Au cours de cette période de 12 mois, vous pourriez déménager dans un endroit totalement différent de celui que vous habitez maintenant. En plus, tout devra se faire rapidement.

Si vous êtes parent de jeunes enfants, il est possible qu'à nouveau vous soyez père ou mère. Vous direz que la nature l'a voulu ainsi. N'oubliez pas que vous serez pour une grande part responsable de la conception !

Si vous êtes de la génération des *baby boomers*, vous ne vous attendez pas à devenir grand-parent. Eh bien, vous apprendrez la nouvelle avec étonnement mais également avec une grande joie !

Sous Jupiter en Lion, vous serez inquiet pour un parent dont la santé décline. Telle la bonne Vénus de votre ascendant, vous volerez à son secours. Si vous vivez en famille reconstituée, sans doute devrez-vous y mettre de l'ordre. Votre ex et vous avez des enfants avec vous dans la maison. Il est temps d'expliquer aux uns et aux autres que la paix vaut mieux que les disputes. Vous les convaincrez que personne n'a rien à envier à quiconque. Ce n'est pas mission impossible, si vous aimez chacun de ces enfants.

CAPRICORNE ASCENDANT GÉMEAUX

Vous êtes né de Saturne, le sérieux, et de Mercure, un signe d'air qui ne peut vivre sans communiquer ! Saturne fait des projets à long terme. Mercure pense et agit rapidement. Saturne mesure ses paroles. Le Mercure du Gémeaux est spontané. Il s'agit ici d'une association planétaire qui allège le poids de Saturne et donne au natif une meilleure capacité à vivre dans l'instant présent.

De juillet 2001 à juillet 2002, Jupiter est en Cancer dans le septième signe du vôtre et dans le deuxième de votre ascendant. Ces deux maisons astrales sont reliées à Vénus. Sous Jupiter en Cancer, si vous n'êtes pas totalement amoureusement engagé, des tensions existent. Au fond, vous avez envie de rompre depuis un bon moment. Vous le ferez, mais vous ne resterez pas seul longtemps. Les flirts ne vont pas manquer au cours des mois à venir. Bon nombre d'entre vous ne se sentiront pas prêts à jurer fidélité.

Si votre couple possède une maison, la partage de cette dernière sera la partie la plus difficile de votre séparation. Vous ne pouvez vous entendre, et des frais d'avocat s'ajouteront.

Si vous travaillez à contrat et que vous le rompiez, vous pourriez être poursuivi. À moins que vous ne soyez celui qui fasse une réclamation pour le non-respect d'un contrat par l'entreprise qui vous emploie.

L'argent est en vedette durant les sept premiers mois de 2002. Si vous avez accumulé des dettes, il faudra les payer. Essayez au moins de trouver un arrangement quelconque, car vos problèmes risquent de s'aggraver sérieusement. Si vous êtes dépensier, rareté sous votre signe, sous Jupiter en Cancer, il est dans votre intérêt de vous modérer et de faire quelques économies. Si vous avez l'habitude de prêter, alors que vous n'êtes pas riche, abstenez-vous.

Si tout va bien dans votre couple, ce bonheur pourrait être teinté d'inquiétudes au sujet de la santé de votre partenaire. Celui-ci a peut-être été malade dans le passé, il y a malheureusement présage de récidive, de baisse d'énergie, plus grave que la précédente.

En tant que parent d'un jeune enfant, votre couple pourrait décider d'avoir un autre bébé. L'aspect paternité ou maternité est fortement représenté. Si vous ne désirez plus d'enfant, les moyens contraceptifs sont nombreux et à votre disposition !

Si vous êtes de la génération de *baby boomers* ou l'âge de devenir grand-parent, sans doute apprendrez-vous que votre lignée est assurée !

À partir d'août et jusqu'en août 2003, Jupiter est en Lion dans le troisième signe de votre ascendant et le huitième du vôtre. Si vous n'aviez pas un travail fixe, sous Jupiter en Lion vous en obtiendrez un à temps plein. Si vous êtes obligé de voyager pour l'entreprise, sous Jupiter en Lion, vous devrez régulièrement faire vos valises.

Jupiter ainsi positionné dans le huitième signe du vôtre vous invite à ne dire que la vérité en tout temps. Si vous faites du tort à une personne, le prix à payer sera élevé. Vous pourriez être tenté de nuire à la réputation de quelqu'un dans le but d'obtenir sa place, ça vous coûtera cher. Si vous voulez plutôt l'éliminer, par malice, par méchanceté, vous en paierez le prix fort.

Sous chaque signe et ascendant, il y a le bon et le méchant, le positif et le négatif. Si vous êtes honnête, vous n'avez rien à craindre de Jupiter en Lion, au contraire, il signifie le retour de la chance, du succès, un progrès, de l'argent, etc.

Si, au contraire, vous trichez, mentez, êtes un manipulateur, sous Jupiter en Lion, vous vivrez à votre tour ce que vous avez fait subir aux autres.

CAPRICORNE ASCENDANT CANCER

Vous êtes né avec l'opposé de votre signe, dualité et complémentarité. Vous êtes né de Saturne et de la Lune. Il est rare que vous passiez inaperçu. Saturne a le sens des affaires, la Lune aime les arts. Saturne est le symbole du père, la Lune celui de la mère. À vous seul, vous êtes donc père et mère ! Votre Soleil étant dans le septième signe de votre ascendant, il n'est pas rare que vous travailliez avec votre conjoint. Si vous avez un grand sens de l'organisation, l'amoureux de son côté est votre source d'inspiration.

De juillet 2001 à juillet 2002, Jupiter est en Cancer sur votre ascendant. Il s'agit ici d'une foule de changements dans votre vie familiale ; certains ont dû déjà se produire. Si quelques-uns ont été provoqués, d'autres vous sont imposés.

Durant les sept premiers mois de 2002, en tant que parent de jeunes enfants, vous êtes conscient de vos responsabilités, encore plus que depuis leur naissance. Sans doute vous rendrez-vous compte que vous avez « essayé » d'être à la fois le père et la mère de l'enfant. Vous remettrez de l'ordre en vous-même. Vous redécouvririez votre véritable place parentale. Si vos enfants sont grands, adolescents ou adultes, ils feront des choix contraires à vos désirs. Pendant un certain temps, vous aurez l'impression qu'on conteste votre autorité. En ce qui concerne vos adolescents, c'est probablement vrai !

Quant à vos adultes, vous devez respecter ce qu'ils sont, ce qu'ils font et les laisser voler de leurs propres ailes. Sous votre signe et cet ascendant, si on n'y réfléchit pas, on ne se déleste pas de ses rôles de père et de mère, avant que les grands en fassent la remarque !

Étant double signe cardinal, votre protection excessive devient un contrôle que vous exercez sur les vôtres. L'année 2002 vous suggère d'y songer sérieusement !

À partir d'août 2002 jusqu'en août 2003, Jupiter est en Lion dans le deuxième signe de votre ascendant et le huitième du Capricorne. Ces maisons astrales sont opposées. Jupiter en Lion concerne l'argent, mais également un héritage. Si vous êtes ce parent bien vivant et dépositaire d'une fortune, vos enfants « adultes » malheureusement ne s'entendent pas. Une dispute peut éclater au sujet de votre argent même si vous n'avez aucun problème de santé et ne risquez pas de passer de vie à trépas sous peu. Il ne sera pas facile de calmer les esprits enflammés et de faire comprendre à chacun que le temps du partage n'est pas pour demain !

Si vous possédez peu, vous ne serez quand même pas épargné. Au fond, ces enfants et ces parents qui veulent vous dépouiller de votre vivant, veulent s'assurer de posséder un souvenir de vous.

Jupiter en Lion n'est pas que prévision de querelle d'argent, la question peut concerner vos impôts impayés ou en retard. Une erreur peut s'être glissée dans votre déclaration et il faudra l'aide d'un bon comptable pour la corriger. Jupiter en Lion annonce peut-être aussi un gain à la loterie ou un emploi rémunérateur, une promotion ou une croissance commerciale. Pour le célibataire, il annonce très souvent le grand amour.

CAPRICORNE ASCENDANT LION

Votre Soleil est dans le sixième signe de votre ascendant. Votre ascendant est aussi votre huitième signe. Vous dégagez une grande force, mais un être apeuré ou très inquiet se cache aussi en vous. Vous avez constamment la sensation de devoir lutter pour vous affirmer. En amour, vous avez l'impression qu'il vous faut en faire toujours plus pour être aimé. Cela peut aller jusqu'à croire que vous êtes indigne d'amour. Il est rare que vous ayez eu une enfance dorée. On vous a traité en adulte, alors que vous aviez à peine l'âge de la raison. C'est ainsi que très tôt dans la vie vous avez pris beaucoup de responsabilités. Trop ?!

De juillet 2001 à juillet 2002, Jupiter est en Cancer dans le douzième signe de votre ascendant et le septième du Capricorne. Vous ferez quelques mises au point dans votre vie de couple, surtout si, jusqu'à présent, vous avez eu la responsabilité de la plus grande partie des tâches ménagères.

Si vous avez vécu une séparation, sous Jupiter en Cancer, vous vous soignez. Vous guérissez vos plaies ; vous cicatrisez lentement mais sûrement. Vous cherchez votre nouveau chemin de vie, et vous le trouverez.

Si vous avez de jeunes enfants traumatisés ou troublés par votre rupture, sans doute consulterez-vous un psy afin de mieux comprendre ce qui se produit en vous et en vos petits.

Si vos enfants sont des adultes, sans doute les avez-vous écoutés vous raconter leurs peines et leurs peurs. Vous les avez assistés dans leurs décisions ; vous les avez aidés financièrement.

Si vous êtes grand-parent, vous leur avez donné un sérieux coup de main en vous occupant plus souvent de vos petits-enfants.

En somme, Jupiter en Cancer n'aura pas été un camp de vacances pour vous, à moins que vous n'ayez décidé de démissionner de tout...

Si vous avez opté pour cette dernière solution, vous ne vous êtes pas senti très bien. Vous avez probablement été dépressif, mais bien rares sont ceux qui peuvent réagir ainsi !

Imaginons maintenant que nous sommes en août 2002. Jupiter entre en Lion et le restera jusqu'en août 2003. Ainsi positionné, Jupiter est puissant. Il vous rend ce que vous avez perdu sous Jupiter en Cancer. Vous serez énergique et décisif. Vous retrouverez cette ténacité qui fut vôtre pendant si longtemps et qui soudain a disparu sous Jupiter en Cancer.

Jupiter en Lion consacre votre chance d'aller de l'avant, d'obtenir une promotion ou l'emploi qui, enfin, vous procurera la sécurité financière pour vous et vos enfants.

Si vous êtes célibataire, sous Jupiter en Lion, vous sortez de votre période d'isolement. Vous constaterez que le hasard fait bien les choses lorsqu'il vous mettra face à quelqu'un qui vous aime. Vous l'aimerez de plus en plus avec les mois qui s'écoulent entre août 2002 et août 2003.

Si vous menez une vie de couple sans enfant, vous êtes béni par la grâce amoureuse. Il est possible que votre partenaire et vous décidiez, sans même en discuter longtemps, d'avoir un bébé ; pour certains, ce sera le second.

CAPRICORNE ASCENDANT VIERGE

Vous êtes un double signe de terre avec le Mercure de la Vierge dans l'ascendant. Vous êtes serviable et magnifiquement intelligent. Parfois désorganisé aux yeux des autres, vous savez parfaitement où vous allez et ce que vous voulez. Il n'est pas rare que vous exerciez un métier artistique.

Lorsque vous travaillez de vos mains, vous êtes perfectionniste à l'excès et rapide dans l'exécution de vos tâches.

Il suffit qu'un ami soit en difficulté pour qu'aussitôt vous réagissiez et offriez de lui rendre le service dont il a besoin. Il vous arrive d'avoir des pressentiments à leur sujet tout comme envers vos parents. Dès cette minute, vous les appelez et si cela est nécessaire, vous volez littéralement à leur secours.

De juillet 2001 à juillet 2002, Jupiter est en Cancer dans le onzième signe de votre ascendant et le septième du Capricorne. Cette association des maisons astrales a de nombreuses significations.

Le célibataire fera une rencontre par hasard. L'ami d'un ami vous présentera une personne dynamique, spontanée, généreuse avec qui vous sympathiserez immédiatement. Au fond, vous vous fréquenterez sans d'autre but que le simple plaisir d'être ensemble. Puis, un bon matin, vous vous apercevrez que vous êtes follement amoureux l'un de l'autre.

Jupiter en Cancer vous fera aussi voir que certaines de vos connaissances ne sont pas honnêtes. C'est presque un coup de chance que de pouvoir rompre avec eux, même si vous êtes peiné de découvrir qu'ils ne voulaient pas votre bien. Vous serez libéré de leur négativisme et de leurs malhonnêtetés si bien déguisées qu'ils avaient réussi à vous tromper.

Si vous avez déménagé ou prévoyez le faire au cours des sept prochains mois de 2002, tout se passera très bien. Si vous achetez une propriété, vous l'obtiendrez à un prix plus bas de celui que vous pensiez payer. S'il s'agit d'un appartement, vous le décorerez à votre goût, ce que vous n'aviez plus fait depuis longtemps.

D'août 2002 à août 2003, Jupiter est en Lion dans le douzième signe de votre ascendant et ces 12 mois correspondent à une période d'ajustements en tous genres. Certains d'entre vous s'engageront dans un mouvement social ou politique. Ils feront du bénévolat. Pour un grand nombre, les enfants des autres auront la priorité.

Si vous avez une famille et êtes parent vous-même, vous êtes en période d'adaptation avec vos jeunes enfants. Votre vie n'est plus ce qu'elle était avant eux. Vos activités et vos valeurs ne sont plus celles d'avant. Vous serez très protecteur à l'égard de vos enfants, et vous avez raison. Vos petits vous demanderont plus d'attentions et d'amour. Si vous avez des pré-adolescents ou des adolescents, ils se feront de nouveaux amis. Certains d'entre eux pourraient ne pas avoir une bonne influence sur eux. Il est donc dans leur intérêt et le vôtre de les inviter chez vous pour savoir ce qui se passe. Vous pourrez intervenir avant que vos enfants soient trop absorbés par les idées de leurs « pas-toujours-sages » amis ! Dans l'air flotte la possibilité d'accueillir dans votre maison pour quelques semaines, voire parfois des mois, un « copain » ou une « copine » qui traverse une période extrêmement pénible. Ce sera peut-être pour le soigner ou pour l'aider à guérir d'une rupture excessivement cuisante.

CAPRICORNE ASCENDANT BALANCE

Vous êtes un double signe cardinal. Vous avez donc le désir de vous libérer de la tradition, de l'autorité parentale ou des idées de vos parents. Pour certains d'entre vous maintenant adultes, il est encore question de reprendre le contrôle de votre vie. Vous ne voulez plus subir l'influence de vos proches. Vous vous éloignerez de ceux qui accaparent votre vie comme si elle était la leur ! Votre Soleil est dans le quatrième signe de votre ascendant et a pour premier symbole la famille. Dans ce cas, il s'agit trop souvent de domination familiale. Vous n'en êtes pas conscient si vous êtes petit !

De juillet 2001 à juillet 2002, Jupiter est en Cancer dans le septième signe du vôtre et le dixième de votre ascendant.

Un déménagement n'était pas à votre programme en juillet 2001, qu'à cela ne tienne, vous y pensez sérieusement pour 2002. Il est également possible que ce déménagement soit la conséquence d'un changement important de travail de votre amoureux. Vous y consentez sans trop de réticence, mais vous serez inquiet à l'idée de devoir renoncer à une multitude d'habitudes ou d'activités. Vous vous éloignerez d'amis que vous aviez plaisir à fréquenter. Vous aurez à vous adapter, même si vous savez que vous pouvez travailler ailleurs ! Votre thème natal pourrait révèler votre rôle d'initiateur pour cette transformation professionnelle et familiale. Si vous êtes dans les affaires, votre associé voudra gérer l'entreprise différemment. Les restrictions budgétaires qu'il propose seront exagérées; s'ensuivra une multitude de discussions. Chacun défendra ardemment son point de vue au sujet de l'avenir de ce commerce. Si vous pouvez faire attendre votre collaborateur, faites-le patienter jusqu'en août avant d'acquiescer à sa demande. Vous échapperez ainsi tous deux à des pertes financières. Vous séparer d'employés fidèles pourrait vous mettre dans une situation très difficile. Plutôt que de faire des économies, vous perdrez vos clients. Lorsque plus personne n'achète, il devient impossible de rester ouvert !

À partir d'août 2002 et jusqu'en août 2003, Jupiter est en Lion dans le onzième signe de votre ascendant. Cela laisse présager une reprise. Si vous avez coupé dans le budget au point de manquer de personnel qualifié pour répondre aux commandes qui rentrent rapidement, vous regretterez d'avoir accepté les suggestions de votre associé. Mais peut-être est-ce vous-même qui craindrez la pénurie et qui déclencherez une économie de « bouts de chandelles » ? Et si tout était à recommencer à zéro ou presque en août, vous vous en voudriez d'avoir agi ainsi ! Sous Jupiter en Lion, si vous entreprenez une poursuite pour non-paiement, vous gagnerez la bataille. Sous Jupiter en Lion, il est très possible que vous soyez chanceux au jeu.

CAPRICORNE ASCENDANT SCORPION

Rien ne reste en surface. Vous êtes à la recherche de vos origines. Vous vous intéressez aussi à des sujets tels que l'homéopathie, la naturopathie, l'astrologie, etc. L'ésotérisme en général exerce une grande fascination sur vous. Si les uns veulent faire la preuve que tout cela n'est que foutaises, d'autres, au contraire, sont de grands défenseurs de l'Invisible à l'œil mais vivement pressenti par l'âme.

Vous êtes né de Saturne, Mars et Pluton. Ces planètes sont lourdes au-dessus de votre tête. Vous n'êtes pas léger, vous avez vos responsabilités à cœur. Quand un sujet ou votre travail vous passionne, vous vous donnez au point d'oublier que vous avez une vie de famille et un amoureux. Vous ne vous amusez plus. Vous menez une quête tels les chevaliers d'une autre époque, et vous vous y consacrez à fond. De juillet 2001 à juillet 2002, Jupiter est en Cancer, dans le septième signe du vôtre et le neuvième de votre ascendant. Même si vous poursuivez un but précis, avec passion, vous trouverez plus de temps à consacrer aux vôtres. Il est aussi possible que vos enfants attirent davantage votre attention en n'étant pas tout à fait sages ou parce qu'ils grandissent vite ! Sans doute serez-vous aussi en grand nombre dans des salles de cours, désireux de vous perfectionner dans le domaine où vous êtes déjà engagé. Vous serez mené par votre curiosité intellectuelle qui est insatiable sous Jupiter en Cancer.

Puisque le temps ne se prête pas aux voyages à l'étranger, la peur de prendre de l'avion reste présente depuis les événements du 11 septembre 2001, vous vous réfugierez dans les livres, dans des histoires qui vous emporteront vers d'autres dimensions. Si vous faites de la recherche médicale, sous Jupiter en Cancer, vous ferez des découvertes intéressantes. Si vous êtes à l'emploi d'une grande entreprise, vous serez élevé au rang de héros de l'année.

Si vous êtes célibataire, seul depuis longtemps, une rencontre changera votre destin. La solitude ne vous intéresse plus ; vous vous ouvrez au monde et l'amour ! À partir d'août, Jupiter entre en Lion et restera dans ce signe jusqu'en août 2003. Durant ces 12 mois, vous pourriez être accaparé par un parent ou un ami malade. Vous serez souvent à ses côtés pour l'aider à combattre son mal. Vous lui tiendrez la main pour qu'il retrouve le moral. Sous Jupiter en Lion, certains Capricorne-Scorpion dont les enfants sont grands devront se faire à l'idée que ceux-ci peuvent maintenant voler de leurs propres ailes comme vous l'avez fait vous-même à leur âge.

Pour les couples qui s'aiment, mais qui sont sans enfant, la décision d'avoir un premier bébé sera prise. Pour d'autres, le second arrivera. Les *baby boomers* pourraient avoir la surprise d'apprendre qu'ils seront grands-parents.

CAPRICORNE ASCENDANT SAGITTAIRE

Vous êtes un optimiste, sinon quelqu'un de très courageux. Vous prenez vos responsabilités. Même si elles vous semblent parfois au-dessus de vos forces, vous n'abandonnez pas. Votre Soleil étant dans le deuxième signe de votre ascendant, il est à la fois saturnien et vénusien. Aussi l'amour occupe-t-il une grande place dans votre vie. Vous aspirez à une vie de couple, et si possible, traditionnelle ! Mais il est rare que vous soyez comblé par une première union. Il est également très rare que vous n'ayez qu'une seule vie de couple. Nous avons tous un défaut dans notre cuirasse. Le vôtre est de rechercher un conjoint intelligent et, de préférence, gagnant de l'argent. Certains d'entre de vous essaient d'étirer leur jeunesse jusqu'au milieu de la trentaine. Vous confondez intelligence et babillage.

De juillet 2001 à juillet 2002, vous êtes sous l'influence de Jupiter en Cancer qui se trouve dans le septième signe du vôtre et le huitième de votre ascendant. Si vous avez vécu ou vivez une rupture depuis 2001, sans doute menez-vous maintenant un long combat pour le partage des biens familiaux. Vous aurez probablement besoin de retenir les services d'un avocat afin de simplifier votre vie. Mener vous-même cette lutte risque de vous épuiser. Simultanément, sous Jupiter en Cancer, vous avez aussi une nouvelle relation amoureuse. Vous êtes au beau milieu de la phase d'adaptation.

Au travail, si vous montez une affaire, vous savez très bien que Rome ne s'est pas bâtie en un jour. Tenace comme vous l'êtes, vous atteindrez votre objectif. Si vous travaillez pour une grande entreprise, tout en gardant votre emploi, vous ferez moins d'heures. Votre salaire en sera réduit d'autant. Vous vous retrousserez les manches et, une fois de plus, vous prendrez un second emploi.

À partir d'août, la vie sera vraiment meilleure et plus généreuse avec vous. Chaque fois que vous ferez face à un problème, vous vous surprendrez à lui trouver une solution efficace, en un temps record. Il est également possible qu'on vous rappelle dans votre ancienne entreprise. Pour d'autres, leur emploi à temps partiel leur permettra tout à coup de faire fortune.

Si vous avez travaillé à un projet et êtes à votre compte, votre stratégie commerciale sera géniale. Vous gagnerez plus d'argent que vous pensiez n'en posséder au début des opérations.

Si vous êtes célibataire, seul depuis longtemps, sous Jupiter en Lion, vous rencontrerez un autre célibataire dont vous tomberez amoureux. Cette personne sera aussi prête que vous à s'engager. La rencontre est principalement et symboliquement représentée par un déplacement, donc elle peut survenir au travail ou pendant un petit voyage à la campagne. Ce peut être lors d'une promenade dans un lieu rempli d'arbres, d'eau, d'espace ou lors d'activités sportives. Sous Jupiter en Lion, je vous suggère de vous acheter des billets de loterie. D'ailleurs, un par semaine suffit ! Si vous devez être millionnaire, nul besoin de laisser votre salaire dans un casino ni d'acheter dix billets par semaine !

CAPRICORNE ASCENDANT CAPRICORNE

Il y a deux types de saturnien-saturnien ! La moitié d'entre vous sont carrément égocentriques, égoïstes, préoccupés d'eux-mêmes. À vos yeux, seuls comptent votre personne, votre argent, votre image, votre succès, etc. Vous ne reculez devant rien ou presque pour être les premiers, quel que soit le métier exercé. Votre ambition est illimitée. L'essentiel étant votre pouvoir et l'opinion que les autres ont de vous.

Ce type de Capricorne-Capricone produit parfois des êtres assoiffés d'admiration. Ils ne supportent aucune critique, aussi juste soit-elle ! Au moindre reproche adressé, ils ont des objections toutes prêtes et enflammées. Leur vie de couple n'est généralement pas une réussite. Ils contrôlent ou veulent contrôler leur partenaire ! J'arrête ici ce noir portrait du Capricorne-Capricorne : dur, froid et imbu de lui-même ! Leur destin en 2002 sera la leçon qu'ils méritent. Ils devront choisir. Rester ce qu'ils sont et y perdre certains acquis pour en gagner d'autres en se faisant un tas d'ennemis qui se « vengeront » des désagréments subis. Les pertes se produiraient alors entre août 2002 et août 2003.

Voici maintenant la description du saturnien-saturnien aussi sage que le veut son signe, dixième du zodiaque et représentant le guide, le professeur, le patriarche. Il est celui qui transmet la connaissance parce qu'il a conscience qu'il n'y perdra rien. Tout ce qu'il donne de bon cœur lui est remis d'une manière ou d'une autre. Ce dernier sait qu'au-delà de la matière, il y a l'invisible, et la communication nécessaire entre toutes les âmes qui vivent. L'abandon, la dépossession, le renoncement à ses croyances et à ses valeurs le libèrent des lourds bagages qui lui ont été transmis par sa famille, le plus souvent par ses propres parents, dès sa tendre enfance. Il laisse tomber ce qui n'est plus important. Il se rapproche de l'humain. Il est tolérant et accepte que les erreurs ne soient que des passages nécessaires et lui servent d'initiation. Ce saturnien-saturnien se départit de son jugement et n'a plus aucune critique à faire à l'endroit de qui que ce soit.

En tant que double signe cardinal, il ne donne plus d'ordre. Il conseille mais sans espérer qu'on soit d'accord avec lui. Il ne parle que selon son expérience, jamais selon celle des autres. Il avoue candidement qu'il ne connaît pas la vérité et dit que chacun doit découvrir la sienne. Au fond, il sait fort bien qu'il n'y a pas qu'une vérité mais plusieurs !

L'année 2002 se résume brièvement pour lui. Il découvre l'amour qu'il avait cessé d'espérer. Il change de travail ou ne l'aborde plus de la même manière. Il est aussi possible qu'il cède sa place à quelqu'un qui a plus besoin que lui de gagner son pain quotidien ! Il peut aussi obtenir une promotion dont il se servira pour aider davantage ceux qui l'entourent.

Si, pendant des années, il est resté dans une vie de couple par tradition ou par crainte de la solitude, tout est clair maintenant. Il sait qu'il peut et même doit se séparer du vide !

En tant que parent, il cessera d'exiger que ses enfants soient à son image. Il les écoutera et les guidera sur le chemin qu'ils décident de prendre. Des Capricorne-Capricorne deviendront parents et souvent sur le tard ! En conclusion, les sages trouveront ce qu'ils ont cherché intérieurement et obtiendront tout ce dont ils ont besoin pour bien vivre ; en tout cas suffisamment pour en donner aux démunis.

CAPRICORNE ASCENDANT VERSEAU

Vous êtes né de Saturne et d'Uranus. Vous êtes réaliste, mais avez aussi une certaine dureté lorsque vous portez des jugements. Votre ascendant Verseau vous permet de vous distinguer des autres. Vous avez la capacité d'être votre propre patron. Saturne, qui régit votre signe, est réfléchi, tandis qu'Uranus multiplie les idées. Votre Soleil étant dans le douzième signe de votre ascendant, des épreuves ont plu ou pleuvent encore sur vous. Dans la famille, vous êtes celui qui s'est chargé de chacun ; celui qui doit rendre service. Vous êtes le grand responsable ; celui sur qui on peut se fier. Tout cela a souvent commencé alors que vous étiez jeune. Vous trouvez toujours la force de surmonter les obstacles. Par ailleurs, une occasion à ne pas rater passe toujours dans votre vie. Vous n'avez pas le but d'être ni populaire ni célèbre ; par contre, vous ambitionnez de contrôler votre propre affaire. Vous êtes tenace et, en tant qu'employé, vous ne craignez pas les heures supplémentaires. Vous n'êtes pas toujours bien payé, mais vient un jour où vous réclamez votre dû, qu'on ne peut vous refuser.

Généralement, vous vous hissez au sommet de l'entreprise, lentement mais sûrement. De juillet 2001 à juillet 2002, Jupiter est en Cancer dans le septième signe du vôtre et le sixième signe de votre ascendant. Si vous n'êtes pas propriétaire de votre entreprise, mais si vous pensez à le devenir depuis longtemps, vous êtes prêt à passer à l'action. Il est possible qu'il s'agisse d'une entreprise familiale. Tout indique qu'un parent avec qui vous vous entendez bien a, autant que vous, envie de cette aventure. Elle vous conduira à la sécurité financière, celle-ci ne dépend que de vous. Si vous avez un emploi, contrairement à bien d'autres, vous ne manquerez pas de travail. Il y a toutefois la perspective que vous occupiez deux fonctions simultanément.

L'aspect sentimental est plutôt tiède. Mais en tant que parent, vous serez très attentif à vos enfants. Il est possible que vous imposiez une plus grande discipline qu'auparavant. La dépression économique affecte tout le monde, même les amis de vos enfants. Ceux-ci vivent parfois des événements difficiles à travers leurs parents et soudain ils se montrent moins sages. Vous soustrairez vos enfants à leur influence dès que vous ressentirez la moindre rébellion. À partir d'août, Jupiter entre en Lion et sera dans ce signe pendant 12 mois. Il sera alors dans le septième signe de votre ascendant et le huitième du Capricorne. Il y a là augure de changements dans votre union, de mises au point et parfois d'une crise de couple. Pendant 12 mois, un peu plus ou un peu moins, vous remettrez de l'ordre dans votre vie. Vous vous affirmerez davantage face à l'amoureux qui peut, de son côté, mal réagir. Il ne vous aura jamais vu ainsi ! Pour votre équilibre personnel, mental et émotionnel, il est nécessaire d'aller de l'avant. Si vous êtes seul, sans amoureux et célibataire depuis longtemps, peut-être même désespéré par l'amour, vous passerez à une autre étape de votre vie sous Jupiter en Lion. Vous réussirez enfin à passer l'éponge sur votre dernière déception et serez capable d'accueillir le grand amour. Si vous avez un talent artistique et hésitez à vous lancer, sous Jupiter en Lion, le déclic se fera. Vous aurez enfin l'audace de démontrer votre créativité. Sous Jupiter en Cancer, vous aurez appris à ne plus tenir compte des critiques; vous vous serez débarrassé des gens décourageants. Sous Jupiter en Lion, vous ne fréquenterez plus que ceux qui croient en un avenir meilleur.

CAPRICORNE ASCENDANT POISSONS

Nous voici à parler de la crème des Capricorne (toutes mes excuses pour les précédents). Vous êtes né de Saturne et Neptune. Saturne aspire à la sagesse et Neptune indique la route à suivre. Il est rare que vous passiez à côté de votre mission : bonté pour tous !

Saturne ne peut plus être un juge sévère lorsqu'il est ainsi accolé à Neptune, la tolérance quasi innée. Si l'enfance et la jeunesse du Capricorne-Poissons sont mouvementées et parfois même parsemées d'événements durs qui rendent agressifs, cette année, vous n'échapperez pas à votre destin de sauveur.

Si vous bénéficiez de la douceur de vos parents et si vous recevez de l'amour de papa et maman, vous absorbez toute cette tendresse et vous la redistribuerez.

De juillet 2001 à juillet 2002, Jupiter est en Cancer dans le cinquième signe de votre ascendant et le septième du vôtre. Si vous êtes amoureux et êtes en âge d'avoir des enfants, sous Jupiter en Cancer, vous aurez du mal à résister à la maternité ou à la paternité. Votre partenaire sera tout à fait d'accord avec vous sur ce projet. Pendant les sept premiers mois de 2002, vous bénéficiez des grâces de Jupiter. Vous êtes protégé dans votre emploi actuel. Si vous en cherchez un, vous trouverez un boulot correspondant à vos compétences et pour un salaire plus substantiel que ce à quoi vous vous attendiez.

Si vous avez un talent artistique, êtes un créateur, vous réaliserez une œuvre qui sera le début d'une activité passionnante, selon vos propres mots. Mais certains vivent déjà de l'art; un contrat sera offert à ces derniers. Vous connaîtrez une importante augmentation de votre popularité. Vous profiterez d'ailleurs de votre tribune pour amasser des fonds pour les enfants qui n'ont rien, ou presque, à manger. Sous votre signe et votre ascendant, vous avez un « saint respect » des petits, mais des grands aussi !

En tant que parent de grands adolescents ou d'adultes, vous serez fier de la réussite de l'un d'eux. Si vous faites partie des *baby boomers*, d'ici juillet, il est possible qu'on vous annonce que vous serez grand-parent.

À partir d'août et jusqu'en août 2003, Jupiter est en Lion, dans le sixième signe de votre ascendant. Cela laisse présager qu'en tant qu'artiste une autre période prospère s'ouvre devant vous. Et elle est beaucoup plus faste que celle des mois précédents.

Vous devrez faire attention à votre santé durant ces 12 mois. Vous serez si actif que c'est à peine si vous vous apercevrez de vos baisses de vitalité, sauf durant ces jours où vous serez cloué au lit par une grosse grippe. Surveillez votre gorge d'ailleurs ou un mal de ventre dont la cause sera un véritable mystère, même pour votre médecin ! En réalité, il s'agit d'un avertissement ! Il est nécessaire de vous reposer. Si vous êtes à votre compte, un membre de votre famille vous offre de partager les responsabilités et les profits. Ce n'est pas une mauvaise idée !

VERSEAU

20 janvier au 18 février

À Guy Lachance, uranien splendide, conforme à sa nature, amical, généreux, respectueux des choix et des idées d'autrui.

À Mario Pépin, mon frère. Histoire complexe... Nous ne portons tout simplement pas le même nom de famille... Il est soldat mais, avant toute chose, Mario est le protecteur des femmes, des enfants, de nos droits et libertés.

À Daniel Gravel, un comique, un bel être capable de dédramatiser et de rassurer dans les moments où la panique s'empare de ceux qui l'entourent!

À Solveig Millaire, femme, journaliste de l'émission *Enjeux* et gourou qui jamais n'oserait se qualifier ainsi! Autant de sagesse et de bonté dans une seule personne vous impressionneraient vous aussi!

VERSEAU 2002

Vous n'êtes pas quelqu'un de commun ! Uranus, qui régit votre signe, vous fait valser. Il secoue constamment votre esprit. Uranus vous permet de ne pas regarder derrière vous. Vous possédez cette étonnante capacité de vous détacher du passé. Quand un travail est terminé, hop !, vous passez aussitôt à la case avenir, non pas parce que vous vous sentez obligé de vous y préparer, mais parce qu'Uranus vous fait sauter pardessus ce qui est trop près de vous... Vous voyez loin devant vous. C'est pourquoi vous avez la réputation d'être visionnaire.

UN VERSEAU SELON SA VÉRITABLE NATURE

Vous êtes un « grand signe d'air », le propriétaire de l'espace aérien ET du cosmos « observable ». Vous êtes le créateur de l'appareil moderne, c'est à vous que nous devons la vitesse des communications modernes, les médias tels que la télévision, la radio et la profusion des journaux à travers le monde. Vous aspirez à une planète sans frontières, à un contact entre humains qui soit juste. Vous préféreriez un monde où les biens seraient répartis également entre tous. Votre symbole est les enfants des autres, et naturellement leur bien-être. Il est tout naturel pour vous de dénoncer les injustices, les mensonges, les trahisons, etc. Votre but est de rétablir l'équilibre entre tous. On dit parfois que vous êtes soupe-au-lait ! Mais l'intolérable doit avoir une fin. L'exploitation des « innocents », la manipulation des ignorants qui n'ont pas choisi de l'être, les martyrs de ce monde, tout cela vous met en colère. Mais votre colère est généralement suivie du redressement des torts dus à des situations bancales. Malgré vos efforts de bon Verseau, nous ne sommes pas encore dans un monde idéal.

QUAND UN VERSEAU NE VIT QUE POUR LUI !

Il n'y a malheureusement pas plus traître ! Et difficile de mieux tromper que celui-ci ! L'intelligence est vive, que vous soyez un bon ou un mauvais uranien. C'est triste, mais le vilain réussit à faire plus de ravages autour de lui, auprès de ses proches, dans son milieu professionnel que quiconque. Surtout lorsqu'il exerce une influence sur une vaste communauté, il abuse de son pouvoir, plus que ne le ferait n'importe quel autre signe du zodiaque ! Le malin est si habile qu'il faut généralement beaucoup de temps pour le prendre la main dans le sac ! Si vous êtes un uranien qui ne croit qu'en la logique, à l'intelligence, à la productivité, si vous n'avez aucune considération envers ceux qui s'émeuvent et sont vulnérables, vous n'hésitez pas à vous servir d'eux, après les avoir écrasés pour vous assurer que jamais ils ne réclameront quoi que ce soit. Le vilain est d'ailleurs remarquable ; jamais il ne fait un compliment. S'il vous approche, ce sera par flagornerie, il lancera généralement une remarque superficielle. Méfiez-vous du Verseau glacial et distant sur le plan des émotions, il aura encore quelque chose à vous demander que vous donnerez. Surtout n'attendez pas un seul service de sa part, ni un quelconque échange de bons procédés. Ce type de Verseau est ambitieux à l'excès. Il occupe généralement un poste en vue. Il est le patron, si ce n'est dans sa maison, c'est au travail. Certains d'entre vous, autant femmes qu'hommes, ne donnent jamais quoi que ce soit à leurs enfants même s'ils ont besoin d'aide, même quand ceux-ci leur rendent de grands services, même quand ils auraient besoin d'un appui financier. En 2002, ces Verseau auront une leçon à apprendre au sujet de leur argent qu'ils protègent, accumulent par insécurité, mais surtout à cause de leur profond égoïsme.

Si je vous fais ainsi la description de ces types de Verseau complètement opposés, c'est parce que notre monde actuel avec ses beaux côtés, ses idéologies, sa spiritualité et ses conflits est symbolisé par Uranus et Neptune en Verseau. Aussi, les Verseau se rangent en deux catégories : les uns mettent leur intelligence au service du pouvoir et de l'argent à tout prix ; les autres pensent rétablir la paix dans le monde et utilisent ce qui est à leur disposition pour le faire. Ils agissent par le biais de leurs relations de travail, de leur apport et leur soutien à la communauté dont ils font partie. Ils sont amoureux de quelqu'un ou du monde entier ! Les bons peuvent aussi devenir riches, mais là n'est pas leur priorité. Quand ils le sont, ils donnent beaucoup.

SOUS JUPITER EN CANCER

De juillet 2001 à juillet 2002, Jupiter est en Cancer dans le sixième signe du vôtre. Juste avant, il était en Gémeaux, donc dans un signe d'air comme le vôtre durant 12 mois. C'est là qu'est apparue la différence entre le bon et le mauvais Verseau. Sous Jupiter en Gémeaux, les gentils ont pu se tailler une plus grande place au soleil. Ils ont souvent considéré que gagner leur vie et de l'argent honorablement était une bénédiction du ciel, c'était quand même plaisant ! Pendant ce temps, les vilains Verseau se sont enveloppés dans leurs robes de pouvoir, certaines sont très amples, d'autres plus étroites, mais qu'importe la taille, les vilains Verseau se sont mis à dédaigner ceux qu'ils ont qualifiés de petits par leur statut social ou par le poste qu'ils occupaient. Jupiter en Gémeaux leur a permis de gagner d'autres galons et de se glorifier.

Mais voilà que depuis juillet 2001 et pour les sept prochains mois de 2002, bons et mauvais Verseau seront sous l'influence de Jupiter en Cancer. Le succès vous a donné une assurance telle que vous avez dédaigné les moins favorisés au jeu de la vie. Sous Jupiter en Cancer, attention, il est possible que vous preniez de mauvaises décisions ; votre puissance mal acquise s'effrite peu à peu ! Si, au nom de votre carrière, vous avez négligé votre famille et principalement vos enfants, si vous n'avez pas déjà eu de mauvaises surprises, elles sont en route. D'ici juillet 2002, malgré vous, le Verseau égocentrique devra obligatoirement accorder de l'attention à sa progéniture qui grandit. Les enfants sont sous l'influence d'un parent qui enseigne que seuls le succès, l'argent et le pouvoir sont importants. Si vous êtes monté très haut dans l'entreprise qui vous emploie et qu'en passant vous ayez écrasé quelques pieds, votre pouvoir s'effrite. Les fautes commises envers les uns et les autres, ou l'entreprise elle-même, ne passeront pas inaperçues.

Jupiter est un justicier. Il ne laisse rien passer qui soit malhonnête, tout comme il récompense ceux qui ont agi correctement. Jupiter dans le sixième signe du vôtre est dans une maison astrale symbolisant la chute. C'est aussi le résultat de quelques années au cours desquelles vous n'avez pas su reconnaître les qualités des uns, les talents de autres, etc. Vous vous êtes bien servi sans jamais dire merci. Comme il y a toujours quelqu'un d'autre au-dessus de vous, vous n'êtes pas exempt de reproches ; ces personnes qui ont peut-être admiré votre réussite puisque vous « rapportiez » à l'entreprise ne supporteront pas que vous perdiez aussi peu que ce soit !

VERSEAU BONTÉ !

Vous êtes aussi sous l'influence de Jupiter en Cancer. Vous avez beaucoup travaillé et vous travaillez encore beaucoup. Heureusement, dans votre cas, Jupiter dans le sixième signe du vôtre s'appelle la récolte ! Certains d'entre vous ont songé à monter une entreprise du type familial. Si rien n'a encore été fait, en 2002, vous mettrez votre projet sur pied. Si vous avez un emploi relativement stable, il deviendra fixe. Vous ferez des semaines complètes et serez mieux rémunéré qu'en 2001. Il est aussi possible qu'un projet qui a été, par la force des choses, mis sur la glace à cause d'une situation incontrôlable ou par manque d'argent, soit maintenant à la mode ! Que vous soyez un intellectuel ou que vous travailliez de vos mains, Jupiter en Cancer laisse présager plus de boulot que vous n'en attendez. Parfois ces contrats ou ces nouveaux mandats vous permettront de faire un coup d'argent.

VOTRE SANTÉ

Sous Jupiter en Cancer durant les sept premiers mois de l'année, vous devrez surveiller votre alimentation. Certains devront laisser de côté des produits laitiers auxquels ils réagissent mal. Le sucre, sous ce Jupiter en Cancer, vous fera perdre votre énergie plutôt que de la stimuler. Au cours de 2002, portez une attention particulière à vos réactions à la suite de votre consommation de sucreries. Sous Jupiter en Cancer dans le sixième signe du vôtre, des ulcères d'estomac peuvent survenir. Certains les soigneront mal et ils dégénéreront en un important problème intestinal.

JUPITER EN LION

À partir d'août 2002 jusqu'en août 2003, Jupiter est en Lion dans le septième signe du vôtre, mais également face à Neptune et Uranus qui sont également en Verseau. Pour les uns, ce sera le grand amour, pour d'autres la rupture après souvent des années de réflexion et d'hésitation sur le sujet. Rares seront ceux qui, même après une séparation, ne rencontreront pas une autre âme sœur. Sous Jupiter en Lion, si vous ne connaissez pas les grands et beaux sentiments, si vous avez fui tout engagement jusqu'à présent, vous ne pourrez plus y résister.

Jupiter en Lion concerne les autres ou l'autre, l'amoureux. Pour ce dernier, il est possible que vous soyez obligé de le soigner. Jupiter en Lion a pour symbole vos pré-adolescents ou vos adolescents. Il n'est pas exclu que vous soyez dans la triste obligation d'aider l'un d'eux qui n'a plus le moral ! Jupiter en Lion vous réserve des surprises : l'un de vos enfants que vous considérez trop jeune pour être papa ou maman vous annonce tout de même que vous serez grand-parent. Jupiter en Lion peut aussi signifier le mariage heureux de l'un d'eux. Jupiter en Lion peut indiquer le don d'un enfant, un talent artistique soudain et un succès rapide. Jupiter, je l'ai écrit à plusieurs reprises, est un justicier. Si vous avez harcelé sexuellement, et cela que vous soyez femme ou homme, vous pourriez être poursuivi ou avoir des problèmes avec le milieu dans lequel cela s'est produit. Par ailleurs, pendant 12 mois, sous Jupiter en Lion, si vous avez tendance à entretenir des relations hors mariage, avec plusieurs partenaires, il est dans votre intérêt de vous protéger des MTS et de la pire : le sida.

Sous Jupiter en Lion, soyez prudent si vous avez l'intention de monter une affaire nouveau genre. Avant d'accepter un associé, avant de signer une entente, vérifiez ses antécédents ainsi que sa solvabilité. C'est durant les sept premiers mois de 2002 que vous êtes le mieux positionné pour entreprendre des projets. Jupiter en Lion devrait être la continuité de ce qui sera en cours. Si vous choisissez de « vous lancer » sous Jupiter en Lion, vous serez plus aisément aveuglé par les apparences. Ne vous y fiez pas. C'est un peu comme si Jupiter en Lion vous donnait le goût du jeu, du plaisir et vous faisait croire que tout sera facile ! Ce serait une erreur de croire que vous puissiez gagner de l'argent aisément.

JANVIER 2002

AMOUR-AMITIÉ Pour la prochaine année et dans la majorité des rubriques, il faudra faire la différence entre le Verseau qui vit de beaux sentiments mais qui ne perd pas la raison pour autant et l'autre qui ne mise que sur l'argent ou la matière pour s'identifier.

Si vous êtes amoureux de votre partenaire, vous tolérerez ses sautes d'humeur et ses caprices, jusqu'au 18. Vous serez si doux que la romance elle-même sera au rendez-vous à plusieurs reprises. Les discussions se passent sur un ton simple et les résolutions sont prises d'un commun accord. Si vous êtes seul ou agissez comme si vous l'étiez, sous l'influence de Mars en Poissons et de Vénus en Capricorne, jusqu'au 18, vous essaierez de conquérir une personne plus par intérêt financier que par attraction pure et simple. Il est possible que certains d'entre vous se soient séparés de l'amoureux tout de suite après le jour de l'An. Votre travail ou le sien vous oblige à vous déplacer de ville en ville, ou, au pire, un continent sera entre vous. Vos communications téléphoniques seront fréquentes.

FAMILLE Si vous avez des enfants en âge de demander des cadeaux alors qu'ils ont déjà reçu le maximum à la fin décembre et au début de janvier, ils auront une multitude de raisons pour vous arracher de l'argent pour s'acheter ce qu'ils espéraient recevoir ! Jusqu'au 19, vous aurez tendance à faire la morale à vos grands, mais aussi à vos petits ! Vous serez surpris de leurs réponses. Leurs valeurs sont peut-être plus traditionnelles que les vôtres ! Leurs désirs face à l'avenir sont simples. Ils n'ont pas envie de conquérir le monde. Ils ne rêvent pas de gloire, mais plutôt d'un confort correct et moyen par rapport à celui que vous avez et à celui que vous désirez dans les prochaines années ! Vous avez souvent transmis à vos enfants, sans même leur faire de grands discours, un bon sens des responsabilités et l'amour de la nature. Il faut espérer que vous ne serez pas le parent qui abandonne ses enfants à la moindre tempête dans sa vie. Si c'était votre cas, à compter du 19, vos petits seront nerveux et vos grands contesteront ce que vous êtes !

SANTÉ Si vous êtes toujours pressé, ou si vous faites de la course à pied, ralentissez ! Si vous montez deux marches à la fois, vous pourriez en rater une et vous blesser à la cheville. Si vous pratiquez un sport et qu'il est suggéré de protéger vos genoux, respectez les précautions. À partir du 19, toutes sortes d'acrobaties vous sont fortement déconseillées. Quand vous devez grimper dans une échelle, ne serait-ce que pour changer une ampoule, assurez-vous que l'échelle soit placée comme il se doit.

TRAVAIL-ARGENT Vous n'avez pas peur du travail. Lorsque vous faites ce que vous aimez ou si vous exercez un métier qui ne vous plaît que plus ou moins mais vous permet de nourrir votre famille, vous vous y donnez entièrement, malgré tout. Ce mois-ci, bien que vous souhaitiez être à deux endroits à la fois, à cause d'une forte demande de vos services ou de vos produits, cela sera impossible ! Les plus chanceux prendront une ou deux semaines de vacances en début du mois. Mais après, ces derniers travailleront sur deux horaires parce que les tâches se sont accumulées durant leur absence. Si votre travail vous oblige à vous déplacer, à partir du 19, vous serez constamment dans le « trafic ». Vous irez d'un client à l'autre et, malheureusement, vous serez souvent en retard ! Si vous êtes vendeur, vous irriterez vos clients... Partez plus tôt !

CROYANCES Votre grande question est qui est Dieu ? Où est Dieu ? Pourquoi a-t-il pris ses vacances pendant une période aussi dure pour la planète ? Il n'y a aucune réponse à cela ! Si vous ne pouvez trouver Dieu, vous y croyez quand même, cependant vous osez à peine l'appeler Dieu ! Vous le nommez Force divine, Univers ou Vie ou vous lui trouvez une image qui correspond mieux à ce que vous ressentez ! En ce début d'année, vous ferez des expériences télépathiques surtout si les circonstances vous séparent d'une personne que vous aimez.

QUI SERA LÀ ? Vous êtes en amour avec un Poissons ou vous voyagez avec lui en terre bénie ! Avec lui, pas de guerre ! Un Capricorne a une leçon de vie à vous donner, le plus souvent au sujet de vos enfants, même si lui-même n'en a pas ! Vous pouvez éviter de discuter âprement avec une Balance. Vous dites les mêmes choses, mais semblez ne pas parler le même langage. Vous rencontrez un Bélier et c'est le commencement d'un grand amour. Un Taureau exige beaucoup de vous. Vous ne savez comment lui dire non ! Un Lion vous inquiète. Un Gémeaux vous déçoit et un Sagittaire vous surprend.

FÉVRIER 2002

AMOUR-AMITIÉ Du 1er au 12, Vénus et Uranus sont en Verseau. Cet aspect augmente les tensions dans un couple qui au départ ne s'entend pas très bien depuis quelques mois. Il y a de la colère dans l'air. Le Verseau étant un symbole d'amitié, Vénus et Uranus laissent présager qu'un ami pourrait flirter avec votre partenaire. Vous pourriez aussi être celui qui trouvera que c'est plus vert dans le jardin du voisin ! Si une telle attraction vous « attrape », soyez conscient et reculez. Ne brisez pas un couple, une famille et des amitiés ! Mars est en Bélier. Il a pour effet de « faire grimper » votre pulsion sexuelle. Mars en Bélier active votre côté conquérant, que vous soyez un homme ou une femme, l'effet est le même. Si vous êtes profondément amoureux de votre partenaire et êtes pourtant attiré par une expérience nouvelle... contenez-vous. Si vous allez au bout d'une aventure, si vous êtes infidèle, le tourment vous guette par la suite ! Alors pourquoi ne pas vous éviter cette douloureuse culpabilité !

FAMILLE Jupiter en Cancer met l'accent sur vos enfants. Ils sont sans doute ceux qui freineront quelques désirs sentimentaux hors union ! Avec Mars en Bélier dans le troisième signe du vôtre, vos adolescents occupent le centre de vos préoccupations, ce dont vous pourriez être très fier ! Si l'un d'eux est un sportif, il pourrait remporter un important trophée. L'événement peut être déterminant pour son destin et cela apportera encore plus de poids à ce succès. Mais il est aussi possible que vous ayez un adolescent intellectuel, un esprit mathématique, déjà chercheur. S'il manifeste le désir de prendre des cours particuliers pour déjà être en contact avec son métier d'avenir, faites des pieds et des mains pour lui permettre ces études hors du commun. Si vos enfants sont jeunes, d'âge préscolaire ou à l'école primaire, ils seront plus remuants que jamais, au point où, de temps à autre, vous deviendrez impatient et punitif à l'excès ! Soyez donc heureux que ces petits aient autant d'énergie !

SANTÉ À partir du 13, surveillez vos brûlures d'estomac qui vous font terriblement souffrir ! Évitez les restaurants de mets exotiques, ils sont délicieux mais tellement épicés ! Madame, quand avez-vous passé votre dernier test gynécologique et un examen des seins ? Pour de nombreuses dames, une légère désorganisation hormonale est possible ! Homme ou femme, les voies respiratoires sont à soigner. Ne laissez pas un rhume et une toux ruiner votre vie.

TRAVAIL-ARGENT Dans l'ensemble, et pour la majorité des Verseau, le travail ne manque pas et vous payez vos factures ! Il en reste même suffisamment pour vous offrir un petit luxe, une fantaisie, ou vous acheter un gadget. Avec le Nœud nord en Gémeaux, vous êtes très créatif. Si vous avez l'intention de monter votre propre affaire, c'est dès maintenant qu'il faut agir. Renseignez-vous pour vos demandes d'emprunt ou rencontrez des gens qui pourraient s'associer avec vous. Si vous occupez un poste de direction que vous avez obtenu en « poussant » sur les uns et les autres, si vous avez manipulé des gens, à partir du 13, les premières fautes seront dévoilées. Si vous n'en avez commis aucune, mais que vous avez à l'idée de gagner de l'argent rapidement, en volant dans la caisse par exemple, vous serez pris. Bref, quelle que soit la manière dont vous vous y prendriez, le pot aux roses sera dévoilé ! Si vous êtes propriétaire et louez des logements, à partir du 22, il est possible qu'un ou des locataires prennent la fuite sans payer. Vous perdrez de l'argent. Il reste à souhaiter qu'aucun vandale ne vienne endommager un de vos logements.

CROYANCES À partir du 14, cet aspect télépathique dont il a été question le mois précédent s'accentue. Même éloigné d'une personne que vous connaissez bien, vous saurez ce qui se passe pour elle, avant même qu'elle vous l'annonce par téléphone ! Vous aurez vu dans un rêve un événement précis survenant dans un coin du monde que vous n'avez pourtant jamais visité.

QUI SERA LÀ ? Un autre Verseau avec qui vous montez une affaire et plus spécialement si celle-ci est reliée au monde des communications modernes. Un Bélier ou un Sagittaire vous séduit. Un Capricorne vous ralentit, c'est du moins l'impression qu'il vous donne, mais sans doute vous invite-t-il à plus de prudence. Un Lion se plaint, alors qu'il n'est même pas malade, pourtant il retient votre attention ! Un Gémeaux vous fascine. Une Vierge vous impressionne.

MARS 2002

AMOUR-AMITIÉ Vous serez sous l'influence de Mars en Taureau qui fera des aspects durs à Neptune et à Uranus, tout le mois. Mars en Taureau est dans le quatrième signe du vôtre. Le sujet le plus discuté entre vous et votre amoureux sera l'éducation de vos enfants. Vous accorderez des permissions alors que l'autre avait carrément dit non. Vous lèverez des interdits auxquels votre partenaire s'opposera ! Il est aussi possible qu'un ami s'impose dans votre maison. Au départ, il s'agira de le dépanner quelques jours, mais les jours passeront et deux semaines plus tard, cet ami aura presque sa chambre à lui ! Ne laissez personne ruiner votre intimité amoureuse et familiale. Vous n'avez besoin d'aucun témoin, et surtout pas d'un parasite. Si vous menez une belle vie de couple, il est important de ne laisser pénétrer personne dans votre foyer qui puisse vous séparer de l'autre. Si rien ne va plus ou presque dans votre vie amoureuse, malheureusement, le ciel n'est guère clément en ce qui concerne une réconciliation. Si vous la désirez, vous devrez être extrêmement tolérant.

FAMILLE Si vous vivez en famille reconstituée, votre ex ou vous-même pourriez demander une révision de la pension alimentaire ! Les uns veulent plus, d'autres désirent payer moins. Mais il peut aussi être question de la garde des enfants pour laquelle vous ne vous entendez plus. Attention, si vous vivez une telle situation, vous pourriez troubler considérablement vos petits et vos grands. Un autre aspect apparaît dans ce ciel de mars. Si vous avez décidé de ne pas avoir un autre enfant maintenant, mais ne prenez aucun moyen de contraception, vous aurez une surprise ! Si vous êtes un *baby boomer*, et même un peu plus jeune, l'un de vos enfants en âge de concevoir peut vous annoncer que vous serez grand-parent !

SANTÉ La santé est, au départ, dans l'esprit. Si vous êtes troublé par des événements familiaux, par une querelle, vous développerez plusieurs malaises. Votre stress se localisera sur votre colonne vertébrale. Si vous faites de l'arthrite, renseignez-vous sur les plantes qui soulageront vos douleurs. À partir du 9, protégez davantage vos doigts. Vous êtes sujet aux coupures, la plupart se produiront par manque d'attention.

TRAVAIL-ARGENT Si vous travaillez pour une multinationale en lien avec les communications modernes et l'informatique, un congédiement temporaire pourrait vous affecter. Quelques difficultés sont à prévoir si vous êtes dans l'immobilier. En restauration, une baisse de la clientèle est probable. En tant que serveur vous verrez une diminution notable de vos pourboires. Si vous possédez une épicerie, ou travaillez dans ce type d'établissement, vous vous rendrez compte que votre clientèle est extrêmement sélective et parfois désagréable. Il y va de intérêt de mieux surveiller vos étalages. Quelques mains agiles se faufileront ; certaines seront fort habiles à vous subtiliser des conserves, mais surtout des fruits et des légumes qui ne déclenchent pas les systèmes d'alarme à la sortie ! Si vous avez accumulé des dettes, à partir du 21, on insistera pour que vous remboursiez. Si on vous doit de l'argent et qu'il s'agisse d'une grosse somme, il est possible que vous preniez des mesures juridiques pour obliger votre emprunteur à vous rendre ce qui vous appartient.

CROYANCES Vous poursuivrez vos expériences paranormales et surtout télépathiques. Cependant, vous aurez l'impression que les contacts sont coupés ! Tout y concourt ! Certains donnent tellement d'importance à cet aspect invisible de leur vie qu'ils oublient qu'ils ont une vie sur terre à accomplir. D'autres ont une telle foi en leur dogme et leur chef religieux qu'ils essaient de persuader ceux qui les entourent d'adhérer à leurs croyances, ils croient posséder la vérité !

QUI SERA LÀ ? Vous avez une entente d'affaires avec un Bélier, que vous connaissez sans doute depuis bien des lunes. Il a prouvé à plusieurs reprises qu'il était superbement efficace. Un Lion, généralement un membre de votre famille, ne demande pas, il exige. Il vous oblige et vous avez bien du mal à dire non même si vous savez que tout ce qu'il veut c'est vous déranger ! Vous pourriez vivre une histoire tendre avec un Cancer, elle est prometteuse d'un bel amour ! Vous êtes fasciné par un Scorpion, il comprend au-delà des mots et il vous devine.

AVRIL 2002

AMOUR-AMITIÉ Si des conflits sentimentaux se sont déclarés le mois dernier, jusqu'au 13, Mars en Taureau et Uranus en Taureau sont en guerre. Il sera extrêmement difficile de stopper l'agressivité montante entre vous et l'autre. Si vous en êtes à ce point, il vaut mieux vous séparer. Peut-être cette distance entre vous aura-t-elle l'effet salutaire de vous pacifier et finalement vous vous réunirez à nouveau ! Vous êtes le signe opposé au Lion et vous ne détestez pas les coups de théâtre. Vous ne supportez pas les habitudes, la routine, ces gestes et ces mots qu'on se répète jour après jour. Vous avez horreur des problèmes qui sont constamment soulevés et qui jamais ne trouvent de solutions. Puis à partir du 14, sous l'influence de Mars en Gémeaux en bon aspect avec Neptune et Uranus dans votre signe, la tempête se calme en vous, à moins que vous ne vous entêtiez à vouloir marquer des points comme on joue au Monopoly ! À partir du 14 du mois, vous retrouverez vos amis. Vous reprendrez contact avec eux, vous les recevrez chez vous. Ils vous inviteront à leur tour et vous passerez finalement la dernière partie d'avril de façon paisible. En tant que célibataire, vous ne resterez pas seul. Un joli cœur et un beau visage vous feront un irrésistible sourire. Si vous avez une hésitation à sortir avec cette personne, homme ou femme, ses enfants en seront la cause. Mais n'en avez-vous pas vous aussi ?

FAMILLE Un bon parent ne veut, n'espère et ne souhaite que le bonheur de ses enfants. Généralement, son temps libre leur appartient. Il arrive cependant qu'il ait besoin de prendre congé. Si on compare ses activités à l'attention qu'il donne à sa progéniture, les enfants bénéficient du maximum ! Mais il y a parmi vous des parents qui délaissent leurs petits car ils ne comprennent pas leur langage. Ils ne connectent pas à eux et ne saisissent pas l'importance de leur rôle surtout si ceux-ci ont à peine l'âge de raison ! Le Verseau qui ne comprend pas qui il est ou a vécu lui-même le rejet parental a plus de difficulté que n'importe quel autre signe à tomber amoureux de ses bébés. Ceux-ci ne sont pas maltraités physiquement, sauf si le Verseau est mentalement malade. Ce parent Verseau a tendance à abandonner la partie. La conversation avec ses enfants ne reprend que lorsque ceux-ci vont à l'école. Dès lors, ils peuvent exprimer clairement, par des mots, avec raisonnement, ce qu'ils veulent et vivent. Il est parfois un peu tard. Ces enfants n'ont pas eu de chaleur, ni d'affection alors qu'ils traversaient justement une période où les besoins d'amour sont si grands. Si vous pouvez vous identifier à ce parent qui n'a pas su donner d'amour, de la tendresse, si vous n'êtes pas connecté à vos enfants sur le plan psychique, peut-être pouvez-vous maintenant constater que vos enfants devenus grands se méfient de leurs émotions ! Si vous êtes un jeune parent, faites un examen de votre personnalité. Regardez-vous intérieurement et analysez votre comportement, dépassez les tendances générales de votre signe.

SANTÉ Le début du mois est difficile. Si vous avez été malade, avez subi une opération, vous aurez l'impression de ne pas guérir. À partir du 14, tout change ; votre corps se libère de ses maux. Il y a même de la magie dans l'air et une guérison quasi spontanée peut étonner votre médecin, qui vous avait « prédit » une longue convalescence !

TRAVAIL-ARGENT Jusqu'au 13, certains d'entre vous seront dérangés au moins quatre ou cinq fois par jour, au point de ne pouvoir terminer leurs tâches. Ils devront alors travailler tard en soirée et parfois jusqu'au milieu de la nuit pour y parvenir. Si vous êtes à contrat, vous pourriez être déçu par une promesse non tenue. Comptez sur le temps pour y remédier. Après le 14, vous aurez ce que vous désirez, ce sera souvent plus gros, plus grand, plus large, plus long ! Si vous êtes un de ces Verseau qui a triché, menti et peut-être même volé son entreprise, vous ne bénéficierez d'aucun traitement de faveur. Vous serez parfois congédié, obligé de rembourser et pire poursuivi en justice. Vous aurez perdu votre poste et serez sans salaire ! Vos dépenses seront les mêmes, votre épicerie coûtera le même prix, etc. Je vous ai déjà suffisamment entretenu des pénalités imposées par Jupiter le justicier. Il déteste les malhonnêtes ainsi que les manipulateurs qui abusent de leur pouvoir ! Goûter de sa médecine n'a rien d'agréable.

CROYANCES Il est impossible de ne pas croire en la Justice avec un grand J, quand on a triché ! Il y a une Intelligence au-dessus de l'intelligence humaine qui arrange elle-même l'expulsion du tricheur ! Si vous êtes de ceux qui agissent pour le bien des autres, d'abord vous avez automatiquement le respect de la vie, de cette Vie supérieure à ce que vous voyez, à ce que vous connaissez. C'est le moment pour vous de découvrir que la loi du balancier s'applique sur terre et non pas dans votre prochaine incarnation, telle que certaines croyances l'affirment.

QUI SERA LÀ ? Un Taureau est de mauvaise humeur et souvent sans véritable raison durant les 13 premiers jours du mois. Un Cancer ou Capricorne est amoureux : il rompt le silence et vous déclare l'affection qu'il a pour vous. Un Lion avec qui vous avez eu des mots s'entête à vous contrôler ! Il s'est trompé d'adresse ! Un Gémeaux vous soutient dans vos projets et vous encourage à exprimer vos talents artistiques. Un Sagittaire se place sur votre route et a beaucoup à vous apprendre.

MAI 2002

AMOUR-AMITIÉ Le ciel de mai est rempli de planètes en Gémeaux. Elles sont dans le cinquième signe du vôtre. Si ça tourne mal en de nombreux coins du monde, en ce qui vous concerne, tout ira mieux ! Vous avez vécu des tensions et peut-être une séparation ou même un divorce au cours des derniers mois ; cette fois, votre situation sentimentale peut changer du tout au tout. Votre destin prendra un chemin tout autre que celui que les événements laissaient supposer. Vous êtes célibataire, et assuré de le rester jusqu'à la fin de vos jours ? La vie a une surprise en réserve pour vous. Vous rencontrerez une personne pacifique, paisible, sage, mais également joyeuse, rieuse, spontanée, tant et si bien que vous croirez rêver. Vous finirez bien par lui trouver quelques petits défauts... mais ils seront minimes à côté de toutes ses qualités que vous les oublierez rapidement. Et que dire de ces amis que vous ne voyiez plus ! Ils sont de retour, ils vous encerclent et vous font la fête comme à votre anniversaire. Si déjà vous êtes amoureux, et que le bonheur est une partie de vous, vous ne le laisserez pas filer. Vous êtes parfaitement conscient que c'est une chance inouïe, extraordinaire. Vous faites partie des rares élus qui le vivent. Les tricheurs et les menteurs sont les grands perdants ; ces grâces que le ciel fait pleuvoir ne sont pas pour eux. La logique pure et dure demeure leur maîtresse.

FAMILLE Vos enfants ne sont pas exclus de votre bien-être personnel, loin de là ! Ils contribuent automatiquement à votre bonheur. Vos petits danseront comme vous, ils chanteront, seront heureux d'être à vos côtés, de prendre part à votre euphorie. Ils seront votre chance d'aimer et seront aimés en retour. Dans votre maison, l'air circule différemment, comme une purification, une ionisation. Sans doute les meubles changeront-ils de place. La chambre de l'un deviendra celle de l'autre. La couleur des murs sera différente ou du moins vous préparerez-vous à ce grand ménage du printemps. Si vous êtes jeune, amoureux et sans enfant, et en désirez un, votre vœu sera exaucé. Pour certains, il s'agira d'un deuxième bambin ! Partout dans le monde, on ne parle que de récession, de peur, de guerre, de terrorisme, etc. ; chez vous, il en va autrement. Vous avez ouvert la porte à la paix et vous lui avez permis de s'installer ! Bien sûr, il y a des Verseau qui, plutôt que de s'adonner à l'humanisme, se contentent du matérialisme dénué d'émotions. Pour eux, le pouvoir est leur devoir, la puissance est leur guide, le bonheur et la joie sont des idées farfelues ! Malheureusement pour eux, leur famille se divise et se subdivise au point où ils devront faire face à la solitude. Ils se satisferont de leur sécurité matérielle en guise de compagne.

SANTÉ Votre bien-être physique est directement relié à vos états intérieurs. Si vous avez eu des problèmes de santé, vous en sortez rapidement. Si vous avez subi une opération, vous cicatrisez vite, vous étonnez le corps médical. Il faudra surveiller une vilaine toux et la soigner le plus rapidement possible. Si vous n'y arrivez pas seul, pourquoi ne pas voir votre médecin qui vous prescrira certainement le médicament dont vous aviez besoin pour guérir rapidement.

TRAVAIL-ARGENT Si vous êtes sans travail mais avez fait des démarches, les offres vous arrivent en double. Si vous avez déjà un emploi, une promotion est dans l'air. Si vous montez votre propre affaire, vous recevez de l'aide physique, intellectuelle et financière. Tout cela vous parvient de manière surprenante. Si vous possédez votre petite entreprise, vous aurez plus de clients que vous n'en espériez. Une filière s'est ouverte ; c'est vos services ou vos produits que quelqu'un ou une autre entreprise recommande. Aussi prometteur que ce mois puisse être, je vous ai averti, en début d'année, que le revers de la médaille guette le Verseau qui n'a toujours pensé qu'à lui. Si vous êtes de ceux-là, uniquement centrés sur vous-même, si vous avez fait perdre argent et popularité à une entreprise, vous en serez écarté !

CROYANCES Il existe une force bien au-dessus de la vôtre. Nombre d'entre vous peuvent en savourer les faveurs. Mais attention, certains Verseau sont bien naïfs et sont tentés de consulter un voyant. Ils espérèrent sans doute que ce dernier leur donne les numéros chanceux à la loterie ! Si vous consacrez votre temps à chercher la combinaison magique qui fera pleuvoir sur vous de l'argent et rien que de l'argent, vous risquez d'être déçu. Comment se fait-il que ce voyant n'ait pas lui-même joué les chiffres chanceux ? Par contre, si vous consultez un clairvoyant ou un astrologue sérieux, quelqu'un qui vous guide afin que vous puissiez vous réaliser, vous obtiendrez les réponses à vos questions existentielles.

QUI SERA LÀ ? Quelques Gémeaux sont autour de vous, mais vous devrez choisir entre eux. Certains sont négatifs, critiques, ils voient le pire et ils sont déprimants. Un Cancer peut tomber amoureux en vous voyant. Ne laissez pas un Capricorne taciturne miner votre joie de vivre. Un Lion que vous connaissez bien revient à de meilleurs sentiments. Un Bélier vous dynamise et vous porte chance. Un Sagittaire vous soutient et vous accompagne dans votre recherche du mieux-être.

JUIN 2002

AMOUR-AMITIÉ Jupiter et Mars sont dans le sixième signe du vôtre, ainsi que Vénus et ce, jusqu'au 14. Si vous avez évité le divorce, l'euphorie du mois dernier est moins dense, moins intense. Vous franchissez une autre étape, celle de la réadaptation à votre vie de couple qui a failli s'effondrer et parfois pour presque rien. Vous avez peut-être fait une rencontre et vous vous promenez maintenant main dans la main avec un amoureux ? Jusqu'au milieu du mois, vous irez constamment au restaurant pour vous retrouver en tête-à-tête, tout en étant sur un territoire neutre ! C'est ainsi que vous vous raconterez vos histoires de famille. Vous échangerez les peines vécues lors de vos précédentes séparations et raconterez où en sont vos relations avec vos enfants, si vous en avez. Vous verrez moins souvent vos amis ; c'est plutôt la famille qui viendra vous rendre visite au cours du mois.

FAMILLE Ce mois-ci, vous pensez aux vacances de vos jeunes. Si vous travaillez et ne pouvez vous absenter, vous vous mettrez à la recherche d'une gardienne. Certains d'entre vous songeront à un camp de vacances, mais cette fois, il est nécessaire d'en discuter avec vos jeunes. Veulent-ils être séparés de vous ? Voulez-vous vous en séparer ? Ont-ils vraiment l'âge ? Ou sont-ils trop jeunes ? À partir du 15, il est possible qu'un de vos grands adolescents vive sa première peine d'amour. De grâce, prenez-le au sérieux ! Écoutez-le attentivement quand il vous parle de ses sentiments. Ne faites pas comme s'il s'agissait d'un fait banal. Vous recevrez plus souvent votre parenté ; les visites des Fêtes sont en retard. Pour certains, les réunions auront effectivement l'air d'un jour de l'An d'antan.

SANTÉ Les planètes en Cancer vous mettent encore en garde contre l'abus de sucre. Mars dans ce signe peut créer en vous non seulement une baisse de vitalité, mais aussi des douleurs dans les membres. Plusieurs ressentiront une réduction de l'agilité des doigts, notamment s'ils font déjà un peu d'arthrite. Jusqu'au 22, Saturne est opposé à Pluton, non seulement est-il un indice de brouille sociale mais, sur le plan personnel, il laisse présager des douleurs au dos, si cette région est déjà sensible.

TRAVAIL-ARGENT Vous avez beaucoup de travail, cela se poursuit. Vos heures de liberté seront plus rares. Il est même possible que vous soyez débordé, même les fins de semaine. Vous remplacerez les absents. Vous obtiendrez le contrat d'un collègue qui décide de laisser tomber l'entreprise. Si vous avez été congédié, il est possible qu'on vous rappelle. Et, cette fois, votre pouvoir de négociation sera plus grand ; vous obtiendrez de meilleures conditions qu'avant. Comme vous cumulerez des revenus supplémentaires, vous serez tenté de magasiner un gadget : chaîne stéréo dernier cri, téléviseur ultramoderne, etc. Attention, vous pourriez dépenser bien au-delà de ce que vous avez gagné par votre travail. Si vous faites partie de ces Verseau ayant une dette à payer, un « péché » à expier, qu'il y ait ou non poursuite judiciaire contre vous, vous prenez conscience de l'ampleur de la situation à partir du 15. Il en va de même si vous avez perdu votre emploi le mois dernier. Si vous avez subi du harcèlement sexuel dans votre milieu de travail ou si vous en êtes accusé, si l'entreprise ne sanctionne pas le fautif, la victime portera l'affaire devant les tribunaux. Si vous êtes l'accusé, appelez votre avocat, vous aurez besoin de lui, que vous soyez innocent ou coupable.

CROYANCES À partir du 22, vous aurez d'autres expériences paranormales et des rêves prémonitoires. Certains d'entre vous se rendront à des séances d'information afin de mieux connaître ce qui se passe en eux et qu'ils ne peuvent maîtriser. Si vous êtes religieux et adhérez à une foi bien définie, il est possible que vous doutiez de ce qui vous est enseigné.

QUI SERA LÀ ? Un Cancer est très présent près de vous, pour vos besoins. Il y a aussi une possibilité de flirt avec lui. Un Poissons, dont vous êtes amoureux, vous surprend agréablement et presque chaque jour. Il n'est pas impossible que vous deviez lui donner un coup de main pour échapper à un problème familial qui, sans être dramatique, est très agaçant. Un Bélier et un Sagittaire vous soutiennent dans vos projets. Ils peuvent aussi vous ouvrir la porte vers un plus grand succès.

JUILLET 2002

AMOUR-AMITIÉ Jupiter est en Cancer dans le sixième signe du vôtre. Il va traverser ce mois de juillet et atteindre son dernier degré pour ensuite passer dans le signe du Lion. Jupiter en Cancer concerne votre famille, vos enfants, vos parents que vous aimez ou avec qui vous n'avez que peu de contacts. D'ici le 13, votre amoureux et vous ferez la lumière sur votre histoire familiale, d'un côté comme de l'autre. Vous parlerez à vos enfants de ce qu'il faut croire ou ne pas croire dans les histoires des grands-parents ou d'un oncle, d'une tante. Si vous vivez en famille reconstituée, au début du mois, vous pourriez avoir la visite de l'ex de votre amoureux. Une fois de plus, il demande à passer plus de temps avec ses enfants, alors que la cour a tranché la question longtemps auparavant. La situation ne sera pas agréable. Pourtant, vous saurez quoi lui dire et quoi faire pour le modérer. Il jalouse probablement la vie que vous menez avec « son » ex. Selon votre ascendant, vous pourriez aussi être le demandeur ou l'envahisseur. Celui qui a décidé qu'il ne pouvait supporter qu'on soit heureux sans lui. Il est possible qu'une telle situation se produise alors que vous êtes avec des amis. Ils intimideront légèrement l'ex ou vous-même, surtout si vous tentez de pénétrer dans un monde qui n'est plus le vôtre ou si peu.

FAMILLE Il a déjà été question de famille précédemment, d'un démêlé entre vos enfants, votre ex ou entre les enfants de votre partenaire et son ex. En principe, ce mois de juillet est symbole de vacances pour beaucoup. Certains en profiteront pour faire le tour de la famille et peut-être rendre visite à un parent à l'autre bout du pays. Celui-ci vous offre de partager son coin de plage et de voir l'océan avec vos enfants. Si vous vous entendez bien avec lui, vous n'aurez aucune hésitation à accepter son invitation. À partir du 14, Mars entre en Lion et, dès le 22, il entrera en opposition à Neptune jusqu'à la fin du mois. On peut comparer Mars à un adolescent qui ne sait plus très bien où il en est. Si vous avez un enfant qui a beaucoup changé depuis quelques mois, si vous pressentez qu'il se rebelle ou qu'il déprime, n'accusez pas son âge. Ne dites pas que ça lui passera ! Vous êtes ici dans une époque de signes fixes, ce qui tend à cristalliser les états intérieurs. N'attendez pas qu'il dépérisse pour réagir, ou qu'il fasse un mauvais coup ! De toute manière, c'est de l'attention qu'il veut.

Donnez-lui ce qu'il réclame et si jamais à la fin du mois rien ne s'était amélioré, voyez un médecin avec lui.

SANTÉ Vous êtes habitué aux petits problèmes cardiaques et votre médecin vous conseille de suivre un régime et de faire de l'exercice, ne passez pas outre à ses recommandations, vous pourriez aggraver votre cas. À partir du 11, sous l'influence de Vénus en Vierge, évitez les aliments qui provoquent des irritations cutanées chez vous.

TRAVAIL-ARGENT Peut-être travaillez-vous pour une grande entreprise qui vous avait promis une augmentation de salaire, mais chaque fois que la question est « reposée » on trouve un prétexte « Pas le temps d'en parler » ou le patron vous lance : « Nous ne sommes pas prêts ! » Si cette situation dure depuis plusieurs mois, au retour des vacances, vers le milieu du mois, il est possible qu'il y ait une manifestation plutôt bruyante dans l'entreprise pour l'attention des responsables. Si vous avez monté votre entreprise, vous ne prendrez pas de vacances. Vous serez trop occupé à gérer et ne voudrez pas manquer un seul jour pour veiller à vos opérations. Si vous vendez des produits quelconques, à partir du 11, vous en ajouterez plusieurs autres à votre liste. Si vous offrez vos services, vous serez tellement en demande qu'il est possible que vous embauchiez à temps partiel. Si c'est votre situation, vérifiez les antécédents de vos employés. Assurez-vous de leur honnêteté.

CROYANCES À la fin du mois, des voix s'élèveront d'un peu partout dans le monde. Vous entendrez parler d'un gourou, d'un guide spirituel extraordinaire... Mais est-ce bien vrai tout cela ? Ne vous fiez pas aux apparences, elles sont trompeuses. Il existe des mouvements de masse qui, soudain, amènent des tas de gens à croire à un Messie, à un sauveur. Vous lirez sur ce sujet, les médias en feront longuement la une aux bulletins de nouvelles. N'entrez pas dans la ronde sans vous être posé plusieurs questions. En suivant un maître, ne perdrez-vous pas votre liberté ? Croyez-vous qu'il soit juste de lui céder vos droits ? La panique que nous avons vécue concernant la situation mondiale en 2001 nous poursuit. Elle s'est peut-être accrochée à vous et vous cherchez maintenant un sauve-qui-peut émotionnel que, pourtant, vous possédez en vous-même.

QUI SERA LÀ ? Une Vierge vous est aussi utile qu'agréable. Une rupture temporaire d'amitié avec un autre Verseau peut survenir. Un flirt avec un Lion risque de se développer mais sans dépasser les sourires qu'on se fait l'un à l'autre. Un Bélier amoureux depuis longtemps se décide enfin à révéler son énorme affection ainsi que son attachement pour vous. Vous vous entendrez bien sur le plan professionnel avec un Gémeaux. Ensemble, il y a des prévisions de progrès. Un Sagittaire vous donne un coup de main spontanément, c'est un geste gratuit. Le comportement d'une Vierge vous inquiète. Le retour d'un ami Balance qui avait considérablement espacé ses visites depuis le début de l'année vous réjouit.

AOÛT 2002

AMOUR-AMITIÉ Tout le mois, Jupiter et Mars sont en Lion en face de votre signe. D'un côté cela signifie le grand amour et l'engagement, vous tombez amoureux pour la première fois, de l'autre, après une longue période de solitude, à la suite d'un divorce vous recommencez à croire que l'amour existe et vous lui êtes réceptif. Si vous vivez le bonheur à deux et n'avez pas encore d'enfant, il est possible que votre partenaire et vous décidiez d'avoir un bébé. Certains d'entre vous songeront à en adopter un et entreprendront les premières démarches en ce sens. Vous irez à de nombreuses fêtes tout au cours du mois. Vous reverrez vos vieux amis et vous vous en ferez de nouveaux.

FAMILLE Jupiter et Mars en Lion positionnés ainsi et face à Uranus et Neptune en Verseau sont des liens avec la famille reconstituée. Si vous et votre partenaire avez des enfants et que vous viviez tous ensemble, il est possible que l'aîné soit mécontent. Il conteste votre autorité ou celle de votre amoureux. S'il est assez grand pour choisir avec qui il veut vivre, sans doute aurez-vous avec lui une grande discussion à ce sujet. À partir du 17, Mars est directement opposé à Uranus, et ce, jusqu'au 29. Vous devrez mieux surveiller vos petits, ne les laissez pas sans surveillance dans des endroits public. Au parc, ne vous en éloignez pas et ne les laissez pas jouer à des jeux dangereux. Pour vos balades à bicyclette, le casque protecteur est obligatoire, l'avis vaut autant pour vous que pour l'un des vôtres. Il vaut mieux prévoir que de risquer une blessure à la tête en cas de chute.

SANTÉ Jupiter, maintenant en face de votre signe, vous met en garde contre les abus de table. Votre foie ne tolère pas le gras ! Lorsque vous pratiquez un sport, prenez un maximum de précautions. Vos hanches sont plus fragiles, sous Jupiter en Lion.

TRAVAIL-ARGENT Les démarches entreprises pour vous trouver un emploi seront couronnées de succès à partir du 7. Si l'entreprise pour laquelle vous travaillez a déjà effectué des réductions de postes mais en annonce d'autres, vous manifesterez votre désaccord. Il est même possible que vous dirigiez la manifestation de protestations. Les conflits qui se déroulent un peu partout sur la planète ont des effets directs sur notre économie. Elle est devenue plus restrictive dans la plupart des secteurs d'entreprise et plus particulièrement en tourisme et en restauration. Même les marchés d'alimentation changent leur politique de surveillance. Si vous travaillez dans un domaine de sécurité, vous ne manquerez pas de travail ! Durant ce mois, vous ferez plus d'heures que vous ne pouvez l'imaginer.

CROYANCES À partir du 7, avec Mercure en Vierge, vous êtes plus méfiant, vous n'irez pas consulter n'importe qui. Si vous avez besoin des conseils d'un astrologue ou d'un clairvoyant, vous verrez une personne recommandée par une connaissance. Celle-ci n'aurait jamais cru qu'on puisse voir son destin à l'avance. Vous continuez à faire d'autres expériences paranormales, mais vous n'en parlez que très peu.

QUI SERA LÀ ? Une Vierge vous donne de bons conseils d'affaires. Un Bélier vous stimule. Vous devez remonter le moral d'un Capricorne. Vous tombez amoureux d'un Poissons. Un Cancer vous fascinera par ses perceptions et sa manière de vous comprendre sans que vous ayez à lui expliquer qui vous êtes.

SEPTEMBRE 2002

AMOUR-AMITIÉ Mars est en Vierge dans le huitième signe du vôtre. Il vous rend très flirteur. Si vous êtes loin du cœur de votre amoureux, souvent sur la route, vous aurez l'occasion de le tromper. Vous êtes le seul à pouvoir décider de le faire ou non, mais la tentation sera là ! Si vous succombiez à une aventure, ayez la sagesse de vous protéger des MTS. À partir du 9, Vénus entre en Scorpion et y restera jusqu'à la fin de l'année. Elle fera des aspects durs à Uranus, Neptune en Verseau et à Jupiter en Lion. Cela donne un ciel qui n'est guère sensible ; au contraire, il vous portera à vous fâcher à la moindre contrariété. Vous dramatiserez un événement banal. Vous aurez alors tendance à prêter à votre amoureux des intentions qu'il n'a pas. Il est aussi possible que des amis que vous accueillez par bonté deviennent des envahisseurs. Et, étant donné le temps qu'ils passent dans votre maison, ils finissent par vous brouiller avec votre partenaire. Si tout va bien entre l'amoureux et vous, de grâce chassez les parasites. Vous êtes plus vulnérable et plus fragile que vous ne l'imaginez.

FAMILLE Les aspects durs décrits plus haut exercent de fortes pressions sur vous, mais également sur vos enfants. Ils ne sont pas sans ressentir vos angoisses. Il faudra d'ailleurs protéger vos petits contre des grands qui pourraient s'amuser à leur faire peur. Le temps n'est pas à la paix ! Et, malheureusement, l'agressivité se répand aussi vite qu'une traînée de poudre. Si vous habitez un quartier où sévissent quelques durs, demandez à vos enfants de rentrer tout de suite après l'école. Si l'un des vôtres subissait le « taxage », il sera nécessaire d'en parler avec d'autres parents pour que les fauteurs de troubles soient arrêtés le plus vite possible. Si vous avez des parents âgés, vous pourriez apprendre que l'un d'eux est gravement malade. Vous volerez à son secours. Par ailleurs, peut-être serez-vous le seul dans la famille à vous déplacer pour en prendre soin.

SANTÉ Mars en Vierge fait un aspect dur à Pluton en Sagittaire. Mars est dans le huitième signe du vôtre. Il avertit quelques femmes de ne pas négliger de voir leur médecin si elles pensent avoir une infection urinaire. Certains messieurs devraient peut-être passer leur examen de la prostate, si cela n'a jamais été fait. Si vous avez de fréquentes baisses de vitalité, passez un examen sanguin. Peut-être vous manque-t-il un élément essentiel dans le sang ?

TRAVAIL-ARGENT Vous travaillerez beaucoup. Vous remplacerez plusieurs personnes : des collègues tombent malades, la grippe fait des ravages très tôt cette année. Mais vous tenez le coup. Si vous êtes dans le domaine des communications tels que les médias, vous serez débordé. Les nouvelles sont nombreuses ; des développements politiques se produisent dans maints pays. Si vous travaillez dans le domaine de l'imprimerie, représenté par les planètes en Verseau, il risque d'y avoir, malheureusement, quelques problèmes. Vous pourriez faire moins d'heures et parfois, mais plus rarement, il sera question de la fermeture d'une imprimerie. Si vous êtes dans le monde hospitalier, le travail ne manque pas, vos journées seront longues. Si vous faites partie des retraités, vous serez rappelé au boulot. Si vous gagnez votre vie en prenant soin des personnes âgées, plusieurs situations d'urgence peuvent se présenter ce mois-ci. Si vous gardez des enfants, il faudra que vous redoubliez de prudence. Les petits sont vifs et imprudents.

CROYANCES On assiste à des déclins çà et là ; l'économie est difficile, les salaires diminuent, l'emploi est réduit, les conflits se poursuivent dans divers coins de la planète. Vous vous demandez bien en quoi croire maintenant. Pourtant, en vous, rien n'a changé. Vous êtes la même personne. Vous avez développé des facultés paranormales qui vous servent bien. En cas de danger, vous en seriez avisé en rêve ou par intuition. Bref, vous n'iriez pas à l'endroit où se produira l'accident.

QUI SERA LÀ ? Vous avez des amis à qui vous pouvez parler. Un Sagittaire avec qui vous avez des échanges rassurants à la fois pour vous et pour lui. Vous faites de bonnes affaires avec un Cancer. Il est possible qu'un Bélier vous donne un coup de main si un parent tombe malade et que vous deviez le soigner chez vous. Un Taureau s'éloigne et se réfugie dans le silence, ou éclate facilement en colère. Il est tendu mais il ne peut expliquer pourquoi. Restez doux, c'est le meilleur remède que vous puissiez lui offrir. Vous flirtez avec un Gémeaux.

OCTOBRE 2002

AMOUR-AMITIÉ Encore ce mois-ci Vénus est en Scorpion et continue de faire des aspects durs à Uranus, Neptune en Verseau et à Jupiter en Lion. Cependant, les tensions se modèrent ici et là. Ce début de calme a des répercussions directes sur votre vie personnelle. On se parle plus intelligemment. Vous n'essaierez pas non plus de minimiser vos peurs, si vous en avez. Vous les exprimerez à l'amoureux et, une fois verbalisées, elles vous paraîtront moins importantes. Vous aurez également la patience d'écouter votre amoureux qui a lui aussi des craintes, mais d'une autre origine que les vôtres. À partir du 12, Mercure est en Balance et met de l'ordre dans le monde de la justice elle-même. Cet aspect se répercute aussi dans votre couple. Vous et l'autre vous voyez mieux vos qualités et vos défauts deviennent acceptables ! La tolérance est de retour.

FAMILLE Vos jeunes enfants ont eu des problèmes avec d'autres élèves à l'école mais vous y avez vu ! Vous vous apercevez qu'ils respirent mieux, plus librement et, à la maison, ils sont plus joyeux. À partir du 16, vous ouvrirez votre porte aux enfants des autres. Ainsi, vous saurez où sont les vôtres et qui ils fréquentent. C'est un peu comme si vous vous faisiez le protecteur délégué de votre communauté. Vous aidez des parents qui, peut-être à cause de leurs occupations et de leurs problèmes, ne peuvent consacrer autant de temps que vous à leurs enfants. Vous dépenserez un peu plus d'argent pour votre épicerie. Vous ne laisserez pas les enfants des autres avoir faim pendant que les vôtres grignotent ! Votre signe, le Verseau, est symbolisé par les enfants des autres. Ce mois-ci, vous serez comme le commande votre signe.

SANTÉ Vous allez bien. Vous vous êtes remis de vos divers petits maux. Par ailleurs, vous avez à peine le temps de penser que votre dos ou vos genoux vous font souffrir. Occupé, obligé de faire plus d'exercices, vous vous faites physiquement du bien ! Si vous avez une bonne fourchette, il faut réduire le gras. Jupiter en Lion face à votre signe rend votre foie plus fragile.

TRAVAIL-ARGENT Plusieurs problèmes de travail se sont réglés pour les uns et les autres. Il en reste encore, mais beaucoup moins. Si vous êtes obligé d'avoir deux emplois pour boucler vos fins de mois, il est possible que vous ayez à choisir l'un ou l'autre. Vous faites tellement d'heures dans l'un que lentement vous négligez l'autre. Si vous entamez une poursuite judiciaire contre une personne qui vous doit une grosse somme, au milieu du mois, tout concourt à la victoire. Si, par contre, vous êtes l'endetté et que vous refusez de faire vos versements, avant d'être saisi, ayez une conversation et faites un arrangement avec vos créanciers. À partir du 12, ce sera le moment idéal pour en discuter. Vous pourriez trouver un travail auprès d'un employeur qui reconnaît instinctivement vos talents et qui aime votre personnalité. Tout cela même si, diplôme en poche, vous n'avez pas une grande expérience dans le domaine qui vous attire. À partir du 16, vous serez chanceux dans divers secteurs de votre vie et principalement au travail.

CROYANCES Si vous êtes éloigné de votre amoureux, vous rêverez souvent de lui. Vous saurez ce qu'il fait de son temps et comment vont vos enfants. La nuit, votre mental fonctionne comme un écran de cinéma, tant les images sont réalistes. Durant la journée, éveillé, en travaillant, vous aurez des intuitions soudaines. Vous verrez des événements se produire chez les uns et les autres. Vous saurez ce qui attend un collègue ou un patron, même dans leur vie personnelle.

QUI SERA LÀ ? Un Scorpion vous écoute avec beaucoup de fascination lorsque vous lui racontez ce que vous vivez intérieurement. Au contact d'un Cancer ou d'un Poissons, vous pourriez vivre une expérience mystique. Un Bélier est amoureux et vous le dit souvent, cependant il attend que vous en fassiez autant. Un Lion se plaint, mais vous ne l'entendez plus, même s'il est à côté de vous ! Vous faites de bonnes affaires avec un Sagittaire et un Gémeaux.

NOVEMBRE 2002

AMOUR-AMITIÉ Vénus continue sa marche en Scorpion. Mercure est aussi dans ce signe jusqu'au 19, et ces planètes font encore des aspects durs à Neptune, à Uranus en Verseau ainsi qu'à Jupiter en Lion. Il ne faudra pas écouter les commérages sur les amours des uns et des autres, quelques faussetés peuvent s'y glisser. Dites-vous que si vous prêtez l'oreille à ces mensonges, elles pourraient en faire autant avec vous, dès que vous aurez le dos tourné. Ne discutez pas de votre vie privée avec vos collègues. Certains ont changé et sont devenus des intrigants ! Vous êtes aussi sous l'influence de Mars en Balance. Cela fait un aspect tendre à votre signe et vous voulez vous rapprocher de votre amoureux. C'est pourquoi il est important de ne laisser personne ruiner ces beaux moments que vous vivez avec l'autre. Si vous êtes célibataire, vous ferez une rencontre très intéressante ; sans doute cette personne possédera-t-elle des talents artistiques.

FAMILLE Il est possible que votre maison soit encore pleine d'enfants, les vôtres et ceux des autres. Vous êtes, en quelque sorte, devenu un refuge, un endroit où on se sent en sécurité. S'il en est ainsi, soyez fier de vous. Vous rendez un immense service aux enfants et à quelques parents. Quand viendra le moment d'avoir besoin d'aide à votre tour, soyez assuré qu'il y aura quelqu'un pour vous. Si l'un de vos enfants a un talent particulier, soutenez-le. Donnez-lui la chance de l'exprimer. Les cours de musique, de chant ou de danse qu'il désire prendre pourraient faire un petit trou dans votre budget. Si vous êtes parent d'enfants adultes qui ont traversé des moments difficiles par manque de travail, vous serez rassuré lorsqu'ils vous annonceront qu'ils ont trouvé l'emploi rêvé. Si vous avez prêté de l'argent, vous serez rapidement remboursé. Certains d'entre vous recevront une offre de travail à domicile plutôt que de se rendre au bureau chaque jour. Vous serez surpris, mais à bien y réfléchir, cela vaut le coup d'essayer !

SANTÉ Vous allez mieux qu'il y a quelques mois. Malgré les événements sociaux qui ne sont guère réjouissants, vous gardez le moral. Vous continuez de vivre votre vie comme vous l'entendez. Vous faites d'ailleurs plus d'exercices, vous prenez de l'air plus souvent. Malgré le froid, vous faites des promenades. Tous ces petits gestes vous calment beaucoup. Si on vous a conseillé de suivre un régime, même si vous êtes plus heureux, ce n'est pas une raison pour manger davantage !

TRAVAIL-ARGENT Si vous travaillez en droit, quel que soit votre rôle ou votre poste, vous aurez énormément de travail. Il en va de même pour ceux qui sont gardiens le jour ou la nuit. Certains d'entre vous sont sans emploi, ils prendront un cours offert par une entreprise qui embauche des gardes de sécurité. Nous ne sommes pas en guerre ; par contre, toutes les mesures de sécurité sont prises afin de protéger les populations des grandes villes. Nous subissons encore les effets de l'attentat du 11 septembre 2001. Si vous êtes dans le commerce, quel qu'il soit, c'est surtout à partir du 19 que les consommateurs rempliront leur panier. En tant que propriétaire, vous serez plus présent dans votre commerce. Vous développerez un système d'accueil qui permettra à chacun de vos clients de se sentir les bienvenus chez vous. Vous serez sans doute le premier à avoir ce genre de stratégie commerciale. Durant la dernière semaine du mois, vous serez plus chanceux dans les jeux de hasard. Achetez quelques billets avec un groupe d'amis ou avec des collègues.

CROYANCES Vous êtes un grand penseur. Vous n'accordez pas foi à un système avant de l'avoir étudié. Vous ne pouvez croire à l'astrologie que si vous l'avez d'abord expérimentée. Certains d'entre vous prendront des cours afin d'en savoir plus long sur eux-mêmes d'abord, et ensuite, sur le genre humain. La partie la plus intéressante de l'astrologie pour vous est celle qui enseigne la situation mondiale.

QUI SERA LÀ ? Un Poissons est présent auprès de vous. Un Lion se fait plus discret, mais continue de vous demander des services, ici et là. Un Bélier et un Sagittaire vous portent chance en affaires. Une Balance vous aide à développer une stratégie commerciale qui, éventuellement, vous rapportera beaucoup. Si vous achetez d'une Vierge, négociez le prix de l'objet en question. Un Taureau a du mal à remonter la pente, il a besoin de vos encouragements.

DÉCEMBRE 2002

AMOUR-AMITIÉ Dans le ciel, Vénus et Mars sont en Scorpion. Ces deux planètes font des aspects durs à Jupiter en Lion, à Uranus et à Neptune en Verseau. En principe, nous souhaitons tous passer des Fêtes dans la paix et l'harmonie, mais le ciel et ses symboles laissent supposer que des drames peuvent se produire à travers le monde. Cela aura malheureusement pour effet d'assombrir les Fêtes. Quelques grands événements qui, jusqu'à présent, réunissaient des foules pour Noël seront sans doute annulés. Et, finalement, Noël sera plus intime. Cela fera le bonheur d'un grand nombre d'entre vous. Il est fréquent d'entendre un Verseau dire qu'il a hâte que Noël soit passé ! Vous n'aimez pas les réunions obligatoires ni faire des cadeaux parce qu'il le faut ! Votre signe est l'antitradition. Cette année, vous apprécierez de vous retrouver avec votre amoureux, un ou deux parents, un ou deux amis !

FAMILLE Quelques planètes indiquent que vos pré-adolescents ou vos adolescents ne voudront pas rester tranquillement à la maison comme vous le voulez. Ils voudront fêter avec leurs amis. Si vous consentez à les laisser aller à des « partys », demandez-leur où ils vont. Si vous apprenez qu'il s'agit d'aller dans un « rave », de grâce, interdisez-lui. Les planètes en Scorpion dans le ciel, celles qui reçoivent plusieurs mauvais aspects, symbolisent la drogue ou l'alcool et même de la violence. Vos petits seront autour de vous et c'est bien heureux qu'il en soit ainsi. Au fond, ils n'ont besoin que de vous et de votre partenaire. Leur bonheur commence dans la famille où ils sont en sécurité, bien entourés et aimés. Si vous assistez à une réunion de famille et qu'un parent boive beaucoup, il risque de gâcher la fête. L'idéal cette année c'est la fête intime, la fête modérée !

SANTÉ Si vous buvez beaucoup, vous aurez des troubles de foie. Si vous buvez depuis longtemps, votre cœur donnera de sérieux signes de fatigue. Ce mois-ci, pour garder la forme, il faut se coucher tôt. L'emplacement des planètes vous donne le signal de ralentir afin de récupérer.

TRAVAIL-ARGENT En ce dernier mois de l'année, bien peu de gens prendront des vacances, et vous pas plus que les autres. Vous serez débordé de travail. Si vous avez une spécialité en informatique, vos services seront requis. Si vous faites de la réparation d'ordinateur, chez les clients, votre téléphone n'aura jamais autant sonné que ce mois-ci. Quelques utilisateurs pourraient être aux prises avec un virus, virtuel mais bien réel pour eux. Si vous êtes dans le domaine de la sécurité publique : garde de sécurité, policier, pompier, ambulancier, etc., vous serez occupé sans arrêt. Si vous travaillez à domicile, votre entreprise vous confiera de nouvelles tâches, des mandats plus complexes et plus importants à remplir. Si vous êtes dans la construction, plombier, électricien, réparateur en tout genre, vous n'aurez jamais de toute votre vie eu un mois de décembre comme celui-là ! Mais tout cela sera très payant ! Si vous cherchez un emploi, même en ce mois de décembre vous trouverez, surtout s'il s'agit d'un travail auprès du public, magasins, restaurants. Là où vous travaillerez, ce sera occupé.

CROYANCES Jusqu'au 8, vous aurez encore des prémonitions. Il serait bon que vous écriviez ce que vous percevez, que cela se passe à l'état d'éveil ou pendant votre sommeil. Dans quelques semaines, lorsque vous y jetterez un coup d'œil, vous vous apercevrez que vous avez vu exactement ce qui s'est passé ici, dans votre famille ou à l'autre bout du monde. Les planètes en Scorpion provoquent souvent des événements sociaux difficiles. Elles ont même un effet particulier sur vous, puisqu'elles vous font plonger au cœur de vous-même. Et ce vous-même se retrouve connecté à l'Univers.

QUI SERA LÀ ? Un Scorpion comprend très bien vos états intérieurs et il vous dit de ne pas lutter contre vos visions. Elles sont là et elles font partie de vous. Elles sont aussi sans danger pour vous. Un Lion a besoin de vos soins, encore une fois. Il s'agira d'un membre de votre famille, père ou mère. Vous êtes plus près d'un Sagittaire sur le plan des émotions, et vous avez avec lui un merveilleux échange de beaux sentiments. Un Poissons vous aime. Un Capricorne vous rassure et vous guide, mais il peut aussi vous conseiller de ralentir un de vos projets. Il a raison, écoutez-le jusqu'au bout. Un Gémeaux a des réactions étranges, il est très inquiet. Il vient vous voir pour être rassuré.

VERSEAU ASCENDANT BÉLIER

Vous êtes un signe d'air, uranien, et Uranus est explosif ! Votre ascendant est un signe de feu : Mars est un guerrier ! Si, dans un thème natal, ces deux planètes sont liées, il faut prévoir que le natif qui en est le porteur est prompt ! En ce qui vous concerne, vous possédez une grande part de cette description ! Le Verseau est un penseur, le Bélier réagit parfois avant d'avoir toutes les informations dont il a besoin. Il faudra retrouver votre côté penseur le plus rapidement possible, et éviter de vous mettre en colère contre les autres alors que vous ne connaissez pas la situation de A à Z ! Votre Soleil est dans le onzième signe de votre ascendant, mais il y a aussi Neptune et Uranus. Si Uranus veut bien dire toute la vérité, Neptune a tendance à faire des cachotteries ! Que et qui croire ? Soyez donc vigilant en face de ces gens qui affirment un tas de choses. Vous vous apercevrez qu'ils n'ont que très peu de connaissances du sujet en question.

De juillet 2001 à juillet 2002, vous êtes sous l'influence de Jupiter en Cancer, dans le sixième signe du vôtre et quatrième de votre ascendant. Cette association de maisons astrales vous rend très protecteur envers vos proches, vos parents et surtout vos enfants quel que soit leur âge. Vous pourriez vous mettre à craindre le manque d'argent. Vous aurez peur de perdre votre emploi alors que rien ne laisse présager un congédiement. Vous faites peut-être partie de ceux qui ont monté leur affaire, qui ont ouvert un commerce en début d'année ? Il est vrai que vous ne faites pas encore fortune ; vous voudriez déjà être au sommet, nager dans la réussite alors que logiquement, vous en êtes au début. Si vous vendez des produits utiles ou des services en lien direct avec l'entretien de la maison, ne vous inquiétez pas ! Vous atteindrez votre objectif dans quelque temps.

Si vous travaillez dans le domaine médical, vous serez débordé toute l'année. Si vous comptez vos heures supplémentaires, vous vous demanderez comment vous faites pour vous tenir debout ! La nature vous a donné une énorme énergie et une très grande résistance physique.

Si vous êtes célibataire, à partir d'août, vous serez plus ouvert à une rencontre, plus réceptif à l'amour. Si vous avez des enfants d'une précédente union, et avez la garde, durant les sept premiers mois de 2002, il sera facile de vous imaginer que l'amour vous est interdit. Mais, par bonheur, vous changerez d'avis en août. D'août 2002 à août 2003, vous serez chanceux et cela dans divers secteurs de votre vie, même dans les jeux de hasard !

VERSEAU ASCENDANT TAUREAU

Vous êtes un étrange mélange entre Uranus, l'indépendant, et Vénus, votre ascendant, qui ne peut et ne veut pas vivre sans amour ! Uranus prend la fuite et Vénus court après l'amour !

De juillet 2001 à juillet 2002, Jupiter est en Cancer dans le sixième signe du vôtre et le troisième de votre ascendant. Votre ascendant est le quatrième signe du vôtre et représente le besoin de vivre en famille, le besoin d'avoir un amoureux. Tout ceci fait de vous un être extrêmement complexe. Pourtant, lorsqu'on vous rencontre vous donnez une impression d'assurance et de stabilité.

Quand vous avez une famille, des enfants, même quand l'amoureux vous dit qu'il tient à vous, vous ne savez pas si c'est vraiment ce que vous voulez. Vous pourriez même vous arranger pour provoquer la dissolution de la famille, la fin de l'amour.

Il se trouvera bien quelqu'un pour vous empêcher de vous enfuir si jusqu'à présent vous avez trouvé mille raisons de ne plus aimer, de ne plus être aimé ! Il y a aussi la possibilité que vous rencontriez une personne ayant des enfants. N'allez surtout pas imaginer le pire dans une telle relation. Vous ne connaissez pas encore très bien cette personne, prenez le temps de la découvrir !

Pour plusieurs, il sera question de déménager, d'acheter leur première ou leur seconde maison. Si vous vendez, vous obtiendrez le prix demandé. S'il est question d'un achat, vous paierez beaucoup moins cher que vous ne l'aviez imaginé. Vous serez chanceux. Si vous habitez la ville, vous aurez envie de vivre l'expérience de la campagne. Si vous êtes de la campagne, inversement vous voudrez connaître la vie dans le béton !

Nombre d'entre vous auront la chance de retourner aux études. Votre entreprise a une haute opinion de vous et croit en vos talents, elle vous proposera des cours pour que vous soyez mieux informé et plus performant au travail.

D'autres s'initieront à un art, peinture, littérature, sculpture, etc.

Si vous êtes de ceux qui ont attendu que leurs enfants grandissent pour établir avec eux « une vraie » relation, les idées et les émotions qu'ils expriment pourraient bien être pour vous reprocher votre absence dans leur enfance. Devant leur franchise, il ne vous restera plus qu'à vous excuser de n'avoir pas été là !

D'août 2002 à août 2003, Jupiter est en Lion dans le quatrième signe de votre ascendant ; si votre relation de couple n'est plus heureuse depuis longtemps, vous choisirez la séparation. Si, par contre, vous avez retrouvé le bonheur, si vous êtes jeune et sans enfant, sans doute vous déciderez-vous pour un premier enfant, voire un second !

Sous Jupiter en Lion, si vous n'êtes pas heureux là où vous habitez, même si vous déménagez au cours de 2002, vous penserez déjà à un autre déménagement. En conclusion, tout bougera très vite pour vous en 2002. Votre destin peut être complètement différent de celui que vous aviez imaginé.

VERSEAU ASCENDANT GÉMEAUX

Vous êtes un double signe d'air. Vous êtes le spécialiste des communications ! Vous adorez parler ! Vous supportez mal la solitude, vous êtes né pour vivre avec et parmi les autres. Tout s'est amélioré dans votre vie en 2001, spécialement dans le domaine professionnel. Si vous étiez sans emploi, vous avez trouvé. En 2002, vous occupez de plus en plus de place dans votre milieu de travail.

Depuis juillet 2001 et jusqu'en juillet 2002, Jupiter est en Cancer dans le sixième signe du vôtre et le deuxième de votre ascendant. Cela signifie pour la majorité d'entre vous un accroissement de leur fortune ou du moins un bon emploi. Bref, de l'argent pour payer vos factures, pour bien vivre et pour offrir le maximum à vos enfants.

Sous Jupiter en Cancer, vous ferez sans doute quelques rénovations dans votre maison. Vous décorerez et vous y investirez quelques semaines de salaire !

Si vous êtes amoureux et sans enfant, votre partenaire et vous songerez à avoir un premier bébé, parfois un second mais plus rarement un troisième ! Sous l'influence de Jupiter en Cancer, bien que vous ayez beaucoup de travail, vous ne négligez pas pour autant votre famille. Vous vous en rapprochez. Vous prenez d'ailleurs conscience à quel point elle est importante et à quel point elle a changé votre destin. Si vous n'aviez eu ni amoureux ni enfant, vous n'auriez peut-être pas eu ces chances qui sont passées dans votre vie l'an dernier. Et vous en aurez encore en 2003.

Si vous avez un talent pour écrire, vous attendrez l'entrée de Jupiter en Lion en août pour commencer la rédaction de votre œuvre qui sera plus importante et plus populaire que vous ne l'imaginez maintenant.

Si vous êtes propriétaire d'un commerce, vous lui ferez de nombreuses modifications, surtout dans votre manière de servir le client. Nous sommes dans un monde compétitif et que le meilleur gagne ! Ce sera vous !

Jupiter en Lion vous parle de vos enfants qui grandissent. Vos pré-adolescents ou vos adolescents vous imitent plus que vous ne le croyez. Observez-les bien ! Vous vous rendrez compte que l'un d'eux a hérité de votre talent. L'autre pense plutôt comme votre partenaire. Si vous êtes célibataire, vous ne le serez pas très longtemps. La vie placera sur votre chemin une personne qui, sous de nombreux aspects, sans être pareille, ressemblera beaucoup à votre ex. Il est probable que cela vous effraie au début, mais l'attirance est telle que si vous tentez de vous en éloigner, vous commettrez une erreur. Ne passez pas à côté du bonheur. C'est de la mi-avril à la fin mai que vous vivrez vos changements majeurs, en affaires comme en amour. Tout s'annonce bien.

VERSEAU ASCENDANT CANCER

Uranus, qui régit votre signe, veut être logique en tout point et tout le temps ; mais la Lune à l'ascendant parle autrement. La Lune est symbole d'une tonne d'émotions qui souvent vous assaillent au moment où vous vous y attendez le moins. Sur votre ascendant, elle vous rend impressionnable, vulnérable et plus fragile. Votre Soleil est dans le huitième signe de votre ascendant. Il est rare qu'un Verseau-Cancer refuse la part Invisible, sur laquelle nous n'avons aucun contrôle. Le pire des Verseau-Cancer est celui qui décide de contrôler une foule, un groupe de gens et qui se comporte comme un gourou, comme s'il possédait la connaissance et la vérité. Naturellement, il adopte des croyances qui frôlent l'extrémisme. Avec votre Soleil dans le huitième signe de votre ascendant, l'ésotérisme, l'astrologie, la numérologie, etc., exercent un grand attrait sur vous. De nombreux Verseau-Cancer s'adonnent à l'un de ces arts d'interprétation. Leur but est généralement d'en appliquer les principes dans leur vie personnelle pour un mieux-être intérieur.

De juillet 2001 à juillet 2002, Jupiter est en Cancer dans le sixième signe du vôtre et il traverse votre ascendant. Cette position de Jupiter indique beaucoup de travail dans un milieu quasi familial. Vous travaillez, si ce n'est à plein temps, du moins à temps partiel, de chez vous.

Jupiter est un voyageur ; sous son influence dans le Cancer, vous ferez de nombreux déplacements pour votre entreprise actuelle. Vous êtes celui qui trace le chemin afin qu'il soit bien droit et sûr pour son patron. Vous avez un rôle d'éclaireur !

À partir d'août, Jupiter sera en Lion dans le septième signe du vôtre et deuxième de votre ascendant. Cela indique une augmentation de salaire, mais aussi des dépenses nécessaires pour la maison. Ce sera l'achat d'une propriété ou la vente avec bénéfices de celle que vous possédez. Sous Jupiter en Lion, votre partenaire prendra d'importantes décisions concernant sa carrière. Il veut et peut en changer et passera à l'action entre août 2002 et août 2003. Vous ne vous y opposerez pas. Il est aussi possible que votre amoureux se dirige vers un travail semblable au vôtre et, éventuellement, dans quelques années, vous serez partenaires.

VERSEAU ASCENDANT LION

Vous êtes né avec l'opposé de votre signe. Parmi vous, on compte de nombreux artistes et tout autant de gens d'affaires. Moitié, moitié ! Chez le premier l'idéal est dominant, chez l'autre le pouvoir est son but. Votre magnétisme est puissant, vous ne passez jamais inaperçu. Vous êtes original et souvent marginal.

De juillet 2001 à juillet 2002, Jupiter est en Cancer dans le sixième signe du vôtre et le douzième de votre ascendant. Il s'agit ici de deux maisons astrales opposées ou complémentaires. Jupiter en Cancer correspond par exemple à une œuvre qu'on prépare en sourdine, en silence, en coulisses et sur laquelle il vaut mieux ne pas trop en dire. L'expérience vous a déjà enseigné qu'il existe des voleurs d'idées.

Sous Jupiter en Cancer, plusieurs d'entre vous auront deux emplois. L'un ne sert qu'à mettre du pain sur la table et à payer les factures, en attendant d'avoir atteint votre objectif.

Si vous êtes dans le domaine des affaires, c'est plus complexe à cause de la fluctuation des marchés boursiers et des restrictions dans les entreprises. Il faut naviguer entre les problèmes et les résoudre le mieux possible au fur et à mesure qu'ils se présentent.

Si vous êtes en affaires et extrêmement ambitieux, au point de ne penser qu'à « sauver votre peau », si vous avez l'intention de vous servir dans la caisse de l'entreprise, votre faute ne restera pas impunie, même si on ne vous prend pas sur le fait.

À partir d'août 2002 et jusqu'en août 2003, Jupiter est en Lion, dans le septième signe du vôtre et sur votre ascendant. Cet aspect est favorable à celui qui a travaillé d'arrache-pied sur un projet personnel. Il obtiendra les fonds nécessaires pour lui donner forme.

Si, par contre, vous faites partie de ceux qui ont « trafiqué » des chiffres, Jupiter, symbole de justice, vous fera un procès. Jupiter ne supporte pas les malhonnêtetés ni les tricheries. Il oblige le natif à payer sa dette. Il vaut mieux choisir d'être populaire pour un bon coup que de faire la une des journaux à cause d'un scandale financier.

Sous votre signe et votre ascendant, il y a le Verseau-Lion parfaitement honnête et droit et l'autre qui pense pouvoir être au-dessus des lois et dont la morale est extrêmement élastique !

En tant que célibataire, lorsque Jupiter est en Lion en août, vous entrez en zone de rencontre. En principe, la personne qui vous plaira sera aussi magnétique que vous. Elle sera impossible à ignorer quand elle passe ! Vous pressentirez à quel moment vous avancer vers elle.

Si votre union est malheureuse depuis longtemps, à partir d'août, vous parlerez de rupture ou de la nécessité de vous éloigner de l'autre afin de faire le point sur vous-même. Pour certains, la séparation sera temporaire mais pour d'autres elle sera définitive.

VERSEAU ASCENDANT VIERGE

Vous êtes magnifiquement intelligent ! Grand organisateur, être méticuleux, vous êtes un mélange de l'originalité d'Uranus et de la tradition de Mercure, dans ce signe de terre qu'est la Vierge. Vous êtes un signe d'air et un signe de terre. Vous avez la fixité du Verseau puisqu'il est un signe fixe et la mobilité de la Vierge qui est un signe double.

En 2001 et jusqu'à la mi-juillet, vous êtes sous l'influence de Jupiter en Gémeaux. Vous avez pu commettre quelques erreurs, prendre des décisions hâtives, vous étiez trop sûr de vous. Finalement, les transformations réalisées ne vous ont pas rapporté ce que vous espériez.

De juillet 2001 à juillet 2002, vous êtes sous l'influence de Jupiter en Cancer, sixième signe du vôtre et onzième de votre ascendant. Jupiter en Cancer laisse présager de nombreux changements dans votre milieu de travail. Il peut s'agir d'un congédiement ou d'une rétrogradation à un poste que vous occupez à l'heure actuelle. Vous faites un recul professionnel, pas un coup de tête : ne quittez pas l'entreprise en claquant la porte. Vous pourriez avoir de la difficulté à en ouvrir une autre pendant des mois, que vous confondrez avec éternité !

Jupiter en Cancer vous invite à faire le bilan de vos actes et à corriger les fautes commises par emballement. Le vent d'Uranus exerce de fortes poussées pour que vous y changiez quelque chose !

Jupiter en Cancer ne laissera plus rien au hasard. Vous aurez un regard plus juste sur ce qu'il y a à faire et à ne pas faire.

Si vous êtes à votre compte et avez subi des pertes, vous récupérerez tout sous Jupiter en Cancer. Mais si vous vous entêtez à avoir raison alors qu'autour de vous les uns et les autres vous soufflent les bonnes réponses dans votre secteur professionnel, vous encaisserez de nouvelles pertes sous Jupiter en Lion à partir d'août. Montrez-vous attentif aux signaux qui vous avisent de revenir vers quelque chose que vous avez abandonné.

Mais il est aussi possible qu'entre août 2002 et août 2003 vous choisissiez de vous réaliser dans une autre domaine. Certains d'entre vous prendront des cours ou termineront des études qui leur permettront d'accéder à ce poste qu'ils désirent tant.

Si vous menez une lutte contre une entreprise qui n'a pas respecté vos droits, qui ne vous a pas payé ce qu'elle vous doit, cette bagarre sera longue et pénible. L'année 2002 en est une où il est nécessaire de réfléchir tant sur le plan de votre profession que dans votre vie intime. Vos enfants réclament votre présence et se plaignent de plus en plus de vos absences. Ils le manifestent de toutes les manières possibles et imaginables.

VERSEAU ASCENDANT BALANCE

Vous êtes un double signe d'air, une alliance entre Uranus et Vénus qui est aussi dans un signe d'air. Vous êtes l'amour en liberté ! Vous ne pouvez vivre ni subir de restrictions, d'interdictions. Si vous les acceptez un temps, vient toujours le moment où vous rejetez en bloc une union, une association qui ne vous rend plus heureux.

De juillet 2001 à juillet 2002, vous êtes sous l'influence de Jupiter en Cancer, dans le sixième signe du vôtre et le dixième de votre ascendant. En principe, au travail, tout se passe plutôt bien. Vous avez de plus en plus de responsabilités. Vous gagnez bien votre vie. De plus, vous faites partie de nouveaux projets qui, éventuellement, auront du succès. Matériellement, vous n'avez pas à vous inquiéter.

Pour vous, le plus difficile vient quand l'amour ne va pas ! Si votre partenaire et vous ne vous aimez plus comme aux premiers jours, vous risquez de vous retrouver seul. Rien de pire pour un Verseau-Balance que de rentrer dans une maison vide ! Rien de pire que de n'avoir pas d'amour à donner et à recevoir. Mais depuis l'entrée de Jupiter en Cancer, peut-être votre union se détériore-t-elle encore ? Les liens familiaux avec votre partenaire ont pu se brouiller, vous subissez constamment des reproches que vous ne méritez pas ? Vous ne voulez pas vous fâcher. Votre Vénus à l'ascendant préfère la paix à la guerre. Cependant, après les Fêtes, entre la mi-janvier et la fin février, si vous réussissez pas à rétablir un lien agréable avec l'autre, vous oserez lui parler de séparation. S'il refuse de changer quelques-unes des attitudes qui vous ont déjà suffisamment détruit, en mars, vous prendrez les dispositions qui s'imposent. Vous quitterez la maison ou vous exigerez que votre partenaire s'en aille. Les sept premiers mois de 2002 ne sont pas simples. Si vous avez des enfants, vous aurez quelques problèmes à régler avec eux. Ils auront besoin de vos attentions. Ils vous demanderont de l'argent ou seront, eux aussi, dans une étape de libération ! Cette dernière peut prendre des formes inattendues.

La santé d'un parent vous inquiétera lors du passage de Jupiter en Cancer. Votre mère âgée et malade, ou une tante, un oncle, requiert votre présence, vos visites à l'hôpital ; même si vous avez des frères et sœurs, vous serez probablement la seule personne de la famille à soutenir ce parent.

Consolez-vous, tout rentrera à nouveau dans l'ordre lorsque Jupiter sera en Lion à partir du mois d'août. Après une période de chaos, vous retrouverez le calme. Sans doute serez-vous très occupé par une adaptation à votre nouvelle vie.

VERSEAU ASCENDANT SCORPION

Votre Soleil est dans le quatrième signe de votre ascendant. Vous avez par rapport aux autres Verseau une mémoire phénoménale ! Vous êtes né de deux planètes lourdes, une association entre Uranus et Pluton. Vous ne prenez rien à légère. En fait, la vie elle-même s'occupe de vous compliquer les choses. Votre premier problème est souvent le genre d'éducation qu'on vous a transmis. On a voulu vous imposer une tradition familiale à laquelle vous résisterez toujours. Personne ne choisit à la place d'un Verseau-Scorpion. Vous prenez vos décisions et vous êtes conséquent. Vous avez le sens des responsabilités. Vous savez fort bien qu'accepter une direction c'est devoir refuser l'autre. Aussi, avant de vous lancer dans une aventure, une carrière, un amour, vous observez les pour et les contre longtemps. Mais une fois que vous entrez dans votre monde, vous y êtes entier. Il est alors difficile de trouver quelqu'un de plus fiable que vous !

De juillet 2001 à juillet 2002, Jupiter est en Cancer dans le neuvième signe de votre ascendant et sixième du Verseau. Il s'agit d'un mouvement d'études philosophiques, de voyages, non pas uniquement pour le plaisir. Si vous partez, c'est parce que vous avez quelque chose à apprendre, un enseignement à recevoir.

Certains d'entre vous sont peut-être revenus vers un métier qu'ils avaient quasi abandonné ; d'autres ont énormément progressé dans le domaine où ils sont engagés. Certains ont donné leur appui à la communauté dont ils font partie, ils ont fait du bénévolat, ils se sont portés au secours de gens dans le malheur. Le destin a multiplié les occasions pour que vous fassiez votre part. Il est à souhaiter que vous les ayez saisies.

D'août 2002 à août 2003, Jupiter est en Lion dans le septième signe du vôtre et le dixième de votre ascendant. Jupiter en Lion ainsi positionné indique la découverte de l'amour. L'amour se déclare enfin entre vous et l'autre, alors que vous étiez resté plutôt silencieux sur vos sentiments. Jupiter en Lion, c'est une autre étape professionnelle qui commence. Vous serez plus en vue et aurez, ainsi, une plus grande influence sur le développement d'événements déjà en cours. Quel que soit l'endroit où vous travaillez, vous serez celui vers qui on se tourne avant d'effectuer un changement. On sait que vous avez un bon jugement et que vous êtes juste. Jupiter en Lion peut tout de même vous annoncer une triste nouvelle, par exemple la maladie d'une personne à laquelle vous êtes attaché. Vous serez impuissant à la guérir, par contre votre présence sera réconfortante et rassurante. Vous inspirerez la vie, ce qui aidera le malade à lutter contre sa maladie !

VERSEAU ASCENDANT SAGITTAIRE

Vous ne tenez pas en place.Vous êtes né d'Uranus et de Jupiter. Il vous faut bouger, faire quelque chose et surtout voyager. Si vous ne partez pas, si vous ne prenez pas l'avion, si vous n'allez pas visiter d'autres pays, vous voyagez en imagination. Vous vous laissez transporter par vos plus belles pensées !

De juillet 2001 à juillet 2002, Jupiter est en Cancer dans le sixième signe du vôtre et le huitième de votre ascendant. Vous ne manquerez pas de travail, au contraire, vous serez même débordé.

Si vous êtes à contrat, aussitôt que l'un se terminera un autre commencera. Matériellement, vous n'avez pas à vous inquiéter, vous gagnerez de l'argent. Il est même possible que vous soyez chanceux à la loterie ! Intérieurement, vous vous questionnez beaucoup. Par exemple, si vous n'êtes pas heureux dans votre union, si vous restez à cause des enfants ou parce que ça ne serait pas mieux autrement, vous en aurez bientôt assez de vos hésitations. Vous procéderez à une séparation définitive.

Par contre, si votre amoureux travaille dans une ville et vous dans une autre, vous trouverez le temps long. Ces jours et ces semaines où vous vous retrouverez seront presque douloureux, tellement l'autre vous aura manqué. L'idée de devoir repartir chacun de votre côté vous rendra si inquiet qu'au fond, vous profiterez à peine de sa présence.

Jupiter en Cancer vous fait plonger dans l'excès émotionnel. Peut-être avez-vous aussi besoin de vivre toute cette intensité ? Vous l'avez retenue pendant si longtemps, certains n'avaient jamais connu cet état ! Puisqu'il faut tout goûter de cette vie, cette fois vous mangez de l'émotion !

Sous Jupiter en Cancer, une personne âgée est malade, il peut s'agir d'un membre de votre famille auquel vous êtes attaché. Un danger de mort plane sur cette personne. Ce sera le moment de prendre conscience de l'éternité ! Et revoici encore d'autres émotions !

Même si vos enfants vont bien, vous penserez à eux et à cette société dans laquelle ils vivent, à ce monde qui n'est guère pacifique. Vous les verrez forts et résistants à tout par moments puis, tout à coup, vous imaginerez le pire... que d'émotions encore !

Vous pourrez vous relaxer lorsque Jupiter fera son entrée dans le signe du Lion, en août. Il restera dans ce signe jusqu'en août 2003. Jupiter en Lion sera alors dans le neuvième signe de votre ascendant et septième du Verseau. Après vos états de souffrances, vous connaîtrez la béatitude, la paix et enfin beaucoup d'amour partagé et sans douleur, sans la crainte d'être quitté, confiant que cet amour est là pour durer et durer...

VERSEAU ASCENDANT CAPRICORNE

Vous êtes né d'Uranus et de Saturne. Vous vous êtes fait plus strict ces dernières années. Vous avez arrêté de vous amuser. Vos responsabilités sont devenues plus lourdes et parfois insupportables ou presque.

De juillet 2001 à juillet 2002, Jupiter est en Cancer dans le sixième signe du vôtre et le septième de votre ascendant. Si vous travaillez avec votre amoureux, comme cela arrive souvent sous ce signe et cet ascendant, des malentendus pourraient s'être glissés entre vous. Vous avez pris vos distances, vous êtes resté silencieux. Maintenant, votre partenaire veut savoir ce qui se passe en vous, mais vous êtes incapable d'exprimer ce flot d'émotions qui vous assaille. Jupiter en Cancer vous porte à vous replier sur vous-même, ce qui n'est pas une solution ! On ne vous devine pas et vous ne savez pas non plus ce que l'autre pense. Vivrez-vous sept mois sans échanger ? Ne pensez-vous pas que ce soit long ? Si vous avez une entreprise familiale et qu'un de vos enfants travaille avec vous, il est possible qu'il décide de vivre une nouvelle expérience. Il vous annonce qu'il quitte la compagnie. Vous ne pourrez, et vous savez, que vous ne devez pas le retenir. Il choisit sa vie comme vous avez choisi la vôtre.

Pour faire un retour sur votre union, un danger de séparation plane au-dessus de vous. Elle peut être évitée ; il vous suffit de vous ouvrir et de discuter de ce que vous aimeriez changer.

Si vous êtes célibataire, les sept premiers mois de l'année vous paraîtront excessivement longs. Vous aurez du mal à vivre votre solitude, mais vous aurez tout autant de mal à la quitter, à aller vers autrui. Il s'agit d'un important passage d'introspection et il faudra bien que vous trouviez quelques réponses.

À partir d'août et jusqu'en août 2003, Jupiter est en Lion face à votre signe et dans le huitième signe de votre ascendant. Si vous êtes dans le commerce, vous pourriez décider de vendre et d'acheter autre chose. Vous pourriez même décider d'en gérer un autre, malgré votre fatigue. Jupiter en Lion vous sert d'avis : il y a nécessité de vous reposer.

Sous Jupiter en Lion, il est possible que vous ayez à dépanner un de vos enfants qui traverse une période financière difficile. Si vous êtes un *baby boomer*, vous pourriez apprendre que vous devenez grand-parent. Cela vous donnera alors une perspective complètement différente de votre vie. Sous Jupiter en Lion, un vieil ami ou un parent âgé peut mourir. Vous vous poserez alors un tas de questions sur la valeur de la vie, sur la vie après la mort, mais surtout sur ce que vous faites de votre vie.

VERSEAU ASCENDANT VERSEAU

Double uranien, vous pouvez réaliser votre rêve ou vous contenter durant toute une vie de rêver à ce qu'elle pourrait être ! Vous avez toutes les audaces ou vous avez peur de tout. Vous aimez les gens ou vous les fuyez comme la peste. De quel côté êtes-vous : passif ou actif ?

De juillet 2001 à juillet 2002, Jupiter est en Cancer dans le sixième signe du vôtre et de votre ascendant. Vous serez accaparé par votre travail. Quand vous lèverez les yeux, ce sera pour vous apercevoir que vous manquez à votre partenaire et à vos enfants. Vous gagnerez de l'argent, vous pourrez en économiser même en ces temps de récession. Vous êtes un débrouillard, un économe et quelqu'un d'habile dans ses placements. Vous aurez beau réussir ce que vous entreprenez, vous risquez de vous ennuyer durant les sept premiers mois de l'année. Diversifiez vos intérêts, surtout si vous ne vivez pas avec et parmi les autres. L'uranien actif, s'il travaille beaucoup, trouvera du temps pour s'engager dans une œuvre qui vient en aide à des gens qui souffrent. Ils apprécieront aussi d'avoir une famille et de pouvoir la retrouver chaque jour. Ils mettront les pieds sur terre, parce qu'ils sont encore des êtres terrestres !

D'août 2002 à août 2003, Jupiter est en Lion dans le septième signe du vôtre et de votre ascendant. Si votre union n'est plus que tensions, sans doute prendrez-vous la décision de rompre et de vous donner une chance d'être heureux.

Si vous êtes seul depuis longtemps, le hasard vous mettra en face d'une personne extraordinaire. Vous aurez l'impression qu'on l'a créée pour vous, et ce sera vrai ! Jupiter en Lion vous poussera peut-être à prendre la décision de vendre votre maison et d'en acheter une autre. Vous pourriez par contre vouloir rénover de la cave au grenier celle que vous possédez déjà. Jupiter en Lion c'est votre appel vers la vie, vers votre pleine réalisation. Divers événements se produiront et agiront comme des signaux pour la direction à prendre si vous ne saviez quel chemin emprunter pour vous réaliser. Par exemple, un étudiant peut se demander quelle profession lui convient le mieux, la réponse lui viendra. Pour de nombreux Verseau-Verseau, Jupiter en Lion, c'est un recommencement heureux.

VERSEAU ASCENDANT POISSONS

Vous êtes né d'Uranus et de Neptune. Uranus connaît son identité et Neptune en cherche constamment une. Une partie de vous sait où elle va, l'autre se fie au destin. Uranus réalise, Neptune laisse le temps lui permettre de se réaliser. Vous n'êtes pas facile à comprendre ! D'ailleurs, êtes-vous capable de faire une description de vous-même ? Votre Soleil est dans le douzième signe de votre ascendant. Votre mission est de sauver le monde... Mais par où commencerez-vous ? Trouvez-vous la charge trop lourde ? Quel que soit le métier que vous ayez choisi, vous pratiquez la relation d'aide à l'intérieur de celui-ci. Comment ne pas s'émouvoir lorsque quelqu'un souffre ? Vous n'auriez pas le courage de vous éloigner et de le laisser pleurer seul. Vous aimez les enfants, tous les enfants du monde !

De juillet 2001 à juillet 2002, Jupiter est en Cancer dans le sixième signe du vôtre et le cinquième de votre ascendant. Sans doute vos enfants ont-ils la priorité. Jupiter en Cancer est le présage de beaucoup d'amour de la part de ceux que vous aimez et que vous aidez.

Si vous êtes célibataire, encore jeune ou en âge d'avoir un enfant, vous rencontrerez la perle rare qui voudra aussitôt fonder une famille avec vous. Vous reconnaîtrez votre joli cœur, vous aurez l'impression de l'avoir toujours connu. Si vous êtes déjà amoureux, vous passerez un temps extatique avec votre partenaire. Vous vous parlerez davantage. Vous vous révélerez l'un à l'autre comme vous ne l'aviez plus fait depuis longtemps. Si vous avez des enfants, l'un d'eux peut manifester un don musical hors du commun ou se révéler un génie mathématique.

D'ici juillet, il est possible que vous preniez soin d'un parent avec autant d'amour que si vous vous occupiez d'un enfant. À partir d'août jusqu'en août 2003, Jupiter est dans votre septième signe et le huitième de votre ascendant. Il laisse présager la mort d'une personne âgée, mais également un héritage. Une dispute au sujet de celle-ci peut éclater. Vous n'aurez qu'à compter sur le temps pour que tout s'arrange. Jupiter en Lion sera pour certains le moment de voir leurs grands enfants quitter le nid familial pour voler de leurs propres ailes.

Si vous êtes un *baby boomer*, vous pourriez aussi apprendre que vous deviendrez grand-parent. Au cours des 12 mois du passage de Jupiter en Lion, vous déciderez de déménager, surtout si vous habitez au même endroit depuis longtemps. Vous vendrez, vous aurez le prix demandé. Sans doute irez-vous vivre dans un endroit plus modeste, moins coûteux et dans un lieu où vous pourrez pratiquer plusieurs activités. Si vous êtes sur le marché du travail ou si vous y entrez, vous n'avez pas à vous inquiéter, il y a de la place pour vous. Jupiter en Lion vous donnera peut-être bien un coup de chance à la loterie, pourquoi pas ?

POISSONS

19 février au 20 mars

Merci à ma fille, MariSoleil Aubry, admirable, deux fois petite maman et de mon côté deux fois «mémé» de ses enfants aussi proches de mon cœur que MariSoleil l'est.

À mes amies, Lise Pascal, Christiane Chaillé et Béatrix Marik.

POISSONS

Vous êtes né de Neptune. Vous êtes le douzième signe du zodiaque. Vous êtes Un, mais également tous ceux qui vous précèdent. Vous transportez en vous une montagne de savoirs inconscients qui vous sont utiles dès que vous en avez besoin. Vous comprenez autrui, car vous avez franchi toutes leurs incarnations, mais le plus souvent vous demeurez un mystère pour les autres.

Les planètes de votre thème astral dans les signes et les maisons indiquent la direction terrestre que vous prendrez pour vous réaliser. Ces maisons astrales, occupées par des planètes, vous révèlent les leçons de vie à apprendre. Il est fréquent aussi de constater que vous attirez les signes où se trouvent vos planètes. Par exemple, si vous avez une ou des planètes en Taureau, en Bélier, en Capricorne, etc., les natifs de ces signes viendront vers vous plus que d'autres. La valeur de ces planètes et les maisons astrales qui les reçoivent vous indiqueront les rôles qu'elles joueront. Là où sont vos planètes sont les secteurs de vie, les temps de la vie et jusqu'où les gens peuvent abuser de vous !

En tant que douzième signe, vous êtes souvent victime de votre générosité. Vous donnez et donnez, tel Neptune, vous êtes sans limites. Certains puisent en vous jusqu'à ce que vous n'ayez plus rien à leur offrir. Un Poissons est rarement un être impitoyable. Quand il l'est, en tant qu'animal sous-marin, il sera chassé ou pris dans les filets d'un pêcheur, un jour ou l'autre.

PLANÈTES LOURDES

Depuis la fin de 1995, avec l'entrée de Pluton en Sagittaire, dixième signe du vôtre, vous vous défendez mieux, et principalement dans le secteur professionnel. Cependant, de nombreux changements ont pu se produire depuis ce temps. Peut-être êtes-vous allé d'un emploi à un autre ? Vous avez navigué dans l'insécurité et l'incertitude. Si vous êtes à contrat vous avez eu des périodes où vous étiez débordé mais d'autres où vous vous demandiez ce que vous alliez faire de vos jours !

Pluton va rester en Sagittaire jusqu'en janvier 2008. Pendant tout ce temps, vous diversifierez vos expériences professionnelles. Pluton représente l'ennemi qui s'acharne, mais, ainsi positionné en Sagittaire, l'ennemi n'a pas d'emprise sur vous. Il est facile à détecter ! Il ne peut se cacher. Selon le passage de certaines planètes, Pluton en Sagittaire se transformera en protecteur de vos intérêts.

Depuis 1998, Neptune est en Verseau, donc dans le signe qui vous précède. Neptune est en Verseau jusqu'au début de 2012. Il symbolise vos amis, mais plus précisément et en majorité des amis qui viendront vers vous pour être sauvés et secourus ! Le Verseau est un signe de raison et Neptune ne s'y sent pas à l'aise. Vous aimeriez pouvoir faire confiance à tout le monde, mais Neptune en Verseau le reste encore jusqu'en 2012 ; cela vous invite à la sélectivité. À défaut de quoi les parasites se succéderont pour vous prendre ce qui vous appartient, votre temps et même votre argent. Pour ajouter à la puissance de Neptune en Verseau, Uranus est dans ce signe et cette planète se fait persuasive ! Si je donne autant d'importance à Pluton et Neptune, c'est simplement pour vous dire de ne pas tomber dans le piège des nombreux manipulateurs qui vous approchent. Ils sentent que vous avez beaucoup de mal à dire non, dès qu'on se plaint ! Vous avez le cœur sur la main !

JUPITER EN CANCER

De juillet 2001 à juillet 2002, Jupiter est en Cancer, dans le cinquième signe du vôtre. Il symbolise votre maison intérieure, celle que vous habitez, vos enfants si vous êtes parent. Jupiter en Cancer, c'est aussi l'ensemble de votre famille. Que vous soyez homme ou femme, Jupiter en Cancer représente votre lien avec votre propre mère. Certains ascendants vous suggéreront de vous en détacher ; d'autres de vous rapprocher. Quel type de relation avez-vous avec elle en 2002 ? Jupiter en Cancer représente le lien avec vos petits-enfants, si vous êtes grand-parent. En principe, Jupiter en Cancer réunit ceux qui se sont séparés. Jupiter fait en sorte que vous regardiez vos proches tels qu'ils sont. Peut-être vous révélera-t-il l'importance du rôle que chacun joue dans votre vie, et celui que vous avez dans la leur. Jupiter en Cancer sera la découverte du grand amour pour certains d'entre vous, une grossesse pour une femme, la paternité pour un homme.

JUPITER EN LION

D'août 2002 à août 2003, Jupiter sera en Lion, dans le sixième signe du vôtre. Il s'agit bien sûr de la continuité des événements qui se sont produits sous Jupiter en Cancer. Jupiter en Lion n'apporte aucune cassure à ce qui a été solidement construit. Sous Jupiter en Lion, l'amour est presque une consécration, une plus grande et plus belle raison de vivre. Jupiter en Lion concerne aussi votre santé, votre bien-être. Certains se préoccuperont davantage de leur régime, ils feront de l'exercice. Jupiter en Lion excitera votre désir d'être plus en forme, à la fois pour vous, mais aussi étrange que cela puisse paraître, afin que vous puissiez mieux servir ceux qui vous entourent.

SATURNE EN GÉMEAUX

N'oubliez pas que Saturne est encore en Gémeaux, donc dans le quatrième signe du vôtre. C'est un peu comme si votre maison était ouverte à tout le monde. Il reprend aussi l'idée des gens qui s'imposent à vous, chez vous, et vous disent quoi faire de votre vie. Il est possible que ceux qui semblent en savoir plus long que vous soient plus âgés, mais cela ne signifie nullement qu'ils aient raison. Saturne en Gémeaux vous rend accueillant, mais c'est également comme si vous vous sentiez obligé de l'être. Saturne en Gémeaux représente aussi votre maison ou votre appartement. Vous avez constamment besoin d'y remettre de l'ordre. Pourtant, chaque fois que vous procédez à la décoration ou à une rénovation, vous n'arrivez pas à terminer. Voilà déjà qu'une autre pièce est à refaire. Même si sous Jupiter en Cancer vous faites le maximum pour être à l'aise, Saturne en Gémeaux continue de vous empêcher de terminer ce que vous commencez. Par exemple, si vous voulez déménager, alors que tout est presque au point, survient un événement contre lequel vous ne pouvez rien et qui contrarie vos plans.

Saturne en Gémeaux a aussi rapport avec votre père ou une figure paternelle : les hommes dans la vie d'une femme, le frère, le grand-oncle, un grand-père, un ex-amoureux, un ami, etc. Intérieurement, l'un de ceux-ci vous agace, mais vous ne savez comment lui dire. Lorsque vous n'en pouvez plus de retenir ces mots pour vous défendre contre l'un d'eux, ils n'ont rien de flatteur. Heureusement, sous Jupiter en Cancer, on oubliera facilement et on pardonnera votre colère. Saturne en Gémeaux a pour effet de dramatiser les contrariétés que nous vivons tous, un jour ou l'autre. En tant que parent, vous regardez vos enfants grandir. Vous avez peur pour eux en jetant un regard sur les nouvelles : ici, on parle de restrictions budgétaires, là de récession et plus loin c'est la guerre, « attack on America », etc. Tout cela provoque en vous d'énormes interrogations et une inquiétude dont vous parlez le moins possible, surtout à des enfants encore jeunes. Trop jeunes pour connaître l'ampleur des conflits qui se produisent çà et là sur la planète.

Malgré Saturne en Gémeaux, vous passerez à travers vos difficultés et vos lourds questionnements. Saturne, ainsi positionné, c'est une manière de vous faire savoir que vous portez parfois des jugements hâtifs sur vos proches, principalement sur les figures masculines, si vous êtes une femme. Même votre amoureux doit parfois souffrir de votre insécurité et de vos mécontentements, alors qu'il fait le maximum pour vous plaire. Vous menacez fréquemment de le sortir de votre vie, tout en lui envoyant le double message que vous ne pouvez vivre sans lui.

SATURNE EN GÉMEAUX ET LES HOMMES

Les hommes sous l'influence de Saturne en Gémeaux se méfient de leur patron. Ils subissent des restrictions budgétaires dans l'entreprise qui les emploie. Certains doivent accepter de faire moins d'heures pour sauvegarder leur travail. D'autres se lèvent en chef et manifestent contre les abus de pouvoir. Ceux qui ont de l'expérience peuvent organiser la révolte ou provoquer les employés non syndiqués à la joindre.

Pour les hommes, Saturne en Gémeaux concerne aussi sa propre famille qu'il a de la difficulté à garder unie. Les messieurs, qui ont vécu un divorce et n'ont pas la garde de leurs enfants, feront malheureusement intrusion dans la vie de leur ex « pour la déranger », la désorganiser ! Après bien des années de séparation, c'est comme si leur jalousie ou leurs regrets s'emparaient à nouveau d'eux.

D'autres Poissons peuvent aussi prendre la décision de couper tous les liens avec les enfants qu'ils ont eus d'une précédente conjointe. Ces tableaux ne sont pas roses, mais ils sont la réalité de vie de quelques messieurs nés sous le signe du Poissons.

Il est aussi possible que monsieur Poissons soit marié depuis bien des années quand, tout à coup, il s'aperçoit que sa conjointe s'éloigne de lui ou qu'elle n'a pas le moral. Il s'agit toujours d'une situation délicate, surtout lorsque la partenaire a du mal à s'ouvrir. Malgré les invitations au plaisir, au voyage, les cadeaux, rien ne semble la rapprocher. Tous les couples connaissent ces temps de réflexions, mais ces messieurs sont nombreux à être témoins des questionnements de leur conjointe.

Jupiter en Cancer permet par contre une ouverture et la possibilité d'un rapprochement important. Pour certains d'entre vous, Jupiter en Cancer vous met à l'abri d'une rupture.

Si vous êtes un nouveau papa, sous l'influence de Saturne en Gémeaux, vous voudrez rendre service, être plus présent près de ce bébé tout neuf, mais il est possible que vous soyez maladroit ! Sans vous en rendre compte, vous pourriez prendre la place de la mère. D'autres, au contraire, ne seront là que pour les moments faciles : quand bébé dort... Dans ce dernier cas, ne soyez pas étonné qu'on vous fasse la tête ! Il n'y a pas de mode d'emploi ni pour la maman ni pour le papa. Il n'y a que celui que vous inventez pour vous et ceux qui vous entourent au fur et à mesure que les jours passent. Au moins, étant sous l'influence de Jupiter en Cancer, ces messieurs réussissent à trouver des réponses à leur rôle de nouveau père. Ils trouvent plus facilement leur place au sein de la famille, qui ne sera plus jamais la même avec un bébé, le premier ou le deuxième...

JANVIER 2002

AMOUR-AMITIÉ Jusqu'au 19, Vénus est en Capricorne dans le onzième signe du vôtre. Si vous êtes célibataire, un ami peut vous présenter quelqu'un qui sera fait sur mesure pour vous ! Vous aurez des réticences au début, vous ne croirez pas à ce genre de rendez-vous arrangé. Mais dès que vous aurez aperçu cette personne, vous saurez que vous êtes fait pour vous entendre. Vous serez timide au départ, et sans doute avez-vous raison de l'être. Il vaut mieux se découvrir lentement plutôt que de se précipiter passionnément dans les bras l'un de l'autre !

Si vous menez une belle vie de couple, si vous êtes heureux, malgré les satisfactions que vous trouvez dans votre union, à partir du 19, sous l'influence de Mars en Bélier, les discussions au sujet du budget peuvent vous entraîner l'un et l'autre vers des prises de bec. Dans un couple, il y en a toujours un plus dépensier que l'autre !

Le 20, Vénus, Neptune et Mercure et Uranus sont en Verseau. Ce symbole d'amitié est moins fiable qu'à l'accoutumée sous votre ciel. Méfiez-vous d'un ami emprunteur, même si celui-ci fait partie de vos proches depuis longtemps. Prêter sous les présents aspects laisse présager qu'il faudra beaucoup de temps avant que vous soyez remboursé. Et puis, il y a toujours celui qui s'impose dans votre maison, justement le jour où vous êtes le plus débordé. Il vous faudra des paroles directes pour lui faire comprendre qu'il n'est pas le bienvenu ! Connaissances et amis ne semblent pas vous comprendre en ce mois de janvier. Le principal prétexte sera qu'on ne vous a pas vu pendant les Fêtes !

FAMILLE Avec Jupiter en Cancer dans le cinquième signe du vôtre, vos enfants occupent le premier plan. Si ce n'était pas le cas, à partir du 19, vous pouvez vous attendre à des problèmes, surtout avec ceux qui ont l'âge de vous répondre. Vos petits, de leur côté, par manque d'attention seront nerveux. Ils vous feront comprendre qu'ils ont besoin d'amour ! À partir du 19, un parent qui a l'habitude de poser des questions sur ce que vous possédez pourrait dépasser les limites. Bien que vous soyez conciliant, lorsqu'on entre un peu trop dans vos affaires personnelles, vos répliques ne sont pas tendres et ont de quoi faire réfléchir n'importe qui !

SANTÉ Vous serez assez nerveux en ce mois de janvier ! Les planètes en Verseau ont pour effet de créer de l'agacement. Celui-ci pourrait entraîner des réactions physiques : votre peau peut devenir sèche, elle piquera au point où vous ne saurez plus quoi faire pour stopper cette irritation. Même un médicament prescrit par votre médecin pourrait n'avoir aucun effet. Et si vous vous détendiez ? Il faut surveiller votre alimentation aussi. Il est possible que vous manquiez de protéines ou que vous ne les absorbiez pas comme d'habitude. Si vous avez de fréquentes baisses d'énergie, des faiblesses, passez une prise de sang. Assurez-vous de ne pas faire d'anémie.

TRAVAIL-ARGENT Comme bien des gens en ce premier mois de l'année, on a beau travailler, les factures à payer sont si élevées qu'il en reste trop peu, même après avoir bien calculé. Vous êtes sous l'influence de Jupiter en Cancer et vous ne manquerez de rien. Si vous êtes au travail, il est vrai que vous subirez des contrariétés, mais votre emploi est sauf. À partir du 19, si vous travaillez dans un domaine mécanique, voitures, camions, ou tout endroit où vous êtes en contact avec le métal, vous serez tout simplement débordé. Vous devrez faire des heures supplémentaires bien plus que dans le passé. Vous ne vous plaindrez pas d'un supplément de revenus. À la fin du mois, il est possible que l'entreprise qui vous emploie vous demande de travailler de la maison. Vous réfléchirez à l'offre. Vous ne l'accepterez pas sur-le-champ. Sans vous en rendre compte, vous ferez monter les enchères ! Et lorsqu'on reprendra la conversation, le salaire sera beaucoup plus élevé que celui proposé au départ !

CROYANCES Il y a parmi vous autant de fétichistes que de raisonneurs. Si vous faites partie des premiers, vous serez déçu que vos statues et vos incantations ne fassent pas pleuvoir des bénédictions sur vous ! Et si vous vous preniez pour un gourou, vous pouvez craindre les critiques qui ne tarderont pas. Étrangement, les plus raisonneurs ont une foi profonde qu'ils n'étalent pas. Ils sont discrets. Ils n'influencent personne. Ils ont le respect d'autrui.

QUI SERA LÀ ? Un Verseau que vous n'avez pas vu depuis longtemps arrive sans crier gare ! Un Taureau a besoin de vous, parce qu'il ne sait plus où il en est dans sa vie de couple. Vous vous abstiendrez de conseils que, de toute manière, vous lui avez déjà donnés mais qu'il n'a pas appliqués. Mais vous avez un autre ami Taureau avec qui vous vous entendez très bien. Un Scorpion vous agace et vous lui direz. Un Lion n'est pas le bienvenu. Un Capricorne a un geste généreux à votre égard. Un Cancer vous rassure.

FÉVRIER 2002

AMOUR-AMITIÉ Pour ce qui est de vos amis, avertissez-les d'attendre jusqu'au 13 pour commencer à vous rendre visite ou même à vous appeler. À partir de cette date, vous saurez vous libérer. Divers événements contrariants cesseront de vous accaparer. En tant que célibataire, à partir du 13, votre magnétisme sera considérablement plus puissant. Où que vous alliez et quoi que vous fassiez, on vous apercevra. On aura immédiatement envie de faire votre connaissance. Il n'est pas sûr que vous fassiez un choix ! Entre le 13 et le 24, si vous faites partie de la catégorie des Poissons qui trompent facilement leur partenaire, les occasions ne vont pas manquer. Vous aurez le choix entre l'aventure et la fidélité ! Sachez d'avance que rien ne reste caché dans ce monde ; tout se sait ! Il y a toujours un bavard quelque part dont le sport préféré est de raconter un secret qu'on lui a confié ! Si tout va bien dans votre couple, l'amoureux et vous sortirez davantage. Vous vous offrirez des petits repas au restaurant, des sorties au théâtre, au cinéma. Vous rattraperez le temps que parfois vous avez consacré à vos enfants pendant de longs mois en vous privant tous deux de cette intimité si nécessaire à ceux qui s'aiment et veulent s'aimer longtemps !

FAMILLE On ne se sépare jamais de ses enfants quand on en a. Même quand ils sont grands, même quand ils sont partis de la maison, vous continuez à vous informer de leur vie. Que font-ils ? Que deviennent-ils ? Sont-ils heureux ? Vous avez appris à prendre vos distances, mais ce fut souvent au prix de quelques nuits blanches et de multiples inquiétudes. Vous parlez souvent de vos grands avec détachement, quelle étrange couverture ! Pour les gens qui savent vous observer, vous êtes bien transparent. Si vos enfants sont des adultes et que l'un d'eux manifeste le désir de monter une affaire, vous lui donnerez un coup de main si vous avez quelques moyens financiers. Non seulement lui prêterez-vous de l'argent, mais vous l'aiderez à tirer des plans et à organiser les divers services de son entreprise. Si vos enfants sont pré-adolescents ou adolescents, l'un d'eux vous demandera un « joujou » du style chaîne stéréo, ordinateur, téléphone sans fil, etc., bref, un objet coûteux. Soyez vigilant ! Avant de lui faire cadeau de ce qu'il demande, questionnez-vous. N'a-t-il pas des corvées à faire régulièrement pour payer cet « instrument » qu'il veut à tout prix ? Avez-vous vraiment les moyens de lui offrir ce qu'il veut ? En tant que parent Poissons, il est facile de flancher !

SANTÉ Vous serez beaucoup plus énergique sous la pression de Mars en Bélier, en bon aspect à Pluton, et ce, jusqu'à plus de la moitié du mois. Vous retrouvez votre moral, votre combativité. Vous dormez mieux et surtout vous êtes moins inquiet que le mois dernier. Au milieu du mois, ne soulevez pas d'objets lourds sans aide. Le ciel indique une possibilité de blessure au dos. Si vous pratiquez un sport, soyez très prudent.

TRAVAIL-ARGENT Si le mois dernier, vous avez presque décidé de travailler à domicile, cette fois, vous prenez des arrangements pour le faire, et vous vous entendez sur le salaire à recevoir. Si vous êtes à contrat, l'un se termine et l'autre commence au début du mois. À partir du 13, si vous avez triché d'une manière quelconque dans l'entreprise, par exemple volé des idées que vous avez faites vôtres, vous serez démasqué. Si vous vous êtes disputé avec votre patron en voulant plus qu'il ne peut et ne veut vous donner, vous ne gagnerez pas cette lutte. Vénus dans votre signe fait un aspect dur à Pluton en Sagittaire, cela pénalise le Poissons qui manque de diplomatie, et surtout d'honnêteté. La pire période s'étend du 13 au 23. Si vous avez un esprit chicanier, vous ne gagnerez rien en vous querellant. Durant ces jours, dans votre milieu de travail, il faudra redoubler d'attentions, surtout si vous êtes au contact des éléments miniaturisés et délicats. Il suffirait d'une distraction pour vous attirer de gros problèmes. À partir du 20, si vous faites des placements, ne laissez rien au hasard. Ne confiez pas vos biens à de soi-disant connaisseurs ! Ça ne serait pas non plus le moment d'acheter ni même de vendre une propriété, des problèmes surviendraient.

CROYANCES À partir du 14, vous serez extrêmement intuitif. Vous devinerez les gens qui seront devant vous. Mais attention !, la raison est très présente. Il est possible qu'elle fausse quelques-unes de vos intuitions. Il faudra séparer le monde de l'observation et celui de la perception extrasensorielle ou allier harmonieusement les deux. Si vous faites partie d'un cercle religieux, vous serez tenté de convaincre d'autres gens d'adhérer à vos croyances ! Vous n'apprécierez pas qu'on vous écarte ou qu'on vous reconduise à la porte ! Si vous êtes désespéré, quelle qu'en soit la raison, vous êtes vulnérable. Il vous est alors plus facile d'entrer dans un mouvement ésotérique. Vous imaginez que vous y trouverez là toutes les réponses à vos questions. Regardez où vous mettez les pieds, surtout durant la deuxième moitié du mois.

QUI SERA LÀ ? Un Cancer est bon pour vous. Il vous offre un magnifique cadeau avant votre anniversaire, simplement pour vous dire qu'il apprécie que vous fassiez partie de sa vie. Un ami Capricorne vous comprend et vous soutient dans l'épreuve, tout comme il peut rire avec vous dans les bons moments. Un Gémeaux a besoin de votre appui, de vos encouragements, peut-être est-il un peu déprimé ? Un Sagittaire semble avoir toujours raison lorsqu'il vous parle, mais n'est-ce pas par manque d'assurance envers lui-même ?

MARS 2002

AMOUR-AMITIÉ Si vous êtes amoureux et menez une magnifique vie de couple avec des enfants mais que vous n'en voulez pas d'autres, du moins pour l'instant, sachez qu'au cours du mois de mars, il sera nécessaire d'utiliser des contraceptifs, surtout si vous avez déjà prouvé que vous étiez très fertiles tous les deux ! S'il y a de l'amour romantique ponctué d'amour physique, et d'un brin de passion, un gros oubli peut vous amener la visite de la cigogne dans neuf mois et ça ne sera pas sa faute ! Si vous êtes célibataire, vous sortirez davantage ce mois-ci. Vous n'en pouvez plus de rester seul. Vous appellerez vos amis qui se feront un plaisir de passer une soirée avec vous. C'est justement au cours de l'un de ces soupers entre copains qu'à la table voisine, une belle personne flirtera avec vous ! Au café, elle sera invitée à se joindre à votre groupe. Que croyez-vous qu'il se passera ? Elle vous suggérera de prendre rendez-vous pour un autre café ! Vos amis diront : « Et c'est ainsi qu'a commencé leur histoire d'amour ! »

FAMILLE Voici un mois très agréable dans l'ensemble. Vous reverrez de nombreux membres de votre famille. Les visites se succéderont. Elles seront courtes mais très plaisantes. On s'invitera à souper les uns les autres. Vos vendredis et samedis soirs seront probablement tous occupés. Jusqu'au 20, votre période anniversaire continue ; vous serez fêté plus que n'importe quelle autre année. Vous n'aurez jamais reçu autant de cadeaux. Il s'agira justement d'objets que vous désiriez ; en général des fantaisies que vous n'auriez pas osé vous offrir. Vous vivrez un temps beaucoup plus calme avec vos enfants quel que soit leur âge. En fait, n'est-ce pas parce que vous êtes vous-même plus en forme, reposé, calme ? Si vous faites partie de ceux qui cherchent une gardienne, vous n'aurez aucun mal à trouver ce mois-ci. Vous aurez affaire à une très bonne personne. Les femmes se sentiront comme des reines dans leur foyer et ces messieurs des rois !

SANTÉ Étant donné que Saturne est en Gémeaux, il faut faire attention à votre dos, à vos épaules et à vos coudes. Soyez vigilant lorsque vous soulevez des charges lourdes. Si vous sentez que vous allez au-delà de vos forces, arrêtez avant de vous blesser. Si vous suivez un régime afin de perdre du poids, vous aurez tendance à être trop strict avec vous, surtout durant la première moitié du mois. Inutile de vous faire souffrir pour ensuite tout lâcher !

TRAVAIL-ARGENT Si vous travaillez en communications, il y a du remue-ménage en vue. Un arrêt de travail qui ressemble de près à une grève est possible. Vous vous retrouverez au beau milieu de tout ça, sans l'avoir ni voulu ni cherché. Mais peut-être aviez-vous prévu que cela arriverait ? Étiez-vous préparé pour un autre travail ? Certains d'entre vous montent un projet en rentrant du travail le soir. Ils vont redoubler d'effort pour le mener à bien, puisque leur but est d'être à leur compte afin de ne dépendre que d'eux-mêmes ou presque. Si vous êtes déjà dans le commerce, si vous possédez deux magasins, sans doute songerez-vous à un troisième. Les produits que vous vendez ou les services que vous proposez sont offerts à des tarifs que les consommateurs peuvent encore se permettre. Saturne en Gémeaux dans votre ciel astral, quatrième signe du vôtre, laisse planer la possibilité d'une création d'entreprise familiale. Si elle existe déjà, vous y mettrez plus d'énergie. Votre participation et votre rôle aussi simple soit-il provoqueront une croissance inattendue.

CROYANCES Par hasard, vous assisterez à des débats théologiques ; vous les écouterez. Vous avez votre opinion là-dessus, mais vous la garderez pour vous-même. En réalité, la situation dans laquelle vous vous trouverez vous apprendra beaucoup sur ces gens qui discutent. Sans doute en conclurez-vous, sans le dire à qui que ce soit, que jamais vous ne ferez des affaires avec untel ou tel autre. Certains Poissons se parent de pouvoirs paranormaux, de connaissances ésotériques ou de Sagesse, mais si on regarde dans leur vie privée le manque d'harmonie est flagrant. Il est alors nécessaire d'avoir du recul. On ne peut pas donner ce qu'on ne possède pas. On ne peut pas enseigner ce qu'on ne peut pas appliquer soi-même dans sa vie !

QUI SERA LÀ ? Une Balance peut vous induire en erreur au sujet d'une décision d'affaires. Un Bélier vous écoute, mais doute de ce que vous lui dites. Il est prudent. Évitez de vous mesurer avec un Scorpion. Il ne change pas d'avis facilement. Un Taureau amical a un geste spontanément généreux envers vous. Un Gémeaux vous apporte de l'aide, surtout si vous êtes fatigué. Un Cancer ou un Capricorne peut tomber amoureux de vous. Un Lion vous écoute, mais il vous laisse prendre toutes vos décisions.

AVRIL 2002

AMOUR-AMITIÉ Jusqu'au 13, si un couple d'amis que vous connaissez bien se dispute, restez en dehors. Laissez ces personnes régler leurs problèmes entre elles !

On essaiera de vous prendre à témoin, afin d'avoir votre approbation, quelle que soit la situation ce serait une erreur ! D'abord ni l'un ni l'autre de vos amis ne sont vous ni ne pensent comme vous. Ne suggérez aucun règlement. Après coup, cela pourrait se retourner contre vous. C'est le genre d'histoire dont vous n'avez pas besoin. Il est possible que votre amoureux soit obligé de voyager pour le travail. Mais peut-être est-ce vous qui vous éloignerez. N'oubliez pas que vous pouvez téléphoner tous les soirs, où que vous soyez ! À partir du 14, vous verrez davantage une famille avec laquelle vous vous êtes lié d'amitié ; vos enfants et les leurs s'entendent bien. Vous vous recevrez plus souvent. À partir du 23, si vous avez envie de déménager, vous en reparlerez avec l'amoureux, il ne sera peut-être pas d'accord avec cette idée. Étant donné que Saturne est en Gémeaux, le moment sera mal choisi pour changer de maison, de quartier. Vous vous retrouveriez dans un lieu que vous regretteriez d'avoir choisi. Vous avez un ange gardien, essayez donc de l'écouter un peu plus en ce moment, surtout à la fin du mois.

FAMILLE Si vous êtes grand-parent, si vos enfants vous inquiètent, il est possible que vous fassiez intrusion dans leur vie. Vous avez l'intention de les aider alors qu'ils n'ont rien demandé ! Attention, si vous arrivez chez vos enfants sans y être invité, il est possible que vous n'arriviez pas au bon moment. Ils ont des choses à régler entre eux, et sans vous. À partir du 14, si vous avez un frère, une sœur ou un autre parent d'à peu près votre âge, il ne cesse de faire des demandes de toutes sortes. Vous toucherez les limites de votre patience avec lui, et, malheureusement, comme on ne vous aura pas compris assez vite, à la fin du mois, vous déciderez qu'un éloignement temporaire est nécessaire pour le bien de tous. S'il est question d'acheter une voiture neuve ou d'occasion pour véhiculer la famille, les enfants, etc., il serait préférable de reporter cet achat au mois de juin.

SANTÉ Vous aurez quelques petites brûlures d'estomac qui surviendront sans avertissement au milieu du mois. Elles sont, en général, dues à un surplus d'acidité, conséquence d'un trop grand stress subi au début du mois. Si vous pratiquez un sport, protégez vos genoux et votre tête. Lorsque vous montez des marches, n'en montez pas trois à la fois, vous pourriez perdre l'équilibre. Si vous avez déjà des problèmes d'os, il est possible que vos douleurs s'accentuent à partir du 14. Si elles deviennent intolérables, ne jouez pas au héros et voyez votre médecin.

TRAVAIL-ARGENT Si vous êtes dans le domaine des affaires et plus précisément de l'administration, à partir du 14, vous devrez repenser toutes vos décisions, deux ou trois fois au moins. Peut-être avez-vous fait de mauvais calculs ? Votre perspective a pu être faussée par de mauvaises informations. Il faut prévoir que les consommateurs seront moins pressés d'acheter à partir de cette dernière date. Les conflits dans le monde risquent de s'accentuer et les acheteurs se feront moins nombreux, moins empressés. Ils seront à la recherche d'aubaines. Si c'est ce que vous avez à leur offrir, vous conserverez votre clientèle. Les produits de luxe ne seront pas très populaires. Par contre, si vous travaillez en pharmacie, vous serez débordé par les demandes. Si vous avez vous-même un budget serré, vous le resserrez encore plus, au milieu du mois. Vous subirez comme tous la pression sociale et la récession. Si vous avez un emploi qui n'est pas garanti, si vous travaillez à contrat, vous aurez sans doute moins d'engagements. La demande la plus populaire concernera la rénovation des maisons. De nombreux propriétaires voudront consolider leur propriété. Un risque d'augmentation de vols flotte dans l'air. De nombreuses personnes choisiront de se protéger. Si vous travaillez dans l'installation de systèmes d'alarme vous serez très en demande. Il y aura également de l'embauche du côté des informaticiens spécialisés en pirateries Internet ! De grandes entreprises auront besoin de leur police privée pour protéger leurs ordinateurs et surtout leur contenu.

CROYANCES Certains d'entre vous acceptent le dénuement, le dépouillement par conviction. En principe, si ces gens travaillent, ils devraient donner leur salaire à des bonnes œuvres et ne garder que l'essentiel. Mais certains Poissons se disent détachés parce qu'ils ont perdu le courage d'aller de l'avant. Ils se réfugient souvent dans la prière, mais cette prière n'est accompagnée d'aucune action, d'aucun geste généreux. Puis, il y a les Poissons riches qui invitent les autres à donner, mais qui ne sortent pas un sou de leur poche... À quelle catégorie appartenez-vous ? Quand vous aurez répondu, vous saurez de quelle foi vous êtes habité ! Si vous pensez que vous êtes missionnaire, comme le suggère votre signe, envers qui avez-vous été généreux ces temps derniers ? Ce ne sont quand même pas les bonnes œuvres qui manquent !

QUI SERA LÀ ? Un Gémeaux vous sert de garde-fou et vous dit clairement où vous en êtes. Il arrive que vous soyez aveugle à vous-même et que vous vouliez plus que vous n'avez besoin. Si vous avez un ami Taureau qui ne cesse de se disputer avec ceux qui l'entourent et qui se plaint constamment auprès de vous, pour votre paix, dites-lui de régler ses problèmes et de revenir après. Mais vous avez aussi affaire à des Taureau solides, ils seront auprès de vous quand vous aurez besoin d'eux, vous êtes là quand ils ont besoin de vous. Un Verseau vous paraît étrange. Si un Bélier s'introduit effrontément chez vous, il est mis à la porte. Il y a des possibilités d'amour avec un Cancer, un Scorpion ou un Capricorne. Malade ? Une Balance prend soin de vous.

MAI 2002

AMOUR-AMITIÉ Nous voici avec un ciel couvert de planètes en Gémeaux dans le quatrième signe du vôtre. Cela concerne le bien-être de votre famille, de votre partenaire, de vos amis ; bref tout monde y passe ce mois-ci. Il est possible que vous receviez un ami pendant presque tout le mois. Il a des problèmes financiers ou amoureux, ou il n'est pas en bonne santé. Il n'est pas non plus certain que votre décision plaise à votre partenaire, surtout si vous ne vivez pas dans un grand appartement ou une grande maison. Mais vous aurez du mal à résister à la demande qui vous est faite. Attention ! Saturne en Gémeaux tend à vous faire répéter des gestes de cette nature. Si vous avez des problèmes de couple, ou que vous n'avez pas remarqué que votre partenaire n'est pas aussi bien à vos côtés qu'autrefois, il pourrait vous annoncer qu'il s'en va pendant quelques semaines. Il ira chez un parent ou un ami. Il lui faut le temps de repenser votre union, de se retrouver avec lui-même, par rapport à vous. Ces planètes en Gémeaux laissent supposer qu'un parent que vous affectionnez tombe malade. Vous en serez bouleversé même si vous étiez préparé à cette éventualité étant donné son âge avancé. Ces planètes en Gémeaux concernent un frère ou une sœur qui peut vivre une épreuve physique, morale ou sentimentale. Vous aurez besoin d'en causer avec vos meilleurs amis, car vous vous sentirez impuissant. Vous ne pouvez l'épargner de l'épreuve ou de l'obstacle. Vous n'y êtes pour rien. Voir quelqu'un qu'on aime, son partenaire, un frère, une sœur, son père, sa mère, sa grand-mère, etc., traverser une zone sombre n'a rien de drôle. Pendant ce temps, ne vous isolez pas. C'est le moment de rejoindre les plus précieux de vos amis, les vrais.

FAMILLE La question de la famille revient sur le devant de la scène en ce mois de mai. Si vos enfants sont petits, lorsque vous sortirez avec eux, ne serait-ce qu'à l'épicerie pour faire vos courses, ayez-les à l'œil. Ils ont tendance à s'égarer dans les allées ! Il y a peu de risques que vous les perdiez, mais les entendre hurler vous arracherait le cœur pendant quelques minutes. Vous êtes hypersensible ce mois-ci. Vos pré-adolescents et vos adolescents pourraient avoir des amis douteux ou pas très honnêtes. Ayez une conversation dans le « blanc des yeux » avec eux. C'est à la fois pour vous rassurer, mais surtout pour eux. Ce mois touche beaucoup les enfants du secondaire et du cégep, des manifestations étudiantes peuvent éclater et les vôtres pourraient en faire partie. Dès le début du mois, demandez-leur de s'éloigner en cas de violence. Personne n'a à subir une blessure quelconque de la part de qui que ce soit. Il est à souhaiter que tout ceci soit évité. Mais avec ces planètes en Gémeaux qui font des aspects durs à votre signe, il vaut mieux prévenir que guérir. Si vous avez reçu un ami dans votre famille, malgré son bon désir de se faire le plus invisible possible, il pourrait déranger et désorganiser l'ordre établi et les habitudes. En fait il perturbera la routine familiale qui s'installe malgré soi dans une maison où surtout plusieurs personnes habitent.

SANTÉ Un système nerveux irrité, une déprime légère à cause d'une fatigue accumulée, un estomac qui digère mal, des difficultés respiratoires causées par le stress, voilà tout ce qui peut vous attendre. Le plus souvent, le mal sera passager, le temps de faire diminuer l'angoisse ou l'anxiété et le temps aussi que tout revienne en ordre.

TRAVAIL-ARGENT Financièrement, vous êtes béni par Jupiter en Cancer. Votre famille ne manque de rien. Tout arrive toujours à point, vos factures sont payées, vous pouvez faire votre épicerie, et il vous en reste assez pour quelques surprises pour vos enfants, pour les habiller si nécessaire. Cependant, il faut tout de même vous attendre à quelques changements administratifs dans l'entreprise qui vous emploie. Ce mois est à la fusion. Peut-être ne s'agit-il que d'un changement de nom de la société ! Les gens les plus occupés seront ceux qui feront des réparations, de la construction, des rénovations. Les informaticiens seront aussi en demande, comme si tout à coup il y avait un « boum » du e-commerce (par Internet) ! On modernise encore ce réseau, et c'est ainsi qu'on a besoin çà et là de professeurs pour initier des utilisateurs à une autre technologie. Tel que mentionné précédemment, il est maintenant nécessaire d'avoir une police Internet. Si vous travaillez dans le monde médical, celui de la pharmacie, vous ferez sans doute beaucoup d'heures supplémentaire. Certains, après une période de retraite non désirée, seront rappelés.

CROYANCES Ce mois est sans doute assez alarmant pour éveiller les consciences endormies. Nous devons reconnaître que nous sommes tous sur la même planète et plus à l'étroit que nous avions bien voulu l'imaginer. Sous chacun des signes du zodiaque, il y a le donnant et celui qui profite des autres. Mais ici le donnant peut se faire exploiter. Il ne faudrait pas croire tout ce qu'on vous dit au sujet de vous-même. Qui donc vous connaît le mieux, celui qui est devant vous ou vous-même ? Méfiez-vous des pseudo-psy, souvent des thérapeutes qui ont obtenu une formation et un diplôme en quelques semaines. Ils semblent vous connaître par quelques signes évidents. Même chose lorsque vous consultez un astrologue ou un clairvoyant. Vous êtes si sensible qu'il vaudrait mieux attendre juin si vous sentez vraiment le besoin de consulter quelqu'un.

QUI SERA LÀ ? Vous avez besoin d'être entouré de tous les signes positifs du zodiaque que vous connaissez en ce mois de mai. Un Lion vous rassure. Un Gémeaux ressent ce que vous ressentirez et peut ainsi sympathiser avec vous. Éloignez-vous d'un Taureau qui ne parle que d'argent et qui passe son temps à craindre pour son avenir. Un Cancer est amoureux. Un Scorpion prend soin de vous. Un Sagittaire vous donne un coup de main, sans rien demander en retour. Un Capricorne est plus démonstratif et affectueux que jamais.

JUIN 2002

AMOUR-AMITIÉ Ce sera beaucoup plus calme ce mois-ci. Vénus est en Cancer jusqu'au 14, Mars et Jupiter sont dans ce signe aussi et tout ce monde est dans le cinquième du vôtre. Vous traverserez une zone plus calme, plus douce. Si des tensions préexistent avec votre partenaire, elles se calment. Vous réussissez à vous parler. Cette fois ni l'un ni l'autre n'élève le ton. L'agressivité a disparu, a fondu comme neige au soleil. Si vous êtes célibataire, et prêt à accueillir l'amour, il sera droit devant vous. Il s'offrira gracieusement, gentiment, délicatement. Vous reconnaîtrez l'amour par sa simplicité, par le non-verbal, par ce que vous ressentirez de l'autre. Peu après la rencontre, il vous dira ce qu'il a vécu en vous apercevant. Tout ira si vite... mais si doucement ! Pour ce qui est des amis, s'il y a eu de la bisbille, tout s'arrange une fois de plus. Qui de mieux qu'un Poissons pour pardonner un comportement malin. Si jamais votre partenaire s'était éloigné de vous afin de réfléchir sur votre couple, sans doute reviendra-t-il !

FAMILLE Voilà un mois où de nombreux parents se questionneront au sujet des vacances de leurs enfants, de la gardienne qui a, elle aussi, besoin de congé. S'éloignera-t-on de la ville ? Irons-nous à l'étranger ? Peu de gens le feront cette année. Louerez-vous un chalet sur le bord de l'eau ou ferez-vous régulièrement des pique-niques avec les enfants ? En fait, un tas de questions se posent et vous n'aurez pas de réponse au début du mois, du moins pas avant le 15. Si vous faites partie des futures mamans ou futurs papas, vous êtes nerveux. Vous préparez la maison chaque fois que vous avez du temps libre ; vous déplacez les meubles sans cesse. Il ne serait pas étonnant que vous repeigniez une pièce d'une couleur pour ensuite changer d'avis ! Vous achetez et vous cherchez les aubaines. D'ailleurs, bien peu peuvent se permettre des largesses et des luxes en ces temps difficiles. Si vous faites partie des *baby boomers*, il est possible que vous appreniez que vous allez devenir grand-parent. Pour certains, ce sera plus tôt qu'ils ne l'auraient cru. Il y a dans ce ciel de juin un beau rapprochement familial. Peut-être y a-t-il eu un décès qui a attristé chacun de vous ? Voilà qu'ensemble, on s'en guérit.

SANTÉ La nervosité excessive du mois dernier est du passé. Ces petits troubles qui vous accablaient disparaissent les uns après les autres. Vous êtes énergique. Vous retrouvez aussi votre goût et votre plaisir de vivre avec les autres et vos proches, que vous n'aurez plus envie de fuir comme ce fut peut-être le cas le mois dernier.

TRAVAIL-ARGENT Le ciel de mai a été « à l'envers », ce qui m'a rappelé celui du verglas ! Il y a eu des désordres dans plusieurs entreprises, la plupart en liens directs avec les communications modernes. Il s'agissait aussi d'entreprises utilisant des appareils de haute technologie. Mais voilà, tous se sont retroussé les manches ; les choses reprennent leur place. On repart gagner sa vie comme on le faisait avant, cependant subsistent encore quelques craintes de fusions d'entreprises ou des troubles mécaniques. Au fond, vous êtes chanceux, toujours protégé par Jupiter en Cancer, le travail ne manque pas. Vos compétences sont en demande. Votre popularité ne cesse d'augmenter dans votre milieu. De nombreux Poissons sont devenus des chefs pour leurs collègues grâce à leurs initiatives. Certains ont peut-être lutté pour faire valoir leurs droits et ceux des autres ; ils ont gagné la bataille. Si vous faites partie de ceux qui cherchent un emploi, vous trouverez facilement en ce mois, que vous soyez interprète, traducteur ou mécanicien. En tant que propriétaire d'un commerce, si vous avez vécu une baisse de clientèle le mois dernier, elle vous revient, fort heureuse que vous soyez là pour la recevoir.

CROYANCES Qui de nous n'a pas de périodes difficiles où il devient plus compliqué de croire en un Dieu au-dessus de nous ? Qui n'a pas douté ? On se sent abandonné pendant les moments difficiles. Mais en ce mois où vous êtes à nouveau capable de simplifier la vie, les faits, les événements, vous êtes lucide. Sans doute votre foi a-t-elle pris un chemin plus droit. Vous y avez perdu vos fétiches, vos amulettes, vous vous rendez compte que vous êtes le porteur de la vie. Personne ne porte votre vie à votre place. Vous transposez sur ceux qui vous entourent ce que vous êtes au plus profond de vous-même. Que vous soyez le bon parent, le bon voisin, être bon pour autrui, voilà la seule et vraie raison d'Être.

QUI SERA LÀ? Un Lion avec qui vous pouvez parler plus calmement. Un Cancer est amoureux. Un Capricorne est protecteur et affectueux. Un Scorpion veille sur vous et vous aide dès que vous le lui demandez. Un Taureau aimable est sur le point de faire des affaires avec vous. Vous trouvez sympathique un Verseau que vous ne comprenez pas tout à fait. Un vieil ami Gémeaux ne vous lâche jamais la main et partage avec vous le meilleur tout autant qu'il a pu supporter le pire. Vous pouvez à nouveau faire la paix avec un Sagittaire, à moins de l'éloigner plutôt que de vous quereller. Dans ce cas, vous vous en tenez à un banal échange de politesses.

JUILLET 2002

AMOUR-AMITIÉ C'est le dernier mois où Jupiter est en Cancer dans le cinquième signe du vôtre. Vous serez sans doute moins inquiet au sujet de vos enfants, surtout les petits. Vous avez appris à faire confiance à l'amour que l'autre vous portait, même s'il n'a pas toujours été tout à fait ce que vous attendiez ni désiriez. Mais l'amoureux est encore là à vos côtés, prêt à relever tous les défis qui se présenteront. À deux, on est plus fort! À deux, on se protège. On prend la relève, on se bichonne mutuellement. C'est ensemble qu'on prend soin des enfants. Toutes les responsabilités ne vous incombent pas! Au cours des sept premiers mois de 2002, un grand nombre de Poissons ont dû apprendre à se laisser aimer sans craindre une seule minute l'abandon. En vous, subsiste toujours l'ombre de la solitude. Vous faites semblant de bien la supporter mais, au fond, vous la détestez. Si vous êtes encore célibataire, ne désespérez pas. Le mois de juillet n'interdit aucune nouvelle rencontre. Au contraire, il précipite l'amour. Il vous somme de le prendre pendant qu'il s'offre, qu'il se donne à vous. Sortez, acceptez toutes les invitations aux fêtes où vous serez convié. Il est là quelque part ce célibataire qui, comme vous, attend qu'on le cueille comme une rose. Ni lui ni elle n'offrira la moindre résistance. On flanche sous votre charme. On aura envie de se laisser aimer, si vous êtes prêt à donner. Dites-vous qu'en tant que Poissons vous ne recevrez qu'après avoir donné! Pas avant! Cela fait partie de votre nature qu'il est quasi impossible à changer. En tant que douzième signe du zodiaque, vous incarnez le don de vous-même, mais cela ne vous empêche nullement de recevoir, à moins que vous-même dressiez des obstacles.

FAMILLE C'est le mois des grandes vacances en famille. Plus que par les années passées, vous vous rendrez visite les uns et les autres, comme s'il fallait maintenant se rapprocher, comme si vous aviez grandi en Sagesse. Que vous ayez 20, 30, 40, 50, 60 ans et plus, il n'y a pas d'âge pour comprendre l'importance de la paix, et spécialement entre ceux qui en général ont des liens « tissés serrés ». De toute manière, sous votre signe, on ne se sépare jamais de qui que ce soit. Vous pouvez le faire en mots, cesser de visiter l'un, faire abstraction de l'autre, qu'importe le geste, votre âme aimera pour toujours. Surtout si elle a aimé quelqu'un ne serait-ce qu'une seconde. Et qui que ce soit que vous ayez devant vous, vous êtes un être aimant et donnant... Par la suite, il est impossible de retirer de vous votre don et votre amour d'autrui.

SANTÉ À partir du 11, si vous avez des maux de ventre à répétition, les mêmes que dans le passé, de grâce, voyez un médecin. Jusqu'à la fin du mois, vous serez sous l'influence de Vénus en Vierge face à votre signe. Vers la fin de juillet, cela fera un aspect dur à Saturne. Si vous ne soignez pas la récidive d'un mal connu, vous risquez de devoir suivre de nombreux et désagréables examens et une série de traitements ! À partir du 11, lorsque vous ferez cuire de la viande, assurez-vous qu'elle soit à point ! Il n'est pas question ici d'un empoisonnement mais cela pourrait créer quelques inconforts !

TRAVAIL-ARGENT Vous êtes assurément plus optimiste en songeant à votre gagne-pain ! Par exemple, si vous n'avez pas d'emploi, vous commencez à explorer sérieusement le domaine qui vous conviendrait le mieux. Celui où vous pourriez vous réaliser comme vous l'avez toujours désiré. Nombreux sont ceux qui songeront à retourner aux études afin de terminer un cours ou pour obtenir une formation dans un secteur auquel ils pensent depuis déjà plusieurs mois. Il est possible qu'au milieu de juillet, vous preniez des renseignements à ce sujet, mais d'autres s'inscriront. Après vos vacances, si vous retournez au boulot, vous constaterez que des changements se sont produits en votre absence. Fort heureusement, il s'agira de plus de confort... Le but étant qu'en tant qu'employé, vous produisiez encore mieux ! L'entreprise veille sur votre santé. On a besoin de vous ! Ce qui a été entrepris en début d'année concernant un commerce, un projet mis en marche, est synonyme de plusieurs bonnes nouvelles à la fin du mois.

CROYANCES Vous croiserez quelques menteurs. Ou plutôt vous considérez qu'il s'agira de gens qui exagèrent leurs connaissances ! Ils sont mal tombés. Vous êtes informé et leur fantaisie paranormale et ésotérique ne pèsera pas lourd dans la balance de votre logique. Il y a bien sûr des phénomènes auxquels vous accordez foi, mais pas tous. Vous ferez sans doute de nombreux rêves prémonitoires au cours du mois. Vous verrez des événements futurs avant qu'ils se produisent !

QUI SERA LÀ ? Une Vierge aimable et une autre menteuse sont dans les parages ! Une Balance est crédible et une autre essaie de vous impressionner avec son pseudo-savoir. À partir du 21, un Scorpion voit venir vers vous un manipulateur, il vous en avertit et vous en protège. Un autre Poissons peut vivre une épreuve et vous l'épaulez. Vous osez répondre à un Bélier, même si celui-ci est votre supérieur hiérarchique. Il se trompe et vous en avez la preuve ! Vous connaissez l'amour avec un Sagittaire, avec un Lion ou un Gémeaux ! Ce sera particulier, très spécial et cela dès le début.

AOÛT 2002

AMOUR-AMITIÉ Voici que Jupiter est en Lion dans le sixième signe du vôtre. Au départ, si vous êtes un donnant, Jupiter en Lion vous donnera la sensation de ne pas en faire assez, particulièrement en ce mois où la présence de Mars se fait aussi sentir en Lion. Méfiez-vous de ces « amis » qui ont l'art de vous rendre coupable dès que vous prenez une minute de repos. Certains vous reprochent même votre générosité, alors que vous savez très bien qu'elle est indissociable de votre personnalité et de votre moi le plus profond. À partir du 7, sous l'influence de Vénus en Balance, huitième signe du vôtre, une fois encore, on essaiera de s'introduire chez vous et de vous prendre ce qui vous appartient. Et si on flirtait avec votre amoureux, comment réagiriez-vous ? À partir du 7, avec Mercure en Vierge, il serait bon que vous ayez une conversation à ce sujet avec votre partenaire. Est-il nécessaire qu'il vous trompe ? Pouvez-vous deviner tous ses désirs sentimentaux ? Sans doute pas. Il faut donc en parler. Pourquoi courir le risque de voir votre union se détruire quand tout est évitable ?

FAMILLE Voilà la famille au travail ! Vous aurez été nombreux à monter une entreprise avec un frère, une sœur, un oncle ou tout autre parent. C'est en marche. Ce mois-ci, sans doute y aura-t-il plusieurs réunions pour « fignoler » le tout. Peut-être ne s'agit-il, au départ, que d'une mini-PME. Mais l'énergie de tous les participants peut faire de celle-ci une entreprise d'envergure. On vous demandera de prendre la chose au sérieux ! Sous Jupiter en Lion, il est possible qu'un parent soit malade. Vous serez là pour le soigner, même s'il est capricieux ! Mais attention, n'en devenez pas l'esclave ! S'il a des enfants, il est possible que vous en ayez la charge pendant quelques semaines. Si vous êtes un grand-parent, vous devrez modifier votre emploi du temps pour voler au secours d'un de vos enfants et de vos petits-enfants. Les liens avec une famille qui n'a aucune parenté avec vous se resserreront davantage. Une épreuve pas forcément dramatique peut en être la raison.

SANTÉ Vous êtes sous l'influence de Mars et de Jupiter en Lion dans le sixième signe du vôtre. Dans le passé, si vous avez eu des problèmes cardiaques et des palpitations anormales, ne tardez pas et revoyez votre médecin. Sans doute devra-t-il changer la posologie d'un de vos médicaments.

TRAVAIL-ARGENT Le travail ne manquera pas. Il est même possible que vous soyez entre deux emplois, que vous ayez deux tâches plutôt lourdes à remplir, et tout cela simultanément. Si vous êtes dans l'enseignement, vous serez débordé. En somme, si votre travail vous met en relation avec les enfants, on aura grand besoin de vos services. Si vous êtes dans la vente et que vos produits ou services soient du luxe pour les consommateurs, vous augmenterez vos profits plus que vous ne pouvez l'imaginer. Les cosmétiques autant que les vêtements, spécialement ceux qui sont livrés à la maison, auront un succès fou ! Si vous êtes à votre compte dans un de ces domaines, vous serez débordé d'appels. La majorité d'entre vous auront de la chance dans leur secteur professionnel. Pendant que bien d'autres remontent la pente ou sont encore au creux de la récession, vous gagnez de l'argent.

CROYANCES Sous Jupiter en Lion, vous pourriez être exalté. Vous vous laissez emballer par une nouvelle foi religieuse. En fait, ce sera plutôt de la « religiosité » ! C'est une autre manière de raisonner votre peur du futur, de la calmer. Prenez garde de ne pas vous laisser absorber par des « vendeurs du temple » qui vous promettront le paradis à la fin de vos jours alors qu'il est très important de vivre votre vie de votre vivant. J'ai aussi la conviction qu'un monde existe après celui-ci, mais il est essentiel de vous occuper d'abord de l'instant présent.

QUI SERA LÀ ? Un Lion est plus présent que jamais. Peut-être est-il follement amoureux ? Un autre a besoin de vos soins et, dès l'instant où vous manifesterez que vous avez besoin d'un congé, attention il saura vous retenir. Il est facile de jouer avec votre culpabilité ! Un Sagittaire peut aussi attirer votre attention, il a besoin d'une écoute attentive. Pendant qu'une Balance vous sort de son cercle d'amis, une autre se rapproche davantage. Une Vierge flirte. Un Cancer vous déclare son amour ! Un Bélier vous manifeste beaucoup d'intérêt !

SEPTEMBRE 2002

AMOUR-AMITIÉ Nous avons presque tous bénéficié de trois mois de repos. Les divers événements de mai que vous avez vécus plus intensément que quiconque ont fini par s'estomper. Mais voilà qu'à partir du 9, Vénus entre en Scorpion et fera des aspects durs à Jupiter, à Uranus ainsi qu'à Neptune qui régit votre signe. En principe, vous serez témoin des malheurs des autres. En ce mois, Mars est en Vierge face à votre signe.Vous vous distancez de votre partenaire qui ne comprend pas pourquoi ? Mais il vous suffit de constater que des amis vivent une séparation ou sont sur le point de rompre pour que vous réagissiez par la peur que la même chose se produise dans votre vie. Il est important que vous raisonniez ce genre de situations. Ce n'est pas vous qui vivez une rompre, vous n'avez pas à vous accaparer les douleurs d'autrui. Pourquoi ne pas plutôt vous considérer chanceux d'avoir une union solide ? Ne vous laissez pas ébranler par vos amis. Sans s'en rendre compte, au fond d'eux-mêmes, ils voudraient que vous soyez comme eux ! La maturité ne vient pas en un jour. C'est un processus de toute une vie et pour chaque période il faut un nouvel apprentissage. Vous voilà à un moment de votre vie où il est impératif de vous détacher de ceux qui peuvent vous entraîner dans des sillons douloureux.

FAMILLE Si vous avez misé sur la vie en famille, vous devez en prendre soin. Si tel est votre bonheur, vous devez l'entretenir et le protéger des parasites. Si vous avez choisi d'être séparé des vôtres, que vous soyez homme ou femme, vous vivez avec les conséquences de vos actes. Cela semble plus difficile à supporter ce mois-ci. Si vous vivez en famille reconstituée, des problèmes seront soulevés entre les enfants de l'un et de l'autre, avec l'ex. La garde des enfants, la pension alimentaire à donner ou à recevoir, etc., tout devient plus complexe ! Si tout semblait réglé, attention vous avez tendance à revenir à la charge. Qui en paiera la facture, si ce ne sont les enfants ? Cette facture est sans prix, elle est évaluée en termes d'émotions. En tant que grand-parent, si vous êtes témoin d'une guerre familiale de cette sorte, il vaut mieux rester en retrait. Attendez qu'on vous demande de l'aide. Un parent est malade et vous êtes la seule personne disponible ? Sans doute devrez-vous, de temps à autre, insister pour qu'un autre membre de la famille prenne la relève !

SANTÉ Sous l'influence de Mars en Vierge, des maux de ventre ont pu survenir le mois dernier. Avez-vous fait comme si de rien n'était ou presque ? Il n'est pas impossible que vous soyez obligé de rentrer d'urgence à l'hôpital maintenant. Vous avez aggravé votre cas ! Encore ce mois-ci, si vous faites des allergies alimentaires qui se traduisent par des réactions cutanées désagréables, évitez cette nourriture. Vous savez très bien de quoi vous devez vous priver, n'est-ce pas ?

TRAVAIL-ARGENT Non seulement aurez-vous des tâches à remplir, mais il est fort possible que vous remplaciez les absents. Dans votre milieu de travail, vous avez manifesté des qualités de chefs et pris la défense d'employés mal rémunérés ou ne bénéficiant d'aucune sorte de protection ? Eh bien ! vous continuerez sur cette voie. Vous vous êtes imposé dans une grande entreprise, vous réussirez à réunir une majorité de gens dans votre camp, mais une minorité reste à convaincre. Plus le mois avancera, plus il sera difficile qu'ils se rangent à votre avis. Méfiez-vous de vos exagérations concernant les bénéfices qu'ils retireraient à vous faire confiance ! Certains ont une importante décision à prendre à la fin du mois au sujet de l'orientation de carrière. Ils seront nerveux et ne sauront que faire. Mais l'inspiration viendra, juste après la Pleine lune du 21. Il est aussi possible qu'un concours de circonstances les aide à faire un choix final. Une perte d'argent encourue par l'arrêt d'un travail est compensée par un cadeau qui semble tombé tout droit du ciel.

CROYANCES Il faut, selon vous, penser toutes choses avec logique ! En êtes-vous bien certain ? Ne vous pliez-vous pas à la mode du temps qui consiste à avoir le mental d'un ordinateur ou presque ? L'inspiration est toujours présente en vous ; cependant, il vous arrive de l'oublier et de faire confiance aux vendeurs de programmes informatiques censés penser à votre place ou presque. Laissez-vous filer sur les ailes du temps comme vous l'avez déjà fait. Absorbez ce qui vient de cet ailleurs, de l'inconnu appelé Univers. C'est là que sont contenues toutes les réponses, les vôtres surtout !

QUI SERA LÀ ? Un Taureau reste près de vous et vous aide dans vos choix. Un Scorpion n'intervient que s'il croit que vous faites fausse route. Un Capricorne est en amour. Un Cancer flirte, le voyez-vous ? Un autre vous tend la main, il est votre ami. Un Lion peut vous envier, mais ce n'est que très momentané ! Un Sagittaire requiert vos soins, moralement surtout ! Il a besoin de vos encouragements.

OCTOBRE 2002

AMOUR-AMITIÉ Vénus est en Scorpion donc dans le neuvième signe du vôtre. Elle est votre inspiration. À partir du 18, elle fera des aspects durs à Neptune, la planète qui régit votre signe. Les doutes risquent à nouveau de s'emparer de vous en ce qui concerne votre relation amoureuse. Vous aime-t-on profondément ? Tel que vous êtes ? Votre partenaire ne vous désirerait-il pas différent ? Attention, vous vous torturez moralement et mentalement. Mais n'est-ce pas là le résultat pour avoir secouru trop de gens en peine et n'avoir pas pris suffisamment soin de vous ? Il faut laisser tomber ces amis qui s'accrochent à vous parce qu'ils sont dans le désespoir. Même quand ils vous voient triste, ils ont du mal à croire que ce soit vrai ! Vous êtes aimé et même si on vous le dit maladroitement, excusez votre partenaire, c'est probablement la seule manière qu'il a d'exprimer ses émotions et ses sentiments.

FAMILLE Vous avez des enfants autour de vous ? Ils s'inquiètent de votre santé, de votre bien-être. Peut-être personne n'est-il encore capable de vous extirper de ce qui vous a blessé ? Vous êtes généralement une personne aimée par vos proches. Serrez la main qu'on vous tend. Lentement, au fil des jours, vous lèverez le voile sur vos frustrations. Elles ont provoqué un recul, un repli sur vous-même. Vous allez bientôt retrouver les vôtres le sourire aux lèvres. Ceux qui vous aiment profondément sont encore là. Pas une seconde, ils ne vous ont abandonné. C'est maintenant que vous le voyez. Vos enfants sont peut-être jeunes ? Il est normal qu'ils aient besoin de vous, de votre amour, de votre affection. Il est tout aussi normal qu'ils aient changé votre vie du tout au tout. Saturne est encore en Gémeaux. C'est cette planète qui de temps à autre jette des ombres sur votre joie de vivre. Ne laissez pas Saturne assombrir ce qui est beau en vous et autour de vous. Vous avez de nombreuses responsabilités, soutien de famille, pourvoyeur. Seul ou en couple, vous avez la force de passer à travers les épreuves. Mais peut-être s'agit-il pour vous d'aider votre partenaire ? Au fond, la situation est la même. Il n'est pas facile de garder le moral de jour en jour.

SANTÉ Quand il est question de santé, en ce qui vous concerne, trois éléments semblent dominer le zodiaque : le cœur, les intestins et la déprime ! Heureusement, tout cela sera soigné, surtout en ce mois où Jupiter fait un bon aspect à Pluton. Il s'agit là d'un excellent indice de guérison ou de récupération rapide.

TRAVAIL-ARGENT Vous ne manquerez pas d'argent, même si vous aviez peur d'y perdre quelque part. Les événements sont tels que vous en avez même plus que souhaité. Vous ferez sans doute quelques petites dépenses. Vous vous offrirez des cadeaux. Certains referont leur garde-robe et celle de leurs enfants. Et il en restera encore ! Jupiter est en Lion dans le sixième signe du vôtre, le secteur travail, et il fait un excellent aspect à Pluton. Ces planètes génèrent de l'énergie, mais sont aussi prometteuses de succès en affaires. Certains d'entre vous obtiendront une promotion, un poste mieux rémunéré. D'autres parachèveront des arrangements avec l'entreprise qui les emploie afin de travailler de la maison. Si vous êtes en quête d'emploi, cherchez ! Vous ne mettrez pas longtemps à trouver. Surtout regardez du côté artistique où il y a une multitude de postes à combler. L'un d'eux est fait sur mesure pour vous. Si vous êtes un artiste à succès, sans doute ferez-vous beaucoup parler de vous ce mois-ci. Vos cachets augmenteront !

CROYANCES La pire faute est sans doute le mensonge qui ruine la réputation, qui induit quelqu'un erreur. Le mensonge a un tas de conséquences qui prennent parfois des proportions dramatiques. Si vous êtes ce Poissons qui ment pour tout et rien, de grâce, corrigez-vous rapidement. Ne déclenchez pas une guerre supplémentaire ! Si vous êtes un Poissons pur d'intention et bon envers autrui, non seulement vous ouvrez-vous les portes d'un savoir nouveau, rempli d'une grande paix intérieure, mais vous guidez aussi les autres, par votre exemple.

QUI SERA LÀ ? Une Balance vous donne une leçon de vie. Une Vierge peut vous reprocher une faute commise il y a longtemps, mais qui a des répercussions maintenant. Un Gémeaux vous aide, surtout vers la fin du mois et à un moment où vous avez besoin d'un service. Un lien se resserre avec un Lion amical. Un Scorpion reste présent dans votre vie, malgré la distance qu'il a parfois mise entre vous.

NOVEMBRE 2002

AMOUR-AMITIÉ Depuis la mi-octobre, un autre mouvement pacifique se pointe en vous, autour de vous. Il a fait jour lentement, mais le voilà maintenant entier. Si vous êtes en amour, vous serez capable d'exprimer vos sentiments en détail et en couleurs. Vous ne refoulez plus, vous laissez couler. Si vous êtes aimé autant que vous aimez, ce sera évident autour de vous et de l'autre. Quand vous serez ensemble, on aura l'impression que vous êtes tous deux enveloppés d'une aura lumineuse. Si vous êtes encore célibataire, demandez-vous si vous n'avez pas choisi qu'il en soit ainsi. La réponse est assurément non. Qui donc autour de vous n'a pas intérêt à vous voir tomber amoureux ? Qui donc vous perdrait, si vous aviez une vie de couple bien à vous ? Qui est cette ou ces personnes qui ne recevraient plus vos attentions si vous étiez heureux avec quelqu'un d'autre ? Cherchez, vous trouverez la réponse. En tant que douzième signe du zodiaque, il arrive qu'on se serve de vous et que, sans malice apparente, on fasse en sorte que vous ne trouviez pas votre âme sœur. Il est facile de penser que cela peut être le père, la mère, un frère, une sœur. Mais pourquoi ne serait-ce pas cet ami qui s'accroche à vos pas et a constamment besoin que vous lui disiez quoi faire ? Pourquoi ne serait-ce pas cet ami qui vous fait croire que vous lui êtes indispensable ? Mais peut-être avez-vous déjà vécu une grande déception dont vous ne vous êtes pas remis ? Jupiter en Lion vous tire de là ! Suivez la lumière.

FAMILLE Dans ce ciel, plusieurs aspects harmonieux vous concernent. La vie est plus belle avec tous les membres de votre famille. Vos enfants se rapprochent. Peut-être ne voient-ils plus cette peur qui, malgré vous, passait dans vos yeux. Elle a disparu. Les enfants sont heureux. Les petits et les grands. L'un des vôtres manifeste un talent particulier. S'il est en âge de l'exprimer clairement, vous serez le premier surpris de le voir s'engager davantage dans son art. Vous serez étonné de constater qu'il a obtenu un prix ou une mention spéciale. Mais peut-être vos enfants sont-ils des adultes, capables de prendre une grande décision, celle qui change leur destin. Vous pourriez apprendre qu'un des vôtres a décidé de partir pour l'étranger afin d'y étudier ou pour y travailler. Au fond, vous l'aviez préparé à tout ce que l'on peut vivre sur cette planète. Il a choisi l'autre bout du monde. Vous verserez sans doute des larmes, mais la plupart seront de réjouissances. S'il est heureux, vous l'êtes aussi. Comment pourrait-il en être autrement ? Si vous avez été séparé d'un enfant pour cause de divorce houleux, il est possible qu'il revienne vers vous. Vous lui ouvrirez votre porte !

SANTÉ Le spectre de palpitations cardiaques hors normes plane toujours sur votre signe et principalement chez ceux qui déjà ont eu des problèmes mais qui ont été soignés. Si c'est votre cas, ce mois-ci, vous vous portez beaucoup mieux. Il faudra simplement penser à calmer votre mental si vous avez l'impression que votre cœur palpite trop vite. À la fin du mois, vous serez tenté d'en faire plus qu'il n'en faut dans la maison. Faites-vous aider si vous souffrez déjà de fréquents maux de dos.

TRAVAIL-ARGENT En principe, le travail est régulier. Vous maintenez votre rythme. Vous êtes capable d'une grande vitesse quand c'est nécessaire de réagir, mais vous savez aussi retrouver votre énergie en vous décontractant dès que vous le pouvez. Si vous entreprenez des poursuites judiciaires contre un individu ou une entreprise, votre cause sera rapidement éclairée. Plutôt qu'un procès, sans doute obtiendrez-vous un règlement financier hors cour très avantageux. Si vous êtes le poursuivi, vous serez assez habile pour faire traîner la cause, au point où la partie adverse abandonnera. Il y a ici une très grosse part de chance ! Certains d'entre vous sont sur le point de prendre leur « retraite » négociée. À la fin du mois, ils sauront qu'ils obtiennent tout ce qu'ils exigeaient ! Côté carrière, vous êtes sur une pente plutôt chanceuse. Une très grosse part du gâteau vous revient, où que vous soyez et quoi que vous fassiez.

CROYANCES Novembre c'est le mois où la nature se retire tout doucement. Les mystères s'enfouissent à nouveau sous la terre qui se glace. Vous êtes un signe d'hiver, vous connaissez déjà les secrets qui dorment sous la neige. À votre naissance, le ciel vous a donné une magnifique intuition et la capacité de deviner les gens pour mieux les servir !

QUI SERA LÀ ? Une Balance vous donne la direction à suivre et peut-être vous ouvre-t-elle une autre voie afin que vous vous réalisiez selon le profond désir que vous ne pouvez exprimer qu'à elle. Un Scorpion se tient encore en retrait mais il veille sur vous, sur votre sommeil, à distance, par communication psychique et parfois télépathique. Vous avez l'amour d'un Cancer, d'un Capricorne, d'un Taureau ou d'un Gémeaux, ou vous êtes sur le point de le découvrir.

DÉCEMBRE 2002

AMOUR-AMITIÉ Nous voici au dernier mois de l'année, celui des réjouissances, celui de la fête de la paix. Il n'est pas certain qu'elle règne partout sur la planète. Mais vous la possédez en vous et vous la partagez avec votre partenaire. Nous voici à une étape où vous êtes plus passionné que jamais, plus affectueux, plus démonstratif. Tout cela ne déplaira pas à votre partenaire qui vous attendait parfois depuis un bon moment ! Si vous êtes jeune, amoureux fou, un avis s'impose : vous êtes particulièrement fertile ! Les contraceptifs sont en vente partout si vous en avez besoin. Si c'est un bébé que vous voulez, vous l'aurez dans neuf mois ! Si quelqu'un flirte avec vous depuis quelques semaines ou des mois, peut-être devriez-vous laisser tomber les barrières et lui faire confiance. Après tout, cette personne n'est-elle pas encore là alors que vous avez presque tout fait pour la décourager ? Ne l'avez-vous pas éprouvée dans le but d'être sûr qu'on tenait à vous ? Il est temps de préparer la fête de Noël paisiblement et en bonne compagnie !

FAMILLE Si quelques planètes désunissent certains signes du zodiaque, ce n'est pas votre cas, à moins que votre thème natal ne révèle des aspects d'une extrême dureté. En majorité, vous serez bienheureux en famille et même les gens les plus heureux en ces temps troublés. Vous réunirez ceux que vous aimez. Peut-être ne l'aviez-vous plus fait depuis quelques années ? Vous déciderez que c'est à votre tour d'ouvrir votre porte. Si vous avez de petits enfants, vous n'avez pas à vous inquiéter, ils resteront auprès de vous tout le mois. Mais si vos enfants sont des grands adolescents ou des adultes qui habitent encore à la maison, à la fin du mois, l'un d'eux voudra vous emprunter votre voiture. Si vous savez qu'il pourrait ne pas être sage et boire pas mal d'alcool, rendez-lui service, ne la lui prêtez pas. Plusieurs indices laissent présager des accidents sur la route pour cause d'ébriété au volant. Si vous avez dans l'idée de monter en voiture avec un parent qui a bu, reculez et cela quel que soit le jour du mois. Ne laissez personne ruiner ces fêtes qui, chez vous, peuvent être presque parfaites.

SANTÉ Si vous avez été malade, vous récupérez très bien ! Vous serez même plus en forme qu'avant votre problème. On vous indiquera un régime, vous aurez peut-être des médicaments à prendre, suivez les prescriptions. La vie vous préserve, aidez-la à se maintenir au plus haut degré de la forme.

TRAVAIL-ARGENT Ce n'est pas avant le vendredi 20 que vous ralentirez votre rythme. Vous serez pressé de terminer un maximum de tâches avant que l'année s'achève, mais une autre commencera et serez-vous toujours en état d'urgence. Il est vrai que si vous travaillez dans un hôpital, les heures supplémentaires seront nombreuses. En compensation, il y a toujours la rémunération, un revenu additionnel qui vous permettra de payer votre solde de carte de crédit plus rapidement ! Si vous êtes en finances et placements, les hauts et les bas vous énerveront énormément. Il serait préférable que vous minimisiez les risques. Sur le zodiaque, les représentations boursières ne sont guère rassurantes. Si votre travail vous oblige à de multiples déplacements pour aller à la rencontre de clients, soyez prudent sur la route, surtout si le chemin est long. Lorsque vous serez fatigué, arrêtez-vous, reposez-vous, récupérez. Il est inutile d'avoir un accrochage, vous iriez moins loin que voulu ! À partir du 9, sous l'influence de Mercure en Capricorne, le digne seigneur des communications et du travail fait un bon aspect à votre signe, il vous tiendra très occupé ! Certains d'entre vous devront faire un effort pour s'arrêter pendant les Fêtes ! À moins que vous ne soyez médecin, pompier, policier, ambulancier, etc., dans ce cas, les appels seront très nombreux.

CROYANCES Pendant toute l'année vous avez été sous l'influence du Nœud nord en Gémeaux. Ce signe d'air sème le doute et vous a souvent fait croire que la logique est préférable à l'intuition. Alors que ces deux qualités font tout simplement partie de vous. Elles sont inséparables dans l'être humain. Ce Nœud nord vous en fait voir de toutes les couleurs intérieurement et plus particulièrement en amour et avec la famille. Il vous a aussi fait voir plus clairement qui devait rester près de vous et qui devait sortir de votre vie. Mais ce Nœud nord en Gémeaux n'a pas encore terminé sa route. Il vous agacera encore jusqu'au 13 avril 2003 ; rassurez-vous, vous avez déjà traversé le pire !

QUI SERA LÀ ? Un Scorpion vous stimule, il vous fait grandir. Un autre Poissons, s'il est le moindrement superficiel dans ses considérations, vous agace et vous ne le ménagerez pas. Vous pourriez tomber amoureux d'un Cancer, d'un Taureau, d'un Capricorne ou d'une Vierge, ou poursuivre une relation déjà en cours avec l'un d'eux. Un Lion vous invite à la fête et un Sagittaire se fait musicien rien que pour vous voir rire !

POISSONS ASCENDANT BÉLIER

Vous êtes né de Neptune et de Mars. Neptune est paisible, Mars l'est beaucoup moins puisqu'il est symbole de guerre. Il est aussi celui qui est toujours pressé, même quand rien ne bouscule !

De juillet 2001 à juillet 2002, Jupiter est en Cancer dans le cinquième signe du vôtre et le quatrième de votre ascendant. Jupiter, ainsi que les maisons astrales dans lesquelles il se trouve, est principalement axé vers les enfants, que vous soyez déjà parent ou que vous le deveniez d'ici juillet, il vous concerne directement. Cette position de Jupiter concerne aussi la place que vous occupez au sein de votre famille. Il est aussi possible que vous deveniez le père ou la mère suppléant d'un enfant dont les parents sont très occupés. Certains d'entre vous prendront soin d'un parent âgé et malade. Il peut être question de déménager ou de réaménager la maison de la cave au grenier. Sous Jupiter en Cancer, vous aurez souvent envie de changer les meubles de place, pour faire circuler l'énergie. Les uns achèteront leur première propriété. D'autres vendront une maison qu'ils habitent depuis longtemps et devront ainsi se détacher de divers objets ayant une valeur plus sentimentale que matérielle. En somme, durant les sept premiers mois de 2002, tout se passe de l'intérieur de vous. Si vous avez un talent d'artiste, sous Jupiter en Cancer, vous mijoterez le bouillon de votre œuvre, lentement vous lui donnerez forme. Il ne serait pas étonnant que votre création ait un lien avec les enfants actuels. Vos idées sont en rapport avec eux et ce qui touche leurs potentiels dans notre monde des communications. Vous pouvez transmettre vos idées par écrit ou sous forme de dessins, de peintures ou de sculptures, de musique, etc. Jupiter en Cancer sera un plongeon au cœur de vous-même, un temps d'introspection nécessaire, un temps pour établir vos nouveaux repères pour votre propre avenir.

D'août 2002 à août 2003, Jupiter sera en Lion dans le sixième signe du vôtre et le cinquième de votre ascendant. Il exercera une forte poussée pour mettre vos résolutions en action. Jupiter en Lion concerne votre travail et souvent un meilleur emploi, si c'est ce que vous avez voulu et ce pour quoi vous avez beaucoup travaillé. Cela se traduira par une promotion, un poste qui vous mettra bien en évidence et vous permettra d'avoir une plus grande influence sur tous ceux qui vous entoureront. Jupiter en Lion vous avertit de prendre soin de votre santé, d'adopter un régime alimentaire sain et énergisant. Vous en aurez besoin pour rester en forme. Votre programme sera sans aucun doute chargé.

POISSONS ASCENDANT TAUREAU

Vous êtes né de Neptune et de Vénus dans un signe de terre. Vous êtes un idéaliste, mais vous avez aussi les deux pieds sur terre ! Vous êtes bon mais vous n'êtes pas naïf. Vous êtes généreux, mais vous restez sélectif. Vous donnez à ceux qui ont vraiment besoin d'aide. S'il y a chez vous une grande tolérance envers le genre humain, d'un autre côté, vous n'hésitez pas à dénoncer la méchanceté quand vous en êtes témoin. Vous avez le respect de la vie, c'est oui à la paix et non à la guerre !

De juillet 2001 à juillet 2003, vous serez sous l'influence de Jupiter en Cancer, cinquième signe du vôtre et troisième de votre ascendant. Vous serez nombreux à vous engager dans un mouvement pacifiste en ces temps troublés. Vous le ferez oralement ou par écrit. De nombreux comédiens sont nés sous votre signe et votre ascendant, pour ces derniers c'est à travers leur métier qu'ils présenteront des projets de ralliement pour la paix.

Jupiter en Cancer, c'est aussi l'attention que vous accorderez à votre famille. Vous effectuerez un rapprochement avec vos frères et sœurs ou avec un parent dont vous vous étiez séparé depuis quelques mois. Si vous avez un emploi, en principe, rien ne s'arrête, au contraire, vous « montez » d'un autre cran dans l'entreprise. Si déjà votre travail vous oblige à voyager, sans doute sous Jupiter en Cancer vous déplacerez-vous davantage afin de représenter votre entreprise. Si vous êtes dans un domaine médical, que vous fassiez de la recherche, que vous preniez soin des personnes malades, vous serez excessivement débordé. Nombre d'entre vous accepteront d'aller à l'étranger pour soigner les défavorisés qui sont légion à l'autre bout de la planète. Vous êtes un être sensible et la situation sociale d'ici et d'ailleurs ne vous laisse pas indifférent. Vous considérez qu'il est de votre devoir de donner de vous-même, parce que vous avez beaucoup reçu de la vie.

D'août 2002 à août 2003, Jupiter est en Lion dans le sixième signe du vôtre et le quatrième de votre ascendant. Si vous êtes souvent parti, si vous avez voyagé, sous Jupiter en Lion, ce sera la continuité dans les déplacements. Par moments, vos proches auront l'impression que vous avez déménagé sans le leur dire ! Sous Jupiter en Lion, quoi que vous fassiez, quel que soit votre métier, vous ne passerez pas inaperçu. Vous oserez prendre la parole quand il s'agira de défendre votre position ou celle de vos collègues. Vous serez le père ou la mère de tout le monde. En fait, vous démontrerez une force que peut-être vous pensiez ne pas posséder dans le milieu où vous êtes déjà engagé. Le travail ne manque pas et l'argent non plus. Vous avez tout ce dont vous avez besoin pour vivre. Et il vous en reste même pour faire des économies. Sous Jupiter en Lion, vous mettrez de l'ordre dans votre famille. Vous démontrerez à des parents qui vous ont mal jugé à quel point leurs jugements ont été hâtifs. Vous ne serez pas agressif ; vous serez ferme et modéré. Certains d'entre vous sont peut-être devenus parents d'un premier ou d'un second enfant et prennent leur rôle très au sérieux. D'autres songeront à adopter un enfant et entreprendront les démarches qui s'imposent. Sous Jupiter en Lion, il sera aussi question d'acheter une première propriété ou d'apporter d'importantes rénovations à celle qu'ils possèdent. Il s'agira non pas d'embellir mais de moderniser afin d'avoir chez soi un maximum de commodités.

POISSONS ASCENDANT GÉMEAUX

Vous êtes un double signe double. Ici Neptune et Mercure sont réunis. Vous aimeriez prendre soin de tout le monde, vous vous sentez responsable du monde entier... N'est-ce pas trop sur vos épaules ? N'avez-vous pas parfois du mal à respirer ? Ne vous sentez-vous pas étouffé par toutes ces charges que vous acceptez ? Saturne est en Gémeaux et se ballade autour de votre ascendant. Il a tendance à renforcer votre sens des responsabilités. À certains d'entre vous, Saturne en Gémeaux donne un goût de pouvoir, un puissant désir d'ascension et un immense déploiement de leurs énergies pour l'atteindre. Pendant ce temps de lutte pour le sommet, ne négligez-vous pas votre famille ? N'êtes-vous pas démesurément préoccupé par le succès et la gloire ? Voilà que Jupiter en Cancer vous sert de garde-fou et vous ramène lentement à des considérations plus personnelles.

De juillet 2001 à juillet 2002, Jupiter est en Cancer dans le cinquième signe du vôtre et le deuxième de votre ascendant. En tant que parent, même si vous voulez offrir le maximum de confort à vos enfants, il est bien évident que c'est votre présence qu'ils réclament le plus. Jupiter en Cancer vous en fait prendre conscience. De toute manière, tous vos efforts en vue de solidifier votre carrière donneront d'excellents résultats. En principe, vous gagnerez plus d'argent. Si vous êtes dans le commerce, à votre compte, vos clients seront plus nombreux Vous serez obligé d'embaucher pour répondre à la demande. Si vous avez l'intention de monter votre affaire, sans doute s'agira-t-il d'une entreprise familiale. Les discussions iront bon train et les décisions seront prises rapidement et avec justesse. S'il vous faut faire un emprunt, vous l'obtiendrez.

Puis d'août 2002 à août 2003, Jupiter est en Lion dans le sixième signe du vôtre et le troisième de votre ascendant. Vos problèmes respiratoires tels l'asthme demandent une médication à portée de la main, en tout temps. Soyez aussi plus attentif à ce que vous mangerez si vous faites une allergie à certains aliments que votre système digestif refuse, et cela pendant 12 mois à partir d'août 2002. Ce sera aussi le moment de trouver une solution définitive à ce genre de problèmes. Vous trouverez le bon médecin, celui qui trouvera la source première de ce mal. Jupiter en Lion, dans le troisième signe de votre ascendant et sixième du Poissons, laisse présager la maladie d'un frère ou d'une sœur. Sans doute n'êtes-vous pas un guérisseur mais votre présence sera rassurante et aidera le malade à reprendre courage et à lutter contre sa maladie. Si votre travail vous oblige à voyager, sous Jupiter en Lion, vous serez obligé de faire rapidement vos malles et, la plupart du temps, avec moins d'un jour et même moins de quelques heures de préavis ! De quoi surprendre la famille qui fort heureusement savait déjà qu'il pouvait en être ainsi !

POISSONS ASCENDANT CANCER

Vous êtes un double signe d'eau. Vous êtes sensible. Votre Soleil est dans le neuvième signe de votre ascendant. Vous possédez ce qu'on appelle un mental supérieur ; votre logique est étroitement reliée à votre intuition. Il est impossible de savoir laquelle vient en premier. Quoi qu'il en soit, le résultat est le même, vous vous faufilez dans ce monde comme un poisson dans l'eau. Vous avez une capacité d'adaptation hors du commun. Dès qu'un problème surgit, vous y trouvez une solution temporaire ou permanente, tout dépend toujours de la situation.

De juillet 2001 à juillet 2002, Jupiter est en Cancer sur votre ascendant. Si vous cherchez un emploi, vous trouvez mieux que ce à quoi vous vous attendiez. Si vous êtes à contrat, quand l'un finira un autre commencera peu de temps après. Si vous avez une expérience solide dans un domaine bien précis, vous pourriez obtenir une promotion. Vous vous retrouvez responsable de plusieurs employés et d'un énorme travail à produire dans un temps relativement court. Si on vous met au défi, vous le relevez.

Si vous vivez au même endroit depuis longtemps, il vous arrivera de songer à déménager. La présence de Saturne en Gémeaux dans le douzième signe de votre ascendant vous fera hésiter. Partir ou rester ? Jupiter en Cancer l'emporte : vous restez !

Si vos enfants sont petits, vous serez si près d'eux et si protecteur que votre surveillance deviendra épuisante, non seulement pour vous mais également pour eux. Ils vous trouveront accaparant même s'ils sont d'âge préscolaire ! Ne soyez pas étonné lorsque certains jours, débordants d'énergie, ils réussiront à vous faire sortir de vos gonds ! Si vos enfants sont grands, des adolescents, des presque adultes, sans doute manifesteront-ils le désir de voler de leurs propres ailes. Leur message sera clair ! Ils feront des choix pour leur avenir et vous ne pourrez que vous incliner. Il n'y a sous ce ciel aucun indice de malentendus, mais plutôt une belle harmonie entre vos grands et vous.

D'août 2002 à août 2003, Jupiter est en Lion dans le sixième signe du vôtre et le deuxième de votre ascendant. Cela représente un coup d'argent ! La principale provenance de cette somme est votre travail. Vous pourriez aussi hériter, alors que vous ne pensiez pas même avoir un seul parent riche dans votre famille. Quelqu'un a pu mettre une assurance-vie à votre nom. Et en dernier lieu, peut-être gagnerez-vous à la loterie ? Il n'est pas exclu que vous vendiez votre maison, si vous êtes propriétaire. On vous en offrira un prix tellement plus élevé que celui payé que vous jugerez qu'il est dans votre intérêt de vendre.

Vous travaillerez beaucoup sous Jupiter en Lion, en contrepartie vous négligerez votre santé. Vous mangerez à des heures irrégulières. Vous dormirez moins et vous supporterez des malaises, tout cela jusqu'au moment où vous serez obligé de vous rendre à l'hôpital ! Mais il n'est pas souhaitable que vous agissiez ainsi. Si votre médecin vous recommande de passer des examens médicaux, quelle qu'en soit la raison, allez-y. Il vaut mieux prévenir que de devoir subir une opération l'année prochaine. Vous pourriez aussi devoir vous soigner avec la rigueur d'un soldat en mission. Vous ferez probablement quelques voyages à l'étranger, sous Jupiter en Lion. Sans doute vos destinations seront-elles celles où le soleil brille ! Dans ces pays où la nourriture est très différente de la nôtre, il sera important que vous soyez sélectif.

Votre système digestif sera plus fragile et il est essentiel que vous ne buviez que de l'eau pure ! Jupiter en Lion vous procurera plus d'aisance matérielle, mais il est tout aussi important que vous conserviez votre bien-être physique !

POISSONS ASCENDANT LION

Vous êtes né de Neptune et du Soleil ! Vous donnez l'impression d'être une personne indépendante. Mais si on analyse bien votre signe et votre ascendant, on se rend compte que ce dernier, sixième signe du Poissons et régi par le Soleil, vous donne l'impression que vous devez être utile et bon envers chacun. Le Soleil ne doit-il pas réchauffer tous les être humains ? Étant né de Neptune, vous vous sentez aussi obligé de sauver le monde ! Cela provient autant d'un besoin de donner que d'être aimé.

De juillet 2001 à juillet 2002, vous êtes sous l'influence de Jupiter en Cancer, cinquième signe du vôtre et douzième de votre ascendant. Faites attention, car durant les sept premiers mois de l'année, de nombreuses gens seront autour de vous et pas toujours avec l'intention de vous rendre service. Ils sont là pour vous arracher ce qui vous appartient. Les uns vous voleront du temps, d'autres vous demanderont un prêt. Vous aurez du mal à résister. Plus que jamais, vous aurez la sensation qu'il « faut » dire oui. Il y a des parasites à expulser de votre vie. Ces sept premiers mois de 2002 vous suggèrent de faire un tri de tous ces gens que vous connaissez. Vous êtes généralement populaire dans votre milieu, mais plusieurs de vos amis devraient quitter les lieux. S'ils vous parasitaient jadis, en ces sept premiers mois de 2002, ils risquent de demander plus qu'auparavant. Ils profiteront d'un de vos moments de faiblesse, de fatigue ou de distraction pour obtenir de vous une autre faveur, un cadeau quelconque. Malheureusement, votre don pourrait vous placer vous-même dans une situation difficile.

En tant que parent, Jupiter en Cancer ainsi positionné vous rend non pas uniquement attentif à vos enfants mais extrêmement inquiet. Vous voudrez faire leur bonheur à leur place ! N'est-ce pas mission impossible ? Il est également possible qu'un de vos enfants soit malade. Peut-être n'aura-t-il que plusieurs rhumes qui se succéderont, mais dans chacun vous verrez le pire !

Jupiter en Cancer dans le douzième signe de votre ascendant vous invite à réfléchir à votre dévouement excessif envers les uns et les autres et à vous modérer. Au travail tout va bien. Vous avez un poste qui n'est pas le moindrement menacé, mais vous entretiendrez un sentiment d'insécurité. Vous serez aussi très nombreux à vouloir changer d'orientation de carrière. Mais n'en faites rien sous Jupiter en Cancer. Puis, Jupiter sera en Lion d'août 2002 à août 2003, ce sera dans la maison astrale nommée ascendant. Si vous aviez perdu confiance en vous, si vous avez été malade, si votre moral a été à plat, vous remonterez rapidement la pente. Jupiter en Lion étant dans le sixième signe du vôtre représente votre position au travail. Sans doute y aura-t-il amélioration de vos conditions. Si vous décidez de faire moins d'heures une semaine, si vous le demandez, vous obtiendrez cette faveur. Il est également possible que vous pénétriez un nouveau milieu professionnel grâce à une connaissance ou à un parent. Il n'est pas exclu de travailler de la maison. Cela changera complètement votre façon de vivre votre quotidien, mais vous vous y adapterez assez vite.

Jupiter en Lion concerne encore vos enfants. Si vous êtes amoureux et n'avez pas d'enfant, il sera question de fonder un foyer. Votre partenaire et vous n'aurez pas de longues discussions sur ce sujet ! Vous serez d'accord. Pour certains, il s'agira d'un deuxième ou même d'un troisième enfant. Sous votre signe et votre ascendant, il est rare que maternité ou paternité ne fasse pas partie de votre plan de vie. Si vous faites partie des *baby boomers*, vous pourriez apprendre que vous serez grand-parent. Naturellement, ce nouveau « statut » vous rendra heureux, plus encore que vous l'avez imaginé. Pendant 12 mois, Jupiter en Lion vous permettra de récolter ce que vous avez semé pendant de nombreuses années, un bien-être émotionnel, une meilleure santé et une plus grande aisance matérielle.

POISSONS ASCENDANT VIERGE

Vous êtes né avec votre signe opposé ou complémentaire en ascendant. Il faut généralement de nombreuses années avant que vous compreniez que vous ne devez pas donner tout ce que vous gagnez, tout ce que vous êtes... Vous avez le sens du sacrifice ! Et en amour, l'illusion qu'on puisse vous aimer autant que vous aimez est vive ! Cependant, ce rêve d'amour est souvent déçu, à de très rares exceptions près ! En gros, en long et en large, il arrive malheureusement d'être manipulé par votre partenaire et ce, que vous soyez homme ou femme. Mais vient toujours le moment de la guérison des maux de l'âme. À votre éveil à la réalité, vous constatez l'échange inégal des beaux sentiments ainsi qu'à l'acceptation qu'il ne puisse en être autrement entre êtres humains ! Votre signe étant le douzième signe du zodiaque, vous êtes pur, votre ascendant l'est moins. Il a tendance à faire des calculs « mercuriels » ; pour lui vous donnez, alors, en principe, vous devriez recevoir autant ! La Sagesse du Poissons a fait son œuvre et qui peut sur le zodiaque donner plus que vous ? Est-ce possible ? Il faut en douter. Si à tout hasard vous avez un esprit « tordu » et êtes devenu un champion manipulateur, vous faites partie d'une minorité. Sous ce ciel, Jupiter étant un grand justicier, il vous fera payer la facture !

De juillet 2001 à juillet 2002, Jupiter est en Cancer dans le cinquième signe du vôtre et le onzième signe de votre ascendant. Si vous avez vécu plusieurs ruptures, par l'entreprise d'un ami vous rencontrerez enfin l'amour, le vrai, le grand, celui avec qui vous vivrez de nombreuses et heureuses années. Même si vous êtes encore jeune et n'avez pas souffert de déceptions amoureuses, Jupiter en Cancer vous présente votre âme sœur. Vous la connaîtrez d'abord sous les traits d'un bon ami. Nombreux sont ceux qui retrouvant l'Amour accepteront de le vivre en famille reconstituée. Jupiter en

Cancer est paisible. Il vous permet d'établir avec ces enfants qui ne sont pas les vôtres, un lien agréable et joyeux. La famille reconstituée sera unie. Puis d'août 2002 à août 2003, Jupiter est en Lion et cette fois dans le douzième signe de votre signe. C'est triste, mais votre bonheur risque d'être troublé par des jaloux. Vous aurez intérêt à les chasser aussitôt qu'ils apparaîtront dans votre vie ! Vous les verrez clairement. Vous les pressentirez comme si vous les portiez dans vos tripes. Surtout ne leur donnez pas la chance de s'installer chez vous, ils colleraient ! Au travail, vous occupez un poste confortable, des envieux se manifesteront sous Jupiter en Lion. Ne tolérez pas qu'ils ruinent vos heures de travail. Soyez ferme et retournez-le dans le secteur qui est le leur. Faites-vous plaisir, protégez-vous ainsi que vos acquis. Il vous est même permis de vous défendre et de temps à autre d'être agressif, quand il y a nécessité ! Vous êtes suffisamment bon juge pour savoir jusqu'où vous pouvez accepter qu'on pénètre sur votre territoire professionnel ou personnel.

POISSONS ASCENDANT BALANCE

Vous êtes né de Neptune et de Vénus qui, cette fois, n'est plus dans un signe de terre comme le Taureau, mais dans un signe d'air où le sens du calcul ne s'absente jamais. Vous êtes généralement charmant et apparemment contre les conflits. Cependant, votre ascendant étant celui de la justice, vous n'hésitez pas à combattre pour faire valoir vos droits, vos valeurs, vos croyances. La justice de la Balance dans votre ascendant est humaine et personnelle. Elle n'appartient pas à l'universel. La Balance, votre ascendant, correspond au huitième signe du Poissons et la plupart de vos luttes sont matérielles. Vous voulez gagner plus, l'emporter sur l'autre ou les autres. Votre ambition est voilée par Vénus. Vous avez un sourire sur des dents serrées, puisque le but est de gagner, quel que soit l'enjeu. Ce portrait peut sembler dur à certains d'entre vous, mais il est celui de la majorité. Si vous êtes l'exception, si votre but est de vous défendre afin que le meilleur soit, vous ne recherchez ni la gloire ni le pouvoir, mais plutôt le bien-être de ceux qui vous entourent, leur confort, leur bonheur. Votre identification première est le travail ! Si vous êtes le Poissons-Balance de bonne souche, vous consacrez un temps fou au boulot. Vous êtes dévoué. Vous aimez follement votre partenaire et jamais vous ne le jugez ; jamais vous ne craignez que quelqu'un puisse vous dépasser, car vous êtes bien au-dessus de ces considérations.

En 2002, la différence entre le bon et le moins bon sera très évidente. L'honnête Poissons-Balance, s'il est dans le commerce augmentera sa clientèle, s'il a une entreprise familiale, un parent proposera d'investir et en peu de temps, les profits augmenteront. Jeune, amoureux, si vous désirez un enfant, vous serez béni. Si vous êtes seul, célibataire, c'est probablement un membre de votre famille qui vous présentera la personne que vous aimerez et dont vous serez aimé longtemps !

Si toutefois vous avez triché en affaires, si vous vous êtes introduit dans une histoire de famille et que vous ayez brouillé les pistes, votre complot sera percé à jour bien avant que l'an 2002 se termine. D'août 2002 à août 2003, Jupiter est en Lion dans le secteur représentant vos amis. En tant que Poissons-Balance négatif, vos ennemis se révéleront et dénonceront vos combines malhonnêtes. Si, au contraire, vous êtes de la race des justes, vous verrez apparaître des amis prêts à vous aider dès que vous en manifesterez le besoin, avant même que vous en donniez le signal. Votre signe et votre ascendant sont rarement entre le bien et le mal. C'est l'un et l'autre ! Si une moitié n'est que bonté, justice, service à autrui, amour désintéressé, l'autre moitié trompe, triche, vole et recherche l'admiration plutôt que l'amour.

POISSONS ASCENDANT SCORPION

Au cours des derniers mois de l'an 2000, et durant une bonne partie de 2001, vous avez été nombreux à changer de style de vie, d'orientation de carrière. Peut-être êtes-vous devenu parent ou grand-parent. Vous avez fait des changements dans votre maison, celle que vous habitez et celle qu'habite votre âme ! Vous avez fait le ménage dans vos idées, croyances et valeurs. Certains ont combattu une maladie ou des maux de toutes sortes. D'autres ont clarifié leur vie familiale ou compris, même sur le tard, en grands adultes qu'ils devaient accepter leurs parents tels qu'ils avaient été, tels qu'ils le sont. Vous avez souvent été troublé, mais la paix s'est tracé un chemin... N'avez-vous pas l'impression de n'être plus tout à fait le même ? De juillet 2001 à juillet 2002, Jupiter est en Cancer dans le neuvième signe du vôtre. Il a naturellement de multiples symboles. Si vous êtes sans amour depuis longtemps, ne désespérez pas ! Au cours des sept premiers mois de 2002, lors du passage de Jupiter en Cancer, on vous présentera un être d'une grande sagesse. Jupiter en Cancer représente la seconde union, papiers officiels inclus. Jupiter en Cancer est pour de nombreux Poissons le signal d'un départ à l'étranger, de vivre ailleurs, de changer d'air, de se faire de nouveaux amis, de s'engager dans une autre voie professionnelle, de s'initier à une philosophie, d'étudier une autre langue, etc. En quelque sorte, Jupiter en Cancer vous pousse à expérimenter. Pour la majorité, les choix seront les meilleurs qui soient. Si vous êtes amoureux, si vous avez déjà un enfant, vous ne songerez pas longtemps à un second. C'est dans l'air ! Pour quelques Poissons-Scorpion, ce sera la « réussite » de la famille reconstituée. Chacun y trouve l'harmonie qui pendant longtemps n'a été qu'un rêve. Vous conservez votre emploi, rien ne présage un congédiement. Vous êtes au contraire sur la liste de ceux qui seront promus avec augmentation de salaire. Si vous avez fait des démarches pour dénicher du boulot, vous trouverez selon vos compétences. Vous obtiendrez aussi une juste rémunération. Puis d'août 2002 à août 2003, Jupiter est en Lion dans le sixième signe du vôtre et dixième de votre ascendant.Il vient solidifier tout ce que vous aurez mis en place, sous Jupiter en Cancer. Il représente l'accumulation du bien accompli. Une épreuve peut survenir sous Jupiter en Lion : un parent âgé est malade, sans doute lui rendrez-vous fréquemment des visites à l'hôpital. Pour ce qui est de votre propre santé, vous ferez plus attention à vous.

Il suffit parfois de constater les maux des autres pour réveiller en soi la nécessité de demeurer énergique.

Sous Jupiter en Lion, si vous avez eu quelques petits problèmes avec votre belle-famille, vous y mettrez de l'ordre. Vous ne ferez aucune colère, il n'y aura aucune sanction à prendre, ce sera un simple règlement de différends. Vous serez si diplomate et aimable qu'il sera impossible qu'on ne comprenne pas vos explications. Vous demandez simplement la paix entre tous. Et vous l'aurez !

POISSONS ASCENDANT SAGITTAIRE

Vous êtes né de Neptune et de Jupiter. Neptune vient en aide à l'humanité. Jupiter éclaire les hommes par sa connaissance. Ce qui souvent fait de vous un merveilleux professeur. Vous n'avez nullement besoin d'un diplôme pour enseigner la paix et l'harmonie. Vous transportez ces vibrations depuis le jour de votre naissance. Mais peut-être avez-vous été confus durant une partie de 2001. Vous ne saviez plus qui vous étiez ! Étiez-vous encore capable d'aimer, de donner ou même de penser ? Et ces gens qui vous entouraient étaient-ils tous bons pour vous ? N'étiez-vous pas jalousé ? Ne vous a-t-on pas aussi trahi ? Votre union ne traversait-elle pas de hautes montagnes ? Pensiez-vous pouvoir les traverser ? Certains sont même devenus dépressifs, tant la pression était forte. Vous émergez lentement, vous retrouvez votre énergie, votre vitalité et le sens de la vie.

De juillet 2001 à juillet 2002, vous êtes sous l'influence de Jupiter en Cancer, cinquième signe du vôtre et huitième de votre ascendant. Durant les sept premiers mois de l'année, si vous avez vécu une rupture, il est normal que vous soyez en phase de réadaptation. Personne n'y échappe dans une telle situation. Elle est plus longue, si vous avez des enfants avec votre ex-partenaire. Les ajustements familiaux sont plus délicats. Même si deux adultes ne peuvent plus vivre ensemble, chacun continue d'aimer ses enfants. Vous achèverez de régler les questions financières, que vous soyez celui qui reçoit ou celui qui verse une pension alimentaire.

Il est possible que durant ce temps de réajustements vous rencontriez une personne avec qui vous établirez spontanément un lien. Vous tomberez amoureux et on sera en amour avec vous !

À partir d'août 2002 et jusqu'en août 2003, Jupiter est en Lion dans le sixième signe du vôtre et le neuvième de votre ascendant. Cela laisse présager un meilleur emploi pour les uns, un boulot pour ceux qui n'en ont pas et, dans l'ensemble, des conditions de vie matérielles plus agréables. Pendant que la récession se poursuit, de votre côté, vous remontez la pente et très rapidement, sous l'influence de Jupiter en Lion. Il est possible que vous soyez nombreux à être réembauchés par l'entreprise qui vous avait congédiés à cause d'inévitables restrictions budgétaires. D'autres seront initiés à des tâches entièrement différentes et trouveront un énorme plaisir à apprendre. Par ailleurs, vous serez nombreux à retourner étudier afin de parfaire une formation ou pour vous spécialiser dans le domaine où vous œuvrez déjà. Si votre travail vous oblige à voyager, sous Jupiter en Lion, vous serez appelé à un très grand nombre de déplacements et parfois plusieurs semaines de suite.

Si vous êtes encore célibataire, en juillet 2002, même si vous ne croyez plus en l'amour, celui-ci ne vous a pas oublié ! Et avant que l'an 2002 se termine, vous aurez rencontré une personne extraordinaire, probablement dans votre milieu de travail ou par hasard grâce à l'un de vos collègues. Vous avez un talent artistique ? Sous Jupiter en Lion, si vous êtes débutant, il est possible que vous ayez une montée fulgurante de créativité. Par contre, si votre nom est établi, vous serez plus populaire. Vos œuvres et votre talent quel qu'il soit seront plus en demande que jamais.

POISSONS ASCENDANT CAPRICORNE

Vous êtes né de Neptune, le rêveur, et de Saturne, le réaliste ! Votre Soleil dans le troisième signe de votre ascendant vous donne un esprit rapide. Vous êtes souvent un intrépide, alors qu'on vous avait cru traditionnel et bien rangé ! Vous êtes une boîte à surprises pour les gens qui vous entourent. Vous êtes en général secret. Vous ne révélez pas vos grands plans de vie. Vous craignez d'être critiqué et, mieux, vous n'êtes pas le moindrement intéressé à ce qu'on discute de votre cas ! Puis hop !, un beau matin, tout est non seulement décidé mais accompli ! Vous voilà en pleine réorientation de carrière. Votre premier choix naturellement étonne vos proches.

De juillet 2001 à juillet 2002, Jupiter est en Cancer dans le cinquième signe du vôtre et le septième de votre ascendant. Votre partenaire pourrait prendre une décision sans vous consulter. Vous n'en serez pas très heureux. Si vous avez des enfants avec lui, vous ferez tout en votre pouvoir pour garder votre calme et avoir une explication intelligente et approfondie. Vous êtes plus déterminé que vous en donnez l'impression. Vous finissez toujours par tout connaître de l'autre et des autres, leurs raisons et leurs motifs profonds d'agir comme ils le font. Vous avez un extraordinaire esprit d'analyse. Lorsque vous vous fâchez, le prétexte n'est jamais bien loin ! Il n'est pas non plus exclu que vous soyez celui qui emboîte le pas à une nouvelle carrière. Cependant, contrairement à votre partenaire, rien ne sera caché. Votre décision sera déjà prise lorsque vous lui en parlerez, que cela plaise ou déplaise.

Si vous êtes jeune, amoureux, et n'avez pas d'enfant, Jupiter en Cancer laisse présager une maternité ou une paternité. Si vous êtes parent de pré-adolescents ou d'adolescents, vous resserrerez les règlements de la maison. Vous imposerez à chacun des tâches précises, parce que vous êtes plus occupé mais également parce que vous jugez qu'il est temps pour eux de prendre leurs responsabilités. Vous les préparez à devenir adultes !

Sous votre signe et votre ascendant, il arrive que vous ne preniez pas soin de votre corps. Vous ne faites pas d'exercice, vous mangez trop, vous prenez trop d'alcool ou vous ne dormez pas suffisamment. Vous ressentirez quelques malaises sous Jupiter en Cancer. Il s'agira d'avertissements que vous devriez prendre au sérieux.

D'août 2002 à août 2003, vous serez sous l'influence de Jupiter en Lion, sixième signe du vôtre et huitième de votre ascendant. Si sous Jupiter en Cancer vous avez été gourmand et avez commis des abus quelle qu'en soit leur nature, sous Jupiter en Lion, des maux plus graves peuvent apparaître. Il faudra vous faire un devoir de visiter votre médecin et d'écouter ce qu'il vous conseillera. Jupiter en Lion correspond à une baisse d'énergie si jamais vous n'avez pas été sage envers vous.

Jupiter en Lion, c'est aussi la passion que vous mettrez au travail, à une réussite particulière, à une création, à un objectif hors du commun. Pendant 12 mois, vous devez vous « pousser » vers le succès que vous entrevoyez. Il est important que pendant tout ce temps vous ayez de l'énergie physique en grande quantité. Sous Jupiter en Cancer, le sucre que vous aimez tant risque de vous épuiser plutôt que de vous stimuler. Votre système ne veut plus de ce genre de gâteries. Si vous ne vous en privez pas... malheureusement Jupiter en Lion vous en fera payer la note, en jouant avec votre pression tel un yo-yo ! Que vous ayez 15, 30, 50 ou 70 ans, ces avis au sujet de votre santé sont les mêmes. La différence est que si vous êtes jeune, vous y résistez mieux !

Jupiter en Lion est un moment de déploiement de vos talents. D'un autre côté, il laisse présager à plusieurs d'entre vous la maladie d'un parent et automatiquement des visites imprévues à l'hôpital ! Un membre de votre famille est peut-être un grand dépressif, sans doute ira-t-il vers vous plus souvent. Il appelle au secours et vous ne serez pas sans voir ses signaux d'alarme. Même si vous ne l'avez pas choisi, la responsabilité d'aider le malade vous revient. Un Poissons a bon cœur. Saturne ne peut se durcir devant la faiblesse des autres, il en est incapable. Saturne a même la possibilité de donner le courage d'en sortir à celui qui est détresse !

POISSONS ASCENDANT VERSEAU

Vous êtes né de Neptune et Uranus.Vous n'êtes que rarement une personne calme. Uranus est la planète qui déclenche des événements auxquels vous êtes mêlé et que vous n'avez nullement choisis. Ils vous sont imposés par les autres, autant par des inconnus que par des membres de votre famille. Au fond, vous subissez les soubresauts de la vie d'autrui. Vous êtes incapable de ne pas voler à leur secours. Votre Soleil dans le deuxième signe du vôtre est matérialiste, ce qui est complètement opposé à votre signe et à votre ascendant, tous deux entièrement détachés des biens de la terre, ou presque. Vous êtes capable de grands discours sur l'argent et les agréments d'en posséder, mais vous êtes aussi doué pour le dépenser. Neptune qui régit votre signe est pacifiste. Uranus à votre ascendant symbolise votre hérédité et parfois la confusion qu'il règne dans votre famille. Au sein de celle-ci, la guerre sourd mais n'éclate que rarement. Vous n'êtes pas sans ressentir cette tension, vous la sentez vibrer en vous, mais vous en faites abstraction sinon la paix de Neptune en sera troublée.

De juillet 2001 à juillet 2001, Jupiter est en Cancer dans le cinquième signe du vôtre et le sixième de votre ascendant. Sous Jupiter en Cancer, le travail sera irrégulier. Il est possible que vous acceptiez d'apporter votre aide à un membre de votre famille. Jupiter en Cancer, c'est en quelque sorte l'obligation que vous vous faites de prendre soin d'un parent. Votre mère est ici fortement représentée ou votre fille. Jupiter symbolise une tante, peut-être cet autre membre de votre famille aura-t-il besoin de vos soins. Sous Jupiter en Cancer, vous serez transformé en soigneur ! Par moments, vous aurez l'impression que tout le monde fait exprès de tomber malade autour de vous ! Personne n'espère la maladie. Cependant, votre signe et votre ascendant sont tels que vous êtes toujours là quand la santé s'absente chez les uns et les autres.

Si vous avez choisi un métier dans le domaine de la santé, vous serez débordé ! Vous ne manquerez pas d'argent, au cours de la prochaine année, vous êtes même plutôt chanceux surtout si vous faites partie de ceux qui volent d'un emploi à un autre. On a toujours besoin de vous.

Certains d'entre vous ont choisi de terminer leurs études qu'ils avaient quittées par un malencontreux concours de circonstances. D'autres changeront carrément d'orientation. D'un choix précédent en sciences humaines, ils pourraient orienter leurs énergies vers l'administration, la comptabilité, devenir courtier ou agent d'assurance, etc. Si c'est votre choix, à partir d'août, vous pourriez encore changer d'avis !

D'août 2002 à août 2003, Jupiter est en Lion dans le sixième signe du vôtre et le septième de votre ascendant. Si vous êtes amoureux, un mariage tout ce qu'il y a de plus traditionnel est envisagé ! Que vous soyez le ou la mariée, sans doute y engloutirez-vous une très grosse somme ! Mais attention, Jupiter en Lion opposé à votre ascendant vous dit que ce n'est peut-être pas le bon moment de sceller une union ! Le jeu des apparences et votre désir de rentrer dans les rangs peuvent dominer l'amour vrai et authentique. Il est aussi possible que vous choisissiez quelqu'un pour ce qu'il représente et non pas pour ce qu'il est. Si vous avez rencontré cette personne sous Jupiter en Cancer, symbole familial, demandez-vous si vous n'êtes pas sous l'influence d'un parent qui aimerait vous voir « casé ». Une chose est certaine, c'est que sous Jupiter en Lion, où que vous alliez, vous ne passerez pas inaperçu. Vous serez si attirant ! Il est important, par contre, que vous ayez votre mot à dire... S'il est important d'être aimé, de votre côté, assurez-vous d'aimer l'autre. Vous n'êtes pas sans ressentir les gens qui se trouvent devant vous. Vous les voyez tels qu'ils sont, mais Uranus à l'ascendant qui est le plus haut niveau de raison, peut vous tromper. Il peut vous faire croire que vous avez des sentiments là où il n'y en a aucun. Sous Jupiter en Cancer, si vous avez l'objet d'incessants reproches dans votre couple, Jupiter en Lion n'en supporte plus aucun et il rompt ! Cela n'ira pas sans quelques grandes scènes ! Mais vous choisirez la liberté à la souffrance ! Rassurez-vous, vous ne serez pas seul longtemps sous Jupiter en Lion... Mais pour le prochain grand amour, voyez au-delà des apparences.

POISSONS ASCENDANT POISSONS

Vous êtes né doublement neptunien, que de sensibilité ! N'avez-vous pas l'impression d'avoir le monde sur vos épaules et d'être responsable de tout ce qui vit autour de vous ? N'êtes-vous pas ému quand vous constatez les violences qui se produisent ici et là ? Et quand l'un des vôtres souffre, n'êtes-vous pas le premier sur les lieux ? Vous êtes compassion, tolérance et bonté... À moins que vous n'ayez adopté l'autre extrême de votre signe : regarder sans intervenir, sans vous sentir concerné, vivre de rêves, vous nourrir d'illusions, rester immobile même quand l'urgence est sous vos yeux, etc.

De juillet 2001 à juillet 2002, Jupiter est en Cancer, signe d'eau comme le vôtre. Ceux qui correspondent à la première description se dévouent pour autrui, pour leur famille. Ils donnent même leur appui à des inconnus. Les autres restent figés en eux-mêmes et se plaignent que tout va mal. Ils disent que personne ne les aime.

Jupiter en Cancer est un lien direct avec vos enfants, s'ils sont petits, plus que jamais ils vous réclament au point où parfois vous vous demandez si votre partenaire existe ! En tant que parent d'adultes, si ceux-ci ont des problèmes, s'ils ont besoin de secours, vous accourez et vous offrez vos services. En cas de conflits ou de malentendus avec vos enfants, vous avez été assez sage pour avoir une conversation avec eux.

Sous Jupiter en Cancer, vous êtes heureux que la paix soit revenue. Jupiter en Cancer est dans le cinquième signe du vôtre. Il existe des Poissons-Poissons égoïstes, lorsque vos enfants ou même vos petits-enfants ont besoin de secours, vous vous êtes mis la tête dans le sable. Vous vous êtes dit qu'il vous fallait d'abord prendre soin de vous.

Mais Jupiter en Cancer a fait des êtres déjà généreux des individus plus altruistes qu'ils ne l'étaient. Jupiter en Cancer a fait des radins des personnes plus économes qu'auparavant, mais combien plus solitaires ! L'attitude que vous aurez eue sous Jupiter en Cancer se répercutera sous Jupiter en Lion.

D'août 2002 à août 2003, Jupiter sera en Lion dans le sixième signe du vôtre et le huitième du Poissons, votre ascendant qui est aussi neptunien. L'association entre cette sixième maison astrale et la huitième sous l'influence de Jupiter en Lion concerne votre santé. Si vous n'avez vécu que pour vous, Jupiter le justicier vous demandera des comptes. Vous aurez à vous soigner ou vous prendrez soin d'un proche. Il est possible que l'argent que vous avez compté comme un grippe-sous vous glisse entre les doigts. Tout à coup, vous vous mettrez à faire de mauvais placements. Il est possible que personne ne soit là au moment où vous ayez un urgent besoin d'aide ! Ce sont là les trois plus grandes punitions que la vie vous infligera. Quant au Poissons-

Poissons qui sera resté bon envers ses proches, honnête et généreux, il peut hériter alors qu'il n'attend rien, trouver un emploi mieux payé. S'il a été malade, il récupérera si rapidement que cela tiendra presque du miracle.

POSITION DE LA LUNE POUR CHAQUE JOUR DE L'ANNÉE 2002

JOUR	DATE	PLANÈTE	SIGNE	DÉBUT
JANVIER 2002				
Mardi	01/01/2002	Lune	en Lion	à partir de 0 h
Mercredi	02/01/2002	Lune	en Vierge	à partir de 18 h 30
Jeudi	03/01/2002	Lune	en Vierge	
Vendredi	04/01/2002	Lune	en Balance	à partir de 20 h 20
Samedi	05/01/2002	Lune	en Balance	
Dimanche	06/01/2002	Lune	en Scorpion	à partir de 23 h 40
Lundi	07/01/2002	Lune	en Scorpion	
Mardi	08/01/2002	Lune	en Scorpion	
Mercredi	09/01/2002	Lune	en Sagittaire	à partir de 5 h
Jeudi	10/01/2002	Lune	en Sagittaire	
Vendredi	11/01/2002	Lune	en Capricorne	à partir de 12 h 20
Samedi	12/01/2002	Lune	en Capricorne	
Dimanche	13/01/2002	Lune	en Verseau	à partir de 21 h 40
Lundi	14/01/2002	Lune	en Verseau	
Mardi	15/01/2002	Lune	en Verseau	
Mercredi	16/01/2002	Lune	en Poissons	à partir de 9 h
Jeudi	17/01/2002	Lune	en Poissons	
Vendredi	18/01/2002	Lune	en Bélier	à partir de 21 h 30
Samedi	19/01/2002	Lune	en Bélier	
Dimanche	20/01/2002	Lune	en Bélier	
Lundi	21/01/2002	Lune	en Taureau	à partir de 9 h 50
Mardi	22/01/2002	Lune	en Taureau	
Mercredi	23/01/2002	Lune	en Gémeaux	à partir de 19 h 30
Jeudi	24/01/2002	Lune	en Gémeaux	
Vendredi	25/01/2002	Lune	en Gémeaux	
Samedi	26/01/2002	Lune	en Cancer	à partir de 1 h 20
Dimanche	27/01/2002	Lune	en Cancer	
Lundi	28/01/2002	Lune	en Lion	à partir de 3 h 30
Mardi	29/01/2002	Lune	en Lion	
Mercredi	30/01/2002	Lune	en Vierge	à partir de 3 h 40
Jeudi	31/01/2002	Lune	en Vierge	

FÉVRIER 2002

Vendredi	01/02/2002	Lune	en Balance	à partir de 3 h 40
Samedi	02/02/2002	Lune	en Balance	
Dimanche	03/02/2002	Lune	en Scorpion	à partir de 5 h 30
Lundi	04/02/2002	Lune	en Scorpion	
Mardi	05/02/2002	Lune	en Sagittaire	à partir de 10 h 20
Mercredi	06/02/2002	Lune	en Sagittaire	
Jeudi	07/02/2002	Lune	en Capricorne	à partir de 18 h 10
Vendredi	08/02/2002	Lune	en Capricorne	
Samedi	09/02/2002	Lune	en Capricorne	
Dimanche	10/02/2002	Lune	en Verseau	à partir de 4 h 20
Lundi	11/02/2002	Lune	en Verseau	
Mardi	12/02/2002	Lune	en Poissons	à partir de 15 h 50
Mercredi	13/02/2002	Lune	en Poissons	
Jeudi	14/02/2002	Lune	en Poissons	
Vendredi	15/02/2002	Lune	en Bélier	à partir de 4 h 20
Samedi	16/02/2002	Lune	en Bélier	
Dimanche	17/02/2002	Lune	en Taureau	à partir de 17 h
Lundi	18/02/2002	Lune	en Taureau	
Mardi	19/02/2002	Lune	en Taureau	
Mercredi	20/02/2002	Lune	en Gémeaux	à partir de 3 h 50
Jeudi	21/02/2002	Lune	en Gémeaux	
Vendredi	22/02/2002	Lune	en Cancer	à partir de 11 h 20
Samedi	23/02/2002	Lune	en Cancer	
Dimanche	24/02/2002	Lune	en Lion	à partir de 14 h 30
Lundi	25/02/2002	Lune	en Lion	
Mardi	26/02/2002	Lune	en Vierge	à partir de 14 h 40
Mercredi	27/02/2002	Lune	en Vierge	
Jeudi	28/02/2002	Lune	en Balance	à partir de 13 h 50

MARS 2002

Vendredi	01/03/2002	Lune	en Balance	
Samedi	02/03/2002	Lune	en Scorpion	à partir de 13 h 50
Dimanche	03/03/2002	Lune	en Scorpion	
Lundi	04/03/2002	Lune	en Sagittaire	à partir de 16 h 50
Mardi	05/03/2002	Lune	en Sagittaire	
Mercredi	06/03/2002	Lune	en Capricorne	à partir de 23 h 40
Jeudi	07/03/2002	Lune	en Capricorne	
Vendredi	08/03/2002	Lune	en Capricorne	
Samedi	09/03/2002	Lune	en Verseau	à partir de 10 h
Dimanche	10/03/2002	Lune	en Verseau	
Lundi	11/03/2002	Lune	en Poissons	à partir de 22 h
Mardi	12/03/2002	Lune	en Poissons	
Mercredi	13/03/2002	Lune	en Poissons	
Jeudi	14/03/2002	Lune	en Bélier	à partir de 10 h 30
Vendredi	15/03/2002	Lune	en Bélier	
Samedi	16/03/2002	Lune	en Taureau	à partir de 23 h
Dimanche	17/03/2002	Lune	en Taureau	
Lundi	18/03/2002	Lune	en Taureau	
Mardi	19/03/2002	Lune	en Gémeaux	à partir de 10 h 20
Mercredi	20/03/2002	Lune	en Gémeaux	

Jeudi	21/03/2002	Lune	en Cancer	à partir de 19 h 10
Vendredi	22/03/2002	Lune	en Cancer	
Samedi	23/03/2002	Lune	en Cancer	
Dimanche	24/03/2002	Lune	en Lion	à partir de 0 h 10
Lundi	25/03/2002	Lune	en Lion	
Mardi	26/03/2002	Lune	en Vierge	à partir de 1 h 40
Mercredi	27/03/2002	Lune	en Vierge	
Jeudi	28/03/2002	Lune	en Balance	à partir de 1 h
Vendredi	29/03/2002	Lune	en Balance	
Samedi	30/03/2002	Lune	en Scorpion	à partir de 0 h 20
Dimanche	31/03/2002	Lune	en Scorpion	

AVRIL 2002

Lundi	01/04/2002	Lune	en Sagittaire	à partir de 1 h 50
Mardi	02/04/2002	Lune	en Sagittaire	
Mercredi	03/04/2002	Lune	en Capricorne	à partir de 7 h
Jeudi	04/04/2002	Lune	en Capricorne	
Vendredi	05/04/2002	Lune	en Verseau	à partir de 16 h 10
Samedi	06/04/2002	Lune	en Verseau	
Dimanche	07/04/2002	Lune	en Verseau	
Lundi	08/04/2002	Lune	en Poissons	à partir de 4 h
Mardi	09/04/2002	Lune	en Poissons	
Mercredi	10/04/2002	Lune	en Bélier	à partir de 16 h 40
Jeudi	11/04/2002	Lune	en Bélier	
Vendredi	12/04/2002	Lune	en Bélier	
Samedi	13/04/2002	Lune	en Taureau	à partir de 4 h 50
Dimanche	14/04/2002	Lune	en Taureau	
Lundi	15/04/2002	Lune	en Gémeaux	à partir de 16 h
Mardi	16/04/2002	Lune	en Gémeaux	
Mercredi	17/04/2002	Lune	en Gémeaux	
Jeudi	18/04/2002	Lune	en Cancer	à partir de 1 h
Vendredi	19/04/2002	Lune	en Cancer	
Samedi	20/04/2002	Lune	en Lion	à partir de 7 h 20
Dimanche	21/04/2002	Lune	en Lion	
Lundi	22/04/2002	Lune	en Vierge	à partir de 10 h 30
Mardi	23/04/2002	Lune	en Vierge	
Mercredi	24/04/2002	Lune	en Balance	à partir de 11 h 20
Jeudi	25/04/2002	Lune	en Balance	
Vendredi	26/04/2002	Lune	en Scorpion	à partir de 11 h 10
Samedi	27/04/2002	Lune	en Scorpion	
Dimanche	28/04/2002	Lune	en Sagittaire	à partir de 12 h 10
Lundi	29/04/2002	Lune	en Sagittaire	
Mardi	30/04/2002	Lune	en Capricorne	à partir de 16 h

MAI 2002

Mercredi	01/05/2002	Lune	en Capricorne	
Jeudi	02/05/2002	Lune	en Verseau	à partir de 23 h 40
Vendredi	03/05/2002	Lune	en Verseau	
Samedi	04/05/2002	Lune	en Verseau	
Dimanche	05/05/2002	Lune	en Poissons	à partir de 10 h 50
Lundi	06/05/2002	Lune	en Poissons	
Mardi	07/05/2002	Lune	en Bélier	à partir de 23 h 20

Mercredi	08/05/2002	Lune	en Bélier	
Jeudi	09/05/2002	Lune	en Bélier	
Vendredi	10/05/2002	Lune	en Taureau	à partir de 11 h 30
Samedi	11/05/2002	Lune	en Taureau	
Dimanche	12/05/2002	Lune	en Gémeaux	à partir de 22 h
Lundi	13/05/2002	Lune	en Gémeaux	
Mardi	14/05/2002	Lune	en Gémeaux	
Mercredi	15/05/2002	Lune	en Cancer	à partir de 6 h 30
Jeudi	16/05/2002	Lune	en Cancer	
Vendredi	17/05/2002	Lune	en Lion	à partir de 12 h 50
Samedi	18/05/2002	Lune	en Lion	
Dimanche	19/05/2002	Lune	en Vierge	à partir de 17 h
Lundi	20/05/2002	Lune	en Vierge	
Mardi	21/05/2002	Lune	en Balance	à partir de 19 h 20
Mercredi	22/05/2002	Lune	en Balance	
Jeudi	23/05/2002	Lune	en Scorpion	à partir de 20 h 40
Vendredi	24/05/2002	Lune	en Scorpion	
Samedi	25/05/2002	Lune	en Sagittaire	à partir de 22 h 20
Dimanche	26/05/2002	Lune	en Sagittaire	
Lundi	27/05/2002	Lune	en Sagittaire	
Mardi	28/05/2002	Lune	en Capricorne	à partir de 1 h 50
Mercredi	29/05/2002	Lune	en Capricorne	
Jeudi	30/05/2002	Lune	en Verseau	à partir de 8 h 30
Vendredi	31/05/2002	Lune	en Verseau	

JUIN 2002

Samedi	01/06/2002	Lune	en Poissons	à partir de 18 h 40
Dimanche	02/06/2002	Lune	en Poissons	
Lundi	03/06/2002	Lune	en Poissons	
Mardi	04/06/2002	Lune	en Bélier	à partir de 6 h 50
Mercredi	05/06/2002	Lune	en Bélier	
Jeudi	06/06/2002	Lune	en Taureau	à partir de 19 h
Vendredi	07/06/2002	Lune	en Taureau	
Samedi	08/06/2002	Lune	en Taureau	
Dimanche	09/06/2002	Lune	en Gémeaux	à partir de 5 h 30
Lundi	10/06/2002	Lune	en Gémeaux	
Mardi	11/06/2002	Lune	en Cancer	à partir de 13 h 20
Mercredi	12/06/2002	Lune	en Cancer	
Jeudi	13/06/2002	Lune	en Lion	à partir de 18 h 40
Vendredi	14/06/2002	Lune	en Lion	
Samedi	15/06/2002	Lune	en Vierge	à partir de 22 h 20
Dimanche	16/06/2002	Lune	en Vierge	
Lundi	17/06/2002	Lune	en Vierge	
Mardi	18/06/2002	Lune	en Balance	à partir de 1 h 10
Mercredi	19/06/2002	Lune	en Balance	
Jeudi	20/06/2002	Lune	en Scorpion	à partir de 3 h 40
Vendredi	21/06/2002	Lune	en Scorpion	
Samedi	22/06/2002	Lune	en Sagittaire	à partir de 6 h 40
Dimanche	23/06/2002	Lune	en Sagittaire	
Lundi	24/06/2002	Lune	en Capricorne	à partir de 11 h
Mardi	25/06/2002	Lune	en Capricorne	

Mercredi	26/06/2002	Lune	en Verseau	à partir de 17 h 30
Jeudi	27/06/2002	Lune	en Verseau	
Vendredi	28/06/2002	Lune	en Verseau	
Samedi	29/06/2002	Lune	en Poissons	à partir de 3 h
Dimanche	30/06/2002	Lune	en Poissons	

JUILLET 2002

Lundi	01/07/2002	Lune	en Bélier	à partir de 14 h 50
Mardi	02/07/2002	Lune	en Bélier	
Mercredi	03/07/2002	Lune	en Bélier	
Jeudi	04/07/2002	Lune	en Taureau	à partir de 3 h 10
Vendredi	05/07/2002	Lune	en Taureau	
Samedi	06/07/2002	Lune	en Gémeaux	à partir de 14 h 00
Dimanche	07/07/2002	Lune	en Gémeaux	
Lundi	08/07/2002	Lune	en Cancer	à partir de 21 h 40
Mardi	09/07/2002	Lune	en Cancer	
Mercredi	10/07/2002	Lune	en Cancer	
Jeudi	11/07/2002	Lune	en Lion	à partir de 2 h 10
Vendredi	12/07/2002	Lune	en Lion	
Samedi	13/07/2002	Lune	en Vierge	à partir de 4 h 40
Dimanche	14/07/2002	Lune	en Vierge	
Lundi	15/07/2002	Lune	en Balance	à partir de 6 h 40
Mardi	16/07/2002	Lune	en Balance	
Mercredi	17/07/2002	Lune	en Scorpion	à partir de 9 h 10
Jeudi	18/07/2002	Lune	en Scorpion	
Vendredi	19/07/2002	Lune	en Sagittaire	à partir de 13 h
Samedi	20/07/2002	Lune	en Sagittaire	
Dimanche	21/07/2002	Lune	en Capricorne	à partir de 18 h 20
Lundi	22/07/2002	Lune	en Capricorne	
Mardi	23/07/2002	Lune	en Capricorne	
Mercredi	24/07/2002	Lune	en Verseau	à partir de 1 h 40
Jeudi	25/07/2002	Lune	en Verseau	
Vendredi	26/07/2002	Lune	en Poissons	à partir de 11 h
Samedi	27/07/2002	Lune	en Poissons	
Dimanche	28/07/2002	Lune	en Bélier	à partir de 22 h 40
Lundi	29/07/2002	Lune	en Bélier	
Mardi	30/07/2002	Lune	en Bélier	
Mercredi	31/07/2002	Lune	en Taureau	à partir de 11 h 10

AOÛT 2002

Jeudi	01/08/2002	Lune	en Taureau	
Vendredi	02/08/2002	Lune	en Gémeaux	à partir de 22 h 40
Samedi	03/08/2002	Lune	en Gémeaux	
Dimanche	04/08/2002	Lune	en Gémeaux	
Lundi	05/08/2002	Lune	en Cancer	à partir de 7 h
Mardi	06/08/2002	Lune	en Cancer	
Mercredi	07/08/2002	Lune	en Lion	à partir de 11 h 30
Jeudi	08/08/2002	Lune	en Lion	
Vendredi	09/08/2002	Lune	en Vierge	à partir de 13 h
Samedi	10/08/2002	Lune	en Vierge	
Dimanche	11/08/2002	Lune	en Balance	à partir de 13 h 40
Lundi	12/08/2002	Lune	en Balance	

Mardi	13/08/2002	Lune	en Scorpion	à partir de 15 h
Mercredi	14/08/2002	Lune	en Scorpion	
Jeudi	15/08/2002	Lune	en Sagittaire	à partir de 18 h 20
Vendredi	16/08/2002	Lune	en Sagittaire	
Samedi	17/08/2002	Lune	en Sagittaire	
Dimanche	18/08/2002	Lune	en Capricorne	à partir de 0 h 10
Lundi	19/08/2002	Lune	en Capricorne	
Mardi	20/08/2002	Lune	en Verseau	à partir de 8 h 10
Mercredi	21/08/2002	Lune	en Verseau	
Jeudi	22/08/2002	Lune	en Poissons	à partir de 18 h 10
Vendredi	23/08/2002	Lune	en Poissons	
Samedi	24/08/2002	Lune	en Poissons	
Dimanche	25/08/2002	Lune	en Bélier	à partir de 5 h 50
Lundi	26/08/2002	Lune	en Bélier	
Mardi	27/08/2002	Lune	en Taureau	à partir de 18 h 30
Mercredi	28/08/2002	Lune	en Taureau	
Jeudi	29/08/2002	Lune	en Taureau	
Vendredi	30/08/2002	Lune	en Gémeaux	à partir de 6 h 40
Samedi	31/08/2002	Lune	en Gémeaux	

SEPTEMBRE 2002

Dimanche	01/09/2002	Lune	en Cancer	à partir de 16 h 10
Lundi	02/09/2002	Lune	en Cancer	
Mardi	03/09/2002	Lune	en Lion	à partir de 21 h 30
Mercredi	04/09/2002	Lune	en Lion	
Jeudi	05/09/2002	Lune	en Vierge	à partir de 23 h 10
Vendredi	06/09/2002	Lune	en Vierge	
Samedi	07/09/2002	Lune	en Balance	à partir de 23 h
Dimanche	08/09/2002	Lune	en Balance	
Lundi	09/09/2002	Lune	en Scorpion	à partir de 22 h 50
Mardi	10/09/2002	Lune	en Scorpion	
Mercredi	11/09/2002	Lune	en Scorpion	
Jeudi	12/09/2002	Lune	en Sagittaire	à partir de 0 h 40
Vendredi	13/09/2002	Lune	en Sagittaire	
Samedi	14/09/2002	Lune	en Capricorne	à partir de 5 h 40
Dimanche	15/09/2002	Lune	en Capricorne	
Lundi	16/09/2002	Lune	en Verseau	à partir de 13 h 50
Mardi	17/09/2002	Lune	en Verseau	
Mercredi	18/09/2002	Lune	en Verseau	
Jeudi	19/09/2002	Lune	en Poissons	à partir de 0 h 20
Vendredi	20/09/2002	Lune	en Poissons	
Samedi	21/09/2002	Lune	en Bélier	à partir de 12 h 10
Dimanche	22/09/2002	Lune	en Bélier	
Lundi	23/09/2002	Lune	en Bélier	
Mardi	24/09/2002	Lune	en Taureau	à partir de 0 h 50
Mercredi	25/09/2002	Lune	en Taureau	
Jeudi	26/09/2002	Lune	en Gémeaux	à partir de 13 h 20
Vendredi	27/09/2002	Lune	en Gémeaux	
Dimanche	29/09/2002	Lune	en Cancer	à partir de 0 h
Lundi	30/09/2002	Lune	en Cancer	

OCTOBRE 2002

Mardi	01/10/2002	Lune	en Lion	à partir de 7 h
Mercredi	02/10/2002	Lune	en Lion	
Jeudi	03/10/2002	Lune	en Vierge	à partir de 9 h 50
Vendredi	04/10/2002	Lune	en Vierge	
Samedi	05/10/2002	Lune	en Balance	à partir de 9 h 50
Dimanche	06/10/2002	Lune	en Balance	
Lundi	07/10/2002	Lune	en Scorpion	à partir de 9 h
Mardi	08/10/2002	Lune	en Scorpion	
Mercredi	09/10/2002	Lune	en Sagittaire	à partir de 9 h 20
Jeudi	10/10/2002	Lune	en Sagittaire	
Vendredi	11/10/2002	Lune	en Capricorne	à partir de 12 h 40
Samedi	12/10/2002	Lune	en Capricorne	
Dimanche	13/10/2002	Lune	en Verseau	à partir de 19 h 50
Lundi	14/10/2002	Lune	en Verseau	
Mardi	15/10/2002	Lune	en Verseau	
Mercredi	16/10/2002	Lune	en Poissons	à partir de 6 h 10
Jeudi	17/10/2002	Lune	en Poissons	
Vendredi	18/10/2002	Lune	en Bélier	à partir de 18 h 10
Samedi	19/10/2002	Lune	en Bélier	
Dimanche	20/10/2002	Lune	en Bélier	
Lundi	21/10/2002	Lune	en Taureau	à partir de 7 h
Mardi	22/10/2002	Lune	en Taureau	
Mercredi	23/10/2002	Lune	en Gémeaux	à partir de 19 h 20
Jeudi	24/10/2002	Lune	en Gémeaux	
Vendredi	25/10/2002	Lune	en Gémeaux	
Samedi	26/10/2002	Lune	en Cancer	à partir de 6 h 10
Dimanche	27/10/2002	Lune	en Cancer	
Lundi	28/10/2002	Lune	en Lion	à partir de 14 h 20
Mardi	29/10/2002	Lune	en Lion	
Mercredi	30/10/2002	Lune	en Vierge	à partir de 19 h
Jeudi	31/10/2002	Lune	en Vierge	

NOVEMBRE 2002

Vendredi	01/11/2002	Lune	en Balance	à partir de 20 h 30
Samedi	02/11/2002	Lune	en Balance	
Dimanche	03/11/2002	Lune	en Scorpion	à partir de 20 h 10
Lundi	04/11/2002	Lune	en Scorpion	
Mardi	05/11/2002	Lune	en Sagittaire	à partir de 20 h
Mercredi	06/11/2002	Lune	en Sagittaire	
Jeudi	07/11/2002	Lune	en Capricorne	à partir de 22 h
Vendredi	08/11/2002	Lune	en Capricorne	
Samedi	09/11/2002	Lune	en Capricorne	
Dimanche	10/11/2002	Lune	en Verseau	à partir de 3 h 20
Lundi	11/11/2002	Lune	en Verseau	
Mardi	12/11/2002	Lune	en Poissons	à partir de 12 h 40
Mercredi	13/11/2002	Lune	en Poissons	
Jeudi	14/11/2002	Lune	en Poissons	
Vendredi	15/11/2002	Lune	en Bélier	à partir de 0 h 40
Samedi	16/11/2002	Lune	en Bélier	
Dimanche	17/11/2002	Lune	en Taureau	à partir de 13 h 20

Lundi	18/11/2002	Lune	en Taureau	
Mardi	19/11/2002	Lune	en Taureau	
Mercredi	20/11/2002	Lune	en Gémeaux	à partir de 1 h 20
Jeudi	21/11/2002	Lune	en Gémeaux	
Vendredi	22/11/2002	Lune	en Cancer	à partir de 11 h 50
Samedi	23/11/2002	Lune	en Cancer	
Dimanche	24/11/2002	Lune	en Lion	à partir de 20 h
Lundi	25/11/2002	Lune	en Lion	
Mardi	26/11/2002	Lune	en Lion	
Mercredi	27/11/2002	Lune	en Vierge	à partir de 1 h 40
Jeudi	28/11/2002	Lune	en Vierge	
Vendredi	29/11/2002	Lune	en Balance	à partir de 4 h 50
Samedi	30/11/2002	Lune	en Balance	

DÉCEMBRE 2002

Dimanche	01/12/2002	Lune	en Scorpion	à partir de 6 h 20
Lundi	02/12/2002	Lune	en Scorpion	
Mardi	03/12/2002	Lune	en Sagittaire	à partir de 7 h
Mercredi	04/12/2002	Lune	en Sagittaire	
Jeudi	05/12/2002	Lune	en Capricorne	à partir de 8 h 40
Vendredi	06/12/2002	Lune	en Capricorne	
Samedi	07/12/2002	Lune	en Verseau	à partir de 12 h 50
Dimanche	08/12/2002	Lune	en Verseau	
Lundi	09/12/2002	Lune	en Poissons	à partir de 20 h 50
Mardi	10/12/2002	Lune	en Poissons	
Mercredi	11/12/2002	Lune	en Poissons	
Jeudi	12/12/2002	Lune	en Bélier	à partir de 8 h
Vendredi	13/12/2002	Lune	en Bélier	
Samedi	14/12/2002	Lune	en Taureau	à partir de 20 h 40
Dimanche	15/12/2002	Lune	en Taureau	
Lundi	16/12/2002	Lune	en Taureau	
Mardi	17/12/2002	Lune	en Gémeaux	à partir de 8 h 40
Mercredi	18/12/2002	Lune	en Gémeaux	
Jeudi	19/12/2002	Lune	en Cancer	à partir de 18 h 30
Vendredi	20/12/2002	Lune	en Cancer	
Samedi	21/12/2002	Lune	en Cancer	
Dimanche	22/12/2002	Lune	en Lion	à partir de 1 h 50
Lundi	23/12/2002	Lune	en Lion	
Mardi	24/12/2002	Lune	en Vierge	à partir de 7 h
Mercredi	25/12/2002	Lune	en Vierge	
Jeudi	26/12/2002	Lune	en Balance	à partir de 10 h 50
Vendredi	27/12/2002	Lune	en Balance	
Samedi	28/12/2002	Lune	en Scorpion	à partir de 13 h 40
Dimanche	29/12/2002	Lune	en Scorpion	
Lundi	30/12/2002	Lune	en Sagittaire	à partir de 16 h
Mardi	31/12/2002	Lune	en Sagittaire	